Y0-BSM-071

IL RINASCIMENTO ITALIANO E L'EUROPA

VOLUME QUARTO

Commercio e cultura mercantile

IL RINASCIMENTO ITALIANO E L'EUROPA

IL RINASCIMENTO ITALIANO E L'EUROPA

PIANO DELL'OPERA

VOLUME PRIMO
Storia e storiografia

VOLUME SECONDO
Umanesimo ed educazione

VOLUME TERZO
Produzione e tecniche

VOLUME QUARTO
Commercio e cultura mercantile

VOLUME QUINTO
Le scienze

VOLUME SESTO
Ritualità e stili di vita

VOLUME SETTIMO
Lo Stato

VOLUME OTTAVO
Luoghi, spazi, architetture

VOLUME NONO
La circolazione delle arti

VOLUME DECIMO
Religione e spiritualità

VOLUME UNDICESIMO
La filosofia

VOLUME DODICESIMO
Il Rinascimento e il mondo extraeuropeo

Il Rinascimento italiano e l'Europa
è pubblicato per iniziativa
e con il sostegno della

FONDAZIONE CASSAMARCA
Monti Musoni ponto dominorque Naoni

L'opera è diretta da
Giovanni Luigi Fontana
e Luca Molà

IL RINASCIMENTO ITALIANO E L'EUROPA

VOLUME QUARTO

Commercio e cultura mercantile

a cura di Franco Franceschi,
Richard A. Goldthwaite, Reinhold C. Mueller

FONDAZIONE CASSAMARCA

angelo colla editore

ISBN 978-88-89527-16-0
www.fondazionecassamarca.it
www.angelocollaeditore.it

Redazione: Anna Zangarini
Segreteria di redazione e ricerca iconografica: Luca Ramin
Segreteria organizzativa: Patrizia Fiori
Grafica: Studio Bosi, Verona

Presentazione

In molte città dell'Europa settentrionale ancora oggi i nomi di alcune vie ci ricordano il lungo predominio degli uomini d'affari italiani nel continente europeo, che ebbe il suo momento di massimo fulgore durante il Rinascimento. Forti di conoscenze tecniche e capacità imprenditoriali affinate in secoli di esperienza maturata in mercati che spaziavano dal Catai a tutto il bacino del Mediterraneo, gli italiani rifornirono di merci pregiate e gestirono le finanze delle corti del Rinascimento, dall'Inghilterra alla Spagna, dalla Francia alla Borgogna, e grazie al loro raggio d'azione internazionale svolsero il ruolo di diffusori del gusto italiano in Europa. Se a splendere tutt'oggi, nell'eredità culturale di quello straordinario periodo della civiltà europea, sono soprattutto i capolavori artistici e letterari, non bisogna scordare che molto spesso a commissionare queste opere nella veste di mecenati furono proprio i grandi mercanti e banchieri della Penisola (basti citare per tutti i nomi di Cosimo de' Medici e Agostino Chigi).

Sia il terzo volume del *Rinascimento italiano e l'Europa* sia il quarto – che lo segue ora a soli sei mesi di distanza – hanno per oggetto i beni di lusso di cui le città italiane rinascimentali furono produttori leader in Europa. Ma mentre in *Produzione e tecniche* l'attenzione era focalizzata sulle innovazioni tecnologiche e sul trasferimento di conoscenze e competenze utili alla produzione dei beni, il volume dedicato a *Commercio e cultura mercantile*, invece, indaga soprattutto il tema della circolazione di quei beni sia sui mercati europei sia su quelli del vicino Oriente, fossero essi tessuti di lana, drappi di seta, armi o antichità.

Nel loro vasto raggio di attività, durante il *lungo* Rinascimento, gli uomini d'affari italiani rafforzarono la propria leadership anche nel campo della teorizzazione e della sperimentazione delle moderne pratiche commerciali e finanziarie: dalla partita doppia al sistema delle assicurazioni e delle comunicazioni postali, fino alla messa a punto di un complesso di servizi creditizi integrati (banchi di deposito, Monti di pietà e banchi pubblici) in grado di dare sostegno alla produzione, al commercio e anche al consumo.

In definitiva, proprio ai mercanti-banchieri e alla circolazione di beni e conoscenze tecniche legate al mondo degli affari, protagonisti dei saggi di questo denso e affascinante volume, dobbiamo gran parte di quel patrimonio storico-culturale di lungo periodo ancora vivo e presente tanto nelle grandi collezioni d'arte quanto nel quotidiano operare di imprese e istituzioni che nel periodo qui esaminato potranno ritrovare le loro radici.

Avv. On. Dino De Poli
Presidente Fondazione Cassamarca

Introduzione

La questione delle origini di un'economia che può essere definita europea viene solitamente affrontata all'interno della tematica della rivoluzione commerciale dei secoli X-XIII, *processo che portò ad un forte sviluppo mercantile in una struttura economica fino ad allora prevalentemente agraria e locale. L'elemento più dinamico di questa trasformazione fu rappresentato dalla circolazione di merci tra l'Europa e il Levante, ovvero tra un'area relativamente isolata e 'sottosviluppata' ed una fortemente sviluppata, basata su grandi mercati urbani, su una lunga tradizione di produzione artigianale orientata verso l'esportazione e su estese reti commerciali che penetravano verso est fino all'India e alla Cina e verso sud fino all'Africa subsahariana. Quel che i mercanti europei cercavano nelle grandi città bizantine e musulmane erano i prodotti pregiati che solo queste potevano offrire: la vasta gamma delle 'spezie' (pepe e sostanze simili, ma anche profumi, incenso, medicinali, zucchero), pietre preziose e semi-preziose, seterie e tele di vario tipo, carta, sapone, ceramica, tappeti e oggetti in metallo. In cambio gli occidentali vendevano quel che potevano trovare nei mercati relativamente arretrati dell'Europa, in particolare materie prime (legno, metalli più o meno preziosi, pellicce), schiavi, prodotti agricoli e, con l'andar del tempo, manufatti come le armi e soprattutto i panni di lana.*

L'iniziativa di questi traffici veniva dall'Occidente 'sottosviluppato', non dal Medio Oriente. L'Italia faceva da ponte tra i due mondi e i suoi mercatores, *innanzitutto quelli delle città portuali di Amalfi, Venezia, Pisa e Genova, furono i primi a penetrare nei mercati levantini. Essenziale per l'attività degli uomini d'affari italiani fu la crescita del settore manifatturiero, fattore spesso trascurato nella storiografia sulla rivoluzione commerciale. Se inizialmente fu l'Europa a subire gli effetti di una bilancia dei pagamenti sfavorevole, presto – almeno per la Penisola – la situazione cambiò: gli italiani, infatti, cominciarono a produrre da soli i manufatti che in precedenza dovevano importare e nel Quattrocento essi erano addirittura in grado di esportare nel mondo musulmano, in parte 'deindustrializzato', drappi di seta, carta, vetro, ceramica, sa-*

pone, metalli lavorati, tele di cotone e misto lino. A quest'epoca gli unici articoli che arrivavano dai paesi musulmani erano i tappeti orientali, un prodotto tipico delle regioni scarsamente sviluppate e che rappresenta un indicatore significativo dell'inversione di rotta delle due economie e delle rispettive posizioni di partenza: il dinamismo economico dei vari stati territoriali italiani da un lato, la stagnazione o declino del mondo musulmano dall'altro.

Fino a questo punto la storia economica dell'Italia è assai nota, fondata com'è su una ricca tradizione storiografica che affonda le sue radici nel tardo Ottocento. Il presupposto fondamentale di questo quarto volume dedicato a Commercio e cultura mercantile *– concepito in stretto collegamento con quello che lo precede nella collana (*Produzione e tecniche, *a cura di Philippe Braunstein e Luca Molà) – è di estendere tale tradizione sia nel tempo che nello spazio: nel primo caso scegliendo come arco cronologico l'epoca compresa fra Trecento e Seicento, che il Comitato Scientifico dell'opera ha identificato come Rinascimento, un lungo Rinascimento; nel secondo spostando l'attenzione dal Mediterraneo e dal Medio Oriente all'Europa settentrionale e nord-occidentale. Le mura cittadine, il campanilismo, le divisioni accademiche tra Medioevo ed Età moderna, la catena delle Alpi hanno rappresentato gli ostacoli principali per una storia economica dell'Italia rinascimentale intesa come parte della più generale vicenda europea. Un ulteriore elemento frenante risiede, paradossalmente, nell'abbondanza della documentazione: molti archivi italiani, infatti, sono talmente ricchi che gli specialisti sono scarsamente incoraggiati a guardare oltre la 'propria' storia o le 'proprie' storie; perfino gli studiosi stranieri, per i quali questa ricchezza costituisce un forte motivo di attrazione, tendono a rinunciare alla comparazione con le realtà poste fuori dalla Penisola.*

Nel delineare il progetto dei due volumi non si pretendeva di offrire una visione globale delle economie italiane nell'arco dei secoli XIV-XVII, né ci si attendeva che le ricostruzioni relative ai singoli ambiti territoriali si ricomponessero in un quadro unitario (sebbene non vada trascurato il fatto che almeno in alcuni campi, come quello dell'innovazione tecnologico-industriale, le iniziative dei mercanti tendessero a superare i confini politici configurando i contorni di un'economia peninsulare in grado di rapportarsi, sempre attraverso i suoi attori, con le emergenti economie nazionali del Nord). Alla possibilità di costruire sintesi basate esclusivamente sugli studi esistenti, spesso limitati, si è preferito un taglio che puntasse a suscitare problemi, a indicare nuove direzioni di ricerca e, ridefinendo l'arco cronologico, a collocare gli indubbi successi della creatività e produttività italiane nel più vasto panorama dei cambiamenti rivoluzionari che segnarono il mondo moderno. Per fare ciò era importante che i diversi contributi gettassero un ponte sugli abissi storiografici che hanno frammentato le ricerche di storia economica sulla Penisola in storie regionali e separato gli sviluppi medievali da quelli dell'epoca moderna. Non sta ai curatori giudicare se questi obiettivi siano stati raggiunti e in che misura, ma l'augurio è che il lavoro svolto possa aprire la strada a quella storia della circolazione dei beni materiali, degli uomini e dei saperi mercantili tra l'Italia rinascimentale e il resto d'Europa che resta ancora da scrivere.

Il primo dei nuclei tematici di questo volume, il commercio di alcuni tipi di beni che abbiamo ritenuto particolarmente indicativi del clima economico rinascimentale, rimanda ad una questione che risulta centrale anche nei saggi del precedente: se gli uomini d'affari italiani riuscirono a ridurre fortemente la dipendenza dei mercati della Penisola dai manufatti levantini, e a vendere quei medesimi beni – ora prodotti in Italia – sui mercati del Levante, ebbero la stessa capacità di affermarsi nelle regioni dell'Europa settentrionale? Alla luce dei contributi raccolti nei due volumi la risposta, nel lungo periodo, sembra essere negativa.

In rapporto alla fascia più elevata dei consumi l'industria di maggior successo era quella della seta. Nel corso dei secoli XV *e* XVI *quest'attività si era radicata nelle maggiori città italiane e aveva trovato sbocchi per i suoi tessuti in Francia, Inghilterra, Fiandre, Germania, Polonia, ma con il passare del tempo gli imprenditori transalpini, e in particolare i francesi, svilupparono una propria manifattura che si insinuò nei mercati esteri controllati dagli italiani, anche se essi non ne vennero estromessi completamente. In un segmento di mercato inferiore l'industria della ceramica trovò anch'essa spazi commerciali all'estero, ma non alimentò mai una forte corrente di esportazioni perché già nel Cinquecento i produttori europei iniziarono a creare articoli che potevano soddisfare la domanda locale. Nei settori del vetro, della carta e del bronzo ad essere esportati non erano i prodotti ma le tecnologie, e ciò favorì lo sviluppo di queste industrie nell'Europa settentrionale. In breve, mentre nel tardo Medioevo i mercanti-imprenditori italiani furono in grado di produrre con successo i manufatti precedentemente importati dal Levante e di creare una domanda laddove prima vi era offerta, la stessa dinamica si ripresentò più tardi Oltralpe limitando la penetrazione in quelle regioni dei prodotti provenienti dall'Italia.*

Diverso è il discorso per due particolari tipi di 'beni' il cui commercio beneficiò nel Rinascimento di alcune circostanze favorevoli: i marmi e gli schiavi. I giacimenti naturali di pietra esistenti in Italia, primi fra tutti quelli di Carrara, assicuravano agli uomini d'affari della Penisola una sorta di monopolio nella produzione di sculture in marmo e di opere in pietre dure destinate ai mercati europei, mentre l'esistenza di un vastissimo patrimonio di antichità classiche rendeva possibile soddisfare la crescente domanda dei collezionisti, spinti da un gusto che proprio gli italiani avevano trasmesso alle regioni poste al di là delle Alpi. Quanto al commercio degli schiavi, era la stessa posizione geografica dell'Italia, protesa nel cuore del Mediterraneo, a dare ai mercanti italiani un indubbio vantaggio, anche se essi non riuscirono mai a esportare questa merce umana a nord delle Alpi, dove l'uso di schiavi per il servizio domestico non si diffuse.

I produttori e i mercanti italiani, d'altra parte, riuscirono ad arginare le importazioni dal Nord (cosa che non erano stati in grado di fare quelli levantini nei confronti dell'Italia), mentre gli uomini d'affari d'Oltralpe non furono capaci di operare un'analoga inversione dei flussi del commercio internazionale. Le seterie, la ceramica, il vetro, la carta e gli articoli metallici prodotti nella Penisola mantennero le posizioni acquisite nei mercati italiani, che, malgrado la crescente presenza di colonie mercantili straniere, si mostrarono resistenti alla penetrazione dei manufatti provenienti dall'Europa settentrionale. Gli imprenditori, inoltre, seppero utilizzare molte nuove tecnologie importate dal Nord – per esempio nell'estrazione mineraria e nella metallurgia, nella fabbricazione di artiglierie, polvere da sparo, libri, carte geografiche – per rendere più competitive le proprie produzioni, in modo da soddisfare adeguatamente la domanda interna ed evitare il ricorso alle importazioni. Gli articoli di due di queste industrie, i libri stampati a Venezia e le armature cerimoniali milanesi, ebbero un notevole successo anche nei paesi nordeuropei. Stranamente, invece, l'attività più prestigiosa dell'Italia del Rinascimento, la pittura, non giunse ad alimentare una consistente corrente commerciale di respiro internazionale: se alcuni artisti divennero famosi all'estero in cerchie ristrette, presso il più vasto pubblico non furono in grado, pur con tutto il loro impegno imprenditoriale, di competere con i pittori fiamminghi e olandesi, che li sopravanzavano perfino in Italia. L'insuccesso maggiore, comunque, si registrò nel settore laniero. Negli ultimi secoli del Medioevo gli operatori di molte città lombarde, venete e toscane, per lo più utilizzando lane inglesi, spagnole e nordafricane, avevano dato vita ad una importante manifattura di panni che esportavano in tutto il bacino mediterraneo, talvolta insieme a tessuti provenienti dalle Fiandre e dal Nord della Francia acquistati grezzi e poi rifiniti; nel corso del Cinquecento, però, l'industria italiana, benché caratterizzata in alcuni casi (Venezia su tutti) da un sorprendente dinamismo, perse terreno rispetto ai prodotti inglesi e olandesi che, essendo più leggeri ed economici, penetrarono massicciamente nei paesi mediterranei. Sempre nella fascia bassa di mercato gli italiani importavano oggetti in metallo di fattura ordinaria e tele di cotone, lino e fustagno; sul versante opposto praticamente l'unico prodotto di lusso che arrivava dal Nord erano gli arazzi.

Nel corso della crescita, dello sviluppo e dell'espansione geografica di un'Europa rianimata dalla rivoluzione commerciale gli uomini d'affari elaborarono un insieme di tecniche e saperi destinati a formare un'eredità culturale di lungo periodo: è questo il secondo dei nodi tematici attorno al quale abbiamo scelto di strutturare il nostro volume. I mercanti italiani dettero vita a pratiche commerciali sempre più perfezionate relative all'organizzazione del lavoro nella sede centrale dell'azienda e alla definizione di tutti gli strumenti tecnici necessari ad un operatore ormai sedentarizzato, quali la partita doppia, l'assicurazione marittima e i sistemi postali; crearono sofisticati dispositivi creditizi necessari per garantire l'impiego dei capitali e li consolidarono negli istituti fondamentali dell'agire capitalistico, quali i banchi di deposito, giro e prestito, i banchi pubblici e le compagnie mercantili-bancarie; si servirono della lettera di cambio, lo strumento-base per il trasferimento di fondi all'estero, per collegare le diverse piazze in un mercato monetario internazionale dotato di regole precise; infine, per condurre transazioni su larga scala in aree molto distanti dalla loro base operativa, cercarono di stabilizzare il contesto precario nel quale agivano con istituzioni che assicuravano la validità dei contratti e reti di relazioni tese a favorire l'interazione e la cooperazione fra i diversi soggetti economici.

Nel contesto della storia dell'Europa medievale le pratiche, le istituzioni e gli strumenti creati e perfezionati dagli operatori delle città dell'Italia centro-settentrionale hanno alimentato quello che potremmo chiamare il mito fondativo del capitalismo moderno. Ovviamente, come accade nella storia di qualsiasi innovazione, non mancarono progressi successivi, per esempio ad Anversa, Amsterdam e Londra quando questi centri, nel Cinquecento e nel Seicento, diventarono a loro volta i maggiori poli dell'espansione economica; la strada che non è stata ancora imboccata dagli storici, tuttavia, è quella della diretta comparazione, per quanto concerne l'evoluzione delle tecniche commerciali e creditizie, fra l'Italia e i paesi dell'Europa settentrionale. In alcuni casi, come per i banchi di pegno dei lombardi, i Monti di pietà e i primi grandi banchi pubblici, il contributo dell'Italia è ben documentato (e perfino celebrato, se pensiamo a quando, nel 1624, i governatori dei primi grandi banchi pubblici di Amsterdam, Amburgo, Norimberga e Venezia decisero di coniare una medaglia in cui il leone di San Marco spiccava come modello degli altri tre). In altri, come nell'uso dello sconto, di titoli pienamente negoziabili e della rente *francese, pratiche consolidate Oltralpe, si dovrebbe piuttosto parlare di creazioni autonome, indipendenti da una diretta influenza italiana. In altri casi ancora, e in modo particolare per quel che riguarda la contabilità in partita doppia, spesso elevata a tecnica archetipica – moderna e razionale – del modo capitalistico di praticare la mercatura all'italiana, l'esempio non venne seguito dagli uomini d'affari dell'Europa settentrionale, e ciò nonostante le loro attività non ne risentirono. Tutti questi elementi devono ora essere riuniti e messi in relazione in modo da delineare i processi evolutivi che caratterizzarono le tecniche mercantili, evidenziando bene le rotture, i vicoli ciechi e le ripartenze: alla fine sarà forse possibile scriverne la storia non come mera sequenza di innovazioni ma come evoluzione dei meccanismi funzionali che rispondevano ai bisogni di un ambiente economico in continuo cambiamento.*

4, 5

I mercanti e i banchieri italiani di rango internazionale maturarono una propria visione del mondo – o meglio dei mondi – in cui operavano, propri atteggiamenti nei confronti dei problemi del loro tempo, proprie concezioni sulla loro stessa professione e sul loro ruolo nella società. La figura del mercante emerge da molti dei saggi del presente volume, ma non tutto è chiaro, oggi come nel Rinascimento. Sebbene egli padroneggiasse tecniche specifiche e affrontasse questioni pratiche molto complesse, frutto di un apprendistato lungo e articolato, nel suo comportamento restavano ambiguità e contraddizioni. Come imprenditore in una società ancora fondamentalmente agraria e conservatrice era aperto all'innovazione e al cambiamento, ma faticò a fronteggiare le rapide trasformazioni che caratterizzarono il mondo degli affari nel Cinquecento, forse anche perché poco portato a riflettere sulla natura del sistema economico come realtà distinta dalla sua attività. Come individuo o come membro di una natio, *era in concorrenza con altri, e contemporaneamente nutriva una sostanziale fiducia nei confronti dei suoi colleghi di ogni provenienza. Non disdegnava il traffico degli schiavi né l'attività di spionaggio a favore di qualche governo, e contemporaneamente avvertiva che alcuni suoi comportamenti erano in contrasto con norme etiche e sociali radicate. Cristiano, faceva affari con i musulmani; cattolico nell'Europa lacerata dalla Riforma, non rinunciava ad operare nei paesi protestanti; talvolta eretico in un paese cattolico, poteva trovarsi costretto ad emigrare in cerca di tolleranza. Dinanzi alla complessità di queste sfide il mercante fu spesso chiamato a prendere posizione e ad affermare la propria identità culturale, un'identità che attende a tutt'oggi una definizione completa e coerente e che non è certo riconducibile alla nozione, ampia ma nebulosa, di 'ideologia della borghesia'.*

Non tutti gli argomenti sopra richiamati emergono con la medesima nettezza dai testi presentati in questo volume, mentre alcuni vuoti sono almeno in parte il risultato delle defezioni di un certo numero di autori, eventi fisiologici in imprese come quella in cui siamo impegnati. Ci sembra, tuttavia, che i saggi pubblicati offrano materiale sufficiente per una corretta valutazione del ruolo dell'Italia e dei suoi uomini d'affari nel contesto dell'economia europea, in forte crescita durante il Cinquecento e il primo Seicento. Presi nel loro insieme, infatti, i contributi forniscono molti indizi sul positivo andamento delle diverse economie urbane e regionali, ma contemporaneamente confermano che la Penisola non partecipò in modo significativo alla rapida espansione che interessò i paesi dell'Europa nord-occidentale in questi secoli. L'Italia seppe limitare, grazie al dinamismo di alcuni settori produttivi, le importazioni di manufatti costosi dalle regioni del Nord, però non riuscì a ripetere rispetto a queste aree il successo ottenuto nei confronti del Levante. Gli operatori italiani avevano la percezione dei grandi cambiamenti in corso sulla scena economica mondiale e cercarono di adattarvisi: se persero posizioni importanti fu in parte perché le economie degli stati italiani non potevano tenere testa a quelle degli emergenti stati nazionali dell'Europa nord-occidentale, in parte a causa dei problemi strutturali che limitarono la crescita industriale, in parte per la difficoltà degli stessi uomini d'affari di elaborare, a differenza di quanto avvenne altrove, un'autonoma riflessione sul funzionamento dell'economia, presupposto essenziale per rispondere efficacemente alle trasformazioni in atto.

Franco Franceschi   Richard A. Goldthwaite   Reinhold C. Mueller

Indice

LA PRATICA DEGLI AFFARI

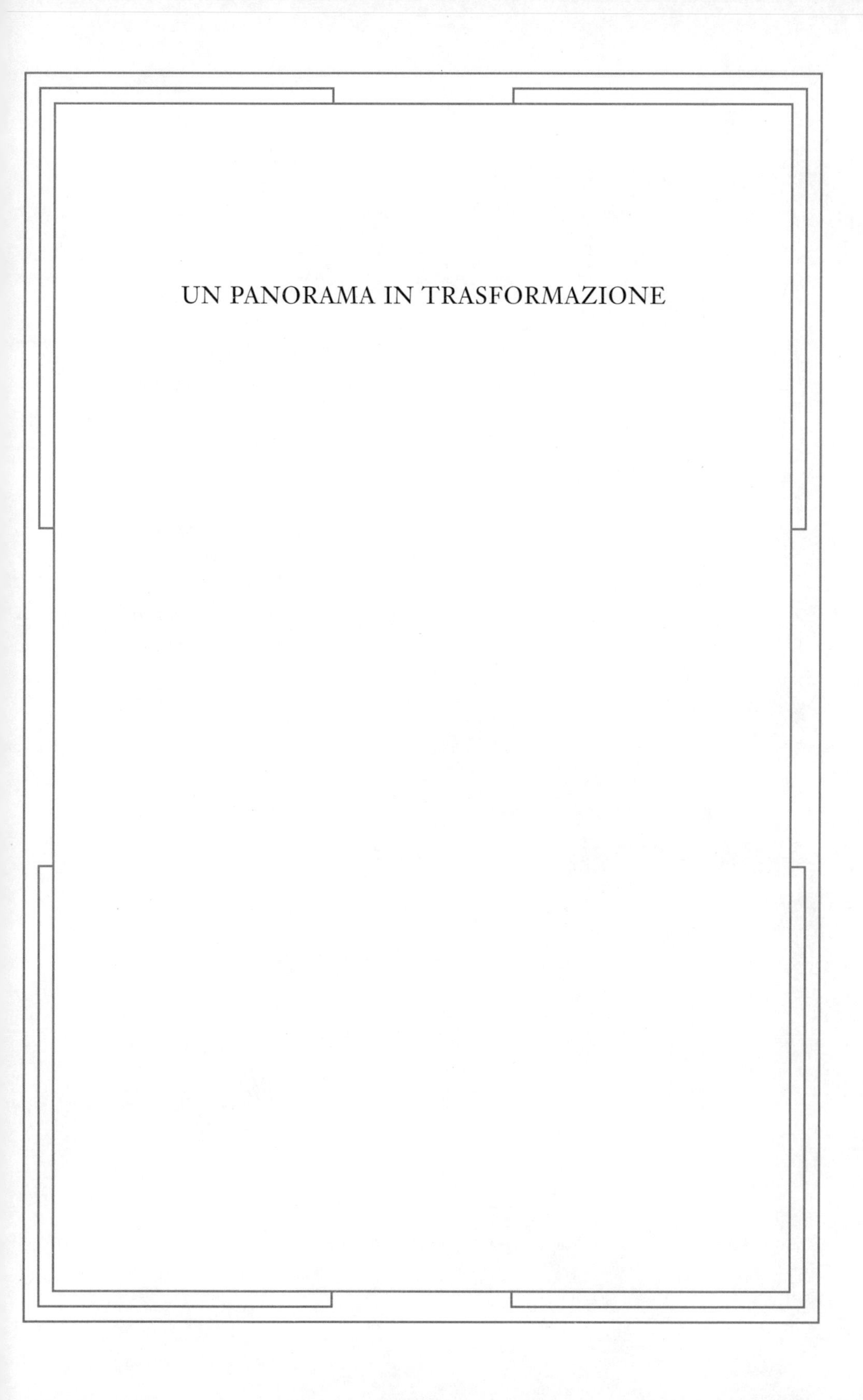

UN PANORAMA IN TRASFORMAZIONE

*L'economia italiana nel quadro europeo**

STEPHAN R. EPSTEIN

Il dibattito sull'economia italiana alla fine del Medioevo è caratterizzato fin dagli anni Sessanta da una prospettiva per così dire strutturalista, di lunga durata, e generalmente pessimista. I termini della questione furono posti da Renato Zangheri, che in un breve articolo quasi dimenticato si chiese – formulando una domanda apparentemente ingenua o anacronistica – perché l'Italia centro-settentrionale del Rinascimento non avesse prodotto la propria Rivoluzione Industriale. In poche pagine, che ridefinirono il quesito centrale della storia economica italiana come la «transizione mancata» al capitalismo, Zangheri trasformò il *telos* storiografico italiano in una cronaca di «fallimento».[1] L'ipotesi di Zangheri, ripresa qualche anno dopo nelle pagine della *Storia d'Italia* Einaudi, che tracciava un nesso causale tra lo straordinario successo economico italiano fino ai primi decenni del Trecento e il declino relativo del Paese dopo il 1500, non riuscì tuttavia a raccogliere un forte consenso, e da un paio di decenni il dibattito è sopito.[2]

* Stephan R. Epstein, 'Larry' o 'Lorenzo' per gli amici, è scomparso prima di poter ultimare il saggio che gli era stato affidato per questo volume. I curatori, tuttavia, hanno voluto ricordarlo e onorarne la memoria pubblicando un suo lavoro di argomento analogo a quello originariamente concordato. Il testo – già apparso in *L'Italia alla fine del Medioevo: i caratteri originali nel quadro europeo*, I, a cura di F. Salvestrini, Firenze 2007, pp. 381-431 – viene qui riproposto nella sua integrità, con modifiche redazionali di natura strettamente formale funzionali ai criteri editoriali della collana. I curatori ringraziano il Centro Studi sulla civiltà del tardo Medioevo di San Miniato e la Firenze University Press per avere permesso che il contributo fosse ripubblicato.

1. R. Zangheri, *The Historical Relationship between Agricultural and Economic Development in Italy*, in *Agrarian Change and Economic Development. The Historical Problems*, a cura di E.L. Jones e S.J. Woolf, London 1969. Cfr. anche *Failed Transitions to Modern Industrial Society: Renaissance Italy and Seventeenth Century Holland*, a cura di F. Krantz e P.M. Hohenberg, Montreal 1975, con le critiche di C.M. Cipolla al concetto di 'fallimento' alle pp. 8-9.

2. Cfr. S.R. Epstein, *Storia economica e storia istituzionale dello stato*, in *Origini dello Stato. Processi di formazione statale in Italia fra me-*

Recentemente Paolo Malanima ha brillantemente riproposto e ridefinito i termini della questione.[3] Sulla base di nuove stime dei tassi di urbanizzazione, dei prezzi e dei salari reali, della produzione industriale per l'esportazione, del prodotto lordo 'nazionale' (relative in realtà solo all'Italia centro-settentrionale) e di quello pro capite tra il 1300 e il 1850, Malanima ha proposto un'interpretazione più ottimistica della storia economica dell'Italia preunitaria che la vede «economia guida» dell'Europa fino ai primi decenni del Seicento. Il maggiore ottimismo di Malanima discende soprattutto dall'uso di una diversa definizione e di una diversa cronologia della 'crisi'. Mentre il dibattito degli anni Sessanta e Settanta si basava su un concetto di declino *relativo* dell'economia italiana rispetto alle economie più dinamiche d'Oltralpe e situava il momento della svolta durante la 'crisi' tardo-medievale, Malanima colloca l'inversione di tendenza dell'economia italiana nel momento in cui venne superata in termini assoluti (in termini di prodotto nazionale lordo pro capite) dalle economie dell'Olanda e dell'Inghilterra, il che gli permette di posticipare la 'crisi' italiana alla metà del Seicento.

Il disaccordo tra vecchie e nuove interpretazioni non è tuttavia di carattere puramente semantico. Il dibattito precedente sul 'fallimento' italiano presupponeva l'esistenza di un forte potenziale di sviluppo cui si erano frapposti ostacoli sociali e istituzionali soprattutto nel sistema agrario, dove rapporti economici e di potere sperequati tra contadini e proprietari, basati su istituzioni 'feudali' nel Mezzogiorno e sul predominio politico delle città sulle campagne nel Centro-Nord, limitarono l'uso efficiente delle forze produttive. Malanima ritiene invece che il settore agrario avesse raggiunto il massimo delle proprie possibilità produttive (la propria 'frontiera tecnologica') già nel primo Trecento, che non esistessero potenzialità latenti, e che di conseguenza gli ostacoli allo sviluppo agricolo fossero di natura tecnologica e non istituzionale. I livelli di vita raggiunti verso il 1300 potevano essere migliorati soltanto grazie a conoscenze tecniche e produttive del tutto nuove; pertanto solo l'introduzione del riso, del mais e della patata nel tardo XVII e nel XVIII secolo rese possibile la trasformazione del sistema produttivo delle campagne. Non l'agricoltura, bensì la produzione di panni di lana e di seta per l'esportazione fu il vero motore della crescita italiana tra Trecento e Seicento. L'industria tessile del Centro-Nord, che operò a pieno regime fino a fine Cinquecento, crollò invece durante il Seicento di fronte alla concorrenza protoindustriale, commerciale e navale olandese, francese e inglese; l'afasia industriale rifletteva forme di sclerosi sociale e isti-

dioevo ed età moderna, a cura di G. Chittolini, A. Molho e P. Schiera, Bologna 1994.

3. P. Malanima, *La fine del primato. Crisi e riconversione nell'Italia del Seicento*, Milano 1998; Id., *Risorse, popolazione, redditi: 1300-1861*, in *Storia economica d'Italia*, 1, *Interpretazioni*, a cura di P. Ciocca e G. Toniolo, Bari 1999; Id., *Crescita e ineguaglianza nell'Italia preindustriale*, «Rivista di Storia Economica», XVI (2000).

tuzionale cui secondo Malanima nessuna «economia-guida» riesce a lungo andare a sottrarsi.[4]

Questo saggio propone una diversa cronologia e una diversa spiegazione dello sviluppo economico italiano tra il primo Trecento e il primo Cinquecento. Si esaminerà l'andamento del tenore di vita, sia in termini assoluti che in relazione al resto d'Europa, durante e dopo la 'crisi' tardo-medievale, con l'obiettivo di chiarire perché parti importanti dell'economia italiana reagirono in modo meno positivo rispetto ad altre regioni europee come la Germania meridionale, i Paesi Bassi settentrionali, l'Inghilterra e la Castiglia. Ad eccezione del paragrafo sulla manifattura tessile, che utilizza le consuete distinzioni territoriali tra stati, la discussione adotterà una divisione della Penisola in quattro macro-regioni con caratteristiche economiche omogenee. Esse consistono di una regione settentrionale a 'T' piemontese-lombardo-veneta con l'asse meridionale esteso verso la pianura emiliana; una zona centrale formata dalle moderne regioni della Romagna, della Toscana, dell'Umbria, delle Marche e dell'Abruzzo; una regione meridionale comprendente l'entroterra continentale da Roma fino alla Calabria interna (il tradizionale Mezzogiorno); un insieme di aree geograficamente non limitrofe, ma analoghe per struttura e funzioni, che include le regioni costiere e fortemente commercializzate della Puglia centrale, della Terra di Lavoro e della Sicilia. Si vedrà che le caratteristiche urbane, commerciali e agrarie di queste quattro macro-regioni, che avevano cominciato a convergere a partire dal XII secolo, si consolidarono ulteriormente durante il tardo Medioevo e condizionarono gli sviluppi economici per secoli a venire.

L'Italia e la perdita del primato

L'esame dei processi di riconversione economica messi in moto dalla 'crisi' tardo-medievale deve partire dalle condizioni vigenti intorno al 1300, nel momento di maggiore espansione demografica. All'inizio del XIV secolo i livelli medi di vita, la produttività agricola e industriale e il grado di innovazione tecnologica nella penisola italiana erano nel loro complesso i più avanzati d'Europa. Regioni come le Fiandre, il Kent, l'Artois o la bassa Renania possedevano livelli simili di sviluppo in alcuni rami dell'agricoltura o nella manifattura tessile, ma si trattava di casi isolati rispetto alla ricchezza diffusa nell'Italia centro-settentrionale e nel Mezzogiorno costiero. Com'è noto, la misura

4. Per la formulazione classica di questo modello cfr. M. Olson, *The Rise and Decline of Nations. Economic Growth, Stagflation, and Social Rigidities*, New Haven-London 1982 (trad. it. *Ascesa e declino delle nazioni. Crescita economica, stagflazione e rigidità sociale*, Bologna 1984).

più visibile del primato italiano stava nel numero e nelle dimensioni senza pari delle sue città. All'alba del Trecento, di contro ai 130 centri circa con 5-10.000 abitanti, alle circa 70 città di 10-40.000 abitanti, alla dozzina di metropoli di oltre 40.000 abitanti e alle tre 'megalopoli' di Venezia, Milano e Firenze con oltre 80.000 residenti, il resto dell'Europa poteva contare meno di 100 città con oltre 10.000 abitanti, di cui solo 8 superavano la soglia dei 40.000 e solo una, Parigi, superava le maggiori italiane (Tabella 1).[5] Sebbene il Regno di Napoli fosse allora privo di un forte polo centrale – la città più grande, Napoli, contava 30.000 abitanti, troppo pochi per dominare un terzo della Penisola – l'urbanizzazione media del Mezzogiorno continentale prima della Peste Nera era, con un tasso di poco inferiore al 30%, tra le più elevate d'Europa; quasi il 12% della popolazione meridionale viveva nelle dieci città principali, la più piccola delle quali contava 12-15.000 abitanti. Nei sistemi urbani dominati da Venezia, Milano e Firenze, oltre che, sorprendentemente, in Sicilia, la proporzione era ancora maggiore (Tabella 2).

Tabella 1. Distribuzione della popolazione urbana in Italia per dimensioni cittadine, 1300-1500

	1300				1400				1500			
	(1)		(2)		(1)		(2)		(1)		(2)	
		%		%		%		%		%		%
80.000+	4	1,8	3	1,4	2	2,1	2	2,0	3	1,9	3	2,0
40-79.000	8	3,7	9	4,2	1	1,1	1	1,1	7	4,5	10	6,6
20-39.000	14	6,5	12	5,6	12	12,6	11	11,2	8	5,1	8	5,3
10-19.000	52	24,0	62	28,8	11	11,6	10	10,2	33	21,2	29	19,2
5-9.000	139	64,0	129	60,0	69	72,6	74	75,5	105	67,3	101	66,9
Totale	217	100,0	215	100,0	95	100,0	98	100,0	156	100,0	151	100,0
Dimens. medie	11.849-11.958				8.583-8.867				11.377-11.737			

Fonti della colonna (1) e (2): (1) P. Malanima, *Italian cities 1300-1800. A quantitative approach*, «Rivista di Storia Economica», XIV (1998); (2) S.R. Epstein, *Nuevas aproximáciones a la história urbana de Italia: el Renacimiento temprano*, «Hispania. Revista Española de História», 58/2, LVIII (1998).

5. M. Ginatempo, L. Sandri, *L'Italia delle città. Il popolamento urbano tra Medioevo e Rinascimento (secoli XIII-XVI)*, Firenze 1990.

Tabella 2. Tasso di urbanizzazione regionale in Italia (10 città maggiori), 1300-1550 ca.

	1300	1400	1500	1550
Veneto	23,4?	n/a	n/a	29,0
Lombardia	19,3?	n/a	n/a	23,1
Toscana	32,0	27,0	n/a	24,0
Regno di Napoli	11,7	13,6	16,3	22,3
Sicilia	47,8	29,8	34,1	30,4

Fonti: J.C. Russell, *Medieval Regions and their Cities*, Newton Abbott 1972, p. 235 (Veneto e Lombardia); D. Beltrami, *Forze di lavoro e proprietà fondiaria nelle campagne venete dei secoli XVII e XVIII*, Venezia-Roma 1961 (Veneto); Malanima, *Italian Cities 1300-1800*, cit. (Toscana); E. Sakellariou, *The Kingdom of Naples under Aragonese and Spanish Rule. Population Growth, and Economic and Social Evolution in the Late Fifteenth and Early Sixteenth Centuries*, Ph.D. thesis, University of Cambridge 1996, cap. 2 (Napoli); S.R. Epstein, *Potere e mercati in Sicilia. Secoli XIII-XVI*, Torino 1996, cap. 2 (Sicilia).

Una serie di stime indipendenti dei livelli di vita, della produttività agricola e degli sviluppi dell'urbanizzazione offrono un quadro tutto sommato abbastanza coerente degli sviluppi posteriori alla Peste, anche se la maggior parte dei dati riguarda una città, Firenze, e una regione, la Toscana, non del tutto rappresentative delle tendenze nazionali. I lavoratori fiorentini parrebbero aver beneficiato sostanzialmente delle condizioni più favorevoli sul mercato del lavoro e della caduta del prezzo del frumento, anche se qualcuno dei miglioramenti fu poi perduto dopo la metà del Quattrocento (Tabella 3, col. 1). Questi progressi, tuttavia, furono ottenuti in buona misura grazie al monopolio fiorentino delle manifatture più avanzate e a un sistema annonario che privilegiava Firenze a spese delle altre città toscane. Per la regione nel suo complesso il Quattrocento e il Cinquecento furono caratterizzati da un lungo declino urbanistico e industriale che provocò la caduta del prodotto pro capite e del valore della proprietà immobiliare (Tabella 3, coll. 2-3).[6]

6. Per l'annona fiorentina cfr. S.R. Epstein, *Market Structures*, in *Florentine Tuscany: Structures and Practices of Power*, a cura di W.J. Connell e A. Zorzi, Cambridge 2000 (trad. it. *Strutture di mercato*, in *Lo stato territoriale fiorentino (secoli XIV-XV). Ricerche, linguaggi, confronti*, a cura di A. Zorzi e W.J. Connell, Pisa 2001); Id., *Freedom and Growth. The Rise of States and Markets in Europe, 1300-1750*, London 2000, cap. 6. Per il declino urbano cfr. *supra*, Tabella 2; S.R. Epstein, *Stato territoriale ed economia regionale nella Toscana del Quattrocento*, in *La Toscana al tempo di Lorenzo il Magnifico. Politica Economia Cultura Arte*, a cura di R. Fubini, Pisa 1996, III. Gli sviluppi della manifattura tessile sono discussi più avanti.

Tabella 3. Livelli di vita in Toscana e Italia, 1320-1750 (numeri-indice)

	(1)	(2)	(3)	(4)	(5)
1320-1340	100	–	–	–	–
1420-1430	153	–	–	–	–
1424-1427	–	–	100	–	–
1460-1470	–	100	–	–	–
1480	–	–	86,4	–	–
1500	–	–	–	107	69
1560	–	73,8	–	–	–
1570-1585	137	––	–	–	–
1600	–	–	–	116	80
1700	–	–	–	108	68
1740-1750	132	–	–	110	50

(1) Prodotto pro capite in Toscana, in base a un bilancio-tipo medio con base 1320-1340. I dati per il 1570-1585 e per il 1740-1750 sono ripresi da Malanima, *Italian Cities*, cit., p. 109. I valori-indice per il 1320-1340 e 1420-1430 sono stati corretti ponendo a 0.97 l'indice dei prezzi per il 1320-1340 (invece che a 0.64, come in Malanima), in base al bilancio-tipo e ai prezzi riportati in Ch.-M. de la Roncière, *Florence centre économique régional au XIVe siècle*, Aix-en-Provence 1976, II, e G. Pinto, *I livelli di vita dei salariati fiorentini (1380-1430)*, in AA.VV., *Il Tumulto dei Ciompi. Un momento di storia fiorentina ed europea*, Firenze 1981. Il bilancio-tipo per il periodo medievale comprende frumento (50%), vino (25%), carne (ovina 15%), legna e olio (5% ciascuno), ma non il costo dell'alloggio incluso nei dati successivi.
(2) Prodotto pro capite in Toscana, con base 1460-1470 (Epstein, *Freedom and Growth*, cit., p. 10).
(3) Valore pro capite della proprietà immobiliare fiorentina, con base 1424-1427 (calcolato in base a A. Molho, *Marriage Alliance in Late Medieval Florence*, Cambridge-London 1994, p. 363).
(4) Prodotto pro capite in Italia, con base 1300, calcolato in base alla differenza tra il tasso di crescita della popolazione urbana e della popolazione complessiva (per una discussione del metodo cfr. L.A. Craig, D. Fisher, *The European Macroeconomy: Growth and Integration*, Cheltenham 2000, pp. 116-117).
(5) Produttività del lavoro agricolo relativa al Belgio, ai Paesi Bassi e all'Inghilterra (media), in percentuale (da R.C. Allen, *Economic Structure and Agricultural Productivity in Europe, 1300-1800*, «European Review of Economic History», IV, 2000, p. 20).

Anche se, come si vedrà, l'andamento dell'economia della Penisola fu nel suo complesso più positivo, l'Italia non riuscì a tenere il passo con le regioni più dinamiche. I dati sullo sviluppo urbano, sui livelli di vita, sulla produttività agricola dipingono un'immagine concorde di stagnazione (Tabelle 3 e 4). A partire dal 1500 l'Italia si collocò regolarmente nel gruppo di coda delle economie europee (Tabella 5), mentre altre regioni (dapprima le Fiandre, la Renania, la Castiglia, seguite dalle future Province Unite e dall'Inghilterra) si contendevano il primato. Il secolo della 'crisi' coincise dunque con una svolta fondamentale nelle fortune economiche della Penisola: una svolta relativa piuttosto che assoluta (a quanto sappiamo il declino economico toscano fu l'eccezione piuttosto che la regola), ma che marcò nondimeno lo scivolamento metaforico del paese dall'avanguardia economica alla gestione di glorie acquisite. Per capire le caratteristiche e le ragioni di questa trasformazione occorre partire dai caratteri generali della 'crisi' in ambito europeo.

Tabella 4. Tassi di urbanizzazione in Europa, 1500-1750 (percentuali)

	1500	1600	1700	1750
Austria-Ungheria-ex Cecoslovacchia	4,8	4,9	4,9	7,3
Belgio	28,0	29,3	22,2	22,2
Francia	8,8	10,8	12,3	12,7
Germania	8,2	8,5	7,7	8,8
ITALIA	**21,9**	**23,6**	**22,2**	**22,5**
Paesi Bassi	29,5	34,7	38,9	36,3
Portogallo	15,0	16,7	18,5	17,5
Regno Unito	4,6	7,9	11,8	17,3
Scandinavia	2,2	3,8	4,8	6,2
Spagna	18,4	21,3	20,3	21,4
Svizzera	6,8	5,5	5,9	7,7
Media europea	**11,83**	**13,13**	**13,84**	**14,85**

Fonte: Craig, Fisher, *The European Macroeconomy*, cit., Tab. 6.1.

Tabella 5. Crescita relativa del prodotto pro capite nazionale, 1500-1750

	1500-1600	1600-1700	1700-1750
1	Scandinavia	Regno Unito	Austria-Ungheria-Cecoslovacchia
2	Regno Unito	Scandinavia	Regno Unito
3	Paesi Bassi	Francia	Svizzera
4	Francia	Paesi Bassi	Scandinavia
5	Spagna	Portogallo	Germania
6	Portogallo	Svizzera	Spagna
7	Belgio	ITALIA	Belgio
8	Germania	Austria-Ungheria-Cecoslovacchia	Francia
9	ITALIA	Spagna	ITALIA
10	Austria-Ungheria Cecoslovacchia	Germania	Portogallo
11	Svizzera	Belgio	Paesi Bassi

Fonte: Craig, Fisher, *The European Macroeconomy*, cit., p. 117, Tab. 6.2. Per il metodo di calcolo cfr. Tab. 1, col. 4.

La 'crisi' tardo-medievale, 'distruzione creatrice'

I fattori determinanti dello sviluppo economico medievale erano la produzione per il mercato e i processi di centralizzazione politica.[7] La Peste Nera ne intensificò l'operato e accelerò la transizione a un sistema economico più dinamico.[8] Negli ultimi decenni del XIII secolo le forze politiche ed economiche che premevano per la semplificazione dei sistemi di organizzazione territoriale (e quindi, involontariamente, anche per la riduzione complessiva dei costi di trasporto, per la più facile applicazione dei contratti, per l'intensificazione della competizione tra centri produttivi e commerciali) erano giunte a una crisi risolutiva. Lo scoppio negli stessi anni di 'guerre di stato' nelle Isole Britanniche, in Francia, nelle Fiandre, nella Germania meridionale, in Prussia, in Italia e nella penisola iberica, e in particolare l'apertura delle ostilità nelle due guerre europee, tra Francia e Inghilterra e tra i regni d'Aragona, di Sicilia e di Napoli, ne costituivano le manifestazioni di maggior rilievo. Le esazioni fiscali necessarie per sostenere quegli sforzi bellici richiedevano meccanismi di formazione del consenso, diritti di sovranità territoriale e risorse amministrative di dimensioni nuove sia per quantità che per qualità.[9] La pandemia, tuttavia, trasformò un processo evolutivo relativamente lento e progressivo in un diffuso fenomeno di 'distruzione creatrice' sostenuto da estesi conflitti politici e di classe.[10]

7. Per una discussione più dettagliata cfr. Epstein, *Freedom and Growth*, cit., cap. 3.

8. Per recenti riformulazioni dell'ipotesi secondo cui la Peste Nera fu la causa principale della 'transizione' a un sistema economico 'premoderno' cfr. B.F. Harvey, *Introduction: the "Crisis" of the Early Fourteenth Century*, in *Before the Black Death. Studies in the 'Crisis' of the Early Fourteenth Century*, a cura di B.M.S. Campbell, Manchester 1991 e D. Herlihy, *The Black Death and the Transformation of the West*, Cambridge (Mass.) 1997.

9. J.-Ph. Genet, *Le développement des monarchies d'Occident est-il une conséquence de la crise?*, in *Europa 1500. Integrationsprozesse im Widerstreit: Staaten, Regionen, Personenverbände, Christenheit*, a cura di F. Seibt e W. Eberhard, Stuttgart 1995. Per gli effetti delle attività belliche sul commercio – soprattutto marittimo – a lunga distanza dopo il 1282 cfr. J.H. Munro, *The "New Institutional Economics" and the Changing Fortunes of Fairs in Medieval and Early Modern Europe: The Textile Trades, Warfare, and Transaction Costs*, «Vierteljahrschrift für Sozial- und Wirtschaftsgeschichte», LXXXVIII (2001). Per l'andamento del fisco nelle monarchie tardo-medievali cfr. M. Ormrod, *The West European Monarchies in the Later Middle Ages*, in *Economic Systems and State Finance*, a cura di R. Bonney, Oxford 1995; *The Rise of the Fiscal State in Europe c. 1200-1815*, a cura di R. Bonney, Oxford 1999; L. Pezzolo, *Economic Policy, Finance and War*, in *State and Society in Italy, 1350-1550*, a cura di S.R. Epstein, Oxford-Rhode Island 2001.

10. Il riferimento è alla tesi della «distruzione creatrice» tipica del capitalismo (o delle sue fasi di 'crisi'), in J.A. Schumpeter, *Capitalism, Socialism and Democracy*, London 1975 (trad. it. *Capitalismo, socialismo, democrazia*, Milano 1977), pp. 83-84. Anche G. Bois, *Crise du féodalisme*, Paris 1981, ritiene che la guerra fosse un elemento strutturale dell'economia feudale, ma ne sottolinea solo gli aspetti distruttivi, senza considerare i benefici per il consolidamento politico. Le innumerevoli insurrezioni urbane e rurali dopo il 1350 attendono ancora una moderna analisi comparata; i principali riferimenti bibliografici si trovano in M. Mollat, Ph. Wolff, *Ongles bleus, Jacques et Ciompi. Les révolutions populaires en Europe au XIVe et XVe siècles*, Paris 1970;

La 'crisi' tardo-medievale segnò dunque una rottura nei processi di sviluppo economico medievale che avvicinò le società europee alle loro potenzialità ('frontiere') tecnologiche e creò nuove opportunità di sviluppo tecnico ed economico. L'accelerazione dei processi di centralizzazione politica e l'intensificazione della competizione militare e fiscale tra gli stati agirono da stimolo per due aspetti centrali dello sviluppo premoderno, l'integrazione di mercato e la protoindustrializzazione.[11] I benefici economici dell'integrazione politica potevano tuttavia essere compromessi dall'ostilità politica delle élites feudali ed urbane, timorose di perdere gli antichi diritti. Il grado di integrazione – politica ed economica – era quindi fortemente influenzato dall'equilibrio di potere tra gli aspiranti signori territoriali e le élites rurali da un lato, che desideravano indebolire o abbattere le tradizionali istituzioni feudali e urbane, e i difensori feudali e urbani dello *status quo* dall'altro.[12] I processi di integrazione territoriale accelerarono anche l'integrazione dei mercati interni degli stati e definirono al contempo i parametri istituzionali dei successivi fenomeni di differenziazione economica tra regioni. La spiegazione dei diversi tassi di sviluppo regionale europeo dopo la metà del Trecento, e quindi anche del declino relativo della penisola italiana, si trova in questa dimensione politica della formazione dei mercati.

Il dibattito sull'economia tardo-medievale si è concentrato soprattutto sul lato della domanda, e in particolare sugli effetti delle perdite demografiche sui rapporti di potere e di scambio tra signori, contadini e operai. A dispetto delle notevoli differenze nella distribuzione dei redditi e nei modelli di consumo, i livelli di benessere individuale medio aumentarono quasi ovunque in Europa dopo la metà del Trecento, come è attestato dall'espansione del consumo di carni, formaggi, burro, birra (nell'Europa centro-settentrionale) e di vino, olio d'oliva, frutta e verdura (nei paesi mediterranei), dall'uso crescente di tessuti, vasellame e utensili in legno a basso prezzo, dal calo relativo dei consumi tipici delle élites. Così a Genova, per esempio, nel periodo 1341-1398 la popolazione passò da 60-65.000 abitanti a 36-40.000 (un calo del 40%), i dazi sui tessuti d'importazione caddero del 61%, quelli sui tessuti prodotti localmente aumentarono del 3% e quelli sul consumo di vino diminuirono del 25% soltanto.[13]

Gli sviluppi dal lato dell'offerta furono però più significativi. I cambia-

G. Fourquin, *Les soulèvements populaires au Moyen Âge*, Paris 1972 (trad. it. *Le sommosse popolari nel Medioevo*, Milano 1976); *The English Rising of 1381*, a cura di R.H. Hilton e T.H. Aston, Cambridge 1984. Questi eventi facevano parte di conflitti più ampi e duraturi sui limiti, sulle prerogative e sugli obblighi dello stato tardo-medievale che non sono argomento di questo saggio; cfr. tuttavia H. Spruyt, *The Sovereign State and Its Competitors. An Analysis of Systems Change*, Princeton 1994 e T. Ertman, *Birth of the Leviathan. Building States and Regimes in Medieval and Early Modern Europe*, Cambridge 1997.

11. Epstein, *Freedom and Growth*, cit., capp. 1, 3, 6.

12. Cfr. *supra*, nota 10.

13. *Les douanes de Gênes, 1376-1377*, a cura di J. Day, Paris 1963, pp. XXVIII-XXX.

menti intervenuti nelle strutture produttive causarono sia l'approfondimento (l'aumento del volume, del numero e della qualità dei beni scambiati) che l'allargamento (l'aumento dei limiti geografici) delle strutture di mercato. Per quanto riguarda il primo aspetto si registrò innanzitutto un aumento dei consumi pro capite di beni già commercializzati con una elasticità della domanda più elevata; quindi un aumento della commercializzazione, ossia della proporzione del prodotto complessivo scambiata sul mercato (un esempio di ciò fu lo sviluppo di protoindustrie dei metalli e dei tessili in molte parti d'Europa); infine un incremento della gamma dei prodotti scambiati sui mercati.

Questi fenomeni mostrano sorprendenti analogie con la cosiddetta 'rivoluzione industriosa' del XVII secolo, che fu caratterizzata dall'aumento dello sforzo lavorativo in risposta all'incremento dell'offerta di beni di consumo.[14] La riduzione della proporzione di sotto-impiegati e l'aumento del tasso di partecipazione lavorativa furono fra le maggiori cause dell'aumento dei consumi dopo il 1350.[15] Quasi certamente aumentò la proporzione di donne nubili impiegate nei servizi urbani, in particolare nella produzione e nel piccolo commercio di vestiti e prodotti alimentari; anche l'espansione della protoindustria rurale comportò l'uso accresciuto di forza-lavoro femminile e infantile. Entrambi questi sviluppi contribuiscono a spiegare le crescenti restrizioni sull'impiego di lavoratrici nelle manifatture urbane.[16] I contadini furono resi più sensibili agli stimoli commerciali dall'indebolimento dei vincoli signorili sulla manodopera rurale e sul mercato della terra. Persino l'atto, spesso più politico che economico, di commutazione delle rimanenti prestazioni servili in contratti di locazione 'commerciale' in Inghilterra, Germania, Catalogna, Francia e Italia meridionale ebbe l'effetto di migliorare la qualità e aumentare l'intensità del lavoro contadino.[17] La diffusione di colture

14. J. de Vries, *The Industrial Revolution and the Industrious Revolution*, «Journal of Economic History», LIV (1994); cfr. anche R. Goldthwaite, *Wealth and the Demand for Art in Italy, 1300-1600*, Baltimore 1993 (trad. it. *Ricchezza e domanda nel mercato dell'arte in Italia dal Trecento al Seicento: la cultura materiale e le origini del consumismo*, Milano 1995).

15. S.A.C. Penn, C. Dyer, *Wages and Earnings in Late Medieval England: Evidence from the Enforcement of the Labour Laws*, «Economic History Review», s. II, XLIII (1990); J. de Vries, *The Labour Market*, «Economic and Social History in the Netherlands», IV (1992), p. 62, ipotizza che la durata dell'anno lavorativo diminuisse nel corso del XV secolo in risposta all'accresciuta forza contrattuale dei salariati; cfr. anche K.G. Persson, *Consumption, Labour and Leisure in the Late Middle Ages*, in *Manger et boire au Moyen Âge*, a cura di D. Menjot, Nice 1984, I.

16. P.J.P. Goldberg, *Women, Work, and Life Cycle in a Medieval Economy. Women in York and Yorkshire c.1300-1520*, Oxford 1992; L. Poos, *A Rural Society after the Black Death. Essex 1350-1525*, Cambridge 1991; A. Knotter, *Problems of the Family Economy: Peasant Economy, Domestic Production and Labour Markets in Pre-Industrial Europe*, «Economic and Social History in the Netherlands», VI (1994). Per dubbi riguardo all'interpretazione inglese cfr., tuttavia, M. Bailey, *Demographic Decline in Late Medieval England: Some Thoughts on Recent Research*, «Economic History Review», XLIX (1996) e Id., *Historiographical Essay. The Commercialisation of the English Economy, 1086-1500*, «Journal of Medieval History», XXIV (1998).

17. Per i benefici economici della commutazione delle prestazioni di lavoro servile cfr. C.

quali il riso, la canna da zucchero, l'olivo e la vite nell'Europa meridionale, il luppolo nell'Europa centro-settentrionale, il lino e la robbia permise ai coltivatori di distribuire la propria forza-lavoro più equamente lungo tutto il corso dell'anno e di produrre di più con la stessa quantità di terra e con meno lavoro.[18]

Oltre a questi miglioramenti della produttività e del tasso di occupazione agricola vi furono cambiamenti sul piano istituzionale e tecnologico che stimolarono fenomeni di specializzazione regionale. Dopo la peste del 1348 l'aumento del valore pro capite dei commerci, particolarmente di quelli interni agli stati, creò forti incentivi a migliorare i sistemi di distribuzione in modo da ridurre il costo marginale degli scambi. Si registrarono quindi forti aumenti nel settore dell'intermediazione, soprattutto alimentare (macellai, birrai, commercianti di granaglie, fornai), e, in modo particolare, una serie di riforme istituzionali che avevano come obiettivo la riduzione delle tariffe interne – analoga funzionalmente e concettualmente alla creazione di un'unione doganale – soprattutto per i beni agricoli e le materie prime che subivano maggiormente i costi di un sistema doganale frammentato.[19] Nel tardo Medioevo furono messi in atto i tentativi più ambiziosi di standardizzare i sistemi monetari e metrici prima delle riforme settecentesche e napoleoniche. La proliferazione delle misure locali tipica dell'Europa post-carolingia costituiva, oltre che una seccatura e una causa costante di attrito commerciale, una fonte rilevante di frode. I sistemi di misurazione erano anche uno dei segni più visibili della sovranità e la loro regolamentazione e semplificazione era pertanto un segno rilevante del crescente campo d'azione dello stato. Anche se l'elevatissimo grado di frammentazione rendeva difficile imporre regole unitarie, gli

Dyer, *Standards of Living in the Later Middle Ages. Social Change in England, c.1200-1520*, Cambridge 1989, pp. 130-131; R.H. Britnell, *The Commercialisation of English Society 1000-1350*, Cambridge 1993, p. 223. Per una dimostrazione della minore produttività del lavoro servile rispetto al lavoro salariato libero cfr. D. Stone, *The Productivity of Hired and Customary Labour: Evidence from Wisbech Barton in the Fourteenth Century*, «Economic History Review», L (1997). Per una discussione del ruolo dell'intensità del lavoro nella produttività agricola di epoca premoderna cfr. G. Clark, *Productivity Growth without Technical Change in European Agriculture before 1850*, «Journal of Economic History», XLVII (1987).

18. R.-H. Bautier, *Les mutations agricoles des XIVe et XVe siècles et les progrès de l'élevage*, «Bulletin philologique et historique», I (1969), pp. 13-16; A.M. Watson, *Agricultural Innovation in the Early Islamic World. The Diffusion of Crops and Farming Techniques, 700-1100*, Cambridge 1983; M.-J. Tits-Dieuaide, *L'évolution des techniques agricoles en Flandre et en Brabant du XIVe au XVIe siècle*, «Annales ESC», XXXVI (1981); G. Sivéry, *Les profits de l'éleveur et du cultivateur dans le Hainaut à la fin du Moyen Âge*, «Annales ESC», XXXI (1976), p. 627.

19. Esempi di riduzioni di pedaggi in M.C. Daviso di Charvensod, *I pedaggi delle Alpi occidentali nel medio evo*, Torino 1961; J.-F. Bergier, *Genève et l'économie européenne de la Renaissance*, Paris 1963, pp. 175-180; Id., *Le trafic à travers les Alpes et les liaisons transalpines du haut Moyen Âge au XVII siècle*, in AA.VV., *Le Alpi e l'Europa*, III, *Economia e transiti*, Bari 1975; F. Zulaica Palacios, *Fluctuaciones económicas en un período de crisis. Precios y salarios en Aragón en la baja Edad Media (1300-1430)*, Zaragoza 1994, pp. 45, 56. Sul controllo crescente delle frontiere politiche cfr. A. Mackay, *¿Existieron aduanas castellanas en la frontera con Portugal en el siglo XV?*, in AA.VV., *Actas de II jornades luso-espanholes da história medieval*, Porto 1987.

sforzi per stabilire misure comuni regionali e addirittura nazionali si accrebbero dopo la Peste Nera. Perfino in Inghilterra, dove la monarchia agiva da secoli per unificare le misure, il problema dell'imposizione di pesi e misure comuni sul territorio nazionale attirò nel corso Trecento una crescente attenzione.[20]

Il numero di accordi monetari tra signori e città, abbastanza alto già nel XII e soprattutto nel XIII secolo, crebbe rapidamente alla fine del Medioevo. Dopo il 1350 vennero istituite unioni monetarie in Alsazia, Svevia, Franconia, Renania superiore, Paesi Bassi, Germania occidentale e sud-occidentale in risposta alla disintegrazione politica e monetaria seguita alla caduta della dinastia sveva.[21] Nei maggiori stati regionali italiani le monete delle città dominanti – Milano, Firenze e Venezia – si sostituirono a quelle comunali. In Francia, il *blanc* d'argento iniziava una lunga lotta per l'egemonia nazionale contro aree monetarie esse stesse da poco emerse dal crogiolo feudale. Nella misura in cui la frammentazione politica dava adito a forme di svalutazione competitiva e creava problemi di coordinamento tra autorità monetarie l'integrazione politica servì quasi certamente a ridurre l'incidenza degli svilimenti e, come si vedrà, accrebbe la credibilità finanziaria degli stati.[22]

I costi di transazione commerciale furono ridotti anche dalla crescente diffusione di monete di riferimento a elevato valore intrinseco. Si diffuse l'uso di monete d'oro per transazioni di rilievo, sia interne che internazionali, e queste divennero meno suscettibili di abusi. Nella zona commerciale della Hansa le divise auree rappresentavano un quinto di tutti i tesori monetari del XIV secolo, ma la proporzione salì a quattro quinti nel secolo successivo.[23] Nel corso del Trecento il fiorino e il ducato veneziano divennero monete di riferimento per i nascenti sistemi aurei nazionali d'Europa, uniche eccezioni l'Inghilterra, i principati renani del Quattrocento e, per un breve periodo, la Francia.[24]

L'obiettivo della riduzione dei costi di transazione commerciale e legale fu perseguito anche attraverso la proliferazione di fiere stagionali e annuali specializzate nel commercio infraregionale e interregionale, che facevano scendere i

20. R.E. Zupko, *British Weights and Measures. A History from Antiquity to the Seventeenth Century*, Madison-London 1977, cap. 2. Cfr. anche O. Held, *Hansische Einheitsbestrebbungen in Mass- und Gewichtswesen bis zum Jahre 1500*, «Hansische Geschichtsblätter», XLV (1918); F. Wielandt, *Münzen, Gewichte und Masse bis 1800*, in *Handbuch der deutschen Wirtschafts- und Sozialgeschichte*, a cura di H. Aubin e W. Zorn, Stuttgart 1971, I, p. 678; M. Le Mené, *Les campagnes angeivines à la fin du Moyen Âge (vers 1350-vers 1530). Étude économique*, Nantes 1982, pp. 33-48; Epstein, *Potere e mercati*, cit., cap. 3.

21. Wielandt, *Münzen*, cit., p. 664, con bibliografia; T. Scott, *Regional Identity and Economic Change. The Upper Rhine, 1450-1600*, Oxford 1997, cap. 6.

22. C.M. Cipolla, *Currency Depreciation in Medieval Europe*, «Economic History Review», s. II, XV (1963).

23. R. Sprandel, *Gewerbe und Handel*, in *Handbuch der deutschen Wirtschafts- und Sozialgeschichte*, cit., p. 354.

24. P. Spufford, *Money and its Use in Medieval Europe*, Cambridge 1988, pp. 319-321.

costi di commercializzazione dei produttori locali e dei mercanti.[25] In risposta a crisi demografiche localizzate si svilupparono mercati del lavoro più integrati, che regolavano i flussi migratori stagionali tra zone dotate di diverse strutture produttive.[26] Si organizzarono inoltre nuove istituzioni (accordi regionali e sovraregionali tra governi cittadini e maestri artigiani, associazioni regionali di lavoranti, obblighi di esame tecnico per aspiranti maestri immigranti) con l'obiettivo di migliorare la qualità e la mobilità del lavoro artigianale specializzato.[27]

I tassi di interesse pubblico e privato offrono la prova più significativa dei miglioramenti strutturali dell'economia tardo-medievale. A partire dalla metà del Trecento i tassi di interesse europei sperimentarono una tendenza al declino che terminò solo nel XVIII secolo. I tassi di interesse pagati dalle principali monarchie caddero dal 20-30% di prima della Peste Nera all'8-10% dei primi anni del Cinquecento; quelli pagati dalle città italiane, tedesche e fiamminghe, dotate di strutture finanziarie più sofisticate, scesero negli stessi anni dal 15 al 4%. La riduzione dei due terzi del premio di rischio finanziario è particolarmente significativa in quanto coincise con un periodo di forte pressione militare e fiscale e di accresciuta insicurezza politica e commerciale.[28] In Italia, ad esempio, il calo dei tassi di interesse ufficiali a Firenze, Venezia e Genova coincise, tra il 1340 e il 1380 circa, con un aumento del debito consolidato complessivo da 2 a 9,5 milioni di fiorini. Gli accresciuti rischi di disfatta militare dei debitori erano controbilanciati dalla maggiore affidabilità politica e finanziaria e quindi dai minori rischi di inadempienza, nonché dalla crescente sofisticazione dei mercati finanziari regionali, nazionali e internazionali (Grafico 1).

La caduta dei tassi di interesse privato fu quasi altrettanto impressionante.[29] Il costo del capitale privato in Inghilterra scese dal 9,5-11%, tasso corrente fra il 1150 e il 1350, al 7% nella seconda metà del Trecento e al 4,5% a fine

25. L. Fontaine, *History of Pedlars in Europe*, Oxford 1996, cap. 1; Epstein, *Freedom and Growth*, cit., cap. 4.

26. P.P. Viazzo, *Upland Communities. Environment, Population and Social Structure in the Alps Since the Sixteenth Century*, Cambridge 1989; L. Chiappa Mauri, *Le trasformazioni nell'area lombarda*, in *La Toscana nel secolo XIV. Caratteri di una civiltà regionale*, a cura di S. Gensini, Pisa 1988; Penn, Dyer, *Wages and Earnings*, cit.

27. W. Reininghaus, *Die Entstehung der Gesellengilden im Spätmittelalter*, Wiesbaden 1981; M. Sortor, *Saint-Omer and its Textile Trades in the Later Middle Ages: a Contribution to the Proto-industrialization Debate*, «American Historical Review», XCVIII (1993); G. Fourquin, *Histoire économique de l'Occident médiéval*, Paris 1979 (trad. it. *Storia economica dell'Occidente medievale*, Bologna 1987), p. 286; S.R. Epstein, *Craft Guilds, Apprenticeship, and Technological Change in Pre-Industrial Europe*, «Journal of Economic History», LIII (1998).

28. Munro, *The "New Institutional Economics"*, cit.

29. Affinché i tassi d'interesse corrispondano al costo del denaro i prestatori devono essere in grado di valutare il tasso di rischio per poter esigere un margine (premio) di rischio corrispondente. Pochi storici dubitano che il rischio fosse determinato in questo modo nel tardo Medioevo, anche se il grado di competizione e di efficienza istituzionale sui mercati del credito attende di essere studiato.

Grafico 1. Tassi d'interesse governativi in Europa, 1300-1750

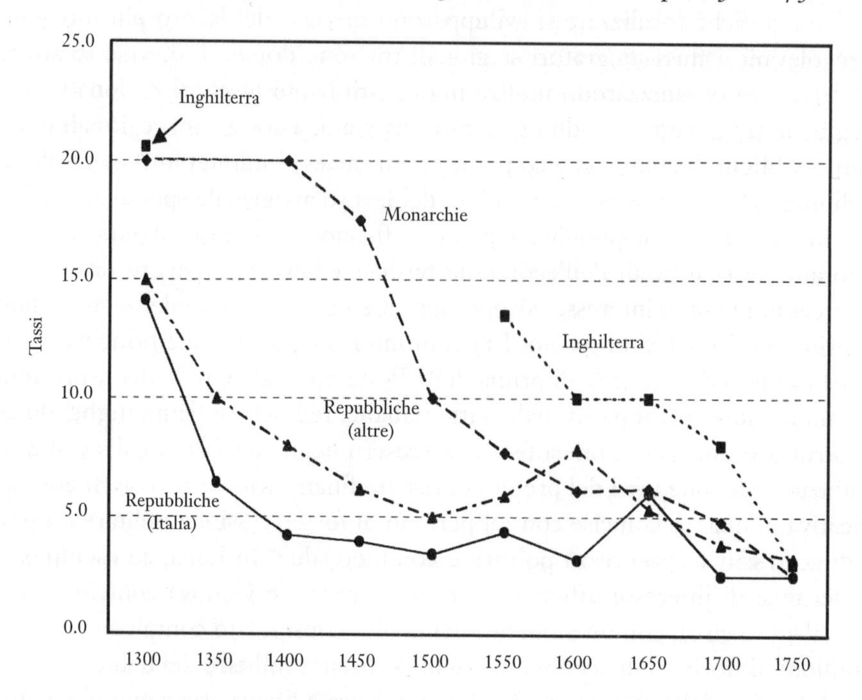

Grafico 2. Il costo del capitale privato in Europa, 1200-1600

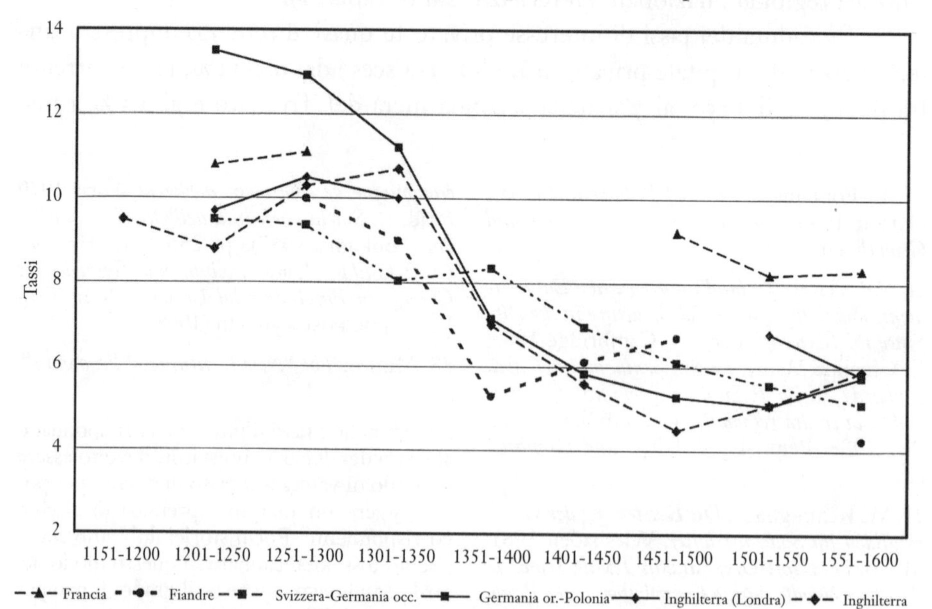

Fonte: Epstein, *Freedom and Growth*, cit., p. 86.

Quattrocento; riduzioni simili ebbero luogo altrove in Europa (Grafico 2). Questa caduta dei tassi accrebbe in maniera massiccia e irreversibile la quantità di capitale disponibile per gli investimenti e accelerò la sostituzione di forza-lavoro con capitale.[30] Tra i fattori che determinarono questo cambiamento di tendenza vanno annoverati la diminuzione dei rischi commerciali e istituzionali provocata dalla crescente affidabilità degli apparati legali e repressivi, le maggiori opportunità di investimento offerte dall'abbattimento delle barriere commerciali, la gamma crescente di beni di consumo che stimolavano la propensione individuale al risparmio. L'andamento dei tassi d'interesse dimostra che dopo la Peste Nera gli investimenti diventarono più sicuri, maggiormente disponibili e più desiderabili perché esistevano più merci nelle quali spendere i profitti.

L'aumento dei traffici regionali, e in particolare la sempre più elevata mobilità dei maestri artigiani e dei lavoranti, stimolarono la diffusione tecnologica.[31] D'altra parte è possibile che la crescente esposizione della popolazione all'innovazione aumentasse la propensione all'invenzione.[32] L'aumento dei tassi di investimento incoraggiò la diffusione e il perfezionamento di prodotti di consumo già esistenti e lo sviluppo di prodotti nuovi. Si registrarono così, per esempio, la diffusione di massa delle sottovesti di lino[33] (che accrebbero i livelli di igiene per-

30. La presentazione di tassi d'interesse medi 'nazionali' (calcolati sui tassi di medio e lungo termine basati sulla proprietà fondiaria) non vuole suggerire che i mercati del credito pre-moderni fossero del tutto integrati, e in realtà sembra improbabile che lo fossero (M. Buchinsky, B. Polak, *The Emergence of a National Capital Market in England, 1710-1880*, «Journal of Economic History», LIII (1993); si tratta di un puro artificio utile per esaminare gli andamenti di lungo periodo. Per un'analisi più dettagliata cfr. Epstein, *Freedom and Growth*, cit., cap. 2.

31. Tra il 1380 e il 1480 non meno del 20% dei tessitori fiorentini erano immigrati da regioni poste fuori dai confini della Toscana. Tra il 1430 e il 1455 il 55% dei tessitori proveniva da un'area transalpina comprendente l'Olanda, le Fiandre, il Brabante, la Francia settentrionale, la Germania meridionale e settentrionale. Questa *Italienische Reise* includeva anche altre città toscane, oltre che Venezia, Milano, Vicenza e Roma. È significativo il fatto che ai lavoranti 'tedeschi' (ossia transalpini), che sembrano avere sostituito gli artigiani emigrati da Firenze dopo la restaurazione politica del 1382, fu affidato il lavoro tecnicamente più complesso (F. Franceschi, *Oltre il 'Tumulto'. I lavoratori fiorentini dell'Arte della Lana fra Tre e Quattrocento*, Firenze 1993, pp. 119-135). W. von Stromer, *Die Gründung der Baumwollindustrie im Mitteleuropa. Wirtschaftspolitik im Spätmittelalter*, Stuttgart 1978, pp. 140-141, ipotizza che le perdite demografiche in Svevia abbiano potuto facilitare l'adozione delle nuove tecniche di tessitura del fustagno introdotte da immigrati lombardi.

32. Per analisi storiche e modelli teorici del genere di mutamento tecnologico 'endogeno' qui descritto cfr. K.G. Persson, *Pre-Industrial Economic Growth. Social Organization and Technological Progress in Europe*, Oxford 1988; K. Sokoloff, *Inventive Activity in Early Industrial America: Evidence from Patent Records, 1790-1846*, «Journal of Economic History», XLVIII (1988); P.M. Romer, *Endogenous Technological Change*, «Journal of Political Economy», XCVIII (1990), 5, Part II; Id., *The Origins of Endogenous Growth*, «Journal of Economic Perspectives», VIII (1994); A. Young, *Invention and Bounded Learning by Doing*, «Journal of Political Economy», CI (1993); Id., *Growth Without Scale Effects*, ivi, CVI (1998).

33. J. Heers, *La mode et les marchés des draps de laine: Gênes et la montagne à la fin du Moyen Âge*, in *Produzione commercio e consumo dei panni di lana (nei secoli XII-XVIII)*, a cura di M. Spallanzani, Firenze 1976.

sonale con grande beneficio per la salute pubblica, e crearono una fonte inesauribile di stracci a basso costo da cui dipese la produzione di carta da stampa);[34] la diffusione della calza a maglia a 4-5 aghi, che generò la nuova industria di cappelli e calze;[35] la creazione, tutta italiana, di formaggi duri da trasporto (caciocavallo e parmigiano) e della pasta a semola dura (maccheroni);[36] l'uso crescente di barili per il trasporto di vino, olio e altri alimenti deperibili;[37] la selezione accorta della razza ovina *merina* in Castiglia, che pose le basi della manifattura tessile iberica a partire dal XV secolo;[38] l'invenzione, nei Paesi Bassi e nell'Inghilterra sud-occidentale, di sistemi di trattamento per la conservazione di aringhe e sardine direttamente in barca, che allungava i tempi in mare e riduceva le perdite;[39] la trasformazione del vetro da prodotto di lusso a merce accessibile alle classi medie (la prima serra di vetro comparve nei Paesi Bassi nel corso del Quattrocento);[40] la produzione di vini di qualità distinti per luogo d'origine.[41]

Le innovazioni nei settori finanziario e commerciale inclusero lo sviluppo di un mercato internazionale per i prestiti di stato a Norimberga;[42] la creazione delle prime banche pubbliche a Barcellona (1401) e a Genova (1407); l'uso crescente dei contratti d'assicurazione e delle cambiali, nonché l'invenzione della partita doppia e della corrispondenza commerciale, che permise ai mercanti di se-

34. L'industria cartiera fu introdotta in Germania negli ultimi decenni del Trecento (S. Boorsch, N.M. Orenstein, *Introduction*, in *The Print in the North. The Age of Albrecht Dürer and Lucas van Leyden*, a cura di S. Boorsch e N.M. Orenstein, New York 1997, p. 4).

35. I. Turnau, *The Diffusion of Knitting in Medieval Europe*, in *Cloth and Clothing in Medieval Europe. Essays in Memory of Professor E.M. Carus-Wilson*, a cura di N.B. Harte e K.G. Ponting, London 1983.

36. Epstein, *Potere e mercati*, cit., p. 175; G. Miani, *L'économie lombarde aux XIVe et XVe siècle: une exception à la règle?*, «Annales ESC», XIX (1964), p. 578, nota 2; E. Sereni, *Note di storia dell'alimentazione nel Mezzogiorno: i Napoletani da "mangiafoglia" a "mangiamaccheroni"*, in Id., *Terra nuova e buoi rossi e altri saggi per una storia dell'agricoltura europea*, Torino 1981, pp. 323-325.

37. H. Zug Tucci, *Un aspetto trascurato del commercio medievale del vino*, in *Studi in memoria di Federigo Melis*, Napoli 1978, III.

38. R.S. Lopez, *The Origin of the Merino Sheep*, in *The Joshua Starr Memorial Volume: Studies in History and Philology*, New York 1953; J.H. Munro, *The Origin of the English "New Draperies": the Resurrection of an Old Flemish Industry, 1270-1570*, in *The New Draperies in the Low Countries and England, 1300-1800*, a cura di N.B. Harte, Oxford 1997, pp. 46-48 e 97, nota 27; P. Iradiel Murugarren, *Evolución de la industria textil castellana en los siglos XIII-XVI. Factores de desarrollo, organización y costes de la producción en Cuenca*, Salamanca 1974.

39. R.W. Unger, *The Netherlands Herring Fishery in the Late Middle Ages: the False Legend of Willem Beukels of Biervliet*, «Viator», IX (1978); M. Kowaleski, *The Expansion of the South-Western Fisheries in Late Medieval England*, «Economic History Review», s. II, LIII (2000).

40. T. Antoni, *Note sull'arte vetraria a Pisa fra il Tre e il Quattrocento*, «Bollettino Storico Pisano», LI (1982); Fourquin, *Histoire économique*, cit., p. 293.

41. F. Melis, *I vini italiani nel Medioevo*, a cura di A. Affortunati Parrini, Firenze 1984; G. Fourquin, *Les campagnes de la région parisienne à la fin du Moyen Âge du milieu du XIIIe siècle au début du XVIe siècle*, Paris 1964, pp. 89-90.

42. W. von Stromer, *Die oberdeutschen Geld- und Wechselmärkte. Ihre Entwicklung vom Spätmittelalter bis zum Dreißigjährigen Krieg*, «Scripta Mercaturae», I (1976).

dentarizzarsi;[43] l'introduzione del compasso, l'invenzione portoghese dell'astronomia navale e la riscoperta dell'astrolabio.[44] Le innovazioni meglio conosciute in campo industriale comprendono quella, avvenuta nella Germania meridionale, del tiratoio per il filo di ferro, che triplicò la produttività del lavoro;[45] la diffusione del metodo di fusione 'indiretto', l'invenzione quattrocentesca dell'altoforno e il perfezionamento dei sistemi di scolo sotterraneo che resero possibile lo scavo di miniere di profondità;[46] una serie di miglioramenti nelle dimensioni e nell'efficienza termica delle fornaci che permisero di 'democratizzare' l'uso di oggetti in ceramica; l'invenzione del cristallo nella Venezia del Quattrocento;[47] i miglioramenti tecnici apportati ai canali di navigazione interna in Olanda[48] e l'introduzione nel 1407-1408 di mulini a vento per la bonifica delle torbiere;[49] la produzione industriale di polvere da sparo, di armi da sparo a braccio e di cannoni mobili.

Sovvertimenti di natura sociale, politica ed economica e l'accresciuta mobilità artigiana intensificarono gli scambi di natura tecnologica tra settori industriali e regioni economiche, tra cui vanno inclusi la trasmissione delle tecniche di produzione del vetro di qualità da Venezia alla Boemia; il perfezionamento e la diffusione sia geografica che settoriale (dall'industria del fustagno a quella laniera italiana) del cosiddetto filatoio sassone, che accelerò l'impiego della lana cardata al posto di quella pettinata e permise aumenti di produttività fino all'80%;[50] la trasmissione per mezzo delle flotte veneziane e fiorentine della tecnologia navale

43. R. de Roover, *L'évolution de la lettre de change XIVe-XVIIIe siècles*, Paris 1953; Id., *The Development of Accounting Prior to Luca Pacioli According to the Account Books of Medieval Merchants*, in *Studies in the History of Accounting*, a cura di A.C. Littleton e B.S. Yamey, London 1956; Id., *The Rise and Decline of the Medici Bank 1397-1494*, Cambridge (Mass.) 1963 (trad. it. *Il Banco Medici dalle origini al declino, 1397-1494*, Firenze 1970); F. Melis, *L'azienda nel medioevo*, a cura di M. Spallanzani, Introduzione di M. Del Treppo, Firenze 1991, pp. 161-179, 239-253.

44. B.M. Kreutz, *Mediterranean Contributions to the Medieval Mariner's Compass*, «Technology and Culture», XIV (1973); D.W. Waters, *Science and Techniques of Navigation in the Renaissance*, in *Art, Science and History in the Renaissance*, a cura di C.S. Singleton, Baltimore 1968.

45. W. von Stromer, *Innovation und Wachstum im Spätmittelalter. Die Erfindung der Drahtmühle*, «Technikgeschichte», XLIV (1977).

46. R. Sprandel, *La production du fer au Moyen Âge*, «Annales ESC», XXIV (1969) stima che la produzione europea di ferro sia cresciuta da 25-30.000 tonnellate nel 1400 a 40.000 tonnellate nel 1500.

47. D. Jacoby, *Raw Materials for the Glass Industries of Venice and the Terraferma, about 1370-about 1460*, «Journal of Glass Studies», XXXV (1993).

48. F.-W. Henning, *Deutsche Wirtschafts- und Sozialgeschichte im Mittelalter und in der frühen Neuzeit*, Paderborn 1991, p. 457.

49. P. Hoppenbrouwers, *Agricultural Production and Technology in the Netherlands, c. 1000-1500*, in *Medieval Farming and Technology. The Impact of Agricultural Change in Northwest Europe*, a cura di G. Astill e J. Langdon, Leiden-New York-Köln 1997, p. 106.

50. Stima in base a dati in P. Chorley, *The Evolution of the Woollen*, in *The New Draperies*, cit., p. 10, che nota come la filatura costituisse la voce più importante dei costi di produzione dei panni di lana. Cfr. anche il caso del consiglio cittadino di Tortosa, che nel 1457 concesse un premio di 10 fiorini all'«inventore» di un filatoio che «compiva il lavoro di tre donne» (M. Riu, *The Woollen Industry in Catalonia in the Later Middle Ages*, in *Cloth and*

mediterranea all'Europa settentrionale, ivi comprese la galera e, più significativamente, la caravella e la cocca a 2-3 alberi, un incrocio di tecnologie concretizzatosi entro la fine del Quattrocento nella costruzione del «primo vascello veramente europeo, che pose fine ad una fondamentale separazione nella tecnologia marittima continentale che risaliva al primo medioevo»;[51] l'adattamento di piccoli vascelli da pesca e da fiume al piccolo cabotaggio costiero e l'invenzione della chiatta atlantica;[52] la 'rivoluzione cartografica', che fuse le tradizioni in precedenza indipendenti dei portolani, dei mappamondi 'immaginari' e delle carte locali e regionali causando una trasformazione radicale delle conoscenze e della percezione dello spazio da parte degli europei;[53] la sintesi tecnica tra metallurgia, oreficeria e intaglio che produsse gli orologi a molla e i caratteri a stampa mobile; l'utilizzazione sempre maggiore della forza idraulica per la lavorazione dei metalli, per la filatura della lana (a Colonia nel Quattrocento) e della seta (a Bologna), come pure per la macinatura di materie prime come la robbia e lo zucchero di canna siciliano;[54] la combinazione di tecniche di tintura arabe ed europee, con l'utilizzo crescente dell'allume come mordente.[55] Non da meno fu l''invenzione', a Firenze e a Venezia, del diritto di privativa o brevetto tecnologico, una conquista legata probabilmente alla crescente mobilità artigiana, che segnò l'ultimo passo concettuale nella 'individualizzazione' del progresso tecnico.[56]

Sebbene fosse più facile per l'industria e per la manifattura adottare nuove tecnologie rispetto all'agricoltura, che richiedeva maggiori sforzi di adattamento a condizioni ecologiche locali, le pratiche agrarie più avanzate si diffusero maggiormente sul piano regionale, soprattutto nell'alta e bassa Renania, nella contea di Fiandra e nei Paesi Bassi, in Inghilterra (che introdusse il luppolo fiammingo nel XV secolo), in Lombardia e in Toscana. Regioni periferiche come la Zelanda, la Polonia e la Russia videro l'introduzione di innovazioni alto-medievali come l'aratro pesante. In molti casi lo slancio per l'innovazione partì dal settore agrico-

Clothing, cit., p. 227). Per il trasferimento della tecnica del filatoio sassone e della cardatura dall'industria del fustagno a quella della lana cfr. Munro, *The Origin of the English "New Draperies"*, cit., p. 53.

51. I. Friel, *The Good Ship. Ships, Shipbuilding and Technology in England 1200-1520*, Baltimore 1995, p. 169 e R.W. Unger, *The Ship in the Medieval Economy 600-1600*, London 1980; M. Tranchant, *Navires et techniques de navigation en Atlantique à la fin du Moyen Âge*, tesi di 3° ciclo, Poitiers 1993, pp. 14-23.

52. Ivi, pp. 11-12, 45-47.

53. P.D.A. Harvey, *Medieval Maps*, Toronto-Buffalo 1991.

54. W. Endrei, W. von Stromer, *Textiltechnische und hydraulische Erfindung und ihre Innovatoren im Mitteleuropa im 14.-15. Jahrhundert (die Seidenzwirnmühle)*, «Technikgeschichte», XLI (1974); C. Poni, *Per la storia del distretto industriale serico di Bologna (secoli XVI-XIX)*, «Quaderni storici», XXV (1990); Epstein, *Potere e mercati*, cit., pp. 206-215.

55. E.E. Ploss, *Ein Buch von alten Farben. Technologie der Textilfarben im Mittelalter mit einem Ausblick auf die festen Farben*, München 1973, pp. 35, 42.

56. P.O. Long, *Invention, Authorship, "Intellectual Property" and the Origin of Patents: Notes Toward a Conceptual History*, «Technology and Culture», XXXII (1991).

lo, forse in virtù del ridotto costo del capitale.[57] Piante di origine islamica quali l'indaco, il riso, lo spinacio, la canna da zucchero, il carciofo, e probabilmente la melanzana – che erano poco più che curiosità da giardino prima della Peste Nera – si diffusero maggiormente attraverso il Mediterraneo occidentale.[58]

È possibile verificare l'ipotesi secondo cui la sicurezza e l'integrazione dei mercati aumentarono dopo il 1350 osservando, all'interno dei nuovi stati territoriali, i cambiamenti relativi al prodotto a più diffusa commercializzazione: il grano. A questo scopo mi servirò di due misure di integrazione: la cosiddetta legge del prezzo unico, secondo la quale in condizioni di competizione perfetta e di costi di transazione nulli esisterà un unico prezzo, e il tasso di volatilità, che riflette le percezioni di chi compra e vende grano rispetto al grado di abbondanza e di scarsità future. Le differenze di prezzo tra mercati e il grado di volatilità su un dato mercato sono determinati dai costi di informazione, contrattazione, e trasporto, ossia dai costi di distribuzione. Dando per fissi i costi strettamente tecnici del trasporto in quel periodo, i mutamenti nel tasso di integrazione riflettono necessariamente l'incidenza di fattori istituzionali e politici sull'organizzazione dei mercati. Alti costi di transazione causeranno forti differenze di prezzo e alti livelli di volatilità; viceversa, bassi costi di transazione ridurranno le difformità di prezzo e la volatilità.

Entrambe le misure confermano l'ipotesi di un aumento significativo dell'integrazione sui mercati del frumento europei dopo la Peste Nera, con una diminuzione evidente della volatilità dei prezzi nei centri urbani (Grafico 3) e un aumento contemporaneo della correlazione infra-regionale dei prezzi; gli esempi provengono in questo caso da Toscana e Lombardia, ma il dato è confermato per altre regioni francesi e dei Paesi Bassi (Grafico 4).[59]

57. C. Reinicke, *Agrarkonjunktur und technisch-organisatorische Innovationen auf dem Agrarsektor im Spiegel niederrheinischer Pachtverträge 1200-1600*, Köln-Wien 1989, pp. 327-334; U. Bentzien, *Bauernarbeit im Feudalismus. Landwirtschaftliche Arbeitsgeräte und -verfahren in Deutschland von der Mitte des ersten Jahrtausends u. Z. bis um 1800*, Vaduz 1990, pp. 105-131; E. Thoen, *Technique agricole, cultures nouvelles et économie rurale en Flandre au bas Moyen Âge*, in AA.VV., *Plantes et cultures nouvelles en Europe occidentale, au Moyen Âge et à l'époque moderne*, Auch 1992; Hoppenbrouwers, *Agricultural Production*, cit., pp. 103-104; J. Langdon, *Horses, Oxen and Technological Innovation. The Use of Draught Animals in English Farming from 1066 to 1500*, Cambridge 1986; D. Postles, *Clearing the Medieval Arable*, «Agricultural History Review», XXXVII (1989); A.M. Watson, *Towards Denser and More Continuous Settlement: New Crops and Farming Techniques in the Early Middle Ages*, in *Pathways to Medieval Peasants*, a cura di J.A. Raftis, Toronto 1981, p. 76. Per un'analisi della diffusione tecnologica in ambiente agricolo incentrata sul ruolo del capitale umano e delle esternalità, cfr. A.D. Foster, M.R. Rosenzweig, *Learning by Doing and Learning From Others: Capital and Technical Change in Agriculture*, «Journal of Political Economy», CIII (1995).

58. Watson, *Agricultural Innovation*, cit.

59. R.W. Unger, *Integration of Baltic and Low Countries Grain Markets, 1400-1800*, in *The Interactions of Amsterdam and Antwerp with the Baltic Region, 1400-1800*, a cura di J.M. von Winter, Leiden 1983; M.-J. Tits-Dieuaide, *La formation des prix céréaliers en Brabant et en Flandre au XVe siècle*, Bruxelles 1975, pp. 255-

Grafico 3. Volatilità dei prezzi del grano sui mercati urbani europei, 1310-1649 (con linea di tendenza)

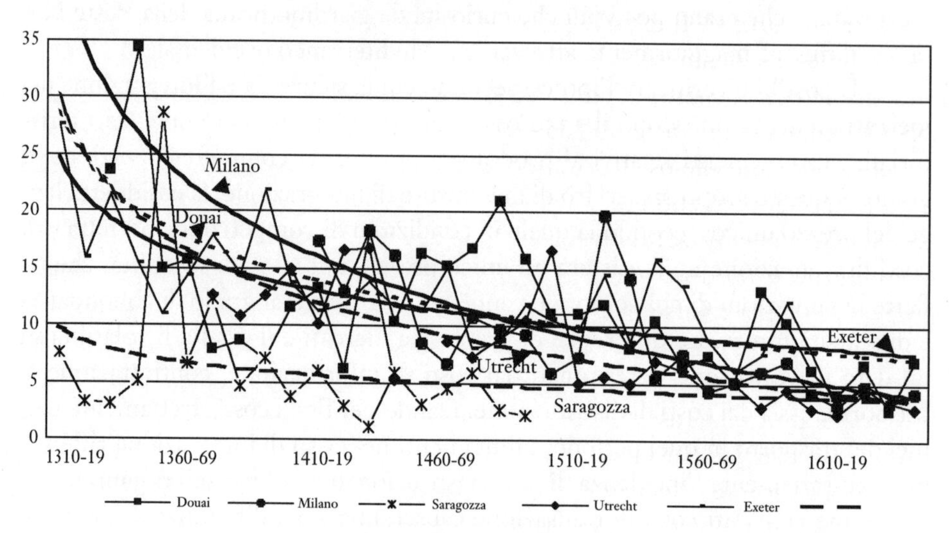

Grafico 4. Sincronizzazione dei prezzi del grano in Toscana e Lombardia, 1400-1699

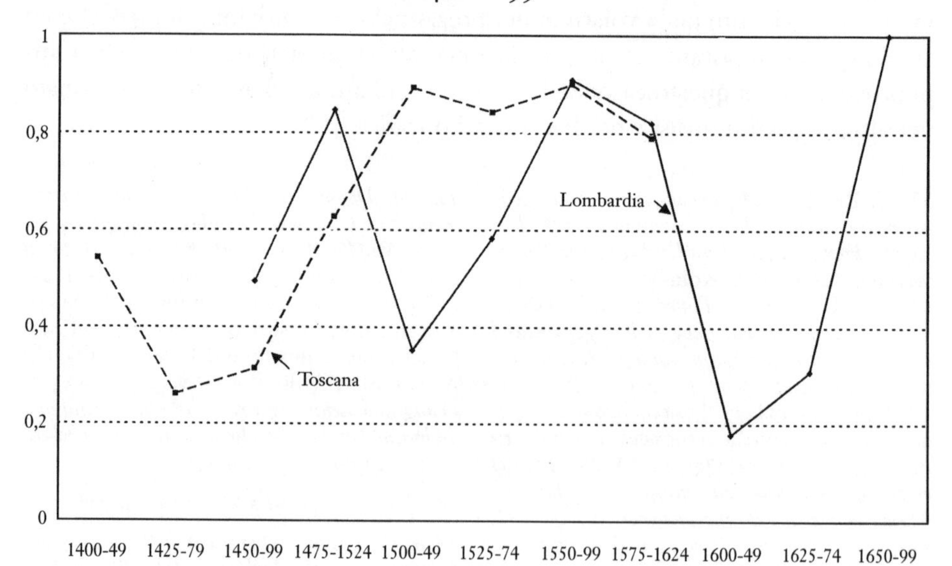

Misure indirette del tasso di integrazione, come il tasso di urbanizzazione, suggeriscono anch'esse una crescita delle dimensioni e del grado di competitività dei mercati europei. Il tasso medio di urbanizzazione aumentò in Europa a seguito dei perfezionamenti nei sistemi di commercializzazione e di distribuzione descritti in precedenza: più persone vivevano in città perché si potevano rifornire più facilmente di cibo e perché mercati del lavoro più efficienti rispondevano più flessibilmente alle oscillazioni della stagione agricola e della domanda industriale.[60] I miglioramenti non furono però distribuiti in modo omogeneo. L'urbanizzazione aumentò soprattutto in regioni relativamente arretrate – nell'Italia meridionale e nord-occidentale, in Castiglia, Portogallo, Olanda, Germania, Boemia, Polonia e forse in Inghilterra – che posero le basi per la convergenza economica con le regioni più avanzate; di contro i tassi di urbanizzazione in molte delle regioni economicamente più avanzate – le Fiandre, la Sicilia, la Catalogna e soprattutto la Toscana – stagnarono o regredirono, a riprova della presenza di nuovi ostacoli per lo sviluppo.

La crescente urbanizzazione si accompagnò alla formazione di sistemi urbani più ordinati e gerarchici, generalmente di ambito 'regionale'; in Inghilterra, in virtù della forte centralizzazione politica, cominciò a delinearsi un rudimentale sistema urbano nazionale.[61] Descritte da de Vries come «medievali», le gerarchie urbane nell'Europa del primo Cinquecento erano sistemi sostanzialmente nuovi consolidatisi nel crogiuolo della 'crisi' tardo-medievale. Analogamente alla formazione di gerarchie urbane 'protonazionali' durante la crisi del Seicento, la formazione di gerarchie urbane regionali dopo la metà del Trecento fu sollecitata dalla crescente centralizzazione politica, che indeboliva le tradizionali prerogative urbane, riduceva le barriere commerciali tra centri urbani, e trasferiva nuove risorse amministrative e fiscali dal territorio statale alle nuove 'capitali' regionali e nazionali. Le economie di scala e di agglomerazione, che risultarono dall'allargamento dei mercati e dalla competizione fra le città, infine, si tradussero nella crescente concentrazione delle industrie tessili più specializ-

256; Ead., *L'évolution des prix du blé dans quelques villes d'Europe occidentale du XVe siècle au XVIIIe siècle*, «Annales ESC», XLII (1987); E. Poehlmann, *Economic Growth in Late Medieval England: A Challenge to the Orthodoxy of Decline*, M. Sc. Thesis, London School of Economics 1993; Epstein, *Freedom and Growth*, cit., cap. 7.

60. G.W. Grantham, *Divisions of Labour: Agricultural Productivity and Occupational Specialization in Pre-Industrial France*, «Economic History Review», s. II, XLVI (1993).

61. G. Chittolini, *La città europea tra Medioevo e Rinascimento*, in *Modelli di città. Strutture e funzioni politiche*, a cura di P. Rossi, Torino 1987; J. de Vries, *European Urbanization 1500-1800*, London 1984; B. Chevalier, *Les bonnes villes de France du XIVe au XVIe siècle*, Paris 1982, cap. 2; C.M. Lesger, *Urban Systems and Economic Development in Holland During the Later Middle Ages and the Early Modern Period*, in *Recent Doctoral Research in Economic History. Proceedings of the D-Sessions, XI International Economic History Congress*, Milano 1994; J. Galloway, *Town and Country in England, 1300-1570*, in *Town and Country in Europe, 1300-1800*, a cura di S.R. Epstein, Cambridge-New York 2001.

zate, nella specializzazione delle corporazioni artigiane e nel consolidamento di nuovi distretti protoindustriali.[62]

Malgrado il notevole sviluppo urbanistico, prima della Peste Nera l'Italia non possedeva ancora gerarchie urbane ben definite. Nelle tre macro-regioni più urbanizzate città di peso e rango analogo si contendevano il primato. La macro-regione 'padana' aveva tre vertici – Venezia, Milano e Genova – circondati da un piccolo numero di centri urbani al di sopra dei 40.000 abitanti; la regione centrata sulla Toscana presentava apici in Pisa, Firenze e Siena; la Sicilia possedeva due vertici urbani, Palermo e Messina, la prima proiettata sul Mediterraneo centrale e occidentale, la seconda con forti legami con la Calabria. Anche nelle zone meno urbanizzate il primato urbano era conteso o incerto. In Piemonte si disputavano l'egemonia regionale Alessandria, Asti e Chieri; nell'Italia centro-meridionale (Romagna, Marche, Umbria e Lazio) la contesa era tra Bologna, Ancona e Perugia; il Regno di Napoli era frammentato in circuiti minori gravitanti su Napoli, Salerno e Aversa sulla costa occidentale, su Melfi e Lucera nell'interno, su Taranto, Brindisi, Monopoli, Barletta, Bari, Bitonto e Trani sulla costa orientale; i sistemi urbani di regioni geograficamente o commercialmente periferiche come il Friuli, il Trentino e la Sardegna erano ancora più labili.

Nei decenni anteriori alla Peste Nera la maggior parte delle città al di sopra dei 20.000 abitanti si caratterizzava più per il suo dinamismo nelle attività commerciali e bancarie internazionali (in cui i costi di transazione erano paradossalmente inferiori e i vantaggi di *first mover* relativamente maggiori rispetto a quelli prevalenti su mercati domestici fortemente frammentati) che per le ambizioni di egemonia territoriale. Con la notevole eccezione di Milano, che beneficiò dei tentativi precoci di coordinamento signorile in ambito lombardo, il successo di un'economia metropolitana in questa fase 'comunale' di sviluppo dipese più dallo svolgimento di funzioni nodali nel commercio e nella finanza internazionale che dalle capacità di coordinamento territoriale. Irretite da un sistema politico altamente competitivo e da un sistema economico altrettanto frammentato, le città prive di sbocchi commerciali e finanziari esterni potevano ambire al massimo al ruolo di poli amministrativi e commerciali di un contado e non superarono i 10.000-20.000 abitanti (Tabella 1).

Lo sviluppo di stati territoriali più coordinati produsse cambiamenti importanti anche nei sistemi urbani italiani. L'ascesa di sistemi urbani più gerarchici e polarizzati si rifletté nel naufragio dei centri regionali tra 10.000 e 40.000 abitanti (-42%) rispetto alla crescita di numero delle metropoli e alla contrazione più contenuta (-27%) delle città con meno di 10.000 abitanti. I veri perdenti

62. Per il processo di concentrazione industriale e di specializzazione artigiana, cfr. Fourquin, *Histoire économique*, cit., pp. 282-283; Persson, *Pre-Industrial Economic Growth*, cit. La crescente divisione del lavoro tra corporazioni era dovuta più a economie di scala esterne create dall'espansione dei mercati che a poco significative economie di scala interne.

nella lotta per l'egemonia territoriale furono dunque i centri urbani con funzioni distrettuali, a vantaggio delle realtà minori e soprattutto di un pugno di vecchie e nuove 'megalopoli'. Queste ultime comprendevano ancora i due maggiori poli padani, Milano e Venezia, ma le due metropoli centro-settentrionali più periferiche (Genova e Firenze) erano state declassate a vantaggio di due città 'nuove' meridionali: Napoli, passata in mezzo secolo da 30.000 a 150.000 abitanti grazie alla politica accentratrice di Alfonso V e del figlio Ferrante I, che veniva proiettata per la prima volta tra i massimi aggregati urbani europei (dove rimase per oltre tre secoli); e Roma, anch'essa beneficiaria di riforme politiche e fiscali legate alla territorializzazione dello stato, che dovette però attendere ancora qualche anno perché la Riforma luterana la elevasse a capitale materiale, e non solo spirituale, del cattolicesimo europeo.

Questi sviluppi segnalarono lo spostamento dell'asse urbano dal Centro-Nord verso il Mezzogiorno e il passaggio dal modello di sviluppo metropolitano 'unimodale' prevalso fino ai primi decenni del Trecento, basato sull'intermediazione finanziaria e commerciale sui mercati internazionali, a un modello di sviluppo 'bimodale' che aggiungeva il controllo politico sulle risorse economiche e fiscali di un ampio retroterra regionale. Il primato genovese, fiorentino, milanese e veneziano prima della 'crisi' nasceva non tanto dallo sfruttamento politico ed economico di un contado soggetto – un fenomeno che accomunava queste città alle altre dell'Italia centro-settentrionale – quanto dalle capacità di intermediazione commerciale e finanziaria tra Mediterraneo orientale e occidentale e tra l'Italia e i paesi d'Oltralpe: il potere politico era sconnesso dal rango economico. Due secoli più tardi, il primato di Venezia, Milano, Roma e Napoli dipendeva sia dall'egemonia sul territorio che dalle funzioni internazionali, come dimostrano *e contrario* il declino di Genova, priva di uno stato territoriale esteso, e di Firenze, che aveva impoverito il territorio con politiche fiscali: due facce della stessa medaglia.

La formazione di stati territoriali più coesi ridefinì i confini territoriali in base ai criteri di sovranità e di tassazione dei commerci interstatali; inoltre ridusse il carico tributario sui commerci interni. La riduzione dei diritti di transito feudali e urbani, il sostegno per le nuove fiere nelle campagne e l'aumento dei controlli alle frontiere intensificarono gli scambi e la competizione sui mercati interni. L'integrazione politica stimolò la lenta convergenza dei prezzi regionali (Grafico 4) e accrebbe il numero di centri urbani di rango provinciale con funzioni più specializzate e unimodali: Genova e Messina, che mantennero il tradizionale ruolo di connessione tra commerci marittimi e terrestri; Palermo e Ferrara, con funzioni vieppiù politiche; Cremona e Brescia, specializzate in attività industriali; Verona, con funzioni soprattutto commerciali.

La 'crisi', tuttavia, incise in modo molto diverso sulle strutture urbane delle diverse regioni italiane. All'interno di un quadro nazionale complessivamente poco mosso si individuano tre tipologie regionali: stagnazione/declino, recupero/stasi, espansione. Il primo tipo, caratterizzato da fenomeni di stagnazione o declino urbano, comprende in particolare l'Italia centrale (Emilia Romagna, Toscana, Umbria e Marche) e qualcuna delle regioni interne del Mezzogiorno (Abruzzo Citra, Basilicata, Calabria Citra, Capitanata e Principato Ultra). Il secondo tipo, caratterizzato da un rapido recupero dal declino tardo-medievale e poi da stasi, corrisponde alle regioni più urbanizzate prima della 'crisi', ossia la Lombardia, il Veneto e la Sicilia, ma non la Toscana (Tabella 2). Il terzo tipo annovera un gruppo piuttosto eterogeneo di regioni in precedenza periferiche, che beneficiò maggiormente degli sviluppi istituzionali tardo-medievali e in particolare dell'istituzione di capitali politiche: il Piemonte, che trasse vantaggio dalla costituzione di uno stato territoriale sabaudo, dall'elevazione di Torino a capitale regionale e dalla crescita protoindustriale di Casale Monferrato e Mondovì; il Lazio, con il polo romano; la Terra di Lavoro, che partecipò della forte espansione napoletana; l'Abruzzo Ultra, trascinato dallo sviluppo industriale e commerciale dell'Aquila e avvantaggiato dalla posizione intermedia tra i mercati romani e quelli napoletani.

Nell'Italia tardo-medievale il mondo cittadino riuscì a superare i limiti raggiunti verso il 1300 principalmente in regioni con impianto urbano precedentemente debole, dove nuove città capitali o 'imperiali' come Roma e Napoli, che avevano accesso a rendite fiscali e amministrative sovraregionali, e nuovi centri industriali d'esportazione potevano emergere senza grandi opposizioni. Regioni di consolidata tradizione urbana, invece, se la cavarono meno bene. Alcune città persero il ruolo acquisito nel periodo di espansione demografica e non furono in grado di riqualificarsi: esemplari a questo proposito furono Firenze, che reagì alla perdita dei tradizionali mercati nel Regno angioino con una politica territoriale miope e alla lunga controproducente, e Bologna, che reagì all'ascesa di nuove formazioni territoriali intorno a Ferrara, Parma e Piacenza investendo tutto nella contrattazione di privilegi con la Santa Sede. Il problema delle Marche e dell'Umbria, al contrario, era la mancanza di un forte potere principesco o urbano che potesse coordinare i rapporti tra le città rivali in modo da mitigare gli effetti della legislazione protezionistica e delle barriere commerciali di età comunale. Anche nel Mezzogiorno continentale l'ostacolo allo sviluppo urbano risedeva nell'assenza di un forte potere coordinatore, anche se qui gli attori politici principali erano le signorie feudali e non le città, che reagirono alla 'crisi' convertendosi all'agricoltura estensiva e alla pastorizia.

I due fattori determinanti per lo sviluppo urbano durante e dopo la 'crisi' furono dunque l'intensità del riordinamento politico e istituzionale regionale e la capacità delle città di proteggere le rendite acquisite. Le città crebbero in mancanza di poteri urbani consolidati nel contesto di stati territoriali 'forti' e smisero di crescere o declinarono dove potevano esercitare robuste prerogative territoriali ed erano in presenza di deboli controparti politiche. Nella parte centrale e orientale della macro-regione 'padana', dove lo stato territoriale si sforzò di razionalizzare il sistema giurisdizionale e fiscale comunale senza però mettere fondamentalmente in questione i poteri cittadini, il settore urbano si mantenne ai livelli raggiunti nel primo Trecento senza crescere ulteriormente.

Verso il 1500 il sistema delle città italiane mostrava due caratteristiche originali, dagli effetti per certi versi contraddittori. La prima di queste era l'ampiezza, senza confronti con il resto d'Europa, dei poteri economici e giurisdizionali (compresi quelli fiscali) acquisiti dalle élites urbane. Quei poteri di coercizione, che erano serviti a fare dell'Italia l'economia-guida europea nei primi decenni del XIV secolo diventarono una zavorra crescente man mano che le dimensioni di efficienza minima dei mercati aumentavano.[63] La seconda caratteristica del tutto originale era l'assenza ormai consolidata di un singolo centro urbano dominante. Nuove opportunità di espansione e nuove fonti di rendita esterne alla Penisola – commerciali e industriali per Venezia e Milano, politico-istituzionali per Napoli e Roma –, in presenza di vincoli insuperabili al consolidamento territoriale nazionale, servirono nel corso del Quattrocento a rafforzare un sistema politico-urbanistico multipolare caratterizzato da tre o quattro macro-regioni solo parzialmente interagenti e in competizione fra loro. La 'crisi' vide la sostituzione di un sistema urbano dominato dagli empori commerciali del Centro-Nord con una rete geograficamente e funzionalmente più complessa che copriva l'intera Penisola e che caratterizzò la storia politica ed economica italiana fino ai nostri giorni.

Agricoltura e sviluppo protoindustriale

Che ruolo giocarono in questi processi le industrie tessili di esportazione, i 'settori industriali di base' dell'Italia centro-settentrionale che si è detto costituivano la forza propulsiva dell'economia italiana prima dell'Unità d'Italia?[64] Secondo Malanima, all'apice dell'espansione commerciale e industriale del Centro-Nord, verso il 1570-1579, le esportazioni di tessuti di lana e seta costituivano il 7% circa del prodotto lordo delle macro-regioni padana e centrale. Aggiungendo il valore delle partite invisibili e delle importazioni, il grado di 'apertura' commerciale del Centro-Nord avrebbe toccato allora un limite massimo del 10% del prodotto nazionale lordo.

Questo livello di apertura commerciale, certamente molto elevato per l'epoca seppure inferiore al 10-15% toccato dall'economia siciliana negli stessi anni,[65] non era tuttavia una caratteristica dell'economia italiana o centro-settentrionale al-

63. R.S. Epstein, *Introduction*, in *Town and Country*, cit.; Id., *The Rise and Decline of Italian City-States*, in *City-State Cultures in World History*, a cura di M.H. Hansen, Copenhagen 2000, pp. 287-290.

64. Malanima, *La fine del primato*, cit.

65. Ivi, p. 78; Epstein, *Potere e mercati*, cit., cap. 6.

l'inizio del XIV secolo, quando le città del Centro-Nord non avevano ancora creato grandi industrie laniere d'esportazione (la manifattura fiorentina di qualità si sviluppò dopo il 1320) e una quota notevole dei consumi interni veniva coperta da panni fiamminghi e francesi, quando l'industria serica era di dimensioni ridotte e la manifattura lombarda del fustagno era rivolta più al mercato interno che a quello estero. In base alle stime di Giovanni Villani, che calcolò in 1,2 milioni di fiorini il valore totale della produzione laniera fiorentina (compresa quella per il consumo locale) al suo apice nel 1330-1340, e di Tommaso Mocenigo, che stimò a 900.000 ducati il valore dei 48.000 panni di lana e dei 40.000 fustagni esportati dalla Lombardia a Venezia nel terzo decennio del Quattrocento, si può attribuire alla produzione tessile di maggiore importanza un valore totale di 20,6 milioni di lire fiorentine del 1570 (il dato di base utilizzato da Malanima).[66] Se arrotondiamo questa cifra a 25 milioni di lire per tenere conto di possibili omissioni, risulta che la produzione tessile 'di base' del Centro-Nord verso il 1300-1330 corrispondeva a poco più del 2% del prodotto nazionale lordo e a meno di un terzo della produzione stimata da Malanima per il 1570.[67] Con tutte le riserve del caso, è chiaro che le esportazioni industriali 'di base' non giocarono un ruolo centrale nello sviluppo economico dell'Italia centro-settentrionale prima del 1350 (persino le compagnie bancarie dei Bardi e dei Peruzzi, le più ricche e potenti dell'epoca, traevano la maggior parte dei profitti dal commercio del grano nel Mezzogiorno d'Italia piuttosto che dall'esportazione di panni 'italiani').[68] Le stesse conclusioni si applicano alla Sicilia del Duecento e del primo Trecento, già allora una delle economie europee più aperte, in cui la quota di prodotto nazionale lordo esportato non superò il 2-3%.[69]

La vocazione all'esportazione caratteristica dell'Italia moderna fu dunque il risultato delle trasformazioni economiche indotte dalla 'crisi'. In Sicilia, l'aggiunta dopo il 1430 della seta e dell'allevamento alle tradizionali esportazioni di cereali creò una delle prime 'economie di esportazione' europee con un 10-15% del prodotto nazionale lordo ricavato dagli scambi con l'estero.[70] Analogamente, la vocazione dell'Italia centro-settentrionale all'esportazione industriale si basò sull'espansione – cronologicamente coeva e di dimensioni analoghe – delle esportazioni di tessuti di lana e soprattutto di seta dalla macro-regione padana e da Firenze (la crescita di un'industria laniera d'esportazione andò a compensare il declino di quella del fustagno). Dato il tono economico complessivamente po-

66. G. Luzzatto, *Breve storia economica dell'Italia medievale*, Torino 1965, p. 195.

67. Malanima, *La fine del primato*, cit., pp. 70-71. La stima del prodotto nazionale lordo italiano nel 1300, pari a 121 milioni di lire fiorentine del 1570, è stata fatta sulla base di una popolazione di 12,5 milioni di abitanti e di un prodotto pro capite pari all'86% di quello calcolato da Malanima per il 1570-1585 (Tabella 3, col. 4).

68. E.S. Hunt, *The Medieval Super-Companies. A Study of the Peruzzi of Florence*, Cambridge 1994.

69. Epstein, *Potere e mercati*, cit., cap. 6.

70. Cfr. *supra*, nota 68.

co dinamico e il fatto che l'economia toscana si impoverì nonostante i successi delle industrie tessili fiorentine, sembra però lecito dubitare dei benefici netti dell'espansione industriale e commerciale.[71] La crescente apertura commerciale della Penisola non riuscì da sola a modificare l'andamento globale dell'economia del Centro-Nord e dunque tanto meno di quella 'nazionale', o perché si basava sull'espansione di mercati ancora ristretti ed elitari, o perché non riuscì da sola a controbilanciare le difficoltà incontrate dall'ancora dominante mondo agrario e industriale 'tradizionale'.

Le capacità di innovazione dell'agricoltura tardo-medievale sono ben documentate. Dopo la peste, un po' ovunque in Europa, i contadini ridussero la produzione cerealicola e investirono in colture a più elevato valore aggiunto (vino, olio, piante tintorie, frutta, ortaggi, seta, prodotti dell'allevamento) e in attività protoindustriali. In Italia, tuttavia, alla tendenza verso la maggiore specializzazione per il mercato si affiancò un forte movimento contrario, favorevole alla diversificazione produttiva e all'autoconsumo.

A nord di Roma la riorganizzazione fondiaria di appezzamenti piccoli e dispersi in tenute compatte di 10-30 ettari, il cosiddetto appoderamento, dette origine a due sistemi agricoli per molti versi opposti. In gran parte dell'Italia centrale e in diverse regioni della macro-regione padana i poderi adottarono forme complesse di policoltura (con varie combinazioni di cereali, viti, olivi, alberi da frutto, lino e bachi da seta) caratterizzate dall'uso intensivo di lavoro contadino, dall'obiettivo dell'autosufficienza dell'unità di produzione e da canoni quasi sempre in natura. Contemporaneamente emerse, limitatamente alle pianure irrigate della Lombardia centrale, un sistema di produzione più specializzato e capitalizzato, organizzato in fattorie di 50-130 ettari gestite da imprenditori rurali che fornivano gli *input* di capitale (compresi i salari dei lavoratori avventizi) e pagavano canoni in denaro, e che grazie all'integrazione della cerealicoltura con l'allevamento e con prodotti più marginali come riso, lino e canapa, raggiungeva livelli di produttività simili a quelli delle zone più fertili dell'Europa settentrionale.

Nella Lombardia centrale i poderi consolidati, che potevano risparmiare di più sui costi della manodopera, si specializzarono nei prodotti a basso valore aggiunto come cereali e fieno, mentre le tenute di dimensioni più ridotte si volsero verso le colture intensive. Ma quel modello, centrato sugli obiettivi di ridurre il costo della forza-lavoro e di massimizzare la produzione per il mercato, non corrispose alla scelta più comune, diffusa in area padana ma caratteristica soprattutto dell'Italia centrale, di contenere i rapporti con il mercato e pertanto di restringere la fonte principale di incentivi al miglioramento produttivo.

71. P. Malanima, *La decadenza di un'economia cittadina. L'industria di Firenze nei secoli XVI-XVIII*, Bologna 1982; F. Battistini, *Gelsi, bozzoli e caldaie. L'industria della seta in Toscana tra città, borghi e campagna (secc. XVI-XVIII)*, Firenze 1998.

Nella macro-regione comprendente la Sicilia, la Puglia centrale e la Terra di Lavoro l'agricoltura proseguì lungo la via della specializzazione imboccata durante il XIII secolo. I cereali venivano prodotti da affittuari e manodopera stagionale su grandi masserie, convertite a pascolo ogni due-tre anni, mentre in piccoli 'giardini mediterranei', situati nelle zone suburbane e costiere, si ottenevano colture ad alta intensità di lavoro e talora di capitale (vino, olio, noci, frutta e canna da zucchero). In Sicilia la specializzazione agricola tra una zona cerealicola sud-occidentale e una zona 'alberata' nord-orientale trasse slancio da fenomeni di commercializzazione della proprietà fondiaria feudale, dallo sviluppo di mercati del lavoro e del credito più sofisticati e dalla crescente integrazione nei mercati internazionali. Sviluppi analoghi nell'integrazione funzionale tra agricoltura estensiva e intensiva si registrarono, forse con qualche decennio di ritardo, nella Puglia centrale, nella Calabria meridionale e nelle campagne napoletane.

Come regola generale la distinzione tra coltura estensiva e intensiva corrispondeva a quella tra proprietà feudale e proprietà contadina, ma la linea di demarcazione non era sempre così chiara: per esempio, baroni siciliani e calabresi furono tra i primi a cogliere le nuove opportunità offerte dalle industrie della seta e dello zucchero e le élites rurali non-feudali non furono da meno nella gestione in proprio di masserie. Il mancato sviluppo di poderi consolidati sul modello centro-settentrionale non indica dunque l'assenza di investimenti; anzi, la bilancia dei pagamenti agricola favorevole tra queste regioni e l'Italia centro-settentrionale indica che esse vi investivano più risorse. Ma nel Mezzogiorno continentale, caratterizzato da deboli poli di domanda urbana e da costi di trasporto elevati, dove gli stimoli che altrove spingevano alla polarizzazione tra grande produzione cerealicola e coltivazione intensiva su piccola scala furono percepiti più debolmente, la caduta della domanda di cereali e l'assenza di una forte nervatura urbana condussero a fenomeni di spopolamento e impaludamento e a una crescita proporzionale della pastorizia transumante.

In breve, l'agricoltura italiana reagì alla 'crisi' tardo-medievale imboccando o la via della specializzazione, che mirava a massimizzare i profitti e tollerava livelli più elevati di rischio, o quella della diversificazione colturale, in cui prevaleva la scelta di riduzione del rischio. Da questo punto di vista il contrasto spesso evocato tra agricoltura 'estensiva' meridionale e agricoltura 'intensiva' del Centro-Nord è fuorviante, poiché in termini organizzativi e commerciali l'agricoltura irrigua della Bassa lombarda era più simile all'agricoltura specializzata del Mezzogiorno che alla policoltura di autosussistenza caratteristica di molte aree dell'Italia centro-settentrionale. Il contrasto di fondo tra i due sistemi agricoli, in ogni caso, risiedeva nei livelli di rischio ritenuti accettabili. Il grado di avversione al rischio dipendeva a sua volta dall'affidabilità di tre mercati – del lavoro, del credito e della distribuzione del prodotto – che determinavano gli esiti delle scelte produttive: ciò che spiega i contrasti tra zone agrarie più specializzate, con mercati del lavoro, del credito e dei prodotti articolati e flessibili, e zone di economia poderale dove la principale fonte di forza-lavoro era la famiglia contadina, il credito proveniva in larga misura dal locatore e la maggior parte del prodotto agricolo veniva consumato in loco.

Il confronto tra modelli agrari 'specializzati' e 'autosufficienti' porta a due conclusioni. Primo, i proprietari e i contadini che scelsero la via della diversificazione agricola agivano in modo pienamente razionale (nel senso della corrispondenza tra mezzi e fini). L'elevata produttività della terra nelle zone agrarie di tipo poderale dimostra che le risorse a disposizione venivano utilizzate in modo efficiente; l'ostacolo principale allo sviluppo agricolo e al raggiungimento di livelli di vita migliori era costituito invece dalla bassa produttività del lavoro (prodotto per ora lavorativa), dovuta alla presenza di manodopera eccedente.[72] Secondo, è chiaro che la crescita della produttività agricola fu bloccata da fattori istituzionali contingenti e non da limiti di natura tecnologica che sarebbero già stati raggiunti verso il 1300.[73] Lo dimostra il fatto che i progressi agricoli avvenuti nell'Italia settentrionale dopo la metà del Seicento si basarono più sulla diffusione di tecniche agricole (di allevamento, irrigazione, rotazione colturale e amministrazione) e di piante (riso) già introdotte in Lombardia tre-quattro secoli prima che sull'applicazione di tecniche e di colture (mais e patate) del tutto nuove. Ancora nel Sei-Settecento la tecnologia agraria di origine medievale era ben lungi dall'aver esaurito le proprie potenzialità produttive.

Questa conclusione è confermata da studi recenti sull'innovazione nelle zone agrarie più avanzate dell'Europa settentrionale, che rivelano che il progresso agricolo in Età moderna si basò per la maggior parte sull'applicazione di principi tecnologici e organizzativi sviluppati tra Duecento e Quattrocento, e che il grado di innovazione agricola e le capacità produttive delle diverse economie agrarie erano determinati dal complesso intreccio di incentivi commerciali piuttosto che da fattori strettamente tecnologici. Tra XIII e XVIII secolo la produttività agricola aumentò di 2-3 volte in Inghilterra, in Olanda e in alcune aree della Francia grazie a espedienti tecnici noti, semplici e per la maggior parte poco costosi.[74] I limiti alla crescita agraria nell'Europa premoderna erano più istituziona-

72. Un confronto tra le condizioni del settore agricolo in Italia e in Gran Bretagna (dove l'agricoltura si caratterizzava per la elevata produttività del lavoro) all'alba della Prima Guerra Mondiale offre un utile punto di riferimento. Nel 1909 la produttività del lavoro nell'agricoltura inglese era 2,2 volte più alta di quella riscontrabile nell'agricoltura italiana, mentre il prodotto per ettaro inglese era lo 0,7% di quello italiano; e di conseguenza il livello di vita del lavoratore agricolo inglese era circa 1,6 volte quello della controparte italiana; cfr. P.K. O'Brien, G. Toniolo, *The Poverty of Italy and the Backwardness of Its Agriculture Before 1914*, in *Land, Labour and Livestock. Historical Studies in European Agricultural Productivity*, a cura di B.M.S. Campbell e M. Overton, Manchester-New York 1991.

73. I volumi di Malanima, *La fine del primato*, cit. e Id., *Risorse, popolazione, redditi*, cit., contengono la formulazione più lucida di questa tesi.

74. B.M.S. Campbell, M. Overton, *A New Perspective on Medieval and Early Modern*

li che tecnologici: l'agricoltura italiana ed europea avrebbe potuto produrre di più se le tecniche agricole più avanzate si fossero diffuse più rapidamente.

Gli storici hanno distinto tre tipi di vincoli all'innovazione. Alcuni hanno suggerito che i contadini in possesso dei propri mezzi di produzione (terra e attrezzi) avrebbero privilegiato le strategie di sussistenza rispetto alla produzione per il mercato, ma l'ipotesi ha scarse basi empiriche ed esagera il grado di indipendenza e di autosufficienza dei coltivatori in età premoderna.[75] L'alta produttività della terra in Italia, inoltre, indica che le inefficienze interne al sistema agricolo (le diverse forme di sfruttamento padronale, l'uso di contratti agrari inefficienti) non avevano molto peso. Un rilievo maggiore aveva l'insieme di vincoli e incentivi esterni al sistema agricolo stesso. L'innovazione agricola poteva essere ritardata da costi commerciali eccessivi dovuti a balzelli esosi o frammentati e a incertezze politiche e guerre, compreso il rischio ricorrente ma imprevedibile delle restrizioni annonarie; evidentemente le circostanze politiche e istituzionali dell'Italia centro-settentrionale e delle zone interne più feudalizzate del Mezzogiorno accrescevano i costi del commercio e dunque dell'investimento agricolo.[76] Altrettanto significativo era l'insieme dei vincoli alla mobilità della manodopera contadina, soprattutto al trasferimento del lavoro dai campi alle manifatture urbane e rurali, che riduceva il costo del lavoro agricolo e manteneva un eccessivo numero di coltivatori sui fon-

Agriculture: Six Centuries of Norfolk Farming c.1250-c.1850, «Past and Present», CXLI (1993); B.M.S. Campbell, *Progressiveness and Backwardness in Thirteenth- and Early Fourteenth-Century English Agriculture: the Verdict of Recent Research*, in *Peasants and Townsmen in Medieval Europe. Studia in Honorem Adriaan Verhulst*, a cura di J.-M. Duvosquel e E. Thoen, Ghent 1995, p. 555; K.G. Persson, *Labour Productivity in Medieval Agriculture: Tuscany and the "Low Countries"*, in *Land, Labour and Livestock*, cit.; Reinicke, *Agrarkonjunktur und technisch-organisatorische Innovationen*, cit.; A. Derville, *Dîmes, rendements du blé et "révolution agricole" dans le Nord de la France au Moyen Age*, «Annales ESC», XLII (1987); E. Thoen, *The Birth of "the Flemish Husbandry": Agricultural Technology in Medieval Flanders*, in *Medieval Farming*, cit.; R.C. Allen, *Enclosure and the Yeoman. The Agricultural Development of the South Midlands 1450-1850*, Oxford 1995; P. Hoffman, *Growth in a Traditional Society: The French Countryside, 1450-1815*, Princeton 1996; G.W. Grantham, *Espaces privilégiés. Productivité agraire et zones d'approvisionnement des villes dans l'Europe préindustrielle*, «Annales HSS», LII (1997); M.-J. Tits-Dieuaide, *Les campagnes flamandes du XIIIe au XVIIIe siècle, ou les succès d'une agriculture traditionnelle*, «Annales ESC», XXXIX (1984). Grantham, *Divisions of Labour*, cit., stima che la tecnologia agraria disponibile nella Francia del Settecento (che differiva poco da quella nota nel 1300) era in grado di produrre un surplus tre volte maggiore di quello effettivamente prodotto.

75. Per i riferimenti bibliografici cfr. S.R. Epstein, *Italy*, in *The Peasantries of Europe from the Fourteenth to the Eighteenth Century*, a cura di T. Scott, London 1998, pp. 95-97, 101-102; Id., *Freedom and Growth*, cit., capp. 1 e 3. Per studi esemplificativi degli effetti commerciali che potevano avere diversi diritti di proprietà contadina cfr. Hoffman, *Growth in a Traditional Society*, cit.; B. van Bavel, *Elements in the Transition of the Rural Economy. Factors Contributing to the Emergence of Large Farms in the Dutch River Area (15th-16th centuries)*, in *Peasants into Farmers? The Transformation of Rural Economy and Society in the Low Countries (Middle Ages-19th Century) in Light of the Brenner Debate*, a cura di P. Hoppenbrouwers e J.K. van Zanden, Turnhout 2001.

76. Epstein, *Freedom and Growth*, cit., cap. 7.

di. In Italia le forti barriere allo sviluppo di attività protoindustriali costituirono altrettanti ostacoli alla crescita della produttività agricola.[77]

Lo sviluppo della manifattura tessile 'protoindustriale' fu uno degli aspetti più significativi del processo di 'distruzione creatrice' che caratterizzò l'economia europea del tardo Medioevo. Esso trasformò la divisione del lavoro tradizionale tra 'città' e 'campagna', basata su un quasi totale monopolio delle attività manifatturiere da parte delle città maggiori, e assegnò un ruolo propulsore alla 'campagna', intendendo con questo termine i piccoli centri urbani e le borgate rurali indipendenti da controlli urbani piuttosto che l'abitato rurale disperso. Le manifatture urbane risposero a queste nuove minacce aggrappandosi ai tradizionali monopoli corporativi oppure, più efficacemente, creando nuovi tessuti, nuovi stili, perfino nuove industrie ad alto valore aggiunto (è il caso della seta), e offrendo servizi di rifinitura e distribuzione ai manifattori 'rurali'.[78]

Le protoindustrie tardo-medievali tesero a concentrarsi territorialmente in 'distretti' compatti con caratteristiche topografiche, commerciali e istituzionali omogenee. Alcuni di questi distretti erano situati in aree 'marginali', collinari o di montagna, poco adatte alla produzione dei cereali-base che nelle vigenti condizioni di spopolamento potevano importare da zone limitrofe; i distretti di maggior successo, tuttavia, si svilupparono in presenza di una densa rete urbana con una forte tradizione manifatturiera, dove le nuove protoindustrie potevano accedere a bacini di manodopera specializzata, a mercati di prodotti intermedi sviluppati e a sistemi di distribuzione dei beni e delle informazioni che facilitavano l'innovazione. Grazie a queste 'esternalità' della rete urbana, molti distretti industriali emersi durante la 'crisi' restarono attivi per secoli, in qualche caso fino all'epoca contemporanea.

Un altro elemento caratterizzante della protoindustria tardo-medievale fu il crescente ruolo dello stato. Dopo la Peste Nera, infatti, l'inasprimento dei conflitti economici tra produttori urbani e nuove industrie 'rurali' accrebbe le richieste di mediazione tra i tradizionali diritti giurisdizionali delle corporazioni artigiane e le istanze di esenzione da parte delle borgate rurali. Per parte loro, molti signori territoriali colsero volentieri la possibilità di allargare la loro base di consenso e indebolire le tradizionali prerogative urbane concedendo privilegi ed esenzioni dai monopoli urbani determinanti per il successo delle nuove manifatture e cambiando di conseguenza il profilo industriale di una regione.

Una carta dell'industria laniera italiana nel XV secolo illustra bene le carat-

77. Per una dimostrazione del rapporto causale tra produttività agricola e sviluppo protoindustriale nell'Europa premoderna cfr. Allen, *Economic Structure*, cit.

78. Questo paragrafo riassume Epstein, *Freedom and Growth*, cit., cap. 6; Id., *The Textile Industry and the Foreign Cloth Trade in Late Medieval Sicily (1300-1500): A "Colonial Relationship"?*, «Journal of Medieval History», XV (1989) e Id., *Manifatture tessili e strutture politico-istituzionali nella Lombardia tardo-medievale. Ipotesi di ricerca*, «Studi di Storia Medioevale e Diplomatica», XIV (1993), cui si rinvia per i riferimenti bibliografici e archivistici.

teristiche geografiche del fenomeno (Tavola 1). La carta mostra una manifattura concentrata in quattro regioni distinte, comprendenti la macro-regione transpadana ad alta densità produttiva e orientata all'esportazione, una macro-regione centrale meno diversificata e con pochi centri esportatori estesa dalla Toscana fino all'Aquila, e infine due regioni più piccole facenti capo a Napoli e alla Sicilia orientale e rivolte soprattutto al mercato isolano.[79]

Tavola 1. La manifattura laniera nell'Italia del Quattrocento

79. Cfr. B. Dini, *L'industria tessile italiana nel tardo Medioevo*, in *Le Italie del tardo Medioevo*, a cura di S. Gensini, Pisa 1990.

Legenda della Tavola 1

- • interregionale, internazionale
- o regionale

1. Como
2. Torno
3. Lecco
4. Valle Seriana, Gandino, valle Imagna; Albino, Alzano, Lovere, Vertova
5. Bergamo
6. Monza
7. Milano
8. Pinerolo
9. Genova
10. Brescia
11. Verona
12. Vicenza
13. Padova
14. Venezia
15. Mantova
16. Bologna
17. Lucca
18. Firenze
19. Perugia
20. Camerino
21. L'Aquila
22. Napoli
23. Noto
25. Val Vigezzo
26. Cannobio
27. Intra
28. Val Sesia
29. Lugano
30. Bellano
31. Cernobbio
32. Varese
33. Cantù
34. Busto Arsizio
35. Val Brembana
36. Romano di Lombardia
37. Soncino
38. Val di Scalve
39. Riviera di Salò
40. Lonato
41. Novara
42. Vigevano
43. Pavia
44. Lodi
45. Brescia
46. Piacenza
47. Cremona
48. Voghera
49. Tortona
50. Alessandria
51. Asti
52. Mosso
53. Biella
54. Ivrea
55. Vercelli
56. Chivasso
57. Torino
58. Moncalieri
59. Chieri
60. Caraglio
61. Savona
62. Marostica
63. Feltre
64. Pordenone
65. Udine
66. Treviso
67. Rovigo
68. Lonigo
69. Ferrara
70. Reggio Emilia
71. Pisa
72. Pistoia
73. Prato
74. Poppi
75. San Gimignano
76. Volterra
77. Colle
78. Pescia
79. Arezzo
80. Borgo San Sepolcro
81. Cortona
82. Siena
83. Radicondoli
84. Urbino
85. Fossombrone
86. Ancona
87. Città di Castello
88. Gubbio
89. Matelica
90. San Severino
91. San Ginesio
92. Orvieto
93. Spoleto
94. Norcia
95. Ascoli
96. Viterbo
97. Orte
98. Terni
99. Roma
100. Amatrice
101. Leonessa
102. Rieti
103. Città Ducale
104. Teramo
105. Fondi
106. Piedimonte
107. Capua
108. Ceppaloni
109. Avellino
110. Giffoni
111. Sarno
112. Amalfi
113. San Severino
114. Taranto
115. Lecce
116. Sanguineto
117. Cosenza
118. Palermo
119. Corleone
120. Polizzi
121. Randazzo
122. Catania
123. Ragusa
124. Scicli
125. Siracusa

Dato il carattere agglomerato delle maggiori protoindustrie italiane, la nostra analisi verterà sullo sviluppo dei sistemi di produzione in tre regioni – Lombardia, Toscana e Sicilia – che incarnano i tre principali modelli di sviluppo: transpadano, dell'Italia centrale e del Meridione. Nel periodo qui preso in considerazione le tre regioni avevano in comune numerosi fattori macro-economici (un tasso di urbanizzazione elevato, un sistema di scambio evoluto, diritti di proprietà stabili, abbondanti materie prime tessili locali o importate, *trends* demografici analoghi), collocati però in contesti politici e istituzionali profondamente diversi, che andavano dal peculiare ibrido tra principato e federazione urbana rappresentato dalla Lombardia, al modello comunale-territoriale della Toscana, all'area periferica di una monarchia composita nel caso della Sicilia. Il confronto tra queste tre regioni, pertanto, offre condizioni quasi 'sperimentali' per distinguere gli influssi puramente economici da quelli di carattere istituzionale sugli elementi più caratterizzanti dello sviluppo 'protoindustriale' tardo-medievale.

Il fattore determinante per il processo di localizzazione industriale in Lombardia fu il potere monopolistico delle corporazioni urbane. Le corporazioni non erano ostili per principio alla manifattura extra-urbana fino a che prevaleva una chiara divisione del lavoro. Gli artigiani cittadini impiegavano manodopera rurale per filare e tessere i panni di qualità inferiore, ma mantenevano un controllo stretto sui processi di rifinitura più redditizi; inoltre continuavano a detenere la giurisdizione sui lavoratori extra-urbani più qualificati e a controllare i mercati rurali delle materie prime (compresi quelli della lana estera e delle materie tintorie più pregiate) e dei tessuti semi-lavorati. Tuttavia la segmentazione della regione in giurisdizioni e franchigie urbane, feudali, quasi-urbane e rurali, protette e coordinate dai signori viscontei e sforzeschi, dette la possibilità a molti piccoli centri semi-urbani di evadere i tradizionali monopoli cittadini. Molte delle manifatturiere laniere di maggior successo, peraltro, sorsero alle periferie di Novara, Como, Bergamo e Brescia, dove gli stati territoriali di Milano e Venezia proteggevano le autonomie locali per ragioni militari e politiche. Nelle pianure, invece, dove era molto più difficile sottrarsi alla tutela urbana, solo Melegnano, Monza e Vigevano riuscirono a impiantare industrie laniere di successo grazie ai loro statuti, aspramente difesi, di 'terre separate'. La mancanza di competenze tecniche e finanziarie, però, rendeva più difficile sfuggire all'influsso dei grandi mercanti urbani sulle reti di rifornimento internazionale. Le manifatture extra-urbane non avevano difficoltà a rifornirsi delle lane più scadenti provenienti dall'Africa settentrionale e dall'Italia, dalla Francia e dalla Germania meridionale, ma solo poche di esse ebbero accesso alle lane e alle materie tintorie più pregiate grazie al ricorso a fonti di approvvigionamento alternative (Venezia, Milano, Genova).

Lo sviluppo dell'industria tessile urbana ed extraurbana in Lombardia, tuttavia, non fu un gioco a somma zero, perché le industrie urbane potevano diversificarsi in prodotti più complessi che le nuove protoindustrie facevano fatica a imitare. La crisi dell'industria laniera milanese di metà Quattrocento, ritenuta talvolta tipica di un generale declino industriale nella regione, fu controbilanciata dalla rapida espansione dell'industria della seta. L'industria laniera di Como, prossima alla scomparsa durante le devastanti guerre civili dei primi decenni del Quattrocento, rinacque mezzo secolo più tardi. Altre città reagirono alle difficoltà del settore laniero volgendosi alla produzione di lino e fustagno di qualità, che esportavano poi in quantità e qualità del tutto nuove (a detta del Mocenigo) dal porto di Venezia. Le protoindustrie di maggior successo seguirono un ciclo di sviluppo tecnico-industriale analogo, partendo dalla produzione più semplice di panno orbace o di imitazioni grossolane dei panni cittadini di qualità più scadente per arrivare, nel corso di qualche decennio, alla produzione di panno basso, un tessuto di media qualità venduto anche sui mercati internazionali; ma non riuscirono mai a intaccare del tutto il predominio tecnico delle industrie urbane.

Il comparto tessile toscano seguì un percorso per molti versi opposto. Nell'insieme l'industria delle città si contrasse, ma allo stesso tempo la piccola manifattura rurale e semi-urbana non decollò. Le poche manifatture extraurbane producevano tessuti di qualità scadente soprattutto per il mercato interno, mentre non si sviluppò il genere di distrettuazione industriale caratteristica della Lombardia. Il fenomeno protoindustriale lasciò poche tracce, e questo fallimento fece sentire i suoi effetti nella stagnazione urbana e nel declino dei livelli di vita descritti in precedenza.

Già prima della 'crisi' le manifatture laniere toscane mostravano segni di ritardo rispetto a quelle lombarde. Mentre queste ultime producevano panni di lana tipologicamente distinti non più tardi del 1250, solo Firenze tra le città toscane aveva raggiunto lo stesso traguardo (Tabella 6). Nel Duecento la Lombardia presentava industrie laniere di un certo calibro a Brescia, Como, Monza e Bergamo, oltre che nella metropoli milanese, e Cremona possedeva una manifattura del fustagno di livello internazionale. In Toscana l'unico polo di produzione di un certo rilievo fuori Firenze era rappresentato dal centro satellite di Prato. A Pisa, seconda solo a Firenze per dimensioni e rilevanza economica nella regione, la manifattura produceva panno di qualità medio-bassa soprattutto per il suo retroterra rurale e il mercato 'coloniale' sardo. Anche le industrie di Arezzo, Pistoia, San Gimignano, Colle, Volterra e Siena erano poco qualificate. La stessa manifattura fiorentina faticava a tenere testa alla migliore produzione lombarda prima della conversione alla produzione dei 'panni franceschi', avvenuta dopo il 1320.

Tabella 6. Industrie laniere lombarde e toscane negli elenchi daziari, 1200-1429

	1200-1249	1250-1299	1300-1349	1350-1429	Totale
Numero delle città con elenchi daziari	2	10	25	19	56
			Lombardia		
Bergamo	1	2	3	5	11
Brescia	1	1	6	7	15
Como	2	2	8	10	22
Lodi	–	–	1	–	1
Cremona	–	1	–	1	2
Milano	–	5	18	16	39
Monza	1	1	4	7	13
Pavia	–	1	1	–	2
Piacenza	–	1	–	–	1
Panni lombardi	–	3	1	8	12
Totale	5	17	42	54	118
			Toscana		
Arezzo	–	–	–	1	1
Firenze	–	8	25	15	48
Pisa	–	1	2	5	8
Pistoia	–	–	2	2	4
Prato	–	–	6	2	8
Siena	–	–	4	6	10
Panni toscani	–	1	1	4	6
Totale	0	10	40	35	85

Fonte: H. Hoshino, *L'Arte della Lana in Firenze nel basso medioevo. Il commercio della lana e il mercato dei panni fiorentini nei secoli XIII-XV*, Firenze 1980, pp. 50-60.

Le cause del ritardo della manifattura laniera toscana non sono a prima vista chiare. Le condizioni istituzionali e commerciali delle due regioni erano simili. La Toscana produceva le proprie materie tintorie (il guado nelle colline tra Borgo San Sepolcro, Arezzo e Montepulciano e nei dintorni di Volterra; lo zafferano sempre nelle vicinanze di Volterra, nell'alta val d'Elsa, e nei pressi di Montepulciano; la robbia, almeno nel Trecento, intorno a Cortona e Volterra) e possedeva risorse locali di vetriolo, zolfo e allume utilizzate come mordenti. Entrambe le regioni producevano lana di scarsa qualità, cui potevano ovviare importando materia prima di qualità migliore a costi analoghi.

Ciò che differenziava maggiormente le due industrie regionali, invece, era l'atteggiamento nei confronti della disseminazione delle tecniche. Poiché la maggior parte delle innovazioni dell'epoca venivano diffuse per trasferimento di manodopera qualificata, le singole manifatture urbane cercavano di proteggere i loro 'segreti' ostacolando la migrazione dei propri addetti. Una politica siffatta di protezionismo tecnologico, tuttavia, aveva alla lunga effetti perversi, perché riduceva le opportunità di scambio e 'ricombinazione' delle conoscenze tecniche locali, restringeva le opportunità di specializzazione della manodopera e ne aumentava il costo; lo sviluppo tecnologico e industriale richiedeva dunque la cooperazione attiva o passiva tra industrie cittadine. Il contrasto su questo punto tra industrie toscane e lombarde è netto. Forse per via di una lunga tradizione di cooperazione istituzionale ed economica tra le città, in Lombardia non si frapposero seri ostacoli agli spostamenti degli artigiani e di conseguenza la manodopera qualificata circolava liberamente scambiando e affinando un bacino di conoscenze tecniche comuni. Non è un caso che il movimento duecentesco degli Umiliati, che diffuse la tessitura laniera in tutta la Penisola (a Firenze fondò un convento nel 1239) fosse di origine lombarda. Le città toscane, invece, seguirono una strategia di stretto protezionismo urbano, proibendo rigidamente l'allontanamento di manodopera qualificata e condannando i colpevoli al bando perpetuo. L'unica occasione in cui, nel Duecento, Firenze autorizzò la partenza di artigiani tessili locali fu, significativamente, in direzione di Bologna, alleata guelfa nella lotta fiorentina contro le città ghibelline di Pisa, Siena, Pistoia e Arezzo. È certo che la mancanza di cooperazione tra città toscane nel campo tecnico-produttivo limitò gli effetti reticolari (*network effects*) di un mercato integrato del lavoro specializzato e ridusse le dimensioni e le capacità tecniche della manodopera esistente. È verosimile che questo fatto creasse, o accentuasse fortemente, il ritardo delle industrie toscane rispetto a quelle lombarde.

A metà Trecento il basso grado di specializzazione dell'industria cittadina toscana era ormai radicato, e ciò rese probabilmente più acuti i timori nei confronti di competitori 'protoindustriali'. Certo è che la reazione fiorentina al pericolo – l'Arte della Lana approvò la prima deliberazione contro i tessitori del contado nel 1353 e impose pochi anni dopo l'obbligo di registrazione nell'Arte – fu del tutto sproporzionata alle dimensioni numeriche e al peso economico del fenomeno. Tra il 1362 e il 1549 la corporazione registrò mediamente 5-6 immatricolazioni rurali all'anno; non vi furono dunque mai più di 80-100 tessitori attivi contemporaneamente nel contado fiorentino. Poiché una buona proporzione di essi lavorava su commissione per l'industria urbana, il numero di tessitori 'protoindustriali' indipendenti attivi nell'intero contado fiorentino non superò probabilmente mai le 50 unità, ossia meno del numero di addetti all'industria pratese censiti nel catasto del 1424-1427 (Tabella 7). Per di più, le dimensioni della manifattura extraurbana non risentirono degli effetti altrove positivi della 'crisi', né della contrazione demografica fino al 1420-1430, né della ripresa successiva (Grafico 5).

Tabella 7. La manifattura laniera nel contado fiorentino, 1350-1549 (immatricolazioni per località)

	1350-1399	1400-1449	1450-1499	1500-1549	Totale
Barberino	–	–	1	30	31
Borgo San Lorenzo	3	–	–	10	13
Castelfiorentino	7	23	1	12	43
Cavallina	–	–	7	8	15
Certaldo	3	21	5	4	33
Empoli	5	19	14	40	78
Figline	10	4	6	15	35
Marcialla	24	4	11	1	40
Montelupo	13	6	9	17	45
Montevarchi	4	5	4	9	22
Poggibonsi	15	4	2	8	29
Ronta	4	6	1	8	19
San Casciano	–	6	6	20	32
San Donato in Poggio	4	1	–	6	11
San Giovanni Valdarno	22	3	5	6	36
Terranuova Bracciolini	7	2	–	17	26
Totale	121	104	72	211	508

Fonti: Archivio di Stato di Firenze, *Arte della Lana*, 27; Epstein, *Freedom and Growth*, cit., p. 86.

Le condizioni delle industrie extraurbane erano, se possibile, ancora più incerte nei dominii delle altre città toscane. I dati più dettagliati riguardano il territorio di Volterra, che forse proprio per reazione alla competizione rurale fondò una nuova Arte della Lana nel 1421. L'industria cittadina era comunque debole (il catasto del 1424-1427 elencava solo 30 addetti), e forse per questo più timorosa della minaccia esterna; le più radicate corporazioni di Pisa, Arezzo e Pistoia avevano agito con più tempestività chiudendo ogni spazio di autonoma crescita protoindustriale.

In contrasto con gli sviluppi protoindustriali in Lombardia, in Toscana la scarsa produzione extraurbana venne integrata in una rigida gerarchia industria-

Grafico 5. Immatricolazioni nell'Arte della Lana di Firenze, 1305-1549 (media mobile di 17 anni)

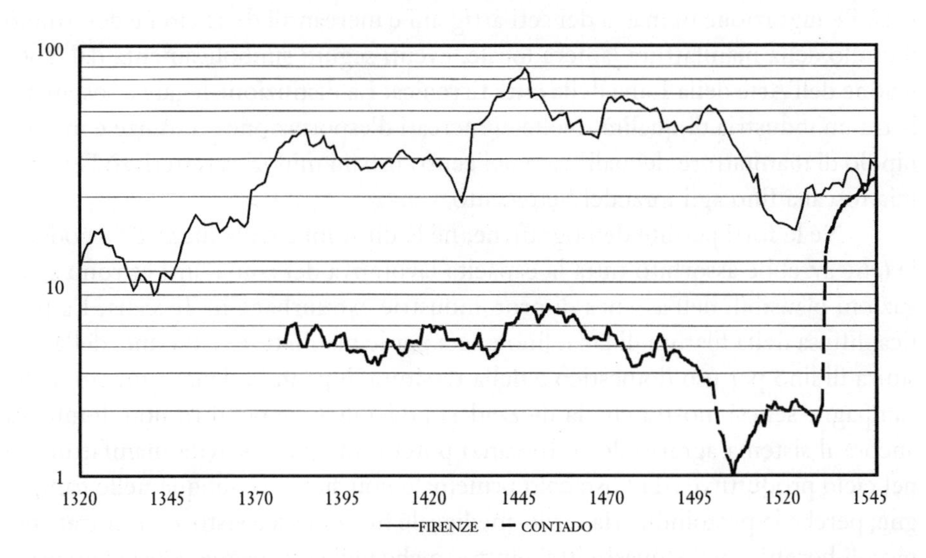

le gestita da Firenze. La politica industriale fiorentina rifletteva una tradizione autoritaria locale, ma esprimeva anche una reazione più specifica alla crisi della manifattura messa in moto dalla fuga, nel 1382 (dopo la sconfitta del regime corporativo emerso dalla rivolta dei Ciompi), di centinaia di artigiani e lavoratori della lana a Pisa, Lucca, Perugia e Venezia, nonché dalla perdita di fondamentali conoscenze tecniche e produttive (l'immigrazione di artigiani dall'Europa centrale non evitò il dimezzamento della produzione nei decenni successivi). Tra il 1392 e il 1396, durante i difficili anni del conflitto con Gian Galeazzo Visconti, quando l'accesso ai mercati d'esportazione era quasi completamente chiuso, l'Arte della Lana fiorentina accusò non meglio precisati rivali (successivamente identificati come Prato e Pistoia) di concorrenza sleale sui mercati della manodopera, del capitale e delle materie prime e chiese al governo cittadino di introdurre nuove tariffe protezioniste; nel 1407, poi, ordinò ai produttori del contado di utilizzare soltanto lana di origine toscana, con multe fino a 500 lire (pari a 2 anni di salario di un maestro edile) per i trasgressori. Questi regolamenti, estesi qualche anno dopo all'intero territorio e codificati negli statuti corporativi del 1428, stabilivano una netta divisione del lavoro tra l'industria fiorentina, che si assumeva il monopolio delle lane e dei coloranti migliori e dei tessuti di qualità più elevata, le città minori, che potevano utilizzare le lane di Spagna, Francia meridionale e Africa settentrionale ma erano più limitate nell'uso dei coloranti, e i produttori extraurbani, cui era permesso usare solo le qualità di lana più scadenti senza poterle tingere. L'azione fiorentina fu una causa importante della grave depressione che afflisse le altre industrie tessili urbane nei primi decenni del Quattrocento. Nel caso più drammatico, la conquista fiorentina di Pisa del 1406, provocò l'emigrazione in massa dei ceti artigiani e mercantili della città e determinò il crollo della manifattura laniera locale, eventi seguiti simbolicamente dall'abolizione dell'Arte della Lana della città tirrenica. La distinzione legale e sostanziale tra un'industria di qualità rivolta ai mercati d'esportazione a Firenze e un manipolo di manifatture dequalificate nei centri urbani minori caratterizzò l'economia toscana fino agli inizi del Settecento.

Né le forti perdite demografiche, né la diffusione della mezzadria poderale (che avrebbe assorbito tutta la capacità lavorativa dei contadini) offrono spiegazioni plausibili dell'assenza di protoindustrie extraurbane in Toscana. La pratica diffusa della filatura di lana, lino e seta per le manifatture cittadine, della tessitura di lino per uso domestico e della tessitura di panni di lana 'a mezzo' nelle campagne senesi mostra che la mezzadria poderale (che peraltro non dominava ancora il sistema agrario della Toscana) poteva integrare attività manifatturiere nel ciclo produttivo. Ma l'ostacolo principale non stava comunque nelle campagne, perché la protoindustria tardo-medievale fu, come si è visto, concentrata nei piccoli borghi e nelle 'quasi-città' piuttosto che nelle campagne. L'ostacolo principale risiedeva nella debole presenza di territori e centri abitati autonomi dalle giurisdizioni cittadine e in particolare da Firenze, uno dei caratteri originali dello stato regionale toscano. L'assenza di aree di privilegio fiscale e giurisdizionale non soggette al controllo delle arti fiorentine e le restrizioni sul movimento della manodopera qualificata nel territorio – ancora nel Quattrocento Firenze proibiva i trasferimenti della sua manodopera nei centri urbani soggetti – privarono la Toscana di due fattori centrali per lo sviluppo protoindustriale. La mancanza di sbocchi di lavoro alternativi contribuì a sua volta a determinare la scelta di un modello agricolo basato sull'uso intensivo della forza-lavoro dell'aggregato domestico piuttosto che sul lavoro salariato.

La mancanza di manifatture tessili specializzate in Sicilia prima della Peste Nera rende particolarmente significativo lo sviluppo successivo di industrie laniere (seppure di qualità mediocre, visto che i numerosi tentativi di impiantare una manifattura della lana di qualità superiore fallirono), di una dozzina di centri di produzione del cotone, di un'industria del fustagno capace di esportare i propri articoli sul mercato pisano e catalano, di un'industria del lino di più modeste dimensioni.

La manifattura tessile siciliana possedeva tre elementi caratteristici. Primo, la forte ostilità della monarchia isolana nei riguardi dell'associazionismo urbano e in particolare delle corporazioni artigiane, associate politicamente e ideologicamente al repubblicanesimo dei Comuni centro-settentrionali, ne bloccò la formazione fino alla seconda metà del Trecento; le corporazioni si svilupparono più estesamente a partire dal 1430, ma i rapporti con le élites politiche centrali e locali rimasero tesi e il loro sostegno istituzionale restò incerto per tutta l'Età moderna. Secondo, il potere giurisdizionale delle città sul territorio era debole, e le manifatture rurali erano quindi libere di svilupparsi in base a considerazioni strettamente economiche. Terzo, la debolezza delle corporazioni artigiane ostacolò la formazione di una base di lavoratori tecnici qualificati e impedì lo sviluppo di settori più specializzati. Nonostante i ripetuti tentativi di importare manodopera qualificata dall'estero, le manifatture siciliane rimasero rigorosamente orientate verso la produzione per il mercato interno. La causa principale del basso grado di specializzazione della protoindustria siciliana non fu, come in Toscana, la monopolizzazione di un mercato protetto, bensì l'assenza di lavoranti qualificati. Pur possedendo un'elevata densità urbana e un mercato interno competitivo, la Sicilia tardo-medievale non fu in grado di sviluppare distretti industriali sul modello lombardo e rimase industrialmente periferica durante tutta l'Età moderna.

Il confronto dei tre casi regionali ha messo in luce due fattori decisivi per lo sviluppo di manifatture extraurbane nel tardo Medioevo. Il primo di questi era la presenza di manodopera qualificata. Molte manifatture urbane avevano impiegato manodopera extraurbana almeno a partire dal XIII secolo, ma ne avevano limitato i compiti a operazioni che – come la cardatura, la pettinatura e la filatura – non richiedevano forti competenze tecniche. Gli sviluppi protoindustriali in tutte e tre le regioni (anche in Lombardia, dove l'accesso alla manodopera qualificata era meno vincolato) mostrano che i livelli di competenza e di abilità necessari per rivaleggiare con le manifatture urbane erano molto più elevati. La mancanza di queste competenze, particolarmente evidente, seppure per ragioni diverse, in Toscana e Sicilia, costituiva un ostacolo difficilmente superabile.

Il secondo fattore, o insieme di fattori, era più complesso e meno facilmente definibile. Il successo di una manifattura extraurbana richiedeva, oltre che l'accesso a manodopera qualificata di origine urbana, l'autonomia dal controllo corporativo cittadino e il libero accesso a reti di distribuzione regionali e sovraregionali. Il distretto protoindustriale italiano di maggior successo, quello lombardo, fu l'esito fortuito di tre elementi: una forte rete urbana, un sistema corporativo sviluppato e un contesto istituzionale, industriale e commerciale relativamente competitivo, determinato dalla natura peculiare dei rapporti politici tra città e stato territoriale; quest'ultimo era in grado di contestare le prerogative delle corporazioni urbane senza però poterle abolire del tutto. Città con forti poteri giurisdizionali – come Firenze e le città umbre e marchigiane – erano generalmente pregiudizievoli per lo sviluppo protoindustriale. La presenza di città con prerogative limitate era in linea di principio più vantaggiosa, ma in pratica gli esiti erano influenzati da altri fattori, in particolare dalla presenza di autorità territoriali capaci di mediare tra i contrastanti interessi urbani e rurali; tali condizioni erano presenti, oltre che in Lombardia, anche nelle Fiandre, in Brabante e nella Germania centro-orientale. Un terzo tipo di esito, caratteristico della Sicilia e di alcune zone della Penisola iberica, fu il risultato degli ostacoli frapposti da uno stato territoriale centralizzato allo sviluppo di forti poteri urbani e di un sistema corporativo evoluto.

Questi modelli di sviluppo protoindustriale ebbero conseguenze importanti per il settore agricolo. Si è visto che il fattore che determinò il più rapido sviluppo agricolo in alcune regioni dell'Europa settentrionale non fu, come si riteneva un tempo, l'uso di attrezzature, colture o conoscenze più avanzate, bensì la maggiore produttività del lavoro, legata all'uso di conoscenze tecnologiche acquisite già nel XIII-XIV secolo e alla riduzione della manodopera necessaria per un livello di produzione dato. L'applicazione di quelle conoscenze dipendeva tuttavia dalla possibilità di trasferire la manodopera eccedente in attività non agricole, sia urbane che 'rurali'. La mancanza di sbocchi di lavoro alternativi, dovuta alla presenza di vincoli strutturali allo sviluppo protoindustriale, influiva sulle scelte tecniche e organizzative del settore agricolo, perché l'eccesso di manodopera rurale riduceva il prezzo relativo del lavoro rispetto al capitale, facendo preferire l'uso intensivo della forza-lavoro 'gratuita' della famiglia contadina al lavoro salariato, come avvenne appunto nelle regioni non protoindustriali dell'Italia centro-settentrionale. Il rapporto causale tra mezzadria e protoindustria va rovesciato: la mezzadria poderale fu effetto, non causa, del fallimento protoindustriale nell'Italia poderale. I risultati di queste scelte per l'Italia centro-settentrionale furono tre secoli di stagnazione o declino della produttività e dei redditi agricoli, e una struttura economica che «mostrò pochi mutamenti» tra 1500 e 1750.[80]

Conclusioni

Nonostante le numerose somiglianze della 'crisi' in Europa, gli effetti economici furono differenziati e per qualche aspetto contraddittori. Da un lato, la 'crisi' mise in atto un processo di convergenza tra paesi relativamente arretrati, come l'Inghilterra, e regioni più avanzate, quali le Fiandre e parti della Penisola italiana. La territorializzazione degli stati accentuò la competizione commerciale, industriale e persino amministrativa tra città dando luogo a sistemi e gerarchie urbane più regolari, definite da confini tributari regionali o protonazionali. D'altro canto, il processo di territorializzazione produsse anche nuove fonti di differenziazione, perché i nuovi equilibri di potere tra corpi sovrani, élites urbane, signorie feudali e corpi rurali crearono vincoli e incentivi diversi all'investimento e all'organizzazione agricola, industriale e commerciale.

L'elemento discriminante tra questi esiti differenziati fu il sistema di rap-

80. Allen, *Economic Structure*, cit., pp. 6, 13.

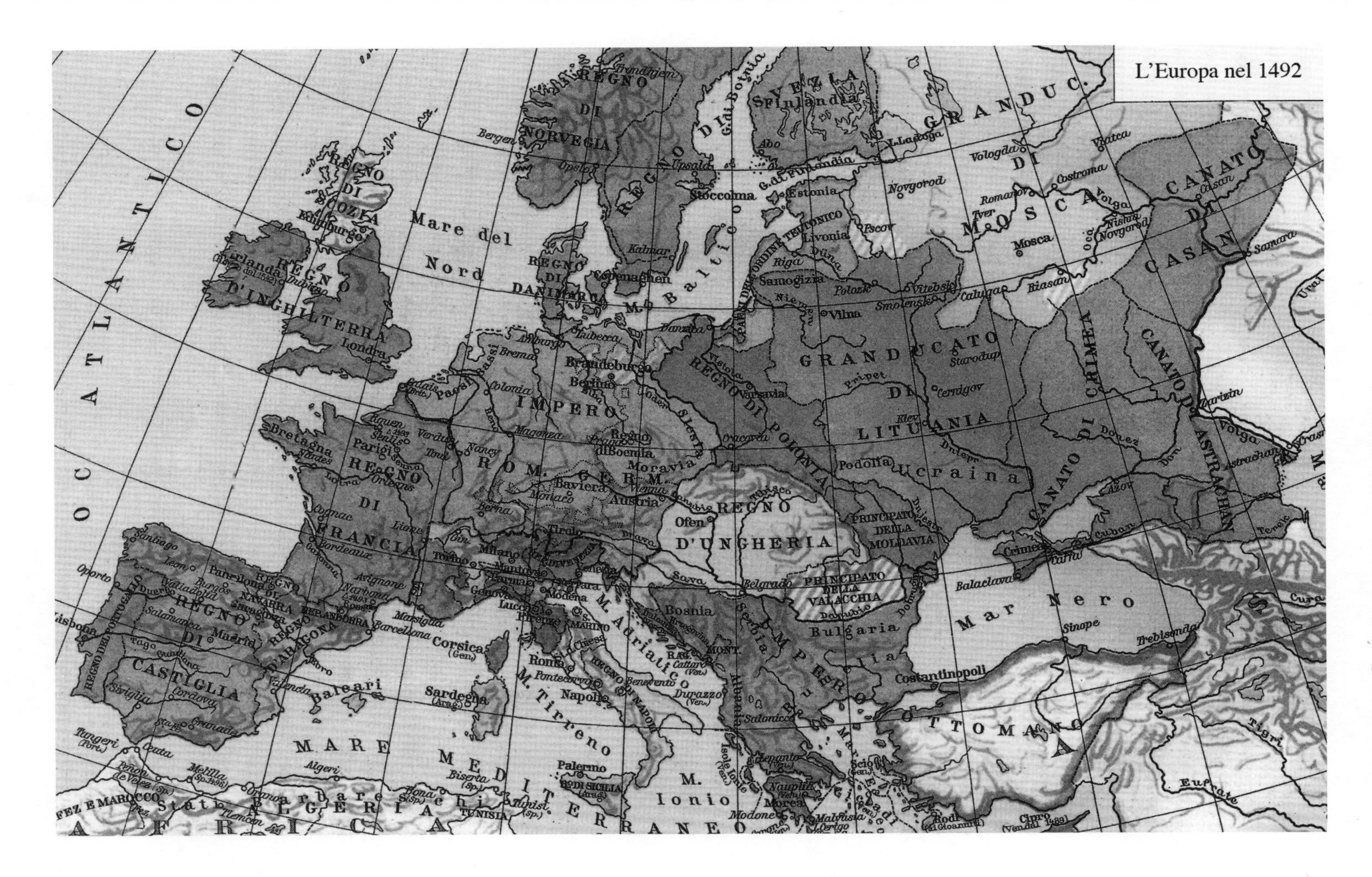

L'Europa nel 1492

porti economici e istituzionali tra città e campagna. Una chiave di lettura possibile di questi rapporti è quella di collocarli lungo una linea continua tra sistemi di organizzazione dei rapporti più 'coercitivi', caratterizzati dall'uso di forti poteri di discriminazione giurisdizionale, e più 'aperti', contraddistinti da deboli poteri di coercizione e coordinamento urbano sulle campagne. A priori nessuna di queste soluzioni era più favorevole alla crescita, ma i loro vantaggi relativi cambiarono gradualmente. Per molto tempo a un tasso di coercizione urbana elevato – caratteristico dell'Italia centro-settentrionale e della contea di Fiandra prima della Peste Nera, e della Castiglia e della Renania meridionale nel Quattro e Cinquecento – corrisposero livelli superiori di sviluppo agricolo, industriale e cittadino rispetto a regioni con sistemi urbani meno coercitivi e monarchie o élites feudali forti come la Spagna settentrionale, l'Inghilterra, l'Europa centro-orientale, la Polonia e la Svezia. A partire dal tardo Medioevo, tuttavia, questo rapporto lentamente si invertì.[81] Non è un caso, dunque, se i due paesi con i più forti poteri urbani sulle campagne, l'Italia e la Castiglia, ebbero anche lo sviluppo protoindustriale più anemico e la produttività agricola più bassa d'Europa.

La spiegazione più plausibile di questa correlazione è che poteri giurisdizionali forti offrivano alle élites urbane le garanzie legali e militari e gli incentivi finanziari per investire nelle infrastrutture pubbliche (strade e sicurezza militare) e nella sovrastruttura istituzionale (corti, unificazione delle misure e dei sistemi tariffari), necessarie per sostenere regolari scambi commerciali tra città e campagna e fare della città un polo amministrativo, industriale e commerciale stabile. La stabilità degli scambi, infatti, riduceva il costo dell'annona urbana e dei manufatti nelle campagne e rendeva più appetibile l'immigrazione in città. Prima della Peste Nera il modello di crescita basato su sistemi di 'coercizione' urbana era capace di mobilitare le risorse e di sviluppare le forze produttive più intensamente rispetto alle alternative esistenti.

Il declino relativo delle regioni ad alto tasso di coercizione urbana, prima fra tutte l'Italia centro-settentrionale, indica che i vantaggi di un sistema di crescita urbana 'coercitivo' stavano per essere superati, per due ordini di ragioni. Innanzitutto le opportunità crescenti di sfruttare rendite di posizione amministrative, fiscali, commerciali e industriali davano adito a fenomeni di sclerosi interna, come quelli discussi per il settore protoindustriale. In secondo luogo, la formazione di stati territoriali più coesi andava riducendo gli svantaggi dei sistemi di organizzazione dei rapporti città-campagna più 'aperti', perché permetteva di superare il particolarismo e il protezionismo urbano caratteristici dei sistemi più decentrati e 'coercitivi'.

La conclusione che le cause fondamentali della stagnazione economica

81. Per una discussione più estesa cfr. Epstein, *Introduction*, cit.

della Penisola dopo il 1500 erano istituzionali più che tecnologiche, però, va in parte precisata ricordando che i livelli di vita italiani restarono più o meno costanti fino all'inizio del Settecento e che lo sfruttamento di posizioni di rendita urbane e il debole coordinamento territoriale non erano prerogative soltanto italiane. Ma la ragione prima della lunga divisione politica ed economica della Penisola fu il suo ruolo di luogo d'incontro e d'incrocio tra mondi cristiani e musulmani, tra Mediterraneo orientale e occidentale, tra Europa settentrionale e meridionale. L'equilibrio istituzionale emerso dalla 'crisi' consolidò anche un sistema urbano multipolare e centrifugo, sostenuto da minacce militari esterne e dalla politica del Papato, ma anche da una serie di opportunità commerciali, politiche, religiose fuori d'Italia che ridussero gli incentivi alla cooperazione interna e al consolidamento territoriale del paese.

Le risposte italiane ai cambiamenti economici

THOMAS A. KIRK

Per gran parte dell'Ottocento e del Novecento il generale declino economico dell'Italia durante la prima fase dell'Età moderna è stato assunto come un dato di fatto. Questa interpretazione ha incontrato il favore di studiosi di diversa estrazione culturale, e il consenso generale di cui per ragioni differenti ha goduto ne ha assicurato la sopravvivenza. A partire dalla metà degli anni Settanta il concetto di «declino dell'Italia», prima come semplice espressione e poi come verità di fatto, è stato comunque sottoposto a molteplici contestazioni.[1] Una volta chiarito che l'attendibilità dell'analisi storica fondata sul presupposto del declino aveva ben poco di scientifico, una rinnovata considerazione della natura dell'economia italiana all'inizio dell'Età moderna ha messo in luce un'immagine molto diversa da quella tradizionale. Le idee alla base degli studi compiuti dall'ultima generazione di storici continuano ad alimentare un acceso dibattito; ma via via che i problemi sollevati intorno all'economia italiana dei secoli XVI e XVII si definiscono in modo più preciso, si delinea un'immagine molto più nitida.[2] Lo scopo di questo contributo è esaminare i mutamenti incontrovertibili che ebbero luogo sia nella penisola italiana sia nel più vasto ambito europeo ed extra-europeo, per poi proporre alcuni correttivi alla rappresentazione tradizionale del

1. Cfr. R.T. Rapp, *Industry and Economic Decline in Seventeenth Century Venice*, Cambridge (Mass.) 1976. Molte delle questioni affrontate da Rapp sono state formulate nel 1969 da D. Sella, *Industrial Production in Seventeenth-Century Italy: A Reappraisal*, «Explorations in Entrepreneurial History», s. II, 6 (1969).

2. Cfr., in questo stesso volume, l'intervento di S.R. Epstein sull'andamento generale dell'economia italiana. Cfr. anche F. Franceschi, L. Molà, *L'economia del Rinascimento: dalle teorie della crisi alla 'preistoria del consumismo'*, in *Il Rinascimento italiano e l'Europa*, I, *Storia e storiografia*, a cura di M. Fantoni, Treviso-Costabissara (Vicenza) 2005, che riguarda la storiografia sull'argomento, e S. Fenoaltea, *Economic Decline in Historical Perspective: Some Theoretical Considerations*, «Rivista di Storia Economica», XXII, 1 (2006); P. Musgrave, *The Early Modern European Economy*, London 1999.

declino dell'Italia. Collocandomi su questa linea, vorrei mettere in luce la percezione del mutamento economico che ebbero i contemporanei, come pure le iniziative intraprese per rispondere a tali trasformazioni: questo approccio richiede anche una valutazione dei principi sottesi alle strategie economiche adottate dai vari gruppi di mercanti e imprenditori italiani.

Fra le interpretazioni recenti del 'declino dell'Italia' una delle più seguite è quella di Carlo Cipolla, interpretazione più volte rivisitata ma che trovò forma definitiva nella sua *Storia economica dell'Europa pre-industriale.*[3] Nella rappresentazione degli eventi fatta da Cipolla il venir meno nel Seicento dei più importanti mercati d'esportazione – Spagna, Sacro Romano Impero e Turchia – provocò una crisi che le manifatture italiane furono incapaci di superare. Nel frattempo i produttori dell'Europa settentrionale avevano cominciato a operare secondo il regime delle economie di scala, riuscendo a vendere le loro merci a prezzi concorrenziali sia all'estero sia nella stessa Penisola. Nell'Europa settentrionale il livello dei salari non si era adeguato alla crescita dei prezzi del XVI secolo, mentre le organizzazioni corporative dei lavoratori italiani avevano fatto in modo che le retribuzioni tenessero il passo con i prezzi. Per di più la rigida struttura corporativa faceva sì che la produzione italiana restasse ancorata ad «articoli eccellenti, ma ormai fuori moda». Questi tre fattori evidenziati da Cipolla – eccessivo controllo corporativo, pressione fiscale ed elevato costo della manodopera – portarono a un «drastico declino delle esportazioni che si protrasse per decenni, via via aggravandosi», e a una graduale tendenza a disinvestire. Il denaro venne sottratto alle attività 'produttive' e utilizzato per acquistare terreni e acquisire il prestigio che accompagnava la proprietà della terra. Di conseguenza le attività manifatturiere subirono una contrazione o scomparvero e l'Italia non poté progredire verso l'industrializzazione.

Nel suo *La fine del primato*[4] Paolo Malanima ha sottoposto a revisione la tesi di Cipolla spostando leggermente il centro dell'analisi, anche se gli attori dell'attività economica italiana rimangono ai margini dell'indagine storica. Malanima concentra la sua attenzione in primo luogo sull'uso delle risorse disponibili, sul loro trasferimento e sulla loro distribuzione. Secondo la ricostruzione di questo studioso a partire dalla fine del Cinquecento le industrie dell'Italia settentrionale evidenziarono un declino, declino che proseguì per i primi decenni del Seicento, con il risultato che i prodotti italiani vennero sosti-

3. C.M. Cipolla, *Storia economica dell'Europa pre-industriale*, Bologna 1994[5]. Mentre la versione da me fornita nel presente contributo è intenzionalmente sfumata, Cipolla non usa mezzi termini: «Alla fine del Seicento l'area mediterranea era definitivamente un'area arretrata. Il baricentro dell'economia europea si era spostato sul mare del Nord», (ivi, p. 268). Cfr. anche Id., *The Economic Decline of Italy: The Case of a Fully Matured Economy*, «Economic History Review», s. II, 5 (1952).

4. P. Malanima, *La fine del primato. Crisi e riconversione nell'Italia del Seicento*, Milano 1998.

tuiti da quelli dell'Europa settentrionale, in primo luogo dagli articoli inglesi e olandesi. Alla base di questi cambiamenti vi erano fattori demografici. Dal momento che le attività manifatturiere italiane erano ubicate nei centri urbani, la sopravvivenza della forza lavoro dipendeva totalmente dall'andamento di questo settore. In altre parole i salari non potevano mai essere compressi al di sotto del livello di sussistenza, mentre in Inghilterra, per esempio, dove per l'industria lavoravano anche i contadini, ciò poté avvenire. Il lavoro agricolo garantiva la sopravvivenza, mentre una qualche attività manifatturiera forniva semplicemente un reddito supplementare. Pertanto le manifatture dell'Europa settentrionale furono in grado di vendere a prezzi più bassi di quelle italiane, provocando una crisi nella produzione tessile della Penisola, soprattutto nel comparto dell'industria laniera.

Malanima studia anche il settore dell'agricoltura e osserva che la crisi dell'economia italiana, se valutata in termini di valori aggregati, fu assai meno grave di quel che pensavano gli storici delle generazioni passate. Le manifatture urbane subirono una contrazione, ma una diversificazione delle attività rurali (per esempio l'estensione della gelsibachicoltura in gran parte della penisola), associata all'introduzione di nuovi cereali (soprattutto il mais), e la generale diminuzione degli abitanti conseguente alle epidemie di peste del 1629-1630 e 1656-1657, produssero un nuovo equilibrio e una ripresa della crescita a partire dalla metà del XVII secolo. «La popolazione di tutta Italia era passata, fra il 1600 e il 1660, da 13.500.000 abitanti a 10.700.000 ... L'equilibrio fra risorse e popolazione era stato ricostituito e il prodotto pro capite era aumentato».[5] Secondo l'analisi di Malanima il declino irreversibile descritto da Cipolla fu invece una crisi temporanea databile alla prima metà del secolo XVII, una crisi che causò una trasformazione strutturale e successivamente una ripresa della crescita.

Mentre molte conclusioni di Malanima si fondano su stime di attività economiche aggregate per l'Italia settentrionale, per cui esse, nel migliore dei casi, hanno un valore approssimativo e di riferimento, egli evidenzia chiaramente che il passaggio delle attività imprenditoriali dal contesto urbano a quello rurale faceva parte di un generale processo di ristrutturazione che portò alla successiva crescita, sebbene secondo linee molto diverse rispetto a quelle prima seguite dalle economie dell'Italia settentrionale. Vi è in realtà una grande abbondanza di informazioni che indicano il persistente, generale benessere dell'Italia dopo il suo 'declino', e vi sono inoltre molti indizi che mostrano come le attività imprenditoriali, a differenza di quanto finora si era ritenuto, non fossero refrattarie al cambiamento.[6]

5. Ivi, p. 146.

6. Cfr. R.A. Goldthwaite, *Wealth and the Demand for Art in Italy, 1300-1600*, Baltimore 1993; L. Molà, *The Silk Industry of Renaissance Venice*, Baltimore 2000.

Crisi e cambiamento

Prima di affrontare il discorso sulle risposte al mutamento economico è utile ricordare brevemente le trasformazioni che l'economia italiana, o piuttosto le economie italiane, sperimentarono nel corso dei secoli XV-XVII e i fattori che le determinarono.

Innanzitutto l'espansione ottomana nel Mediterraneo orientale, che raggiunse il suo momento culminante con la conquista di Costantinopoli nel 1453 e con l'occupazione dei territori un tempo bizantini in Grecia e nei Balcani, e l'ascesa della potenza navale turca introdussero un nuovo fattore di dinamismo nei circuiti commerciali di quelle regioni, circuiti dominati dai mercanti veneziani e in misura inferiore genovesi. L'arrivo di Vasco da Gama a Calicut nel 1498 e l'apertura, ad opera dei portoghesi, di una via marittima per l'India crearono inoltre un'alternativa per l'approvvigionamento e la distribuzione delle spezie e di altri beni provenienti dall'Oceano Indiano, modificando gli equilibri di un commercio che in precedenza era interamente gestito dagli italiani. Alla fine del Quattrocento, in seguito ai viaggi di esplorazione, gli spagnoli giunsero nel Nuovo Mondo ed ebbero accesso ai vasti giacimenti di metalli preziosi esistenti nei Caraibi, in Messico e in Perù. L'afflusso di oro e argento verso la Spagna e da qui nel resto d'Europa compromise gli equilibri monetari e i tradizionali schemi della circolazione provocando mutamenti politici ed economici da un capo all'altro del continente.

Nel 1494, con la discesa di Carlo VIII, ebbero inizio le Guerre d'Italia, che insanguinarono la penisola per i primi trent'anni del Cinquecento. La fine del XVI secolo vide invece una crisi della produzione agricola in tutta l'area mediterranea, con l'arrivo di un gran numero di navi dell'Europa settentrionale che rifornivano di grano le affamate regioni meridionali. E con le navi arrivarono anche molti mercanti nordeuropei e nuovi metodi di organizzazione commerciale. Costoro, in special modo gli inglesi, portarono con sé merci del Nord e la decisa intenzione di accaparrarsi i lucrosi mercati mediterranei, che erano stati per secoli dominio degli italiani. Le ripetute epidemie di peste del Cinquecento, e ancor più quelle degli anni 1629-1630 e 1656-1657, infine, ebbero un profondo impatto sui livelli di produzione, come pure sulla distribuzione della popolazione italiana fra città e campagna.

Ma, tenendo presente la difficoltà di usare il singolare quando si discute delle cose italiane di questo periodo, spostiamo ora la nostra attenzione sui mutamenti strutturali riguardanti i singoli centri-guida dell'economia italiana dell'epoca.

Genova e la Liguria

Intorno alla metà del XV secolo Genova stava attuando quello che è stato definito lo «spostamento verso ovest».[7] Già prima della caduta di Costantinopoli il baricentro del commercio genovese aveva cominciato a muoversi verso il Mediterraneo occidentale, concentrandosi soprattutto sullo sfruttamento delle opportunità offerte dalla penisola iberica, sebbene anche la Francia e i Paesi Bassi restassero aree estremamente importanti per l'attività dei genovesi. Il primo quarto del Cinquecento fu contrassegnato dal rapido sviluppo delle attività finanziarie degli uomini d'affari della repubblica ligure, che in pochi decenni furono in grado di controllare le finanze statali della Spagna e di sviluppare una rete creditizia di portata europea. Nell'ultimo quarto del secolo il perno di questo sistema era costituito dalle fiere cambiarie di Piacenza, che i genovesi organizzavano e controllavano.[8] Nel corso del XVI secolo si assistette anche, come altrove in Italia, all'eccezionale crescita dell'industria serica cittadina,[9] mentre il porto manteneva tutta la sua vitalità come centro di smistamento per il commercio sulle lunghe distanze.

Il trasporto via mare e la cantieristica navale offrono un quadro più complesso. La capacità di carico attribuita alla flotta genovese (galere escluse) è stata calcolata in 12.000 e 15.000 tonnellate per gli anni 1498 e 1509,[10] in 29.000 per gli anni 1556-1558, ma soltanto in 10-12.000 tonnellate per la fine del XVI secolo. Il traffico portuale, d'altra parte, si sviluppò parallelamente alla crescita della flotta nella prima metà del Cinquecento, ma continuò ad aumentare, nonostante la contrazione del naviglio, anche nella seconda metà del secolo.[11] In altre parole, a partire dal penultimo quarto del XVI secolo non vi fu più un chiaro le-

7. Cfr. R.S. Lopez, *Su e giù per la storia di Genova*, Genova 1975; J. Heers, *Gênes au XVe siècle. Activité économique et problèmes sociaux*, Paris 1971.

8. Cfr. F. Braudel, *Les Jeux de l'Echange*, Paris 1979 (trad. it. *I giochi dello scambio*, Torino 1981, pp. 62-63); M.T. Boyer-Xambeau, G. Delaplace e L. Gillard, *Monnaie privée et pouvoir des princes*, Paris 1986 (trad. it. *Banchieri e principi. Moneta e credito nell'Europa del Cinquecento*, Torino 1991, pp. 21-53); G. Doria, *Conoscenza del mercato e sistema informativo: il know-how dei mercanti-finanzieri genovesi nei secoli XVI e XVII*, in *La repubblica internazionale del denaro tra XV e XVII secolo*, a cura di A. De Maddalena e H. Kellenbenz, Bologna 1986.

9. Cfr. P. Massa Piergiovanni, *Un'impresa serica genovese nella prima metà del Cinquecento*, Milano 1974; Id., *Social and Economic Consequences of Structural Changes in the Ligurian Silk-Weaving Industry from the Sixteenth to the Nineteenth Century*, in *The Rise and Decline of Urban Industries in Italy and in the Low Countries: Late Middle Ages-Early Modern Times*, a cura di H. van der Wee, Leuven 1988; G. Sivori, *Il tramonto dell'industria serica genovese*, «Rivista Storica Italiana», 4 (1972).

10. Cfr. M. Calegari, *Navi e barche a Genova tra XV e XVI secolo*, «Miscellanea Storica Ligure», 2, 1 (1970); E. Grendi, *La repubblica aristocratica dei genovesi*, Bologna 1987, pp. 309-352; Th.A. Kirk, *Genoa and the Sea: Policy and Power in an Early Modern Maritime Republic, 1559-1684*, Baltimore 2005, pp. 32-35.

11. Grendi, *La repubblica aristocratica*, cit., pp. 309-352.

game tra l'entità della flotta o l'attività cantieristica e l'ammontare complessivo del traffico del porto cittadino.

Nel primo trentennio del Seicento l'economia di Genova arretrò su un certo numero di fronti. L'industria serica subì una sorprendente contrazione, la cantieristica venne meno quasi del tutto e la rete finanziaria internazionale creata nel Cinquecento subì a più riprese gli effetti dell'insolvenza della Spagna. La città, comunque, continuò ad essere un importante centro di smistamento per il commercio sulle lunghe distanze, ma non poté mantenere la sua preesistente posizione di dominio nel Mediterraneo occidentale. Gli sforzi compiuti per rilanciare la cantieristica e la tradizione marinara della città-stato portarono a risultati di scarsa durata, anche se la costruzione di imbarcazioni di dimensioni relativamente modeste per il commercio di piccolo cabotaggio continuò a prosperare lungo le riviere liguri.[12] E mentre il tradizionale dinamismo della città soffrì a causa delle ripetute crisi del Seicento – tra queste non fu trascurabile la contrazione demografica conseguente all'epidemia del 1656-1657 – altre zone della Liguria mantennero, grazie alle industrie della carta, del sapone e del ferro, una notevole vivacità economica.

Venezia e il Veneto

Venezia, dal canto suo, rimase tenacemente legata al commercio sviluppato nelle aree geografiche che avevano fatto la sua fortuna. Se Genova era impegnata nello «spostamento verso Occidente», Venezia stava compiendo un non facile processo di 'normalizzazione' delle relazioni con il nuovo signore di Costantinopoli. Quasi contemporaneamente all'arrivo delle notizie della conquista ottomana, il Senato di Venezia inviò un suo plenipotenziario presso il sultano Maometto II per negoziare le condizioni di coesistenza tra le due potenze.[13] Inizialmente si giunse ad un accordo, al quale, tuttavia, nell'arco di un decennio seguì una lunga guerra. Il conflitto, che tra il 1463 e il 1479 conobbe vari momenti di recrudescenza, segnò la storia di Venezia nei tre secoli successivi. L'ampiezza delle risorse a disposizione dell'Impero Ottomano fece pendere la bilancia sempre a favore dei turchi. Ogni fase bellica comportò un'erosione dei possedimenti veneziani d'Oltremare con conseguenze difficilmente sopportabili per il commercio di Venezia. La trattativa, comunque, fu quasi sempre considerata preferibile allo scontro militare tanto che, tra la morte di Maometto II (1481) e l'inizio della guerra di Candia (1645), le due potenze si misurarono soltanto in tre brevi conflitti.[14]

12. L. Gatti, *Navi e cantieri della Repubblica di Genova, secc. XVI-XVII*, Genova 1999.

13. D. Goffman, *The Ottoman Empire and Early Modern Europe*, Cambridge 2002, p. 138.

14. *Ibid.*

In seguito alla conquista ottomana dell'Egitto e della Siria nel 1517, inoltre, le favorevoli relazioni tra Venezia e i turchi aprirono alla Serenissima i mercati del Levante come mai era avvenuto prima.

A dispetto dei tentativi portoghesi di bloccare le tradizionali vie delle spezie che portavano dall'Oceano Indiano al Mediterraneo, nel Cinquecento si assisté ad una rinascita del sistema commerciale veneziano, a lungo collaudato nel Mediterraneo orientale. Secondo una tendenza che abbiamo già riscontrato a Genova, anche la dimensione della flotta veneziana crebbe nel corso della prima metà del secolo, raggiungendo un picco di 30.000 tonnellate di capacità di carico nel 1567 (contro le 15.400 circa della fine del XV secolo).[15] Sempre in analogia con l'esempio genovese, la dimensione della flotta diminuì durante i due decenni successivi, raggiungendo un minimo di circa 5.000 tonnellate intorno al 1590, per risalire poi al modesto livello di 10.000 tonnellate nel 1605.[16] La famosa offerta di Filippo II di Spagna, che nel 1584 propose ai veneziani di commerciare le spezie che arrivavano a Lisbona,[17] è stata considerata rivelatrice della loro capacità di rispondere ai mutamenti del settore e della persistente abilità di competere efficacemente con i mercanti iberici che si servivano della rotta oceanica.

Più dell'espansione ottomana, in realtà, furono le attività degli inglesi e degli olandesi a determinare una trasformazione del sistema commerciale veneziano. I trasportatori della costa nord-atlantica si inserirono nel commercio da e per l'Oceano Indiano e quasi contemporaneamente, fra la fine del XVI secolo e l'inizio del successivo, entrarono nel sistema degli scambi mediterranei. L'interruzione del monopolio portoghese sulle rotte fra l'Oceano Indiano e l'Europa portò al ribasso del prezzo delle spezie, proprio mentre olandesi e inglesi stavano introducendo sia le *new draperies* sia le più tradizionali stoffe di lana con l'obiettivo di conquistare il mercato fino ad allora riservato agli articoli italiani.

Gli schemi del commercio attraverso il Mediterraneo vennero ridisegnati dai mercanti e dai trasportatori settentrionali e Venezia non fu in grado di conservare il ruolo dominante che aveva avuto per tanto tempo.

15. U. Tucci, *Traffici e navi nel Mediterraneo in età moderna*, in *La Penisola Italiana e il Mare*, a cura di T. Fanfani, Napoli 1993, p. 61; R. Romano, *La marine marchande vénitienne au XVIe siècle*, in *Les sources de l'histoire maritime*, a cura di M. Mollat, Paris 1962, p. 34.

16. *Ibid.*

17. G. Cozzi, *Venezia nello scenario europeo (1517-1699)*, in G. Cozzi, M. Knapton e G. Scarabello, *La Repubblica di Venezia nell'età moderna. Dal 1517 alla fine della Repubblica*, Torino 1992, pp. 63-64; U. Tucci, *Bragadin Antonio*, in *Dizionario biografico degli Italiani*, 13, Roma 1971, *ad vocem*.

Firenze e la Toscana

Rivolgendo ora la nostra attenzione a Firenze, noteremo che la sua economia seguì una parabola leggermente diversa da quella di Venezia o di Genova, anche se non mancano alcuni parallelismi. Il Quattrocento fu il periodo di massimo splendore di Firenze, le cui fortune erano solidamente fondate sulla fabbricazione dei tessuti e insieme sull'attività finanziaria che trovava in Lione il suo caposaldo. In seguito alle Guerre d'Italia e ai rivolgimenti politici che segnarono il passaggio dalla repubblica al principato dei Medici, molti indicatori segnalano un lungo periodo di lento declino economico e di perdita di vitalità, ma il quadro, comunque, è tutt'altro che uniforme. L'industria laniera, pilastro dell'economia cittadina, subì una contrazione, ma quasi contemporaneamente si verificò una sensibile ripresa di altri settori produttivi tradizionali e un sorprendente sviluppo della manifattura della seta, che, in termini di occupati, finì per sopravanzare il lanificio. Questa espansione determinò una notevole diffusione della coltivazione del gelso nelle campagne, anche se la produzione di seta grezza toscana non eliminò mai completamente le importazioni di materia prima proveniente soprattutto dal Mezzogiorno continentale e dalla Sicilia.[18] Anche la produzione serica, peraltro, subì un crollo improvviso tra il 1570 e il 1600, in larga misura dovuto al successo dei tessuti veneziani; le due città, infatti, erano in concorrenza sui mercati del Levante.[19]

96 In fatto di commercio sulle lunghe distanze lo sviluppo del porto di Livorno, che caratterizzò la seconda metà del Cinquecento e tutto il Seicento, rappresentò un'autentica novità. Livorno divenne uno degli scali mediterranei più importanti, ma questo non fu merito del dinamismo della classe mercantile italiana, quanto piuttosto del fatto che qui confluivano i mercanti di diverse aree geografiche. Tale concentrazione assicurò al granducato sia un'abbondante disponibilità di merci provenienti da varie parti del mondo, sia uno sbocco vantaggioso per le esportazioni di prodotti toscani.

Milano e la Lombardia

Utilizzando una formula sintetica si potrebbe affermare che Milano seguì il medesimo percorso degli altri maggiori centri dell'Italia settentrionale, visto che ai danni rovinosi dei primi decenni del XVI secolo fece riscontro un sostanziale recupero. Il ripetersi di episodi bellici agli inizi del Seicento, seguito dall'in-

18. F. Battistini, *La gelsibachicoltura e la trattura della seta in Toscana (secc. XIII-XVII)*, in *La seta in Europa secc. XIII-XX*, a cura di S. Cavaciocchi, Firenze 1993, pp. 297-298.

19. D. Sella, *Italy in the Seventeenth Century*, London 1977, p. 22.

sorgere di una violenta pestilenza nel 1630, provocò una ristrutturazione dell'economia lombarda. Come altrove in Italia, la seta agì da supporto primario dell'economia ed ebbe una parte notevole nella riconversione produttiva della regione. Mentre a Milano la fabbricazione dei tessuti serici perdeva terreno, nei centri minori e nelle campagne la produzione della seta grezza e del filo di seta, ma anche quella di stoffe di varie tipologie qualitative, compensò il parziale declino della manifattura della capitale lombarda.

Fattore altrettanto importante della ripresa furono i progressi dell'agricoltura. L'introduzione e la diffusione del riso e del mais, unita a una più marcata razionalizzazione della produzione agricola, portò all'incremento dei raccolti di cereali, sia in termini di volume che di contenuto calorico. L'estensione dei canali, il drenaggio dei terreni acquitrinosi per la coltivazione del riso e l'inclusione delle terre da pascolo nelle rotazioni agrarie si associarono a cambiamenti nei sistemi di conduzione; la diffusione degli affitti a lungo termine, in particolare, influì direttamente sul miglioramento dei terreni.[20]

Durante il tardo Cinquecento e nel corso del Seicento le campagne crebbero d'importanza rispetto alle città e gli stessi rapporti demografici fra i centri urbani si modificarono. Se la popolazione di Milano scese dai circa 115.000 abitanti che aveva intorno al 1600 ai 100.000 del 1640, infatti, Cremona, Pavia, Como e Lodi subirono un ridimensionamento molto più rilevante. Cremona contava grosso modo 40.000 anime agli inizi del XVII secolo, ma soltanto 15.000 nel 1640. A Pavia la popolazione passò da 18.000 a 15.000 unità, e mentre Como e Lodi contavano rispettivamente 12.000 e 14.000 abitanti all'inizio del Seicento, nel 1640 non vi erano in Lombardia altre città con una popolazione che superasse i 10.000 abitanti.[21] Come ha evidenziato Carlo Marco Belfanti, pur potendosi documentare nel contado esempi di produzioni di elevata qualità, la regione sperimentò soprattutto un'espansione delle attività già esistenti nel basso Medioevo, in particolare la realizzazione di manufatti in metallo e di tessuti di fustagno, lana e lino. Il fatto rilevante fu che «sebbene il moltiplicarsi delle manifatture rurali fosse dovuto in primo luogo all'esigenza degli imprenditori di operare in siti produttivi a basso costo, essa si verificò anche per rispondere alla crescente domanda di beni a buon mercato da parte dei ceti popolari».[22]

20. Malanima, *La fine del primato*, cit., p. 30; D. Sella, *Crisis and Continuity. The Economy of Spanish Lombardy*, Cambridge (Mass.) 1979, p. 181.

21. C.M. Belfanti, *Town and Country in Central and Northern Italy, 1400-1800*, in *Town and Country in Europe, 1300-1800*, a cura di S.R. Epstein, Cambridge 2001, pp. 307-310.

22. *Ibid.*

Una sfida raccolta

I significativi mutamenti che ebbero luogo a livello internazionale e a livello locale non passarono inosservati né presso i mercanti, né presso gli uomini di governo italiani, come testimonia chiaramente la documentazione dei maggiori stati della Penisola. Qui, per esigenze di brevità, prenderò in considerazione l'ampio dibattito sviluppatosi a Genova, un dibattito emblematico del grado di consapevolezza delle trasformazioni in corso ma anche della capacità dei contemporanei di analizzare questi cambiamenti.

Due erano i principali argomenti di discussione all'interno del ceto dominante: l'incremento del flusso di merci verso il porto della città e, in alternativa o in associazione, il rafforzamento della presenza della Repubblica sul mare come mezzo per aumentare il volume dell'attività commerciale sotto il controllo dei mercanti genovesi.

Quanto al primo obiettivo, l'avvio di quella che sarebbe stata una direttrice importante della politica fiscale e commerciale genovese si ebbe nel 1568. Nel corso di una discussione sui modi per raccogliere il denaro necessario a reprimere una rivolta in Corsica alcuni membri del consiglio avevano avanzato riserve contro l'aumento delle imposte doganali, che secondo loro avrebbe dirottato il traffico portuale verso Livorno.[23] I primi passi significativi verso la liberalizzazione degli scambi nello scalo toscano erano stati compiuti tre anni prima e l'oligarchia genovese ne aveva già sperimentato gli effetti. Ai genovesi, però, sarebbero occorsi più di vent'anni per tradurre quella lezione in provvedimenti di governo con la creazione di un proprio porto franco dei grani nel 1590 e di un porto franco per le merci in genere nel 1609.[24] Comunque, quando la gestione del porto franco fu effettiva, essa divenne un elemento essenziale della politica fiscale della Repubblica, finendo per costituire il principale strumento di attrazione di merci e mercanti verso il suo porto.

La seconda linea di azione, quella che puntava a rafforzare la presenza della Repubblica sul mare, fu sviluppata attraverso una lunga serie di progetti elaborati fra la seconda metà del Cinquecento e la metà del Seicento. Forse il più articolato di questi progetti fu quello 'anonimo' presentato nel 1613 sotto l'etichetta di *Ricordi intorno alla navigazione*.[25] Esso prevedeva la costruzione di un certo numero di galeoni che sarebbero poi stati affittati a privati. Le finalità dichiarate erano quelle di incoraggiare il commercio marittimo e di assicurare la

23. Archivio di Stato di Genova (d'ora in poi ASGe), *Archivio Segreto, Politicorum*, b. 1650, fasc. 69, *Ricordi delli Gallere, con la posta al minor Consiglio*, 20 luglio 1568.

24. Cfr. Kirk, *Genoa and the Sea*, cit.; Id., *Genoa and Livorno: Sixteenth and Seventeenth-Century Commercial Rivalry as a Stimulus to Policy Development*, «History. The Journal of the Historical Association», 86 (2001).

25. ASGe, *Archivio Segreto, Politicorum*, b. 1652, fasc. 22, *Ricordi intorno alla navigazione*, 22 marzo 1613.

presenza militare sul mare attraverso un naviglio che restava di proprietà statale e che, quindi, si sarebbe potuto requisire nei momenti di necessità. Questa proposta riveste per noi un particolare interesse, dal momento che in essa è contenuta un'analisi della situazione economica generale agli inizi del XVII secolo. Dopo avere rievocato immagini della passata grandezza navale e commerciale della Repubblica, infatti, il testo continua così:

> Il guadagno di esse mercantie per una parte, li noli per l'altra, qualche cambi, che necessariamente apportava l'istessa mercantia veniva a rilevar tanto che se ne cavavano nel pubblico, e nelli particolari li benefitij detti sopra. Di poi sendosi cominciato a negotiar con Prencipi, et in particolar con la Maestà Cattolica, et a comprar rendita in paesi forastieri, et introdotto il cambio più all'ingrosso, e con maggior beneficio, e minor fatica a poco a poco li cittadini più ricchi lasciando il negocio della mercantia e delle navi da carico, e seguitando poi li altri ha dato occasione ad altre nationi di mettersi in questi negotij come si vede in particolare delli fiamenghi, li quali non solo con il dissegno delle mercantie, ma con tanta quantità di vascelli che hanno, e mandano atorno per li noli, hanno quasi ridotto tutto il negocio, e mercantia in man loro.

In altri termini, il commercio, che un tempo era stato in mani genovesi, aveva apportato benefici a tutta la comunità, ma con l'aumento delle attività finanziarie, e specialmente di quelle legate alla monarchia spagnola, le élites economiche avevano abbandonato la tradizionale attività commerciale via mare, preferendo i maggiori guadagni ricavabili dai rapporti con la corte iberica e dalle fiere dedicate a scambi e contrattazioni. Il vuoto così creato era stato colmato dai mercanti dell'Europa settentrionale. Naturalmente l'autore della proposta lamenta questa situazione, ma noi sappiamo che si trattava semplicemente del logico risultato di una strategia economica adottata dalla maggioranza del ceto mercantile dell'Italia settentrionale, e non solo a partire dal tardo Cinquecento. L'interesse prioritario dei mercanti e degli imprenditori più potenti era quello di limitare i rischi massimizzando i profitti, non quello di promuovere un'economia integrata che avrebbe prodotto benefici per la società nel suo insieme.

Era una tendenza molto diffusa. I mercanti genovesi più dotati di mezzi rinunciavano al commercio via mare a favore di coloro che nella scala sociale si trovavano sul gradino immediatamente inferiore, preferendo l'attività economicamente più sicura e più redditizia di operatori della finanza internazionale. Le perdite legate alla ricorrente insolvenza della corona di Spagna, poi, potevano sempre venire addossate agli investitori più deboli. Così, nelle parole del progetto del 1613, «le persone che avevano azenda hanno lasciato il negocio delle merci, e delle navi essendovi sol'entrate persone più deboli, et alcune debolissime, che non avendo facoltà propria, erano astretti a patire gagliardissimi interessi».

E quei «gagliardissimi interessi» dovevano naturalmente venire pagati ai finanziatori. Questa, d'altra parte, era semplicemente la manifestazione più recente del fenomeno. Nel Cinquecento molti mercanti preferirono diventare comproprietari di navi ragusee che impegnarsi nella costruzione di imbarcazioni proprie.[26] Costruire e possedere una nave come proprietario unico, infatti, significava assumersi l'intero rischio in caso di incidente, mentre la proprietà parziale consentiva di controllare i movimenti della nave con oneri minori.

Un meccanismo simile lo vediamo applicato anche nell'industria ligure del ferro. Nel corso del XVII secolo i proprietari degli impianti per la fusione e la distribuzione dei prodotti ferrosi si ritirarono dall'attività manifatturiera, pur continuando a commerciare il metallo. Il rischio connesso alla proprietà di strutture costose venne trasferito a figure di livello inferiore, mentre gli imprenditori più potenti continuarono a comprare e a distribuire i prodotti. Proprio nel momento in cui era legittimo attendersi maggiori profitti dalla compravendita del ferro toscano o svedese, tuttavia, l'industria ligure venne lasciata declinare.[27] Una tendenza analoga sembra individuabile anche per la manifattura del sapone, ma in questo settore occorrerebbe ampliare la ricerca. La fabbricazione del sapone rappresentava una voce importante nell'economia della costa occidentale genovese: questa attività, infatti, non solo assorbiva l'olio prodotto in eccesso – di solito olio irrancidito rimasto inutilizzato dal precedente raccolto – ma determinava anche l'importazione di materia prima, come la cenere dalla Spagna. Furono i mercanti genovesi a introdurre il sapone sui mercati di tutto il bacino mediterraneo, ma nel XVIII secolo, quando le tecniche di fabbricazione vennero trapiantate a Marsiglia e divenne più economico distribuire il prodotto francese, l'industria locale del sapone fu abbandonata al suo destino.[28]

Questi esempi mostrano che il potere economico era nelle mani del ceto mercantile piuttosto che in quelle dei produttori e indicano che promuovere la produzione non rappresentava assolutamente una priorità per i mercanti. Ogni gruppo sociale tendeva a scaricare i rischi, per quanto era possibile, su coloro che occupavano un gradino inferiore nella scala sociale o su stranieri disposti ad affrontare l'a-

26. E. Grendi, *Traffico e navi nel porto di Genova fra 1500 e 1700*, in Id., *La repubblica aristocratica*, cit., p. 341; L. Gatti, *Compravendita di imbarcazioni mercantili a Genova (1503-1645)*, «Miscellanea Storica Ligure», n.s., 3 (1971).

27. Cfr. G.F. Faina, *Note sui bassi fuochi liguri nel XVII e XVIII secolo*, «Miscellanea Storica Ligure», 4 (1966); E. Grendi, *Introduzione alla storia moderna della Repubblica di Genova*, Genova 1973, pp. 106-107; M. Calegari, *Il basso fuoco alla genovese: insediamento, tecnica, fortuna (secc. XIII-XVIII)*, «Quaderni Storici», 46 (1981); Faina e Grendi indicano un tetto di produzione negli anni 1671-1676, seguito da una continua contrazione. Per Grendi «la decadenza dell'industria è attribuita alle difficoltà di vendita e, più in particolare, alle tariffe genovesi ... che volevano favorire gli interessi mercantili desiderosi di attrarre il ferro straniero (svedese) anche a scapito di quello di produzione locale».

28. Cfr. F. Ciciliot, *La saponeria nella Liguria occidentale*, Savona 2001.

lea delle spedizioni via mare. Il trasporto marittimo e la proprietà del naviglio furono lasciati inizialmente ai trasportatori ragusei, quindi agli inglesi e agli olandesi, mentre la fusione del ferro venne delegata prima ad elementi economicamente più deboli, e in un secondo momento a stranieri.

Questo, almeno, per quanto riguarda i mercanti. Il citato progetto del 1613, tuttavia, indica che dei fenomeni descritti ebbero coscienza anche i governanti e in molti casi essi intervennero con misure adeguate. Nello specifico si proponeva l'adozione di sussidi statali per il commercio marittimo sotto forma di navi di proprietà pubblica che potevano poi essere date in affitto agli uomini d'affari. In altre parole, l'autore del progetto suggeriva l'idea che fosse lo stato ad assumersi il rischio che i mercanti cercavano di evitare. Una lunga serie di petizioni al Senato della Repubblica propose una grande varietà di progetti destinati a incoraggiare il ritorno al commercio via mare.[29] Molti di questi non erano realistici e spesso costituivano soprattutto prese di posizione di natura politica; ciò nonostante mostravano una chiara consapevolezza dei cambiamenti che si stavano verificando nell'ambito del commercio mediterraneo e del ruolo crescente degli operatori economici dell'Europa settentrionale in quest'area. In definitiva, dopo alcuni esperimenti di intervento statale consistenti nell'organizzazione di convogli protetti da galeoni di proprietà pubblica, la Repubblica di Genova, per garantire l'afflusso di merci nel proprio scalo, scelse la soluzione del porto franco. Nella prima metà del XVII secolo i regolamenti del porto franco furono elaborati con l'obiettivo prioritario di attrarre a Genova merci che poi sarebbero state redistribuite dai mercanti cittadini, ma questo indirizzo mutò in seguito alla crisi demografica di metà secolo, e nella sua versione matura il porto franco ebbe la funzione di far convergere in città sia merci di vario genere sia mercanti stranieri.

Nel dibattito e nelle scelte dei genovesi si ravvisano elementi e tendenze analoghi a quelli presenti in tutti gli stati italiani nel tardo Cinquecento e nel Seicento: le attività preesistenti vennero ristrutturate per minimizzare i rischi e ridurre i costi, ma questo creò spesso dei varchi in cui si inserirono i mercanti stranieri. Anche gli esperimenti di intervento statale tesi a stimolare e regolamentare il commercio, d'altra parte, finirono per provocare l'effetto opposto a quello per cui erano stati concepiti, rafforzando il ruolo degli uomini d'affari provenienti da altri paesi. La prima tendenza è riconoscibile nel Ducato di Milano e, in qualche misura, nella Repubblica di Venezia, mentre fu quest'ultima che compì lo sforzo maggiore per salvaguardare la sua posizione mediante provvedimenti legislativi. Il Granducato di Toscana presenta aspetti di entrambe le strategie; vi furono numerosi mutamenti nella produzione, specialmente in quella agricola, mentre le misure fiscali attuate a Livorno costituirono un'effi-

29. Cfr. Kirk, *Genoa and the Sea*, cit.

cace dimostrazione di come l'iniziativa politica poteva incidere positivamente sull'attività commerciale.

Tra gli esempi qui riportati quello del Ducato di Milano, o piuttosto della città di Milano, è probabilmente il più vicino al classico modello interpretativo del 'declino dell'Italia'. Dopo il recupero economico del Cinquecento la città fu duramente colpita dall'epidemia di peste del 1630: il deficit di lavoratori qualificati, insieme alla contrazione dei mercati europei, impoveriti dalle guerre dilaganti, rese l'industria serica milanese sempre meno competitiva. Stavano comunque avvenendo dei cambiamenti nelle campagne. Secondo linee di sviluppo analoghe a quelle di alcune economie del Nord europeo, anche in Lombardia si registrò un incremento nella produzione rurale di beni di bassa qualità e basso costo. «Il fatto che il processo di industrializzazione delle campagne risalisse almeno alla seconda metà del XVI secolo ... indica che il fenomeno era, almeno in parte, un aspetto di una strategia intenzionalmente perseguita da imprenditori della città».[30] Una tale redistribuzione delle attività produttive rispondeva contemporaneamente a due esigenze: quella di ridurre i costi di produzione grazie al minor costo del lavoro nelle campagne e quella di soddisfare la crescente domanda di beni di consumo a prezzi contenuti. La scelta politica fu quella di emettere, nel 1646, un decreto che bandiva l'importazione di qualsiasi merce in concorrenza diretta con i prodotti del ducato.[31]

Un altro cambiamento di estrema importanza che si veniva realizzando concerneva la riorganizzazione e la diversificazione della produzione agricola, che comprendeva l'incremento della coltivazione di riso e mais e la diffusione della gelsibachicoltura. Riassumendo la situazione, Belfanti afferma che «tra XVII e XVIII secolo la graduale diminuzione nel numero dei mulini da seta a Milano fu più che compensata dall'impianto di siti industriali nelle campagne».[32]

Tornando ora a Venezia, dove, come nella Lombardia spagnola, il dinamismo maggiore si riscontrava nelle campagne, troviamo ancora un'altra combinazione dei fattori identificati nei casi della Repubblica di Genova e del Ducato di Milano. Qui ad una vasta gamma di interventi intrapresi dalla Serenissima nel corso del Cinquecento, interventi tesi a migliorare la qualità dei terreni (recupero di terre incolte, bonifica di paludi), fece seguito l'introduzione della coltivazione su larga scala del riso e del mais, due cereali nuovi per la regione. Le rese di ambedue le colture risultarono superiori a quelle del frumento e la loro introdu-

30. Belfanti, *Town and Country*, cit., pp. 307-310. Cfr. anche L. Faccini, *La Lombardia fra '600 e '700*, Milano 1988.

31. D. Sella, *L'economia lombarda durante la dominazione spagnola*, Bologna 1982, pp. 127, 137-138; cfr. anche G. Pagano de Divitiis, *English Merchants in Seventeenth-Century Italy*, Cambridge 1997, p. 174.

32. Belfanti, *Town and Country*, cit., p. 309. Cfr. anche G. Vigo, *Uno stato nell'impero. La difficile transizione al moderno nella Milano in età spagnola*, Milano 1994, pp. 104-106; Faccini, *La Lombardia fra '600 e '700*, cit.

zione segnò l'avvento di uno sfruttamento più razionale e redditizio dei terreni. La maggior cura rivolta alla terra, comunque, non portò all'adozione delle medesime tecniche di rotazione colturale introdotte in Lombardia. I massicci investimenti destinati alle migliorie facevano chiaramente parte di una precisa strategia per aumentare i profitti derivanti dall'agricoltura. In considerazione dei cattivi raccolti degli anni Novanta del Cinquecento, e soprattutto in seguito al calo demografico dovuto alle epidemie, nel primo Seicento il volume degli investimenti scese rispetto al periodo precedente, e tuttavia i livelli produttivi si accrebbero.[33]

Se guardiamo al comparto industriale, troveremo che un certo numero di città della terraferma veneta possedeva da tempo proprie industrie laniere, alle quali si aggiunsero, in tempi più o meno coincidenti con quelli rilevabili per Venezia, manifatture seriche.[34] Mentre il governo della Repubblica interveniva per proteggere i panni di lana veneziani di maggior pregio, le città della terraferma si specializzarono in tessuti di qualità inferiore. Lo stesso avvenne nel settore della seta, dal momento che la maggior parte dei manufatti serici di livello superiore veniva realizzata nella città dominante. Vale anche la pena di ricordare che nel corso dei secoli XVI e XVII l'industria serica veneziana modificò ripetutamente i suoi prodotti allo scopo di adattarsi ai mutamenti nelle richieste dei consumatori: vennero introdotte produzioni di diverso livello qualitativo, nuovi stili e nuovi procedimenti di colorazione.[35]

L'esperienza di Venezia nel tardo Cinquecento e nel primo Seicento diverge nettamente da quella di Genova e di Milano per la diversa determinazione del governo della Serenissima a intervenire direttamente nel controllo dell'attività commerciale. Mentre appare evidente la sua consapevolezza dei mutamenti in corso e un desiderio di controllare o almeno di imbrigliare quei cambiamenti, è altrettanto palese che gli interventi di politica statale veneziana andavano, in definitiva, a detrimento dello sviluppo economico della regione. I casi della cantieristica e dei trasporti marittimi sono emblematici. Per gran parte del XVI secolo il governo veneziano incoraggiò la costruzione di grandi vascelli che, in momenti di necessità, potessero venire requisiti per impieghi bellici, ma non tentò di promuovere l'ideazione e la costruzione di navi più efficienti. Anche quando furono realizzate imbarcazioni di questo tipo, come nel caso delle *marciliane* (vascelli bassi, a scafo largo e piatto e montanti vele quadrate), il governo limitò o

33. Sella, *Italy in the Seventeenth Century*, cit., p. 25.

34. Sull'industria tessile nel Veneto cfr. S. Ciriacono, *Venise et ses villes. Structuration et déstructuration d'un marché regionale (XVIe-XVIIe siècles)*, «Revue historique», 276 (1986); Id., *L'economia regionale veneta in epoca moderna. Note a margine del caso bergamasco*, in *Venezia e la Terraferma. Economia e società*, a cura di M. Knapton, Bergamo 1989; W. Panciera, *L'arte matrice. I lanifici della Repubblica di Venezia nei secoli XVII e XVIII*, Treviso 1996.

35. Cfr. Molà, *The Silk Industry*, cit.; E. Demo, *'L'anima della città': l'industria tessile a Verona e Vicenza (1400-1550)*, Milano 2001.

scoraggiò il loro uso: un'ordinanza del 1602 proibiva che le *marciliane* si spingessero oltre l'isola di Zante. Nel 1590, in un momento di difficoltà per la cantieristica veneziana, la Repubblica fu costretta a revocare il divieto di comprare navi costruite all'estero, salvo adottare nel 1602 una misura protezionistica che proibiva ai vascelli stranieri di trasportare merci da Venezia verso il Levante. Questo dette un breve momento di respiro ai trasporti marittimi di Venezia, ma meno di tre decenni più tardi, nel 1627, la situazione era nuovamente peggiorata e si dovettero offrire dei sussidi perfino per l'acquisto di navi straniere.[36]

Le misure protezionistiche finirono con il danneggiare pesantemente il commercio veneziano, come testimoniano bene le iniziative dei mercanti inglesi. Questi ultimi importavano grosse quantità di uva sultanina (circa 2300 tonnellate l'anno alla fine del Cinquecento),[37] e dal 1583, al più tardi, importavano anche olio d'oliva. L'acquisto di entrambi questi prodotti avveniva, all'inizio, sulla piazza di Venezia, ma gli interventi della Repubblica persuasero ben presto i trasportatori inglesi a disertare la Laguna. Nel 1580 l'Inghilterra aveva stabilito legami commerciali diretti con l'Impero Ottomano (lo stesso avevano fatto la Francia nel 1569 e le Province Unite nel 1600)[38] e lì i suoi uomini d'affari facevano concorrenza ai veneziani nel commercio della seta grezza persiana. Ma gli inglesi stavano anche cercando di rimpiazzare i tessuti veneziani destinati al mercato ottomano con quelli prodotti nell'isola. Per le navi inglesi dirette ad ovest, dunque, divenne sempre più conveniente caricare uva sultanina direttamente a Zante e olio in Puglia. Un'imposta sull'olio decretata dai veneziani nel 1625 e lo scoppio della peste a Venezia nel 1629-1630 fecero sì che il mercato dell'olio si spostasse dalla città lagunare a Livorno, dove venne egemonizzato dagli inglesi.[39]

Delle due modalità di azione evidenziate nel caso di Genova, ossia quella dei mercanti che spostavano il rischio dell'attività commerciale sui soggetti più deboli e quella del potenziale intervento governativo che cercava di correggere la crisi in atto nell'ambito del commercio d'Oltremare, Venezia preferì sempre la seconda.

Nei secoli XVI e XVII la meno dinamica delle aree prese in considerazione in questo contributo fu forse il granducato di Toscana. Dopo il sostanziale recupero e il successivo declino della sua industria laniera nel corso del Cinquecento, dopo l'espansione del settore serico nell'ultima parte del secolo, il Seicento appare come un periodo di stagnazione. La produzione dei tessuti di seta sembra aver sofferto principalmente della concorrenza veneziana, sebbene intorno

36. F. Lane, *Storia di Venezia*, Torino 1991, pp. 444-446.

37. Pagano de Divitiis, *English Merchants*, cit., p. 142.

38. H. Goddard, *A History of Christian-Muslim Relations*, Edinburgh 2000, p. 112; Goffman, *The Ottoman Empire*, cit., pp. 193-195.

39. Pagano de Divitiis, *English Merchants*, cit., p. 146.

alla metà del XVII secolo la manifattura fosse stata riorganizzata per la fabbricazione di articoli di qualità inferiore da esportare verso il mercato inglese.[40] Comunque la produzione si mantenne su livelli più bassi di quelli del periodo di maggior successo. Sul versante dell'agricoltura la quantità di seta grezza prodotta in Toscana continuò ad aumentare, anche se non fu mai in grado di soddisfare interamente il fabbisogno dell'industria fiorentina,[41] mentre il vino divenne in questo periodo un importante prodotto d'esportazione.[42] Il fattore di gran lunga più dinamico nel panorama toscano fu la creazione a Livorno di un emporio e i provvedimenti di politica fiscale adottati per attirare nel porto mercanti di varie nazionalità. La strategia adottata a Livorno consistette nel trasformare la vasta rete commerciale dei mercanti fiorentini in un collettore di merci per la Toscana. Un primo gruppo di riforme varate nel 1566 (1565 secondo il calendario fiorentino) spianò la strada allo sviluppo di un grande deposito per la distribuzione di merci in tutto il Mediterraneo, mentre le leggi del 1591 e del 1593, note come 'Livornine', incoraggiarono la creazione di un emporio per mercanti di diverse provenienze.[43] Nel primo caso le merci in arrivo da distanze superiori alle cento miglia, e destinate a essere riesportate verso località distanti oltre cento miglia, erano esenti da qualsiasi onere e potevano venire immagazzinate in città senza subire alcun aggravio fiscale. Le 'Livornine', d'altra parte, stabilivano che qualsiasi mercante di qualsivoglia nazionalità o religione fosse libero di dimorare a Livorno e potesse godere dell'esenzione da un certo numero di tasse.[44] In un certo senso la soluzione adottata a Livorno rese superflua l'esistenza dei mercanti toscani di raggio internazionale, visto che le misure fiscali e una sede sicura per le transazioni favorivano l'arrivo di una grande varietà di merci estere e al tempo stesso mettevano i prodotti toscani a disposizione dei mercanti di ogni parte del Mediterraneo e d'Europa.

La misura di quanto la situazione a Firenze fosse cambiata agli inizi del XVII

40. J. Goodman, *The Florentine Silk Industry in the Seventeenth Century*, Tesi di dottorato, London School of Economics 1976, pp. 49-51, citato in Pagano de Divitiis, *English Merchants*, cit., p. 136. Cfr. anche P. Malanima, *La decadenza di un'economia cittadina. L'industria di Firenze nei secoli XVI-XVIII*, Bologna 1982. Riguardo ai cambiamenti nel livello di qualità della produzione fiorentina cfr. Biblioteca Nazionale Centrale di Firenze, fondo Gino Capponi, cod. CXXXIX, cc. 17-49, *Discorso per provare quanto sia pernicioso il modo di negoziare che oggi si usa nella città e stato di Firenze*, scritto da Fra Cesareo Mantaccini (1692), cc. 17-18.

41. Battistini, *La gelsibachicoltura*, cit., pp. 297-298.

42. Sella, *Italy in the Seventeenth Century*, cit., p. 25; G. Pallanti, *Rendimenti e produzione agricola nel contado fiorentino: i beni del Monastero di Santa Caterina 1501-1689*, «Quaderni Storici», 39 (1978) e E. Luttazzi Gregori, *Un'azienda agricola in Toscana nell'età moderna: il Pino, fattoria dell'Ordine di Santo Stefano (secoli XVI-XVIII)*, ivi.

43. Cfr. Kirk, *Genoa and Livorno*, cit.

44. Biblioteca Nazionale Centrale di Firenze, ms. II. 4, *Riforma dello Statuto del Porto e Terra di Livorno, promulgata nel 1565*, cc. 1-25; L. Cantini, *Legislazione toscana raccolta e illustrata da Lorenzo Cantini*, Firenze 1800-1808, XIII, pp. 270-272; XIV, pp. 10-19.

secolo è illustrata dal dibattito che ebbe luogo nel 1601 tra la regina Elisabetta I d'Inghilterra e il granduca Ferdinando I di Toscana. L'argomento del contendere consisteva nello stabilire se ai fini della posizione giuridica di un mercante fosse preminente il suo luogo di origine o quello di residenza. Come scrive Gigliola Pagano de Divitiis, il granduca vinse la disputa: preferì proteggere il gran numero di spagnoli residenti in Toscana e la loro vasta rete di commercio piuttosto che estendere la sua protezione alla manciata di fiorentini attivi in Spagna.[45] La differenza rispetto al secolo XV non potrebbe essere più evidente: il volume dell'attività commerciale nelle mani di mercanti stranieri in Toscana era maggiore di quello controllato dai mercanti fiorentini impegnati all'estero.

Finora non si è accennato minimamente all'Italia meridionale e certo non vi è qui spazio sufficiente per trattare in modo adeguato la storia del Regno di Napoli nel periodo che ci interessa; è bene, in ogni caso, spendere almeno qualche parola sull'argomento data la sua importanza per le economie dell'Italia settentrionale e centrale. Per secoli i mercanti dell'Italia settentrionale avevano importato i prodotti agricoli del Regno e avevano venduto là le proprie merci. Il grano della Sicilia e del Mezzogiorno continentale costituiva la spina dorsale di gran parte dei sistemi annonari dell'Italia settentrionale, mentre la Puglia era un'area essenziale per il rifornimento della lana e dell'olio d'oliva utilizzati rispettivamente nella fabbricazione dei tessuti e nella produzione di sapone. Anche i vini meridionali trovavano smercio nel Nord e altrettanto la seta grezza siciliana e calabrese.[46] I secoli XVI e XVII, comunque, non furono facili per il Regno di Napoli: le epidemie, i conflitti e la tendenza della Spagna a spremere dal Regno la maggior quantità di denaro possibile per finanziare le sue interminabili guerre non solo minarono ogni possibilità di crescita, ma portarono anche gran parte della regione sull'orlo del collasso. Oltre agli effetti negativi dell'aumentata pressione fiscale, il mercato dei titoli di stato crebbe a dismisura drenando capitali che altrimenti si sarebbero potuti investire nel commercio o nelle attività manifatturiere. Gli interessi di oltre il dieci per cento sui titoli redimibili, per tacere dei tassi che superavano il venti per cento sulle annualità vitalizie, si rivelarono un onere eccessivo per il tesoro della corona e fecero precipitare nel caos l'intero mercato finanziario del Regno. Antonio Calabria spiega:

> Fino agli anni Novanta del XVI secolo la possibilità di investire in titoli di stato ebbe un effetto calamita sulla società napoletana, attraendo una quantità di capitali più volte superiore a quella investita soltanto una generazione prima e da uno strato di investitori molto più ampio ... Contemporaneamente i contadini che produ-

45. Pagano de Divitiis, *English Merchants*, cit., p. 28.

46. Cfr. A. Calabria, *The Cost of Empire. The Finances of the Kingdom of Naples in the Time of Spanish Rule*, Cambridge 1991, pp. 18-19; G. Galasso, *Economia e società nella Calabria del Cinquecento*, Napoli 1967, p. 152.

cevano per il mercato potevano ottenere credito soltanto attraverso il rigido sistema *alla voce*. Negli anni Ottanta e Novanta gli alti tassi d'interesse e i profitti inesistenti contribuirono ad aumentare i livelli di indebitamento, con il risultato che molte terre vennero sottratte alla coltivazione e destinate al pascolo.[47]

Inoltre, in una sorta di effetto domino, i cambiamenti nelle economie dell'Italia settentrionale descritti sopra investirono anche il Sud. Con la sempre maggiore diffusione nelle regioni settentrionali di un'agricoltura intensiva orientata verso il mercato, infatti, diminuì la necessità o il desiderio di importare prodotti agricoli dall'Italia meridionale. Così, quando la produzione serica subì una flessione a Genova e in Toscana, si ridusse il bisogno di importare seta grezza dalla Calabria e dalla Sicilia, mentre anche la domanda veneziana di materia prima meridionale diminuì in seguito all'incremento della coltivazione del gelso e della produzione di seta grezza in Terraferma. Osservando il fenomeno da un'altra prospettiva, tuttavia, se ne ricava un'immagine diversa. È certo che nel tardo Seicento il saldo della bilancia commerciale nei confronti del Regno di Napoli era sfavorevole all'Inghilterra ed è probabile che fosse lo stesso per l'Olanda. «Un simile stato dei rapporti economici riflette la generale condizione della bilancia commerciale napoletana con altri paesi, bilancia che fu attiva per Napoli per tutto il secolo XVII, dato che il valore delle sue esportazioni era molto più elevato di quello delle importazioni».[48] Questo non deve distogliere la nostra attenzione dalle precarie condizioni del Meridione, ma indica che i problemi di quelle regioni non erano causati da una bilancia dei pagamenti negativa che drenava capitali dal paese. Almeno per quanto riguarda le relazioni con l'Inghilterra, il resto d'Italia sembra aver goduto di una bilancia commerciale favorevole ancora per tutto il Seicento.[49]

Conclusioni

Cosa dobbiamo pensare, dunque, del 'declino dell'Italia'? In primo luogo, nonostante le crisi dei secoli XVI e XVII, la situazione economica non sembra essere stata tutta negativa. In una recente raccolta di saggi sull'Italia moderna John Marino, pur accogliendo in generale la tesi di Carlo Cipolla, riconosce che «la vasta gamma di opportunità d'impiego nelle città italiane, anche quando industrie un tempo all'avanguardia declinarono e scomparvero, consentì a quanti avevano perso il lavoro di ritrovare un'occupazione nell'edilizia, nell'artigianato di

47. Cfr. Calabria, *The Cost of Empire*, cit., pp. 5-6.

48. R. Romano, *Napoli: dal Viceregno al Regno. Storia economica*, in *Napoli dal Viceregno al Regno*, a cura di R. Romano, Torino 1976, pp. 26-27. Cfr. anche Pagano de Divitiis, *English Merchants*, cit., p. 129.

49. Ivi, pp. 129-130.

lusso e di precisione, nel commercio al dettaglio, nelle prestazioni d'opera a domicilio, cosicché non si determinò una diffusa disoccupazione con i conseguenti effetti sulla riduzione dei salari».[50]

È comunque altrettanto evidente che, nella seconda metà del Seicento, le strutture e le attività economiche della penisola differivano completamente da quelle di due secoli prima (e anche da quelle del secolo precedente), e che le economie dell'Europa settentrionale stavano crescendo molto più rapidamente di quella italiana. I governi dei diversi stati italiani avevano tentato, con maggiore o minore determinazione e risultati più o meno positivi, di fronteggiare i cambiamenti in atto nel Mediterraneo, ma non vi sono dubbi sul fatto che le città dell'Italia settentrionale non costituivano più, come nei secoli precedenti, la forza trainante dell'economia; il sorpasso da parte delle più dinamiche economie dell'Europa settentrionale era solo una questione di tempo.

La storiografia tradizionale imputa la crescente incapacità dell'Italia di competere con l'Europa settentrionale alla sua fedeltà a prodotti e a metodi di produzione superati, ma questa interpretazione non sembra essere più sostenibile. Nel campo dell'industria tessile, in particolare, tutte le economie dell'Italia settentrionale si dimostrarono capaci di adattare la produzione alle mutate condizioni del mercato, operando almeno un parziale aggiornamento dei processi produttivi con la dislocazione della manifattura dei tessuti di basso costo nelle campagne, proprio come stava accadendo nell'Europa settentrionale. Il problema, in realtà, non era tanto quello dei prodotti o dei metodi antiquati, quanto piuttosto quello di una mentalità 'antiquata'. Sembra esserci stata, laddove era possibile, una tendenza a limitare i rischi, diversificando gli investimenti o dirottando le attività a forte impiego di capitale su ceti sociali più esposti. L'investimento in attività imprenditoriali non sembra mai essere stato al vertice delle priorità: certamente vi furono investimenti di capitale, ma solo quando e dove non si presentavano alternative percorribili. La questione meriterebbe più attenzione e un maggiore approfondimento, ma è vero che anche nel contemporaneo dibattito storico-economico si dava più risalto all'aspetto commerciale che alla produzione dei beni da scambiare. Persino nella lucida analisi del documento genovese del 1613, di cui si è discusso sopra, non si fa cenno all'importanza dell'attività produttiva come strumento per migliorare le sorti dell'economia della Repubblica.

Se dunque le cose stanno veramente così, forse è stata proprio la prosperità ininterrotta che ha impedito all'Italia di operare il salto compiuto dall'Inghilterra e dalle Province Unite. Investire in titoli di stato, nell'agricoltura e anche nelle società per azioni anglo-olandesi appariva più sicuro che imbarcarsi nell'incerta avventura dell'industrializzazione, che esigeva l'impiego di forti capitali.

50. J.A. Marino, *Economic Structures and Transformation*, in *Early Modern Italy 1550-1796*, a cura di J.A. Marino, Oxford 2002, p. 61.

Ma vi è anche un altro fattore importantissimo e che meriterebbe un'attenzione maggiore di quella che gli viene normalmente dedicata. Gli studiosi trattano disinvoltamente del 'declino dell'Italia' come se fosse effettivamente esistita un'entità 'Italia', mentre fu proprio la mancanza di unità che assunse un ruolo crescente nella disgregazione della secolare egemonia economica di cui godeva la penisola. Per esempio, il Ducato di Milano e il Regno di Napoli erano legati al regno di Spagna, i cui interessi e le cui politiche erano diverse da quelle della Repubblica di Venezia e del granducato di Toscana. Per tutto il Rinascimento le economie degli stati italiani operarono congiuntamente seguendo modalità complementari, ma a partire dal tardo Cinquecento le compagnie di navigazione e i mercanti dell'Europa settentrionale furono in grado di inserirsi nel sistema, spesso su invito degli stessi italiani (le navi del Nord venivano prescelte proprio come lo erano state le navi ragusee, per delegare il rischio del trasporto di merci via mare), e alla fine se ne impadronirono a loro vantaggio. D'altra parte gli operatori economici settentrionali, organizzati in società per azioni che spesso agivano in regime di monopolio sui mercati interni, erano in grado di attingere risorse da una base più ampia di quella dei mercanti italiani e di utilizzarle con maggiore efficienza. Ciò è evidente nel caso specifico della Repubblica di Venezia. La Compagnia Inglese del Levante, che agiva in regime monopolistico, dopo essersi accordata nel 1580 con gli Ottomani per la concessione di speciali diritti commerciali, fu in grado di vendere i tessuti a prezzi più bassi di quelli praticati dai veneziani; potendo pagare in contanti, inoltre, riuscì a battere i mercanti lagunari anche in relazione all'approvvigionamento della seta grezza persiana. Gli inglesi agivano sul mercato come un'unica società commerciale, attingendo alle risorse di un grande numero di investitori, mentre i loro concorrenti italiani erano operatori individuali o piccole società in concorrenza tra di loro e con gli inglesi. Allo stesso modo questi ultimi poterono avere accesso all'olio pugliese e in generale ai prodotti agricoli meridionali, accelerando l'involuzione delle economie dell'Italia settentrionale.

Concludendo, mentre il Rinascimento si esauriva si profilava l'epoca degli stati nazionali, sembra evidente che l'economia italiana non crollò, ma subì una trasformazione: perse lo splendore e la vitalità che avevano caratterizzato le eccezionali conquiste dei secoli XIII-XV e cessò di essere il motore dell'economia europea. La leadership e il dinamismo spettavano ora ai mercanti e agli imprenditori dell'Europa settentrionale, le cui economie avrebbero presto superato quella italiana. Gli uomini d'affari italiani dell'epoca erano consapevoli dei mutamenti in atto e si attivarono per adattarvisi e trarne benefici, ma in definitiva le economie atlantiche si dimostrarono più efficienti nel controllo dei flussi commerciali e nel concentrare i capitali necessari per dare impulso alla produzione.*

* Traduzione di Giuseppe Berno

[illegible] il [illegible] [illegible] [illegible] [illegible] non molto, ma [illegible]

[illegible]

Un pensiero economico laico?

MARIA LUISA PESANTE

Il problema

È esistita un'economica laica nel Rinascimento? Un modo storicamente riconoscibile, e significativamente diverso da quello ecclesiale dominante, di guardare alle strutture e ai processi, alle pratiche e alle norme, formali e informali, alle esigenze e alle risposte della vita economica? Se si guarda al lemma *Economic Thought* nella recente *Encyclopedia of the Renaissance* si viene rimandati alle voci *Banking and Money*, *Economic interpretation of the Renaissance*, *Mercantilism*, e *Usury*.[1] Nelle prime tre voci non si parla in realtà in nessun senso di riflessioni sull'economica, mentre a proposito di usura si informa ovviamente della riflessione ecclesiastica su monete, banche e credito. Questo vuoto sembra riflettere lo stato della storiografia circa il problema di quale tipo di percezione, verbalizzazione e concettualizzazione accompagnasse il dispiegarsi della produzione per il mercato e degli scambi di merci e monete tra tardo Medioevo e prima Età moderna. Mentre una ricca e articolata attività storiografica ha ricostruito negli ultimi decenni il farsi ininterrotto di lessici e concettualizzazioni clericali di un'economia degli scambi nella cristianità occidentale, dai Padri della Chiesa fino al XVI secolo, ha avuto invece poco seguito la ricerca circa la «nouvelle éthique marchande»[2] praticata da mercanti cristiani, ma laici, e la sua

1. *Encyclopedia of the Renaissance*, a cura di P.F. Grendler, New York 1999. Invece di 'pensiero economico', che è un anacronismo, preferisco usare il termine 'economica' come era usato comunemente in italiano tra Quattro e Cinquecento, quando si parlava, ad esempio, dell'economica di Aristotele o di Senofonte per designare non solo la gestione della casa, ma anche la riflessione sul problema delle condizioni, modi, fini e conseguenze dell'attività volta al guadagno.

2. Ch. Bec, *Les marchands écrivains: affaires et humanisme à Florence, 1375-1434*, Paris 1967, p. 129.

apologia scritta da autori a loro volta cristiani, ma secolarizzati. Questa ricerca, da Renouard a Bec, da Baron a Garin, era sembrata in grado di identificare nell'ambito sociale delle città italiane tra Tre e Quattrocento e nella loro cultura umanistica un punto di mutamento fondamentale nell'esperienza e nella riflessione europea sul rapporto tra la vita della *polis* e le attività volte al guadagno nella produzione e negli scambi.

È possibile notare oggi che quella identificazione era in parte fondata su qualche equivoco, sia nelle categorizzazioni usate dagli storici sia nella specifica lettura di alcuni testi chiave, e su una contrapposizione troppo semplice all'etica economica cristiana, che allora non era stata ancora ricostruita in tutta la sua articolazione.[3] A quell'etica e alla teologia che la fondava, del resto, si affidavano esplicitamente i mercanti quando scrivevano della propria professione.[4] Si può notare anche come quelle ricerche riguardassero tutte i primi decenni del Quattrocento, e non fossero accompagnate da altri tentativi di ricostruire il possibile seguito di quella storia nella seconda metà del secolo e nel Cinquecento nelle repubbliche, signorie e regni della penisola. È necessario dire fin dall'inizio che il vuoto storiografico sul tema sembra riflettere a sua volta una carenza o povertà di testi: intendo di fonti a stampa che documentino una capacità di osservare e formare il mondo sociale, di denominare, comprendere e giudicare i processi economici in modi che non dipendano direttamente da premesse teologiche ed ecclesiologiche. Né credo che ci si possa accontentare della riproposizione in linguaggi più neutrali, e meno facilmente riconoscibili nelle loro matrici, delle medesime argomentazioni che proprio a partire da quelle premesse erano state costruite. Quella che segue è quindi una storia per lo più in negativo del periodo che va dalla metà del Quattrocento alla fine del Cinquecento: un tentativo di definire con qualche precisione i confini di quel vuoto e di formulare qualche ipotesi di spiegazione del suo perché.[5]

Quello che cerchiamo – e di cui ho trovato solo esigua traccia – è in primo luogo la documentazione di un modo di guardare alla vita economica della *res publica*, alle sue pratiche e alle sue regole, a prescindere dal fatto che si trattasse di una comunità cristiana: un modo non necessariamente altrettanto articolato e diffuso di quello clericale, ma storicamente pensabile ed esemplificabile. La qualificazione circa il carattere cristiano della comunità è specifica, e la sua

3. Cfr. G. Todeschini, *Il prezzo della salvezza. Lessici medievali del pensiero economico*, Roma 1994, pp. 87-96; M.L. Pesante, *Il commercio nella repubblica*, «Quaderni Storici», XXXV (2000), pp. 655-666.

4. Cfr. Benedetto Cotrugli, *Il libro dell'arte di mercatura*, a cura di U. Tucci, Venezia 1990, pp. 193-205, 229-230; cfr. anche l'*Introduzione* di Tucci, pp. 76-77.

5. Non ho preso in considerazione i libri di contabilità e le pratiche commerciali perché le tracce di ragionamenti economici che essi spesso contengono, nonostante il loro interesse, si pongono su un altro livello rispetto alle argomentazioni della tradizione ecclesiale.

rilevanza è diretta. In una cultura dell'organizzazione economica in cui l'attore cruciale non è il produttore locale, bensì il mercante titolare in modo eminente degli scambi internazionali di merci e monete in un mondo abitato da fedeli e da infedeli, ebrei, eretici o musulmani che fossero, ogni ragionamento che assumesse come indifferente la qualità religiosa degli attori, che accettasse la piena competenza anche degli infedeli a rispettare nello scambio regole condivise, avrebbe una caratteristica inequivocabile. Cerchiamo, in secondo luogo, un fenomeno che potrebbe essere tanto uno slittamento per omissione del carattere religioso dei mercanti, come in Da Uzzano, con tutti gli equivoci possibili, quanto una ridefinizione esplicita, con tutte le cautele che dovremmo aspettarci. Cerchiamo, infine, non solo un'alterità delle parole, dei concetti, delle logiche dei discorsi sull'economia, ma anche, e forse soprattutto, altri *topoi*, altri problemi, altre proposte politiche, altre soluzioni pratiche, altri generi dei discorsi. Queste indicazioni preliminari portano a formulare una definizione iniziale dell'oggetto della ricerca per differenza, di specie o di genere, rispetto al paradigma clericale, esplicitando di quest'ultimo in modo selettivo alcune implicazioni così come sono state ricostruite nella storiografia più recente.[6]

La santificazione del mercato e i suoi avversari

La tappa quattrocentesca nella formazione del linguaggio cristiano dell'economia porta a compimento la costruzione di una normativa che, nata soprattutto come ragione di una vocazione individuale, come precetto per la vita dei perfetti, è diventata invece un modo per configurare la vita della comunità dei fedeli nella concretezza della sua organizzazione, fondendo la città come totalità dei soggetti attivi nello scambio, e dunque il mercato, e la città come *corpus mysticum* votato alla salvezza. Questa fusione significa santificazione delle scelte e delle pratiche dei mercanti *fideles*, ossia fedeli alle intenzioni autorizzate dai custodi della via di salvezza; in ultima analisi significa sacralizzazione del mercato una volta che esso sia cristianamente normato.[7] Todeschini identifica in questa

6. Vorrei evitare uno degli equivoci più frequenti quando si discute della formazione del pensiero economico moderno, lo stereotipo della separazione tra etica ed economia. Se parliamo della tipologia dei discorsi metaetici, dovremmo distinguere il caso di discorsi che pretendono di non avere premesse etiche alle proprie analisi da quello dei discorsi che si presentano come dipendenti da premesse etiche diverse da quelle elaborate dalla cristianità occidentale, anziché assumere che queste ultime esauriscano il campo delle opzioni etiche. Nella ricerca ci interessano ovviamente entrambi i casi. Se parliamo invece dei ragionamenti pratici sulla moralità delle azioni, mi chiedo se ci sia mai stato tra i fondatori dell'economia moderna chi pensasse che la vita comune dedicata all'attività economica fosse sottratta a un giudizio di moralità. Su questo problema cfr. S. Cremaschi, *Legge di natura e scienza economica*, «Quaderni Storici», XXXV (2000), pp. 697-698, 723-725.

7. Traggo in generale questo quadro, spero fe-

costruzione del mercato come ordinamento consacrato il paradigma economico della cristianità occidentale, destinato, nella sua flessibilità, a durare nel profondo del senso comune ben oltre la condivisione delle sue premesse.[8] Quale che sia la nostra valutazione della storia successiva (e ci sono buoni e noti motivi per pensare che i ragionamenti moderni sull'economia nascessero invece come critica del mercato, come interesse a misurare le distanze tra le norme e le pratiche), nel momento di cui ci occupiamo, tra XV e XVI secolo, è questa sacralizzazione della sfera dello scambio che costituisce il termine di riferimento generale di ogni possibile alterità.

Questa ricostruzione della compenetrazione di ecclesiale e civico nella vita sociale degli scambi, verbalizzata e praticata nelle città italiane, ci avverte di un equivoco fondamentale da evitare quando ci interroghiamo su un'economia laica del Rinascimento. Il processo stesso di sacralizzazione dell'*administratio* nel corso del Quattrocento rende i chierici titolari del discorso sempre più liberi di attribuire prevalenza di funzioni al tale o talaltro soggetto cittadino, laico o consacrato che sia, purché cristiano. In questo senso la laicizzazione, intesa come mera separazione tra competenze ecclesiastiche e civili, è un fatto pensabile come tutto interno alla cristianità, e anzi da essa dipendente:[9] nella città cristiana si attuano diverse attribuzioni di responsabilità, ma sempre tra agenti che sono necessariamente fedeli, di contro agli infedeli manifesti o mascherati. Se si condivide questa ricostruzione, è necessario rimanere molto diffidenti nei confronti delle apparenti fuoriuscite dal paradigma clericale ottenute per omissione delle premesse teologiche. Quindi, poiché le norme ecclesiastiche degli scambi legittimi nella città cristiana costituiscono un linguaggio che è anche intenzionalmente civico, soprattutto in un momento in cui la crisi degli ordinamenti comunali consente uno slittamento di significato del 'civile' dal piano politico a quello amministrativo, esse non lasciano un vuoto che potrebbe semplicemente essere riempito, ma occupano uno spazio che dovrebbe essere attivamente conquistato.

D'altra parte, se siamo alla ricerca di ragionamenti economici distintivi e contrastanti, bisogna ricordare che il linguaggio del bene comune della città esprime una visione ormai nettamente olistica della comunità in cui vivono i cittadini *fideles*. In questo senso è un linguaggio che poteva essere condiviso a partire da premesse assai diverse, dal momento che anche le culture politiche neoclassiche dell'Europa moderna – quelle che guardavano al modello degli antichi, variamente definite come umanesimo civico o repubblicanesimo – non erano

delmente, da G. Todeschini, *I mercanti e il tempio. La società cristiana e il circolo virtuoso della ricchezza tra Medioevo ed Età Moderna*, Bologna 2002, qui specificamente pp. 459-460.

8. Ivi, pp. 7-10; G. Todeschini, *Introduzione*, in *Ideologia del credito fra Tre e Quattrocento: dall'Astesano ad Angelo da Chivasso*, a cura di B. Molina e G. Scarcia, Asti 2001, pp. 13-14; Id., *Credito ed economia della* civitas*: Angelo da Chivasso e la dottrina della pubblica utilità fra Quattro e Cinquecento*, ivi, pp. 76-78.

9. Id., *I mercanti*, cit., pp. 419-423.

certo fondamentalmente individualistiche.[10] Abbiamo quindi bisogno di chiederci in ipotesi chi nella città cristiana potrebbe essere così malvagio da negare il bene comune. Colui che ne negasse la possibilità epistemica? Oppure chi ne negasse le condizioni materiali? Nel primo caso, chi avesse negato che gli uomini fossero in grado di pensare un bene comune avrebbe potuto ricorrere alla convinzione che la Chiesa, invece, fosse in grado di definirlo, oppure alla spiegazione che perciò la società dovesse essere governata da un potere assoluto. Nella seconda metà del Seicento, in Inghilterra, questo riconoscimento di una difficoltà epistemica, e con esso la proposta della sua soluzione politica, teorizzata da Hobbes e condivisa da altri sostenitori del potere assoluto del re, diedero effettivamente avvio a un modo secolare di ragionare sui rapporti economici: un modo individualistico, e indifferente alla qualità degli attori sul mercato.[11] In alcuni di questi ragionamenti la polemica contro la tradizione ecclesiastica e canonistica, ad esempio sull'usura, fu esplicita, e fu una polemica sempre più diffusamente condivisa dalla stessa Chiesa d'Inghilterra.[12] Del resto il *Leviatano*, nell'ultima parte dell'opera, si rivelava nella sua forma più compiuta come un «Christian commonwealth». Qui abbiamo dunque un caso di esplicita disconnessione tra discorso economico e premesse teologiche da parte di autori che si dichiarano cristiani, e addirittura, come nel caso di Filmer, il più netto avversario del discorso antiusurario all'inizio del secolo XVII, fanno dipendere la propria teoria politica da premesse bibliche. Non credo che ci si possa aspettare un percorso di questo genere negli stati italici del Cinquecento; la mediazione di una teoria assolutistica della sovranità è probabilmente insostituibile come premessa di questi ragionamenti sull'economia. Ma forse varrebbe la pena di cercare se tra gli autori che avrebbero potuto condividere la percezione di una difficoltà epistemica non ci sia stato qualche interesse per la vita economica, che a me è ignoto.

Scambi e produzioni

Nega invece le condizioni materiali necessarie per usare l'idea del bene comune come criterio per valutare le attività mercantili chi sia convinto che il commercio è un gioco a somma zero. In questo caso il *vilain* ha nella nostra storia il nome di Antonio Loschi, l'umanista e propagandista di Gian Galeazzo Visconti che è uno dei dialoganti nel *De avaricia* di Poggio Bracciolini. Non è det-

10. Cfr. P. Costa, *Civitas. Storia della cittadinanza in Europa*, I, *Dalla civiltà comunale al Settecento*, Roma-Bari 1999, pp. 19 sgg., 97 sgg.

11. Cfr. M.L. Pesante, *Paradigms in English Political Economy: Interregnum to Glorious Revolution*, «The European Journal of the History of Economic Thought», III (1996), pp. 356-365.

12. M.L. Pesante, *L'usura degli inglesi: lessico del peccato e lessico della corruzione politica alla fine del Seicento*, in *Politiche del credito. Investimento, consumo, solidarietà*, a cura di G. Boschiero e B. Molina, Asti 2004, pp. 117-119, 129-138.

to, tuttavia, che egli parli in proprio: nella sua bocca l'autore mette le frasi che hanno costituito uno dei luoghi classici per chi voglia identificare l'emergere di un'economica laica nel Rinascimento, senza tuttavia permetterci di capire fino a che punto si trattasse di una posizione effettivamente rappresentata o semplicemente di un caso possibile.[13] All'idea della *communis utilitas* realizzabile nella città mercantile – difesa invece da Andrea Crisoberga, l'interlocutore che nel dialogo rappresenta le argomentazioni ecclesiastiche in tutta l'articolazione che esse hanno raggiunto all'inizio del Quattrocento – Loschi oppone la realtà del commercio: «Nullum enim fit lucrum sine alicuius detrimentum, cum quidque emolumenti uni additur detrahatur alteri».[14] Un'opposizione diretta all'ideologia del bene comune attuabile negli scambi della città cristiana è dunque pensabile nel contesto dell'umanesimo comunale, anche se questa non è necessariamente la posizione di Bracciolini, ma solo l'obiettivo polemico di tutti gli altri interlocutori; e possiamo chiederci se fosse solo casuale nella costruzione di questo testo il fatto che chi negava il bene comune fosse al servizio di una signoria. Ad ogni modo questa negazione ci porta al cuore della questione economica: quali risposte erano possibili all'idea che la mercatura fosse un gioco a somma zero? A quali condizioni era possibile pensare uno scambio in cui guadagnassero, ossia crescessero in ricchezza, sia il venditore sia il compratore? In economie che avevano conosciuto su un periodo ormai plurisecolare espansioni e contrazioni della produzione e del commercio, sviluppi e crisi della finanza, quali strumentazioni verbali e concettuali erano disponibili per riflettere sulle possibilità di una crescita complessiva, non differenziale, della ricchezza?

Nel dialogo di Bracciolini si rifiutano i modi apertamente predatori di acquisire la ricchezza, si discute dei modi migliori di spenderla, ossia di distribuirla; ma nessuno, neppure Loschi, nomina modi produttivi di crearla, e anche per lui la funzione nella città di chi brama e si procura ricchezze non sta nel modo in cui egli le crea, ma nella sua disponibilità a spenderle. Soprattutto, nessuno propone una risposta all'affermazione di Loschi sulla natura del commercio come gioco a somma zero. In realtà esisteva una risposta comune, spesso data per scontata, che era la complementarità dei beni naturali, utile per spiegare tanto il commercio internazionale quanto quello locale. Ma, mentre nel primo caso la risposta può articolarsi grazie alla legittima differenza di prezzo su mercati non connessi, dove mercanti sono sia i venditori sia i compratori, guadagnando entrambi sullo spazio, non sul tempo, la questione è più difficile per il mercato locale, dove vende un mercante e acquista un consumatore. Ci deve essere giustizia nello scambio di merce e moneta, ma in che senso l'acquirente potrebbe crescere in ricchezza, anziché semplicemente soddisfare i propri bisogni? In effetti l'inter-

13. Sulla lettura del dialogo cfr. Bec, *Les marchands écrivains*, cit., pp. 379-382; *contra* Pesante, *Il commercio*, cit., pp. 660-663.

14. P. Bracciolini, *De avaricia*, in *Prosatori latini del Quattrocento*, a cura di E. Garin, Milano-Napoli 1952, p. 274.

pretazione storiografica attuale dei testi ecclesiastici induce a pensare che non ci sia una risposta alla domanda su come tutti nella città possano crescere in ricchezza. Da un lato sembra che si tratti di conservare più che di crescere: conservare la ricchezza posseduta, la quale deve circolare affinché venga rispettata la giustizia e mantenuto un equilibrio nella città, in un circuito che tuttavia rimane sempre lo stesso e non diventa una spirale di crescita.[15] Dall'altro lato c'è la magnificazione retorica di una crescita delle ricchezze intese, però, come metafora della ricchezza mistica della via salvifica, definibile e misurabile nella giustizia dei contratti e nell'equilibrio caritativo della comunità dei fedeli, non nell'aumento netto delle risorse materiali.[16]

Nella mancanza di distinzione costitutiva di questo modo di ragionare analogico può essere pensata come crescita delle ricchezze tanto quell'appropriazione dei beni di proprietari illegittimi, quali gli ebrei e gli eretici, quanto quell'espansione che consiste nell'imporre termini di scambio favorevoli, o conquistare e dominare territori altrui (e su questo gli umanisti sarebbero stati d'accordo). Ma a quanto pare non c'è spazio per spiegare in modo specifico aumenti stabili del livello della produzione: un'esperienza che tuttavia le città italiche avevano vissuto. Langholm ha già proposto vent'anni orsono l'ipotesi che in buona parte la logica delle analisi economiche della prima Scolastica sul credito e l'interesse si spieghi con l'assunzione, implicita, di una crescita zero.[17] Quest'assunzione è ben rappresentata dalla dominante metafora della circolazione del denaro come circolazione del sangue nel corpo, il quale ovviamente non aumenta nell'uomo sano, ma può essere scarso nel malato, e diminuire per ferite o salasso, o – ancor più grave – può stagnare in qualche membro e mancare in altri. Mi interessa qui sottolineare, più che la logica delle argomentazioni specifiche, l'orientamento che l'assunzione di una produzione stagnante, ovvero – se vogliamo usare un termine meno connotato dall'avversione della società industriale per ogni rallentamento della crescita economica – stabile, produce per l'identificazione dei problemi rilevanti. Se assumiamo che la produzione sia data, diventa cruciale, in un modo impensabile in economie fondate sulla crescita continua, il problema di una sua distribuzione razionale, ossia adeguata a soddisfare i bisogni, e giusta nei termini di scambio: distribuzione tra un luogo e un altro, nel commercio; distribuzione nel tempo, con conservazione, ammasso, risparmio, e poi *largitio*, e *usus pauper*, che non significa solo consumare senza possedere, ma soprattutto consumare il meno possibile per poter rimettere in circolazione; infine distribuzione tra diversi cittadini, nel credito e nella carità. Diventa dunque assolutamente necessario che la ricchezza circoli in continuazione, perché ogni

15. Cfr. Todeschini, *I mercanti*, cit., pp. 388-389.

16. Ivi, pp. 312-314, 406-407.

17. O. Langholm, *The Aristotelian Analysis of Usury*, Bergen-Oslo 1984, cap. 7.

accumulo indebitamente protratto in un luogo o in un gruppo di cittadini significa che altri ne sono drammaticamente privi.

Ora, se la produzione non sta nel campo mentale degli osservatori, perché non è su quel fenomeno che si può agire, anche il circuito produttivo, lo scambio tra gli agenti della produzione, rimane fuori dell'osservazione, e la circolazione di cui vive la città viene pensata come flusso e riflusso tra soggetti che non è necessario differenziare. Possiamo ipotizzare che la cospicua, manifesta crescita della produzione esperita dalle città italiane non fosse rimasta invisibile, e che tuttavia essa non sia diventata oggetto di interrogazione e di indagine, perché vista attraverso un filtro che ha indotto a leggerla come un fenomeno occasionale nei luoghi e ciclico nel tempo. Possiamo anche ipotizzare che essa sia stata troppo tarda rispetto alla costruzione di un paradigma – il filtro attraverso cui si vede il mondo, che ci consente di ordinarlo, ma anche lo pre-ordina per i nostri occhi. E il paradigma ecclesiale è stato, fino almeno dal IX secolo, un enorme sforzo di verbalizzazione e concettualizzazione dei processi di scambio: scambio di merci in primo luogo, ma poi, ancor più, di servizi, soprattutto servizi finanziari, i quali possono essere pensati come produttivi di utilità comune solo in quanto siano reciproci.

In questo contesto l'omogeneità delle figure che praticano professionalmente lo scambio – mercanti, cambisti, banchieri – assunte, in quanto autorizzate dai custodi del sacro, come perno del ragionamento sulla funzione distributiva vitale per la città, ha consentito di rappresentare in modo esclusivo e distinto l'intera sfera delle attività del mercato, ma ha anche cancellato come problema conoscitivo la complessa struttura funzionale in cui si articola, attraverso figure non omologabili, la produzione della ricchezza cittadina. Né vale dire che i mercanti italofoni del Quattrocento, come i teologi che predicavano loro, sapevano benissimo che le merci prima di essere scambiate devono essere prodotte, e che *mercantia* e i suoi sinonimi comprendevano tutte le attività produttive, salvo l'agricoltura.[18] Perché questo è certamente vero, ma la concentrazione, lessicale, etica, concettuale, sulla sfera della distribuzione, intesa simultaneamente come rete distributiva delle merci e come divisione sociale del prodotto, ha esaltato, fino alla cancellazione di ogni altra attività, il momento dello scambio, il quale è diventato difficile da visualizzare come segmento finale del processo produttivo, ed è apparso invece quasi come atto autonomo. Se possiamo ipotizzare che questo sia stato il processo storico, è bene aggiungere che dal punto di vista logico non necessariamente una visione fondata sulla centralità della distribuzione deve avere matrici teologiche; ma certo la possibilità di pensare la massima parte dei beni, i

18. D. Bonamore, *Prolegomeni all'economia politica nella lingua italiana del Quattrocento*, Bologna 1974, pp. 115-116, 128.

prodotti agricoli, come beni naturali, dono di Dio attraverso la natura, e dati in quantità poco dipendente dall'uomo, inclina fortemente in questa direzione.

Del resto, accanto all'uso di *mercantia* o *mercatantia* come categorizzazione inclusiva, è pure esistita nei discorsi medievali una definita tendenza a scioglierne la polisemia, a distinguere, anche in termini di gerarchia di *status*, il mercante dalle altre figure titolari di attività economiche. Alla metà del Cinquecento il giurista Benvenuto Stracca richiamava il notevole elenco di autorità, che fossero ecclesiastici o civilisti, che gli consentivano di escludere che il *mercator* potesse essere confuso in un qualsiasi modo con un produttore. Egli insisteva sul fatto che il primo esercitava una funzione (*officium*), dotata di tutta la dignità dell'immateriale, mentre chiunque trasformasse una materia – e naturalmente non si trattava di chi lavorava manualmente, ma di chi organizzava la produzione di manufatti – esercitava un mestiere (*artificium*) inevitabilmente coinvolto nella bassezza del suo oggetto.[19] Non a caso nel tardo Quattrocento e nel Cinquecento l'esito formale di questo paradigma che nello scambio assorbe e cancella la produzione è una teoria dei contratti, non lo sviluppo di un'analisi dell'economia,[20] e l'occasione argomentativa fondamentale sono le compravendite di censi e rendite.[21] Dunque la tradizione dell'etica economica cristiana porta con sé – e impone anche nelle sue elaborazioni più tarde e complesse – il punto di vista di chi cerca soluzione ai problemi posti da fenomeni pericolosi e tuttavia utili, o persino necessari, alla comunità come la moneta, l'intermediazione professionale dei mercanti, le transazioni finanziarie, la variazione dei valori nel tempo. Invece la produzione è naturale e ovvia, quindi non costituisce problema né morale né conoscitivo. Questa è la prospettiva che viene tramandata fino all'inizio del Cinquecento, e ampiamente rappresentata per tutto il corso del secolo in numerosi testi. Ma la prospettiva di chi guarda al mondo degli uomini attraverso un modello della vita civile verbalizzato nel lessico degli ordinamenti cittadini e spesso esemplato sull'esperienza degli antichi – un modello quindi non necessariamente cristiano – comporterà a sua volta una difficoltà a ragionare sul problema economico del produrre che analizzerò nei paragrafi successivi. Né l'una né l'altra prospettiva mi pare abbiano mai tratto conseguenze per il discorso sull'economia dalla letteratura, che pure si forma in Età moderna, sui problemi tecnici della produzione, sulle innovazioni tecnologiche, sulla costruzione di macchine; e neppure dall'agronomia moderna. Quest'ultima, a sua volta, anche nelle sue espressioni più alte si fermerà sulla soglia di un ragionamento economico.

19. B. Stracca, *De mercatura, seu mercatore tractatus*, Venezia, s.e., 1553, pp. 8*v*-9.

20. B. Clavero, *Antidora. Antropología católica de la economía moderna*, Milano 1991.

21. Todeschini, *I mercanti*, cit., pp. 425 sgg.

I modi per guadagnare e la cittadinanza

La lettura della vita mercantile della comunità filtrata dall'etica economica ecclesiale entra in difficoltà non appena qualcuno si ponga il problema del rapporto tra la sfera dello scambio, e specificamente dei cambi in quanto perno dei discorsi cristiani sul mercato, e la sfera della produzione. La formulazione della questione proviene dall'ambiente savonaroliano, dove non sfugge a Santi Rucellai – lui stesso una volta banchiere e richiesto, tra il 1495 e il 1497, di un parere[22] – che si tratta non solo di un rapporto tra mercanti, ma anche di un rapporto «infra mercatanti et artigiani», mentre le argomentazioni correnti per legittimare i cambi e gli interessi pagati su di essi (la maggiore facilità e sicurezza; le fluttuazioni, locali e stagionali, della domanda di moneta) non riguardano la domanda di moneta da parte dei produttori. Rucellai, accanto alla domanda consueta sulle intenzioni (di avarizia o di orientamento al bene comune) dei mercanti e dei banchieri nei loro scambi, si pone una domanda circa i moventi: perché si chiede moneta? La sua risposta è che nei cambi grossi, accanto alla commutazione di moneta in moneta in senso proprio, c'è una domanda che in molti casi «è mescolata con bisogni et necessità et carestia di denari de' paesi».[23] Il *climax* in questo passaggio sembra rimandare più a una carenza strutturale di moneta, variamente modulata, che non a normali fluttuazioni, anche perché tra coloro che fingono di commutare monete diverse, mentre in realtà hanno bisogno di disporre di liquidità per un certo periodo, sono nominati specificamente i «mercatanti più deboli, maxime lanaioli, che hanno necessità di lavorare et non avendo tanti denari che basti, si volgano a torre ad cambio».[24] Questo riconoscimento sembra rimandare a una carenza di capitale nella produzione manifatturiera. Ma, proprio perché questi produttori più deboli sono spinti dalla necessità, prestare loro a interesse, anziché gratuitamente, dovrebbe essere illecito, mentre sarebbe lecito prestare ai grandi mercanti, che chiedono un servizio e non liquidità.

Anche se Rucellai non parla in maniera diretta di un'insufficienza cronica di moneta, a proposito dei cambi secchi, quelli unanimemente condannati senza condizioni dai teologi, egli descrive, sia pure attraverso le parole di un generico interlocutore che obbietta al suo rigorismo, una situazione in cui il circuito dei pagamenti nel commercio internazionale è troppo lento rispetto alle esigenze della circolazione monetaria nella produzione locale, e quindi di fatto i produttori più deboli hanno sistematicamente bisogno di credito per riuscire

22. R. de Roover, *Il trattato di fra Santi Rucellai sul cambio, il monte comune e il monte delle doti*, «Archivio Storico Italiano», CXI (1953), pp. 3-5.

23. *Tractato brieve di fra Sancti Rucellai, de' cambi, in volgare, a fra Hieronymo Savonarola da Ferrara*, ivi, p. 26.

24. Ivi, p. 27.

a chiudere il loro ciclo di produzione.[25] In effetti Rucellai ammette che questo cambio sia necessario, e che l'interesse possa essere legittimo, ancorché turpe, se il prestatore non è mosso solo dall'intenzione del guadagno, ma «prima dalla charità et dalla conservazione del bene comune».[26] Il trattato è ricco di espressioni di perplessità, di dubbio, di esitazione nell'indicare i criteri di lettura e di valutazione dei comportamenti in una situazione in cui l'autore si sente tenuto ad accettare come veri i bisogni del circuito economico «molto più per la experientia che per la ragione».[27] Da questo contrasto il tentativo di Rucellai di discutere il problema etico del circuito dei cambi in relazione alle esigenze monetarie dei produttori non trova una via d'uscita chiara, e rimane sospeso tra un'interpretazione rigorista del paradigma dominante, che si esprime nel rifiuto complessivo della speculazione finanziaria come professione, e un'accettazione esitante della ragione delle cose, dell'organizzazione produttiva. In questo senso è interessante che anche in un altro scritto di ambiente savonaroliano, quello di Domenico Cecchi, emerga un problema di rapporto tra disponibilità di capitale e livello della produzione: una più equa e maggiore tassazione costringerebbe a far emergere e impiegare ricchezze tesaurizzate, aumentando il livello di attività.[28] Anche con tutte le perplessità di Rucellai e l'approssimazione di Cecchi, questi due testi ci avvertono che, se vogliamo cercare una diversa economica, non dobbiamo guardare, come si è fatto troppo spesso, alle esaltazioni della funzione del mercante, ma piuttosto alle posizioni di coloro che, essendo critici della funzione del mercante nella comunità, potevano più facilmente tendere a focalizzare l'attenzione sull'importanza della produzione piuttosto che della distribuzione nella vita della città.

Si tratta in questo caso di identificare in primo luogo quelle concezioni umanistiche di diverse figure cittadine, della loro dignità nella comunità, delle loro capacità nel governo della città, che avrebbero potuto orientare un discorso sull'economia ispirato da una lettura della società contemporanea attraverso il filtro di matrici classiche ispirate sia da diffidenza verso i mercanti sia da lode dell'agricoltura. Non si tratta di porre a questi autori domande che essi non si ponevano; bensì di vedere come le soluzioni che essi davano ai problemi che riconoscevano potevano orientare, facilitare o impedire, la formulazione di domande sull'economia in un contesto non ispirato dall'idea della città come corpo mistico. Abbiamo però già visto che il principale dei testi umanistici considerati canonici per identificare un'economica laica stava invece interamente dentro

25. Ivi, pp. 32-33.

26. Ivi, p. 34.

27. Ivi, pp. 31-32; le espressioni di perplessità alle pp. 27, 32, e soprattutto 34, dove è chiaro che Rucellai, contrariamente a quanto sostenne de Roover (ivi, p. 10) era perfettamente consapevole che la sua posizione poteva essere in contrasto con la dottrina corrente.

28. D. Cecchi, *Riforma sancta et pretiosa*, in U. Mazzone, *"El buon governo": un progetto di riforma generale nella Firenze savonaroliana*, Firenze 1978, p. 201; cfr. anche pp. 187, 191.

il paradigma della centralità della distribuzione. Anche a prescindere da ogni sopravvalutazione dell'egemonia del linguaggio ecclesiale, la mancanza di una prospettiva centrata sulla produzione è un effetto portato da modalità fondamentali dei ragionamenti umanistici sulla ricchezza, ossia in primo luogo dal loro configurarsi intorno allo schema delle diverse attività che avrebbero potuto recare reddito, e reddito cospicuo, non semplicemente dignitosa sopravvivenza all'individuo, o alla famiglia; e in secondo luogo dalla loro difficoltà di nominare specificamente gli attori della produzione.

I diversi tipi di attività che consentono guadagno (variamente identificate, ma per lo più riassunte in proprietà della terra, lettere e guerra, con il commercio in posizione incerta) rimandano ai diversi tipi umani formati dall'esercizio al quale si dedicano principalmente gli individui; e le attività che sembrano non avere altro oggetto che il guadagno stesso non sono apprezzate come incubatrici di uomini, oltre che utili, anche dediti alla città. In questa prospettiva persino Alberti, nella sua generazione l'autore più estraneo alla visione cristiana del mercato, è molto lontano dall'inglobare in una qualche forma nel proprio orizzonte mentale la produzione come attività professionale. Gli «essercizii» che procurano denaro dipendono da quattro principi: animo (professioni liberali), e corpo («tutte l'opere fabrili e meccanice e mercenali») e la loro mescolanza (tutte le attività artistiche); poi la fortuna («que' tutti essercizii ... da' quali la nostra industria umana lungi sarà esclusa»), e infine le cose, «come sono usure, e come si piglia frutto da' nostri armenti, dall'agricoltura, da' boschi, e in Toscana da' nostri scopeti, le quali ... cose sanza umana fatica, sanza molta industria fruttano».[29]

Mentre la gerarchia della dignità qui delineata è del tutto singolare, dal momento che le opere del corpo, anche le più basse, in quanto proprie del soggetto, compaiono come superiori alle attività lucrative che dipendono da elementi esterni, come la fortuna e le cose, non è affatto singolare che l'agricoltura sia considerata solo come fonte di reddito, s'intende per il proprietario della terra, anche se Alberti certo non ignorava che la produzione agricola richiede industria. Il fatto è che il concorso di ingegno e fatica «all'opera e lavoro» si concretizza per lui soprattutto in attività artistiche, e le arti che stanno al culmine della sua gerarchia sono soprattutto servizi, prima di tutte il commercio internazionale, la forma più alta del modo di guadagnare: le lane che l'avo Benedetto, grazie a virtù e industria, importava dall'Inghilterra per fornirle «a tutti e' pannieri di Firenze insieme e gran parte della Toscana»[30] svaniscono agli occhi di Leon Battista nelle successive fasi di lavorazione. D'altronde il suo grande mercante, mentre ha uno scarto rispetto alla tradizione ecclesiale, dal momento che non si

29. Leon Battista Alberti, *I libri della famiglia*, a cura di R. Romano e A. Tenenti, nuova edizione a cura di F. Furlan, Torino 1994, pp. 178-179.

30. Ivi, pp. 180-181.

accontenterà di un *lucrum moderatum*,[31] ma mirerà ai «grandi guadagni»,[32] esibirà in modo cospicuo la propria magnificenza e perseguirà il proprio valore etico nell'essere padrone di sé, indipendente tanto dagli uomini quanto dalla fortuna, e non nell'essere *fidelis*, rimane del tutto all'interno di un'economia a crescita zero. «Niuno povero arricchisce se a qualche altro non scemano le sue ricchezze», argomenta nel libro III Adovardo, con il consenso di Giannozzo, e senza che nessuno degli altri interlocutori abbia da obbiettare.[33]

La singolarità delle gerarchie di dignità delineata da Alberti è resa possibile dal fatto che il genere del testo non poneva al suo autore un problema di traduzione immediata in ordinamenti del potere, come invece avviene nella letteratura politica, in cui la discussione dell'argomento è orientata dal problema della definizione della cittadinanza e della distribuzione delle cariche pubbliche, e quindi le figure sociali che rappresentano le funzioni economiche sono delineate in relazione alla costituzione della repubblica, e nominate attraverso un lessico eminentemente politico. Un processo di successiva cancellazione della concretezza sociale delle persone cittadine è visibile con la trasformazione dei regimi repubblicani. Nella stessa generazione di Alberti, il senese Francesco Patrizi, nato nel 1413, articolava in un trattato politico scritto tra il 1465 e il 1471, ripubblicato molte volte per tutto il Cinquecento,[34] l'interesse per la funzione dei produttori che potremmo aspettarci da parte di chi intende identificare nella loro specifica figura sociale i cittadini e i magistrati della forma di governo repubblicana. Il testo di Patrizi può essere piuttosto macchinoso, come dice Rubinstein,[35] ma è notevole per la consapevole, e rara, chiarezza con cui mette in luce che i testi classici, ampiamente usati sia per stabilire dati di fatto sia per delineare il suo ideale di repubblica governata da eguaglianza e concordia, considerano con diffidenza tanto la vita dedicata al commercio quanto il lavoro volto alla produzione in generale:[36] è una nettezza in manifesto contrasto con il modo in cui

31. Cfr. Todeschini, *I mercanti*, cit., p. 363, nota 95 su Tommaso.

32. Alberti, *I libri*, cit., p. 180.

33. Ivi, p. 317.

34. F. Battaglia, *Enea Silvio Piccolomini e Francesco Patrizi: due politici senesi del Quattrocento*, Firenze 1936, pp. 101-105; come Battaglia notò, la fortuna editoriale dell'opera è però tutta francese, con undici edizioni, tra Parigi e Strasburgo, fino all'inizio del Seicento, più traduzioni in diverse lingue. L'unica edizione italiana è una traduzione pesantemente rimaneggiata. Battaglia (p. 115) non sembra cogliere la logica del discorso di Patrizi sulla presenza degli artigiani nella distribuzione delle magistrature.

35. N. Rubinstein, *Italian Political Thought, 1450-1530*, in *The Cambridge History of Political Thought 1450-1700*, a cura di J.H. Burns, Cambridge 1991, p. 34.

36. F. Patrizi, *De institutione reipublicae libri IX. Ad senatum populumque senensem scripti*, Strassburg, Zetzner, 1594, pp. 46-47. L'*editio princeps* è del 1494, a Parigi. La traduzione italiana (*De discorsi del reverendo Monsignor Francesco Patrizi Sanese Vescovo Gaiettano, sopra alle cose appartenenti ad una città libera, e famiglia nobile; tradotti in lingua toscana da Giovanni Fabrini Fiorentino [...] libri nove*, Venezia, Aldo, 1545) in alcuni punti cruciali incorpora le citazioni di autori classici nel testo, distorcendo così il senso delle affermazioni (cfr. ad esempio p. 30).

umanisti della precedente generazione, come Bruni, avevano sorvolato sul conflitto tra ideale neoclassico e realtà mercantile dei governi cittadini. Ed è notevole anche il modo in cui Patrizi cita dentro la vicenda di un mutamento irreversibile le interessate lodi dell'agricoltura e l'apologia della vita agreste ricordando ai nostalgici che i cittadini delle repubbliche contemporanee hanno lasciato i campi e non intendono tornarci.[37]

Il lessico di Patrizi riesce a contenere nella sfera del *negocium*, la cui dignità civica viene difesa contro l'*ocium*, sia i contadini (*agricolae* e *rustici*) sia *opifices et mercatores*; e, come nel volgare di Alberti 'lavoro' non ha connotazioni negative, così nel suo latino *laborare* esprime genericamente e inclusivamente l'attività doverosa del buon cittadino.[38] Il lungo elenco di mestieri onorati, dai calzolai ai fabbri, dai muratori ai falegnami (ma non, naturalmente, gli *operarii*), a cui bisogna tributare riconoscimento sociale e i cui praticanti devono aver accesso alle cariche pubbliche, ci dice che la sua è dichiaratamente una repubblica non di mercanti, ma di produttori, in cui si preferisce affidarsi alla «opificum solertia» piuttosto che ad «adventitiis institoribus». Così anche il suo sottolineare il dovere di ricevere i contadini nella città come in una patria comune (purché poi naturalmente tornino ai loro campi), e di concedere loro una propria magistratura autonoma per le questioni dell'agricoltura, di pagarli per il loro servizio in guerra e di consultarli su di essa rimanda a una percezione delle figure sociali, i cui rapporti definiscono la libertà cittadina, in modo tale che la produzione per la sussistenza è resa visibile e centrale per la cittadinanza, mentre i mercanti sono secondari e guardati con diffidenza. Di conseguenza la posizione di Patrizi circa quali attività commerciali fossero legittime si colloca sul *côté* rigorista dei ragionamenti ecclesiali, con un'insistenza sulla necessità di porre un limite al guadagno:[39] questa repubblica che bada a integrare nei suoi ordinamenti i produttori è un'economia piccola, chiusa, ferma, in cui l'ideale della concordia dei cittadini, e di una ragionevole eguaglianza nella distribuzione del riconoscimento sociale e delle cariche pubbliche, è tanto più facilmente realizzato quanto minore è il problema della concentrazione, circolazione e distribuzione della ricchezza. È importante il fatto che essa sia dichiaratamente concepita non come uno stato ideale, in cui si dovrebbe escludere ogni movente di lucro dall'animo dei governanti, e quindi ogni cittadino addetto alla vita economica dalle cariche, ma come la descrizione di una norma applicabile nelle repubbliche reali.[40]

Il *De institutione reipublicae* ci dice a quali condizioni fosse pensabile la centralità della produzione negli ordinamenti cittadini di un governo largo, e non

37. Ivi, p. 42.

38. Ivi, pp. 42-43. È rilevante che il lemma 'lavoro' non esista nell'indice di Bonamore, *Prolegomeni*, cit.

39. Patrizi, *De institutione*, cit., pp. 44, 48.

40. Ivi, p. 47.

sono condizioni che potessero facilitare la comprensione della produzione per un mercato ampio, integrato a livello internazionale, condizionato da problemi monetari, di liquidità e di credito. Le condizioni sono diverse se si guarda a un autore sostenitore di un governo repubblicano stretto, come Domenico Morosini, di appena quattro anni più vecchio di Patrizi, e che però comincia a scrivere ben trent'anni più tardi – a partire dal 1497 – la sua *De bene instituta re publica*, rimasta poi incompiuta. Nel caso di Venezia il problema di chi, e con quali prerogative, facesse parte degli ordini della repubblica poteva essere considerato come stabilmente risolto, di modo che qualsiasi ragionamento sull'esercizio delle funzioni economiche nella città era libero dal rischio di avere conseguenze costituzionali. Così Morosini da un lato usava ai fini del suo discorso politico il consueto schema triadico di cittadini potenti, mediocri «et multitudinis relique»,[41] ma, dall'altro, ragionava sul fatto che una città ricca era inevitabilmente fatta di ricchi e poveri, e che questa situazione in linea di principio negativa era però quella che determinava l'offerta di lavoro, «opera et industria», che avrebbe prodotto pubblica opulenza e splendore.[42]

Nel discutere della ricchezza della città Morosini era parimenti attento alla sfera della produzione, agricola e manifatturiera, e al commercio, con qualcosa di assai interessante da dire sulla prima, perché, accanto al consueto ammonimento circa l'opportunità che i governanti badassero ad aggregare a sé territorio e abitanti, appariva nel suo testo un ragionamento preciso sulla possibilità e desiderabilità di innalzare stabilmente il livello della produzione. Morosini notava che le città libere da imposizioni fiscali potevano sì essere ricche di beni alimentari a basso prezzo, ma erano povere di moneta, e di beni voluttuari, dunque di forme di ricchezza più articolate e capaci di continua espansione. La tassazione, invece, abitua gli uomini a lavorare al di là di ciò che è necessario per la semplice sussistenza; e una volta così assuefatti essi sono pronti a lavorare per un ulteriore guadagno, per procurarsi anche le comodità della vita.[43] Si tratta dunque di un incremento stabile del livello di produzione dovuto a una maggiore offerta di lavoro per occupato. È coerente con questa analisi del modo in cui la città diventa ricca sia l'indicazione dei due modi in cui diventa ricco l'individuo industrioso e prudente, *negotiatio* e *artificia*, sia il rifiuto della platonica squalificazione civica del mercante; è un rifiuto giustificato non solo con la situazione di fatto della repubblica veneziana, ma anche con l'argomento che il problema in discussione è semplicemente un possibile conflitto di interessi, che può essere risolto con limitazioni specifiche, mentre non compare neppure come obiettivo polemico la disapprovazione della vita volta al guadagno e del tipo di uomo che essa forma.[44]

41. D. Morosini, *De bene instituta re publica*, a cura di C. Finzi, Milano 1969, f. 0.

42. Ivi, f. 5*r*.

43. Ivi, f. 5*v*.

44. Ivi, f. 19*r*.

La scomparsa dei produttori

Circa la possibilità di innalzare il livello di attività nella città Morosini usa un argomento di tipo macroeconomico che connette politica e potenza del governo, aspirazioni e cultura della popolazione e disponibilità di moneta. Questa connessione sarà riformulata molte volte in Inghilterra tra Seicento e Settecento.[45] Come in Inghilterra, anche nel caso di Morosini la capacità di individuare uno specifico problema economico e simultaneamente la scelta politica che può risolverlo è legata alla distinzione tra il discorso sugli ordini dello stato, considerati stabili e non in discussione, e il discorso sulla vita economica della comunità, distinzione che invece è più difficile in situazioni di conflitto sugli ordini. In questo caso, come a Firenze, il linguaggio corrente, che distingue tra cittadini potenti, mediocri e bassi, da un lato rimane caratterizzato da una straordinaria opacità sociologica delle figure da includere o escludere dalla piena cittadinanza; dall'altro, però, nella sua mancanza di definiti criteri che non siano in realtà implicitamente di carattere socio-economico, non lascia spazio ad altre classificazioni. La minuziosa concretezza di Patrizi nell'individuare specifiche figure del lavoro, coltivatori o artigiani, mercanti o professioni liberali, salariati e praticanti di mestieri infami, sparisce nel quadro dei discorsi sulla repubblica. Una struttura socio-economica che ha stratificazioni proprie si esprime con difficoltà, parzialmente e confusamente, nel lessico dell'ordinamento per ceti che nel dibattito sulle forme dello stato tra tardo Quattrocento e primo Cinquecento impone di nominare secondo un'unica logica le articolazioni della società.

La dicotomia machiavellica di grandi e popolo, con i suoi vari sinonimi, ossia i due ordini antropologicamente, non socialmente, costitutivi di ogni repubblica a causa dei loro umori, è inadatta a comprendere la molteplicità e l'intreccio di fazioni politiche, stratificazioni di reddito e gruppi generati dalla divisione sociale del lavoro in cui si articolano le società comunali dell'epoca. Machiavelli stesso, constatato che la supposta limpidezza del modello romano di nobili e plebei non poteva applicarsi all'infinita generazione di divisioni nella storia fiorentina, è indotto a stipulare i termini del suo linguaggio per distinguere, a una particolare data, che cosa significasse popolare e che cosa plebeo, due termini manifestamente eterogenei nella sua definizione.[46] La tripartizione istituzionale di popolo potente, mediocre e basso negli ordinamenti, una volta esclusi i grandi dopo la cacciata del Duca d'Atene,[47] sarà trovata da Machiavelli insufficiente a esprimere la dinamica del conflitto fiorentino nel 1378, e richiederà una

45. Per una formulazione particolarmente interessante cfr. D. Hume, *Of money*, in Id., *Essays, Moral, Political, and Literary*, a cura di E.F. Miller, Indianapolis 1987, pp. 289-294.

46. N. Machiavelli, *Istorie fiorentine*, a cura di F. Gaeta, Milano 1962, *Proemio*, p. 69; III, xviii, p. 250.

47. Ivi, II, xlii, p. 210.

riformulazione, non coincidente con la prima, nella stratificazione di nobili popolani, «artefici di minore qualità», «popolo minuto e plebe infima».[48] Perché in quella situazione, accanto a un conflitto politico e costituzionale tra «tutti gli antichi nobili con la maggiore parte de' più potenti popolani» da una parte e «tutti i popolani di minore sorte» dall'altra,[49] Machiavelli vuol mantenere distinto, in quanto qualitativamente diverso, «un altro tumulto il quale assai più che il primo offese la repubblica».[50] Qui i Ciompi, designati con il termine di «sottoposti», sono rappresentati come attori (oppressi «dalla avarizia de' vostri superiori e [dalla] ingiustizia de' vostri magistrati»)[51] di un conflitto che nella sua radice non riguarda la distribuzione del riconoscimento politico tra gli ordini della repubblica, e neppure la distribuzione della 'roba', come quando la roba sia l'*ager publicus*, ma il salario e i rapporti di lavoro. Questo conflitto non potrebbe quindi trovare espressione negli ordinamenti se non diventando a sua volta politico in forma distruttiva, o come tirannia della plebe o come un'ulteriore tappa di quella illimitata inclinazione alle divisioni in cui Machiavelli vedeva la corruzione della politica fiorentina.[52]

Se nel discorso ecclesiale cristiano il ragionamento sulla vita economica della città aveva potuto organizzarsi grazie alla riduzione ad un'unica figura rappresentativa, il mercante, caratterizzata univocamente per funzione, culturalmente definita in quanto *fidelis*, e portatrice di un conflitto di interessi esclusivamente tra pari, l'analisi dei conflitti multidimensionali nella vita politica della città avrebbe richiesto una identificazione distintiva. Solo in questo caso avrebbe potuto formarsi un lessico della struttura sociale e dei soggetti economici. In realtà le *Istorie fiorentine* rappresentano probabilmente il massimo di distinzione e concretezza espresso in volgare nella prima metà del Cinquecento, quando il lessico di grande, mediocre e basso sembra dominare. Giannotti è un buon esempio di questa difficoltà. Da un lato egli tende a formulare uno schema binario in cui i diversi criteri della contrapposizione sono considerati equivalenti: ricchi e poveri, nobili e ignobili, ambiziosi e abietti indicano qualità, di ricchezza, di casata, di umore, che complessivamente si traducono nella grande dicotomia di grandi e popolo.[53] Dall'altro lato il suo ragionamento sulla costituzione lo indu-

48. Ivi, III, xviii, p. 249; III, xii, p. 236.

49. Ivi, III, viii, p. 226.

50. Ivi, III, xii, pp. 235-236. Sul problema dei diversi tipi di conflitto in Machiavelli cfr. ora M. Geuna, *Machiavelli ed il ruolo dei conflitti nella vita politica*, in *Conflitti*, a cura di A. Arienzo e D. Caruso, Napoli 2005, pp. 15-37, che chiarisce bene questa tormentata questione.

51. Machiavelli, *Istorie fiorentine*, cit., III, xiii, p. 239.

52. Ivi, *Proemio*, p. 69; III, i, pp. 212-213.

53. D. Giannotti, *Republica fiorentina: A Critical Edition and Introduction*, a cura di G. Silvano, Genève 1990, p. 94. Pubblicato per la prima volta solo nel 1721, il testo di Giannotti è stato tuttavia tramandato in un grande numero di manoscritti, prova di una notevole diffusione (cfr. l'introduzione di Silvano, ivi, pp. 60-67).

ce a saggiare le conseguenze politiche di una struttura fondata su tre termini – grandi, mediocri, poveri – in cui le virtù del termine medio, perno del suo discorso politico, non sono dedotte altrimenti che in termini quantitativi (mediocre ricchezza, mediocre nobiltà), mentre i poveri, anche se amanti della libertà, «vivendo per la povertà vili e abietti, son atti a servire» e di rado sono «generosi», ossia capaci di esercitare lo spirito civico.

Il popolo, una delle due parti che nel quadro di Giannotti storicamente ha costituito la repubblica fiorentina, è dunque un gruppo che non può essere descritto in modo univoco come costituito di poveri, perché anche al suo livello più basso «possiede nella città qualche cosa, et si vale dagli esercizi».[54] Ancor meno può essere descritto univocamente in senso costituzionale (è infatti composto sia di individui che hanno accesso alle magistrature sia di individui che ne sono esclusi). La difficoltà per Giannotti, come per Machiavelli, è quella di trovare un rapporto tra il ceto e la classe; ma essa è maggiore nel primo, a causa del suo considerare la dicotomia storica di Firenze un fatto patologico da cui è necessario cercare una via di uscita. La sua preoccupazione di distinguere il popolo, figura che deve mantenere un rilievo costituzionale, dalla plebe, «la quale non ha grado alcuno nella città, non vi possedendo beni stabili di sorte alcuna, ma si vale solamente degli esercizi corporali»[55], dalla «moltitudine, la quale è abbietta e vile, e non è membro della città altrimenti che si siano i servi, che nelle nostre case ci ministrano le cose necessarie al corpo»,[56] lo costringe a due mosse cruciali. Da un lato la plebe viene configurata come un gruppo assimilato ai servi domestici, non ai salariati delle arti; dall'altro, quando si viene alla proposta di un nuovo ordinamento repubblicano, essa viene semplicemente espulsa dalla città, «essendo gente forestiera, che vengono alla città per valersi delle fatiche corporali, e ne vanno a casa loro qualunque volta torna loro a proposito».[57]

In questo modo, tra il gruppo centrale della costituzione, i mediocri, indefinito in termini di funzione sociale ed economica, e il gruppo più povero della popolazione ridotto alla condizione di straniero, Giannotti chiude la strada a ogni discorso sui modi legittimi in cui si acquista ricchezza in quanto connessi alle conseguenze costituzionali del possederla; e in effetti i due unici casi citati sono, l'uno, l'acquisire ricchezza mediante il potere politico da parte dei poveri arrivati alle magistrature; l'altro, le liti private.[58] «La repubblica, vivendosi nel modo si vive, ha bisogno che gli uomini sieno ricchi per valersi delle ricchezze loro quando venga la necessità», e tuttavia la sua politica per le ricchezze consiste solo nelle leggi suntuarie per mantenere l'apparenza dell'eguaglianza, impe-

54. Ivi, p. 100.

55. Ivi, p. 101.

56. Ivi, p. 94.

57. Ivi, p. 166. Silvano nella sua introduzione sminuisce le implicazioni di questa posizione quando afferma che in sostanza la plebe non ha diritti politici perché non paga le tasse (ivi, p. 37).

58. Ivi, p. 122.

dendo che i poveri si corrompano e i mediocri si impoveriscano nella corsa al consumo cospicuo,[59] mentre prova ad «assuefare i cittadini a stimar più la gloria che l'oro». Con Giannotti ci troviamo dunque dinanzi a un esempio chiaro di quello snodo concettuale per cui la diffidenza repubblicana nei confronti del mercante – epitome della vita dedicata al guadagno privato anziché al bene pubblico, sottoposta ai mutamenti di fortuna che minano la stabilità delle posizioni negli ordinamenti cittadini, manifestazione di una ricchezza spendibile per comperare i cittadini e la loro libertà – non induce a volgere l'attenzione alla produzione, creazione industriosa e laboriosa di ricchezza, fondata sull'inglobamento nella città anche delle aspirazioni basse al benessere, come abbiamo visto in Morosini nella situazione di un'oligarchia che ha trovato una forma istituzionale stabile e sicura al proprio potere. Questa diffidenza, piuttosto, cancella il problema, cancella non solo il commercio e la manifattura, ma anche, insieme con la questione della posizione degli agricoltori nella repubblica, l'agricoltura stessa, termine di riferimento per quasi tutte le visioni repubblicane moderne fino al tardo Seicento.

Credo tuttavia che non si tratti solo della prospettiva politica per cui le conseguenze costituzionali del profilo socio-economico dei ceti tendono a impedire una considerazione della vita cittadina più aperta ai problemi economici della repubblica; credo che si tratti anche del diverso contesto in cui scrivono autori come Patrizi prima, Morosini poi, ormai alle soglie del nuovo secolo, ma pur sempre uomo della generazione di Alberti, rispetto a chi scrive negli anni Trenta o Quaranta del Cinquecento. Mentre di per sé i testi di Patrizi e Morosini ci dicono che i produttori erano pensabili dentro la città, che il problema economico della produzione poteva essere guardato con intelligenza politica, la loro sorte (diffuso l'uno in Francia, ma non in Italia, incompiuto e inedito l'altro) ci dice che quel possibile modo di pensare non rappresenta la strada seguita nella cultura repubblicana della penisola, e in particolare a Firenze, dove il platonismo non approda alla ricerca di una soluzione istituzionale del conflitto tra il perseguimento del proprio interesse e l'esercizio delle cariche pubbliche, come nel successivo dibattito veneziano o in quello olandese del Seicento, ma all'esclusione degli attori della vita economica dalla cittadinanza e all'esaltazione dell'espansione per conquista, non per produzione.

La contrapposizione di mercatura/pace a conquista/guerra è proprio il punto di partenza di Brucioli nella prima edizione dei suoi *Dialogi*. Phalerio, l'interlocutore che difende la mercatura come il modo di vita intrinsecamente pacifico per la città, viene rapidamente messo a tacere (ed esce poi dal dialogo) con un argomento che apparentemente è la critica della città governata dai mercanti, imbelle verso i nemici che le sue ricchezze attirano, e pronta a lasciarsi com-

59. Ivi, pp. 125-127.

perare e poi governare tirannicamente dal più ricco, incapace dunque sia di indipendenza esterna sia di libertà interna.[60] Ma l'apologia della città libera perché, armata e noncurante del guadagno, non è desiderosa di guerra, ed è tuttavia capace di difendersi, lascia ben presto spazio alla logica di una grandezza perseguita per conquista.

> E questa tale repubblica non è necessario che alcuna volta, da quello che di prima era, di moltitudine di abitatori cresca, e così le città circonvicine? ... la regione conseguentemente che arebbe a nutrire pochi, bisognerà che sia maggiore e più oltre si distenda ... Adunque bisognerà che molto si distendano i confini del contado, e che forse dalla regione de' vicini alquanto si usurpi, acciò che si abbia abondevolmente paese per usare alquanto di delicatezza, e i vicini ancora bisognerà che piglino della nostra, se vorranno anche loro essere alquanto deliziosi, trapassando i termini della necessità, come tutto il giorno fare si vede ... Adunque se noi vorremo guardare la nostra repubblica, o dell'altrui, per tale uso alcuna cosa acquistare, bisognerà che si combatta, e che si venga all'arme.[61]

Il contrasto con il ragionamento di Morosini non potrebbe essere più netto, dal momento che qui la possibilità per la repubblica di godere del superfluo non è affidata in alcun modo alla capacità di accrescere le produzione; al contrario, è un gioco a somma zero di conquista territoriale, in un ragionamento che non casualmente confonde l'esigenza di espansione dovuta a una pressione demografica e i vantaggi economici del dominio su sudditi. Il punto, naturalmente, non è che Brucioli fosse incapace di un ragionamento coerente sull'economia[62] (dal momento che non era l'economia ciò che gli stava a cuore), ma la sua spontanea assunzione, fino alle estreme conseguenze di un permanente conflitto armato, che la capacità di produrre è data, ed è immodificabile. La cancellazione della dimensione economica e più specificamente produttiva della comunità in discorsi nei quali lo *status* definito dalla ricchezza e dal modo di conseguirla è al centro di ogni ragionamento sugli ordini dello stato è un abito mentale che si può leggere agevolmente anche in autori meno impegnati politicamente di Brucioli o Giannotti: ad esempio nel fortunato resoconto degli stati contemporanei

60. A. Brucioli, *Dialogi*, Venezia, De Gregori, 1526, pp. XIX*r*-XIX*v*, XVII*r*.

61. Ivi, p. XX*r*. Per il testo (identico, ma diversamente collocato, perché lo scontro iniziale tra Phalerio e Carmene è stato cassato) delle edizioni del 1537-1538 e del 1544, cfr. Id., *Dialogi*, a cura di A. Landi, Napoli-Chicago 1982, p. 121.

62. Cfr. il risibile elenco di tutti i modi di far denaro, alcuni semplicemente truffaldini, disponibili per il principe in A. Brucioli, *Modi di fare danari usati da repubbliche, re, imperatori antichi e moderni cavati da autori greci, latini et ebraici*, a cura di A. Landi, «Annali della Fondazione Luigi Einaudi», X (1976), e la presentazione di A. Landi, *Un opuscolo inedito di Antonio Brucioli in materia di esazioni fiscali*, ivi.

scritto da Francesco Sansovino. Qui la sfera della riproduzione materiale compare, forse non a caso, solo nella città di Fez, quasi parte di una descrizione di colore esotico, e nel capitolo finale che riproduce la descrizione di Utopia, nella traduzione del testo di More attribuita a Ortensio Lando e pubblicata a Venezia nel 1548 da Anton Francesco Doni.[63] Gli Utopiensi, come è noto, vivono sobriamente, ossia senza alcun dispendio per ostentazione, ma ampiamente provveduti di tutti i beni necessari e comodi, perché «esercitandosi in vili arti, avviene che in poche hore guadagnano assai».[64] Il testo di More è significativamente diverso dalla traduzione in due punti, nell'essere le arti ovviamente «utili», non «vili», e nella sottolineatura del fatto che tutti lavorano: «Quamobrem quum et omnes utilibus sese artibus exerceant».[65]

La connessione che Sansovino istituisce con More è interessante per due ragioni. In primo luogo ci consente di notare che, a differenza dei discorsi in cui si ragiona di repubbliche reali o possibili, l'utopia è il luogo in cui tutte le energie sono concentrate nella produzione, mentre ogni forma di intermediazione, traffico, distribuzione è ridotta al minimo o del tutto abolita. Anche il mondo del Pazzo di Doni – sebbene forse più un mondo rovesciato che una vera utopia – è fatto solo di produzione.[66] Il mondo reale, la società agraria avanzata dell'Europa occidentale nel Cinquecento, ovviamente era fatto in misura di gran lunga prevalente di produzione, ma il rovesciamento utopico ci rimanda alla percezione profonda di un'esigenza che trova scarsi strumenti lessicali e concettuali per esprimersi. More tuttavia ragionava sull'aumento della capacità produttiva complessiva che deriva dall'abolizione dei lavori improduttivi e delle posizioni parassitarie; e con questo ragionamento rappresenta il terzo tentativo, dopo Cecchi e Morosini, di identificare un modo di alzare il livello della produzione, in questo caso con una maggiore quota di occupati, e meno ore lavorate.

Il secondo punto riguarda la connessione tra produttivismo, se posso chiamarlo così, ed egualitarismo come viene messo in luce da quello specchio del mondo che sono le utopie. È stato notato, a proposito del rapporto del testo di More con la *Repubblica* di Platone, che l'interpretazione verticistica e aristocratica di quest'ultima è recente, mentre nella prima Età moderna essa veniva intesa come un modello che riguardava in senso lato la città nella sua interezza, non di-

63. Francesco Sansovino, *Del governo et amministratione di diversi regni et repubbliche, così antiche come moderne, libri XXI. Ne' quali si contengono diversi ordini, magistrati, leggi, costumi, historie, et altre cose notabili, che sono utili et necessarie ad ogni huomo civile et di stato*, Venezia, I., Sansovino, 1578, pp. 57*v* sgg. sull'economia di Fez; 182*r* sgg. su Utopia. Dopo la prima edizione del 1561 l'opera ne ebbe altre tre nei successivi vent'anni (1567, 1578, 1583).

64. Ivi, p. 185*v*.

65. Thomas More, *Utopia*, testo latino, versione italiana, introduzione e note di L. Firpo, Venezia 1978, p. 112.

66. Anton Francesco Doni, *I mondi e gli inferni*, a cura di P. Pellizzari, Torino 1994, pp. 162-173.

visa tra produttori e filosofi.[67] Però il modello platonico di Francesco Patrizi da Cherso, che pure come editore nel 1573 del trattato di Cotrugli non doveva essere privo di interesse per la vita economica, mentre non reca nessuna traccia di cura per il livello di produttività della sua repubblica, esclude totalmente dalla città felice i contadini, che devono essere «timidi e di vile animo; e, come si dice, servi per propria natura»; e anche gli altri addetti alla sussistenza, artigiani e mercanti, scompaiono in un'utopia che ritiene il mondo reale troppo poco gerarchico.[68] Il nesso che lega l'interesse per la possibilità di aumentare la produzione e l'egualitarismo nell'utopia di More (un mondo più eguale sarebbe più ricco), da un lato rappresenta la visione opposta all'ideologia dominante delle società industriali (per cui solo un mondo più ricco può permettersi di essere più eguale), ma dall'altro lato è anche, dentro una società agraria, il contrario della visione egualitaria dei repubblicani italiani, fondata sul mantenimento di un'eguaglianza tra i pari, esclusiva di ogni altro, possibile piuttosto grazie alla stabilità delle ricchezze che al loro incremento. Dionisotti ha ricostruito la presenza di *Utopia* a Firenze, a partire dalla prima e unica edizione italiana, in quegli anni, del testo latino, nel 1519, per spiegare il carattere – utopico o realistico? – della repubblica delineata nella prima edizione dei *Dialogi* di Brucioli: per affermare, circa il discorso dell'anonimo Ciompo nelle *Istorie fiorentine*, che doveva esser «stato scritto da uno che aveva letto l'*Utopia*», ma anche per aggiungere subito dopo che tanto Machiavelli quanto Brucioli erano rimasti lontani da More.[69]

Inglesi, francesi e italiani: lo stato, la produzione e la moneta

Il nodo che in ragionamenti come quelli di Brucioli e di Giannotti lega la difficoltà di identificare attori sociali altrimenti che come figure costituzionalmente rilevanti (con l'esclusione della plebe non solo dalle cariche, ma dalla città stessa, con la ricerca della stabilità dei rapporti politici tra ceti in quanto fondata su un'economia ferma, e infine con la visione sostanzialmente ciclica della vi-

67. M. Isnardi Parente, *Prefazione*, in T. Moro, *L'Utopia o la migliore forma di repubblica*, traduzione, introduzione e cura di T. Fiore, Roma-Bari 2002, p. XVII.

68. F. Patrizi, *La città felice* [...], Venezia, Griffio, 1553, qui citato da *Utopisti e riformatori sociali del Cinquecento*, a cura di C. Curcio, Bologna 1941, pp. 125, 134-136. Alcuni studiosi italiani ritengono che il testo di Patrizi non sia un'utopia (cfr. C. Vasoli, *Francesco Patrizi da Cherso*, Roma 1989, pp. 1-2). Tale collocazione dipende naturalmente dalla definizione del genere e dall'identificazione delle diverse varianti del discorso utopistico; cfr. K. Mannheim, *Ideology and Utopia*, London 1953, per l'identificazione dell'utopismo conservatore; e G. Borrelli, *Non far novità. Alle radici della cultura italiana della conservazione politica*, Napoli 2000, cap. IV, per una lettura in questo senso degli autori italiani nella prima Età moderna.

69. C. Dionisotti, *La testimonianza del Brucioli*, in Id., *Machiavellerie*, Torino 1980, pp. 210 sgg.

ta della repubblica e della grandezza della signoria) alla cancellazione della produzione e dei suoi attori non è di per sé inestricabile nelle condizioni materiali e intellettuali di una società agraria avanzata, come appare invece nelle repubbliche e signorie italiane. Basta avvicinarsi agli inglesi della prima metà del Cinquecento, quelli che proponevano riforme, non utopie, per avvedersene.[70] Erano fermamente e orgogliosamente monarchici, ma ragionavano entro lo schema di una società cetuale per descrivere la quale esisteva il medesimo problema, politico e intellettuale, che i fiorentini risolvevano con l'escludere anche dalla città coloro che ritenevano di dover escludere dalle magistrature: un problema sul quale gli inglesi continuarono a confrontarsi fino al Settecento.[71] Tuttavia già la descrizione, talora incoerente, che essi ne davano nel Cinquecento comprendeva almeno due elementi che fornivano la matrice per ragionamenti sull'economia assai diversi da quelli formulati negli stati italiani.

In primo luogo, nel contesto di una monarchia ereditaria, sostenuta da una potente aristocrazia terriera, la triade di coloro che hanno la prerogativa di governare il paese (il re; i gentiluomini in tutta la loro stratificazione, dalla *nobilitas maior* ai comuni cittadini che vivono di professioni liberali; i liberi coltivatori proprietari, gli *yeomen*) include gli agenti della produzione fondamentale, l'agricoltura. In secondo luogo questa triade può essere denominata in modo socialmente specifico, storicamente circostanziato, anziché nell'indeterminatezza di grandi, mediocri e poveri. Di conseguenza il rapporto tra la stratificazione sociale e gli ordini del governo, ossia quale gruppo sta in quale ordine, può essere espresso con chiarezza; mentre il fatto che tra i cittadini comuni d'Inghilterra sia compreso anche un quarto gruppo sociale che invece è escluso dal governare può essere definito e circoscritto, considerandolo non come straniero, ma come inglobato nel corpo del paese attraverso il rapporto di deferenza – un rapporto di riconoscimento reciproco di obblighi e titoli sociali – con i propri superiori. Nello stesso modo era inglobato nella rete delle relazioni sociali il gruppo di coloro che, o per una condizione temporanea, come gli apprendisti, o per una sottomissione passibile di mutamento, come i salariati, erano considerati *bondmen* e tuttavia, fuori del rapporto di lavoro, «be for other matters in libertie as full free men and women»,[72]

70. Il termine *reformer* a proposito di Thomas Smith e altri scrittori inglesi del periodo che si occupano di temi economici e sociali nel quadro di un discorso politico sul paese è di N. Wood, *Foundations of Political Economy: Some Early Tudor Views on State and Society*, Berkeley-Los Angeles-London 1994, il cui cap. IX è dedicato a Smith.

71. Cfr. M.L. Pesante, *Contro l'eguaglianza civile. Discorsi inglesi sulla gerarchia nella seconda metà del Settecento*, «Rivista Storica Italiana», CXVII (2005).

72. T. Smith, *De Republica Anglorum: A Discourse on the Commonwealth of England*, a cura di L. Alston, Cambridge 1906, p. 138. Il testo, scritto intorno al 1565, fu pubblicato la prima volta nel 1583, ed ebbe sei edizioni nel quarto di secolo successivo, e altre cinque fino al 1691. Thomas Smith (1513-1577) fu, tra tutte le vicissitudini del periodo, da cui talora fu travolto, uno degli statisti eminenti del periodo, fino alla sua nomina a segretario di stato nel 1572, e anche uno studioso e umanista.

sottolineando così il fatto che, nonostante il loro vincolo di lavoro, fossero liberi, piuttosto che non la loro prossimità agli schiavi, nonostante le apparenze, come tendevano a fare gli autori italiani, da Palmieri a Giannotti.

Thomas Smith, l'autore del *De republica Anglorum* (scritto intorno al 1565) e anche del più importante discorso inglese sull'economia a metà del secolo, notava che la dicotomia tra coloro che governavano e coloro che erano governati, che originariamente era esistita tra patrizi e plebei a Roma, in qualche forma in Grecia, e ancora esisteva in Francia, non era il modo in cui si consideravano divisi gli inglesi.[73]

> The fourth sort or classe amongest us, is of those which the olde Romans called *capite censij proletarij* or *operae*, day labourers, poore husbandmen, yea marchantes or retailers which have no free lande, copyholders, and all artificers, as Taylers, Shoomakers, Carpenters, Brickemakers, Bricklayers, Masons, etc. These have no voice nor authoritie in our common wealth, and no account is made of them but onelie to be ruled, not to rule other, and yet they be not altogether neglected.[74]

Non contano nulla, non godono dell'alternanza aristotelica tra governare e essere governati, e tuttavia non sono interamente trascurati: al di là della contraddizione Smith elenca tutte le cariche pubbliche minori che i produttori membri del quarto stato possono ricoprire. Salvo che per i salariati, era uno *status* inferiore a quello che era stato disposto ad attribuire loro Patrizi nella Repubblica di Siena, e tuttavia il riconoscimento della dignità civica a cui dà titolo il lavoro produttivo è evidente tanto per loro quanto per la funzione economica e civile degli *yeomen*, il fondamento del paese in pace e in guerra. A proposito dei quali Smith nota con ammirevole sintesi la funzione specifica.

> These be (for the most part) fermors unto gentlemen, which with grasing, frequenting of markettes, and keeping servauntes not idle as the gentlemen doth, but such as get both their owne living and parte of their maisters: by these meanes doe come to such wealth, that they are able and daily doe buy the landes of unthrieftie gentlemen, and after setting their sonnes to the schoole at the Universities, to the lawe of the Realme, or otherwise leaving them sufficient landes whereon they may live without labour, doe make their saide sonnes by those meanes gentlemen.[75]

Funzione del capitalista agrario, ché tale è il piccolo proprietario nella sua qualità di affittuario del grande proprietario, produzione per il mercato, distin-

73. Ivi, p. 31.
74. Ivi, p. 46.
75. Ivi, pp. 42-43.

zione tra lavoro produttivo e lavoro improduttivo, capacità del lavoratore salariato di mantenere se stesso e anche il padrone, infine la strada maestra della mobilità sociale ascendente: Smith descrive il mondo della produzione moderna, nei suoi rapporti interni e nelle sue conseguenze sociali. La valutazione positiva della mobilità sociale, del rimescolamento delle posizioni individuali dentro la struttura sociale, è il secondo elemento che distingue, all'interno del medesimo quadro concettuale usato per descrivere una società cetuale, la visione degli inglesi – o forse, diremmo meglio, di alcuni inglesi – da quella degli autori italiani che ho esaminato.

Nella prima metà del secolo altri autori, presumibilmente collocati più in basso di Thomas Smith nella scala sociale, erano pronti a dire in tono rivendicativo che tutta la ricchezza del regno derivava dalla fatica e dal lavoro del «common people, members of the body of [t]his realme»,[76] e che non era possibile definire fiorente un regno in cui «the most parte of the persons and people lyve in estreme pouertie».[77] Qui non interessa naturalmente definire momenti nella tradizione inglese del dissenso sociale, importa invece vedere come esistesse una visione inglese della struttura politica e del corpo sociale del paese che, nella sua maggiore capacità di comprendere la complessità di quest'ultimo e maggiore pulizia concettuale nel definirne i rapporti con la prima, non era costretta a occultare i produttori della ricchezza e poteva quindi mantenere visibile, e anzi centrale, il problema della produzione, e persino del suo incremento. Non meraviglia che questa visione, quando viene applicata nell'analisi dei problemi economici, passi attraverso l'identificazione di figure specifiche, portatrici di interessi diversi, possibilmente conflittuali anche se conciliabili, tutte parimenti legittimate a interloquire sui problemi economici del paese, e sui possibili rimedi. Il proprietario terriero e il prelato, il mercante e il coltivatore (Smith usa il termine generico, ma socialmente basso, di «husbandman»), e infine il cappellaio, rappresentante di tutti gli artigiani nel luogo reale del dialogo fittizio, discutono dei problemi della circolazione monetaria, ossia di scarsa liquidità e di adulterazione, di svalutazione e di inflazione, sempre in relazione agli effetti che questi fenomeni hanno sul livello della produzione in quanto essi partono da una premessa molto chiara sulla fonte della ricchezza non come data e diversamente dispensabile, ma come producibile dagli uomini in modi e quantità diverse.[78] Questa

76. *How to reform the realme in setting them to werke and to restore tillage* [ca. 1535-1536], in *Tudor Economic Documents*, a cura di R.H. Tawney e E. Power, III, London 1924, p. 115.

77. *Polices to reduce this realme of England vnto a prosperous wealthe and estate* [1549], ivi, p. 314. È interessante che questo testo, a proposito del valore dell'intensità del lavoro nella società, citi con approvazione (p. 328) «Patricius Senensis» nel suo *De regno* (probabilmente una confusione con il testo sulla repubblica, dove compare il ragionamento citato).

78. [T. Smith], *A Discourse of the Commonweal of This Realm of England*, a cura di M. Dewar, Charlottesville 1969. Scritto nel 1549, pubblicato per la prima volta nel 1581, il dialogo è ormai attribuito in modo pressoché certo a Smith (cfr. M. Dewar, *Introduction*, ivi, pp. IX-XXVI).

premessa è talmente chiara che gli interlocutori discutono del conflitto sociale come conseguenza dello sviluppo economico nell'incertezza del mercato, dell'alternativa di contenere lo sviluppo per evitare il conflitto (proposta dal proprietario terriero), della possibilità, poi accettata da tutti, di mantenere lo sviluppo e di governare il conflitto nella libertà.[79]

Chi comincia a ragionare sulla disponibilità di moneta come una delle condizioni alle quali il lavoro agricolo e manifatturiero può essere messo in movimento, nel quadro di una produzione per il mercato, costruisce le premesse di un modo di ragionare sull'economia radicalmente diverso rispetto ai ragionamenti focalizzati invece su problemi di equità nella circolazione monetaria. Qui sta la differenza del paradigma degli inglesi rispetto al paradigma ecclesiale costruito nei secoli precedenti. «La plebe si esercita nella mercatura, o attende a pescare, o vero si esercitano nella navigazione; e sono tanto diligenti nella mercatura, che non temano di fare contratti usurarii», aveva scritto nel 1498 un gentiluomo, o segretario, nella relazione al Senato veneziano che concludeva l'ambasciata di Andrea Trevisan.[80] In realtà il lessico normativo ecclesiale appare tutt'altro che sconosciuto in questi documenti, e anzi il riferimento agli obblighi della religione è particolarmente netto proprio nei testi che con più forza rivendicano il diritto dei poveri a lavorare e guadagnare, e il dovere del sovrano di regolare a questo fine le attività economiche.[81] Ma nel contesto inglese la condanna che si esprime nel termine canonico di 'usura' riguarda lo spostamento del capitale dalle attività produttive alle attività di servizi, intermediazione e finanza, e non le intenzioni di avarizia o di orientamento al bene comune degli attori o le modalità contrattuali del circuito finanziario.[82] È già visibile in questi primi decenni del Cinquecento quella preoccupazione per il rischio di slittamento, in un momento di crisi, della struttura economica del paese dalle attività produttive ai servizi che sarà un tema costante della riflessione inglese sull'economia anche nel secolo successivo.[83] La diffidenza per il *broker* in quanto contrapposto al produt-

79. Ivi, pp. 87-88, 92-93.

80. *Relazione d'Inghilterra*, in *Ambasciatori veneti in Inghilterra*, a cura di L. Firpo, Torino 1978, p. 19; sulle circostanze e la fonte di questo testo cfr. L. Firpo, *Introduzione*, ivi, pp. XIII-XVIII. Il medesimo autore scriveva anche che «Sono in Inghilterra tre stati: popolare, militare ed ecclesiastico. Il popolo è in poco maggiore stima che se fosse servo»: ivi, p. 29.

81. *A treatise concerning the staple and the commodities of this realme* [ca. 1519-1535], in *Tudor Economic Documents*, cit., II, pp. 97-98 e *passim*. Per una discussione sull'usura e la proposta di un ufficio pubblico del cambio, e di una banca pubblica, negli anni Settanta, cfr. *Tudor Economic Documents*, cit., III, pp. 359-377. Sulla storia della legislazione inglese sull'usura a partire dal primo Cinquecento cfr. N. Jones, *God and the Moneylenders: Usury and Law in Early Modern England*, Oxford 1989.

82. *A treatise*, cit., p. 107.

83. Il testo più importante che connette analisi economica, descrizione della struttura produttiva e preoccupazione per le conseguenze sociali e politiche dello spostamento dalla produzione ai servizi alla fine del Seicento è l'anonimo *Britannia Languens, or a Discourse of Trade*, London, T. Dring, 1680; cfr. in particolare le pp. 92-94.

tore, la condanna di ogni tentativo di guadagnare gli uni a spese degli altri nel gioco a somma zero del vendere e comperare, la ripulsa, anche morale, per la proliferazione di attività di servizio,[84] costituiscono il contesto di valori che rende possibile un ragionamento sul rapporto tra le modalità della circolazione monetaria e il livello dell'attività produttiva. È in questo contesto che la discussione si sposta dalla valutazione degli effetti che le intenzioni, i contratti e le azioni dei detentori della moneta hanno sulla circolazione e distribuzione dei beni alla ricerca del quadro politico e normativo che possa consentire ai produttori di raggiungere e mantenere il massimo livello di attività possibile.[85]

La differenza di questa prospettiva rispetto alla secolare costruzione del discorso ecclesiale non sta, per quanto ci riguarda in questa sede, nel livello dell'argomentazione economica in senso stretto, né in una presunta mancanza di carico normativo di questi discorsi, che invece è notevole dal punto di vista tanto morale quanto politico, ma nell'individuazione di un diverso tipo di problema, nello spostamento tematico dalla focalizzazione sulla circolazione di beni che sono dati, non creati dagli uomini, la cui distribuzione deve essere regolata direttamente dall'ordine divino e quindi da chi ne è l'interprete, alla centralità della produzione umana, strutturata direttamente nell'ordine civile, dunque regolata dal sovrano, e solo indirettamente da un comando divino. In questo senso la separazione tra la sfera della circolazione monetaria e un'economia naturale che non presenta i problemi morali della prima, e perciò non viene discussa, lascia il posto all'esigenza di capire l'interazione tra il circuito dei beni e quello della moneta.

L'incardinamento della circolazione monetaria direttamente nell'ordine civile caratterizza anche i discorsi francesi sulla moneta a metà del secolo, all'interno di una tradizione discorsiva in cui il ruolo del potere sovrano nella regolazione della moneta è stato centrale da Oresme in poi. In questo contesto anche un ragionamento come quello di François Grimaudet, che accetta tutta l'impostazione ecclesiale su prestito e usura (ma affidandosi nella pratica ai limiti stabiliti dall'autorità civile) si sviluppa in una direzione completamente diversa, discutendo esplicitamente della questione se la moneta sia merce o segno.[86] Nel suo quadro civilistico (Grimaudet era un giurista, di simpatie riformate, attivo nelle istituzioni pubbliche dell'Anjou) la prerogativa regale nel creare moneta imprimendo il proprio segno sulla materia bruta trova tuttavia un limite non solo nel dovere di veridicità circa ciò che il segno certifica, ma anche nel diverso e possibilmente conflittuale interesse dei sudditi, in una dialettica tra sovrano, sudditi e bene comune che viene discussa a lungo nelle sue fat-

2, 3

84. *A treatise*, cit., p. 112; *How to reform*, cit., pp. 116-117, 125-126.

85. *Polices*, cit., pp. 326-329; [Smith], *A Discourse*, cit., pp. 118-121.

86. F. Grimaudet, *Des monnayes, augment et diminution du pris d'icelles*, Paris, De Marnef et vefue [sic] Cavellat, 1586, pp. 48-55, sull'usura; pp. 19, 84-85 sulla sua preferenza per la moneta segno. La prima edizione è del 1576.

tispecie contrattuali, tra pubblico e privato e tra privati.[87] Se ci si sottrae al mito storiografico che il pensiero economico moderno nasca quando si afferma la convinzione che solo la perfetta libertà del mercato possa stabilire i valori, della terra, del lavoro e della moneta, e di conseguenza delle merci, si potrà valutare il significato storico dei ragionamenti che, accanto a quelli che insistono sul rapporto quantitativo tra metalli preziosi monetabili e merci, insistono invece sul conflitto possibile tra valori fissati dal mercato e valori decisi dal *fiat* del sovrano: un conflitto esemplificato al meglio in Inghilterra nella discussione tra Malynes, Misselden e Mun, che nei primi decenni del Seicento connette in maniera sistematica il problema del valore delle monete, della liquidità e della bilancia commerciale.[88]

Il complesso di connessioni all'interno delle quali viene letta la moneta nei contesti in cui la matrice dei ragionamenti economici è di carattere politico piuttosto che teologico manca in ambiente italico, come si può vedere nella più importante opera sul tema scritta da un laico alla fine del secolo. Il mercante e letterato Davanzati ragiona interamente all'interno del paradigma teologico, come è apertamente dichiarato nella *Notizia de' cambi*, del 1581, dove viene ripetuto con una chiarezza e un'eleganza rare, ma senza innovazioni descrittive o concettuali, un discorso già definito all'inizio del secolo, e ripreso nella seconda metà per descrivere meglio le fiere di Bisenzone.[89] Il ragionamento di Davanzati è più rigoroso, e rigorista, ma non diverso da quelli fatti dai teologi Buoninsegni e Chiavari negli stessi anni.[90] Quel presunto abbozzo di una teoria quantitativa della moneta che viene esposto nella *Lezione delle monete* è legato a una posizione che non è semplicemente metallista in senso assoluto, ma che di fronte ai disordini delle monete arriva sino ad auspicare il ritorno all'oro non monetato, all'oro come pura merce.[91] Parlo di presunto abbozzo perché manca nel suo discorso l'esplicitazione di qualcuna almeno delle qualificazioni e condizioni che trasformano in un'ipotesi scientifica l'idea che tutto l'oro esistente al mondo corrisponda a tutti i beni, a partire dal-

117

87. Ivi, pp. 31-32, 57-67.

88. Per un rapido resoconto cfr. T. Hutchison, *Before Adam Smith: The Emergence of Political Economy, 1662-1776*, Oxford 1988, pp. 21-23; ma vale ancora la pena di leggere R. de Roover, *Gerard de Malynes as an Economic Writer: From Scholasticism to Mercantilism* (1969), ora in Id., *Business, Banking, and Economic Thought in Late Medieval and Early Modern Europe*, a cura di J. Kirshner, Chicago-London 1974, pp. 346-366.

89. Bernardo Davanzati, *Notizia de' cambi*, in Id., *Scisma d'Inghilterra con altre operette*, Firenze, Massi e Landi, 1638, pp. 95-96. Sulle posizioni di Davanzati più in generale cfr. L. Perini, *Un patrizio fiorentino e il suo mondo: Bernardo Davanzati*, «Studi Storici», XVII (1976), in particolare pp. 167-170.

90. Ivi, pp. 100, 103. Cfr. T. Buoninsegni, *Dei cambi. Trattato risolutissimo et utilissimo* ..., Firenze, Marescotti, 1573; F. Chiavari, *Tractatus de cambiis*, Roma, Blado, 1556, con altre due edizioni nel 1568 e 1573, e pubblicato anche in italiano in [A.M. Venusti], *Compendio utilissimo di quelle cose, le quali a nobili e christiani mercanti appartengono*, Milano, Antoni, 1561.

91. *Lezione delle monete* [1588], in *Scisma*, cit., p. 122.

la distinzione tra i beni naturali e le merci, una distinzione che ovviamente Davanzati aveva in mente.[92]

È difficile dire quanto questa regressione all'oro non monetato fosse per Davanzati il risultato paradossale di una posizione metallista che si voleva saggiare sulle sue estreme conseguenze, o non piuttosto una semplice provocazione accademica, come l'occasione della lezione poteva consentire. Certo, essa sembra essere un indizio di quella separazione tra economia naturale – dentro cui nella cultura italiana dell'epoca è nascosta, e spesso dimenticata, la produzione insieme con i suoi attori – e circolazione monetaria, a cui sono dedicate tutte le riflessioni alte.[93] In effetti anche quando, negli ultimi decenni del secolo, si vede la diffusione di un interesse per l'agricoltura come attività e professione presente, coloro che ne studiano l'organizzazione pratica difficilmente superano il diaframma che separa l'ideale della campagna come sede della vita felice dal mondo della circolazione delle merci il cui valore è codificato in moneta. I generi stessi in cui si esprime questo interesse li tengono lontani da una traduzione in ragionamento economico. Si può trattare, come nel caso di Lanteri, del libro di governo della casa, dove l'agricoltura è considerata, ancora una volta, la più onorata fonte di guadagno, e per di più quella che promuove la pace, ma dove non esiste il problema di come si realizzi il passaggio tra il prodotto e il guadagno.[94] Si può trattare del grande libro di agronomia, come quello di Agostino Gallo, il quale è ricco di una percezione netta dei risvolti sociali dell'organizzazione produttiva e dell'alternativa tra diversi rapporti sociali di produzione,[95] e ne indaga, insieme alle scelte materiali, anche implicazio-

92. Ivi, p. 113; cfr. *Cambi*, ivi, p. 93; contro questa interpretazione di Davanzati cfr. M. Bianchini, *The Galilean Tradition and the Origins of Economic Science in Italy*, in *Political Economy and National Realities*, a cura di M. Albertone e A. Masoero, Torino 1994, pp. 17-19. All'origine della fortuna contemporanea di Davanzati sta la formidabile autorità di Schumpeter nel magnificare le capacità analitiche degli scolastici; ma temo che in realtà si applichi anche a Davanzati ciò che egli scrisse di Scaruffi, ossia che la sua posizione implicava un bel po' di teoria molto sofisticata, di cui disgraziatamente molto poco era esplicitato (cfr. J.A. Schumpeter, *History of Economic Analysis*, a cura di E. Boody Schumpeter, London 1986, p. 292). Non condivideva la poi diffusa stima per Davanzati l'abate Galiani, il quale parlava di «un suo non savio discorso sulle monete»: cfr. F. Galiani, *Della moneta*, in *Illuministi italiani*, tomo VI, *Opere di Ferdinando Galiani*, a cura di F. Diaz e L. Guerci, Milano-Napoli 1975, p. 128.

93. La contrapposizione economia naturale/economia monetaria è tematizzata come filo conduttore di una storia dei discorsi sull'economia da Ch. Bec, *Economia naturale ed economia monetaria negli scrittori italiani tra Tre e Cinquecento*, in *Storia d'Italia*, *Annali*, VI, *Economia naturale, economia monetaria*, a cura di R. Romano e U. Tucci, Torino 1983, pp. 449-467.

94. G. Lanteri, *Dell'economica* [...], Venezia, Valgrisi, 1560.

95. A. Gallo, *Vinti giornate d'agricoltura*, Venezia, Percaccino, 1569, qui citato dall'edizione di Venezia, Imberti, 1628, pp. 8-9, 280. Sui due registri non conciliati nel libro di Gallo e in genere sulla sua opera dal punto di vista economico cfr. C. Poni, *Struttura, strategie e ambiguità delle «Giornate»: Agostino Gallo tra l'agricoltura e la villa*, in *Agostino Gallo nella cultura del Cinquecento*, a cura di M. Pegrari, Brescia 1988; sulla posizione di Gallo nella tradizione dell'economica cfr. M. Bianchini, *Agostino Gallo e la tradizione dell'«economica»: cerimoniale e strumentale nella storia del pensiero*, ivi, pp. 217-225.

ni morali. Anche qui, però, mentre esiste il problema della disponibilità e migliore utilizzo tecnico del capitale, non c'è una riflessione consistente sul rapporto tra le condizioni della produzione e gli esiti sul mercato, non c'è una questione dello smercio e del prezzo del prodotto agricolo a cui si dedicano tante cure.[96]

In questo contesto un ragionamento come quello di Filippo Sassetti, esplicitamente polemico nei confronti di chi credeva che il commercio fosse un gioco a somma zero, preoccupato di stabilire che ampliamento del traffico implicava, per chi fosse disposto a «industriarsi», un aumento netto della produzione, attento al fatto che i bisogni alla base dello scambio non erano naturali, ma storici e indotti, ironico circa la disonesta e poco lungimirante speranza di guadagnare truffando i levantini infedeli, sembra un fatto isolato, prodotto più da uno sguardo esterno che non da una riflessione locale.[97] Bisogna arrivare al 1613, ad Antonio Serra, per trovare un punto di vista critico, ma interno. Il troppo poco che sappiamo di lui rende difficile capire il percorso attraverso cui egli arrivò a quella salda connessione tra circolazione monetaria, movimenti del cambio e sviluppo economico a cui è affidata la sua fama.[98] Ma nel suo *Breve trattato* la matrice politica, l'egemonia dell'ordine politico nel definire i rapporti economici, è chiara. È chiara anche la convinzione specifica che solo il regime repubblicano, nella sua capacità di agire al di là della contingente volontà di un sovrano monocratico, potesse avere la continuità istituzionale e la strumentazione intellettuale necessarie ad attuare una politica di sviluppo.[99] Ma è chiaro anche che questo ragionamento non proviene dall'interno di una repubblica, non ha contiguità diretta con la tradizione del repubblicanesimo cittadino: per Serra la repubblica è un modello ideale, non il campo di uno scontro politico.

Alcune ipotesi conclusive

Il rapido resoconto di alcuni testi del Cinquecento inglese ha offerto un'idea di ciò che in quel momento era pensabile in un diverso contesto politico e culturale, ma in un mondo economico comparabile con quello degli stati italiani centro-settentrionali; esso non può certo fornire di per sé, in una

96. Gallo, *Vinti giornate*, cit., p. 11.

97. F. Sassetti, *Ragionamento sopra il commercio tra i toscani e i levantini* [1577], in *Lettere edite e inedite di Filippo Sassetti, raccolte e annotate da Ettore Marcucci*, Firenze 1855, pp. 112-113, 115. Sassetti esercitò in Asia, tra India e Goa, gran parte della sua attività di agente di commercio.

98. Sul suo pensiero economico cfr. E. Zagari, *Moneta e sviluppo nel "breve trattato" di Antonio Serra*, in *Alle origini del pensiero economico in Italia*, I, *Moneta e sviluppo negli economisti napoletani dei secoli XVII-XVIII*, a cura di A. Roncaglia, Bologna 1995; A. Rosselli, *Antonio Serra e la teoria dei cambi*, ivi.

99. A. Serra, *Breve trattato delle cause che possono far abbondare li regni d'oro e d'argento dove non sono miniere*, in *Scrittori classici italiani di economia politica*, Parte antica, tomo I, Milano 1803, pp. 21-22, 34-39, 49-52, 177.

comparazione semplice, una spiegazione storica del perché in Italia una riflessione laica sull'economia non conosca lo sviluppo intellettuale che potremmo aspettarci in relazione alla precocità e alla ricchezza delle sue attività pratiche. Tuttavia il confronto con i discorsi inglesi ci consente di identificare nei testi qualche connessione concettuale utile a formulare alcune ipotesi che non possono essere qui verificate. In primo luogo, la visione della struttura sociale entro cui ragionano gli inglesi è, come è ovvio, una visione fortemente gerarchica la quale però tende a includere tutti gli agenti della produzione, nel loro debito posto; non a escluderli, come fanno invece gli autori italiani, e i fiorentini in particolare. I problemi della produzione hanno quindi nell'ambito del discorso politico inglese un luogo sociale e un fuoco concettuale che consentono di osservarli, di analizzarli, di farne un problema politico generale e un argomento di dibattito pubblico.[100] Nei testi italiani l'esclusione dei produttori, siano essi coltivatori o artigiani, o persino imprenditori delle manifatture, sempre in posizione inferiore ai titolari della grande intermediazione finanziaria o commerciale, costituisce un contesto del tutto sfavorevole a qualsiasi operazione intellettuale per uscire dal paradigma ecclesiale fondato sull'analisi della circolazione. Questa caratteristica del discorso politico negli stati italiani del Cinquecento avrà forse qualche connessione anche con il processo di restringimento della base sociale degli intellettuali italiani che è stato variamente notato. In una rilevazione campionaria sull'origine sociale dei letterati italiani è stata messa in luce la progressiva riduzione della quota di coloro che provenivano da famiglie legate ad attività direttamente produttive: fenomeno sul quale commentava amaramente Giovan Battista Gelli, che era uno di quei pochi.[101] Perciò la moneta rimane, con il passaggio a un'impostazione matematizzante, il tema pressoché unico della riflessione economica negli stati italiani fino all'inizio del Settecento.[102]

In secondo luogo, in questi testi inglesi di metà Cinquecento si ragiona su conflitti di interesse tra diversi gruppi sociali: interessi, tuttavia, componibili, mediante una giusta politica economica, nell'interesse generale del *commonwealth*, che è una comunità governata da un monarca. Un secolo più tardi si formeranno in Inghilterra due modi diversi di guardare alla vita economica a se-

100. La grande diffusione di temi economici nella letteratura inglese del periodo testimonia certo di questo contesto, anche se essi riguardano soprattutto la moneta; cfr., ad esempio, C. Sullivan, *The Rhetoric of Credit: Merchants in Early Modern Writing*, London 2002; *Money and the Age of Shakespeare: Essays in New Economic Criticism*, a cura di L. Woodbridge, New York-Basingstoke 2003. Devo questi riferimenti alla cortesia di Richard Goldthwaite.

101. V. De Caprio, *Aristocrazia e clero dalla crisi dell'Umanesimo alla Controriforma*, in *Letteratura italiana*, II, *Produzione e consumo*, Torino 1983, pp. 323-325, e tab. 1, p. 327.

102. Cfr. M. Bianchini, *Alle origini della scienza economica. Felicità pubblica e matematica sociale negli economisti italiani del Settecento*, Parma 1982, pp. 9-57.

conda che il *commonwealth* sia pensato come una somma di individui governati da un sovrano assoluto o come una corporazione che si autogoverna.[103] Il vincolo di questo orizzonte comune come limite dei conflitti è probabilmente necessario perché si possa ragionare su una vita economica che non è solo competizione tra uguali, ma anche conflitto tra disuguali. Negli stati italiani l'etica economica della Chiesa aveva fornito, nel modo suo proprio, questo orizzonte; e nelle sue traduzioni pratiche continuava a fornire soluzioni. Invece quella che è stata chiamata la nuova etica dei mercanti italiani era, nella definizione di Bec, «une pensée individualiste et de classe». A differenza di quanto spesso si è creduto, per ragioni ideologiche opposte, ma convergenti, circa i moventi dell'agire economico, questo non è un buon punto di partenza per un'analisi del processo economico, perché produce facilmente ammonimenti di prudenza e opportunità per la famiglia, ma rende difficile generalizzare e astrarre se non si compie il salto alla teoria controintuitiva di una società atomistica. Del resto l'umanesimo mercantile sarebbe rimasto spesso diviso tra queste tendenze e una fedeltà di fondo all'etica economica della Chiesa.[104] L'esistenza di questa doppia morale mi pare confermata dalla presenza nei testi apparentemente laici di una logica economica generale che è ancora quella del discorso ecclesiale, e che risulta tanto più evidente quanto più si tenga conto della lettura più raffinata che ora viene condotta di questo discorso.

Da un lato, dunque, l'orizzonte dell'etica economica ecclesiale non viene né discusso né sostituito; al contrario esso continua a costituire il contesto generale dei discorsi. Dall'altro, il suo possibile concorrente, l'etica civica della difesa della libertà e della responsabilità reciproca tra i cittadini, non può svilupparsi nella riflessione economica a causa del suo esclusivismo sociale. Come in tutti i ragionamenti in negativo, queste ipotesi segnalano una difficoltà, non escludono una possibilità; ridefiniscono semplicemente il campo di una ricerca ancora da fare, su altri generi del discorso, su scritture di governo, su documenti inediti.

103. Cfr. Pesante, *Paradigms*, cit.

104. Bec, *Les marchands écrivains*, pp. 110 e 444.

LE MERCI

I panni di lana

JOHN H. MUNRO

I costi di transazione e il commercio internazionale dei tessuti nell'Europa del Medioevo e della prima Età moderna

Il presente contributo si pone l'obiettivo di spiegare l'origine, l'espansione e il declino dell'industria laniera italiana nel periodo approssimativamente compreso fra il 1100 e il 1730.

Da sempre i tessuti hanno rappresentato, insieme al cibo e all'abitazione, una delle esigenze fondamentali dell'uomo. Gli indumenti, infatti, non solo ci scaldano, ma ci proteggono dagli elementi: dal freddo, ovviamente, ma anche dal caldo eccessivo e dal tempo inclemente. Sono inoltre una protezione necessaria in rapporto al senso del pudore, dal momento che quasi tutte le società proibiscono (o limitano) la nudità nei luoghi pubblici ed esigono un certo decoro nelle varie fogge di abbigliamento ritenute socialmente accettabili. Al tempo stesso la varietà degli abiti è anche un mezzo per indicare o affermare la propria condizione sociale, e i concetti correlati di stile vestimentario e di moda hanno spesso svolto un ruolo fondamentale nel determinare mutamenti nella domanda dei consumatori.

Come possiamo facilmente comprendere, i tessuti – non esclusi quelli fatti in casa da tante famiglie contadine – furono prodotti quasi ovunque nell'Europa del Medioevo e della prima Età moderna. Relativamente poche regioni, tuttavia, ebbero successo, in termini di concorrenza internazionale, nel produrre e nel commercializzare i tessuti più alla moda e quindi preziosi, che rappresentarono il più importante prodotto di base del commercio regionale e internazionale dal tempo dell'antica Roma alla metà dell'Ottocento. Il fatto che questi articoli avessero una durata notevole e un rapporto valore-peso assai vantaggioso contribuisce a spiegare la loro importanza nei traffici sulle lunghe distanze. Il che è ancor più vero se si considera che per un'ampia gamma di tessuti, fino alla Rivoluzione industriale del XVIII secolo, i costi di transazione, compresi quelli di trasporto e di distribuzione, costituivano in genere fattori concorrenziali più importanti degli stessi costi di produzione.[1]

L'indubbia importanza del rapporto valore-peso nel commercio internazionale, comunque, non deve indurci a ritenere – come hanno fatto molti storici – che questo si limitasse esclusivamente a manufatti molto costosi destinati principalmente a un mercato aristocratico. Nel Medioevo e nella prima Età moderna, infatti, la gamma di prezzo dei tessuti oggetto di scambi internazionali fu spesso sorprendentemente ampia, anche se soggetta a fluttuazioni nel lungo periodo, fluttuazioni legate soprattutto ai cambiamenti dei costi di transazione.

Nella storia degli scambi internazionali fra XII e XVIII secolo l'Italia fu, dal punto di vista dell'offerta dei tessili, una delle regioni europee più importanti insieme ai Paesi Bassi (che un tempo comprendevano anche alcune aree limitrofe oggi del Nord della Francia) e all'Inghilterra. L'eccellenza della Penisola nella produzione tessile era dovuta alla sua schiacciante egemonia nel commercio e nella finanza europea. Gli italiani, infatti – e in primo luogo gli uomini d'affari di città come Venezia, Firenze, Genova e Milano – avevano dato vita alle istituzioni fondamentali di quella che gli storici definiscono oggi la 'rivoluzione commerciale'. Questa fondamentale trasformazione ed espansione degli scambi, verificatasi fra la fine del X e l'inizio del XIV secolo, rappresentò senza dubbio lo stimolo più potente alla rapida crescita dell'economia e della popolazione europea (entrambe più che raddoppiate) – che caratterizzò questo periodo, producendo quella che Roberto Lopez chiamò «la nascita dell'Europa».[2] L'Italia, tuttavia, raggiunse davvero il culmine dell'eccellenza nella produzione dei tessuti di lusso – in Toscana e in Lombardia – soltanto nel successivo periodo di contrazione economica e di declino demografico, nel corso del Trecento e del Quattrocento, quando vide rafforzarsi il suo predominio nel commercio e nella finanza internazionale.

Le tecniche di produzione dei tessuti di lana nel Medioevo: panni di lana, tessuti di lana pettinata e serge

Prima di esaminare i fenomeni macro-economici che contribuirono a questi sviluppi di carattere manifatturiero e commerciale, determinando mutamenti radicali nella produzione tessile italiana, dobbiamo capire la natura materiale delle diverse tipologie di manufatti – una gamma che poteva andare dai tessuti

1. Cfr. D. North, *Transaction Costs in History*, «Journal of European Economic History», 14 (1985).

2. R.S. Lopez, *The Birth of Europe*, New York 1967 (ed. ital. *La nascita dell'Europa. Secoli V-XIV*, Torino 1966).

relativamente economici a quelli estremamente costosi – e le differenti tecnologie impiegate nella loro produzione.[3]

Con il termine di 'tessuto' (da *texere*, tessere) si indicano quattro diverse classi di prodotti tessili, definite dalle fibre di cui questi sono composti: cotoni, lini, sete e – la categoria più importante – lane o stoffe a base di lana. Tale divisione, però, è in qualche modo fuorviante se riferita all'epoca medievale e alla prima Età moderna, poiché non tiene conto delle combinazioni di fibre e tessuti. Questo studio, in ogni caso, si limita all'industria laniera, un'industria che, a sua volta, si divide in tre settori principali: i panni di lana, i tessuti di lana pettinata, i *serge* ibridi o 'stoffe'.

Secondo la storiografia tradizionale i veri e propri panni di lana erano costituiti da filati molto fini e a fibra corta, sia per trama che per ordito. Nell'Europa medievale le lane a fibra corta di gran lunga più fini provenivano dall'Inghilterra: le migliori in assoluto erano quelle delle Welsh Marches dell'Herefordshire e dello Shropshire; seguivano poi le lane dell'adiacente zona del Cotswolds (Gloucestershire, Worcestershire, Oxfordshire e Berkshire); e al terzo posto, ma con un distacco notevole, quelle dei distretti di Lindsey, Kesteven e Holland del Lincolnshire, nel Nord-Est. Tali materie prime non ebbero rivali fino al Cinquecento, quando apparvero le più perfezionate lane *merino* spagnole. Queste lane – le lane inglesi nel basso Medioevo e le *merino* nei primi anni dell'Età moderna – venivano ingrassate abbondantemente (con olio d'oliva in Italia e con burro nel Nord) per proteggere le loro delicate fibre da eventuali danni nelle successive fasi di lavorazione. Per questo motivo uno dei nomi diffusi in Francia per indicare l'industria dei panni di lana era appunto *draperie ointe*. Nell'Italia medievale, e più in generale sul continente, le lane richieste per i fili dell'ordito (i più robusti, tesi sul telaio tra il subbio dell'ordito e il subbio avvolgipezza), venivano pettinate e filate con rocca e fuso, mentre le lane impiegate per i più deboli fili della trama (che nella tessitura venivano inseriti tra i mazzi di fili dell'ordito tesi) erano sottoposte alla cardatura e filate sul piccolo filatoio introdotto dalla Spagna musulmana alla fine del XII secolo. Questi filati, quando venivano tessuti sul telaio 'largo' orizzontale, introdotto nell'XI secolo, erano troppo deboli per produrre una stoffa resistente, cosicché il tessuto, una volta scaricato dal telaio, doveva essere sottoposto a un procedimento detto follatura.

Nella tradizionale follatura a piede la pezza (che poteva raggiungere i 30 metri di lunghezza) veniva immersa in un lungo recipiente poco profondo, di pietra o terracotta, pieno di acqua tiepida, urina, terra per follare (caolinite) e sapone. Due follatori, poi, calpestavano con forza il tessuto per tre giorni o anche più (a seconda della qualità e delle dimensioni), al fine di raggiungere tre obiettivi: sgrassa-

3. Per ciò che segue cfr. J.H. Munro, *Medieval Woollens: Textiles, Textile Technology, and Industrial Organisation, c. 800-1500*, in *The Cambridge History of Western Textiles*, I, a cura di D. Jenkins, Cambridge-New York, 2003.

re e ripulire la stoffa dall'olio; costringere la corta, ricciuta e squamosa fibra di lana a intrecciarsi e unirsi, in sostanza 'feltrare' il tessuto; far restringere la stoffa, soprattutto in lunghezza, del 50% circa della sua superficie. Il tessuto follato e feltrato acquistava così una densità e una coesione che lo rendevano praticamente indistruttibile e anche molto pesante. Il panno veniva quindi posto lungo un ampio telaio stenditore (in Italia chiamato *tiratoio* o *chiodera*) e fissato tramite uncini su tutti e quattro i lati: mentre si asciugava si eliminavano tutte le pieghe dovute al procedimento di follatura e venivano effettuate piccole riparazioni (*slappolatura*). I panni, follati e tirati, venivano quindi consegnati ai rifinitori, che, utilizzando garzatrici simili ai cardi naturali, garzavano la felpa, ovvero sollevavano tutte le fibre staccate, che venivano poi più volte pareggiate con cesoie lunghe oltre trenta centimetri e affilate come rasoi (*cimatura*). Dopo le operazioni combinate di follatura, garzatura e cimatura, l'armatura era totalmente cancellata e la conseguente disposizione dei fili era fine quasi come quella della seta. Di solito, poi, la pezza veniva tinta, il che in genere significava ritingere, poiché spesso erano già stati tinti la lana – normalmente con guado, per produrre una base blu uniforme – o i filati, se si desiderava ottenere una varietà di colori per tessuti a strisce o *mélange*.

A partire dal X secolo, tuttavia, in Italia la follatura divenne meccanizzata grazie ad un particolare tipo di mulino idraulico, la gualchiera.[4] La Penisola, in effetti, fu la prima regione industriale ad adottare questa significativa innovazione, che rappresentò il primo e in sostanza l'unico procedimento fondamentale della manifattura laniera ad essere meccanizzato prima del XIX secolo. Stime recenti indicano che mentre la follatura con i piedi incideva per circa il 20% sui costi di produzione del valore aggiunto (prima della rifinitura), la follatura meccanica pesava solo per il 5%, rappresentando così un risparmio netto del 75%. In alcune manifatture dell'Europa occidentale che producevano panni di lusso la gualcatura non venne adottata in quanto si riteneva che danneggiasse le fini e delicate fibre di lana. Non ci è dato di sapere se tali considerazioni influenzassero o meno la politica adottata in relazione all'industria laniera fiorentina del tardo Medioevo, industria che produceva panni ugualmente costosi; è certo, tuttavia, che le gualchiere furono utilizzate fin dal primo sviluppo della manifattura e continuavano ad essere impiegate per il trattamento dei panni che uscivano, nel Cinquecento, dalle aziende laniere dei Medici.[5]

4. Documentata in Abruzzo nel 962, a Parma nel 973, a Verona nel 985, a Lodi nel 1008. Cfr. P. Malanima, *The First European Textile Machine*, «Textile History», 17 (1986), e anche E. Carus-Wilson, *An Industrial Revolution of the Thirteenth Century*, «Economic History Review», 11 (1941), ristampato in Id., *Medieval Merchant Venturers: Collected Studies*, London 1954.

5. R. de Roover, *A Florentine Firm of Cloth Manufacturers: Management of a Sixteenth-Century Business*, «Speculum», 16 (1941), rist. in *Business, Banking, and Economic Thought in Late Medieval and Early Modern Europe: Selected Studies of Raymond de Roover*, a cura di J. Kirshner, Chicago 1974.

L'altra fondamentale tipologia laniera, quella dei tessuti pettinati, è indicata, almeno dagli storici inglesi, con il termine di *worsteds*, mentre gli studiosi del continente preferiscono i termini francesi di *draperies légères* o *draperies sèches*. Uno dei nomi più comuni per questo tipo di tessuto era *saia* o *saie* (dal latino *sagum*: mantello in lana) e le industrie che lo producevano (in molte varietà) erano chiamate *sayetteries*. Come suggerisce il primo termine francese citato, si trattava di tessuti relativamente leggeri, da un quarto a un terzo più leggeri di quelli 'larghi' (a doppia altezza) sottoposti a follatura. Erano costituiti da lane non ingrassate o oliate, poiché non avevano bisogno dello stesso livello di protezione delle lane fini a fibra corta e squamosa utilizzate per la produzione di veri e propri panni di lana (da qui l'espressione *draperie sèche*). Questi tessuti erano composti, sia per i filati della trama che per i filati dell'ordito, da lane assai robuste, a fibra molto più lunga, grossolana e dritta, che in entrambi i casi venivano pettinate invece che cardate. I filati, ottenuti sia con la rocca che con il filatoio, erano talmente robusti e ritorti così strettamente che la fabbricazione, se si eccettuano la sbiancatura o la tintura e la pressatura, poteva dirsi praticamente completata con la tessitura. I classici tessuti di lana pettinata, pertanto, non venivano sottoposti a follatura, felpatura/garzatura o cimatura, dal momento che le loro fibre di lana grossolane, molto più dritte, non erano idonee ad essere trattate con questi procedimenti di finissaggio. La caratteristica più evidente dei tessuti di lana pettinata, dunque, era la loro armatura molto visibile, in vari motivi, prevalentemente in diagonale: armatura che di norma non si distingueva in un panno di lana propriamente detto. L'assenza di follatura (e quindi di compressione) spiega in buona parte la loro leggerezza, la combinazione di lane di costo notevolmente inferiore e di processi di produzione decisamente semplificati spiega invece il loro prezzo relativamente contenuto.

Una terza varietà di tessuti di lana, chiamati comunemente serge, infine, era semplicemente una combinazione dei due tipi di base descritti sopra: un tessuto ibrido, composto da un filato pettinato a fibra lunga 'asciutta' per l'ordito e da un filato in lana cardato e 'ingrassato' a fibra più corta per la trama. Questi tessuti venivano sottoposti ad una follatura solo parziale, necessaria soprattutto per rimuovere il grasso, e, come i veri e propri tessuti di lana pettinata, spesso non venivano sottoposti a felpatura né a cimatura. Molti tessuti del XII e XIII secolo, specialmente quelli conosciuti con il nome di *saga*, *sargia*, *stanfortes*, appartenevano a questa varietà, come pure, ovviamente, le *saies* di Hondschoote del Quattro e Cinquecento, che servirono da modello alle cosiddette *new draperies*, introdotte nell'East Anglia a partire dal 1560 circa da rifugiati fiamminghi dopo la rivolta dei Paesi Bassi contro il dominio spagnolo.[6]

6. Cfr. *infra*, in questo stesso contributo.

Il commercio internazionale dei tessuti nel bacino mediterraneo fra il 1100 e il 1320 circa

Tra il XII secolo e gli inizi del XVIII, nel periodo preso in considerazione dalla nostra indagine, nell'industria tessile italiana e di altri paesi europei si registrarono mutamenti assai significativi, sia nell'ambito della produzione che in quello del commercio internazionale. Sulla base dei più antichi documenti relativi alle vendite di tessuti nel bacino del Mediterraneo risulta che nei secoli XII e XIII i manufatti dell'Europa nord-occidentale – Francia settentrionale, Paesi Bassi, Renania, Inghilterra – erano preponderanti rispetto a quelli prodotti nel bacino del Mediterraneo. Inoltre, la gran parte dei tessuti venduti in questa regione, sia per valore che per volume, apparteneva alle varietà dei serge pettinati o semi-pettinati, molto più economici e leggeri. Patrick Chorley ha mostrato come le vendite di saie, *biffes*, *burels*, *rayés* e simili stoffe leggere e poco costose costituissero «in genere il 40-60% di quelle di panni di lana colorati [franco-fiamminghi] della qualità *più bassa*» e come in due elenchi di prezzi iberici i loro valori ammontassero solo al 25-33% di quelli dei panni di lana propriamente detti. Un simile divario di prezzi è stato riscontrato da Hidetoshi Hoshino nella Firenze dei primi anni del Trecento per i tessuti italiani e per quelli del Nord.[7] Hilmar Krueger ha confermato queste stesse cifre analizzando il commercio genovese di tessuti con la Sicilia, la Siria, l'Egitto e Costantinopoli verso la fine del XII secolo. In particolare ha notato che saie e serge (*sagie*, *sargie*, *saie*) delle Fiandre e del nord della Francia «venivano esportate con maggiore frequenza rispetto ad altri tipi di stoffe» e che i tessuti del Nord, incluse le *stanfortes* (*stamforts*), articoli inglesi meno costosi e relativamente leggeri, prevalevano sui tessuti del Mediterraneo. Dei manufatti tessili prodotti in Italia «solo i fustagni lombardi costituivano un articolo d'esportazione di una certa rilevanza».[8]

La produzione tessile italiana fra il 1100 e 1330 circa: fustagni, serge, panni di lana grossolana

In effetti – come ha dimostrato Maureen Mazzaoui – fra il XII secolo e l'inizio del XIV la più importante manifattura tessile italiana fu senza dubbio quella dei

7. P. Chorley, *The Cloth Exports of Fiandre and Northern France During the Thirteenth Century: A Luxury Trade?*, «Economic History Review», 40, 3 (1987), pp. 360-361; H. Hoshino, *The Rise of the Florentine Woollen Industry in the Fourteenth Century*, in *Cloth and Clothing in Medieval Europe*, a cura di N.B. Harte e K.G. Ponting, London 1983, tav. 11.2, p. 190.

8. Cfr. H. Krueger, *The Genoese Exportation of Northern Cloths to Mediterranean Ports, Twelfth Century*, «Revue belge de philologie et d'histoire», 65 (1987).

fustagni, un tessuto ibrido composto da un filato di ordito in lino e da un filato di trama in cotone.[9] Il termine si ritiene derivi da al-Fustat, un importante sobborgo industriale del Cairo, dove sembra che nel X o nell'XI secolo avesse avuto origine la produzione di questo genere di tessuti, che utilizzava lino egiziano locale per l'ordito e cotone importato dalla Siria-Palestina o dall'Asia meridionale per la trama. Nel Duecento la produzione di questi tessuti molto leggeri e confortevoli si era ormai diffusa in tutto il bacino del Mediterraneo e anche nelle Fiandre e nell'Europa nord-occidentale, ma il primo posto nella produzione europea di fustagni in lino-cotone spettava senza dubbio alla Lombardia. Che la Mazzaoui fosse o meno nel giusto descrivendola come un'industria di «produzione di massa e consumo di massa», non ci sono però dubbi sul fatto che i suoi prodotti fossero relativamente economici, oltre che leggeri, e perciò molto apprezzati fra i ceti medio-bassi lombardi nel periodo compreso tra la fine del XII secolo e l'inizio del XIV.

In questo stesso periodo gli italiani producevano un'ampia varietà di altri tessuti leggeri e di prezzo piuttosto contenuto, in quantità tali da poter essere esportati anche nel nord della Francia, nei Paesi Bassi e in Inghilterra. In molte città della Lombardia, ma anche in Toscana e a Venezia si trovano testimonianze di una notevole varietà di saie pettinate o semi-pettinate e di panni di lana molto grossolani, ottenuti da lane non pregiate e mediocri italiane, nord-africane e di altri paesi del Mediterraneo occidentale. Questi tessuti venivano commercializzati sotto vari nomi, quali *stametto*, *trafilato*, *tritana*, *taccolino*, *saia*, *saia cotonata*. Venivano anche prodotte *tiretaines*, stoffe molto simili ai fustagni per peso e valore di mercato, costituite da un misto di fibre di lana, di lino e/o di cotone. In questo periodo gli Umiliati, un ordine religioso fondato nel 1140 e che aveva raggiunto la sua attività massima verso il 1270, producevano a Firenze tessuti molto economici destinati alle classi più umili e ai poveri. Già Eleanora Carus-Wilson, che si basava sull'esame di un dettagliatissimo tariffario veneziano di tessuti nazionali e importati datato 1265, aveva affermato che «quasi senza eccezione le stoffe italiane sono economiche; le più costose non arrivano neppure a sfiorare i valori di quelle di Ypres, Douai e Cambrai [nelle Fiandre]».[10] Successivamente l'analisi condotta da Hidetoshi Hoshino sui registri delle vendite dei grandi mercanti fiorentini del primo Trecento ha rivelato un quadro molto simile: le transazioni relative alla vendita di tessuti grossolani e relativamente economici costituivano la maggioranza.[11]

9. M. Mazzaoui, *The Italian Cotton Industry in the Later Middle Ages, 1100-1600*, Madison 1981, pp. 28-72, 87-104.

10. E. Carus-Wilson, *The Woollen Industry*, in *Cambridge Economic History of Europe*, a cura di M.M. Postan e E.E. Rich, II, *Trade and Industry in the Middle Ages*, Cambridge 1952, pp. 390-391 (trad. it. *L'industria laniera*, in *Storia economica Cambridge*, II, *Commercio e industria nel Medioevo*, a cura di M.M. Postan e P. Mathias, Torino 1982)

11. H. Hoshino, *L'arte della lana in Firenze nel basso medioevo: il commercio della lana e il mercato dei panni fiorentini nei secoli XIII-XV*, Firenze 1980; Hoshino, *The Rise*, cit., pp. 184-204.

Le lane inglesi, i panni *alla francesca*, le fiere della Champagne e l'Arte di Calimala

Tuttavia, il ruolo significativo che tante compagnie mercantili italiane di rilievo – in particolare i Riccardi, i Pulci, i Frescobaldi, i Cerchi, i Bardi – ebbero alla fine del Duecento nell'acquisto, soprattutto dai monasteri cistercensi, di lane inglesi di qualità destinate all'esportazione farebbe pensare che una parte di questa materia prima raggiungesse le città tessili della Lombardia e della Toscana. L'Inghilterra era all'epoca il maggior fornitore di lana, con una media annua di 25.480 sacchi esportati intorno al 1290, che significavano potenzialmente 110.414 panni 'larghi'.[12]

Una delle voci di importazione di gran lunga più significative, nell'Italia di fine Duecento, era rappresentata dai panni non tinti, realizzati con lane inglesi nelle cittadine dei Paesi Bassi meridionali e del Nord della Francia, noti come panni *alla francesca*, acquistati dai mercanti italiani alle Fiere della Champagne, il cuore commerciale dell'Europa occidentale, e trasportati quindi lungo la Valle del Rodano e via Genova fino in Toscana. A Firenze mercanti e imprenditori tessili organizzati nell'Arte di Calimala prosperavano tingendo e rifinendo questi tessuti franco-fiamminghi che poi riesportavano verso vari mercati del Mediterraneo, compresi quelli del mondo islamico.[13] Particolarmente rinomati erano i costosi e lussuosi panni *scarlatti*, tinti appunto in un vivido colore cremisi con il chermes (*kermès* in francese; *kermes* in inglese; *carmes* in spagnolo), estratto dalle uova essiccate di diversi insetti del Mediterraneo.[14]

Guerre, costi di transazione e mutamenti nel commercio internazionale dei tessili fra il 1290 e il 1330

Questa organizzazione della produzione e del commercio dei tessuti in Italia dovette affrontare cambiamenti drammatici e di vasta portata a causa dello scoppio, tra il 1290 e il 1330, di conflitti diffusi, praticamente ininterrotti e sempre più dirompenti, che avrebbero costituito il prologo della più nota guerra dei Cent'Anni (1337-1453). Tali conflitti scoppiarono quasi simultaneamente nel Mediterraneo orientale e occidentale e nell'Europa nord-occidentale: la conquista da parte dei mamelucchi, stabilitisi in Egitto, degli ultimi avamposti crociati in Palestina (1291); le guerre tra Genova e Venezia per il controllo dei traffici nel

12. J.H. Munro, *Medieval Woollens: The Western European Woollen Industries and their Struggles for International Markets, c. 1000-1500*, in *The Cambridge History of Western Textiles*, cit., I, pp. 278-283, tavv. 5.1-5.4.

13. A. Sapori, *Una compagnia di Calimala ai primi del Trecento*, Firenze 1932.

14. J. Munro, *The Medieval Scarlet and the Economics of Sartorial Splendour*, in *Cloth and Clothing*, cit.

Mar Nero (1291-1299); l'invasione, ad opera dei turchi ottomani, dei territori dell'Impero bizantino in Anatolia e nei Balcani (a partire dal 1303); l'invasione della Spagna da parte dei Merinidi (o Marinidi) dell'Africa del Nord, con il suo seguito di guerre fra stati cristiani e musulmani (1291-1340); la guerra scaturita dai Vespri Siciliani (1282-1302), seguita in Italia dagli scontri tra guelfi e ghibellini (1313-1343), che a loro volta diedero il via alle invasioni straniere (tedeschi, ungheresi, angioini, catalani); in Europa nord-occidentale le guerre anglo-scozzesi, anglo-francesi e franco-fiamminghe e le guerre civili (1296 al 1328).

Già intorno al 1320 l'insieme di questi conflitti aveva certamente innalzato a livelli proibitivi sia i costi di trasporto che i costi generali di transazione del commercio sulle lunghe distanze di tessuti di valore relativamente basso.[15] I costi principali non salirono così tanto a causa delle distruzioni o delle violenze, ma per una molteplicità di fattori: il crollo delle istituzioni (che incoraggiò l'aumento del brigantaggio e della pirateria); i divieti di commercio con il nemico imposti dalla Chiesa e dagli stati, specialmente con l'Egitto mamelucco (divieti che venivano elusi solo grazie a costose 'licenze' commerciali); la costruzione di navi con una maggiore potenza di fuoco (soprattutto con la nuova artiglieria); le varie forme di finanziamento delle guerre tramite tasse, requisizioni, prestiti forzosi e svalutazione delle monete. Tali guerre, in particolare, furono la causa principale del rapido declino e del crollo delle fiere della Champagne, da cui era dipeso in maniera fondamentale il commercio dei tessili tra il Nord e il Sud dell'Europa. La rotta alternativa attraverso il Mar Mediterraneo e l'Oceano Atlantico praticata dagli italiani a partire dal 1320 non si rivelò una soluzione efficace per il trasporto dei tessuti, soprattutto di quelli più economici, perché quest'itinerario marittimo, circa cinque volte più lungo rispetto a quello via terra, da Venezia a Bruges, era poco regolare e spesso minacciato dalla pirateria e dalle guerre navali.

La prova dei danni che l'aumento dei costi di trasporto e di transazione determinato dalla guerra aveva causato al commercio europeo dei tessili è data dalla scomparsa di fatto, nella Francia settentrionale, nei Paesi Bassi meridionali e in Inghilterra, delle *sayetteries* e delle relative *draperies légères (sèches)* o di produzioni simili, ossia di quelle manifatture che si erano specializzate nella realizzazione di tessuti pettinati o semi-pettinati relativamente leggeri ed economici destinati all'esportazione nei mercati del Mediterraneo. Moltissimi documenti sulle vendite di tessuti nel bacino del Mediterraneo a partire dagli anni intorno

15. Cfr. J.H. Munro, *Industrial Transformations in the North-West European Textile Trades, c. 1290-c. 1340: Economic Progress or Economic Crisis?* in *Before the Black Death: Studies in the 'Crisis' of the Early Fourteenth Century*, a cura di B.M.S. Campbell, Manchester-New York 1991; Id., *The 'New Institutional Economics' and the Changing Fortunes of Fairs in Medieval and Early Modern Europe: the Textile Trades, Warfare, and Transaction Costs*, «Vierteljahreschrift für Sozial- und Wirtschaftsgeschichte», 88, 1 (2001).

al 1330 rivelano la scomparsa di questi tessuti del Nord dai mercati del Mediterraneo, con l'eccezione della commercializzazione occasionale e casuale di qualche saia, in particolare delle cosiddette 'saie irlandesi'. In Inghilterra, e in particolare nell'East Anglia, ancora per parecchi decenni vennero prodotti tessuti di lana pettinata da esportare in Germania e nel Baltico, ma verso il 1380, quando analoghe condizioni avverse – soprattutto l'aumento della pirateria e la guerra tra Polonia e Germania – incrementarono i costi di transazione del commercio nel Baltico, anche questi scomparvero. La drastica riduzione della popolazione europea nel Trecento, inoltre, comportò un'impennata ulteriore dei costi di transazione, poiché nel commercio internazionale il settore delle transazioni, con costi fissi molto elevati, era soggetto a significative economie di scala e quindi mercati più piccoli e contratti significavano costi unitari molto più elevati.

I gravi problemi che si trovarono ad affrontare i produttori di tessuti dell'Europa del Nord, per i quali gli italiani erano stati i principali agenti commerciali e clienti, erano duplici. Innanzitutto i loro costi di trasporto e di transazione erano enormemente più elevati di quelli dei concorrenti produttori di tessuti economici del Mediterraneo. In secondo luogo, e soprattutto, dato che gli uni e gli altri avevano continuato a fabbricare prodotti molto simili con sostituti altrettanto prossimi – in altri termini dovevano fare fronte ad una domanda molto elastica –, i produttori del Nord furono costretti ad agire sui mercati mediterranei come *price-takers*, ovvero accettando il prezzo di mercato come dato. Non potevano infatti aumentare i prezzi per coprire i costi in aumento senza perdere tutti i clienti a favore di concorrenti con costi inferiori e quindi prezzi inferiori. Di conseguenza, come risulta evidente dagli anni Trenta del Trecento, la maggior parte delle *draperies* della Francia nord-occidentale (Artois, Normandia), dei Paesi Bassi e dell'Inghilterra avevano scelto di riorientare la quasi totalità della loro produzione destinata all'esportazione verso panni di lana di lusso dal prezzo assai elevato.

Questa trasformazione così radicale della produzione e degli scambi si poneva due obiettivi tra loro correlati, capaci di garantire la sopravvivenza del settore sia in ambito produttivo che commerciale e una certa prosperità all'Europa nord-occidentale e, conseguentemente, all'Italia, sebbene purtroppo limitata a un numero inferiore di produttori e di mercanti. In primo luogo i rapporti valore-peso dei tessuti di lusso consentivano di sostenere meglio l'incremento verticale dei costi di transazione e di trasporto, che ovviamente avrebbero avuto un'incidenza inferiore sul prezzo al dettaglio che non nel caso di *saies*, *biffes*, *stanfortes* e di altri tessuti più economici. In secondo luogo, e principalmente, tale produzione comportava un grado molto più elevato di differenziazione dei manufatti, soprattutto in quelle tecniche studiate per convincere i consumatori della qualità superiore dei propri articoli rispetto a quelli della concorrenza. Pertanto le città la cui economia si basava sull'industria tessile divennero, almeno se guardiamo alle corporazioni laniere più che ai produttori individuali o ai singoli imprenditori, dei *price-makers*, ossia soggetti capaci di stabilire il prezzo di mercato da adottare, impegnati a creare una concorrenza monopolistica e così una domanda molto più anelastica per i propri panni di lana, che si differenziavano ora in maniera inequivocabile. Questa situazione permise loro di aumentare ragionevolmente i prezzi, in modo da far fronte all'aumento dei costi, senza necessariamente perdere troppi clienti, e comunque non quanti ne persero i produttori di tessuti più economici del Nord.

Questo spostamento verso una produzione di lusso, tuttavia, sarebbe risultato in seguito eccessivamente oneroso per molte industrie laniere, soprattutto per le *draperies* più tradizionali e conservatrici, nei Paesi Bassi come in Italia, perché la condizione *sine qua non* di tale produzione di alto livello era l'utilizzo esclusivo delle lane inglesi della qualità più fine. Questa dipendenza grave ed essenziale finì ben presto per porre le manifatture di lusso alla mercè della politica fiscale della corona inglese, ovvero della tassa sulle esportazioni di lana, le cui conseguenze si sarebbero in breve tempo fatte sentire sia per i produttori fiamminghi che per quelli italiani. Per tutta la prima metà del Quattrocento, perciò, alcune delle industrie tessili più recenti nei Paesi Bassi e molte in Italia trovarono un'ancora di salvezza nell'utilizzo delle nuove lane spagnole *merino*, che tuttavia non riuscirono, sul piano della qualità, a competere veramente con le migliori lane inglesi prima del Cinquecento.[16]

Le trasformazioni della produzione tessile italiana a partire dal 1320: Lombardia e Toscana

Lo stesso modello economico osservato per i Paesi Bassi meridionali, in effetti, può essere applicato alle città tessili dell'Italia tardo-medievale, come mostrano due fenomeni economici chiaramente collegati. Innanzitutto dobbiamo osservare la scomparsa di molti dei tessuti leggeri e poco costosi, tra loro simili, destinati ad essere esportati dall'Italia in vari e remoti mercati del Mediterraneo e soprattutto del mondo islamico. Malgrado le manifatture lombarde del fustagno andassero ancora molto bene nei primi anni del Trecento, cominciò anche per loro un lento e irrimediabile declino a partire dal 1320 circa, quando – va sottolineato – sia in Provenza che in Toscana (e probabilmente anche in Lombardia) già si registrava un significativo calo della popolazione.[17] La guerra, più che le malattie, fu probabilmente la causa principale del declino demografico ed eco-

16. J.H. Munro, *Spanish Merino Wools and the Nouvelles Draperies: an Industrial Transformation in the Late Medieval Low Countries*, «The Economic History Review», 58, 3 (2005). Cfr. *infra*, in questo stesso contributo.

17. Munro, *Industrial Transformations*, cit. e Id., *The 'New Institutional Economics'*, cit.

nomico: nessun'altra regione dell'Europa occidentale, infatti, sperimentò a causa della guerra devastazioni continue più gravi dell'Italia, devastazioni che si protrassero per oltre sessant'anni.

Tali guerre furono di certo il principale fattore responsabile dell'ascesa dei concorrenti e questa, a sua volta, sarebbe stata la causa fondamentale del crollo finale dell'industria lombarda del fustagno. Intorno al 1370, dopo che le operazioni belliche nell'Italia settentrionale avevano interrotto l'afflusso di fustagni in Germania meridionale, le principali città di questa regione – Ulm, Augusta, Ravensburg, Costanza e Basilea – cominciarono a convertire le loro produzioni di lino di bassa qualità, destinate al mercato interno, in manifatture di fustagni in lino e cotone. Pur avendo esordito con una produzione locale finalizzata a rimpiazzare le importazioni, successivamente i fabbricanti di fustagni della Germania meridionale si espansero fino a diventare, verso la metà del Quattrocento, i più importanti fornitori di questi tessuti leggeri e relativamente poco costosi sui mercati europei, dando così vita al primo esempio consistente, nell'Europa del tardo Medioevo, di un'industria tessile economica destinata a registrare una crescita notevole della sua capacità produttiva.[18]

L'altra importante trasformazione commerciale-industriale ormai evidente nei primi anni del XIV secolo, e certamente verso il 1320, fu il declino dell'Arte di Calimala di Firenze e la parallela ascesa della corporazione fiorentina dei fabbricanti di tessuti, l'Arte della Lana, in precedenza molto meno importante, ma che adesso veniva sempre più orientando la sua produzione verso i cosiddetti panni *alla francesca*, ossia panni di qualità che imitavano lo stile dei prodotti franco-fiamminghi. Ovviamente la rapida ascesa di questa industria 'di sostituzione' ebbe luogo a spese dell'Arte di Calimala, il cui declino fu essenzialmente la conseguenza del collasso delle sue reti commerciali basate sulle fiere della Champagne, ormai praticamente scomparse. Tale situazione potrebbe anche essere direttamente ricondotta al rapido aumento dei costi dei trasporti e delle transazioni causato dall'importazione dei panni franco-fiammighi, ma tale argomentazione appare meno convincente quando si consideri che il successo dell'Arte della Lana era fondato su una merce importata da località anche più distanti, ossia la lana inglese. Potremmo presupporre, in termini di economia del rapporto valore-peso, che fosse meno costoso trasportare panni di lana semilavorati piuttosto che sacchi di lana grezza. Infatti, anche se la lana veniva importata in proporzione crescente via mare, direttamente da Southampton e attraverso lo 'stretto del Marocco' (Gibilterra), il trasporto marittimo era molto costoso e incideva per un 25% in più sul prezzo pagato per un sacco di lana del Cotswolds scaricato dalle galee veneziane. Le galee, inoltre, prevedevano costi ope-

11

18. Mazzaoui, *The Italian Cotton Industry*, cit., pp. 129-153; H. Kellenbenz, *The Fustian Industry of the Ulm Region in the Fifteenth and Early Sixteenth Centuries*, in *Cloth and Clothing*, cit.

rativi molto superiori a quelli delle cocche e successivamente delle caracche, ma erano più sicure (e dunque con premi assicurativi inferiori) per i preziosi carichi di lane inglesi e di panni di lana toscani.[19]

Qualunque fosse il prezzo pagato dai lanaioli fiorentini per le lane inglesi, a partire dagli anni intorno al 1330 essi ebbero un tale successo nella produzione e nella commercializzazione di panni di lusso costosi che nel tardo Trecento, più o meno per le stesse ragioni delle *draperies* dell'Europa settentrionale, essi ridussero piuttosto drasticamente la fabbricazione della loro linea di tessuti più economici destinata ai mercati esteri, un tempo prevalente, conservandola solo per la distribuzione di raggio locale. Pur continuando con qualche successo a commercializzare nel Mediterraneo pezze di lana ugualmente pregiate e costose – in contrasto con la situazione disperata delle industrie di tessuti semi-pettinati di fascia più economica – è indubbio che le manifatture tessili delle Fiandre e del Brabante persero comunque terreno rispetto alle industrie laniere toscane e lombarde, soprattutto a partire da metà Trecento, e furono quindi costrette ad una dipendenza sempre maggiore dai mercati anseatici in Germania, Polonia, Russia e Scandinavia (come avvenne anche nel caso dei produttori olandesi e inglesi).

Secondo Hoshino, verso la fine degli anni Trenta del Trecento i panni fiorentini più fini erano divenuti la principale voce di esportazione delle grandi compagnie della città, rappresentando circa il 75% del totale delle vendite di tessuti all'estero.[20] Lo studioso giapponese, tuttavia, sostiene che l'Arte della Lana di Firenze non riuscì mai a spostare completamente la produzione verso articoli di lusso, con panni anche più costosi, prima della fine del XIV secolo, quando i tessuti fiorentini erano ormai divenuti di gran lunga i più lussuosi in circolazione nei mercati mediterranei. A Pisa, tra il 1354 e il 1371, il prezzo medio registrato per le stoffe fiorentine era di 43,35 fiorini d'oro e il più alto di 115 fiorini; verso il 1390 il loro prezzo medio era salito a 55,9 fiorini. Verso la fine del Trecento i panni fiorentini erano anche gli unici prodotti tessili di pregio che la ditta Datini di Prato smerciava in Catalogna (il loro valore medio unitario era di 64,43 fiorini) e rappresentavano il 27% del suo intero fatturato nella regione. In questo stesso periodo (1390-1405), sui mercati della Siria e dell'Egitto, i panni di lana fiorentini erano fra i più diffusi e i più cari: si vendevano, infatti, a un prezzo compreso tra i 35 e i 54 fiorini, laddove i prezzi dei panni fiamminghi andavano dai 38,5 fiorini di quelli provenienti da Mechelen ai 19,2 fiorini per quelli di Wervicq; le pezze fiorentine, però, erano molto più lunghe di quelle prodotte nelle Fiandre. In Polonia, negli anni intorno al 1390, i panni italiani più commercializzati erano ancora una volta quelli fiorentini, che però erano molto me-

12, 13

19. E.B. Fryde, *Italian Maritime Trade with Medieval England (c. 1270-c. 1530)*, «Recueils de la société Jean Bodin», XXXII (1974), rist. in Id., *Studies in Medieval Trade and Finance*, London 1983, pp. 309-310.

20. Hoshino, *The Rise*, cit., pp. 191-204; Id., *L'arte della lana*, cit., pp. 153-229.

no diffusi rispetto ai panni 'larghi' delle Fiandre e del Brabante e considerevolmente meno costosi dei più fini tessuti provenienti dai Paesi Bassi. Con una lunghezza standard di 24,5 metri, le pezze fiorentine si vendevano a 32 fiorini, mentre quelle prodotte a Bruges e a Bruxelles costavano rispettivamente 43,75 fiorini e 46,67 fiorini.[21]

Nella seconda metà del Trecento altre città dell'Italia settentrionale, sull'esempio di Firenze, avevano iniziato a produrre tessuti di lana di grande pregio e qualità, anche se meno costosi di quelli fiorentini. In Toscana e nell'Italia centrale oltre a Firenze, che rimase la leader indiscussa del settore, furono importanti per l'industria laniera anche Prato, Pisa, Lucca, Bologna e Perugia. In Lombardia il centro laniero di gran lunga più importante era Milano, dove si ipotizza nel 1390 l'esistenza di circa 363 aziende; conobbero però una produzione tessile di rilievo anche altre città padane come Como, Monza, Cremona, Parma, Bergamo, Brescia, Verona, Padova, Vicenza, Treviso e Mantova. Nei registri commerciali di Pisa, negli anni 1354-1371, i panni provenienti da Milano e Como, chiaramente di altissima qualità, avevano un prezzo medio di 27,55 fiorini, mentre le stoffe di Prato e Pisa venivano vendute a un prezzo medio un po' più basso (20,43 fiorini). Va sottolineato che sia i tessuti toscani che quelli lombardi erano molto più costosi dei più pregiati panni 'larghi' inglesi esportati in questo periodo – tranne che dei pochi di colore scarlatto – e che le pezze lombarde costavano più di ogni altro tipo di panno ad eccezione dei migliori realizzati nelle meno titolate *nouvelles draperies* delle Fiandre e del Brabante del Trecento. Nonostante gli elevati prezzi di vendita i panni di lana toscani e lombardi totalizzavano insieme oltre la metà (57%) delle vendite delle stoffe smerciate a Pisa in questo periodo.[22] Nei registri dell'azienda Datini relativi alle vendite di tessuti in Spagna dal 1394 al 1410, tuttavia, solo pochissimi panni di lana italiani facevano concorrenza al dominio incontrastato degli articoli fiorentini: appena 86 panni di Prato e Genova, con un valore medio di 30,78 fiorini, contro 2652 panni di Firenze, con un valore medio di 64,43 fiorini.[23] Tutti i tessuti venduti in questi mercati sarebbero costati molto più del salario annuo di un muratore o di un carpentiere esperto.[24]

21. Munro, *Industrial Transformations*, cit., pp. 143-148, app. 4.1, tavv. A-D; Id., *Medieval Woollens*, cit., pp. 318-324, tav. 5.10: I-VI. Per le dimensioni delle stoffe cfr. *infra*, nota 23.

22. F. Melis, *Uno sguardo al mercato dei panni di lana a Pisa nella seconda metà del Trecento*, «Economia e storia», VI (1959), n. 1, tavv. I, V, VI, X, pp. 326-327, 342-343, 347, 363-364. Per le dimensioni delle stoffe cfr. pp. 325-329, nn. 12-15 e p. 353, n. 56.

23. Vendite di tessuti a Barcellona, Valencia e Maiorca della ditta Datini di Prato. F. Melis, *La diffusione nel Mediterraneo occidentale dei panni di Wervicq e delle altre città della Lys attorno al 1400*, in AA.VV., *Studi in onore di Amintore Fanfani*, III, *Medioevo*, Milano 1962, tav. IV, p. 229. Le pezze fiorentine allora erano più lunghe anche del 40% rispetto alle stoffe fiamminghe della valle della Lys: 18,875 canne contro 13,333 canne (1 canna = 4 braccia = 2,067 metri).

24. Di sicuro nei Paesi Bassi del tardo Medioevo: J.H. Munro, *Textiles as Articles of Consumption in Flemish Towns, 1330-1575*, «Bijdragen tot de geschiedenis», 81 (1998).

In nessuno di questi registri della fine del Trecento – spagnoli, pisani, siciliani, bizantini, siriani, egiziani o polacchi – si trova invece traccia alcuna della vendita di tessuti in lana pettinata economici e delle *saie* fiorentine e lombarde che avevano caratterizzato in maniera così significativa i mercati del Mediterraneo nei secoli XII e XIII, anche se indubbiamente la loro produzione dovette continuare per il consumo interno italiano.

Il volume della produzione tessile fiorentina e delle forniture di lana nel corso del Trecento

Se possiamo essere abbastanza certi dei valori relativi dei tessuti venduti nei mercati del Mediterraneo nel corso del XIV secolo, siamo molto meno sicuri delle cifre relative al livello quantitativo della produzione laniera. La più famosa testimonianza contemporanea, e quella che per certi aspetti meglio si accorda con la tesi sopra formulata di una radicale ristrutturazione manifatturiera, ci è offerta dal cronista fiorentino Giovanni Villani (m.1348), secondo il quale la produzione tessile cittadina era crollata da circa 100.000 panni verso il 1310 a 75.000 negli anni 1336-1338, mentre il numero di botteghe che producevano tessuti era sceso da 200 a 150, con un numero di persone impiegate nel settore stimato in 30.000 addetti. Villani fornisce anche un'altra cifra, quella del valore complessivo della produzione, oltre 1,2 milioni di fiorini d'oro (ovvero 16 fiorini d'oro per pezza), che risultava nondimeno molto superiore al valore del pur maggiore volume di prodotto del 1310, quando ancora «non ci venia né sapeano lavorare lana d'Inghilterra», poiché i panni dell'epoca precedente «erano più grossi» (grossolani) e «della metà valuta». Sebbene Hoshino abbia contestato le cifre del Villani, ritenendo che il livello quantitativo della produzione degli anni Trenta fosse sensibilmente inferiore, vi sono pochi dubbi sul fatto che la manifattura laniera fiorentina sperimentasse un nettissimo declino verso la fine del XIV secolo.[25]

Ci sono almeno tre ragioni che spiegano come tale declino fosse praticamente inevitabile. In primo luogo la repentina diminuzione della popolazione di Firenze: da una cifra stimata in 90.000 abitanti nel 1338 a meno di 40.000 nel 1427, secondo il *Catasto* di quell'anno, con una riduzione del 56%.[26] Quella tessile era rimasta un'industria ad alta incidenza di manodopera, senza alcuna significativa innovazione tecnologica utile a compensare una situazione che sicuramente comportò una drastica riduzione della forza-lavoro disponibile. Analoga-

25. G. Villani, *Nuova Cronica*, a cura di G. Porta, Parma 1990-1991, III, lib. XII, cap. XCIV, pp. 197-202, citazioni a p. 199. Cfr. anche Hoshino, *L'arte della lana*, cit., cap. 4, pp. 153-211, soprattutto pp. 194-200.

26. D. Herlihy, *Pistoia: The Social History of an Italian Town, 1200-1430*, New Haven 1967, pp. 55-77 (trad. it. *Pistoia nel Medioevo e nel Rinascimento.1200-1430*, Firenze 1972).

mente la disastrosa contrazione della popolazione dell'Europa occidentale nel suo complesso – forse il 40% alla fine del Trecento – e lo sconvolgimento delle rotte commerciali e dei mercati tradizionali si tradussero in un crollo delle vendite globali di tessuti, sebbene Firenze e altre importanti città manifatturiere siano state in grado di reagire tanto efficacemente da riuscire a sostituire con i propri articoli i panni di lana delle Fiandre, del Brabante e della Francia settentrionale nei mercati del Mediterraneo.

Il secondo motivo che spiega la riduzione della produzione e del commercio dei tessuti fiorentini è il già ricordato aumento dei prezzi delle stoffe di Firenze e di altre località italiane. Se accettiamo le valutazioni del Villani sul valore medio dei panni negli anni Trenta (16 fiorini), dovremo constatare che dopo circa sessant'anni quel valore, in termini reali, era più che raddoppiato. Se accettiamo anche la classica legge della domanda – dove questa varia inversamente con il prezzo – potremo pensare che le vendite globali fossero crollate sostanzialmente, anche se non proporzionalmente, dal momento che la domanda era diventata meno elastica a fronte di prezzi più elevati (in conformità con l'economia della concorrenza monopolistica del *price-making*, ossia dell'imposizione del prezzo di mercato). Nella seconda metà del Trecento, in effetti, via via che l'Europa occidentale sperimentava una distribuzione di ricchezze e di redditi più asimmetrica – come hanno sostenuto diversi studiosi – tali cambiamenti possono aver contribuito a sostenere le vendite di panni di lusso. Questa situazione ci aiuta anche a spiegare il riorientamento generale della produzione tessile dell'Europa occidentale verso tessuti di altissima qualità, tendenza che comprende ovviamente anche l'ascesa e l'espansione dell'industria della seta nell'Italia tardo-medievale.

Il terzo fattore correlato da prendere in considerazione per comprendere il rapido declino della produzione tessile fiorentina è l'aumento delle tasse sulle esportazioni della lana imposte dalla corona inglese alla fine del Trecento, un fattore che contribuisce anche a spiegare il motivo per cui i tessuti fiorentini e di altre località italiane ottenuti da lane inglesi di qualità divennero così costosi. La lana, voce predominante di un commercio di esportazione estremamente redditizio e molto ben organizzato, fu l'oggetto più evidente e più importante di quella politica fiscale. Quando, nel 1275, Edoardo I introdusse le tasse sull'esportazione, si trattava di oneri piuttosto modesti: 6 scellini e 8 denari di sterline per sacco, solo il 4,91% del valore medio esportato. Ma le cose cambiarono nel 1337, quando il nipote Edoardo III diede inizio alla guerra dei Cent'Anni cercando di finanziare la sua conquista della Francia con un deciso aumento dei dazi di esportazione sulla lana: da 26 scellini e 8 denari per sacco nel caso delle esportazioni dei mercanti locali e 30 scellini per sacco per le esportazioni dei mercanti stranieri (ossia gli italiani) l'imposizione arrivò nel 1370 ai 50 scellini per sacco praticati ai mercanti locali e ai 53 scellini e 4 denari per sacco richiesti ai mercanti stranieri. Nel 1399 i dazi per gli stranieri salirono poi nuovamente, per la precisione a 60 scellini (3 sterline) per sacco.

Poiché questi dazi erano fissi più che *ad valorem*, il vero onere tributario aumentò con la recessione generale e la caduta dei prezzi nominali della lana che si verificarono alla fine del XIV secolo. Nel 1400, di conseguenza, i dazi sulle esportazioni dei mercanti locali ammontavano al 49,25% del valore medio delle lane esportate, mentre l'incidenza della tassazione sulle esportazioni da parte di stranieri era ovviamente più elevata attestandosi al 59,10% del valore medio.[27] L'impatto di quest'onere fiscale si può desumere, a partire dagli anni Trenta del Quattrocento, dai documenti: le lane inglesi esportate via Calais assorbivano il 65-70% dei costi di produzione (finissaggio escluso) dell'industria laniera di lusso dei Paesi Bassi meridionali.[28] A causa dei più elevati dazi di esportazione sulla materia prima e dei costi di trasporto molto più alti verso l'Italia le lane inglesi incidevano ancora di più sui costi di produzione delle manifatture italiane e quindi sugli altissimi prezzi di vendita dei panni.

Sicuramente l'aumento delle imposte contribuì al rapido declino delle esportazioni globali di lana, in particolare con la creazione, nel 1363, della Dogana della Lana a Calais: grazie a questa istituzione la corona diede vita a un cartello di mercanti di lana, in modo da trasferire il maggior peso fiscale sugli acquirenti stranieri e alleggerire gli allevatori inglesi. Fra il 1361-1370 e il 1401-1410 il totale delle esportazioni di lana inglese scese da una media annua di 28.290,50 sacchi a soli 13.936,20 sacchi, con una diminuzione del 51%, superiore a qualsiasi stima di calo demografico globale europeo di questo periodo. A causa dell'aumento del differenziale tra i dazi di esportazione praticati ai mercanti locali e stranieri, la riduzione delle esportazioni di lana effettuate da stranieri (italiani) fu anche più rapida: da una media annua di 9667,73 sacchi nel 1361-1370 a soli 1338,10 sacchi nel 1401-1410. Tale dato si può esprimere in maniera ancora più palese calcolando che la quota italiana sulle esportazioni di lana inglese scese dal 34,17% del totale nel 1361-1370 al 9,60% nel 1401-1410.[29] Di conseguenza, se l'Arte della Lana fiorentina non fosse riuscita a trovare una lana idonea a sostituire la materia prima inglese per tessere i propri panni di alta qualità, la sua manifattura di tessuti di lusso per l'esportazione avrebbe necessariamente sofferto un tracollo sostanziale, e questo probabilmente senza che la produzione di panni realizzati con lane locali e destinati al mercato interno subisse un crollo del medesimo tenore.

27. Munro, *Medieval Woollens*, cit., pp. 278-285, 299-303, tavv. 5.1-2.

28. J.H. Munro, *Industrial Protectionism in Medieval Flanders: Urban or National?* in *The Medieval City*, a cura di D. Herlihy, H.A. Miskimin e A.L. Udovitch, London-New Haven 1977, p. 256, tav. 13.2 (Lovanio nel 1434 e nel 1442: 76,2% e 68,8%); Id., *The Medieval Scarlet*, cit., p. 52, tav. 3.12.

29. Per questi dati cfr. Munro, *Medieval Woollens*, cit., pp. 304-307, tavv. 5.3-5.4.

Tenendo conto di questo sfondo, in effetti, si può stimare meglio la portata del declino della capacità produttiva dell'industria laniera fiorentina fra Tre e Quattrocento. Nel 1373, secondo la maggior parte degli storici, tale capacità era di circa 30.000 pezze di misura standard all'anno.[30] Nel 1378, quando scoppiò il tumulto dei Ciompi, i ribelli chiesero che fosse garantito un livello annuo di prodotto di almeno 24.000 panni, e dunque si può dedurre con una certa sicurezza che la produzione fosse inferiore a questa cifra. Nel 1382, anno in cui ebbe luogo la definitiva liquidazione delle conquiste ottenute con la rivolta, secondo Davidsohn e Hoshino il volume di tessuto prodotto annualmente a Firenze era sceso a poco più di 19.000 pezze.[31]

La produzione tessile fiorentina nel Quattrocento: i panni *di San Martino* e *di Garbo*

Secondo Hidetoshi Hoshino l'andamento della produzione fece registrare una curva ancora più nettamente discendente negli anni 1425-1430, quando la capacità produttiva annua, a suo giudizio, oscillava tra le 11.000 e le 12.000 pezze. Più di recente Franceschi, sostenuto da Chorley, ha riportato una cifra anche inferiore, di circa 9.000-10.000 pezze.[32] In questo periodo l'industria laniera fiorentina risultava in due settori separati. Il primo, esistente anteriormente, era quello *di San Martino*, che continuava a fabbricare pezze molto costose e di qualità elevata utilizzando esclusivamente le lane inglesi più fini: un requisito, questo, ribadito in un'ordinanza dell'Arte della Lana del 1408.[33] L'altro settore, detto *di Garbo*, produceva pezze di qualità media o bassa a prezzi di molto inferiori, essenzialmente perché le lane impiegate erano molto più economiche.

Secondo le deliberazioni dell'Arte della Lana del 1428 e del 1430 le cosiddette lane *di Garbo* comprendevano alcune lane italiane (come la *matricina*), lane provenienti dalle Baleari e dalla Provenza e, da poco, le lane *di San Matteo* o lane spagnole *merino*. Diversamente da quanto talora erroneamente sostenuto nella letteratura sull'argomento, le lane spagnole *merino* non vennero utilizzate in Ita-

30. Per le misure delle stoffe cfr. *supra*, nota 23.

31. Hoshino, *L'arte della lana*, cit., tav. XXVI, p. 227: un totale di 19.296 pezze; R. Davidsohn, *Blüte und Niedergang der Florentiner Tuchindustrie*, «Zeitschrift für die gesamte Staatswissenschaft», 85 (1928), p. 250. (19.474 pezze nel 1381-1382); cfr. anche F. Franceschi, *Oltre il 'Tumulto': i lavoratori fiorentini dell'Arte della Lana fra Tre e Quattrocento*, Firenze 1993, tav. 2, p. 13 (anche qui 19.296 pezze e circa 10.000 pezze nel 1390).

32. Hoshino, *L'Arte della lana*, cit., pp. 204-205; Franceschi, *Oltre il 'Tumulto*, cit., tav. 2, p. 13: da 9.000 a 10.400 pezze nel 1427 e da 9.130 a 10.967 pezze nel 1430, ma solo 8.333 pezze nel 1437; P. Chorley, *Rascie and the Florentine Cloth Industry during the Sixteenth Century*, «The Journal of European Economic History», 32, 3 (2003), soprattutto p. 488.

33. Hoshino, *L'arte della lana*, cit., p. 208.

lia prima della fine del Trecento. I documenti di cui siamo attualmente in possesso, in effetti, indicano che le lane *merino* erano il prodotto relativamente recente di un incrocio tra pecore di razza castigliana e montoni importati dai regni delle dinastie merinidi dell'Africa del Nord, la cui introduzione si verificò probabilmente subito dopo la vittoria spagnola sui Merinidi nella battaglia del Río Salado, che ebbe luogo nel 1340 e che mise definitivamente fine alla minaccia di una riconquista musulmana. Dato che le lane spagnole pre-*merino* erano considerate tra le peggiori in Europa, al punto che il loro impiego era proibito anche nelle produzioni tessili meno costose, e dato che le lane dell'Africa settentrionale erano allora di qualità mediocre, l'evoluzione che le portò a diventare, tra la fine del Cinquecento e gli inizi del Seicento, tra le lane più fini del mondo – primato qualitativo che detengono ancora oggi – rimane un mistero. Probabilmente si può chiamare in causa l'unione di due geni recessivi delle due razze. Si trattava di un'evoluzione che dipendeva, dunque, anche dalla combinazione di corrette tecniche di incrocio delle razze e di allevamento e alimentazione delle pecore.[34]

Per quanto inferiori potessero essere le prime lane *merino*, anche decenni dopo i lenti miglioramenti delle greggi castigliane, alcune manifatture italiane sperimentarono il loro impiego alla fine degli anni Settanta del Trecento (furono quelle milanesi a cominciare nel 1375), poi intorno al 1380 e ancora nei primi anni Novanta del secolo – ossia circa trent'anni prima che venissero accettate nel Sud dei Paesi Bassi – di solito sotto il nome di lane *di San Matteo*. Normalmente presso i produttori di Milano, Firenze, Verona, Prato e Genova tali lane si trovavano, per quantità utilizzate, solo al quarto o quinto posto, dopo (nell'ordine) le lane inglesi, di Minorca, di Maiorca e francesi (provenzali). In genere il loro prezzo era pari ad appena il 30-40% di quello delle lane inglesi della regione dei Cotswolds usate nelle manifatture italiane.[35] Chiaramente tali lane *merino* non avrebbero potuto salvare le fortune delle produzioni di lusso fiorentine o di altre località italiane, che ancora richiedevano la materia prima inglese più fine, ma certamente acquistarono un peso sempre più importante nella realizzazione dei panni *di Garbo* più economici.

34. R.S. Lopez, *The Origin of the Merino Sheep*, in AA.VV., *The Joshua Starr Memorial Volume: Studies in History and Philology*, New York 1953; Munro, *Spanish Merino Wools*, cit.

35. Per i vari listini prezzi cfr. C. Santoro, *Gli offici del comune dei Milano e del dominio visconteo-sforzesco (1216-1515)*, Milano 1968, p. 179, doc. n. 10 (1375); E. Rossini, M. Mazzaoui, *Società e tecnica nel medioevo: la produzione dei panni di lana a Verona nei secoli XIII-XIV-XV*, «Atti e memorie della Accademia di Agricoltura, Scienze e Lettere di Verona», s. VI, 21 (1969-1970); F. Melis, *La lana della Spagna mediterranea e della Barberia occidentale*, in *La lana come materia prima: i fenomeni della sua produzione e circolazione nei secoli XIII-XVII*, a cura di M. Spallanzani, Firenze 1974; Id., *Aspetti della vita economica medievale: studi nell'archivio Datini di Prato*, I, Firenze 1962, p. 488 doc. n. 350 (agosto 1390), 536-537, 542, e tav. p. 554; J. Heers, *Il commercio nel Mediterraneo alla fine del XIV secolo e nei primi anni del secolo XV*, «Archivio Storico Italiano», CXIII (1955), pp. 192-195.

Le ricerche d'archivio di Hoshino per gli anni 1454-1480, tuttavia, indicano che il loro ruolo fu poi oscurato dalle lane nazionali italiane: infatti le lane *matricine*, provenienti soprattutto dall'Abruzzo (L'Aquila, Narni, Orvieto, Perugia, Terni e Viterbo) rappresentavano in questo periodo il 71,8% degli acquisti di lana di «numerose imprese fiorentine di lanaioli» che producevano panni *di Garbo*, mentre le lane spagnole erano solo seconde e a una notevole distanza, giacché rappresentavano appena il 13,9 % degli acquisti di lana, una percentuale poco superiore a quella delle lane provenzali, attestate al 12,3%.[36] La lista dei prezzi compilata da Hoshino per gli anni 1454-1500 indica che quelli della lana *matricina* erano in genere – anche se non sempre – più alti dei prezzi della lana *spagnola*, ma molto inferiori a quelli della lana *francesca*.[37] Secondo Richard Goldthwaite verso la metà del Quattrocento la lana *matricina* «costava tra un terzo e la metà meno della lana inglese».[38] Ma Hoshino mostra anche che a partire dal 1490 circa vi fu un sostanziale aumento del commercio diretto della lana castigliana, ossia con la partecipazione attiva dei mercanti spagnoli.[39] Nel corso del Cinquecento le lane *merino*, ormai migliorate e quindi di maggior valore, assunsero sicuramente un ruolo maggiore nell'industria della lana fiorentina, fino a divenire la materia prima più importante impiegata nelle botteghe dei Medici verso la metà del secolo.[40]

A proposito della manifattura fiorentina della metà del Quattrocento dobbiamo anche chiederci quali fossero i mercati principali serviti dai suoi lanaioli: si trattava di mercati locali, e per i ceti a più basso reddito delle città toscane, oppure si trattava di mercati stranieri, e in particolar modo del Levante? Come abbiamo già osservato, quella tessile era un'industria presente praticamente dappertutto nell'Europa occidentale del tardo Medioevo. La maggior parte della produzione, in qualsiasi regione europea, era destinata a soddisfare la richiesta dei mercati locali e nazionali, e soprattutto la domanda dei ceti medio-bassi. Questi tessuti, pertanto, venivano prodotti utilizzando generalmente lane di provenienza locale e di prezzo contenuto.[41]

Sia Hoshino che Chorley sostengono che la parziale ripresa dell'industria laniera fiorentina a partire dalla metà del XV secolo fu in gran parte dovuta a due fattori: l'affermazione sui mercati del Levante, soprattutto quelli turchi-ottoma-

36. Hoshino, *L'Arte della lana*, cit., pp. 210-211, 233-236, 279, 302 tav. LVIII.

37. Ivi, p. 299 tav. LVII.

38. R.A. Goldthwaite, *The Florentine Wool Industry in the Late Sixteenth Century: a Case Study*, «The Journal of European Economic History», 32 (2003).

39. Hoshino, *L'arte della lana*, cit., p. 281. A questo proposito cfr. anche Goldthwaite, *The Florentine Wool Industry*, cit., pp. 534-535.

40. De Roover, *A Florentine Firm*, cit., soprattutto p. 101 e appendice I, p. 113.

41. De Roover osserva che i *lanaiuoli di Garbo*, come già sottolineato, «non avevano il permesso di utilizzare lane inglesi» ma precisa che «non avrebbero dovuto utilizzare neppure le lane italiane, che erano di qualità talmente inferiore che il loro impiego era proibito all'interno dei confini di Firenze» (ivi, p. 101).

ni, e il successo della sua gamma più economica di panni *de Levante* realizzati con lane *di Garbo*, che Chorley indica come (o presuppone essere) prevalentemente spagnole. Negli anni Settanta del Quattrocento, secondo quest'ultimo studioso, le esportazioni fiorentine verso il Levante e l'Impero Ottomano ammontavano a 7-8000 pezze l'anno.[42] Consultando alcuni registri veneziani risalenti al 1488 Hoshino ha stimato che la produzione laniera fiorentina fosse allora di circa 17.000 panni all'anno – un recupero significativo rispetto alla prima metà del secolo – due terzi dei quali pare fossero costituiti da panni *di Garbo*.[43] Chorley asserisce in particolare che le esportazioni tessili fiorentine verso il Levante si basavano in larga parte sul commercio di scambio: «l'importazione di seta greggia iraniana [persiana] per la crescente industria della seta di Firenze, che rappresentava anch'essa una voce significativa nelle esportazioni verso il Levante».[44]

Fattori macro-economici e calo dei costi di transazione: espansione e mutamento nel commercio internazionale dei tessuti a partire dagli anni intorno al 1460

Dobbiamo ora considerare il ruolo dei fattori demografici e di altri fattori macro-economici nella ripresa e nell'espansione della produzione tessile fiorentina, ma soprattutto dobbiamo prendere in esame l'aumento della quota di produzione rappresentata dai panni *di Garbo* relativamente più economici.

Innanzitutto la ripresa demografica italiana e poi quella del bacino del Mediterraneo, che si verificò molto prima e più rapidamente rispetto all'Europa nord-occidentale (dove non ebbe inizio prima degli anni Venti del Cinquecento), ampliò sia la dimensione dei mercati di consumo che il potenziale di forza lavoro disponibile per le industrie tessili italiane. Intorno al 1520 la popolazione di Firenze aveva raggiunto circa 80.000 abitanti, ossia era quasi raddoppiata rispetto al 1427.[45] In secondo luogo, ad accompagnare e stimolare la ripresa economica e demografica intervenne il boom dell'estrazione del rame e dell'argento nell'Europa centrale e nella Germania meridionale; un boom che nei decenni compresi tra il 1460 e il 1530 quintuplicò la produzione europea di argento, in-

42. Hoshino, *L'arte della lana*, cit., pp. 267-275; H. Hoshino, *Industria tessile e commercio internazionale nella Firenze del tardo Medioevo*, a cura di F. Franceschi e S. Tognetti, Firenze 2001; H. Hoshino, M. Mazzaoui, *Ottoman Markets for Florentine Woolen Cloth in the Late Fifteenth Century*, «International Journal of Turkish Studies», 3 (1985-1986); Chorley, *Rascie and the Florentine Cloth Industry*, cit., pp. 488-489.

43. Hoshino, *L'arte della lana*, cit., pp. 239-244: per la precisione 4286 panni *di San Martino* (ottenuti con lane inglesi) e 12.858 panni *di Garbo*.

44. Chorley, *Rascie and the Florentine Cloth Industry*, cit., p. 489; Hoshino, *L'arte della lana*, cit., pp. 268-275.

45. Chorley, *Rascie and the Florentine Cloth Industry*, cit., p. 494.

terrompendo la grave recessione di metà Quattrocento e dando origine, a partire dal 1515 circa, alla 'rivoluzione dei prezzi' (e ad altri sviluppi finanziari che saranno discussi in seguito): un'inflazione sostenuta che durò fin verso il 1640 e che agì da forte incentivo all'espansione economica, soprattutto con la riduzione del costo reale della manodopera e di quello del denaro. Buona parte dell'argento e del rame estratti in quel periodo nella Germania meridionale, in particolare, permise a Venezia di espandere i suoi commerci nel Levante, importando quantità maggiori di cotone siriano e cipriota per alimentare l'industria del fustagno in rapida espansione nelle stessa Germania meridionale.[46]

Connessa a tutti questi sviluppi, e di importanza anche più rilevante, fu la ripresa degli itinerari commerciali continentali o sulle lunghe distanze via terra, che ora andavano prevalentemente da Venezia, attraverso la Germania meridionale, fino alle fiere di Francoforte e quindi lungo il Reno fino alle nuove fiere del Brabante, la cui espansione fece sì che Anversa divenisse la capitale commerciale e finanziaria dell'Europa del Nord nel secolo compreso tra il 1460 e il 1560. Come hanno ampiamente dimostrato Herman Van der Wee e altri, tali percorsi terrestri (meno del 20% delle distanze via mare) diedero un impulso economico all'espansione dei commerci internazionali molto maggiore rispetto alle rotte marittime del tardo Medioevo, incrementando i capitali investiti, la produzione, l'occupazione e i redditi regionali globali, attraverso un effetto combinato moltiplicatore-acceleratore che coinvolgeva aree geografiche molto più vaste e centinaia di città.[47] I traffici continentali via terra, inoltre, portarono alla ripresa su larga scala delle fiere internazionali, elemento trainante dell'espansione del commercio internazionale in Europa, anche se in località completamente differenti rispetto a quelle del XIII secolo: non solo a Francoforte e nel Brabante (Anversa e Bergen-op-Zoom), ma anche a Besançon, Ginevra e Lione.[48]

In termini macro-economici più generali, queste forze di espansione combinate (demografiche ed economiche), decisamente sostenute da una relativa diminuzione delle guerre – e in particolare dalla fine della guerra dei Cent'Anni (1453) –, rovesciarono completamente le opposte tendenze alla contrazione attive nel Trecento, finendo col ristabilire il clima economico molto più propizio ed espansivo dell'era della 'Rivoluzione commerciale' del XIII secolo. Così facendo,

46. J.H. Munro, *The Monetary Origins of the 'Price Revolution': South German Silver Mining, Merchant-Banking, and Venetian Commerce, 1470-1540*, in *Global Connections and Monetary History, 1470-1800*, a cura di D. Flynn, A. Giráldez e R. von Glahn, Aldershot-Brookfield 2003.

47. H. van der Wee, H. Peeters, T. Peeters, *Un modèle dynamique de croissance interséculaire du commerce mondiale, XIIe-XVIIIe siècles*, «Annales ESC», 15 (1970); H. van der Wee, *Structural Changes in European Long-Distance Trade, and Particularly in the Re-export Trade from South to North, 1350-1750*, in *The Rise of Merchant Empires: Long-Distance Trade in the Early Modern World, 1350-1750*, a cura di J.D. Tracy, Cambridge 1990.

48. Cfr. le fonti citate *supra*, nota 46 e in Munro, *The 'New Institutional Economics'*, cit.

produssero anche una significativa riduzione dei costi di transazione degli scambi internazionali, tanto più evidente se teniamo conto di quanto tale riduzione fosse, nel campo delle transazioni, dipendente da economie su larga scala, ossia caratterizzate da mercati urbani molto più ampi, concentrati ed efficienti.

L'abbassamento dei costi era sostenuto anche da significativi progressi tecnologici nei trasporti e nelle comunicazioni. Nel commercio marittimo quello di gran lunga più importante fu, a partire dalla metà del Quattrocento, l'adozione delle navi 'atlantiche' a tre alberi e armamento pesante (con vele combinate quadre e latine), soprattutto le caracche e i galeoni che – secondo Frederic Lane – portarono già agli inizi del Cinquecento ad una riduzione del 25% dei costi di trasporto, compresi i costi assicurativi impliciti. Furono queste le navi che garantirono agli europei il dominio delle rotte mondiali nei quattro secoli successivi.[49] Ugualmente importanti furono le innovazioni negli scambi continentali via terra, e fra queste soprattutto la nascita di imprese di trasporti professionali e specializzate, che impiegavano su larga scala e con costi contenuti convogli ben organizzati formati dai nuovi carri Hesse. Queste ditte offrivano ai mercanti trasporti assicurati per le loro merci a prezzi fissi predeterminati, con programmi di viaggio affidabili, e fornivano anche un servizio postale efficiente via terra. Presto esse avrebbero reso i percorsi continentali via terra più veloci e più affidabili delle rotte atlantiche fra l'Europa nord-occidentale e il Mediterraneo.[50] A questi progressi si può aggiungere la 'rivoluzione finanziaria' che si delineò a partire dagli anni Venti del Cinquecento con lo sviluppo degli strumenti di credito negoziabili (sia nella finanza privata che in quella pubblica) e degli scambi finanziari, e che contribuì a determinare, verso la metà del secolo, una riduzione del 50% dei tassi di interesse reali.[51]

Così come le forze di contrazione e disgregazione economica del tardo Medioevo avevano fatto aumentare i costi di transazione e avevano quindi gravemente ostacolato il commercio dei tessuti più economici sulle lunghe distanze, il rovesciamento di queste tendenze e la riduzione significativa dei costi di transazione conferirono un vigore rinnovato e una maggiore importanza relativa proprio agli scambi internazionali di tessuti meno costosi, come i già ricordati panni *di Garbo* e i fustagni della Germania meridionale. Nei Paesi Bassi queste

49. F.C. Lane, *Venetian Ships and Shipbuilders of the Renaissance*, Baltimore 1934, pp. 26-28; R.W. Unger, *The Ship in the Medieval Economy, 600-1600*, London-Montreal 1980, pp. 201-250; C.M. Cipolla, *Guns, Sails and Empires: Technological Innovation and the Early Phases of European Expansion, 1400-1700*, New York 1965, pp. 90-131.

50. H. van der Wee, *Growth of the Antwerp Market and the European Economy, 14th to 16th Centuries*, II, l'Aja 1963, pp. 177-194 e 325-364; Id., *Structural Changes in European Long Distance Trade*, cit.

51. H. van der Wee, *Anvers et les innovations de la technique financière aux XVIe et XVIIe siècles*, «Annales ESC», 22 (1967), ripubblicato come *Antwerp and the New Financial Methods of the 16th and 17th Centuries*, in Id., *The Low Countries in the Early Modern World*, Aldershot 1993.

trasformazioni strutturali comportarono la ripresa e l'espansione significativa delle *sayetteries* in stile Hondschoote e di altre *draperies légères*, che già agli inizi del Cinquecento avevano sostituito i panni di lana tradizionali, diventando la produzione laniera dominante nei Paesi Bassi meridionali.[52] La maggior parte di questi tessuti erano, come le saie di Hondschoote (*saies*, *saaien*) nel XIII secolo, serge semi-pettinati con un ordito (pettinato) a secco a fibra lunga e una trama (cardata) ingrassata a fibra corta. Erano – come si è già sottolineato – tessuti molto più leggeri ed economici rispetto ai tradizionali panni di lana 'larghi', anche se non erano leggeri ed economici quanto i veri e propri tessuti di lana pettinata. Com'era accaduto nel Duecento, i principali mercati per i prodotti delle *sayetteries* dei Paesi Bassi risultarono l'Italia, il bacino del Mediterraneo e poi le colonie spagnole nelle Americhe.[53]

Come ha rilevato Hidetoshi Hoshino, nella seconda metà del Quattrocento anche l'Arte della Lana fiorentina cercò, con esiti altalenanti, di reintrodurre la produzione di questi tessuti più leggeri e semi-pettinati: panni *perpignani* («leggera stoffa di lana», in cui erano utilizzate lane spagnole per la trama), *saie a uccellini* e soprattutto panni di *rascia* – detti anche semplicemente *rascie* (*rashes* in inglese) – introdotti con un'ordinanza del febbraio del 1488, un tipo di serge che impiegava anche lane spagnole per la sua trama cardata.[54] Ma, come ha sottolineato di recente Patrick Chorley, l'importanza delle *rascie* si rivelò soprattutto nel XVI secolo e più in particolare negli anni compresi tra il 1520 e il 1570.[55] Verso la metà del Cinquecento, infatti, tali tessuti risultavano addirittura predominanti sul mercato di Anversa, quando sia i panni 'larghi' che quelli 'stretti' figuravano ancora tra gli articoli più costosi in vendita su questa piazza.[56]

Gli sviluppi evidenziati nell'industria tessile fiorentina della prima Età moderna, tuttavia, non implicavano il fatto che nella seconda metà del Quattrocento i pregiatissimi panni *di San Martino*, ancora prodotti con le più fini lane inglesi, avessero perso d'importanza. Pur avendo subito una contrazione nelle esportazio-

52. E. Coornaert, *Draperies rurales, draperies urbaines: l'evolution de l'industrie flamande au moyen âge et au XVIe siècle*, «Revue belge de philologie et d'histoire», 28 (1950); H. van der Wee, *The Western European Woollen Industries, 1500-1750*, in *The Cambridge History of Western Textiles*, cit.; H. Soly, A. Thijs, *Nijverheid in de zuidelijke Nederlanden*, in *Algemene geschiedenis der Nederlanden*, a cura di O.P. Blok, W. Prevenier e D.J. Roorda, Haarlem 1977-1979, riportano stime secondo le quali, verso il 1560, la produzione dei panni di lana era di circa 2,07 milioni di metri, mentre quella delle varie *sayetteries* e delle altre *draperies légères* (*sèches*) era di 3,64 milioni di metri, ovvero maggiore del 76%.

53. F. Edler, *Le commerce d'exportation des sayes d'Hondschoote vers Italie d'après la correspondance d'une firme anversoise, entre 1538 et 1544*, «Revue du Nord», 22 (1936).

54. Hoshino, *L'arte della lana*, cit., pp. 235-239; Id., *Industria tessile e commercio*, cit.

55. Chorley, *Rascie and the Florentine Cloth Industry*, cit.; cfr. anche Goldthwaite, *The Florentine Wool Industry*, cit.

56. A. Thijs, *Les textiles au marché anversois au XVIe siècle*, in *Textiles of the Low Countries in European Economic History*, Proceedings of the Tenth International Economic History Congress, a cura di E. Aerts e J.H. Munro, Leuven 1990.

ni verso il Levante, infatti, essi continuavano a mantenere il primo posto nei mercati italiani e specialmente nei territori pontifici. Negli anni 1451-1476 i panni fiorentini importati a Roma ammontavano a 13.528, ossia alla metà (49,72%) di tutte le 27.210 pezze vendute su questa piazza; dei panni fiorentini, poi, ben 5354 (il 39,58%) appartenevano alla costosissima varietà degli 'scarlatti di grana', i tessuti tinti con il chermes (panni *di grana*). Al contrario solo 821 panni 'larghi' inglesi e 805 pezze fiamminghe venivano vendute a Roma alla stessa epoca.[57]

Il (temporaneo) declino della produzione laniera fiorentina e l'aumento di quella veneziana nel Cinquecento

Purtroppo il ben noto studio di Hoshino sull'industria laniera fiorentina non prosegue oltre la fine del Quattrocento; per gli anni seguenti ci è comunque utile la ricerca di Paolo Malanima sulle alterne fortune dell'industria tessile fiorentina nel XVI e XVII secolo.[58] Più di recente, tuttavia, Patrick Chorley ha dimostrato che questo settore raggiunse il suo apogeo verso il 1520, con una capacità produttiva di circa 20.000 panni, forse il doppio di quanto prodotto un secolo prima: il 25% di queste (da 4000 a 5000 pezze) era formato da panni *di San Martino*, che però generavano la metà dei ricavi complessivi dell'industria fiorentina, stimati in 600.000 fiorini, mentre il resto era rappresentato da panni *di Garbo*.[59] Per spiegare il rapido declino delle produzioni fiorentine tradizionali a partire dagli anni intorno al 1530 Chorley cita due fattori fondamentali. Il primo, e più importante, fu la perdita del predominio nei mercati del Levante, cominciata con l'«interruzione del commercio di seta [grezza] iraniana» a causa dell'embargo imposto dal sultano ottomano Selim I negli anni 1514-1520, che portò allo spostamento del commercio di transito della seta da Bursa (nei pressi di Costantinopoli) ad Aleppo, dove, a differenza dei veneziani, i fiorentini «non avevano alcuna presenza consolidata». Per alcune aziende di Firenze la quota turca delle esportazioni scese dal 42% del 1518-1532 al 13% del 1544. Il secondo fattore chiamato in causa fu la crisi interna verificatasi a Firenze nel 1526-1530, quando la peste annientò probabilmente un quarto della popolazione cittadina, mentre quasi contemporaneamente il Sacco di Roma del 1527, con

57. Hoshino, *L'arte della lana*, cit., pp. 286-287 tavv. XLII-XLIII.

58. P. Malanima, *An Example of Industrial Reconversion: Tuscany in the Sixteenth and Seventeenth Centuries*, in *The Rise and Decline of Urban Industries in Italy and the Low Countries (Late Middle Ages-Early Modern Times)* a cura di H. van der Wee, Leuven 1988; cfr. anche Hoshino, *Industria tessile e commercio*, cit.

59. P. Chorley, *The Volume of Cloth Production in Florence, 1500-1650: An Assessment of the Evidence*, in *Wool: Products and Markets (13th-20th Century)*, a cura di G.L. Fontana e G. Gayot, Padova 2004; Id., *Rascie and the Florentine Cloth Industry*, cit., pp. 487-489, e appendice 1, pp. 515-519.

il rischio della cacciata del papa Medici Clemente VII, portò alla rivolta contro il dominio della famiglia a Firenze, rivolta brutalmente soffocata dalle forze pontificie nell'agosto del 1530.[60]

Il mutamento di gran lunga più eclatante nella storia dell'industria tessile italiana del Cinquecento fu la rapida e quasi totale sostituzione di Venezia a Firenze nella produzione e nell'esportazione di panni 'larghi', pesanti e di qualità elevata, verso il Levante e più in generale verso l'Impero Ottomano che, ovviamente, comprendeva buona parte dei Balcani e dell'Asia Minore e tutti i domini mamelucchi annessi dalle conquiste ottomane del 1516-1517. Grazie alle ricerche di diversi studiosi – Pierre Sardella, Domenico Sella e Walter Panciera – oggi siamo in possesso di una serie statistica sulla produzione annua di tessuti di lana veneziani che va dal 1516 al 1723, coprendo quindi un periodo di oltre due secoli.[61] La vicenda veneziana appare ancor più sorprendente dal momento che, prima della fine del Quattrocento, la città non aveva mai posseduto un'industria tessile di rilevanza internazionale. Dalla più antica attestazione dei livelli produttivi, relativa al 1516, alla prima fase di *peak*, nel 1569, la produzione crebbe da 1310 pezze a ben 26.541.

È opinione di Sella che la ragione fondamentale della crescita iniziale dell'industria della lana a Venezia e della sua capacità di rimpiazzare in modo così netto l'industria fiorentina sia stata la guerra: le invasioni franco-asburgiche che dal 1494 al 1559 (trattato di Cateau-Cambrésis) devastarono la Lombardia e la Toscana, ma che a giudizio dello studioso lasciarono relativamente indenne Venezia, con la sua posizione apparentemente ben protetta e il suo ampio potere militare.[62] Purtroppo, però, tale punto di vista non concorda con le effettive vicende belliche di questo periodo.[63] Nel dicembre del 1508, infatti, Venezia do-

60. Chorley, *Rascie and the Florentine Cloth Industry*, cit., pp. 487-489. Per ulteriori documenti sul rapido declino delle vendite di tessuti a Firenze a partire dal 1520 circa e sull'afflusso crescente di tessuti inglesi cfr. anche P. Earle, *The Commercial Development of Ancona, 1479-1551*, «Economic History Review», s. II, 22, 1 (1969).

61. Le statistiche relative al XVI secolo (1516-1605) furono per la prima volta pubblicate in P. Sardella, *L'Épanouissement industriel de Venise au XVIe siècle: un beau texte inédit*, «Annales ESC», 2 (1947), pp. 195-196; buona parte dei dati restanti, fino al 1713, furono pubblicati in D. Sella, *The Rise and Fall of the Venetian Woollen Industry*, in *Crisis and Change in the Venetian Economy in the Sixteenth and Seventeenth Centuries*, a cura di B. Pullan, London 1968, pp. 106-112. Tuttavia, questa nota serie contiene alcuni errori statistici, in gran parte corretti in W. Panciera, *L'Arte matrice: i lanifici della Repubblica di Venezia nei secoli XVII e XVIII*, Treviso 1996, pp. 42-43, tav. 2, che continua anche la serie di Sella dal 1713 al 1723. Desidero ringraziare sinceramente il professor Panciera, che mi ha inviato una fotocopia del documento tratto dagli archivi di Venezia (ASVr, *Cinque savi alla Mercanzia*, b. 476) contenente i dati originali. Nell'utilizzazione di questo documento d'archivio, però, ho ritenuto necessario correggere le sue statistiche per i quattro anni seguenti: 1521, 1618, 1639 e 1662.

62. Sella, *The Rise and Fall*, cit., pp. 113-115.

63. A.J. Grant, *A History of Europe from 1494 to 1610*, New York 1951, pp. 52-54, 65-69; F.C. Lane, *Venice: A Maritime Republic*, Baltimore-London 1973, pp. 242-245 (trad. it. *Storia di Venezia*, Torino 1978).

vette affrontare la Lega di Cambrai da poco costituitasi, una coalizione apparentemente invincibile di nemici ostili e formidabili, che rappresentò la più grave minaccia all'esistenza stessa della Repubblica dal tempo della guerra di Chioggia con Genova (1378-1381): l'imperatore del Sacro Romano Impero Massimiliano I, il re di Francia Luigi XII, il papa Giulio II e il re di Ungheria coalizzati per annullare le recenti acquisizioni italiane di Venezia al di fuori del suo tradizionale dominio sulla Terraferma veneta. Nel maggio del 1509, nella battaglia di Agnadello sull'Adda, l'esercito guidato dai francesi sbaragliò i veneziani, che furono costretti ad abbandonare tutti i territori di Terraferma. La coalizione si sciolse rapidamente, lacerata dalle rivalità, ma Venezia – ormai privata dei suoi territori papali – si ritrovò nuovamente in guerra con i francesi, che la sconfissero ancora una volta nella battaglia di Marignano, nel settembre del 1513. Fortunatamente alla Repubblica furono risparmiate ulteriori perdite grazie al concordato di Bologna del 1516, che le restituì Padova e alcuni territori della Terraferma. Proprio queste disastrose sconfitte possono forse chiarire il motivo per cui la produzione veneziana attestata in quello stesso anno – solamente 1310 pezze – fosse così esigua.

La spiegazione più convincente del successivo, definitivo trionfo di Venezia sui mercati tessili ottomani si trova piuttosto nelle gravi difficoltà allora affrontate da Firenze, difficoltà messe in rilievo dalla già ricordata analisi di Chorley: quelle incontrate dal commercio dei tessuti fiorentini nell'Impero Ottomano a partire dal 1514 e quelle sperimentate dalla città durante la sua violenta crisi interna negli anni compresi tra il 1526 e il 1530.[64] È importante sottolineare, inoltre, come la produzione tessile fiorentina avesse raggiunto il suo apogeo verso la metà degli anni Venti del Cinquecento, circa trent'anni dopo l'invasione dell'Italia – avvenuta nel 1494 – da parte di Carlo VIII.

Per la verità i veneziani ebbero meno successo nello sfruttare le opportunità commerciali dell'allora vasto Impero Ottomano rispetto alla politica di fruttuose relazioni diplomatiche e commerciali che avevano saputo mettere in atto con l'antico sultanato mamelucco (il Levante), conquistato dagli ottomani nel 1517. Anche prima di allora, del resto, i veneziani erano stati costretti a combattere i turchi fin troppo spesso: soprattutto negli anni 1463-1479 e 1499-1503, quando avevano subito una sconfitta navale decisiva con la battaglia di Zonchio. In quello stesso periodo i portoghesi, attraverso l'Africa meridionale, avevano aperto una rotta marittima diretta fino alle Indie, mettendo così a rischio i commerci delle spezie vitali per l'economia di Venezia. Nel trattato di pace con l'Impero Ottomano del 1503, perciò, i veneziani riconobbero che la loro unica speran-

64. Per ulteriori documenti sul rapido declino della vendita di stoffe fiorentine a partire dal 1520 circa e sull'afflusso crescente di pezze inglesi (*kerseys* di Winchcombe, 'panni di Londra' e 'ultrafini' – probabilmente panni 'larghi' ultrafini del Suffolk) cfr. Earle, *The Commercial Development*, cit., p. 37.

za di ripristinare il commercio delle spezie stava nella collaborazione con gli ottomani, i quali, grazie ad una alleanza tutta musulmana con il Gujarat in India e Aceh a Sumatra, riuscirono a spezzare il monopolio portoghese dei traffici nell'Oceano Indiano, incluso quello delle spezie. Verso il 1540, pertanto, i veneziani erano riusciti a riguadagnare una quota significativa del redditizio commercio delle spezie nelle Indie Orientali – forse circa la metà intorno al 1550 – e ciò, insieme alle nuove esportazioni di tessuti verso l'Impero Ottomano, consentì loro di godere di un'estate di San Martino di rinnovata prosperità alla fine del XVI secolo.[65]

La produzione media annua dell'industria tessile veneziana, in effetti, non aveva superato le 10.000 pezze fino al 1546-1550 e quindi la crescita molto più rapida del prodotto nel quinquennio 1566-1570, quando venne toccato un picco di 18.513 pezze, può forse essere ricondotta alla capacità di Venezia di ripristinare almeno in parte il commercio delle spezie tramite i porti ottomani: vale a dire offrendo panni in cambio di spezie. Nel 1570, però, la produzione laniera crollò a sole 9462 pezze, una caduta verticale indubbiamente legata alla conquista ottomana di Cipro. In seguito la manifattura riprese quota a un tasso di crescita annuo molto più lento e con una serie di oscillazioni spesso violente. Questa diminuzione del saggio di crescita, a sua volta, riflette la ripresa della produzione tessile in Lombardia e in Toscana dopo la pace di Cateau-Cambrésis del 1559. Sappiamo infatti che Firenze, altra città esportatrice di tessuti di lana nei mercati del Levante, aveva più che duplicato la sua produzione dopo il 1558: da 16.000 pezze a circa 33.000 pezze nel 1561.[66] La stessa manifattura tessile veneziana aveva raggiunto il suo picco massimo, di 28.728 pezze, nel 1602 (o, se raggruppiamo i dati per medie quinquennali, di 23.573 pezze nel 1601-1605), quindi più elevata del 27,3 % rispetto alle punte dei primi anni del Cinquecento.[67]

Da alcune testimonianze sulle altezze dei tessuti veneziani risulta che si trattava di veri e propri panni di lana (nel senso precisato all'inizio), di peso notevole e a doppia altezza: 1,80 metri rispetto a 1,60 metri dei tessuti inglesi. Tali panni venivano prodotti, già da qualche decennio, soprattutto con lane spagnole *merino* in sostituzione delle più fini lane inglesi. Le statistiche sulla produzione, tuttavia, coprono evidentemente un'ampia gamma di tessuti, alcuni realizzati anche con lane italiane o di altra provenienza. A partire dalla metà del Cinquecento, secondo Panciera, Venezia iniziò a produrre *draperies légères* a imitazione

65. H. İnalcık, *An Economic and Social History of the Ottoman Empire*, Cambridge 1994, I, *1300-1600*, pp. 327-359.

66. Chorley, *Rascie and the Florentine Cloth Industry*, cit., p. 516 tav. 1: in *panni corsivi*; Chorley, *The Volume of Florentine Cloth Production*, cit., p. 556 tav. 1, nota che mentre la produzione era scesa a 28.492 *panni corsivi* nel 1570 circa, era poi salita a 33.212 *panni* nel 1571 (quando la produzione veneziana era crollata a sole 9492 pezze). Sappiamo anche che il più importante mercato d'Oltremare per i tessuti di lana dell'azienda Medici era il Levante: de Roover, *A Florentine Firm*, cit., p. 101.

67. Cfr. nota 61.

delle saie fiamminghe di Hondschoote, anch'esse realizzate con ordito pettinato e trama cardata ed esportate principalmente verso il Levante.[68]

Il declino e il crollo della produzione tessile veneziana nel Seicento: il ruolo della Compagnia del Levante inglese nel commercio mediterraneo dei tessili

Dopo aver raggiunto il suo culmine nel 1602, con 28.728 pezze, la produzione laniera veneziana mostra una curva in ripida discesa con qualche oscillazione: 23.000 pezze nel 1620, 13.275 nel 1630, 10.082 nel 1650, 5226 nel 1670, 2033 nel 1700, e infine 1689 pezze, con la fine della serie, nel 1723.[69] Questo crollo improvviso ed inatteso, che terminò praticamente con il collasso dell'industria tessile veneziana (e di altre industrie laniere italiane), è stato tradizionalmente attribuito a fattori interni, il più importante dei quali – in una successione di errori enunciati dallo stesso Sella e anche da Carlo Cipolla, Brian Pullan, Fernand Braudel – fu «l'incapacità di abbassare i prezzi e di innovare». Questa incapacità, probabilmente, era a sua volta conseguenza delle rigide limitazioni corporative imposte dalle autorità cittadine, di una fiscalità eccessiva e, ovviamente, della corresponsione di 'salari elevati', argomento inevitabilmente assunto come *deus ex machina* per spiegare il declino industriale.[70] Dato che i veneziani persero buona parte dei loro mercati ottomani, dove nel corso del Seicento furono sostituiti dagli inglesi, gli 'errori' dell'industria tessile veneziana vengono solitamente contrapposti alle presunte virtù dei più economici tessuti inglesi. In realtà non c'è modo di confrontare il costo della manodopera nelle due industrie, ma quasi tutti gli economisti rigettano il luogo comune degli 'alti salari'. Se l'elevato costo della vita e una tassazione eccessiva possono essere fattori che spiegano gli 'alti salari' – come, per esempio, nell'Olanda del Settecento – nondimeno questi possono essere giustificati e mantenuti solo se e quando equivalgono al prodotto di manodopera a ricavo marginale, vale a dire al valore di mercato dell'ultima unità di prodotto-base realizzata dall'ultimo lavoratore assunto. I pre-

68. W. Panciera, *Qualità e costi di produzione nei lanifici veneti (secoli XVI-XVIII)*, in *Wool: Products and Markets*, cit., pp. 420-422, 429-431 (tavv. 1-2); Id., *L'Arte matrice*, cit., pp. 39-51.

69. Per le statistiche cfr. *supra*, nota 61.

70. D. Sella, *Crisis and Transformation in Venetian Trade*, in *Crisis and Change in the Venetian Economy*, cit.; Id., *The Rise and Fall*, cit., pp. 120-121; C.M. Cipolla, *The Economic Decline of Italy*, ivi; B. Pullan, *Wage Earners and the Venetian Economy, 1550-1630*, ivi; F. Braudel, P. Jeannin, J. Meuvret, R. Romano, *Le déclin de Venise au XVIIe siècle*, in AA.VV., *Aspetti e cause della decadenza veneziana nel secolo XVII*, Atti del convegno, Venezia-Roma 1961; R.T. Rapp, *The Unmaking of the Mediterranean Trade Hegemony: International Trade Rivalry and the Commercial Revolution*, «Journal of Economic History», 35 (1975); Id., *Industry and Economic Decline in Seventeenth-Century Venice*, Cambridge 1976.

sunti vantaggi, sotto forma di salari più bassi, di cui godeva l'industria tessile inglese della prima Età moderna, in gran parte rurale o situata nei piccoli centri urbani, trovavano in realtà la loro giustificazione in una produttività, in un insieme di specializzazioni e in un'istruzione sostanzialmente inferiori a quelli che si trovavano nelle città della prima Età moderna, dove in genere vigevano anche più bassi costi di transazione nell'organizzazione del lavoro.

Non si può neppure dimostrare che le regole imposte dalle corporazioni, soprattutto quelle volte ad assicurare i controlli di qualità alle industrie caratterizzate da strutture concorrenziali monopolistiche di *price-making*, fossero necessariamente dannose per le sorti di un settore produttivo. In fondo tali disposizioni corporative non impedirono la crescita e l'espansione dell'industria tessile fiamminga, fiorentina e anche veneziana. Spesso, inoltre, non si tiene conto di quanto la manifattura laniera inglese fosse sottoposta, verso la metà del Cinquecento, alla legislazione e alla regolamentazione del Parlamento.[71]

Godevano forse ancora, gli inglesi, di vantaggi significativi nell'approvvigionamento della lana, così com'era avvenuto nel Quattrocento? È questo un punto essenziale, dal momento che la lana era decisiva sia in quanto componente fondamentale dei costi di fabbricazione pre-finissaggio, sia in quanto elemento assolutamente determinante per la qualità del tessuto.[72] Per il Seicento, però, almeno in relazione ai tessuti pesanti di qualità più elevata, la risposta è indubbiamente negativa. Il primato inglese nella produzione di lana di alta qualità, infatti, era ormai andato decisamente perso a favore delle lane spagnole *merino*, tanto che adesso l'Inghilterra importava rilevanti quantità di materia prima iberica che, miscelata con alcune delle migliori lane delle Marches ancora prodotte, era destinata alla realizzazione di tessuti conosciuti come *Spanish Medleys* (alla lettera 'miscugli spagnoli'), panni 'larghi' e 'superfini'. Dato che anche l'industria veneziana utilizzava lane spagnole *merino* e che i costi di trasporto e di commercializzazione per l'acquisto di tali lane erano presumibilmente più bassi di quelli che doveva sostenere la più lontana manifattura inglese, i veneziani sarebbero dovuti essere avvantaggiati dal punto di vista dei costi. Non si può inoltre appurare con certezza se gli inglesi godessero o meno di qualche facilitazione utilizzando alcune delle loro lane più fini negli *Spanish Medleys* e in altri panni 'superfini': infatti, se quelle lane erano ora meno costose delle più pregiate lane spagnole *merino*, erano però anche inferiori.[73] In ogni caso nessun ragionevole

71. Cfr. Great Britain, Record Commission (a cura di T.E. Tomlins, J. Raithby *et al.*), *Statutes of the Realm*, London 1810-1822, IV, i, pp. 136-137 (5-6 Edwardi VI, cap. 6, parte 1).

72. Per l'incidenza dei costi delle lane sui costi di produzione totali nell'industria tessile fiorentina cfr. Goldthwaite, *The Florentine Wool Industry*, cit., p. 537 tavv. 2-3; de Roover, *A Florentine Firm*, cit., appendice IV, p. 118.

73. Munro, *Spanish Merino Wools*, cit., pp. 470-471. Per il XVII e XVIII secolo cfr. H.B. Carter, *His Majesty's Spanish Flock: Sir Joseph Banks and the Merinos of George III of England*, London 1964, pp. 9, 11, 412, 420-422; J. de Lacy Mann, *The Cloth Industry in the West of England from 1640 to 1880*, Oxford 1971, pp. 257-259.

insieme di trasformazioni della produttività è in grado di spiegare un declino industriale così improvviso, rapido e definitivo come quello che contraddistinse l'industria laniera veneziana.

Il vero vantaggio di cui godettero gli inglesi a partire dalla fine del Cinquecento fu – come in passato era stato per i veneziani – di natura commerciale più che puramente industriale. Questo vantaggio era essenzialmente il risultato di due fattori: il primo, istituzionale e diplomatico, era rappresentato dalla nuova Compagnia del Levante, il secondo consisteva in una tecnologia navale superiore. L'illustrazione del primo di questi fattori richiede una breve digressione sulla storia del più importante avvenimento verificatosi nelle relazioni tra europei e ottomani alla fine del XVI secolo. Nel 1570-1571 il sultano ottomano, con un orrendo massacro che sconvolse l'Europa cristiana, riuscì a strappare Cipro a Venezia, acquisendo così il controllo del Mare Egeo. Il Papato si fece allora promotore di un'alleanza, di fatto guidata da Venezia, che sfociò nello scontro avvenuto nel golfo di Corinto nell'ottobre 1571 e passato alla storia come battaglia di Lepanto: qui la lega conseguì una vittoria decisiva contro l'armata turca, vittoria essenzialmente dovuta alla superiorità dell'artiglieria navale europea, che mise definitivamente a tacere qualsiasi teoria sulla 'invincibilità dei turchi'. La potenza navale degli ottomani, in effetti, declinò rapidamente ed essi, preoccupati per le possibili minacce al loro predominio nel bacino del Mediterraneo, cercarono un nuovo alleato in Europa, più affidabile di quanto non si fosse rivelato quello francese, innanzitutto come contrappeso al potere di Venezia.[74]

Gli inglesi risposero prontamente, poiché i turchi stavano offrendo loro la prima e più importante opportunità di entrare nel Mediterraneo ed espandervi i loro commerci.[75] Dieci anni più tardi, nel 1581, la corona inglese autorizzò la creazione di una nuova società per il commercio d'Oltremare, senz'altro la più fortunata fra quelle nate nel Cinquecento: la Compagnia della Turchia, riorganizzata nel 1591 come Compagnia del Levante. Quel che i turchi chiedevano materialmente, oltre al sostegno diplomatico, erano armi e munizioni, che la Compagnia del Levante esportò verso i loro territori in quantità considerevoli. Ciò che gli inglesi desideravano, da parte loro, era un nuovo e più promettente sbocco commerciale per i loro tessuti e la possibilità di avere accesso alla seta grezza e alle spezie. Inizialmente i tessuti di lana venduti dalla Compagnia del Levante nei mercati ottomani erano *kerseys* grossolani, relativamente economici, sebbene pesanti. A partire dagli anni intorno al 1590, tuttavia, i mercanti della Compagnia del Levante iniziarono a vendere quantità sempre più cospicue di

74. F. Braudel, *The Mediterranean and the Mediterranean World in the Age of Philip II*, trad. ingl., London-New York 1972-1973, I, pp. 615-629.

75. G. Pagano de Divitiis, *Mercanti inglesi nell'Italia del Seicento: navi, traffici, egemonie*, Venezia 1990, trad. ingl. *English Merchants in Seventeenth-Century Italy*, Cambridge 1997, p. 5. Sulla Compagnia del Levante cfr. anche le pp. 1-35.

panni 'larghi' del Suffolk, di gran lunga più fini, e poi soprattutto *spanish medleys* 'superfini', che rimpiazzarono ben presto i *kerseys* e quindi estromisero rapidamente dai mercati mediterranei non solo i tessuti veneziani ma anche altri panni italiani e olandesi. Fra il 1598 e il 1634 le vendite di panni 'larghi' effettuate dalla Compagnia salirono da sole 750 pezze a circa 17.000, mentre quelle dei *kerseys* scesero da 18.031 pezze a 2300. Secondo Gigliola Pagano de Divitiis nel 1634 i panni inglesi rappresentavano il 40% di quelli venduti sui mercati del Levante, mentre le quote veneziane e francesi si erano ridotte in entrambi i casi al 26% e quelle olandesi all'8%.[76] La Pagano sostiene anche che i carichi di ritorno della Compagnia del Levante erano principalmente costituiti da seta asiatica, la materia prima importata più massicciamente nell'Inghilterra del Seicento, considerato che in termini di valore rappresentava il 29,5% di tutte le merci importate nel 1622, il 28,4% nel 1640, il 20,9% nel 1669 e il 23,4 % nel 1701.[77]

Ci si potrebbe chiedere perché l'Impero Ottomano risultasse un mercato così importante per tessuti pesanti di alta qualità come quelli prodotti a Venezia e in Inghilterra, un articolo che apparentemente sembrerebbe più adatto ai climi nordici. Ancora, nel 1640 il bacino del Mediterraneo assorbiva il 45,5% delle vendite di panni inglesi, mentre nell'Europa del Nord si smerciava il 46,9% del totale e nelle Americhe il rimanente 7,6 %. Verso il 1660, poi, la quota spettante al Mediterraneo superava la metà (il 56,5%), mentre l'Europa settentrionale assorbiva solo il 37,6% delle vendite.[78] La spiegazione dell'importanza economica dell'Impero Ottomano va ricercata nella combinazione fra livello e densità della popolazione, topografia e soprattutto zone climatiche. Alla fine del Cinquecento nei territori europei ed asiatici dell'Impero Ottomano si contavano almeno 16 milioni di abitanti (Braudel), altri 6 milioni vivevano in Africa, mentre alcune stime della popolazione globale ottomana riportano una cifra di 35 milioni di abitanti (Barkan), ovvero quasi la metà della popolazione totale europea, stimata nel 1600 in 77,9 milioni di abitanti.[79] Ugualmente importante era il fatto che buona parte dell'impero – i Balcani, la stessa Asia Minore e la vicina Persia safavide – era allora formata da altopiani molto freddi di notte anche nei mesi estivi e certamente freddissimi tutto l'inverno (anche in Egitto). Come ha eloquentemente osservato Ralph Davis, «quando i freddi venti autunnali soffiavano dalle regioni montuose dell'Asia Minore e dei Balcani il

76. Ivi, p. 32; cfr. anche Rapp, *The Unmaking of the Mediterranean Trade Hegemony*, cit.

77. Pagano de Divitiis, *English Merchants*, cit., p. 33, tav. I.1.

78. *Ibid.*

79. Earle, *The Commercial Development of Ancona*, cit., pp. 40-41; Braudel, *The Mediterranean*, cit., I, pp. 395-398; Ö.L. Barkan, *La 'Mediterranée' de Fernand Braudel vue d'Istamboul*, «Annales ESC», 9/2 (1954), pp. 191-193; İnalcık, *An Economic and Social History*, cit., I, pp. 25-43; J. de Vries, *Population*, in *Handbook of European History, 1400-1600: Late Middle Ages, Renaissance and Reformation*, a cura di T.A. Brady, H. Oberman e J.D. Tracy, Leiden-New York 1994, I, *Structures and Assertions*, p. 13 tav. 1.

turco o il persiano benestante si considerava fortunato a potersi avvolgere nei più pesanti e caldi tessuti inglesi».[80]

La Compagnia del Levante e il commercio dei prodotti delle *new draperies*

Se commercializzava con successo panni pesanti nelle regioni europee, turche e del Levante ottomano, la Compagnia del Levante vendeva quantità anche maggiori di stoffe semi-pettinate o di tessuti serge, molto più leggeri ed economici, in diverse aree del Mediterraneo dal clima meno rigido, soprattutto nel bacino occidentale. Tali tessuti erano prodotti dalle già menzionate *new draperies*.[81] Queste, come abbiamo sottolineato, erano state trapiantate dalle Fiandre nell'East Anglia (Norfolk e Suffolk) in seguito alla Rivolta dei Paesi Bassi contro il dominio spagnolo (1568-1609). I già ricordati cambiamenti strutturali nei mercati internazionali, che favorirono il commercio di tessuti più economici e determinarono mutamenti nella domanda, soprattutto in rapporto alla moda, sono probabilmente i fattori più importanti per capire come e perché i tessuti delle *new draperies* finirono col divenire la forma predominante di produzione tessile nell'Inghilterra del XVII secolo.[82]

Nell'ascesa delle *new draperies*, tuttavia, ebbero un ruolo importante anche i vantaggi derivanti dalla disponibilità di una differente tipologia di lana inglese. La concomitante politica delle *enclosures* promossa dai Tudor-Stuart per diversi decenni, infatti, portò a un aumento proporzionale e considerevole della produzione di lane più grossolane e a fibra più lunga, molto più adatte ai tessuti di lana pettinata che non ai filati più fini, la cui offerta diminuì quindi in maniera significativa. Questo cambiamento radicale nelle caratteristiche e nell'offerta delle lane inglesi derivò da una combinazione fra pascoli più ricchi e una maggiore disponibilità di foraggio nel corso di tutto l'anno, nonché – elemento ancor più importante – da una riproduzione selettiva delle pecore (pra-

80. R. Davis, *England and the Mediterranean, 1570-1670*, in *Essays in the Economic and Social History of Tudor and Stuart England*, a cura di F.J. Fisher, London 1961, pp. 122-123, in cui si sostiene (p. 125) che i commerci della Compagnia del Levante agli inizi del XVII secolo consistevano in gran parte nello «scambio di panni 'larghi' con seta greggia». Cfr. anche Van der Wee, *The Western European Woollen Industries*, cit., pp. 456-461. Per una discussione del successo delle operazioni di *dumping* praticate dalla Compagnia del Levante con i panni inglesi cfr. B. Braude, *International Competition and Domestic Cloth in the Ottoman Empire, 1500-1650: A Study in Undevelopment*, «Review. Fernand Braudel Center», 2, 3 (1979); il suo errore sta nel non specificare il tipo di tessuti venduti.

81. Cfr. quanto si è già detto in questo stesso contributo.

82. Cfr. quanto si è già detto in questo contributo, e i diversi saggi contenuti in *The New Draperies in the Low Countries and England, 1300-1800*, a cura di N. Harte, Oxford-New York 1997, pp. 217-244 e 245-274.

ticamente impossibile nell'ovicoltura contadina qual era praticata all'interno del regime agrario del *common field*) allo scopo di ottenere animali più grandi per i mercati urbani della carne.[83]

Verso la metà del Seicento i risultati di queste trasformazioni nell'agricoltura, nell'industria e nel commercio si riflettevano ormai chiaramente nei dati relativi alle esportazioni di panni inglesi. Nel 1640, quando i tessuti rappresentavano quasi la totalità delle esportazioni inglesi con il 92,3% del valore, gli articoli delle *old draperies* superavano ancora i prodotti delle *new draperies* (baie, saie, serge, perpetuane ecc.), ma non di molto: i primi totalizzavano infatti il 48,9% del totale, i secondi il 43,3%.[84] Verso il 1660 il 24,23% dei tessuti delle *new draperies* venduti nel Mediterraneo era destinato all'Italia, il 10,1% al Portogallo e la quota più ampia, il 65,71%, andava in Spagna (e nelle Americhe spagnole).[85] Nel 1700 le esportazioni delle *new draperies* inglesi erano cresciute ancora, in termini assoluti e relativi, e ammontavano al 58,8% del valore totale delle esportazioni di tessuti (2,82 milioni di lire sterline), mentre i panni 'larghi' di alta qualità rappresentavano il 25,4% ed i più economici e grossolani *kerseys* e altri panni 'stretti' il rimanente 15,8%.[86]

La potenza navale inglese e il commercio mediterraneo nel Seicento

L'altro importante e concreto fattore che avvantaggiò gli inglesi permettendo loro di ottenere la supremazia commerciale nel mercato ottomano e in altri mercati del Mediterraneo alla fine del Seicento e nel Settecento fu la loro tecnologia navale decisamente superiore e a costi inferiori. Come è stato dimostrato da Ralph Davis, gli inglesi a quell'epoca costruivano e utilizzavano caracche con fasciame in legno di quercia più ampie, più robuste e anche molto meglio armate (con file di anche 60 potenti cannoni) di quelle di tutti i loro rivali. Sia i pirati che i corsari musulmani – che avevano costituito una grave minaccia per i trasporti via mare nel Mediterraneo – impararono a proprie spese a tenersi alla larga dai galeoni inglesi. In realtà i costi d'esercizio di queste imbarcazioni erano sensibilmente più elevati di quelli delle navi rivali (di circa il 10%), ma

83. P. Bowden, *The Wool Trade in Tudor and Stuart England*, London 1962, pp. 1-76; Van der Wee, *The Western European Woollen Industries*, cit. pp. 423-425 e 452-461.

84. C.G.A. Clay, *Economic Expansion and Social Change: England, 1500-1700*, II, *Industry, Trade, and Government*, Cambridge-New York 1984, p. 114 tav. XIII.

85. Pagano de Divitiis, *English Merchants*, cit., p. 170, tav. 5.6.

86. De Lacy Mann, *The Cloth Industry*, cit., p. 309, appendice I, tav. B (valore totale di 2.818.871 sterline, con l'esclusione della maglieria); Van der Wee, *Western European Woollen Industries*, cit., p. 457 tav. 8.6; Clay, *Economic Expansion*, cit., p. 146 tav. XV.

l'assicurazione era in proporzione molto più bassa. La maggiore sicurezza che i carichi arrivassero velocemente e con certezza a destinazione costituiva senza dubbio un forte vantaggio. Tutti questi elementi contribuiscono a spiegare il motivo per cui gli inglesi riuscirono a ottenere un'ampia quota dei trasporti nel Mediterraneo.[87] È significativo notare, inoltre, che il tonnellaggio totale della flotta mercantile inglese aumentò da appena 50.000 tonnellate nel 1572 a 340.00 nel 1686.[88]

Contemporaneamente, come hanno osservato diversi storici, e in particolare di recente la Pagano de Divitiis, a partire dagli anni intorno al 1570 i cantieri navali veneziani e di altre località italiane (nonché quelli spagnoli) conobbero una vera e propria 'crisi', soprattutto in rapporto alla costruzione delle imbarcazioni più grandi, a causa di un aumento dei costi che rifletteva innanzitutto la scarsità di legname da costruzione nell'area mediterranea, tanto più evidente in confronto all'offerta abbondante e a basso costo esistente nella zona del Baltico e anche in Inghilterra. Per gli italiani importare legname dal Nord o acquistare navi costruite nel Nord, anche se costituiva un'alternativa ovvia e sempre più seguita, era ancora relativamente costoso in termini di trasporto e di costi di transazione.[89]

Le Compagnie delle Indie Orientali, il commercio delle spezie e il declino di Venezia nel Seicento

La rapida decadenza dell'industria tessile veneziana nel Seicento, infine, fu forse connessa anche agli sfavorevoli sviluppi delineatisi nel commercio delle spezie, che certamente ebbero un forte impatto sul declino complessivo dei traffici veneziani nel XVII secolo. La Compagnia del Levante, commerciando con l'Impero Ottomano, desiderava anche assicurarsi una via di accesso – attraverso Aleppo – al traffico delle spezie e i suoi mercanti e investitori principali furono responsabili della creazione della più potente fra le nuove società commerciali che operavano Oltremare: la Compagnia delle Indie Orientali, fondata nel 1600, che deteneva il monopolio del commercio inglese nell'Oceano Indiano. Quasi contemporaneamente gli olandesi costituirono allo stesso scopo la Compagnia Unita delle Indie Orientali. Avvantaggiandosi delle interruzioni nel commercio europeo delle spezie verificatesi negli anni Novanta del Cinquecento, che questa

87. R. Davis, *English Overseas Trade, 1500-1700*, London 1973, pp. 20-31; Id., *The Rise of the English Shipping Industry in the Seventeenth and Eighteenth Centuries*, London 1962, pp. 1-57, 228-256; Id., *England and the Mediterranean*, cit., pp. 126-137; Pagano di Divitiis, *English Merchants*, cit., pp. 41-55.

88. Ivi, p. 43 tav. 2.1; cfr. la nota precedente.

89. Ivi, pp. 36-46 e le diverse fonti secondarie citate.

volta coinvolgevano portoghesi e veneziani, olandesi e inglesi entrarono in competizione per aprire una via marittima diretta per le Indie (e per l'India propriamente detta). Queste due compagnie, ma in particolare quella olandese, non solo distrussero buona parte (se non tutto) quel che restava della potenza mercantile portoghese nelle Indie, ma riuscirono laddove i portoghesi avevano fallito: si assicurarono un monopsonio quasi totale sul traffico delle spezie nelle Indie Orientali. Nonostante fossero stati cacciati da queste regioni per mano degli olandesi con il 'massacro di Amboina' del 1622, gli inglesi concentrarono maggiormente le loro energie per assicurarsi il controllo degli scambi nel subcontinente indiano. Di conseguenza il potere di Venezia nel commercio delle spezie scemò rapidamente. La perdita di tale potere e della possibilità di acquistare spezie nei porti ottomani, dunque, fu forse un ulteriore elemento che contribuì al declino delle vendite di tessuti di lana veneziani nell'impero, anche se gli altri fattori già citati ebbero probabilmente un ruolo più importante.

Il declino dell'industria tessile fiorentina fra il 1570 e il 1670

Anche l'industria tessile fiorentina, infine, dopo avere sperimentato una marcata ripresa e una rinnovata prosperità soprattutto grazie alla produzione e alla commercializzazione delle *rascie*, nuovi tessuti della famiglia dei serge, andò incontro, così come Venezia, a un declino inarrestabile. La sua capacità produttiva globale, che nel 1553 era di 14.700 *panni corsivi* (un'espressione utilizzata nei documenti per riportare ad un'unica misura standard prodotti differenti), raggiunse un picco di 33.212 panni corsivi nel 1571, ma scese poi a 15.723 panni nel 1586: un declino che continuò con una media annua di 12.863 panni nel 1602-1609, di 6428 nel decennio 1630-1639, di circa 3400 verso il 1660.[90] Dato che il mercato di Anversa era stato così importante per le *rascie* fiorentine e che gli anni intorno al 1570 si rivelarono un momento di svolta cruciale, forse dovremmo prendere in considerazione l'importanza della Rivolta dei Paesi Bassi (1568-1609), con la conseguente 'furia spagnola' che devastò Anversa nel 1576 e il successivo sacco di Anversa ad opera del duca di Anjou nel 1583, che provocò il rapido declino della città come piazza commerciale e lo spostamento delle attività mercantili nella più sicura e meglio protetta Amsterdam, fattore fondamentale della continua ascesa del commercio olandese.

Se questi eventi furono con tutta probabilità deleteri per lo smercio dei

90. Chorley, *Rascie and the Florentine Cloth Industry*, cit., tavv. 1 e 2, pp. 516-518; Malanima, *An Example of Industrial Reconversion*, cit., pp. 67-68. Egli stima che la capacità produttiva fosse scesa a circa 13.000 pezze alla fine del XVI secolo, con una breve ripresa a 17.000 pezze nel 1601-1602; ma dopo una nuova crisi nel 1616, la produzione scese a 8000 pezze nel 1620, a 6000 tra il 1630 e il 1640 e a sole 1500-2000 pezze verso il 1720.

tessuti fiorentini, indubbiamente più dannosa fu l'invasione del Mediterraneo ad opera della Compagnia del Levante, con la sua crescente e massiccia commercializzazione di prodotti concorrenziali come i tessuti serge, economici e leggeri, realizzati dalle *new draperies* inglesi. Contemporaneamente anche le *new draperies* olandesi e qualche altro concorrente europeo cominciarono a rappresentare una minaccia per l'industria fiorentina.[91] Un presagio infausto che si manifestò sul mercato di Anversa verso il 1560 fu la comparsa su larga scala di *ras* a prezzi più bassi, *rascie* poi prodotte in grandi quantità a Leiden a partire dagli anni Venti del Seicento (sebbene anche questa produzione fosse destinata a soccombere dinanzi alla concorrenza inglese).[92]

Verso la fine del XVII secolo, secondo Paolo Malanima, l'industria laniera fiorentina, dopo aver perso «a uno a uno» i mercati spagnolo, francese, dell'Italia meridionale e del Levante, si limitava a produrre tessuti per soddisfare la domanda interna, tessuti realizzati principalmente con lane dell'Italia meridionale.[93] I giorni gloriosi della manifattura dei panni di lana italiani, delle industrie della lana fiorentine e poi veneziane, un tempo così rinomate, volgevano ormai al termine, anche se ciò non valeva, ovviamente, per tutte le produzioni tessili della Penisola.*

91. Per altri fattori cfr. Chorley, *Rascie and the Florentine Cloth Industry*, cit., pp. 504-514 e Goldthwaite, *The Florentine Wool Industry*, cit., pp. 548-550.

92. Thijs, *Les textiles au marché anversois*, cit., p. 84; Van der Wee, *The Western European Woollen Industries*, cit., p. 448 tav. 8.4; C. Wilson, *Cloth Production and International Competition in the Seventeenth Century*, «Economic History Review», 13, 2 (1960).

93. Malanima, *An Example of Industrial Reconversion*, cit., pp. 67-68.

* Traduzione di Carla Sordina

I drappi di seta

SERGIO TOGNETTI

Nel 1514 il doge di Genova, Ottaviano Fregoso, a proposito della manifattura serica nella città della Lanterna, la più rilevante forse nell'intero panorama europeo del XVI secolo, sottolineava

> di quanta importanza, utilità o aviamento sia alla città lo artificio dei drappi di seta di ogni altro, e quanto emolumento ne risente la mercanzia, cabella e private persone così di dentro come fuori della città, in modo che si porria dire che il detto artifizio sia il spirito e anima della nostra repubblica.[1]

Del resto simili giudizi venivano formulati in molte città italiane del primo e del pieno Cinquecento, quando la produzione e soprattutto la commercializzazione in Europa e nel Levante turco di drappi e seterie di varia fattura sembravano prerogative quasi esclusive del *made in Italy*.[2] Tra gli ultimi decenni del XV secolo e i primi del XVI, le fiere di Lione, allora il maggior centro mercantile e finanziario dell'Europa, venivano costantemente rifornite da carovane di muli che attraverso i valichi alpini portavano nel Regno di Francia le raffinate e costose stoffe seriche prodotte a Genova, a Lucca, a Firenze, a Milano, a Venezia, a Bologna: broccati d'oro, velluti piani e a differenti altezze di pelo (i meravigliosi 'altobassi'), zetani vellutati (con ordito di raso e trama di pelo), damaschi, rasi, taffettà, veli ecc., costituivano una tra le voci più importanti nell'ambito delle esportazioni italiane all'estero e un fattore decisivo nell'orientare in senso positivo la bilancia commerciale dell'Italia. Solo i tessuti della penisola iberica, e in particolare i velluti lavorati a Valencia e le stoffe confezionate a Toledo, potevano parzialmente competere con la

1. G. Sivori, *Il tramonto dell'industria serica genovese*, «Rivista Storica Italiana», LXXXIV (1972), p. 894.

2. L. Molà, *The Silk Industry of Renaissance Venice*, Baltimore-London 2000, pp. XIII-XIX.

produzione italiana, mentre i setifici francesi, fiamminghi, svizzeri e tedeschi si trovavano in uno stato ancora embrionale, per non parlare delle manifatture seriche inglesi il cui decollo si sarebbe avuto soltanto durante il XVII secolo.

Alla base del monopolio produttivo e commerciale detenuto dai tessuti italiani in epoca rinascimentale c'erano ragioni che rimontavano a una lunga stagione di egemonia della Penisola nel quadro dell'intera economia europea. In primo luogo occorre rimarcare il primato commerciale e finanziario degli uomini d'affari italiani nei maggiori centri mercantili e bancari del Mediterraneo e dell'Europa, un fenomeno divenuto evidente tra XII e XIII secolo e ancora perdurante all'inizio del Cinquecento. A ciò si aggiunga una conseguente maggiore facilità nel reperimento delle materie prime e una più ampia possibilità di smerciare con successo i manufatti prodotti nelle proprie città. Infine, ma non ultima, la costante ricerca di alti standard qualitativi, raggiunti e perfezionati con la valorizzazione e la formazione di maestranze specializzate, volti a soddisfare una domanda internazionale incentrata prevalentemente sui beni di lusso, con conseguente predilezione, da parte delle industrie italiane, per la confezione di tessuti destinati più all'esportazione che allo smercio sui mercati interni. L'*exploit* del setificio italiano tra XV e XVI secolo fu quindi direttamente legato alla qualità dei manufatti, al talento degli artigiani e alle strategie d'affari dei mercanti-banchieri di rango internazionale.

Il nostro scopo è quello di far luce sulle origini basso-medievali del primato serico italiano, di fornire un quadro circa la diffusione delle stoffe della Penisola nei mercati dell'Europa rinascimentale e di cercare una spiegazione al rapido cambiamento occorso tra XVI e XVII secolo, quando il setificio italiano (al pari di altre attività economiche) dovette intraprendere un percorso di adattamento e di riconversione dagli esiti non sempre positivi. Quale che sia il giudizio sull'economia dell'Italia seicentesca, per quanto riguarda la produzione e il commercio dei drappi di seta in Europa occidentale l'esito finale del XVII secolo pare molto chiaro: fu la Francia a dominare i mercati, all'insegna di prodotti più economici, più appariscenti, più leggeri e soprattutto più alla moda. Con poche ma significative eccezioni, il lussuoso, pesante e pregiatissimo drappo italiano si avviò a diventare un tipico prodotto di nicchia.

Il 'monopolio' lucchese in Europa (fine XII-inizio XIV secolo)

Per tutto il Duecento e sino ai primi decenni del Trecento, in Europa, l'unica vera industria della seta degna di questo nome era quella impiantata a Lucca.[3] Nel corso dell'alto Medioevo e ancora tra XI e XII secolo le manifatture bizanti-

3. F. Edler de Roover, *Le sete lucchesi*, Lucca 1993, ed. orig. *Lucchese Silks*, «Ciba Review», LXXX (1950).

ne e quelle della Spagna musulmana rifornivano costantemente le città, le fiere e i mercati dell'Italia e dell'Europa occidentale: il celebre mantello del re normanno di Sicilia, Ruggero II, fu probabilmente confezionato in Grecia, nelle botteghe artigiane di Tebe.[4] Entrambi i setifici, tuttavia, erano ormai quasi scomparsi dalla scena nella prima metà del XIII secolo: le industrie bizantine in seguito al collasso dell'impero di Costantinopoli e al progressivo declino delle sue strutture economiche, quelle andaluse a causa del processo di *Reconquista* cristiana che pare aver privato rapidamente città come Toledo, Siviglia e Cordova dell'imprenditoria e delle maestranze islamiche qualificate, senza avere la capacità, o la volontà, di sostituirle adeguatamente.[5] Nel frattempo, come recita il felice titolo di un saggio di David Jacoby, l'arte della seta attraversò il Mediterraneo e si insediò sulle rive del Serchio nel corso del XII secolo.[6] In questa sede non ha senso ripercorrere l'annoso dibattito storiografico circa le origini e la ragioni di questo singolare trasferimento di competenze imprenditoriali e artigianali.[7] Pare opportuno, viceversa, sottolineare i caratteri della manifattura lucchese e il vasto livello di commercializzazione della sua produzione serica.

Quando le fonti ci permettono di cogliere un po' meno confusamente i lineamenti dell'industria serica di Lucca (siamo ormai nel pieno Duecento), l'organizzazione produttiva e la commerciale a essa sottesa sono ormai pienamente svi-

4. R.S. Lopez, *The Silk Industry in the Byzantine empire*, «Speculum», XX (1945); D. Jacoby, *Silk in Western Byzantium before the Fourth Crusade*, «Byzantinische Zeitschrift», LXXXIV-LXXXV (1991-1992); A. Muthesius, *The Byzantine Silk Industry: Lopez and Beyond*, «Journal of Medieval History», XIX (1993); M. Lombard, *Les textiles dans le monde musulman du VIIe au XIIe siècle*, Paris-La Haye-New York 1978, in particolare pp. 98-101; C. Partearroyo, *Los tejidos de Al-Andalus entre los siglos IX al XV (y su prolongación en el siglo XVI)*, in AA.VV., *España y Portugal en las rutas de la seda. Diez siglos de producción y comercio entre oriente y Occidente*, Barcelona 1996.

5. D. Jacoby, *The Production of Silk Textiles in Latin Greece*, in Id., *Commercial Exchange across the Mediterranean. Byzantium, the Crusader Levant, Egypt and Italy*, Aldershot-Burlington 2005; M.A. Ladero Quesada, *La producción de seda en la España medieval. Siglos XIII-XVI*, in *La seta in Europa. Secc. XIII-XX*, Atti della Ventiquattresima Settimana di studi dell'Istituto Internazionale di storia economica «F. Datini» di Prato, Prato, 4-9 maggio 1992, a cura di S. Cavaciocchi, Firenze 1993, a p. 138 ha affermato che «En Castilla la Nueva y Andalucía – Toledo, Córdoba, Sevilla – no hubo continuidad entre la manufactura sedera de época musulmana y la de tiempos critianos. Esta última se desarrolla a lo largo del siglo XV, especialmente desde su último cuarto, en relación con nuevas domandas del mercado, estimulos técnicos y mercantiles de origen italiano».

6. D. Jacoby, *Silk crosses the Mediterranean*, in *Le vie del Mediterraneo. Idee, uomini, oggetti (secoli XI-XVI)*, a cura di G. Airaldi, Genova 1997.

7. Per recenti messe a punto del problema cfr. B. Dini, *L'industria serica in Italia. Secc. XIII-XV*, in Id., *Saggi su un'economia-mondo. Firenze e l'Italia fra Mediterraneo ed Europa (sec. XIII-XVI)*, Pisa 1995, in particolare pp. 52 sgg.; P. Mainoni, *La seta in Italia fra XII e XIII secolo: migrazioni artigiane e tipologie seriche*, in *La seta in Italia dal Medioevo al Seicento. Dal baco al drappo*, a cura di L. Molà, R.C. Mueller e C. Zanier, Venezia 2000, in particolare pp. 372-377; I. Del Punta, *Mercanti e banchieri lucchesi nel Duecento*, Pisa 2004, pp. 39-45. Sulla seta e le seterie italiane nell'Italia dei secoli IX-XI cfr. M. Bettelli Bergamaschi, *Seta e colori nell'alto Medioevo. Il Siricum del monastero bresciano di S. Salvatore*, Milano 1994, pp. 134-191.

luppate. Singolarmente priva di una significativa industria laniera, la manifattura tessile per eccellenza delle città comunali italiane, Lucca seppe potenziare la lavorazione della seta portandola a livelli mai conosciuti in precedenza per l'economia di una singola città-stato. La forza del setificio lucchese poggiava essenzialmente sui seguenti fattori: innanzitutto, la presenza di un agguerrito ceto di mercanti-banchieri di rango internazionale, capaci di irradiare la propria azione nei principali porti mediterranei e nei più importanti mercati europei, desiderosi di investire nell'industria serica i guadagni realizzati nel commercio e nelle attività finanziarie, solleciti a rifornire le botteghe di Lucca con materie prime provenienti da ogni angolo del Mediterraneo, dal Medio Oriente, dalla Persia e dalla Cina e pronti a smerciare il drappo lucchese presso le più facoltose clientele dell'Europa occidentale; in secondo luogo, un'abbondanza di manodopera cittadina, resa disponibile dalla quasi totale assenza di una robusta industria laniera; infine, la formazione e la crescita di un vasto nucleo di artigiani qualificati, impiegati nelle fasi più complesse della lavorazione (torcitura, tintura, orditura, tessitura), le cui competenze non avevano pari nell'Italia (e nell'Europa) dell'epoca.[8]

L'industria serica lucchese, basata sul modello della manifattura decentrata con il mercante-imprenditore che recitava il triplice ruolo di fornitore delle materie prime, coordinatore dell'impresa e venditore all'ingrosso dei tessuti, era pertanto votata alla produzione di drappi destinati quasi esclusivamente all'esportazione su vasta scala, fabbricati con seta di prima scelta e confezionati da manodopera specializzata. I setaioli di Lucca, in assenza di una sericoltura di rilievo nell'Italia dell'epoca, importavano totalmente la seta grezza appoggiandosi al porto e alla marina di Genova: dalle colonie genovesi del Mar Nero e dell'Egeo, infatti, arrivavano le matasse di seta persiana, bizantina, cinese e siriana. Nella città della Lanterna le balle e i fardelli di seta orientale venivano girati direttamente alla nutritissima colonia mercantile lucchese, *partner* economico principale nella Genova del Duecento e del primo Trecento. Due cartulari di un importante notaio della Superba, datati 1274, indicano chiaramente che la stragrande maggioranza della seta grezza era venduta ai lucchesi (78,5% del totale); una documentazione notarile di poco posteriore (1288) conferma pienamente la simbiosi tra importatori liguri di seta orientale e acquirenti toscani. Le botteghe di Lucca dovevano quindi affrontare onerosi investimenti iniziali in acquisto di materie prime provenienti da regioni molto lontane (oltre alla seta anche i coloranti, come il chermes, la grana, l'oricello, la robbia, l'indaco, e il mordente per eccellenza, ovvero l'allume), un elemento che rendeva indispensabile la figura del mercante-imprenditore, giustificava pienamente il ricorso ad artigiani specializzati e relativamente ben pagati e, naturalmente, imponeva la vendita di tes-

8. Su tutto ciò cfr. ancora Edler de Roover, *Le sete lucchesi*, cit.

suti costosi e pregiati presso clienti facoltosi, sparsi in tutta l'Europa. Il drappo fabbricato nella città del Volto Santo dominava incontrastato il mercato serico internazionale, sia per la qualità del manufatto sia per l'ampiezza geografica della sua diffusione. Lo troviamo ovviamente alle fiere della Champagne, in Castiglia, nei mercati di Bruges, di Parigi e di Londra, dove gli uomini d'affari lucchesi si appoggiavano a filiali e a rappresentanti commerciali, ma anche nelle principali città italiane. Il tessuto richiesto veniva spesso utilizzato per ritagliare addobbi e paramenti destinati a decorare chiese e palazzi, oltre che per confezionare abiti particolarmente lussuosi e di cerimonia. Ne consegue che la stoffa fabbricata fosse generalmente pesante e assai costosa, frutto di lunghe e complesse lavorazioni, talvolta ornata da broccature d'oro o d'argento. La corte pontificia, l'alta gerarchia ecclesiastica e la grande feudalità occidentale costituivano la clientela più importante ed esigente: nel 1234, in un solo giorno, le autorità reali inglesi ordinarono sul mercato di Londra l'acquisto di ben 300 drappi lucchesi.[9]

Nel periodo precedente alla Peste Nera e ai relativi cambiamenti strutturali dell'economia europea che accompagnarono la drammatica crisi demografica tardo medievale, la domanda di tessuti serici da parte dei ceti non aristocratici era abbastanza modesta, e anche fra la nobiltà l'acquisto di abiti di seta era generalmente ristretto alle élites più facoltose e potenti: in questo senso il panno di lana pregiato, fiammingo o italiano, recitava un ruolo di ben maggiore rilevanza. Se mai potevano prosperare, ma solo a livello regionale perché i costi di trasporto e di transazione avrebbero eroso largamente i margini di guadagno, produzioni seriche indirizzate verso stoffe sottili e più economiche, come i taffettà lavorati a Bologna o gli zendadi leggeri confezionati a Genova, a Venezia, a Segovia ecc.[10] Questo spiega, in buona parte, le ragioni del monopolio produttivo lucchese. Per impiantare una manifattura serica votata ai mercati internazionali occorrevano grandi disponibilità di capitali e competenze specifiche, sia artigianali che commerciali; il mercato europeo, tuttavia, non era an-

9. D. Gioffré, *L'attività economica dei lucchesi a Genova fra il 1190 e il 1280*, in *Lucca archivistica storica economica*, Relazioni e comunicazioni al XV Congresso Nazionale Archivistico, Lucca, ottobre 1969, Roma 1973; P. Racine, *Le marché gênois de la soie en 1288*, «Revue des études sud-est européennes», VIII (1970); G. Petti Balbi, *La presenza lucchese a Genova in età medioevale*, in *Lucca e l'Europa degli affari. Secoli XV-XVII*, Atti del convegno internazionale di studi, Lucca, 1-2 dicembre 1989, a cura di R. Mazzei e T. Fanfani, Lucca 1990; D. Jacoby, *Genoa, Silk Trade and Silk Manufacture in the Mediterranean Region (ca. 1100-1300)*, in Id., *Commercial Exchange*, cit.; T.H.W. Blomquist, *Some Observations on Early Foreign Exchange Banking based upon New Evidence from Thirteenth-century Lucca*, «The Journal of European Economic History», XIX (1990), in particolare pp. 359-367; Del Punta, *Mercanti e banchieri*, cit., pp. 57-95; Id., *Lucca e il commercio della seta nel Duecento*, in *Per Marco Tangheroni. Studi su Pisa e sul mediterraneo medievale offerti dai suoi ultimi allievi*, a cura di C. Iannella, Pisa 2005; D. King, *Types of Silk Cloth used in England 1200-1500*, in *La seta in Europa*, cit., p. 458.

10. Mainoni, *La seta in Italia*, cit., pp. 377 sgg; D. Jacoby, *Dalla materia prima ai drappi tra Bisanzio, il Levante e Venezia: la prima fase dell'industria serica veneziana*, in *La seta in Italia*, cit., pp. 277 sgg.; Ladero Quesada, *La producción de seda*, cit., p. 126.

cora in grado di assorbire ingenti quantità di tessuti serici costosi e raffinati. Occorreva una rivoluzione dei consumi da parte delle classi elevate, ciò che avvenne proprio nel Rinascimento.

Intanto però, tra il secondo e il terzo decennio del XIV secolo, le lotte di fazione tra guelfi e ghibellini che ancora infiammavano la vita politica delle città toscane ebbero il potere di sconvolgere l'industria serica lucchese e, viceversa, di promuovere lo sviluppo di altre manifatture seriche italiane ponendo termine a un monopolio produttivo e commerciale secolare: i bandi e le espulsioni comminate nei confronti dei cittadini guelfi dal signore ghibellino di Pisa e di Lucca, Uguccione della Faggiuola (1314-1316), e gli esili volontari maturati in seguito al forte sentimento antiguelfo della signoria di Castruccio Castracani (1316-1328) misero in moto un processo di migrazione di capitali, competenze produttive e reti commerciali verso quelle città disposte ad accogliere a braccia aperte i setaioli e gli artigiani guelfi scappati da Lucca. Venezia, Bologna e Firenze beneficiarono della diaspora lucchese. L'industria serica veneziana fu quella che seppe trarne il massimo profitto: fu proprio la presenza della numerosa e ricca colonia lucchese in Laguna a creare e a sviluppare ai massimi livelli l'arte della seta di Venezia nel tardo Medioevo.[11]

La crisi del Trecento e l'espansione del setificio italiano

La Peste Nera sottopose l'Europa tardo medievale a un pesantissimo salasso demografico. Un terzo circa della popolazione scomparve tra il 1347 e il 1350. Le successive ondate di morbilità, che per molti decenni colpirono il continente con una periodicità quasi sistematica, impedirono sino alla metà del XV secolo (ma in molti casi anche ben oltre) una fisiologica ripresa dei livelli demografici del primo Trecento. Tra i tanti drammatici sommovimenti che alterarono le economie europee, quelli che maggiormente influenzarono le industrie cittadine furono la grave carenza di manodopera disponibile, con conseguente impennata delle retribuzioni sia a tempo sia a cottimo, e il mutato quadro (quantitativo e qualitativo) della potenziale clientela. Dato che l'ecatombe di vite umane non si accompagnò a una pari distruzione di patrimoni, la ricchezza *pro capite* era destinata ad aumentare con evidenti riflessi sui consumi di tutte le classi sociali. I salariati urbani e gli artigiani, ad esempio, conobbero effettivamente un miglioramento delle rispettive condizioni di vita: tra XIV e XV secolo l'aumento

11. Lo studio fondamentale sulla 'diaspora' lucchese è quello di L. Molà, *La comunità dei lucchesi a Venezia. Immigrazione e industria della seta nel tardo Medioevo*, Venezia 1994. Cfr. anche, perché editi successivamente, F. Edler de Roover, *L'arte della seta a Firenze nei secoli XIV e XV*, a cura di S. Tognetti, Firenze 1999, in particolare pp. 4-6 e F. Franceschi, *I forestieri e l'industria della seta fiorentina*, in *La seta in Italia*, cit., pp. 406-409.

delle retribuzioni permise loro di spendere di più (e soprattutto meglio) nei settori dell'alimentazione e dell'abbigliamento. La crescita di alcune attività agro-pastorali (a scapito della precedente cerealicoltura estensiva) e lo sviluppo di manifatture tessili incentrate su manufatti di qualità bassa e medio-bassa sarebbero stati altrimenti impensabili. L'evoluzione dei consumi, tuttavia, non interessò solo gli strati più umili della popolazione europea, anzi. La domanda per oggetti e merci di lusso non fu più limitata agli ambienti di corte, all'alta feudalità e alle gerarchie ecclesiastiche: i ricchi patriziati urbani, italiani innanzitutto e in seguito anche quelli delle maggiori città europee, cambiarono significativamente il loro stile di vita.[12] I consumi di tessuti di seta si elevarono progressivamente tra la seconda metà del Trecento e la prima metà del secolo successivo. La costante espansione nel mercato dei drappi serici non ebbe solo il potere di incrementare i livelli produttivi delle industrie esistenti prima del 1350, ne determinò anche mutamenti significativi a livello imprenditoriale e manageriale. Gli investimenti crebbero in proporzione.

Di fronte a fenomeni di tale portata, mentre le industrie laniere europee dovettero affrontare lunghi processi di riconversione produttiva, dibattendosi tra adattamenti più e meno forzati, recessioni e felici innovazioni, per le poche manifatture seriche operanti nel continente si presentarono prospettive future assai positive. A differenza dell'arte della lana, per la quale in età preindustriale la manodopera incideva per il 60-65% dei costi totali, nella lavorazione della seta la voce di bilancio più rilevante era rappresentato dal prezzo d'acquisto delle materie prime: seta e coloranti assorbivano quasi i due terzi dei costi di fabbricazione dei tessuti, mentre le retribuzioni di salariati e artigiani coprivano il rimanente terzo. Simili rapporti di costi, di fatto inversamente proporzionali, erano determinati tanto dal diverso valore delle materie prime lavorate quanto dalla differente lunghezza e complessità dei processi produttivi. L'industria laniera necessitava di molte più fasi lavorative di quanto non occorresse per la manifattura serica. Numerosi salariati a tempo o a cottimo, ad esempio, venivano impiegati nei molteplici processi che dovevano rendere pronto per la tessitura il fiocco di lana appena tosato. Così, per quanto un tessitore di velluti o di broccati fosse pagato meglio di un tessitore di pannilani, in virtù della sua qualifica professionale e della sua perizia, e la paga che gli veniva corrisposta avesse un'incidenza assai rilevante (tra il 50 e il 70%) sul prezzo della manodopera di un'impresa serica, que-

12. Sulla cosiddetta 'crisi del Trecento', si rimanda per il caso italiano a *Italia 1350-1450: tra crisi, trasformazione, sviluppo*, Tredicesimo convegno internazionale, Pistoia, 10-13 maggio 1991, Pistoia 1993; M. Luzzati, *La dinamica secolare di un «modello italiano»*, in *Storia dell'economia italiana*, a cura di R. Romano, Torino 1990-1991, I; R.A. Goldthwaite, *Ricchezza e domanda nel mercato dell'arte in Italia dal Trecento al Seicento. La cultura materiale e le origini del consumismo*, Milano 1995, pp. 17-73; R.C. Mueller, *Epidemie, crisi, rivolte*, in AA.VV., *Storia medievale*, Roma 1998; F. Franceschi, *La crisi del XIV secolo e l'Italia*, in *Una giornata con Ruggiero Romano, 25 ottobre 2000*, a cura di L. Perini e M. Plana, Firenze 2001.

st'ultima rappresentava tuttavia una voce di bilancio minoritaria nel quadro dei costi generali di fabbricazione dei drappi. Pertanto, quando il crollo demografico determinato dalle pestilenze spinse al rialzo il costo della manodopera, le industrie laniere accusarono il colpo mentre quelle seriche assorbirono tranquillamente la crescita dei salari. Retribuire in maniera adeguata le maestranze rappresentava, per i setaioli, una spesa relativamente poco onerosa e aveva il grande pregio di tenere alti gli standard produttivi, una scelta obbligata se si voleva soddisfare il desiderio di oggetti di lusso che pervadeva le élites europee.[13]

Nella seconda metà del Trecento la fabbricazione su larga scala di drappi seta si diffuse rapidamente da Lucca verso le grandi città mercantili dell'Italia centro-settentrionale. Grazie a incentivi economici e fiscali, finanziati da politiche economiche volute dai ceti affaristici cittadini, centri come Genova, Venezia, Bologna e Firenze riuscirono ad attirare manodopera esperta e qualificata. L'imprenditoria locale vide nella seta una seria e lucrosa prospettiva di investimento e dirottò su di essa parte dei propri capitali. Quelli che ancora all'inizio del XIV secolo non erano che piccoli laboratori artigiani, caratterizzati da modesti livelli manageriali e da uno scarso collegamento con i mercati sovra-regionali, divennero nel Quattrocento delle imprese capitalistiche dotate di ampie disponibilità finanziarie e dirette da personale ben addentro ai meccanismi dei circuiti mercantili internazionali. Ben più dell'arte della lana, quella della seta era una manifattura votata al commercio con l'estero, bisognosa di competenze manageriali oltre che artigianali. Nella Firenze di fine Trecento e inizio Quattrocento i nuovi imprenditori, i cosiddetti 'setaioli grossi', provenienti per lo più dalle famiglie che già vantavano cospicui investimenti nel commercio e nella banca, presero le redini dell'Arte di Por Santa Maria, una corporazione che in precedenza aveva ospitato una massa eterogenea di commercianti e artigiani impegnati nel settore dell'abbigliamento e non solo. I 'setaioli minuti', coloro che continuavano a esercitare il mestiere secondo vecchi schemi artigianali e commerciali, rimasero all'interno dell'Arte ma con poteri decisionali assai limitati.[14]

13. Sui costi industriali del setificio italiano fra tardo Medioevo e prima Età moderna cfr. Sivori, *Il tramonto*, cit., pp. 921-925; P. Massa Piergiovanni, *Un'impresa serica genovese della prima metà del Cinquecento*, Milano 1974, pp. 148, 151-153; Ead., *Tipologia tecnica e organizzazione economica della manodopera serica in alcune esperienze italiane*, in Ead., *Lineamenti di organizzazione economica in uno stato preindustriale. La repubblica di Genova*, Genova 1995, pp. 263-264; F. Edler de Roover, *Andrea Banchi setaiolo fiorentino del Quattrocento*, «Archivio Storico Italiano», CL (1992); Dini, *L'industria serica*, cit., pp. 74-75; S. Tognetti, *Un'industria di lusso al servizio del grande commercio. Il mercato dei drappi serici e della seta nella Firenze del Quattrocento*, Firenze 2002, pp. 89-91, 99-103. Per la messa a confronto dei costi di fabbricazione delle manifatture laniere e seriche cfr. ivi, pp. 19-24, con la bibliografia ivi citata.

14. Edler de Roover, *L'arte della seta*, cit., pp. 6-11; F. Franceschi, *Un'industria «nuova» e prestigiosa: la seta*, in *Arti fiorentine. La grande storia dell'Artigianato*, II, *Il Quattrocento*, a cura di G. Fossi e F. Franceschi, Firenze 1999, pp. 169-171.

L'introduzione e la promozione a Firenze dell'attività di battiloro, indispensabile per la fabbricazione dei tessuti broccati, furono operazioni progettate e finanziate interamente dai setaioli grossi, come emerge chiaramente da una memoria allegata agli statuti dell'Arte:

> Nel 1420 s'inchominciò in Firenze a far filare l'oro et battere foglia da filare oro e fu l'arte di Por Santa Maria, cioè mercatanti d'essa a loro spese e sotto nome dell'arte, che fu Tommaso Borghini, Giorgio di Niccolò di Dante e Giuliano di Francesco di ser Gino [Ginori]. Costò gran denaro a conducerci e' maestri e maestre.[15]

I numerosi dati statistici a disposizione per la Firenze quattrocentesca forniscono un quadro illuminante sui risultati derivanti dalle massicce iniezioni di capitali e dalle strategie imprenditoriali dei nuovi capitalisti (tra cui gli stessi Medici): il numero delle botteghe dei setaioli grossi passò da 33 a 50, tra il 1427 e il 1462, ma la loro disponibilità di capitali crebbe (e continuò a crescere) a un ritmo assai più sostenuto; i sensali che lavoravano per l'Arte raddoppiarono tra il 1440 e il 1461, passando da 10 a 20; le botteghe di battiloro che nel terzo decennio del secolo si contavano sulle dita di una mano raggiunsero le 20 unità alla fine del Quattrocento; infine, e soprattutto, il valore annuo della produzione serica complessiva salì dai circa 230.000 fiorini degli anni Trenta ai 400.000 fiorini dei primi anni Novanta.[16]

L'emergere di una nuova classe di mercanti-imprenditori serici è testimoniata anche nella Genova del primo Quattrocento, quando la perdita progressiva del predominio commerciale nel Mar Nero e nell'Egeo si accompagnò a una cospicua forma di riconversione manifatturiera dei capitali mercantili;[17] una seicentesca relazione sull'origine del setificio genovese ci ricorda infatti come

> L'arte della seta hebbe nella città nostra i suoi principii assai deboli, secondo la natura di tutte le cose che s'introducon di nuovo, et perciò fu essercitata in que' primi tempi da merciari, i quali sotto la generalità dell'arte loro impiegata in ogni sorta di merci, dal che prendono la denominazione, comprendevano con le altre i lavori della seta. Ma havendo questi con il corso del tempo fatto maggiori avanzamenti, sì nella quantità come nella varietà e stima, [nel 1432] fu stimato per buono expediente il dividere queste due arti in corpi del tutto separati con assignare

15. Citazione ripresa da B. Dini, *Una manifattura di battiloro nel Quattrocento*, in Id., *Saggi*, cit., p. 91.

16. B. Dini, *La ricchezza documentaria per l'arte della seta e l'economia fiorentina nel Quattrocento* e Id., *I battilori fiorentini nel Quattrocento*, in Id., *Manifattura, commercio e banca nella Firenze medievale*, Firenze 2001; Franceschi, *Un'industria «nuova»*, cit., pp. 167-168; Tognetti, *Un'industria di lusso*, cit., pp. 24-30.

17. P. Massa, *L'arte genovese della seta nella normativa del XV e del XVI secolo*, Genova 1970, pp. 19-36.

a ciasched'una di esse, per togliere confusione et ovviare disordini, quello che in ciasched'una havesse ad essercitarsi.[18]

A Venezia la parte dei 'setaioli grossi' fu recitata dai mercanti-imprenditori lucchesi immigrati in Laguna nel corso del Trecento. Conservando stretti legami con la città d'origine e una straordinaria compattezza interna, la comunità lucchese assunse un ruolo assolutamente preponderante nell'ambito della produzione serica veneziana tra la metà del XIV secolo e i primi decenni del Quattrocento. Le aziende dei mercanti-setaioli lucchesi erano degli organismi che operavano mediamente con capitali sociali dell'ordine dei 10.000 ducati, ma talvolta superavano questa cifra per sfiorare addirittura i 20.000 ducati; gli artigiani specializzati impiegati da tali ditte erano in maggioranza lucchesi o di origine lucchese. Alcune famiglie eminenti, come i Rapondi e i Guidiccioni, vantavano nelle loro file uomini d'affari dediti alla mercatura e alla produzione serica sia a Lucca che a Venezia, i quali operavano di concerto con filiali stabilite a Bruges e Londra. Godendo talvolta della doppia cittadinanza, tali influenti individui seguivano i loro affari indistintamente a Lucca o a Venezia, anche se l'esportazione dei drappi veniva operata sempre più dalla città lagunare. A Rialto, infatti, non solo era più facile rifornirsi di sete orientali, ma si aveva anche la possibilità di venire in contatto con i numerosi mercanti nordici del Fondaco dei Tedeschi.[19]

73, 74

Se la crescita di scala dell'industria serica si realizzava attraverso passaggi del tipo appena evidenziato, non desta meraviglia che il primo grande sviluppo del setificio in Europa, nel periodo compreso tra la seconda metà del Trecento e i primi decenni del Quattrocento, si sia risolto sostanzialmente in una diffusione dell'arte da Lucca verso altri centri mercantili italiani: Genova, Bologna, Venezia e Firenze. In queste città gli uomini d'affari di rango internazionale non solo erano numerosi, ma influenzavano direttamente le politiche economiche cittadine: prova ne è che, nell'ambito dell'Italia centro-settentrionale, l'impianto di gelsi e la sericoltura furono inizialmente promosse e incentivate nelle campagne della Terraferma veneta, nei contadi di Bologna e Modena, nella Romagna toscana e in val di Nievole.[20] Tra le numerose iniziative legislative con cui alcune città italiane cer-

18. Ivi, pp. 37-38.

19. Molà, *La comunità dei lucchesi*, cit., pp. 69-72, 197-217, 239-254; L. Galoppini, *I Lucchesi a Bruges ai tempi della Signoria di Paolo Guinigi (1400-1430)*, in AA.VV., *Paolo Guinigi e il suo tempo*, Atti del convegno, Lucca, 24-25 maggio 2001, «Quaderni lucchesi di studi sul Medioevo e sul Rinascimento», IV (2003).

20. Molà, *The silk industry*, cit., pp. 217-260; E. Demo, *La produzione serica a Verona e Vicenza tra Quattro e Cinquecento*, in *La seta in Italia*, cit.; Id., *L'«anima della città». L'industria tessile a Verona e Vicenza (1400-1550)*, Milano 2001, pp. 47-57; Edler de Roover, *Andrea Banchi*, cit., pp. 899-900; Ead., *L'arte della seta*, cit., pp. 27-28; J.C. Brown, *Pescia nel Rinascimento. All'ombra di Firenze*, Pescia 1987, pp. 95-172; H. Hoshino, *La seta in Valdinievole nel basso Medioevo*, in Id., *Industria tessile e commercio internazionale nella Firenze del tardo Medioevo*, a cura di F. Franceschi e S. Tognetti, Firenze 2001.

carono strenuamente di limitare la nascita di poli manifatturieri concorrenti, tre in particolare meritano di essere qui ricordate. Da una parte la volontà costante di attirare, con incentivi economici e agevolazioni di natura fiscale, l'immigrazione di maestranze qualificate, per migliorare la qualità dei prodotti e per diffondere ai novizi i segreti dell'arte, in modo da creare una base qualificata da cui reclutare manodopera specializzata: operai in grado di azionare quelle complesse macchine dell'epoca che erano i torcitoi a mano e a energia idraulica, tessitori di stoffe pesanti e ricche di complessi motivi figurativi, maestri battilori capaci di lavorare i fili di oro e argento dorato destinati a essere impiegati nelle broccature ecc. D'altra parte, nel quadro dei nascenti stati regionali, venne prescritta per legge (e concretamente praticata) la proibizione imposta dalla città dominante ai centri urbani soggetti di impiantare opifici in grado di far concorrenza alle manifatture seriche della capitale. In terzo luogo, la strenua difesa degli standard qualitativi venne perseguita attraverso l'istituzione di pene draconiane (compresa quella capitale) per chi andasse a esercitare il mestiere in un'altra città o diffondesse altrove i saperi gelosamente custoditi: «nemo portet artem extra»![21]

L'espansione della domanda per drappi di seta ebbe sensibili riflessi sulle modalità di accaparramento delle materie prime e sui meccanismi di smercio dei tessuti. La seta grezza lavorata nei setifici italiani, che sino al XIV secolo proveniva essenzialmente dalla Cina, dalla Persia e dalla Romània, cominciò a essere importata massicciamente anche dall'Andalusia e dall'Italia centro-meridionale: la Sicilia, la Calabria, l'Abruzzo, le Marche. Mano a mano che le manifatture seriche urbane della Penisola crescevano per livelli produttivi, capitali investiti e maestranze impiegate, le aree rurali votate alla gelsibachicoltura si espandevano da Sud verso Nord. Il Meridione d'Italia aveva conosciuto per primo la sericoltura, un'eredità arabo-bizantina valorizzata dai Normanni. I vuoti demografici trecenteschi, il conseguente arretramento della cerealicoltura sulle terre più fertili e, quindi, la maggior disponibilità di suoli collinari o marginali per l'impianto di colture alternative, la forte domanda di seta grezza da parte dei setifici dell'Italia settentrionale furono tutti fattori che innescarono un fenomeno di 'risalita' della sericoltura dalla Sicilia verso le regioni più settentrionali della Penisola. Si tratta di un processo plurisecolare che nella prima metà del Quattrocento era ancora agli inizi; in ogni caso esso testimonia della forza esercitata sui complessi ingranaggi delle produzioni agrarie da parte di manifatture pienamente inserite nei meccanismi del commercio internazionale. Prova ne è che nel Meridione d'Italia fiorentini e genovesi si rifornivano di seta grezza con cospicui acquisti all'ingrosso, effettuati talvolta da consorzi temporanei di società

21. Massa, *L'arte genovese*, cit., pp. 183-198; L. Molà, *Oltre i confini della città. Artigiani e imprenditori della seta fiorentini all'estero*, in *Arti fiorentine*, cit., pp. 99-105; Id., *The Silk Industry*, cit., pp. 29-51; Franceschi, *I forestieri*, cit.

d'affari collegate allo scopo, liquidati parzialmente con la consegna al venditore di consistenti partite di drappi di seta fabbricati nelle città d'origine degli acquirenti, come nel caso illustrato da un ordinativo registrato nei libri contabili del banco Cambini di Firenze:

Richordo che oggi questo dì XXIII d'ottobre che Angnuolo Chomo di Napoli schrisse per una sua fattura o vero chomessione de' dì V d'ottobre 1459 che noi gli fornisimo gl'infraschritti drapi che a presso, a baratto di seta chalavrese ci mandò più fa per Iacopo da R[i]ano vetturale, chome apare in questo c. 78, e d[e]l pregio di detta seta e chosì de' drappi che noi faciesimo noi [sic] chome di chosa nostra. E se detti drapi montasino più che lla detta seta, si promette di darlli seta di detta sorte a predetto pregio fussi mese l'altre e prima:
III peze di velluti chermisi richi e vantagiati pieni che abino il cholore chome un'altra se n'ebe da' Martelli quando ci era lui.
III peze di velluti neri pieni richi, chome quelle s'ebe ultimamente da' Martelli.
I[a] peza di velluto allessandrino pieno richo e buon cholore soprattutto.
II peze di rasi chermisi vantagiati chome gl'altri s'ebono da' Martelli e soprattutto abino vantagiato cholore chome noi l'usiamo toccho.
II peze di rasi neri doppi che sieno vantagiati e llluscienti.
I[a] peza di [zetani] vellutato nero choll'opera stretta e che ssia molto stretta l'opera altrimenti non si tolgha.
I[a] peza di domaschino nero lavorato alla viniziana fine e bella opera.
I[a] peza di domaschino biancho lavorato alla viniziana fine e bell'opera.
I[a] peza di domaschino verde di mortella a fiore lavorato alla viniziana che sia vantagiato.
I[a] peza di raso cilestro dopio o anchora scienpio no' ne churiamo. Fate che abia lo cholore presso allesandrino.[22]

Come è evidente dall'esempio appena citato, anche nelle modalità di vendita dei tessuti vi furono innovazioni importanti. I tessuti serici, se non venivano venduti a taglio nelle città di origine, erano esportati per quantità che avessero un rilevante valore monetario. Le destinazioni principali erano le capitali degli stati nazionali e i grandi centri mercantili del Mediterraneo e dell'Europa. In questo senso il drappo serico, sin dai tempi eroici della Lucca duecentesca, era la merce italiana che più di tutte le altre si caratterizzava per un amplissimo raggio di diffusione. Nella prima metà del XV secolo un polo d'attrazione formidabile per le esportazioni seriche della Penisola fu rappresentato dalle fiere mercantili

22. Tognetti, *Un'industria di lusso*, cit., pp. 118-121, 141 sgg.; il documento si trova a p. 145. Sulle esportazioni di seta dall'Abruzzo cfr. H. Hoshino, *Sulmona e l'Abruzzo nella mercatura fiorentina del basso Medioevo*, Roma 1981, pp. 44-49; Id., *I rapporti economici tra l'Abruzzo aquilano e Firenze nel basso Medioevo*, L'Aquila 1988, pp. 55-57, 77-82.

e finanziarie di Ginevra. La città, allora sotto la giurisdizione dei duchi di Savoia, divenne all'epoca uno tra i più importanti mercati di sbocco per i tessuti più lussuosi e pregiati: broccati, velluti, zetani vellutati, damaschi... Essendo al contempo il centro fieristico più importante del continente per le transazioni cambiarie e per il *clearing* dei debiti e dei crediti internazionali, Ginevra si prestava benissimo a un commercio all'ingrosso di manufatti molto costosi, effettuato dagli specialisti italiani dell'import-export e regolato da pagamenti scadenzati di fiera in fiera o dalla consegna delle numerose materie prime presenti sulla piazza ginevrina. I principali acquirenti delle stoffe italiane erano i mercanti provenienti dall'Europa centrale e soprattutto atlantica.[23] Parigi, Bruges e Londra erano gli altri fondamentali poli delle esportazioni Oltralpe, come testimonia ancor oggi la splendida collezione di drappi serici italiani conservati al londinese Victoria and Albert Museum. I conti del Guardaroba reale inglese segnalano una crescita progressiva negli acquisti di tessuti serici italiani tra gli anni Venti del Trecento e gli anni Sessanta del Quattrocento: si trattava di stoffe pesanti, elaborate e spesso arricchite con fili e lamine d'oro o d'argento dorato.[24] La Francia, il regno più popolato e più ricco dell'Europa, assorbiva ingenti quantità di drappi italiani, in particolare lucchesi, come illustra una lucida e drammatica pagina del cronista Giovanni Sercambi, relativa ai disastri prodotti sul mercato francese dalla guerra dei Cent'anni durante la lotta tra Armagnacchi e Borgognoni:

> Per la dicta morte del duga d'Orliens e l'altre cose seguite, ànno li mercadanti di Luccha perduto et facto arieto di capitale più che la valuta di fiorini .CL.^{m}, tra dette perdute da' signori e interessi tenuti a gosto e mercantie tolte et rubate, e altre chagioni sopra venute. Per le quali cose, oggi dell'anno di .MCCCCXVIII. in nella ciptà di Lucha non si lavora delle infrascripte arti apartenenti a mercantia di seta, e principalmente neuno arte d'oro o d'ariento in nella ciptà di Lucha né in suo contado non si fa, che era uno grande esercitio et guadagno. E simili alcuni lavo-

23. L'opera fondamentale sulle fiere di Ginevra è sempre il classico J.-F. Bergier, *Genève et l'économie européenne de la Renaissance*, Paris 1963. L'importanza delle fiere ginevrine per l'industria serica italiana è stata analizzata soprattutto grazie alle superstiti contabilità delle grandi compagnie mercantili-bancarie di Firenze: cfr. B. Dini, *I mercanti-banchieri italiani e le fiere di Ginevra e Lione (XV secolo - inizi XVI sec.)*, in *L'Italia alla fine del Medioevo: i caratteri originali nel quadro europeo*, Atti dell'Ottavo convegno internazionale, San Miniato, 28 settembre-1 ottobre 2000, a cura di F. Salvestrini, Firenze 2007; M. Cassandro, *Il libro Giallo di Ginevra della compagnia fiorentina di Antonio della Casa e Simone Guadagni, 1453-1454*, Prato 1976, pp. 60, 63-65, 67-71, 74-81, 90-93; Id., *Banca e commercio fiorentini alle fiere di Ginevra nel XV secolo*, «Rivista Storica Svizzera», XXVI (1976), pp. 593-598. Edler de Roover, *Andrea Banchi*, cit., pp. 934, 936-939; W. Caferro, *The Silk Business of Tommaso Spinelli, Fifteenth Century Florentine Merchant and Papal Banker*, «Renaissance Studies», X (1996), pp. 436-437.

24. L. Monnas, *Silk Cloth purchased for the Great Wardrobe of the Kings of England, 1325-1462*, «Textile History», XX (1989).

ri di sendada in nella dicta ciptà non si fanno; li quali lavori davano a molti gran guadagno, fine a' maestri di legname per le cassette s'adoperavano.

Merciaria, testoiai, celendratori, tintori, filatori, cocitori, poco overo nulla lavorano.

Tessitori di vegluti piani, vegluti al pelo lungo, vegluti al pelo lungo e basso, vegluti veglutati con oro e ariento, poco overo nulla se ne fanno.

Zectani schietti, zettani viglutati, rachamati, tessuti a oro, taffettà, brochati d'oro o d'ariento, inperiali, atabì, baldachini e tucte altre maniere di lavori di seta, in nella ciptà di Luccha poco overo nulla si fa, e tucto è divenuto per non aver preso modo al danno essuto. E se alcuno testore o altri artieri delle dicte mercantie, come sono cocitori, filatori, tintori, è dato loro per alcuni mercatanti, tali operatori sono pagati di panno o d'altro pigior cosa, contanto tal panno fiorini .IIII. la canna, che non vale fiorini .II. E a questo modo tali artieri son costretti per necessità, o stentare in Lucha colle loro famiglie, o costretti abandonare Luccha.

Et così molti della ciptà di Lucha si sono partiti, chi andato a Vinegia, chi a Bologna, chi a Firenzea, chi a Genova, chi in contado, chi al soldo; e a questo alcuno riparo non si prende a conservare tali artieri e la ciptà in buono stato. E di tucto è colpa chi à voluto il suo e l'altrui mandare in Francia, e chi al loro l'à consentito.[25]

L'industria serica italiana al suo apogeo (1450-1600)

Alla metà circa del XV secolo iniziava una nuova fase secolare dell'economia europea, segnata da una significativa e prolungata ripresa demografica, dalle scoperte geografiche e da una conseguente dilatazione degli spazi commerciali, da un'espansione generalizzata dei consumi e da una crescita più accelerata degli stati europei che si affacciavano sull'Atlantico. Questa particolare, felice, stagione dell'economia continentale, il lungo Cinquecento di cui parlava Fernand Braudel, fa da cornice perfetta all'andamento e all'evoluzione della produzione serica italiana ed europea tra i decenni centrali del Quattrocento e gli ultimi del XVI secolo. In questo arco cronologico la manifattura conobbe un'ulteriore massiccia diffusione e una conseguente crescita di scala. L'arte della seta varcò infine le Alpi e si radicò nella penisola iberica, in Francia, nei Cantoni svizzeri, nei Paesi Bassi, in Renania e in Inghilterra. Indossare abiti di seta divenne uno *status symbol* irrinunciabile per chiunque aspirasse a un posto di rilevo nella società, ma anche un segno di raffinatezza e di gusto. Le opere dei pittori dell'epoca rinascimentale, soprattutto italiani (si pensi, ad esempio, agli affreschi di Benozzo Gozzoli, Piero della Francesca, Antonio del Pollaiolo o Antonello da Messina, Andrea Mantegna, Domenico Ghirlandaio), fanno uno

25. Giovanni Sercambi, *Le Croniche*, a cura di S. Bongi, Roma 1892, III, pp. 251-252.

sfoggio impressionante di vesti seriche, con una predilezione per gli abiti confezionati con stoffe ricche di motivi figurativi floreali (la melagrana, il cardo, la pigna, il fiore di loto ecc.) e di broccature d'oro, al punto che si è persino ipotizzato un rapporto di collaborazione tra gli artisti italiani del Quattro-Cinquecento e i disegnatori di complessi tessuti figurati.[26] Tra il 3 e l'11 luglio del 1468, in occasione di una prolungata e sontuosa festa organizzata a Bruges per le nozze tra il duca di Borgogna, Carlo il Temerario, e la sorella del re inglese Edoardo IV, Margherita di York, l'intera comunità mercantile della ricca città fiamminga si rivestì da capo a piedi di abiti confezionati con velluti, damaschi e rasi di seta: veneziani e fiorentini in prima fila, seguiti da castigliani, genovesi, tedeschi, catalani, siciliani, lucchesi e portoghesi. Come annotò un osservatore dell'epoca «fit les plus triumphales noces et de la plus grande despence que de long temps en eussent esté faictes».[27]

14-19
20-25

In un quadro di generale espansione dell'economia e di allargamento dei mercati per le stoffe di seta, i forti vincoli che alcune, poche, città italiane avevano posto alla divulgazione e alla disseminazione delle competenze artigianali persero progressivamente la loro ragion d'essere. Anzi, si potrebbe affermare sulla scorta di Luca Molà che nel periodo 1450-1600 la manifattura serica costituì uno dei campi nei quali la velocità e l'ampiezza di diffusione delle tecniche produttive, nonché la circolazione di capitale umano e finanziario, raggiunsero i livelli più alti.[28] È opportuno precisare che tutto ciò, ancora una volta, avvenne in larga parte grazie all'opera di imprenditori e artigiani italiani: furono gli uomini d'affari e gli operai emigrati dalla Penisola che si adoperarono fattivamente per la creazione e lo sviluppo di setifici Oltralpe. L'affacciarsi dei nuovi *competitors* sulla scena europea non fu avvertito come un pericolo, tutt'altro. Solo all'inizio dei Seicento il mutato scenario economico continentale e l'emergere prepotente di una nuova moda legata alle corti delle grandi monarchie assolute (Francia in testa) avrebbero penalizzato le manifatture italiane.

Tra la seconda metà del XV secolo e nei primissimi anni del Cinquecento l'arte della seta si radicò in un gran numero di città italiane: Milano e Napoli costituirono gli esempi più eclatanti e felici, ma non bisogna sminuire la diffusione di setifici di un certo rilievo anche a Mantova, Ferrara, Reggio Emilia, Modena, Perugia, Siena, Messina e Catanzaro. La costituzione di nuove industrie seriche passò inevitabilmente attraverso meccanismi già noti, come lo spostamento da una città all'altra da parte di maestranze e di imprenditori attirati da facilitazioni

26. R. Bonito Fanelli, *The Pomegranate Motif in Italian Renaissance Silks: a Semiological Interpretation of Pattern and Color*, in *La seta in Europa*, cit.; Franceschi, *Un'industria «nuova»*, cit., pp. 183-185; Molà, *La comunità dei lucchesi*, cit., pp. 187-190.

27. L. Galoppini, *«Nationes» toscane nelle Fiandre*, in *Comunità forestiere e «nationes» nell'Europa dei secoli XIII-XVI*, a cura di G. Petti Balbi, Napoli 2001, pp. 159-162.

28. Molà, *The Silk Industry*, cit., pp. 29-51.

fiscali e incentivi economici: lucchesi, genovesi e fiorentini nella Milano visconteo-sforzesca; ancora genovesi e bolognesi nelle città estensi; fiorentini, veneziani e genovesi nella Napoli di Ferrante d'Aragona; lucchesi, genovesi, lombardi e veneti nella Messina di fine Quattrocento. D'altra parte i tradizionali centri manifatturieri di Lucca, Venezia, Genova, Firenze e Bologna conobbero nel medesimo arco cronologico un'ulteriore fase di crescita, mantenendo indiscutibilmente il primato per quantità e valore delle produzioni.[29] In questo senso, stupisce la tenacia con cui la piccola città di Lucca (meno di 10.000 abitanti nella prima metà del XV secolo, risaliti a circa 19.000 nel 1540) riuscì a preservare la sua tradizionale industria e, superata la crisi trecentesca, a valorizzare ulteriormente il proprio patrimonio manifatturiero nella seconda metà del Quattrocento.[30]

Nel corso del XVI secolo l'incentivata competizione spinse gli imprenditori a diversificare progressivamente l'offerta sui mercati italiani ed esteri: in particolare, grazie a una corposa monografia sull'industria serica della Venezia cinquecentesca e a una puntuale ricostruzione dell'attività di un tessitore-imprenditore operante a Firenze tra fine Quattrocento e metà Cinquecento, siamo in grado di cogliere quella che doveva essere una strategia industriale volta a soddisfare la crescente e variegata domanda di stoffe di seta mettendo sul mercato prodotti di fattura ampia e articolata.[31] Dalla metà del XVI secolo in poi il processo si andò accelerando secondo politiche economiche che, in linea di massima, assegnavano alle capitali degli stati le produzioni più pregiate e più richieste sui mercati esteri, alle città soggette (come Verona, Vicenza, Brescia e Bergamo nel dominio veneziano, Cremona, Pavia e Como nello stato milanese, Pisa nel granducato di Toscana) le lavorazioni di tessuti lisci, più a buon mercato, rivolte sostanzialmente ai mercati interni.[32] Nel complesso, tuttavia, la qualità dei drappi di seta confezionati in Italia si mantenne generalmente su livelli molto elevati, con una predilezione per le stoffe pesanti e lussuose. Nella Venezia del XVI seco-

29. Dini, *L'industria serica*, cit., pp. 83-85; Molà, *The Silk Industry*, cit., pp. 3 sgg.; Id., *Oltre i confini*, cit.; F. Battistini, *L'industria della seta in Italia nell'età moderna*, Bologna 2003, pp. 176-184. Sulle realtà milanese e napoletana cfr. anche i saggi di M. Damiolini e B. Del Bo, P. Grillo, P. Mainoni, C. Roman, G.P. Scharf contenuti nel numero monografico di «Studi Storici», XXXV, 4 (1994) e R. Ragosta, *Stato, mercanti e tintori di seta a Napoli (sec. XVI-XVIII)*, Napoli 1988.

30. M.E. Bratchel, *The Silk Industry of Lucca in the Fifteenth Century*, in AA.VV., *Tecnica e società nell'Italia dei secoli XII-XVI*, Undicesimo convegno internazionale, Pistoia, 28-31 ottobre 1984, Pistoia 1987; Id., *Lucca 1430-1494. The Reconstruction of an Italian City-Republic*, Oxford 1995, pp. 132-171. I dati demografici sono ripresi da M. Ginatempo, L. Sandri, *L'Italia delle città. Il popolamento urbano tra Medioevo e Rinascimento*, Firenze 1990, p. 148.

31. Molà, *The Silk Industry*, cit., pp. 89-106, 161-185; R.A. Goldthwaite, *An entrepreneurial Silk Weaver in Renaissance Florence*, «I Tatti Studies», X (2005). Tessuti leggeri vennero prodotti anche a Napoli, in quantità crescenti dalla metà del XVI secolo in avanti: cfr. R. Ragosta Portioli, *Specializzazione produttiva a Napoli nei secoli XVI e XVII*, in *La seta in Europa*, cit.

32. Molà, *The Silk Industry*, cit., pp. 261-298.

lo si producevano almeno cinque tipologie di drappi serici a seconda delle destinazioni commerciali: domestici, mezzani, *da parangon*, *da navegar*, *da fontego*. Erano le due ultime qualità, indubbiamente le più pregiate, quelle che uscivano dallo stato veneto per essere esportate nel Mediterraneo e nell'Europa centro-occidentale.[33] A Milano la produzione era decisamente orientata verso i pesanti drappi auroserici: nel 1553 il mercante-imprenditore Giovanni Antonio Orombelli aveva in magazzino seterie del peso di 4800 libbre (circa 1,5 tonnellate), il cui costo di fabbricazione si aggirava intorno ai 20.000 scudi e un presumibile prezzo di vendita di circa 27.000 scudi![34] A Firenze nel 1588, in occasione di una festa pubblica organizzata per onorare il granduca Ferdinando I

> i setaioli eseguirono un superbo apparato in Vacchereccia ed in Mercato Nuovo, addobbando lateralmente quelle due strade con ricchissime pezze di broccati, di telette e di drappi d'oro e seta, offrendo alla vista un sontuoso spettacolo non men dilettevole che maraviglioso: basti dire che le seterie impiegate in questa festa si valutarono più di un milione di fiorini d'oro.[35]

Non era solo il tipo di tessitura o l'impiego di fili d'oro o d'argento dorato a far lievitare i costi dei drappi più pregiati; peso non indifferente l'avevano anche i prezzi di alcuni coloranti impiegati per tingere i drappi con tonalità rosse, in special modo il chermes e la grana, sostanze provenienti dall'Europa orientale e dalle regioni caucasiche la prima, dal Mediterraneo occidentale la seconda. Le stesse autorità corporative imponevano l'utilizzo dei coloranti più cari per la tintura dei drappi di lusso destinati ai mercati esteri.[36]

È questo tipo di produzione quella che veniva massicciamente inoltrata verso i maggiori centri mercantili del continente europeo e del Levante turco. Lione soprattutto, le cui fiere mercantili e finanziarie sostituirono quelle di Ginevra divenendo tra Quattro e Cinquecento i più importanti raduni affaristici dell'Europa, per un buon secolo costituì la porta d'ingresso verso la Francia e l'Europa occidentale della ricche seterie italiane. Le ditte fiorentine, lucchesi, genovesi e milanesi che inviavano verso Lione le casse di drappi si appoggiavano a filiali italiane in terra francese, nei Paesi Bassi, in Inghilterra e nella penisola

33. Ivi, pp. 96-106.

34. A. De Maddalena, «*Excolere vitam per artem*». *Giovanni Antonio Orombelli mercante auroserico milanese del Cinquecento*, in Id., *Dalla città al borgo. Avvio di una metamorfosi economica e sociale nella Lombardia spagnola*, Milano 1982, pp. 30-41.

35. Testimonianza di Baccio Cancellieri, biografo di Ferdinando I, riportata da F. Battistini, *Gelsi, bozzoli e caldaie. L'industria della seta in Toscana tra città, borghi e campagne (sec. XVI-XVIII)*, Firenze 1998, p. 41.

36. Massa, *L'arte genovese*, cit., pp. 117-119; Edler de Roover, *L'arte della seta*, cit., pp. 44 sgg.; Molà, *The Silk Industry*, cit., pp. 109-120; D. Cardon, *Du «verme cremexe» au «veluto cremexino»: une filière vénitienne du cramoisi au XV*[e] *siècle*, in *La seta in Italia*, cit.

iberica, le quali non si limitavano a curare la compravendita di tessuti, ma operavano massicciamente in molti altri settori: dai cambi delle valute alle più ardite speculazioni finanziarie, dal settore assicurativo al commercio di ogni genere di articolo merceologico.[37] Alla fine del Quattrocento i Serristori, patrizi fiorentini, gestivano un'azienda di arte della seta che operava con un capitale di oltre 24.000 fiorini larghi, un'impresa di battiloro e una bottega di setaiolo 'minuto', appoggiandosi a tutta una serie di società in accomandita e di compagnie mercantili-bancarie, da loro create con lo scopo precipuo di facilitare lo smercio dei drappi sui mercati esteri: a Lione, a Bruges, ad Anversa, a Londra; senza contare i fattori inviati stabilmente a Napoli e a Istanbul.[38] Nel 1548 le società del 'gruppo' Balbani, uomini d'affari lucchesi, prevedevano: due botteghe di arte della seta e una società bancaria a Lucca, ciascuna azienda essendo dotata di 10.000 scudi di capitale; una compagnia mercantile-bancaria a Lione con 20.000 scudi di 'corpo' e una ad Anversa con il medesimo capitale.[39]

Questo genere di sinergie imprenditoriali, nelle quali l'esportazione di drappi serici si sposava con la mercatura e la finanza internazionali, garantiva alla Penisola una bilancia dei pagamenti in attivo. Nel 1530, ad esempio, pare che il valore di sete e velluti genovesi esportati in Francia superasse il milione di scudi; nei primi anni Cinquanta del secolo i drappi genovesi introdotti nel Regno toccavano i 4,5 milioni di lire all'anno.[40] Per il 1550 è stato altresì stimato che il valore delle importazioni di seta grezza e tessuti serici italiani ad Anversa si attestasse sui 4 milioni di fiorini.[41] Nella seconda metà del XVI secolo, le fiere lionesi cominciarono a perdere l'importanza di un tempo, la piazza mercantile e finanziaria di Anversa si deteriorò in seguito agli eventi bellici legati alla ribellione dei Paesi Bassi contro gli Asburgo di Spagna, e il primato commerciale e finanziario detenuto dagli italiani nei centri mercantili dell'Europa atlantica si venne progressivamente incrinando. Fu allora che gli impren-

37. R. Gascon, *Grand commerce et vie urbaine au XVIe siècle. Lyon et ses marchands (environs de 1520-environs de 1580)*, Paris 1971, pp. 56-65, 203-231, 907-916; R. Morelli, *La seta fiorentina nel Cinquecento*, Milano 1976, pp. 79-95; M. Cassandro, *Le fiere di Lione e gli uomini d'affari italiani nel Cinquecento*, Firenze 1979; Massa, *L'arte genovese*, cit., pp. 171-205; M. Berengo, *Nobili e mercanti nella Lucca del Cinquecento*, Torino 1974[2], pp. 66-70, 118-122; R. Sabbatini, *'Cercar esca'. Mercanti lucchesi ad Anversa nel Cinquecento*, Firenze 1985, in particolare pp. 29-36; P. Jeannin, J. Bottin, *La place de Rouen et les réseaux d'affaires lucquois en Europe du nord-ouest (fin du XVIe-début du XVIIe siècle)*, in *Lucca e l'Europa*, cit.; B. Dini, *L'economia fiorentina dal 1450 al 1530*, in Id., *Saggi*, cit.

38. Tognetti, *Un'industria di lusso*, cit., pp. 74-105. Per gli investimenti nel settore serico (e nell'attività di battiloro) da parte di altre grandi famiglie fiorentine tra Quattro e Cinquecento cfr. R.A. Goldthwaite, *Private Wealth in Renaissance Florence: a Study of Four Families*, Princeton 1968, pp. 86-87, 124-127, 141-142, 161-162, 169-177, 196, 199-201, 214-216, 224-226, 230-231.

39. Sabbatini, *'Cercar esca'*, cit., pp. 32-33.

40. Sivori, *Il tramonto*, cit., p. 932.

41. A.K.L. Thijs, *Les textiles au marché anversois au XVIe siècle*, in *Textiles of the Low Countries in European Economic History*, a cura di E. Aerts e J.H. Munro, Leuven 1990, p. 80.

ditori serici della Penisola cercarono nuovi importanti sbocchi alle loro produzioni verso le città dell'Europa centro-orientale: Norimberga, Francoforte, Lipsia, Praga, Cracovia.[42]

Come è logico pensare il setificio italiano del XVI secolo era un'attività in grado di dar lavoro a un numero impressionante di famiglie cittadine e dei suburbi. A Lucca, nella prima metà del XVI secolo, quando l'industria serica locale viveva una sorta di seconda giovinezza, i due terzi circa della cittadinanza (12.000 su 18-19.000 abitanti complessivi) erano occupati a vario titolo nel comparto della seta.[43] Nei decenni centrali del Cinquecento, a Venezia si contavano tra 25 e 30.000 addetti alla manifattura serica in Laguna.[44] A Genova nel 1565 operavano 250 *seatieri* (i mercanti-imprenditori) i quali davano lavoro a 38.000 tra artigiani e operai salariati, quasi il 60% della popolazione complessiva (circa 70.000 abitanti) era dunque impegnata nella lavorazione della seta con migliaia e migliaia di telai, senza contare gli occupati delle due Riviere (soprattutto quella di Levante).[45] Più o meno nello stesso periodo a Milano 18-20.000 cittadini su 80-90.000 gravitavano intorno al setificio cittadino (20-25%).[46] A Bologna nel 1587 oltre 24.000 cittadini su un totale di 70.000 abitanti avrebbero lavorato nella manifattura serica (35% circa).[47] Nella Napoli di inizio Seicento, su una popolazione complessiva di circa 300.000 abitanti circa 60.000 napoletani vivevano del comparto serico (20%).[48]

La vera e propria esplosione del setificio italiano in epoca rinascimentale ebbe profonde ripercussioni anche sulla produzione locale di seta grezza e quindi sul paesaggio agrario della Penisola. La gelsibachicoltura e la trattura delle bave dei bozzoli essiccati divenne un'attività sempre più importante sia per i bilanci dei proprietari terrieri sia per i redditi delle famiglie contadine: all'inizio del XVI secolo l'Italia produceva circa 420 tonnellate di seta in matasse, tre quarti dei quali nelle regioni del Mezzogiorno.[49] In alcune di queste, come la Calabria ad esempio, la grande feudalità investì molto nella sericoltura e, in alcuni casi, giunse persino a far spiantare le viti per riconvertire i suoli collina-

42. A. Manikowski, *Les soieries italiennes et l'activité des commerçants italiens des soieries en Pologne au XVIIe siècle. Marginalité des échanges ou permanence des relations économiques entre les deux pays en période de régression*, «Mélanges de l'Ecoles Française de Rome», 88 (1976); Id., *Mercato polacco per i prodotti di lusso o l'offerta commerciale di Lucca e delle altre città italiane nel Seicento*, in *Lucca e l'Europa*, cit.; H. Kellenbenz, *Mercanti lucchesi a Norimberga, Francoforte, Colonia e Lipsia nel XVI e nella prima metà del XVII secolo*, ivi; R. Mazzei, Itinera mercatorum. *Circolazione di uomini e beni nell'Europa centro-orientale 1550-1650*, Lucca 1999, *passim*.

43. Molà, *The Silk Industry*, cit., p. 16.

44. *Ibid.*

45. Sivori, *Il tramonto*, cit., pp. 895-897.

46. A. De Maddalena, *Tra seta, oro e argento a Milano a mezzo il Cinquecento*, in Id., *Dalla città al borgo*, cit., p. 54.

47. C. Poni, *Per la storia del distretto industriale serico di Bologna (secoli XVI-XIX)*, «Quaderni Storici», 73 (1990), p. 95.

48. Ragosta, *Stato, mercanti*, cit., pp. 35-36.

49. Battistini, *L'industria della seta*, cit., pp. 87 sgg.

ri alla coltivazione dei gelsi, e con piena ragione dal loro punto di vista:[50] tra XV e XVI secolo, le dogane di Cosenza e delle maggiori città siciliane, le contabilità delle aziende seriche fiorentine e i registri daziari genovesi attestano, infatti, massicce e costanti importazioni di seta siciliana e calabrese nei porti toscani e liguri, i cui costi venivano parzialmente saldati grazie alle esportazioni verso Napoli di velluti, damaschi, zetani vellutati e altri drappi.[51] Sotto la spinta di una domanda crescente da parte delle città italiane del centro-nord si veniva così ridisegnando la *facies* di alcuni territori meridionali. L'esigenza di avere seta a portata di mano, e quindi di risparmiare sugli onerosi costi di importazione, spinse anche i possidenti del Nord Italia a investire massicciamente nella sericoltura, in una sorta di vera e propria 'gelsomania', come ha scritto Francesco Battistini sulla scia di testimonianze quale questa di area modenese, datata 1537:

> la maggior parte delli contadini hanno imparato a tenere li begatini [bachi da seta] et li padroni hanno fatto piantare mori assai in le sue possessioni et pensano che sia migliore entrata che tenere pecore perché non ge vole fieno la vernata, né pecorari né stalle, né sono sottoposti a lupi, soldati et altri, perché presto se ne cava oro colato con l'aiuto di Dio et lo ingegno umano.[52]

All'inizio del Seicento si producevano ormai circa 950 tonnellate di seta grezza (con un aumento del 126% rispetto al secolo precedente) così distribuite: 470 tonnellate nel Mezzogiorno, 410 a nord degli Appennini e 70 in Italia centrale.[53]

È stato di recente stimato che nell'Europa di inizio Cinquecento fossero in funzione circa 24.000 telai da seta. Ben oltre la metà (circa 14.000) si trovava in Italia, mentre 5-6000 operavano nei domini iberici della monarchia unificata ca-

50. G. Galasso, *Economia e società nella Calabria del Cinquecento*, Milano 1975, pp. 143-152, 241-254; T. Iorio, *Produzione e commercio della seta in Calabria nel secolo XVI*, Napoli 1988.

51. D. Gioffré, *Il commercio d'importazione genovese alla luce dei registri del dazio (1495-1537)*, in AA.VV., *Studi in onore di Amintore Fanfani*, Milano 1962, V, in particolare pp. 177-179, 182-187, 195-198, 239; C. Trasselli, *Ricerche sulla seta siciliana*, «Economia e Storia», XII (1965); Morelli, *La seta fiorentina*, cit., pp. 28-39; Iorio, *Produzione e commercio*, cit., pp. 16-17, 30-52; S. Nencioni, *Il ruolo di una compagnia fiorentina nel commercio della seta calabrese a metà del Cinquecento*, «Rivista di Storia dell'Agricoltura», XXXVII, 1 (1997); L. Lombardi, *Commercio e banca di fiorentini a Messina nel XVI secolo: l'azienda di Bardo di Iacopo Corsi dal 1537 al 1541*, «Archivio Storico Italiano», CLVI, 1998, pp. 647-652; S. Tognetti, *Uno scambio diseguale: aspetti dei rapporti commerciali tra Firenze e Napoli nella seconda metà del Quattrocento*, «Archivio Storico Italiano», CLVIII (2000).

52. Battistini, *L'industria della seta*, cit., pp. 34-37. La citazione è ripresa da G.L. Basini, *Tra contado e città: lanieri e setaioli a Modena nei secoli XVI e XVII*, «Rivista di Storia dell'Agricoltura», XIII, 2 (1973), pp. 10-11.

53. Battistini, *L'industria della seta*, cit., p. 89.

stigliano-aragonese. Il resto dell'Europa occidentale (Francia, Paesi Bassi, Germania, Svizzera e isole britanniche) si doveva accontentare delle briciole.[54] Un secolo prima tuttavia, con valori assoluti certamente più modesti, i rapporti di forza dovevano essere ancora più sbilanciati. Il fatto è che dai decenni centrali del Quattrocento alcune città europee, in particolare Valencia e in generale quelle della Spagna orientale e meridionale, cominciarono progressivamente a sviluppare l'arte della seta, un'attività praticata assiduamente dagli arabi ma quasi 'dimenticata' dai conquistatori cristiani, e caso mai conservata nella memoria tecnica degli ebrei convertiti.[55] Oltre alla crescente domanda internazionale di stoffe di seta un ruolo determinante fu svolto dalle colonie italiane presenti nelle città della Corona d'Aragona e in quelle del Regno di Castiglia. Un apporto decisivo, in questo senso, venne dalla nutrita immigrazione genovese verso le città del levante iberico. Come Valencia apprese dai fiorentini le tecniche più evolute in fatto di transazioni commerciali e finanziarie, così essa seppe trarre il massimo profitto dalla presenza di una numerosa e qualificata colonia genovese e ligure, costituita in buona parte da artigiani specializzati nella lavorazione della seta. Un lungo e corposo *dossier* compilato da Germàn Navarro per il periodo 1450-1525, sulla base del ricco notarile valenciano, prevede il censimento di 2514 artigiani del comparto serico: di questi 1039 (ovvero il 41%) erano forestieri, tra i quali 377 originari di Genova, più alcune decine di liguri delle due Riviere.[56]

A questo proposito è significativo che la manifattura serica valenciana si fosse presto indirizzata verso produzioni tipiche dell'ambiente industriale genovese, come ad esempio i ricchi velluti, destinati a una clientela ecclesiastica e laica di alto livello. E la stessa organizzazione corporativa, significativamente chiamata Art de Velluters, ricalcava gli schemi di stampo ligure e più in generale italiano. Il setificio di Valencia conobbe il suo momento migliore tra la seconda metà del XV secolo e il primo quarto del Cinquecento. Nei primissimi decenni del XVI secolo, quando in città battevano circa 1200 telai, i drappi valenciani ve-

54. Ivi, pp. 176-181, 200. L'autore, per quanto riguarda le cinque città italiane di inizio Cinquecento che risultassero in possesso di almeno un migliaio di telai da seta, riporta la seguente graduatoria: Genova 5000 telai, Lucca 2500, Venezia 2000, Bologna 1500, Firenze 1000. Si tratta di cifre da prendere *cum grano salis* e in ogni caso mi permetto di dubitare dei dati di Lucca (a mio parere sovrastimato, se non altro in rapporto a una popolazione che non arrivava a 20.000 abitanti) e di Firenze (io credo sottostimato, almeno a giudicare dalla vasto raggio di diffusione commerciale dei drappi fiorentini).

55. G. Navarro Espinach, *Los origines de la sederia valenciana (siglos XV-XVI)*, Valencia 1999, pp. 33-38.

56. Ivi, pp. 39-45, 255-274. Dello stesso autore cfr. anche *Los genoveses y el negocio de la seda en Valencia (1457-1512)*, «Anuario de Estudios Medievales», XXIV (1994) e *Velluteros ligures en Valencia (1457-1524): la promoción de un saber técnico*, in *Le vie del Mediterraneo*, cit. Sulla nutrita comunità genovese (e ligure) di Valencia cfr. anche D. Igual Luis, *Valencia e Italia en siglo XV. Rutas, mercados y hombres de negocios en el espacio económico del Mediterráneo occidental*, Castelló 1998, pp. 66-100, 193-200, 241-253.

nivano smerciati in Castiglia, in Catalogna, in Aragona, e, per quantitativi più modesti, in Portogallo, nella Francia meridionale, in Sicilia e in Sardegna. La parabola discendente della manifattura serica era tuttavia già iniziata intorno al 1530.[57] Il testimone passò quindi alle città castigliane e andaluse, Toledo e Granada in particolar modo.[58] Anche in queste città il modello manifatturiero di riferimento rimase quello italiano, come evidenzia il testo di un'ordinanza promulgata a Toledo nel 1494 in relazione alla qualità dei procedimenti di torcitura del filato di seta:

> Ytem que para la perfeccion de las sedas, e para que vayan conformes a estas ordenanzas, conviene que el torzer de las sedas vaya bueno y perfecto y que se tuerza en devanaderas como se haze en Florencia y en Genova y en otras partes donde se hazen buenas sedas.[59]

In ogni caso le produzioni iberiche non raggiunsero livelli quantitativi comparabili con quelli raggiunti dagli opifici italiani e le loro esportazioni al di là dei Pirenei rimasero tutto sommato contenute. Al pari di molte industrie italiche, anche i setifici iberici si impegnarono in un tentativo di allargamento dell'offerta qualitativa verso la fine del XVI secolo, ma infine furono quasi tutti travolti dalla crisi seicentesca.

Ben altra rilevanza, soprattutto per gli esiti sei-settecenteschi, ebbe l'introduzione dell'arte della seta a Lione.[60] Dopo un primo tentativo andato a vuoto negli anni Sessanta del XV secolo, frutto di una iniziativa reale calata dall'alto senza alcun aggancio con la realtà dell'economia urbana, nel 1536 in ben altro clima i consiglieri della città di Lione ottennero dal re Francesco I l'emanazione di provvedimenti che facilitavano l'impianto di un setificio locale. Dopo la nascita della manifattura serica di Tours, già in funzione da alcuni decenni, quella di Lione poté ancor più avvantaggiarsi di due condizioni estremamente favorevoli: l'essere il maggior centro francese ed europeo per la compravendita di drappi di seta e potersi avvalere dei numerosi immigrati italiani (soprattutto lucchesi) i quali, nonostante l'ostilità delle loro città di origine e dei mercanti temporaneamente residenti a Lione, diedero un contributo non indifferente all'avviamento della lavorazione della seta. A questa si aggiunga la poderosa crescita demografica che aveva trasformato la piccola città quattrocentesca in un centro urbano di circa 70.000 abitanti. Gli effetti della nascita della nuova manifattura sul merca-

57. Navarro Espinach, *Los origines*, cit., pp. 55-59, 106-113, 240-243.

58. J.E. López de Coca Castañer, *La seda en el Reino de Granada (siglos XV y XVI)* e J. Montemayor, *La seda en Toledo en la época moderna*, entrambi in *España y Portugal*, cit.; cfr. inoltre Ladero Quesada, *La producción de seda*, cit., pp. 127-136.

59. Montemayor, *La seda en Toledo*, cit., p. 121.

60. Gascon, *Grand commerce*, cit., pp. 308-316.

to dei drappi non si fecero attendere a lungo. Già nel 1558, forse con una punta di compiaciuta esagerazione, la Corte del Siniscalcato osservava:

> Plusieurs ouvriers desd. draps de soie de Gênes, Lucques, Milan, Venise et autres villes d'Italie à cause de l'oeuvre qui se faisait à Lyon comme avoient chacun an accostumé faire venir desd. lieux 20, 30, 60 ou 100 aunes de vellours et autres draps de soie n'en faisaient pas venir tierce ou quarte partie qu'ils avoient de costume ains les prenoient des ouvriers de la ville de Lyon à beaucoup meiller marché que ausdits pays estrangers.[61]

Una cosa comunque è certa. Nel corso della seconda metà del Cinquecento Lione divenne progressivamente per l'Italia sempre meno uno sbocco per i drappi fabbricati nella penisola e sempre più un mercato per i semilavorati (filati soprattutto) provenienti dalle aree di maggior sviluppo della sericoltura dell'Italia settentrionale. Questo non significa, tuttavia, che già all'epoca i tessuti francesi potessero esercitare una pericolosa concorrenza per i drappi serici italiani.

Con leggero ritardo rispetto alla realtà francese, nella seconda metà del XVI secolo la lavorazione della seta prese piede anche nei Paesi Bassi, nei Cantoni svizzeri e in Inghilterra. Nello stesso arco di tempo venne potenziata la manifattura serica di alcune città tedesche (Colonia e altri centri della Renania) che avevano sempre prodotto drappi di seta ma per quantitativi estremamente modesti e senza velleità di commercializzazione a largo raggio. Se si eccettua il caso inglese, per il quale soltanto nella seconda metà del Seicento si può parlare di successo del setificio,[62] si trattò in buona misura dei casi di fiammate produttive relativamente brevi, nel senso che dopo aver raggiunto nel giro di pochi anni livelli qualitativi e quantitativi degni di rilievo, già nei primi decenni del XVII secolo la maggior parte degli opifici svizzeri, fiamminghi e tedeschi si avviano a intraprendere una parabola discendente. La ragione di una stagione industriale così breve, 60-70 anni o poco più, non si deve semplicemente alla crisi economica che colpì l'Europa nella prima metà del Seicento: fattori non economici, come la guerra condotta nei Paesi Bassi meridionali durante l'ultimo terzo del XVI secolo (con la rioccupazione spagnola delle Fiandre, del Brabante e della Vallonia), o il lungo conflitto bellico che devastò la Germania tra il 1618 e il 1648, ebbero una parte non indifferente nel segnare i destini delle industrie seriche di alcuni paesi.[63] Quanto ai Cantoni svizzeri viene da pensare che la lavorazione della seta abbia rappresentato per

61. Ivi, p. 312.

62. D.C. Coleman, *The Economy of England 1450-1750*, London-Oxford-New York 1977, pp. 81-82, 163; E. Kerridge, *Textile Manufactures in Early Modern England*, Manchester 1985, pp. 126-132.

63. A.K.L. Thijs, *Structural Changes in the Antwerp Industry from the Fifteenth to the Eighteenth Century*, in *The Rise and Decline of Urban Industries in Italy and in the Low Countries (Late Middle Ages - Early Modern Times)*, a cura di H. van der Wee, Leuven 1988.

alcune città, come Ginevra, Zurigo o Basilea, una sorta di attività non del tutto legata alle economie locali, arrivata quasi d'improvviso con l'immigrazione di mercanti, imprenditori e artigiani protestanti scappati dai loro paesi d'origine, italiani e francesi soprattutto, ma anche fiamminghi e spagnoli.[64]

Veramente emblematico in questo senso è il caso di Ginevra, la città di Calvino. Il centro situato sulle rive del Lemano, danneggiato dalla creazione delle fiere di Lione che lo ha privato della presenza delle grandi case mercantili-bancarie italiane a metà degli anni Sessanta del XV secolo, diviene poco prima della metà del Cinquecento un punto di riferimento per i rifugiati protestanti, tra i quali alcuni grandi industriali serici provenienti dall'Italia e segnatamente da Lucca. Nel giro di pochi decenni la manifattura cresce a livelli rapidissimi. Già negli anni Sessanta nasce la *Grande Boutique*, un consorzio di grandi mercanti italiani specializzati a Ginevra nel commercio dei tessuti serici locali, soprattutto velluti piani e taffettà. L'attività di questa sorta di multinazionale della seta terminerà con il primo quarto del XVII secolo. Alcuni imprenditori italiani, come il lucchese Francesco Turrettini, seppero ammassare una fortuna favolosa con l'industria serica ginevrina e il grande commercio internazionale: se nel 1594 le sue aziende operavano con un capitale di 18.000 scudi, nel 1619 gli investimenti erano saliti alla straordinaria cifra di 150.000 scudi. A partire dagli anni Venti tuttavia gli opifici svizzeri andarono incontro, chi più chi meno, a una prolungata recessione che risparmiò solo la passamaneria e la lavorazione dei tessuti più economici e leggeri.[65]

L'inizio della decadenza italiana e il nuovo primato francese (1600-1650)

Nonostante la presenza di nuovi soggetti concorrenti, segnatamente nella penisola iberica e in Francia, ancora negli anni a cavallo tra XVI e XVII secolo l'Italia vantava il primato assoluto (pur se ridotto) nel campo della manifattura serica. Per quanto il numero complessivo dei telai italiani fosse leggermente sceso dai massimi del periodo 1570-1590 (25-26.000) ai livelli del primo decennio del

64. M. Körner, *Profughi italiani in Svizzera durante il XVI secolo: aspetti sociali, economici, religiosi e culturali*, in AA.VV., *Città italiane del '500 tra Riforma e Controriforma*, Atti del convegno internazionale di studi, Lucca, 13-15 ottobre 1983, Lucca 1988; L. Mottu-Weber, *Production et innovation en Suisse et dans les Etats allemands (XVIe-XVIIIe siècles)*, e N. Röthlin, *Handel und Produktion von Seide in der Schweiz und im Reich (16. bis 18. Jahrhundert)*, entrambi in *La seta in Europa*, cit.

65. L. Mottu-Weber, *Économie et refuge à Genève au siècle de la Réforme: la draperie et la soierie (1540-1630)*, Genève 1987, pp. 213-361. Sulla *Grande Boutique* cfr. anche S. Adorni-Braccesi, *Le «Nazioni» lucchesi nell'Europa della Riforma*, «Critica Storica», XXVIII (1991), in particolare pp. 378-379.

Seicento (23-24.000), tutto il resto dell'Europa all'inizio del XVII secolo poteva assommare circa 20.000 telai, così ripartiti: circa 10.000 in Spagna, 4000 in Francia (quasi tutti a Lione), 2700 in Germania e il resto diviso più o meno equamente tra Svizzera, Fiandre e Inghilterra.[66] Il quadro generale era tuttavia meno roseo rispetto ai recenti fasti rinascimentali. Alcuni setifici italiani manifestavano già segni di malessere sullo scorcio del XVI secolo, come nel caso di Reggio Emilia illustrato dal preambolo di un atto legislativo comunale del 1594, tanto sconsolato quanto estremamente lucido nell'analizzare la situazione dell'opificio reggiano nel quadro dei circuiti mercantili internazionali:

> in questo esercizio non v'è molta industria e dopoché è cessata a questi velluti di colore il consumo in Francia e che a Lion s'è introdotto gagliardamente, l'esercizio è andato in basso e in modo che se vi è 100 telai deve esser tutto, parte dei quali ancora lavorano a stento.[67]

Queste poche righe contengono, in estrema sintesi, la motivazione principale del declino di alcune industrie seriche cittadine della Penisola. I manufatti lionesi, tessuti leggeri ed economici, caratterizzati da colori vivaci e brillanti, incontravano (e incentivavano) meglio di quelli italiani l'evoluzione del costume e della moda europea. Non è che il raffinato drappo italiano fosse un prodotto di qualità inferiore; anzi, era vero esattamente il contrario. Ma proprio perché era un tessuto complesso e raffinato, quest'ultimo non aveva grandi possibilità di soddisfare la domanda di seta dei ceti medi e inoltre mostrava scarsa capacità di adattamento alle rapide trasformazioni degli stili di vita che la società europea conobbe tra la fine del Cinquecento e l'inizio del Seicento. Gli imprenditori francesi, con alle spalle una monarchia in forte ascesa sullo scenario politico internazionale e una corte che cominciava a divenire un punto di riferimento culturale e artistico europeo, seppero inventarsi un nuovo modello di industria serica. Questo era basato su produzioni a costo relativamente contenuto, con un occhio relativamente meno vigile alla qualità dei manufatti rispetto alla maggior parte degli opifici italiani; sulla fabbricazione di tessuti leggeri, dai colori brillanti e accattivanti, adatti a un tipo di abbigliamento che non fosse soltanto quello dei grandi momenti o delle occasioni solenni, in grado quindi di incontrare anche le richieste dei ceti medi; infine, sull'invenzione della moda così come la intendiamo noi oggi, ovvero con disegni e modelli di tessuti, spesso creati da mastri artigiani parigini per gli imprenditori serici lionesi («modes de Paris faites à

66. Battistini, *L'industria della seta*, cit., pp. 184-186, 200.

67. O. Rombaldi, *L'arte della seta a Reggio Emilia nel secolo XVI*, in AA.VV., *L'arte e l'industria della seta a Reggio Emilia dal sec. XVI al sec. XIX*, Atti e memorie del convegno di studio, Reggio Emilia, 15-16 ottobre 1966, Modena 1968, p. 60.

Lyon»), che venivano sostituiti nel giro di pochissimi anni, in modo tale da mettere fuori mercato i drappi tradizionali appunto perché 'fuori moda'.[68]

Di fronte alla minaccia della concorrenza francese il setificio italiano rispose come poteva. Il contesto economico complessivo, tanto italiano quanto europeo, non lo aiutava. Attanagliata da una recessione generalizzata, l'Italia del XVII secolo perse posizioni in tutti i campi dell'imprenditoria, anche se il commercio internazionale, le attività bancarie e, soprattutto, l'arte della lana furono senz'altro i settori più colpiti.[69] Proprio perché nell'ambito di queste strategiche attività le regioni centro-settentrionali della penisola italiana avevano dominato per secoli sui mercati continentali, il drammatico declino dei settori imprenditoriali di punta ha costantemente (e inevitabilmente) attirato l'attenzione degli studiosi, finendo quasi per monopolizzare il dibattito storiografico sulla decadenza economica dell'Italia seicentesca. Tutto sommato, però, l'industria serica reagì assai meglio di quella laniera, che di fatto scomparve dal panorama delle manifatture urbane. Come accadde nel campo della mercatura e della finanza, i setaioli della Penisola cercarono di dirottare i loro interessi verso l'Europa orientale, terreni in larga parte inesplorati da molti punti di vista e potenzialmente ottimi. Nel complesso, tuttavia, la maggioranza dei setifici italiani fu colpita dalla crisi. Le prime a patire la concorrenza francese furono le industrie di livello medio o medio-basso, come nell'esempio appena citato di Reggio Emilia, a Modena, a Mantova, a Siena;[70] del resto, pure i gloriosi opifici lucchesi, in difficoltà sin dal terzo quarto del Cinquecento, entrarono in una fase di declino nei decenni conclusivi del secolo.[71] Dai primi decenni del Seicento la recessione si abbatté anche sulle manifatture di grandi città come Milano, Venezia e Napoli.[72] Alla metà del XVII secolo i telai attivi in Italia erano ormai nell'ordine dei 15.000, con una riduzione del 40-42% circa rispetto al periodo 1570-1590 e del 35-37% circa nei confronti dei livelli del decennio 1600-1610. Nella seconda metà del Sei-

68. Sivori, *Il tramonto*, cit., pp. 939-941; S. Ciriacono, *Silk Manufacturing in France and Italy in the XVIIth Century: Two Models Compared*, «The Journal of European Economic History», X (1981); C. Poni, *Moda e innovazione: le strategie dei mercanti di seta di Lione nel XVIII secolo*, in *La seta in Europa*, cit.; R. Orsi Landini, *La seta*, in *La moda, Storia d'Italia, Annali* 19, a cura di C.M. Belfanti e F. Giusberti, Torino 2003, pp. 384-387.

69. I lavori più recenti sull'argomento sono quelli di D. Sella, *L'Italia del Seicento*, Roma-Bari 2000, pp. 27-59 e P. Malanima, *La fine del primato. Crisi e riconversione nell'Italia del Seicento*, Milano 1998.

70. Basini, *Tra contado e città*, cit., pp. 8-16; G. Coniglio, *Agricoltura ed artigianato mantovano nel secolo XVI*, in *Studi in onore di Amintore Fanfani*, cit., IV, pp. 337-340; A. De Maddalena, *L'industria tessile a Mantova nel '500 e all'inizio del '600. Prime indagini*, ivi, pp. 642-651; *«Drappi, velluti, taffettà et altre cose». Antichi tessuti a Siena e nel suo territorio*, Catalogo della mostra, Siena, 31 maggio - 31 luglio 1994, a cura di M. Ciatti, Siena 1994, pp. 16-20.

71. Berengo, *Nobili e mercanti*, cit., pp. 280-290; Sabbatini, *'Cercar esca'*, cit., pp. 37-53.

72. D. Sella, *Commerci e industrie a Venezia nel secolo XVII*, Venezia-Roma 1961, pp. 67-68, 83-86, 123-131; Id., *L'economia lombarda durante la dominazione spagnola*, Bologna 1982, pp. 102-103, 139-140, 151-152; Ragosta, *Stato, mercanti*, cit., pp. 5-10, 69.

cento, anche la grande manifattura genovese si trovava in uno stato di chiara recessione: non solo i mercati esteri erano quasi totalmente perduti, ma la stessa Genova era inondata di tessuti francesi, giudicati dai contemporanei «maggiormente graditi ... perché riescono più lustri, e più vaghi, e perché atteso il minor peso puonno darli a prezzi più moderati».[73] Le poche città che seppero resistere furono quelle che meglio adattarono le loro produzioni alle nuove richieste del mercato. Firenze costituì un ottimo esempio in questo senso: dai broccati e dai velluti pesanti nel Quattro e Cinquecento alla fabbricazione di leggeri ermesini tra XVII e XVIII secolo, tessuti in larga parte lavorati dalla molto più economica e meno specializzata manodopera femminile. Stesso discorso per Bologna, la cui manifattura serica era tradizionalmente imperniata sulla fabbricazione dei veli. Anche così, tuttavia, i grandiosi mercati di sbocco detenuti in epoca rinascimentale erano perduti per sempre.[74]

La fine del primato economico italiano determinò anche la progressiva scomparsa di un modello produttivo creato nel basso Medioevo e perfezionato tra Quattro e Cinquecento: quello della manifattura urbana.[75] I capitali cittadini si spostarono così verso le campagne, dove però non era possibile mettere in piedi laboratori artigiani del tipo di quelli sorti in età basso-medievale e rinascimentale. La riconversione dell'industria serica della Penisola si orientò verso una sensibile riduzione dei telai, una decisa contrazione dei manufatti di gran pregio ormai divenuti prodotti di nicchia, una crescita della fabbricazione di stoffe di media qualità, un ulteriore avanzamento nella produzione di seta grezza e, soprattutto, una crescita esponenziale nella fabbricazione di semilavorati destinati ai mercati esteri, ovvero Lione.[76] All'inizio del Settecento in Italia si producevano 1300 tonnellate di seta in matasse (+209% rispetto a due secoli prima e +58% rispetto al dato di inizio Seicento), lavorata successivamente nei torcitoi idraulici dell'Emilia, delle Venezie, della Lombardia e del Piemonte, per ottenere i migliori filati (i cosiddetti 'organzini') da inoltrare verso i setifici francesi.[77] Alla fine dello stesso secolo la produzione era quasi raddoppiata, raggiungendo

73. Sivori, *Il tramonto*, cit., pp. 929-931, 936-943; C. Ghiara, *Filatoi e filatori a Genova tra XV e XVIII secolo*, «Quaderni Storici», 52 (1983), pp. 145-146.

74. Poni, *Per la storia*, cit., pp. 94-111; J.C. Brown, J. Goodman, *Women and Industry in Florence*, «The Journal of European Economic History», XL (1980); P. Malanima, *La decadenza di un'economia cittadina. L'industria di Firenze nei secoli XVI-XVIII*, Bologna 1982, pp. 83-86, 305-321; J. Goodman, *Cloth, Gender and Industrial Organization. Towards an Anthropology of Silkworkers in Early Modern Europe*, in *La seta in Europa*, cit.; J.-C. Waquet, *Quelques considerations sur l'industrie et le commerce de la soie à Florence aux XVII et XVIII siècles*, ivi; Battistini, *L'industria della seta*, cit., pp. 185-191.

75. Cfr. in proposito le penetranti pagine di Sella, *L'economia lombarda*, cit., pp. 145-179.

76. C. Poni, *All'origine del sistema di fabbrica: tecnologia e organizzazione produttiva dei mulini da seta nell'Italia settentrionale (sec. XVII-XVIII)*, «Rivista Storica Italiana», LXXXVIII (1976); Malanima, *La fine del primato*, cit., pp. 168-190.

77. Battistini, *L'industria della seta*, cit., pp. 89, 127 sgg.

la cifra di 2480 tonnellate; si trattava ormai di una vera e propria industria rurale che, tra addetti alla gelsibachicoltura, alla trattura e alla torcitura, impiegava alla fine del XVIII secolo circa 150.000 famiglie.[78] L'Italia si avviava a diventare il più importante produttore mondiale di seta grezza: una posizione che avrebbe mantenuto sino alla metà del XIX secolo, quando, nonostante il continuo incremento della seta fabbricata e commercializzata, venne superata dalla Cina. Solo il *boom* giapponese del Novecento avrebbe messo fuori mercato e poi sradicato un'attività ormai quasi millenaria.[79]

78. Ivi, pp. 109-120, 211.

79. L. Cafagna, G. Federico, *The World Silk Trade: a Long Period Overview*, in *La seta in Europa*, cit.

Le armi

SILVIO LEYDI

Introduzione: le armi, merce ‘difficile’

Attorno alle armi, come e forse più che attorno a molte altre merci, nel corso del Rinascimento e anche oltre, fino al Seicento, ferveva in Italia un fiorente mercato. Ingenti partite di corsaletti, elmi, morioni, archibugi, fiasche da polvere, forcelle, armature da piedi o da cavallo, alabarde venivano acquistate e rivendute, trasportate, accumulate in depositi privati o statali, consentendo ad abili mediatori di arricchirsi, ai produttori di prosperare, agli artigiani di sopravvivere. In Italia i centri principali di tale produzione e commercio erano Milano (soprattutto per le armi difensive e bianche) e il Bresciano (dalla seconda metà del Cinquecento soprattutto per le armi da fuoco).[1] Da qui venivano equipaggiati gli eserciti imperiali e della Serenissima, qui avevano sede le maggiori botteghe, qui fiorivano le principali famiglie di armaioli.

Il commercio si svolgeva inoltre a senso unico, essendo esclusivamente destinato o a soddisfare la domanda interna o l’esportazione, mentre non vi sono notizie di importazioni dall’estero di armi da guerra (un po’ diverso è il discorso riguardante le armi di lusso, primato delle botteghe milanesi ma pure di quelle di area imperiale: in questo caso, sebbene le esportazioni fossero molto forti, ci si imbatte spesso in armi o armature straniere in possesso di principi o generali italiani). Milano e il Bresciano monopolizzavano dunque la produzione, rendendo autosufficienti sia la Repubblica di Venezia sia il ducato degli Sforza. In casi eccezionali, per soddisfare commesse particolarmente imponenti e scalate su un

1. I territori a est dell’Adda, e cioè il Bresciano e la Bergamasca, facevano parte dello Stato di Milano fino al terzo decennio del XV secolo, quando passarono alla Repubblica di Venezia.

arco di tempo troppo breve per potervi far fronte solo attraverso la produzione locale o attingendo ai depositi, i grossisti milanesi sfruttavano la produzione veneta d'oltre confine, sempre e comunque attenti a distinguere tra pezzi milanesi e pezzi bresciani, di qualità più bassa e prezzo inferiore. Ma le armi non erano una merce come le altre: erano una merce 'difficile'. Gli armamenti, infatti, apparentemente racchiudevano in sé tutti i difetti che, nella società di Antico regime, rendevano difficoltoso il commercio.

Innanzitutto, al di là del proprio valore intrinseco, oggettivo e di mercato, gli armamenti dovevano sottostare, più di altri manufatti in quanto produzione eminentemente strategica, agli alti e bassi della politica estera dello Stato produttore che ne condizionava il mercato. La chiusura delle frontiere in caso di conflitto poteva cancellare istantaneamente uno sbocco alla produzione fino a quel momento basilare per la sopravvivenza delle botteghe artigiane di un intero stato (anche se tale produzione avrebbe potuto prendere e spesso prendeva la strada del mercato interno); e per contro una pace duratura forzatamente limitava la domanda interna di armamenti.

Vi era poi da considerare la natura intrinseca, fisica, delle armi: a un valore unitario relativamente basso si contrapponevano un peso e un volume decisamente alti, caratteristiche tutte negative che incidevano non poco sui trasporti e di riflesso sul prezzo finale. Di qui il tentativo di molte nazioni di impiantare localmente fabbriche di armi strappando maestri e lavoranti agli stati che tradizionalmente godevano di una secolare tradizione produttiva, la Lombardia in primo luogo.

Ancora: al di là di un normale ricambio degli armamenti in uso nelle guarnigioni – comunque lento: il logorio in tempo di pace era minimo e l'ammodernamento degli arsenali praticamente assente –, le ragioni della politica estera potevano richiedere, e più volte avevano richiesto, forniture ingentissime da onorare in tempi ristretti costringendo commercianti e armaioli a mantenere comunque depositi di armi bloccati anche per anni, con un forte impegno di capitale immobilizzato e quindi infruttuoso.

E se a tutto ciò si aggiunge la cronica difficoltà di pagamento da parte dello Stato, cui era destinata la quota maggiore della produzione, si vede come le armi da guerra, considerate come merce, concentrassero su di sé tutti i difetti che, in teoria, ne avrebbero dovuto limitare il commercio: un mercato molto instabile e non prevedibile nelle sue repentine variazioni, grandi difficoltà e alti costi relativi per la loro movimentazione, frammentazione della produzione che, a volte, doveva fare fronte a commesse enormi non disponendo di capitali adeguati.[2]

2. Per il ricorso al credito da parte dei produttori di armi (ma non solo) cfr. G. De Luca, *Commercio del denaro e crescita economica a Milano tra Cinquecento e Seicento*, Milano 1996, soprattutto le pp. 102-126.

Tutte queste considerazioni valgono naturalmente per le armi da guerra destinate alla truppa o al più agli ufficiali di basso rango. Se dagli armamenti prodotti in serie si passa agli oggetti destinati agli alti ufficiali e ancor più ai nobili o addirittura ai principi e ai regnanti, il discorso cambia radicalmente. Qui i pochi pezzi impreziositi da decorazioni in metalli nobili usciti dalle botteghe più sofisticate ribaltano ogni considerazione, trasformando l'armatura quasi in un gioiello che supera e annulla ogni problema commerciale che, abbiamo visto, assillava le armi da guerra. In questi casi, infatti, ci troviamo di fronte a un oggetto che, se formalmente deve essere considerato un'arma, in realtà non ne condivide affatto le caratteristiche negative che contraddistinguevano, in senso commerciale, il munizionamento da guerra, ma anzi le ribalta a suo favore. A un valore unitario alto, anche altissimo, si aggiunge allora la facilità di trasporto del pezzo unico, il minimo incidere percentuale delle spese di trasporto, l'esenzione dai divieti di esportazione verso paesi belligeranti e molto spesso anche dai dazi, l'unicità del manufatto, una domanda complessivamente costante, un mercato in espansione e indipendente dalle politiche nazionali.

33-36

Le note che seguono cercheranno dunque di chiarire e razionalizzare il problema del commercio delle armi dall'Italia in Europa considerandole propriamente come una merce, speciale e anzi unica, 'difficile' certo, ma necessaria e fondamentale nell'Europa di Antico regime, argomento solo sporadicamente affrontato in termini economici e ancor più raramente su basi quantitative. Eppure era proprio la produzione di massa a sostenere le botteghe del nord Italia, non certo il ricco ma numericamente ininfluente commercio delle armi di lusso, enormemente costose a causa dei metalli preziosi utilizzati, ma non in grado di incidere su di un mercato che basava la sua sopravvivenza (e a volte la sua prosperità) sul numero dei pezzi prodotti e venduti.

Si deve avvertire che a tutt'oggi mancano studi specifici sull'argomento e che solo la produzione milanese ha goduto ultimamente di un'attenzione da parte degli studiosi, sempre più propensi a privilegiare le indagini relative alle armi di lusso, veri oggetti d'arte, lasciando in ombra la ben più vasta e lucrosa industria degli armamenti destinati alle truppe. Per questa ragione gli esempi che cercheranno di chiarire le dinamiche commerciali di questo specifico tipo di merce saranno tratti quasi esclusivamente proprio dalla realtà milanese, ma è mia opinione che possano valere anche per il mercato bresciano e, più generalmente, per ogni polo produttivo.

Una merce strategica

Gli armamenti rappresentavano la merce strategica per antonomasia e i luoghi della loro produzione, dove la tradizione artigiana si accompagnava a una costante qualità e a un'alta capacità produttiva, divennero ambite prede nello scacchiere delle guerre europee. La situazione dello Stato di Milano era, sotto questo punto di vista, esemplare. Sebbene non particolarmente ricco di miniere di ferro, il Milanese e in particolare la capitale, Milano, già nel XIII secolo andava fiera delle sue botteghe armaiole dove, stando a quanto afferma Bonvesin della Riva, i più di cento maestri corazzai davano lavoro a innumerevoli operai e producevano armi vendute su mercati vicini e lontani.[3] Tale tradizione produttiva di alto livello e ottimo mercato si protrasse per secoli, coprendo almeno tutto il Cinquecento per poi andare scemando nel secolo successivo soprattutto a causa dei mutamenti nell'arte della guerra.

Il fatto di essere un importantissimo centro di produzione bellica non deve quindi essere sottovalutato quando si ragiona attorno alle cause delle 'Guerre d'Italia' che, all'inizio del XVI secolo, videro scontrarsi per il predominio sul Milanese Francesi e Imperiali. La supremazia imperiale seguita a Pavia (1525) e ancor più il diretto controllo dello Stato esercitato da Carlo V e dai suoi successori dopo la morte dell'ultimo duca Sforza (1535) portarono come diretta conseguenza la disponibilità per gli eserciti imperiali dell'intera produzione lombarda, che si affiancò quindi alle tradizionali fabbriche tedesche per il rifornimento dei sempre più numerosi eserciti che il Sacro Romano Impero e la Spagna dovevano mettere in campo.

Di qui la necessità di considerare le armi una merce strategica, il cui commercio doveva essere strettamente controllato e regolamentato, non tanto con disposizioni generali, che pure incidevano, ma piuttosto con ordini e grida che, nel caso di conflitti, impedissero l'esportazione verso i paesi nemici e orientassero la produzione per soddisfare la domanda interna o comunque destinata al proprio campo.

Diversa era la situazione dell'area produttiva che faceva capo a Brescia, territorio della Repubblica di Venezia dal 1426 ma in precedenza parte dello Stato di Milano, il secondo polo più importante della penisola specializzato, nel XVI secolo, nelle armi da fuoco. La Repubblica poté godere di un lungo periodo di pace in Europa e le sue guerre venivano combattute nel Mediterraneo, contro i turchi; la produzione copriva abbondantemente la domanda interna e quindi le esportazioni furono, nel corso del XVI secolo, sempre abbondanti, sia per quanto riguarda le armi finite, sia per i semilavorati, poi assemblati o rifiniti in altri luoghi, anche a Milano. La qualità di tali armi difensive era minore rispetto a quella delle corazze milanesi, ma in occasione di massicce richieste da parte dell'esercito imperiale era lecito ricorrere ai semilavorati bresciani per fare fronte alle commesse con il divieto di marcare come milane-

3. Bonvesin della Riva, *De Magnalibus Mediolani*, capitolo 5, paragrafi XX e XXI.

si le piastre provenienti dalla Repubblica, a sancire un primato qualitativo che perdurava da secoli. I bresciani comunque producevano ed esportavano anche in proprio, senza attendere le commesse milanesi; uno dei principali mercati esteri era costituito dal ducato di Savoia, sbocco privilegiato delle armi venete, che indifferentemente si approvvigionava a Milano o a Brescia. Testimonianze in questo senso ci vengono dagli speciali permessi di transito che dovevano accompagnare le spedizioni attraverso la Lombardia (con controlli in entrata e in uscita), sia per consentire appunto il passaggio di armi sul territorio, sia per impedire che parte di quelle stesse armi, solitamente di qualità non eccelsa e di costo inferiore, potessero venir dirottate verso il mercato interno e spacciate per milanesi.

Il mercato: domanda e offerta

Lo sbocco principale della produzione di armi era ovviamente l'equipaggiamento degli eserciti e, per quanto riguarda in particolare la produzione italiana del Cinquecento, il rifornimento dei grandi eserciti nazionali che si combattevano per la supremazia europea. Si deve subito avvertire che la domanda statale, benché consentisse larghi guadagni grazie all'ampiezza degli ordini (non erano infatti infrequenti contratti da varie migliaia di pezzi alla volta), era talmente legata alle condizioni politiche generali e quindi così fluttuante da non permettere alcuna programmazione sul lungo periodo. Certamente dobbiamo immaginare che, una volta scoppiata una crisi che avrebbe potuto sfociare in un periodo di guerra, le botteghe armaiole si attrezzassero e aumentassero la produzione in vista di ordini da parte dello Stato, ma il tutto sarebbe comunque avvenuto all'interno di un'economia nella quale produzione e vendita dovevano succedersi rapidamente pena l'immobilizzo di ingenti capitali che avrebbe economicamente strangolato gli armaioli. Solo le botteghe più importanti erano in grado di reggere il peso di ampi depositi, ricchi di centinaia o addirittura migliaia di pezzi, e anzi con il passare dei decenni, nel corso del XVI secolo, il numero di tali imprese decrebbe, passando da poche decine a poche unità.

La diffusione numerica delle botteghe (e qui penso soprattutto al Milanese, ma il fenomeno è comunque generale) tese a diminuire con il differenziarsi della domanda: se nel corso del XV secolo il mercato poteva richiedere al massimo alcune centinaia di pezzi per volta per equipaggiare eserciti statali di dimensioni ancora ridotte, nel Cinquecento ordini di migliaia di pezzi erano nella norma. E dato che le tecniche di lavorazione non erano mutate e che una brigata di bottega (composta da una decina di persone, tra maestri e lavoranti) era in grado di produrre solamente una armatura completa al giorno, per fare fronte alle richieste degli eserciti dell'Europa moderna gli armaioli non ebbero altra scelta che adattarsi alla nuova situazione. Ciò portò da una parte alla crisi delle piccole botteghe famigliari, rette da un maestro affiancato da pochi aiutanti, capaci di una produzione limitata e con modeste disponibilità economiche, la cui sopravvivenza era legata a un rapido ciclo di produzione-vendita; dall'altra al prosperare delle grandi imprese, quasi delle proto-industrie, cresciute e consolidatesi nel corso dei decenni, capaci di mobilitare capitali propri o altrui, con a disposizione canali di vendita privilegiati, ingenti depositi, proficui contatti anche personali con l'amministrazione centrale.

A queste imprese, ormai forse più commerciali che produttive, si rivolgevano i governi per fare fronte alle proprie necessità, ricevendo garanzie sia per quanto riguarda la consegna del prodotto sia per la qualità delle armi stesse.

A volte poteva accadere che a un singolo armaiolo di fiducia venisse affidato il compito di procurare una partita di armi, e che questi girasse l'ordine alle molte botteghe che, a suo giudizio, potevano garantire i tempi di consegna e la qualità richiesta. Così, ad esempio, Pompeo della Cesa, grazie alla sua carica di armaiolo del governatore di Milano, nel 1575 si fece garante della fornitura all'esercito, entro tre mesi e in tre partite distinte, di 2000 corsaletti da fante e quasi 10.000 morioni destinati alla truppa, oltre a 200 corsaletti da cavallo e 200 da piede con qualche ornamento, probabilmente per sottufficiali e ufficiali, il tutto valutato poco meno di 100.000 lire, con il solo obbligo di suddividere equamente la produzione tra le varie botteghe cittadine.[4]

In altri casi era direttamente l'ufficio statale preposto alle forniture militari a contattare gli armaioli, affidando loro quote di una grande commessa e proponendo contratti standardizzati per tempi di consegna, qualità e prezzi. Questa prassi presupponeva una profonda conoscenza della realtà produttiva locale e una ben riposta fiducia nelle possibilità di risposta alle richieste dell'esercito (o di stati stranieri, i cui desiderata in fatto di armi da guerra passavano sempre e comunque attraverso l'amministrazione centrale).

Resta il problema, tuttora insoluto, di riuscire a quantificare, almeno a grandi linee, le dimensioni del mercato delle armi nel Cinquecento milanese. In mancanza di registri di commercio, libri contabili riconducibili alle botteghe (anche a una sola bottega) o registri daziari il compito appare quasi impossibile. Uno dei pochi documenti ufficiali è il *Valimento del traffico del mercimonio della Città de Milano dell'anno 1580 ... secondo la forma, & via delli libri del datio della Mercantia*,[5] e cioè la valutazione a fini fiscali del valore dei com-

4. Gli atti relativi sono conservati tra le carte del notaio Cesare Guidi, Archivio di Stato di Milano (d'ora in poi ASMi), *Notarile* 16612.

5. Cfr. F. Saba, *Il "valimento del mercimonio" del 1580. Accertamento fiscale e realtà del commercio della città di Milano*, Milano 1990, soprattutto le pp. 181-186 per le merci in metallo. Sebbene si riferisca al 1580, il *Valimento* venne pubblicato a stampa solo nel 1591 e avrebbe dovuto rappresentare «l'atto con-

merci praticati dai mercanti della città di Milano, stima durata decenni e portata a termine dall'amministrazione centrale, dopo estenuanti fatiche, appunto nel 1580. Qui, a fronte di un valore complessivo degli scambi (ribadisco: intercorsi attraverso i mercanti cittadini, e quindi escludendo i commerci minuti, diretti o gestiti da stranieri) che sfiora i trenta milioni di lire, alle armi in genere, nel senso più lato del termine,[6] viene assegnato un valore di quasi 115.000 lire[7] (poco più di 19.000 scudi), cioè un modestissimo 0,38% dell'intero mercato.

Come è evidente questo dato non rappresenta la realtà dei fatti: i soli pagamenti registrati dalla Camera nello stesso 1580 assommavano a oltre 5200 scudi per corsaletti, morioni e archibugi, mentre il *Valimento* assegna complessivamente a queste tre voci un valore di poco più di 35.000 lire, pari a 5800 scudi. La grande discrepanza che anche solo queste cifre mostrano è dovuta proprio al tipo di commercio cui sottostavano le armi, acquistate direttamente dai produttori e non trafficate, se non in minima parte, da mercanti intermediari.

Politiche del commercio e sbocchi privilegiati della produzione

Come è ovvio, la politica generale del commercio delle armi tendeva a privilegiare la domanda interna o degli stati alleati e a impedire ai nemici di approvvigionarsi attingendo alle capacità delle botteghe locali. Inoltre ai maestri armaioli era espressamente vietato anche di trasferirsi all'estero, sia per evitare di indebolire il tessuto produttivo interno, sia per non divulgare i segreti dell'arte, le tecniche della tempera o le manualità da officina. Tali indirizzi erano sostenuti da ordinanze che, ad esempio, impedivano l'esportazione se non a fronte di richieste ufficiali da parte di soggetti alleati (nel periodo ducale) o di stati che ricadevano sotto il controllo asburgico (dopo il 1535: Genova, Napoli, Sicilia, Spagna, Impero germanico, Fiandre, Malta, ducato di Savoia), e comunque ogni ordine doveva essere accompagnato da una patente di esportazione rilasciata direttamente del governo.

clusivo della lunga e controversa operazione volta a misurare e a sottoporre a un'imposizione fiscale diretta il patrimonio che i mercanti milanesi impiegavano nel loro traffici» (ivi, p. 1).

6. Ho calcolato il totale sommando i valori relativi a tutte le tipologie di merci in qualche modo riconducibili alle armi: morsi, staffe, canne d'archibugio, celate, lame da spada e loro fornimenti, morioni, armature da fante e da cavallo, bracciali, corsaletti, cosciali, ferri da picche e da alabarde, scudi, zuccotti ecc. Non solo le produzioni degli armaioli propriamente detti concorrevano al totale, ma pure quelle dei morsai, degli spadai, degli archibugeri.

7. Nello specifico lire 67.400 di merci esportate, 22.135 importate e 25.435 destinate al consumo locale.

Eccezionalmente era però possibile, in tempo di pace, accondiscendere alla vendita di armi anche a soggetti francesi o svizzeri, soprattutto se si trattava di oggetti di un certo valore o addirittura di lusso, mentre durante il periodo bellico le frontiere venivano chiuse e la concessione dei lasciapassare sospesa. La successiva pace, però, spesso non consentiva un'immediata ripresa dei commerci: lo Stato, pronto a chiudere ogni possibile rifornimento al nemico, non lo era altrettanto nel permettere alle botteghe di riprendere i normali traffici, prorogando a volte per mesi i divieti e suscitando vibrate proteste da parte delle Università degli armaioli.

Lo sbocco privilegiato della produzione di serie, comunque, rimaneva l'esercito asburgico, sia quello stanziale nell'Italia settentrionale, sia i vari reggimenti e *tercios* che formavano le guarnigioni degli altri stati sottoposti all'Impero o alla Spagna, soprattutto Napoli e la Sicilia. Da qui giungevano le ordinazioni più massicce, qui venivano indirizzati i carichi più cospicui: stando ai registri di cassa dello Stato di Milano, nel Regno di Napoli andarono almeno, tra il 1562 e il 1591, 7150 corsaletti, 1900 armature da cavallo e 13.900 morioni; in Sardegna 760 corsaletti e 3560 morioni nel 1575; nelle Fiandre, in un decennio, tra 1577 e 1587, 1500 corsaletti e 4700 morioni; in Savoia 4400 morioni e più di 1000 corsaletti tra 1562 e 1591; in Spagna 1000 corsaletti e 8000 morioni nel 1583.[8] Tutte armi pagate, anche con partite di giro utilizzando accrediti provenienti da altri Stati, direttamente dalla tesoreria dello Stato di Milano. Particolarmente ben documentata è una grande fornitura destinata a Napoli tra 1587 e 1588, ordinata dall'emissario del viceré Juan de Zúñiga, don Juan Vargas y Toledo, per un costo globale di poco meno di 64.000 scudi, cifra che venne anticipata dal Viceregno alla Tesoreria di Milano, la quale provvide al saldo.

Dai versamenti che si susseguono dal novembre 1587 all'ottobre dell'anno successivo possiamo conoscere tutto: tipologia delle armi richieste e prodotte, il loro valore, la provenienza, il nome dei mercanti-produttori che presero in carico la fornitura, il costo medio dell'imballo e del trasporto. Si trattava complessivamente di un ordine di 500 corsaletti, 7700 morioni, 5500 archibugi, 504 moschetti, 8800 fiasche da polvere con i loro cordoni, 900 paia di armi bianche da cavalleria e 1372 paia da fanteria, il tutto imballato in 1650

8. La documentazione si ricava quasi esclusivamente da due serie dei *Registri delle Cancellerie dello Stato* conservate in ASMi. La XXI (Salvacondotti e patenti) che raccoglie i lasciapassare concessi per attraversare il territorio dello Stato di Milano o i permessi di espatrio dal gennaio 1552 in poi, e la XXII (Mandati di pagamento) nella quale vengono elencate, a partire dal 1536, le uscite straordinarie extrabilancio o che dovevano essere singolarmente autorizzate dal governatore. Per una tabella riassuntiva delle licenze di esportazione concesse nel periodo 1555-1602 cfr. S. Leydi, *Gli armaioli milanesi del secondo Cinquecento. Famiglie, botteghe, clienti attraverso i documenti*, in *Parate Trionfali. Il manierismo nell'arte dell'armatura italiana*, Catalogo della mostra, Ginevra, Musée Rath, 20 marzo-20 luglio 2003, a cura di J.-A. Godoy e S. Leydi, Milano 2003, pp. 25-55, tabella C alle pp. 48-49.

casse e trasportato da Brescia e da Milano a Genova in 825 some o carichi.[9] Si tratta della maggiore ordinazione singola di cui si abbia traccia documentaria, ma che certo da sola non avrebbe potuto sostenere l'intera industria delle armi milanese e bresciana.

Alle spese sostenute dalla Camera di Milano si devono aggiungere le armi pagate direttamente da emissari esteri: licenze di esportazione vennero rilasciate a moltissimi armaioli, mediatori, ufficiali e nobili intermediari, sia per l'acquisto e il trasporto di armi di lusso o comunque di pregio, sia per armi da guerra, destinate ancora a Napoli (300 armature da cavallo, 1350 corsaletti e 3700 morioni), alla Sicilia (500 corsaletti, 1500 archibugi, 200 alabarde, 1500 morioni, 60 corazzine), a Barcellona (500 morioni), alla Svizzera (170 morioni) a Genova (100 morioni per le truppe imbarcate), a Colonia (1000 corsaletti), ma pure alla Francia (120 some di armi varie). E ancora: don Pietro Tassis, per armare il proprio reggimento destinato alle Fiandre, ordinò nel 1584 a Milano 500 corsaletti, 150 morioni, 605 forcelle, 2000 fiasche e 2000 fiaschette da archibugio, 200 moschetti e relative fiasche e 85 alabarde, un ordine (compreso l'imballo e il trasporto fino a Susa) che sfiorava i 9000 scudi di valore.[10]

A tutte queste vendite, documentate in quanto avvenute con la mediazione del governo centrale dello Stato di Milano o grazie alla registrazione dei permessi di esportazione e transito, devono essere aggiunte le transazioni minori, personali, di poche decine di pezzi che, in mancanza dei registri delle botteghe armaiole, sfuggono a ogni indagine. E sfuggono anche, se non completamente almeno in buona parte, le spedizioni di contrabbando, che per il poco che sappiamo dovevano costituire un importante canale di sbocco per la produzione almeno nei periodi di chiusura delle frontiere.

L'economia dell'indotto: imballaggi e trasporti

Una volta ordinate, prodotte e pagate le armi dovevano essere imballate e spedite a destinazione. Anche in questo caso sull'oggetto armi gravavano non poche difficoltà riguardanti le ultime fasi del commercio (ma anche qualche facilitazione): contro le spedizioni giocava un ampio volume cui si assommava il forte peso e il basso valore unitario dei pezzi, ma d'altro canto la standardizzazione degli oggetti e la loro robustezza facilitavano il loro imballaggio e trasporto.[11]

9. ASMi, *Registri delle Cancellerie dello Stato*, serie XXII, regg. 35 e 36.

10. ASMi, *Notarile* 19594, atti nn. 278-283, 294 (imballo) e 300 (condotta).

11. L'argomento attende ancora una trattazione storica specifica; per un periodo precedente cfr. comunque L. Frangioni, *Milano e le sue strade. Costi di trasporto e vie di commercio dei prodotti milanesi alla fine del Trecento*, Bologna 1983; L. Frangioni, *Milano fine Trecento. Il carteggio milanese dell'Archivio Datini di Pra-*

Innanzitutto consideriamo l'imballaggio, le cui regole e restrizioni erano direttamente connesse alla la capacità di carico dei muli (tra 130 e 150 chili compreso il basto, circa 200 libbre grosse o 400 sottili), il mezzo di trasporto principe per le vie di terra non dotate di strade facilmente carreggiabili. Di conseguenza la misura-base di grandezza o, meglio, di peso (e volume) era la *soma*, originariamente, nel Milanese, una misura di capacità per aridi pari a 165 litri che, utilizzata com'era soprattutto per l'avena, corrispondeva a un peso di circa 70 chili. Ogni animale portava due *some*.[12]

Per quanto riguarda le armi, la regola generale, di cui numerosi documenti danno testimonianza, era di stipare in ogni cassa o 5 corsaletti (per un peso netto medio di 50 chili) o 40 morioni (60 chili) e caricare ogni bestia da soma con due casse. Il costo globale dell'operazione a Milano si aggirava, nella seconda metà del XVI secolo, tra le 10 e le 12 lire per collo, cioè tra le 20 e le 24 lire per carico/animale, non poco se si considera il valore medio della merce imballata in ogni collo, oscillante tra le 125 lire (5 corsaletti) e le 140 lire (40 morioni); il puro costo dell'imballaggio si aggirava dunque, per corsaletti e morioni, attorno a una percentuale del valore della merce imballata calcolabile tra il 9 e il 7,5%. Archibugi, moschetti e fiasche per la polvere, grazie sia a un valore per collo maggiore, sia a un minore costo di imballo, godevano di valori meno penalizzanti. Nel 1587 gli archibugi destinati alle Fiandre viaggiavano in fasci di 14 o 15 pezzi, con un valore che si aggirava attorno ai 46 scudi o 250 lire (a uno scudo e 20 soldi, cioè 6 lire e mezza a fascio per l'imballo nel 1587) mentre circa 66 fiasche da polvere (compresi i cordoni per sostenerle) formavano una soma, con un valore di 39 scudi, ovvero 215 lire (e un costo di imballo di 2 scudi e 10 soldi, pari a 11 lire e mezzo).[13] Negli stessi mesi le spese relative alla grande fornitura del 1587-1588 destinata a Napoli risultano aggirarsi, per l'imballo di 6000 tra archibugi e moschetti, attorno a un costo medio del 2,5% sul valore, e per le 8800 fiasche da polvere del 5,1%.

Il costo del trasporto era ancora più alto. Anche in questo caso una buona documentazione ci consente di calcolarne l'incidenza sul prezzo della merce: da Milano a Genova, la via privilegiata, ben conosciuta e attrezzata seguita dai mulattieri per poi imbarcare le armi e trasferirle a Napoli, in Sicilia o in Spagna, si

to, Firenze 1994, I, pp. 148-180 (per imballaggi e trasporti) e 271-306 (per il mercato delle armi).

12. Considerata la frammentarietà delle fonti e la disomogeneità delle unità di misura utilizzate per le varie merci, a mio parere la questione degli imballi e del loro trasporto deve essere affrontata empiricamente, partendo cioè dalle possibilità di carico dell'animale (che comunque, per ragioni di stabilità, si tendeva a dividere in due colli); cfr. comunque L. Frangioni, *Milano e le sue misure. Appunti di metrologia lombarda fra Tre e Quattrocento*, Napoli 1992, e qui soprattutto il cap. decimo (*Le misure degli imballaggi*) e l'Appendice seconda (*Pesi, misure e imballaggi per le armi e le mercerie metalliche milanesi e lombarde*).

13. ASMi, *Registri delle Cancellerie dello Stato*, serie XXII, reg. 35, 7 settembre 1587.

pagavano da 11 lire per carico (2 scudi) nel 1583,[14] pari a una percentuale sul valore (per morioni e corsaletti) del 3,75 o 4,25%, fino a 3 scudi e un quarto nel 1588 (cioè più di 17 lire, pari a una percentuale oscillante tra il 6 e il 7%), ma se ci si discostava dalle normali vie di grande comunicazione per puntare su altri porti o destinazioni i prezzi salivano immensamente. Da Milano a Susa il costo aumentava in ragione della distanza da coprire (4 scudi a carico nel 1584)[15] e raddoppiava ancora se le armi dovevano raggiungere La Spezia (8 scudi a carico nel 1580, con un'incidenza media pari a quasi un sesto del valore).[16] Giunte al porto di imbarco le casse dovevano essere poi scaricate, stoccate in depositi locali, quindi caricate sulle navi, trasportate a destinazione e qui scaricate, di nuovo someggiate per essere infine consegnate ai depositi finali e quindi alla truppa, con ulteriori costi. Se il trasporto poteva avvenire per via d'acqua i costi al contrario si abbattevano: nel 1452 imballaggio e trasporto di 25 armature da Milano a Ferrara comportarono un aumento di prezzo di poco più del 10% (52 ducati su un valore di 500).[17]

Le minuziose indicazioni riguardanti la grande ordinazione del viceré di Napoli del 1587, assommante a circa 56.550 scudi di armi, fornisce indicazioni che confermano l'incidenza del costo relativo all'imballo e al trasporto. Queste due voci assommavano complessivamente a 6200 scudi, 11% del costo (3500 scudi per l'imballo, in media 11 lire, 13 soldi e 9 denari per cassa ovvero 23 lire, 7 soldi e 6 denari per carico, e 2700 scudi per il trasporto, pari a 17 lire e 16 soldi per carico, e cioè percentualmente il 6,2 e il 4,8 del valore globale), alla quale si dovevano aggiungere quasi 1000 scudi (poco meno del 2% del valore della commessa) di costi vari, divisi tra stipendi, diarie e rimborsi dei funzionari che accompagnavano le spedizioni, costi di facchinaggio e magazzino a Genova, spese notarili per la stesura dei contratti.

Il trasporto marittimo costituiva certamente, quando possibile, la via principale per movimentare le armi da guerra su lunghe tratte, ma si hanno anche casi di trasporti svolti per terra: nel 1585 1000 corsaletti incisi 'a sette liste' (del valore quindi di circa 10 scudi l'uno) sono acquistati a Milano, imballati e spediti in Borgogna pagando in tutto 12.350 scudi, con un'incidenza di costi, tra imballaggio e trasporto, che si può collocare presumibilmente tra il 20 e il 25%.[18] E per terra avvenivano tutti i trasporti di armi acquistate dai Savoia a Brescia, che transitavano attraverso il Milanese per raggiungere il Piemonte. Su queste, e anche sulle armi milanesi che lasciavano il ducato, i trasportatori erano tenuti a pa-

14. Ivi, reg. 29, 26 gennaio 1583.

15. ASMi, *Notarile* 19594, n. 300, 12 marzo 1584.

16. ASMi, *Registri delle Cancellerie dello Stato*, serie XXII, reg. 26, 12 novembre 1580.

17. F. Fossati, *Per il commercio delle armature e i Missaglia*, «Archivio Storico Lombardo», LXVIII (1932), p. 292, doc. 27, 16 dicembre 1453.

18. ASMi, *Registri delle Cancellerie dello Stato*, serie XXII, reg. 37, 17 marzo 1589.

gare un dazio che nel 1583 si attestava attorno alla modesta cifra di 1/4 di scudo per soma (per il percorso da Milano a Genova),[19] circa l'1% del valore dei corsaletti e dei morioni, un po' meno per le armi da fuoco, più costose. Ma anche in entrata le armi erano soggette al dazio; sfortunatamente i registri delle entrate non si sono conservati e possiamo solamente avere un'idea molto vaga della circolazione delle merci che giungevano a Milano o che ne partivano. Per il biennio 1541-1542 sono sopravvissuti due elenchi di beni che, grazie a specifici ordini, erano stati esentati dal pagamento dei dazi o perché destinati alla corte del governatore, o perché godevano di licenze speciali.[20] Molte armi compaiono descritte nelle liste, che riportano anche il valore della tassa non incassata dagli appaltatori (che ne chiedevano quindi il rimborso): sappiamo così che 26 corsaletti e 33 morioni (6 casse) avrebbero pagato quasi 39 lire di dazio, 28 corsaletti destinati in Piemonte 20 lire, 12 soldi e 8 denari, 2 selle dorate con fornimenti 13 lire e mezza, 200 corsaletti in 10 some ben 170 lire. Il totale delle armi transitate o uscite dallo Stato esenti da dazio tra 1541 e 1542 risulta essere di 491 armature da cavallo leggero o da uomo d'arme (più il contenuto di 5 balle), 327 corsaletti da fante, 415 morioni, 343 selle, 161 celate e 805 lance, per un equivalente dazio non riscosso di poco più di 2000 lire su un totale reclamato dai dazieri per l'intero biennio di poco più di 6000. Il valore delle armi passate esenti da dazio corrispondeva quindi a un terzo di tutte le esenzioni registrate, e questa percentuale altissima può forse essere presa come esempio dell'importanza del mercato bellico del Milanese.

Il commercio di contrabbando e la vendita dei permessi di esportazione

Le ragioni della politica internazionale non sempre si accordavano con quelle del commercio. In linea di principio, anche per favorire il successo delle botteghe locali, la vendita di armi era libera, e solo in caso di guerra l'amministrazione dello Stato emanava direttive tese a impedire il rifornimento del nemico con prodotti locali. Tale ovvia precauzione, se non danneggiava particolarmente le piccole botteghe, meno presenti sul mercato internazionale e comunque mobilitate, durante i conflitti, come forza lavoro per la produzione di armi destinate alle truppe alleate, poteva avere effetti disastrosi sugli affari delle grandi compagnie che intessevano lucrosi rapporti soprattutto con la Francia, il nemico storico dell'Impero (al quale lo Stato di Milano formalmente apparteneva).

Si deve anche avvertire che i governatori erano più che pronti a chiudere

19. Ivi, reg. 29, 26 gennaio 1583.

20. ASMi, *Finanza p.a.* 512 bis; le due liste sono incluse in due documenti datati rispettivamente 3 aprile 1542 (lista del 1541) e 26 febbraio 1543 (lista del 1542).

le frontiere alle merci strategiche quali le armi al profilarsi di una crisi internazionale, ma molto meno solleciti a riaprirle una volta firmata la pace. Nel settembre 1559, ad esempio, solo una supplica degli armaioli inoltrata direttamente al governatore consentì loro di riprendere il commercio con la Francia,[21] sebbene le frontiere fossero state riaperte per le altre merci non di pertinenza bellica già all'indomani della pace di Cateau-Cambrésis.

Impedita formalmente in periodi di crisi, l'esportazione di armi proseguiva comunque seguendo percorsi più o meno illegali. Il contrabbando era comunemente praticato ma, ovviamente, non ne abbiamo documentazione diretta; restano solo alcune condanne a testimoniare un diffuso costume. Proprio al periodo del conflitto con la Francia concluso nel 1559, ad esempio, si riferisce il processo e la successiva condanna a morte di Alessandro Negroli (che comunque si salvò), i cui beni vennero pure confiscati, accusato e ritenuto colpevole di esportazione di armi verso territori nemici per un valore presunto di più di 1000 scudi.[22] La cosa, pur suscitando molto scalpore (i Negroli, nei loro vari rami famigliari, erano tra i più importanti armaioli cittadini),[23] non dovette stupire: il fratello di Alessandro, Francesco, viveva a Parigi (e aveva casa e bottega al Pont St-Michel, al segno della Testa di San Giovanni Battista)[24] e sarà fornitore ufficiale del re Carlo IX e della sua famiglia, mentre i cugini Giovan Paolo e fratelli operavano costantemente con la Francia, coprendo per conto della famiglia il mercato transalpino occidentale.[25] La vicenda Negroli, meglio documentata, sebbene in via indiretta, sia per la rinomanza della parte coinvolta, sia per l'ammontare dei beni posti sotto sequestro (un valore di circa 10.000 lire per la sola parte direttamente riconducibile ad Alessandro, oltre a altre 27.000 lire in comune con i fratelli), deve dunque essere considerata come indicativa di una prassi sempre combattuta ma mai vinta, almeno a giudicare dalle numerose grida che reiteravano il divieto di esportazione a frontiere chiuse minacciando pesanti pene per i trasgressori.

28

Un secondo metodo per aggirare i divieti di esportazione era la corruzione dei pubblici funzionari preposti al rilascio dei permessi di transito o vendita delle armi. Tali permessi, obbligatori in tempo di pace, venivano controfirmati

21. ASMi, *Registri delle Cancellerie dello Stato*, serie XXI, reg. 4, cc. 50*r* sgg., 19 settembre 1559.

22. ASMi, *Carteggio delle cancellerie dello Stato*, 236, 31 agosto 1559.

23. Sulla famiglia Negroli cfr. ora *Heroic Armor of the Italian Renaissance. Filippo Negroli and his Contemporaries*, Catalogo della mostra, New York, The Metropolitan Museum of Art, 8 ottobre 1998 - 17 gennaio 1999, a cura di S.W. Pyhrr e J.-A. Godoy, con saggi di S. Leydi, New York 1998.

24. ASMi, *Notarile* 12726, procura di Francesco Negroli rogata il 30 settembre 1552.

25. La fortuna di questo ramo della famiglia è ben rappresentata da Cesare Negroli, erede della dinastia che, tornato dalla Francia, divenne il maggiore banchiere dello Stato di Milano e che morendo, nel 1590, lasciò un impegno finanziario, tra debiti e crediti, di circa due milioni di lire.

dal governatore e quindi trascritti in appositi registri, e su tali patenti era necessario pagare una tassa all'erario statale. In tempo di guerra e a frontiere chiuse, teoricamente nessun tipo di armi poteva venire esportato verso i territori nemici,[26] fatte salve le forniture di lusso, che godevano di uno *status* privilegiato.[27] Quindi proprio quando sarebbe stato assolutamente vietato, gli armaioli potevano, corrompendo pubblici funzionari più vicini al governatore, ottenere un permesso personale per far varcare la frontiera a carichi di armi (e ciò sempre dietro il versamento di una cifra in denaro o la consegna di ricchi regali, spesso armi di lusso o cavalli).

Di questa pratica siamo a conoscenza grazie all'inchiesta amministrativa che, nel 1553, lo stesso Carlo V aveva promosso per investigare sui supposti casi di malversazione e corruzione di cui veniva accusato il governatore di Milano Ferrante Gonzaga. Tra i molti cittadini che vennero interrogati ci fu anche l'armaiolo Giovan Paolo Negroli, che produsse l'elenco dei versamenti da lui effettuati a persone della cerchia più stretta del governatore per ottenere molti permessi di esportazione che non furono registrati nel volumi della cancelleria statale (e che quindi non figuravano ufficialmente). La documentazione copre un arco di tempo che va dal novembre 1547 al luglio 1553.[28] Durante questi anni, naturalmente, non tutte le esportazioni riconducibili a Giovan Paolo non vennero registrate, ma la divisione tra i due sistemi – lecito e illecito – è assoluta: non solo non v'è sovrapposizione tra le licenze, ma a una licenza ottenuta ufficialmente non corrisponde mai un dono, mentre al contrario ogni licenza non trascritta negli appositi registri è sempre favorita da regali o pagamenti. Parrebbe addirittura che esistesse una sorta di preziario delle licenze, che potevano costare da un minimo di cinque scudi a carico nei primi anni a un massimo di sedici scudi verso la fine del periodo coperto dalla documentazione. In più l'armaiolo donava ogni tanto un'armatura dorata, uno scudo, una sella o un cavallo, ora al segretario di Gonzaga, Giovanni Maona, ora al primo cameriere, Marco Antonio Bagno, ora a altri personaggi della corte.

In tutto, durante i cinque anni e mezzo per i quali sono disponibili i documenti, Giovan Paolo Negroli pagò quasi 3200 scudi per poter esportare illegalmente 280 carichi di armi, a una media secca di quasi 11 scudi e mezzo a ca-

26. In casi dubbi, quando l'esportazione avrebbe potuto coinvolgere nazioni belligeranti, veniva chiesto di esibire una ricevuta rilasciata dal destinatario: è il caso ad esempio della licenza concessa il 23 marzo 1558 a Giovan Paolo Negroli per il trasporto di 43 casse di armi varie a Bruxelles o ad Anversa. A margine della registrazione della licenza è annotata l'effettiva consegna della ricevuta richiesta: cfr. ASMi, *Registri delle Cancellerie dello Stato*, serie XXI, reg. 3, 23 marzo 1558.

27. Sempre ai Negroli venne concessa la licenza di esportazione a Parigi per venti some di armi, ma solo perché si trattava di armi incise e dorate, non destinate alle truppe: ASMi, *Registri delle Cancellerie dello Stato*, serie XXI, reg. 5, 1 luglio 1562.

28. Archivo General de Simancas, *Papeles de estado*, *Milan y Saboya*, 1207, cc. 99-112. Cfr. anche Leydi, *Gli armaioli milanesi*, cit., pp. 44-45 e tabella D a p. 50.

rico. Né si deve credere che solo Giovan Paolo ricorresse a questa pratica: dagli interrogatori ai quali fu sottoposto venne fuori che anche per molti altri armaioli si trattava di una prassi del tutto comune. È legittimo immaginare che la maggior parte delle armi esportate non fossero destinate ad armare le truppe francesi ma, al contrario, anche visto l'alto prezzo pagato per ogni carico, i loro comandanti, tra cui compariva perfino «monsignor de Brisac», e cioè Charles de Cossé, conte di Brissac, governatore del Piemonte occupato dai francesi. E tuttavia proprio l'alto prezzo pagato dagli armaioli all'*entourage* del governatore Gonzaga, costo che poi si sarebbe riversato sui destinatari delle merci, ci mostra quanto l'industria delle armi fosse attiva e vitale, capace di aggirare leggi e regolamenti pur di prosperare.

La delocalizzazione delle botteghe e i depositi esteri

Dato che il trasporto delle armi comportava enormi disagi e alti costi, una soluzione al problema poteva essere quella di delocalizzare la produzione e quindi impiantare le botteghe direttamente sui luoghi in cui più alta era la domanda. Tuttavia ragioni di segretezza (riguardanti la tecnica della lavorazione dell'acciaio) e di mercato (le esportazioni, benché più costose, portavano utili anche allo Stato attraverso i dazi) resero tale pratica quasi impossibile da seguire, osteggiata e addirittura impedita dallo Stato di Milano che, attraverso ordini e grida più volte reiterati, proibiva addirittura ai singoli armaioli di trasferirsi all'estero. Solamente in casi veramente eccezionali a un gruppo di armaioli, spesso una dozzina, ovvero una 'brigata di bottega' completa, venne concessa la licenza di impiantare un laboratorio all'estero, e anche in queste occasioni le limitazioni alla loro libertà imprenditoriale non mancavano: prima fra tutte la proibizione di avvalersi di manodopera locale per non divulgare i segreti dell'arte.

Gli esempi di tale pratica si possono contare sulle dita di una mano. Nel corso degli anni Settanta del XV secolo una richiesta in tal senso era giunta dal re di Francia all'armaiolo Giacomo Airoldi, che aveva accettato di trasferirsi Oltralpe con dodici compagni (il numero dei maestri e garzoni rimarrà costante per secoli) per eseguire armature per il sovrano e i suoi baroni, ma aveva trovato l'opposizione degli altri maestri cittadini.[29] Pochi anni dopo Massimiliano I d'Asburgo ringraziava il duca di Milano per aver concesso ad alcuni armaioli guidati dai fratelli Gabriele e Francesco da Merate di lavorare presso di lui, e chiedeva di permettere ad altri maestri di raggiungere la bottega avviata

29. ASMi, *Autografi* 231, fasc. 2. Cfr. anche E. Motta, *Armaiuoli milanesi nel periodo Visconteo-Sforzesco*, «Archivio Storico Lombardo», XLI (1914), pp. 213-214, doc. 103.

ad Arbois, in Borgogna.[30] Nel 1511 cinque maestri promettevano di trasferirsi presso la corte di Enrico VIII Tudor al servizio del re,[31] e da questa data in poi si dovrà attendere più di mezzo secolo per vedere una bottega completa trasferirsi da Milano.

Nel 1568 dodici armaioli guidati da Matteo Piatti impiantavano una bottega in Toscana assicurando di poter produrre una armatura completa al giorno, e lo stesso faranno altri maestri, sempre sotto la direzione di un Piatti (Giacomo Filippo questa volta), nel 1592[32]. Infine, nel 1595, una terza brigata di dodici tra maestri armaioli e lavoranti si trasferirà a Eugui, in Navarra, su richiesta di Filippo II con un contratto di sei anni[33]. Nel 1601 altri sei maestri li seguiranno, forse per sostituire chi aveva deciso di terminare la propria avventura all'estero, forse per ingrossare le fila dei milanesi impegnati a produrre armi lontano dalla patria.[34] La bottega italiana di Eugui, comunque, parrebbe specializzata in armi di lusso, destinate alla corte spagnola, mentre non si hanno notizie di armi di questo tipo realizzate dalle due botteghe impiantate dai Piatti in Toscana, che anzi si vantavano, come è già stato detto, di poter realizzare un'armatura completa al giorno, quindi armi lisce, prive di decorazioni.

Un'ultima notazione deve essere riservata ai depositi esteri degli armaioli. Non sempre infatti la produzione inseguiva la domanda, affannandosi cercando di soddisfare i desideri dei committenti (lo Stato o i privati): in alcuni casi documentati gli stessi armaioli, i più sagaci e forti naturalmente, avevano provveduto a rifornire depositi strategicamente aperti dove la richiesta di armi poteva consentire un buon guadagno. Si trattava spesso di un ingente immobilizzo di capitale giustificabile solo con l'aspettativa di poter soddisfare immediatamente la domanda di un mercato che necessariamente avrebbe dovuto dipendere, in mancanza di produttori locali, da loro.

Già i Missaglia, nel 1497, avevano aperto due succursali gestite da fiduciari milanesi a Fermo (nelle Marche) e a Roma, impegnandosi a rifornirle con ogni sorta di armi, da cavaliere, da fante, da arciere, da balestriere, e poi ferri da lancia, pezzi singoli, testiere da cavallo, insomma un completo assortimento. I contratti specificano che il prezzo delle armi dovuto ai Missaglia doveva intendersi

30. ASMi, *Autografi* 231, fasc. 12, 25 aprile 1495. Cfr. Motta, *Armaiuoli milanesi*, cit., p. 223, doc. 150. Il contratto stretto con i due armaioli risaliva al 17 aprile precedente: ivi, p. 222, doc. 147.

31. ASMi, *Notarile* 3093, 10 marzo 1511; cfr. Motta, *Armaioli milanesi*, cit., pp. 225-226, doc. 164.

32. Per la documentazione relativa al trasferimento delle due botteghe Piatti a Firenze cfr. S.B. Butters, *The Triumph of Vulcan. Sculptors' Tools, Porphiry, and the Prince in Ducal Florence*, Firenze 1996, II, pp. 475-487. Ulteriori indicazioni in Leydi, *Gli armaioli milanesi*, cit., *ad vocem*.

33. J.-A. Godoy, *Armeros milaneses en Navarra: la producción de Eugui*, «Gladius», XIX (1999), per la documentazione conservata in Spagna. Cfr. anche i nuovi documenti milanesi in Leydi, *Gli armaioli milanesi*, cit., p. 40 e nota 114 a p. 54.

34. ASMi, *Registri delle Cancellerie dello Stato*, serie XXII, reg. 44, 5 agosto 1601.

al netto delle spese di trasporto e di dazio, e che il guadagno per gli armaioli milanesi ascenderà ai 2/3 del totale, mentre il rimanente terzo, dedotte le spese della compagnia, rimarrà al mercante delegato in loco (Ambrogio Sachelis a Fermo e Giovan Angelo Brasulis a Roma).[35]

Molti anni dopo un ramo della famiglia Negroli, che era subentrata ai Missaglia come la principale impresa del panorama milanese, gestiva con successo depositi a Parigi (e pure una succursale ad Anversa) dotati di centinaia di pezzi che servivano la società stretta tra i vari fratelli e cugini proprio per il commercio di armi con la Francia quasi in regime di monopolio (almeno per quanto riguarda le armi milanesi). Altri Negroli commerciavano con l'Impero, coprendo così, grazie a un'accorta strategia famigliare, l'intero novero delle corti europee. Si trattava anche in questo caso di armi di lusso, ma non mancavano le intermediazioni per forniture più consistenti di armi da guerra. L'impresa di Luigi Biancardi, membro di una importante famiglia di armaioli, aveva nella seconda metà del XVI secolo sede a Napoli e lì confluivano le spedizioni di armi effettuate da Milano per poi essere ridistribuite nel viceregno.

Le armi di lusso: un mercato a parte

Tutte le considerazioni precedenti valevano, come si è più volte ribadito, solo per la produzione e il commercio delle armi destinate alle truppe e agli ufficiali inferiori, armi non riccamente o affatto decorate, di basso valore unitario, fabbricate per così dire in serie benché singolarmente, di uso comune.

Tutt'altro discorso deve al contrario essere fatto per le armi di lusso, da guerra o da parata, a volte vere opere d'arte che normalmente illustrano oggi ogni libro ben scritto sul Manierismo italiano, il cui mercato nulla aveva a che vedere con quello, regolato da altre direttive, degli armamenti da guerra. Create in poche botteghe specializzate, decorate con sbalzi e dorature quando non con pietre e gioie, disegnate per ricreare un mondo classico, cavalleresco o fantastico al quale chi le indossava poteva immaginare di appartenere, le armi all'antica vennero per così dire inventate a Milano nella bottega di Filippo Negroli nei primi anni Trenta del Cinquecento. I suoi primi clienti furono il duca di Urbino Francesco Maria I della Rovere e l'imperatore Carlo V, cui si accodarono immediatamente, anche sfruttando le opere uscite da altre botteghe, tutti i maggiorenti europei, formando un mercato parallelo che riguardava probabilmente solo poche decine di pezzi l'anno e che non incideva economicamente quasi per nulla nel più ampio e ricco mercato delle armi da guerra.

35. I contratti sono in ASMi, *Notarile* 2610, 20 aprile 1497 (con Ambrogio de Sachelis q. Pietro per il commercio di armi con bottega e fondaco a Fermo) e 2611, 2 dicembre 1497 (con Giovan Angelo Brasulis q. Bartolomeo, per il commercio di armi a Roma).

Sebbene si trattasse di pezzi unici, spesso decorati con oro o argento, anche di enorme valore, l'esiguità complessiva della produzione e il possibile ricarico sul singolo pezzo non consentiva forti guadagni: il costo era infatti calcolato più sul valore dei metalli preziosi utilizzati per la decorazione che sulla difficoltà esecutiva, che allungava sì il tempo necessario per la consegna, ma che non veniva valutata ai fini di determinare il prezzo finale dell'opera se non per il maggior numero di ore o di giorni impiegate per la loro realizzazione. Naturalmente i pezzi unici destinati a famosi personaggi facevano la fama delle singole botteghe, e inoltre queste ultime potevano sfruttare la loro nomea per accaparrarsi poi commesse meno prestigiose ma più remunerative.

In ogni caso, comunque, per questo tipo di armi di alto o altissimo prezzo i divieti di esportazione non esistevano o potevano essere superati da patenti e permessi concessi volta per volta; così nel 1563 Giovan Paolo Negroli otteneva una licenza di esportazione a Parigi per armi decorate e dorate (e quindi destinate non all'esercito ma a ufficiali o nobili) benché vigesse da più di un anno il divieto di commercio con la Francia. Altri esempi in merito non mancano, ed è anzi ormai assodato che il traffico di armi di lusso non risentì in alcun modo dello stato di guerra che periodicamente coinvolgeva i paesi produttori, e Milano in particolare come soggetta all'Impero. Anzi, se possibile, tale mercato era ancora più ampio, comprendendo tutti i paesi europei e moltissimi membri dell'élite delle corti, sia in Italia sia in Francia, in Austria, in Germania, in Spagna o in Inghilterra.

Alcuni armaioli, tra i più noti e ricercati, agivano anche come veri e propri mercanti, non solo quindi producendo su ordinazione pezzi unici, ma pure offrendo armi già realizzate alle corti europee (o tenendole in bottega in attesa di un prestigioso acquirente di passaggio da Milano). In alcuni casi i contatti tra armaiolo e cliente venivano tenuti in prima persona o attraverso agenti stipendiati che risiedevano presso le corti o ancora mediante parenti inviati appositamente, in altri le merci erano affidate a intermediari esterni che provvedevano al trasporto e alla collocazione sul mercato.[36]

Giovan Battista Panzeri, uno tra i migliori artisti del ferro sbalzato attivo a Milano nella seconda metà del Cinquecento, aveva attivato un canale privilegiato e diretto con l'arciduca d'Austria Ferdinando II, il maggiore collezionista europeo di armi. Per lui aveva realizzato nel 1559 un clamoroso insieme che

36. Esemplare in questo senso è il carico di merci acquistato dalla società commerciale appositamente costituita tra i fratelli Gabriele e Giovanni Sovico e Benedetto de Alemagna (Alamania), nella quale le due parti, alla pari, hanno investito quasi 15.000 lire per comperare merci destinate a essere vendute a Londra, dove abitava Giovanni Sovico, per poi spartirsi in parti uguali il guadagno. Il carico comprendeva armi di ogni tipo, opera dei maggiori artefici milanesi (gli armaioli Negroli, Fava e Panzeri, lo spadaio Figino), ma pure formaggi, guanti, selle, tessuti, cappelli, ricami. L'atto notarile che acclude la lista è in ASMi, *Notarile* 12394, 13 maggio 1552.

comprendeva un'armatura completa di scudo e borgognotta, l'intera barda da cavallo, la sella, due spade, una mazza, uno spiedo da caccia,[37] ma già in precedenza si hanno notizie di selle e candelieri, e in seguito di scrittoi in acciaio sbalzato e dorato destinati all'arciduca, cui venivano offerti anche altri oggetti suntuari di enorme valore. La capacità di commerciare e di viaggiare di Panzeri (eccezionale ma non unica nel panorama degli armaioli cinquecenteschi) è testimoniata dall'impegno assunto nel 1562 con il suocero, Giovan Battista Vimercati, per recarsi prima a Siviglia e quindi a Lima per recuperare i beni e i crediti di due figli di Vimercati, morti, l'uno senza eredi diretti, in Perù e l'altro probabilmente in Spagna.[38]

29-32

La domanda di armi di lusso, sebbene limitata a un numero di pezzi complessivamente modesto se rapportato alla produzione bellica, non solo non conobbe flessioni, ma anzi probabilmente crebbe nel corso del XVI secolo. La volontà da parte di molti nobili di uniformarsi ai gusti delle corti (prime a intuire e a sfruttare la rilevanza rappresentativa e simbolica delle armi all'antica), una progressiva rifeudalizzazione degli stati, l'emergere di una nuova e più ampia élite guerriera tutto ciò portò a un ampliarsi del mercato. Dai pochi pezzi usciti dalle botteghe milanesi della prima metà del Cinquecento si passò alle decine di rotelle, caschi, elmetti, armature complete e insiemi da piede o da cavallo che ancora oggi possiamo ammirare nelle maggiori armerie del mondo.

Proprio a questa produzione, magnifica sì ma marginale, si sono rivolti fin da subito gli studi specifici sull'argomento 'armi', tralasciando del tutto un'indagine sul mondo delle forniture più correnti ma sicuramente molto più significative sia dal punto di vista quantitativo sia, lo abbiamo detto, da quello prettamente economico.[39]

In verità questo secondo approccio, più storico e meno artistico, deve ancora trovare un suo definitivo sbocco all'interno della saggistica; mancano tuttora ricerche di sufficiente ampiezza cronologica e geografica che permettano di

37. Per l'insieme si veda ora *Parate Trionfali*, cit., pp. 421-424; su Panzeri, oltre alla biografia e al regesto documentario nel medesimo catalogo (pp. 516-517 e pp. 556-563) cfr. anche S. Leydi, *Giovan Battista Panzeri, detto Zarabaglia intagliatore in ferro. E soci*, «Nuovi Studi», 6 (1998). A tali informazioni si deve aggiungere la notizia, inedita, che Panzeri morì a Milano il 22 luglio 1587.

38. ASMi, *Notarile* 14628, 13 giugno 1562.

39. In generale, oltre ai due cataloghi delle mostre di New York e di Ginevra già citati (e ai quali si rimanda sia per un discorso generale sull'arte dell'armatura milanese del XVI secolo, sia per i regesti documentari), sono ancora utili, sebbene parziali, i saggi di B. Thomas, O. Gamber, *L'arte milanese dell'armatura*, in *Storia di Milano*, XI, Milano 1958, il vecchio classico di J. Gelli, G. Moretti, *Gli armaioli milanesi: i Missaglia e la loro casa. Notizie e documenti*, Milano 1903, e i più moderni scritti di F. Rossi, *Arte e industria delle armi*, in AA.VV., *Omaggio a Tiziano. La cultura artistica milanese nell'età di Carlo V*, Catalogo della mostra, Milano, Palazzo Reale, 27 aprile - 20 luglio 1977, Milano 1977, e il saggio di apertura e le corpose didascalie, a volte saggi in miniatura, di L.G. Boccia (*L'armatura lombarda tra il XIV e il XVII secolo*) in L.G. Boccia, F. Rossi e M. Morin, *Armi e armature lombarde*, Milano 1980.

collocare il fenomeno del commercio delle armi nel più vasto universo dei commerci europei, così come, almeno per l'Italia, scarseggiano studi sui trasporti, sulle vie di comunicazione, sui dazi e perfino, ma qui l'ambito è già differente, sugli eserciti che si combattevano o attraversavano la penisola nel XVI secolo. Tuttavia il quadro generale appare egualmente chiaro: per secoli da Milano e dal Bresciano un continuo flusso di armamenti si dipartiva per andare a equipaggiare le truppe nazionali ed europee, così come la maggior parte delle armi di lusso, sulla scia del Rinascimento italiano man mano fattosi strada in Europa, provenivano dalle medesime località, egemoni nel soddisfare nello stesso tempo le necessità del semplice fante e dell'imperatore.

I libri a stampa

LEANDRO PERINI

All'origine del Rinascimento: i viaggi degli umanisti

Francesco Petrarca, che oggi due bei cataloghi illustrano nel tempo e nello spazio,[1] può ben figurare all'inizio di quel viaggio, di quei viaggi che con lui (inventore dell'idea della vita come viaggio)[2] aprirono l'Europa alla ricerca intellettuale, alla ricerca dell'umanità che da allora in avanti ha costituito la più profonda essenza e giustificazione dell'Umanesimo. Il poeta viaggiò per mare e per terra, in Italia e fuori d'Italia, toccando Parigi, Aquisgrana, Colonia, Lione[3] arrivando fino a Praga. Un po' per irrequietezza personale, un po' per trovare un luogo ideale dove stabilirsi e un po' (come nel caso di Roma) per esplorare le rovine di una civiltà che cominciava, proprio col Petrarca, a diventare appassionatamente degna di imitazione e, infine, per ricevervi l'incoronazione poetica,[4] comunicando sensazioni, sentimenti e impressioni attraverso le sue epistole, un genere letterario particolarmente amato dagli umanisti.

Passeggiando per Roma, localizza nelle vestigia antiche episodi della sua storia più immaginaria che reale: «Ad ogni passo si presentava qualcosa che ec-

1. *Petrarca nel tempo. Tradizione lettori e immagini delle opere*, Catalogo della mostra, Arezzo, Sottochiesa di San Francesco, 22 novembre 2003-27 gennaio 2004, a cura di M. Feo, Pontedera 2003; *Petrarca e i Padri della Chiesa. Petrarca e Arezzo*, a cura di R. Cardini e P. Viti, Firenze 2004.

2. N. Mann, *Petrarque. Les voyages de l'esprit*, Paris 2004. Cfr. anche P. Verrua, *Umanisti ed altri «studiosi viri» italiani e stranieri di qua e di là dalle Alpi e dal Mare*, Genève 1924. La traccia del nostro saggio si ispira, non pedissequamente, a un progetto elaborato da Delio Cantimori destinato a una mostra: cfr. R. De Felice, *Gli storici italiani nel periodo fascista*, «Storia Contemporanea», XIV (1983), pp. 798-801.

3. Cfr. F. Petrarca, *Le familiari* [libri I-V], traduzione a cura di U. Dotti, collaborazione di F. Audisio, I, Torino 2004, pp. 71-89 (1333).

4. S. Gentile, *I viaggi*, in *Petrarca nel tempo*, cit., p. 444.

citava la lingua e la mente: qui la reggia di Evandro, qui le case di Carmenta, la spelonca di Caco, la lupa nutrice ... qui il passaggio di Remo, i ludi circensi e il ratto delle Sabine, qui la palude della Capra e Romolo che scompare ... qui dove avvenne il trionfo di Cesare, qui dove morì».[5]

Dal Petrarca poi, ritratto più di una volta nella sua biblioteca, circondato dai suoi libri[6] che lo accompagnarono per tutta la vita sino alla morte che lo sorprese, forse, mentre scriveva un'opera storica (un *De gestis Cesaris*), nacque per la prima volta lo statuto dell'umanista.[7] Da allora non c'è stato umanista che non abbia avuto una biblioteca: i libri sono la sua seconda natura ed entreremo così, attraverso le testimonianze autobiografiche o le testimonianze iconografiche coeve, nelle biblioteche degli umanisti, ora nello scrittoio di Aldo Manuzio e in quello di Marco Musuro, il collaboratore di Aldo, ora in quelli di Bernardo e Niccolò Machiavelli (padre e figlio), ora in quello di Erasmo.[8]

I codici manoscritti delle opere di Petrarca, sparsi in tutta Europa, costituiscono il seme che troviamo dovunque prima dell'avvento della stampa e durante la comparsa della stampa: uno dei primi tipografi di Strasburgo, Adolf Rusch – tra i primi ad usare nel Nord i caratteri tipografici umanistici (la 'romana') – pubblicò due dei libri del Petrarca (il *Secretum*, 1470? e il *De vita solitaria*, 1470?).[9]

Non meno importanti furono i viaggi degli stranieri in Italia o le ricerche ivi commissionate da loro: ungheresi, inglesi, francesi, portoghesi, spagnoli vengono in Italia alla ricerca di manoscritti o per ricopiarli.[10]

Trasferiti nel tempo, i viaggi degli umanisti consentirono la riscoperta degli Antichi e insieme la scoperta del sentimento della 'gloria': per Petrarca (*Triumphi*) fu l'occasione di un incontro contraddittorio tra i valori terreni veicolati dal Rinascimento e quelli cristiani.[11]

5. F. Petrarca, *Le Familiari*, ed. critica per cura di V. Rossi, II, Libri V-XI, Firenze 1934, pp. 56-58. Cfr. anche E. e J. Garms, *Mito e realtà di Roma nella cultura europea. Viaggio e idea, immagine e immaginazione*, in *Storia d'Italia, Annali*, 5, *Il paesaggio*, a cura di C. De Seta, Torino 1982, pp. 594-599.

6. Nella Sala dei Giganti di Padova e nel cod. Strozziano 172 di Bartolomeo di Antonio Varnucci della Biblioteca Medicea Laurenziana di Firenze: cfr. *Petrarca nel tempo*, cit., p. 60.

7. Cfr. *Petrarca nel tempo*, cit., pp. 457-516.

8. Cfr. *Aldo Manuzio editore. Dediche. Prefazioni. Note ai testi. Introduzione di Carlo Dionisotti*, testo latino con traduzione e note a cura di G. Orlandi, II, Milano 1975, pp. 293-294; A. Firmin-Didot, *Alde Manuce et l'hellenisme à Venise*, Paris 1875, pp. 34-35; per Bernardo Machiavelli cfr. il *Libro di ricordi*, a cura di C. Olschki, postfazione di L. Perini, Roma 2007 e per Niccolò Machiavelli la notissima lettera a Francesco Vettori del 10 dicembre 1513. Per Erasmo cfr. F. Husner, *Die Bibliothek des Erasmus*, in *Gedenkschrift zum 400. Todestage des Erasmus von Rotterdam*, a cura dell'Historischen und Antiquarischen Gesellschaft zu Basel, Basel 1936.

9. Sulla fortuna europea di Petrarca nell'età tipografica cfr. L. Balsamo, *Chi leggeva* Le cose volgari *del Petrarca nell'Europa del Quattrocento e Cinquecento*, in *L'Europa del libro nell'età dell'Umanesimo*, Atti del XIV convegno internazionale, Chianciano-Firenze-Pienza, 16-19 luglio 2002, a cura di L. Secchi Tarugi, Firenze 2004, pp. 149-167.

10. Cfr. R. Sabbadini, *Le scoperte dei codici latini e greci ne' secoli XIV e XV*, Firenze 1967, pp. 193-196.

11. A. Tenenti, *Il senso della morte e l'amore della vita nel Rinascimento (Francia e Italia)*,

Dove la passione per l'Antichità si trovò congiunta ai mezzi economici e alle necessarie relazioni culturali realizzò delle opere durature – le librerie – che ebbero una diffusione geografica relativamente ampia in Italia (da Mantova a Pavia, da Pesaro a Roma, da Urbino a Cesena, da Napoli a Firenze, a Venezia)[12] e in Europa, alimentando successivamente il meccanismo dei viaggi degli umanisti.

I codici e i libri a stampa

Come scrive uno dei maggiori conoscitori dell'estetica del libro, «non poche delle caratteristiche del codice manoscritto» (soprattutto fiorentino), compreso il materiale scrittorio,[13] «passeranno allo stampato». Prima di tutto «lo spicco con il quale, normalmente, nel codice umanistico la scrittura predomina sulla pagina. Poi la pausata distribuzione delle 'parti' (lettere dedicatorie, premesse, capitoli, libri nei quali si articola il volume). La stessa gerarchica variazione dei caratteri discende dalla scrittura, che presenta una dimensione e un rilievo in rapporto con l'importanza dei titoli o dei temi ... Su tutto, in conformità del nuovo spirito, è la maestà dello scritto o dello stampato che deve emergere: la maestà della parola».[14]

Dietro a questa estetica, dietro a questo 'occhio' umanistico che si riflette in mille modi nel libro a stampa del Continente imponendone l'imitazione, c'è una catena che da Leon Battista Alberti trapassa in tanti altri artisti e tecnici.[15] L'Alberti morì nel 1472, un anno dopo l'introduzione della stampa a Firenze, e il suo *De re aedificatoria* fu stampato a Firenze solo nel 1485 da Niccolò di Lorenzo della Magna[16] (fu riprodotto in Francia nel 1512); ma uno dei frutti dei suoi studi derivati anche dai suoi viaggi a Roma e dai disegni dei monumenti visti – le lettere capitali romane – si potevano ammirare a partire dal 1470 sulla facciata della chiesa fiorentina di Santa Maria Novella da lui disegnata. Né si po-

Torino 1978, pp. 454 sgg.; «passaggio obbligato nella costituzione di una biblioteca del Quattrocento» definisce i *Triumphi* E. Pasquini: cfr. *Petrarca nel tempo*, cit., p. 214.

12. E. Garin, *La cultura del Rinascimento*, Bari 1971, p. 190.

13. Cfr. *I libri membranacei italiani a stampa del secolo XV esistenti nelle biblioteche pubbliche italiane*, Catalogo della Mostra aperta il 30 ottobre 1935 inaugurandosi la nuova sede della Biblioteca Nazionale Centrale di Firenze, Firenze 1935: tra gli altri, Aristotele, *Opera*, Venezia, Manuzio, 1495-1498; la *Biblia* latina, Venezia, Nicolas Jenson, 1476; Dante, *Commedia*, col commento di C. Landino, Firenze, Niccolò di Lorenzo della Magna, 1481; Plinio, *Naturalis Historia*, Venezia, Nicolas Jenson, 1472; Plotino, *Opera*, Firenze, Miscomini, 1492; Virgilio, *Opera*, Venezia, Vindelino da Spira, 1470.

14. S. Samek Ludovici, *Arte del libro. Tre secoli di storia del libro illustrato, dal Quattrocento al Seicento*, Milano 1974, pp. 34-35.

15. G. Mardersteig, *Leon Battista Alberti e la rinascita del carattere lapidario romano nel Quattrocento*, «Italia Medioevale e Umanistica», II (1959).

16. Figurava tra i libri di Leonardo da Vinci: cfr. Leonardo da Vinci, *Scritti letterari*, a cura di A. Marinoni, Milano 1974, p. 255.

tranno dimenticare altri elementi estetici trasferitisi dal manoscritto allo stampato, a cominciare dai «bianchi girari» fiorentini, dai fiori, le foglie, i «putti».[17] Una volta scomparsi dalle cornici dei manoscritti, gli stessi elementi ricompaiono nelle lettere capitali che adornano il libro a stampa: si prendano le edizioni basileesi degli *Opera omnia* di Francesco Petrarca (1554, 1581 editi da Heinrich Petri) e si troveranno serie complete di iniziali figurate col motivo dei «putti».[18] Un bell'esempio di viaggio nello spazio e nel tempo!

Economia e cultura: lo sviluppo del capitalismo e la tipografia

Il problema della differente relazione fra economia e cultura nel Medioevo e nel Rinascimento, così come oggi lo intendiamo, fu posto con lucidità e acume nel 1952 da Roberto Sabatino Lopez[19] che sostenne che il periodo dal 1300 al 1530 non fu di espansione economica ma di grande depressione, seguita da una ripresa moderata e incompleta, e che il 'Rinascimento' economico, risultante dalla rivoluzione commerciale, andava dalla fine del XII secolo ai primi del XIV. Anche l'altro grande storico dell'economia dell'epoca, Armando Sapori,[20] sosteneva la stessa tesi: quel che era avvenuto dopo, altro non era se non il prolungamento, su scala maggiore, delle conquiste e acquisizioni medievali («Si può dire che in economia quei due secoli [Dugento e primi del Trecento] abbiano creato, e il Quattrocento e il Cinquecento abbiano sviluppato senza modificare qualitativamente»),[21] pur ammettendo che nel periodo successivo progressi ne fossero stati fatti (in campo minerario-estrattivo a scopo bellico) e che persino si fosse verificata una rivoluzione (invenzione della tipografia), soggiungendo, però, quasi a limitarne la portata, che quest'ultima era stata un fenomeno aristocratico («privilegio di pochi»).[22] Il Lopez, però, a differenza del Sapori, apriva originalmente il problema del nesso tra i fenomeni economici e quelli culturali e ciò sollecitò la curiosità di Delio Cantimori che, riproducendo un lungo passo del saggio di Lopez, attirò l'attenzione degli studiosi sulla sua affermazione che gli uomini d'affari «che avevano cercato nel commercio gli investimenti più proficui o più sicuri, ora investivano [oltre che nella raccolta di opere d'arte] in libri i loro capitali».[23]

17. Cfr. J. Ruysschaert, *La miniatura italiana del Rinascimento*, in *Libri, scrittura e pubblico nel Rinascimento*, Guida storica e critica a cura di A. Petrucci, Bari 1979, pp. 62-63.

18. *Petrarca nel tempo*, cit., pp. 31-32.

19. R.S. Lopez, *Hard Times and Investment in Culture*, in Id., *The Renaissance. Six Essays*, New York-Evanston 1962.

20. A. Sapori, *Il Rinascimento economico*, in Id., *Studi di storia economica (secoli XIII-XIV-XV)*, III edizione accresciuta, I, Firenze 1955.

21. Ivi, p. 635.

22. Ivi, p. 638.

23. D. Cantimori, *Il problema rinascimentale di Armando Sapori*, in Id., *Studi di storia*, Torino 1959, p. 375.

La tipografia fu o no un fatto da ricondurre alla incipiente produzione capitalistica? Gli storici economici hanno a lungo esitato a prendere in considerazione non solo questa attività economica, ma persino la forma in cui questa si svolse; neppure il vecchio William Cunningham, al quale si devono notazioni interessanti sull'influenza del capitale nel rinnovare gli usi commerciali e industriali durante la seconda parte del XV secolo, ne parla, benché tratti fuggevolmente dell'importanza di Anversa nell'attrarre i capitalisti «non solo per la sua posizione e le sue relazioni, ma perché permetteva quasi tanta libertà agli uomini di tutte le nazioni quanta avrebbero potuto goderne in qualunque fiera».[24] Oggi, infatti, la mente corre subito al maggiore stampatore di Anversa del XVI secolo, Christophe Plantin, e alla sua imponente azienda tipografica, ma al Cunningham non venne a mente questo nome e bisognò aspettare che Henri Pirenne nel secolo successivo genialmente lo richiamasse alla memoria.

La spiegazione generica di questo atteggiamento perplesso degli studiosi è data dal fatto che forse una paziente ricerca documentaria non aveva (e forse non ha ancora) messo a disposizione il materiale sufficiente per dare consistenza al nesso proposto dal Lopez. D'altra parte l'entità della produzione degli opifici tipografici attivi in 265 città europee fra il 1450 e il 1500 è talmente notevole dal punto di vista quantitativo – calcolando in 27.000 i titoli con una tiratura media di 300-400 copie ciascuno, ci si aggira intorno a un totale di 8-10 milioni di libri[25] – che ad essa è impossibile negare attenzione. All'attività degli opifici tipografici in senso stretto dobbiamo, per lo meno, aggiungere un numero imprecisato di piccoli artigiani indipendenti (o anche annessi ad essi) che fabbricano i punzoni per i caratteri e i capilettera,[26] che incidono rami per le illustrazioni (un esempio per tutte, le carte geografiche dell'edizione della *Cosmographia* di Tolomeo),[27] che fabbricano la carta (anche per i tipografi), l'inchiostro, che rilegano i libri ecc. Si era aperto, insomma, nella seconda metà del Quattrocento in tutta Europa un nuovo settore 'industriale' e di

24. W. Cunningham, *Saggio sulla civiltà occidentale nei suoi aspetti economici*, Firenze 1973, p. 282. L'opera risale al 1898.

25. Stime recenti fanno ammontare a 20 milioni gli esemplari di libri a stampa.

26. L'attrezzatura di uno di questi opifici è rappresentata in un'illustrazione dell'edizione delle favole di Esopo (Napoli, Francesco Del Tuppo, 1485): cfr. *Libri, scrittura e pubblico*, cit., p. [174], Tav. 16. Per i corsivi derivati da quello di Aldo Manuzio disegnato da Francesco Griffi cfr. L. Balsamo, A. Tinto, *Le origini del corsivo nella tipografia italiana del Cinquecento*, Milano 1967.

27. Roma, Sweynheym e Bucking, 1478: cfr. L. Perini, *Quattro prefazioni umanistiche a testi scientifici*, in *L'Europa del libro*, cit., pp. 531-536; A. Petrucci, *Il libro illustrato italiano del Quattrocento*, in *Libri, scrittura e pubblico*, cit. Dal nostro saggio è escluso il tema della grafica, su cui cfr. la voce *Grafica e arte del libro*, in *Enciclopedia universale dell'arte*, VI, Firenze 1958, coll. 508-557 (con brevi saggi di F. Barberi, E. Casamassima ecc.). Un tentativo di valutare il fenomeno sotto il profilo della storia economica fu compiuto da A. Calabi, *L'economia della produzione artistica grafica*, «Rivista di Storia Economica», I (1936), ma restò allo stadio di generiche osservazioni.

intervento capitalistico che aspetta tuttora una considerazione più attenta da parte degli storici.

Tra le forme di intervento del capitale in questa prima fase quelle più facilmente riconoscibili sono almeno tre.

In primo luogo i capitali di proprietà individuale o i capitali sociali derivanti dal conferimento dei soci. Nel 1473 i nobili Marco Roma, Giovanni Antonio Terzago, Antonio Ermenulfi e Pietro Antonio Castiglione fondarono a Milano una società tipografico-editrice, impegnandosi a versare 2000 ducati «ut expendere in exercitio stampandi seu stampiri faciendi lecturas seu libros», ai quali si associò Antonio Zarotto, uno dei principali stampatori milanesi del Quattrocento, privo di capitali, mentre Antonio Ermenulfi s'impegnava a versare il denaro occorrente per acquistare la carta.[28] Nel 1474 Filippo e Lorenzo Strozzi e compagni di Firenze, dopo aver fatto tradurre a pagamento a Cristoforo Landino la *Historia Naturalis* di Plinio, affidarono al tipografo veneziano Nicolas Jenson la stampa del testo; alla società si unirono Giambattista Ridolfi e Girolamo Strozzi, che fornirono la carta.[29] Aldo Manuzio si associò nel 1495 col figlio del doge, Pierfrancesco Barbarigo, e con lo stampatore Andrea Torresani d'Asola in una compagnia («Societas impressionis librorum»). Il celeberrimo *Sogno di Polifilo* (*Hypnerotomachia Poliphili*, 1499) stampato da Aldo Manuzio, il monumento dell'illustrazione rinascimentale, fu finanziato da Leonardo Grassi che lo dedicò a Guidobaldo da Montefeltro, duca d'Urbino.

In secondo luogo i capitali provenienti da prestiti: Nicolas Jenson a più riprese fu finanziato da mercanti del veneziano Fondaco dei Tedeschi.[30]

73, 74

In terzo luogo il mecenatismo, che con un vocabolo italiano settecentesco, la cui radice astratta ('mecenate') era già comparsa nell'età del Petrarca, significa l'intervento signorile in termini di capitali, di privilegi e di 'premi all'esportazione'. Il fenomeno della protezione era certamente antico e nell'età del Petrarca esso implicava l'adeguamento del poeta ai pensieri e ai gusti del protettore in quanto, non potendo mantenersi appoggiandosi a un pubblico di lettori che acquistasse le sue opere, era stato giocoforza che si fosse fatto mantenere per vent'anni dalla famiglia Colonna. Ma nel momento in cui Cola di Rienzo realizzò il sogno della Repubblica romana e Petrarca scese in campo contro i tiranni di Roma, il poeta si trovò in contrasto con la famiglia Colonna. Fortunatamente nell'età del Rinascimento un conflitto politico così radicale non si presentò nel campo della tipografia e alla radice del 'mecenatismo' rinascimentale si

28. A. Ganda, *Marco Roma, sconosciuto editore dei prototipografi milanesi (1473-1477) e un nuovo incunabulo: il catalogo dei suoi libri*, «La Bibliofilia», LXXXII (1980), in particolare p. 219.

29. F. Edler de Roover, *Per la storia dell'arte della stampa in Italia*, «La Bibliofilia», LV (1953), in particolare pp. 109-110.

30. S.H. Steinberg, *Cinque secoli di stampa*, Torino 1962, p. 60; M. Lowry, *Nicolas Jenson e le origini dell'editoria veneziana nell'Europa del Rinascimento*, Roma 2002, pp. 181 sgg.

trova un tono, un gusto diffuso tra gli aristocratici che, unendosi alla disponibilità di capitali non diversamente utilizzabili, promosse e favorì la diffusione della cultura nella medesima cerchia sociale. Lo possiamo collocare in un'area di interessi che potremmo definire di 'reputazione': simbolo insieme di appartenenza ad un ceto e di egemonia sociale. A Roma la stampa cominciò sulla base di questo mecenatismo feudale, pontificio.[31]

Uno dei primi tipografi italiani, Panfilo Castaldi, ricorse, per esempio, a tutte e tre le forme sopra accennate: prima al mecenatismo di Galeazzo Sforza, poi a un prestito di Antonio Zarotto e infine alla società con Filippo di Lavagna. Aldo Manuzio, il più celebre degli imprenditori umanisti, attestò pubblicamente nel 1503 di essere stato per tre anni finanziato dal principe Alberto Pio da Carpi.[32] I tipografi cinquecenteschi Lorenzo Torrentino di Firenze e Christophe Plantin di Anversa godettero della benevolenza e del mecenatismo dei loro sovrani.

In fatto di tipografia a caratteri mobili non è un italiano il primo a presentarsi con quel carattere di 'gigantismo', che sembra caratterizzare – anche oggi – la produzione capitalistica, ma un tedesco, Anton Koberger di Norimberga: 24 torchi, serviti da cento tra compositori, correttori, torcolieri, miniatori, legatori.[33]

Il carattere capitalistico non sta, però, in questo 'gigantismo', né bisogna attendere la Riforma (e Lutero specialmente) per trovare in una confessione religiosa cristiana la giustificazione del guadagno materiale che superi il proprio bisogno: da questo punto di vista, infatti, le idee di Lutero (citate da Sombart e da Weber) provano invece proprio il loro carattere tradizionale, rivelando nel primo Riformatore un modello dello «spirito dell'artigianato».[34] Neppure le pratiche del risparmio, in uso un po' dovunque, ma messe in atto ad oltranza da Andrea Torresani da Asola, suocero e associato di Aldo Manuzio, e da Aldo stesso nella sua stamperia veneziana e ridicolizzate da Erasmo da Rotterdam nei suoi *Colloquia*,[35] riusciranno a identificare una componente essenzialmente capitalistica dell'industria di Aldo. Il carattere capitalistico dell'industria tipografica stava anzitutto in una continua necessità di danaro: Martin Lowry, che ha calcolato il capitale circolante dell'editore Nicolas Jenson e ne ha accertato l'ammontare in-

31. E.P. Goldschmidt, *Il libro umanistico dall'Italia all'Europa*, in *Libri, scrittura e pubblico*, cit., p. 110.

32. F. Pastorello, *Di Aldo Pio Manuzio: Testimonianze e Documenti*, «La Bibliofilia», LXVII (1965), p. 173.

33. F. Kapp, *Geschichte des Deutschen Buchhandels bis in das siebzehnte Jahrhundert*, Leipzig 1886, p. 140.

34. «Tu devi a ciò provvedere, di non cercare in un tal commercio che ciò che è sufficiente alla tua nutrizione, non di calcolare ... e pesare il tuo vitto, la tua fatica, il lavoro ed il rischio, e poi di porre la merce ad un prezzo più o meno alto in modo da avere un compenso di tal lavoro e fatica». È un passo tratto dallo scritto di Lutero *Von Kaufhandlung und Wucher* (*Intorno al commercio e all'usura*), 1524, citato da M. Weber, *L'etica protestante e lo spirito del capitalismo*, Firenze 1977, p. 153, nota 2.

35. *Opulentia sordida*. Cfr. M. Lowry, *Il mondo di Aldo Manuzio. Affari e cultura nella Venezia del Rinascimento*, Roma 1984, pp. 105-106.

torno ai 7000-10.000 ducati, ha commentato il fatto dicendo che l'«editoria di tipo capitalistico era cominciata».[36] Lo stesso dimostrano le dichiarazioni di Aldo nella prefazione (1494) al poema greco *Ero e Leandro* del poeta Museo: «Datemi anche del denaro, affinché da parte mia io possa procurarvi tutti i migliori testi della grecità; e veramente se voi darete, anch'io darò, giacché senza molto denaro mi è impossibile stampare». Manuzio ripeterà la stessa richiesta tre anni dopo, nel 1497, rivolgendosi, evidentemente, anche in questa circostanza non ai singoli lettori appassionati della letteratura greca, ma a quei patrizi veneziani disposti ad investire i loro capitali nella sua impresa.

L'altra componente di questa attività economica, accanto al capitale, era il sovraccarico di lavoro cui erano sottoposti gli operai del libro. Mentre, infatti, negli esordi della stampa a caratteri mobili la produzione era orientata prevalentemente verso bisogni locali (o addirittura individuali) e quindi il lavoro aveva ancora un carattere patriarcale e moderato (uno dei primi stampatori impiegò 4 mesi di lavoro per stampare 100 copie delle *Lettere* di Cicerone),[37] quando essa fu attirata dal mercato 'internazionale' dominato allora dalle fiere di Lione e di Francoforte sul Meno, il lavoro (15 ore) – che si svolgeva dalle cinque del mattino alle otto di sera («qui sont les heures accoutumées d'*ancienneté*»)[38] – fu smodatamente prolungato, giungendo all'abolizione del giorno di riposo (*tric*) ogni tre settimane e al prolungamento della durata del lavoro dalle due del mattino fino alle dieci di sera: cosa «non seulement insupportable, mais quasi incroyable», affermava l'avvocato Du Puy nel corso di una seduta del *Parlement* di Parigi nel 1540.[39]

86, 112

Quel che era accaduto allora a Lione – il prolungamento della giornata lavorativa, per esprimerci nei termini di Karl Marx – può essere stato solo il risultato di quanto era avvenuto e sopportato episodicamente sino allora, ma che l'organizzazione dei *compagnons* tipografi di Lione in accordo con quelli di Parigi aveva clamorosamente e rumorosamente portato in primo piano. Del resto lo stesso Manuzio nel 1503 dichiarava di aver dovuto registrare negli anni precedenti quattro scioperi dei suoi operai e dei suoi dipendenti (che forse chiedevano un aumento del salario).[40]

Il mercato internazionale

Quanto stava avvenendo nel campo della stampa in relazione all'allargamento del mercato era certamente il prolungamento di quella 'rivoluzione com-

36. Lowry, *Nicolas Jenson*, cit., p. 260.

37. F.C. Lane, *Storia di Venezia*, Torino 1978, p. 358.

38. Enfasi aggiunta.

39. Cfr. P. Chauvet, *Les ouvriers du livre en France dès origines à la Révolution de 1789*, Paris 1959, pp. 31-37.

40. *Aldo Manuzio editore*, cit., I, p. 170.

merciale' – di cui già avevano parlato il Sapori e il Lopez – che aveva aperto a Venezia, grazie al sistema delle sue galee, i mercati di Levante e di Ponente, facendone il centro dell'economia italiana della seconda metà del Quattrocento, come anche Francesco Guicciardini aveva indicato nella sua *Storia d'Italia*.[41] Grazie al sistema delle sue relazioni commerciali marittime e delle comunicazioni terrestri soprattutto col Nord dell'Europa, Venezia era diventata nella seconda metà del Quattrocento il massimo centro dell'industria tipografica. Si è calcolato, infatti, che su un totale di 1821 opere stampate in Europa negli anni 1495-1497, 447 provengono da Venezia, mentre solo 181 da Parigi, al secondo posto per importanza.[42] Calcoli più recenti attribuiscono, congetturalmente, a Venezia circa 4500 edizioni, equivalenti a circa due milioni di copie.[43] Da Venezia, via mare, gli Strozzi, dopo aver fatto stampare a Nicolas Jenson la *Storia naturale* di Plinio, ne avevano curato l'invio di copie in Inghilterra e a Bruges sulle galee di Ponente in casse di legno o «in balle involte chon incerato e chotone».[44] Col nuovo centro del commercio librario del Nord, Francoforte sul Meno, lo stesso stampatore veneziano era già entrato in contatto nel 1478 attraverso il libraio padovano Johannes Rauchfas, suo socio e rappresentante di altri librai italiani.[45]

L'aspetto del mercato internazionale, chiamato in causa per la nascita della tipografia come azienda capitalistica, evoca, ancora una volta, un elemento della 'rivoluzione commerciale', cioè le fiere, perché molto presto vi si cominciò a vendere libri, prima in quelle di Lione e poi in quelle di Francoforte sul Meno, che si attivarono per effetto della vicinanza alla città dove la tipografia era nata, cioè Magonza. La situazione fluviale – la connessione tra il Reno e il Meno – vi favoriva la confluenza della gente del libro, fin dal Quattrocento. Lo notava già Enea Silvio Piccolomini: «Non passa giorno in cui una nave ben capace di trecento persone non transiti da Magonza a Francoforte e un'altra volta da Francoforte a Magonza mediante l'alzaia tirata da robusti cavalli; tan-

41. Parlando delle spezie il Guicciardini diceva che i mercanti veneziani «condottele a Vinegia ne fornivano tutta la cristianità, ritornandone loro grandissimi guadagni: perché avendo soli in mano le spezierie costituivano i prezzi ad arbitrio loro, e co' medesimi legni co' quali le levavano di Alessandria vi conducevano moltissime mercatanzie, e i medesimi legni i quali portavano in Francia in Fiandra in Inghilterra e negli altri luoghi le spezierie tornavano medesimamente a Vinegia carichi di altre mercatanzie: la quale negoziazione augmentava medesimamente molto l'entrate della repubblica, per le gabelle e passaggi» (lib. VI, cap. 9) (F. Guicciardini, *Storia d'Italia*, a cura di S. Seidel Menchi, Torino 1971, I, p. 591). Sul sistema delle galee da mercato e sulla loro progressiva contrazione cfr. F. Braudel, *Civiltà e Imperi del Mediterraneo nell'età di Filippo II*, Torino 1986, I, p. 416.

42. Lane, *Storia di Venezia*, cit., p. 358.

43. P. Burke, *Storia sociale della conoscenza. Da Gutenberg a Diderot*, Bologna 2002, p. 212.

44. Edler de Roover, *Per la storia*, cit., p. 113. Lo stesso fa, utilizzando il sistema delle galee da mercato, l'altro grande stampatore veneziano, Lucantonio Giunta, spedendo a Siviglia 400 copie del *Las Siete Partidas* pubblicate nel 1501: cfr. K. Wagner, *El negocio de las «Siete Partidas»*, «La Bibliofilia», LXXVIII (1976).

45. Lowry, *Nicolas Jenson*, cit., pp. 182-184.

to grande sembra esservi la necessità degli scambi commerciali».[46] È qui che i librai, gli stampatori, i tecnici (gli incisori) si recavano due volte all'anno per saldare i conti, per pagare debiti, per acquistare materiale tipografico, per annunciare la prossima pubblicazione di un libro, per raccogliere informazioni sui progetti futuri degli stampatori, per portare gli stessi libri a far vedere e per ricevere le ordinazioni, per trovare (specie gli incisori) committenze. Portavano, o inviavano, elenchi periodici a stampa dei loro libri, che da 1564 il libraio Georg Willer raccolse in un catalogo che uscì due volte all'anno fino al 1592.[47] Vi arrivò nel 1590 anche Giordano Bruno, prendendo alloggio presso i Carmelitani a spese dello stampatore Johann Wechel, per seguire da vicino la stampa dei suoi tre poemi latini, prima di recarsi l'anno successivo a Venezia da dove ebbe inizio la sua tragedia.

Mestieri nuovi, prodotti nuovi

Fin dall'inizio la nuova tecnica – diventata poi mestiere – determinò la diffusione di un certo numero di vocaboli nuovi che anche gli umanisti (fino allora abituati a un vocabolario rimasto quasi inalterato dall'antichità) prontamente adottarono.[48] Ma ci fu di più: come ha osservato Elisabeth Eisenstein, la stampa a caratteri mobili, oltre a creare mestieri nuovi come il fabbricante di caratteri e il compositore, elaborò un tipo di imprenditore rappresentato dal 'maestro stampatore' che, a differenza dei precedenti mercanti di manoscritti (come l'eccezionale organizzatore Vespasiano da Bisticci), collegava molti mondi: «Era responsabilità sua ottenere il denaro, le forniture e il lavoro, mentre sviluppava complessi programmi di produzione, affrontava gli scioperi, cercava di sondare i mercati del libro e trovava assistenti colti. Doveva mantenere buoni rapporti con i funzionari che fornivano protezione e lavori remunerativi, e al contempo coltivare e incoraggiare autori e artisti di talento che potevano portare alla sua ditta profitti o prestigio. Se la sua impresa prosperava ed egli conseguiva una posizione di influenza tra i concittadini, la sua bottega diventava un vero e proprio centro culturale che attirava letterati locali e stranieri famosi, costituiva sia un luogo d'incontro sia un centro di comunicazione per una cosmopolita repubblica del sapere in espansione».[49]

In un volume come questo, dedicato ai mercanti e alla cultura mercantile, sembrerebbe opportuno, in relazione al tema trattato, cercare di penetrare nel

46. Pio II (Enea Silvio Piccolomini), *I Commentari*, a cura di G. Bernetti, V, Siena 1976, p. 160.

47. *Die Messkataloge Georg Willers*, a cura di B. Fabian, Hildesheim-New York 1972-2001.

48. C. Fahy, *Descrizioni cinquecentesche della fabbricazione dei caratteri e del processo tipografico*, «La Bibliofilia», LXXXVIII (1986); S. Rizzo, *Il lessico filologico degli umanisti*, Roma 1973.

49. E.L. Eisenstein, *Le rivoluzioni del libro. L'invenzione della stampa e la nascita dell'età moderna*, Bologna 1995, p. 39.

mondo della tipografia e della stampa attraverso le sue coordinate economiche – costi, prezzi, profitti –, ma questo mondo ripetutamente scandagliato ha lasciato finora affiorare solo deludenti avanzi e studi monografici di portata molto limitata: qualche saggio sul costo degli incunaboli, frammenti di prezzi di incunaboli e libri a stampa oltre a rarissimi casi di calcoli dei profitti. Uno degli studiosi più attrezzati, Rudolf Hirsch, a proposito dei prezzi ha potuto affermare che «the vagaries of book prices remain mysterious».[50] Anche il compianto Martin Lowry è arrivato a sostenere che non esisteva nessuna regola precisa per determinare il prezzo persino di esemplari diversi della stessa edizione.[51] E, per quanto il problema sia ancora in attesa di un esame complessivo, esiste, sembra, solo la certezza che, pur in presenza di un prezzo indicato nei cataloghi a stampa, è alla contrattazione col cliente che bisogna risalire per ottenere qualche informazione più precisa. Una specie di lotta incruenta, caratteristica fino a ieri del mondo orientale, durante la quale il venditore vuole 'spuntare' il prezzo più alto e l'acquirente quello più basso. Non si è tuttavia trovata finora nessuna forma di rappresentazione grafica che fornisca una tendenza sinteticamente leggibile: le uniche conclusioni sintetiche sono che fino alla metà degli anni Settanta del Quattrocento il libro a stampa non era più a buon mercato del manoscritto, mentre nell'ultimo quarto del Quattrocento il prezzo dei libri a stampa si sarebbe ridotto, rispetto ai manoscritti, dal 5 al 20%.[52]

Libri di conto degli stampatori sono, d'altro canto, rarissimi. Si presenta pertanto, a questo punto, il paradosso: per illustrare, sotto l'aspetto economico, questo straordinario momento della storia della cultura occidentale, dovremmo ricorrere ad uno dei libri di conto più interessanti che siano stati scoperti negli ultimi anni (1962), quello di Peter Drach,[53] uno stampatore di Spira, che tutto fu tranne che uno stampatore 'rinascimentale'? Dovrà, cioè, prevalere una considerazione cronologica oppure una considerazione insieme cronologica e di contenuto? La stessa organizzazione commerciale si costruisce e si orienta in modo da mettersi in contatto con gli interessi che si sono accesi in luoghi diversi e distanti. Prima Amedeo Quondam con un saggio precorritore e fortunato,[54]

50. R. Hirsch, *Printing, selling and reading 1450-1550*, Wiesbaden 1974, p. 71.

51. Lowry, *Nicolas Jenson*, cit., pp. 291-314.

52. L. Hoffmann, *Gutenberg und die Folgen: zur Entwicklung des Bücherpreis im 15. und 16. Jahrhundert*, «Bibliothek und Wissenschaft», 29 (1996). L'autore, perciò, non vede nessun argomento per contraddire l'affermazione di Polidoro Vergilio (*De inventoribus rerum*, Venezia, C. Pensis, 1499, f. 5*r*) secondo cui ognuno, pur disponendo di poco denaro, aveva la possibilità di diventare dotto. Il passo è riferito anche da Fahy, *Descrizioni cinquecentesche*, cit., p. 61.

53. F. Geldner, *Das Rechnungsbuch des Speyrer Druckherrn, Verlegers und Grossbuchhändlers Peter Drach mit Einleitung, Erlauterungen und Identifizierungslisten*, «Archiv für Geschichte des Buchwesens», 5 (1962/1964).

54. A. Quondam, *«Mercanzia d'onore»/«Mercanzia d'utile». Produzione libraria e lavoro intellettuale a Venezia nel Cinquecento*, in *Libri, scrittura e pubblico nell'Europa moderna*, Guida storica e critica a cura di A. Petrucci, Bari 1977.

poi recentemente Angela Nuovo con un'originale prospettiva generale e una monografia,[55] hanno entrambi indicato un punto di vista nuovo nella storia del commercio librario. Forse, tuttavia, uno sguardo che abbracciasse il fattore psico-sociale, questa onda passionale, sulla quale poggiò poi la creazione dell'organizzazione commerciale che talvolta prolungò e intensificò una tradizione precedente, non sarebbe da trascurare. Questo elemento psicologico, passionale, fu invece messo in risalto da Jules Michelet nella sua *Renaissance*, anche là dove parla di Aldo Manuzio.[56]

Come si trasmette la cultura rinascimentale

Se nel trasferimento delle tecniche tipografiche operò generalmente il fenomeno delle migrazioni dei tecnici dal Nord al Sud, l'accoglimento dei valori umanistici italiani – giacché nessuno dubita che il moto del Rinascimento sia un fenomeno italiano – avvenne o per la presenza nel Nord di letterati e artisti italiani, o per le visite di settentrionali in Italia, o per la circolazione dei libri. Tuttavia questa dinamica del fenomeno ha subito nel tempo almeno due interpretazioni. La più antica, quella di Jules Michelet, la voleva originata dal contatto occasionale tra culture diverse e contrarie (soprattutto, per quel che riguarda il trasferimento dei valori umanistici italiani in Francia durante le guerre d'Italia, la presenza negli eserciti francesi invasori di uomini provenienti da tutti i luoghi della Francia) e dalla «chimica» (così la definiva il grande storico francese) del contatto; la più recente, quella di Denis Hay, vuole, invece, che sia stata la somiglianza fra le società (evoluzione politica, attraverso i principati più piccoli e più grandi e le corti) a favorire l'accoglimento e il trapianto della cultura (teoria dei vasi comunicanti).[57] Si sono solo trascurati i saccheggi delle due prime discese francesi in Italia: durante quella di Carlo VIII furono razziati a Firenze magnifici codici miniati, tra i quali i *Trionfi* del Petrarca appartenuti a Lorenzo il Magnifico, mentre parte della biblioteca di Alfonso II d'Aragona (1140 volumi, 447 manoscritti e 200 libri a stampa) fu trasferita da Napoli in Francia; Luigi XII successivamente razziò la biblioteca dei Visconti-Sforza a Pavia (355 codici latini, tra i quali 14 volumi delle opere di Petrarca, compresa la copia autografa del *De gestis Cesaris* interrotta, forse, dalla morte).[58]

55. A. Nuovo, *Il commercio librario nell'Italia del Rinascimento*, Milano 1998; A. Nuovo, C. Coppens, *I Giolito e la stampa nell'Italia del XVI secolo*, Genève 2005, pp. 67-169.

56. J. Michelet, *Renaissance et Réforme. Histoire de France au XVIe siècle*, Paris 1982, p. 163.

57. D. Hay, *Profilo storico del Rinascimento italiano*, Introduzione di E. Garin, Firenze 1966, pp. 208-209.

58. L'autografo parigino, che s'interrompe bruscamente, ha dato luogo, scrive Michele Feo, «a più o meno fantasiose congetture biografiche»: *Petrarca nel tempo*, cit., p. 363.

Molto tempo prima delle guerre d'Italia, però, gli italiani avevano trapiantato in Francia i metodi filologici, i temi petrarcheschi e il neoplatonismo di Marsilio Ficino (Filippo Beroaldo il Vecchio, 1476);[59] il veronese Paolo Emilio dette ai francesi la prima storia umanistica (*De rebus gestis Francorum*, 1516-1519; 1539), Lucio Marineo Siculo la dette agli spagnoli (*De rebus Hispaniae memorabilibus*, 1530), Polidoro Vergilio agli inglesi (*Anglicae historiae libri* XXVII, 1534), mentre Flavio Biondo con la sua *Italia illustrata* offriva al tedesco Beato Renano il modello per i suoi *Rerum Germanicarum libri tres* (1531).[60]

I rapporti tra Nord e Sud nella trasmissione dei valori rinascimentali

È possibile, arrivati a questo punto, ritrovare e descrivere in questa produzione di 'merci' una scansione (o periodizzazione) che tenga conto della storia del 'gusto', che apra, cioè, uno spiraglio non sul genio editoriale di questo o quello stampatore-editore ma sull'interesse dei lettori (un'aristocrazia dello spirito in mezzo a un'immensa platea di illetterati)? Perché, certo, così facendo si eludono gli aspetti quantitativi (che non sono tuttavia i soli problemi di rilievo della storia economica), ma si getta uno sguardo su quelle manifestazioni psico-sociali, su quelle onde passionali, rappresentative – queste sì – dei moti della storia.

Secondo Aby Warburg, vi fu un momento della storia del nostro continente in cui, con l'aiuto della stampa appena scoperta, il Nord e il Sud dell'Europa si trovarono a collaborare nella riscoperta dell'Antichità e ciò fu a partire dalla seconda metà del Quattrocento, quando gli artisti italiani e quelli della Germania meridionale, nella forma di carte da gioco (i tarocchi del Mantegna, ca. 1465) o in quella di *calendari illustrati* (*Calendario Baldini-Botticelli*, ca. 1465; *Astrolabium planum*, Augsburg 1488), offrirono ospitalità agli antichi dei in esilio, cioè ai sette pianeti.[61] Nel 1472 l'astronomo Regiomontano dava alla luce Manilio (scoperto da Poggio Bracciolini nel monastero di San Gallo nel 1417) e nel 1475 fu pubblicato a Ferrara il *De astronomia* di Igino; seguirono poi le edizioni degli astronomi greci e latini (Manilio, Firmico, Arato) ad opera di Aldo Manuzio, il più celebre degli editori-stampatori italiani, che aveva posto a Venezia, la città intermediaria tra il Nord e il Sud (lì aveva sede il Fondaco dei Te-

59. A. Jouanna, P. Hamon, D. Biloghi, G. Le Thiec, *La France de la Renaissance. Histoire et dictionnaire*, Paris 2001, pp. 21-23.

60. E. Fueter, *Storia della storiografia moderna*, Milano-Napoli 1970, pp. 179, 210-213, 246, 288. Su Polidoro Vergilio cfr. D. Hay, *Polydore Vergil. Renaissance historian and Man of Letters*, Oxford 1952; L. Perini, *Disavventure censorie di stampatori cinquecenteschi*, in *La censura libraria nell'Europa del secolo* XVI, a cura di U. Rozzo, Udine 1997.

61. A. Warburg, *La rinascita del paganesimo antico. Contributi alla storia della cultura* raccolti da G. Bing, Firenze 1966.

deschi), la sede provvisoria della sua attività, in attesa di trasferirsi in una località del Sacro Romano Impero.[62]

Insomma: in questa area geografica si realizzò, per la prima volta, una comune volontà di riesumare l'Antichità.[63] Si trattò solo di un divertimento estetizzante? La straordinaria diffusione di questi motivi fa propendere per una vera fede umanistica nell'astrologia.

Accompagnò questa fase l'immagine di Roma alla cui diffusione e circolazione avevano dato un primo decisivo contributo grandi poeti come il Petrarca che, come in molti altri campi, è stato l'iniziatore vero: l'ottavo libro dell'*Africa* contiene una descrizione della Roma degli Scipioni e l'entusiasmo archeologico, pur con tutte le sue ingenuità, costella moltissimi episodi della sua vita. Seguirono grandi artisti come Leon Battista Alberti, appassionato di Vitruvio, misuratore di monumenti, che farà confluire nel suo *De re aedificatoria* la sua visione appassionata; Biondo Flavio, con la sua *Roma instaurata*, la prima ricostruzione sistematica della Roma antica, (Roma 1470-1471), la sua *Roma Triumphans* (Brescia ca. 1473-1475, Brescia 1482, Venezia 1511).[64] Nei due primi libri tratta degli dei e del loro culto, dei sacerdoti e delle associazioni e sette religiose, dei giuochi e spettacoli di carattere sacro. I tre successivi libri sono dedicati alle magistrature urbane, al sistema di conferire gli ordinamenti di Roma all'Italia e alle province, alla costituzione del Senato, alle elezioni ai diversi uffici, alle magistrature dell'epoca imperiale e alle leggi, ai giudizi e alle pene. Discute anche l'ordinamento finanziario dello Stato e le virtù che resero possibile la grandezza di Roma. Nel sesto e nel settimo libro presenta l'ordinamento militare romano, l'ottavo tratta delle istituzioni private, il nono delle costruzioni, il decimo e ultimo le celebrazioni delle vittorie. Un epilogo contiene il paragone tra la costituzione della Roma antica e quella pontificia del suo tempo. La sua *Roma illustrata* fu ristampata a Basilea nel 1531 dal Froben, a Parigi da Simon de Colines nel 1533. Continuando nell'elenco citiamo Pomponio Leto, *Excerpta*; *De Romanorum magistratibus* (Roma 1490, Brescia 1510); *De Romanae urbis vetustate* (Roma 1510); *Opuscula* (edita da Jodocus Badius Ascensius, Parigi, 1511); *Opera varia*, I. Schoeffer (Magonza 1521); seguitiamo con Francesco Albertini, *Opusculum de mirabilibus veteris et novae urbis Romae* (Roma, Mazzocchi, 1510)[65]

62. Di un rapporto privilegiato tra Italia e Germania, tra Nord e Sud, tramite Venezia, abbiamo testimonianza nella biblioteca di Hieronymus Münzer: E.P. Goldschmidt, *Hieronymus Münzer und seine Bibliothek*, London 1938.

63. Confluita nella serie di affreschi murali di palazzo Schifanoia a Ferrara: cfr. M. Bertozzi, *La tirannia degli astri. Gli affreschi astrologici di palazzo Schifanoia*, Introduzione di W. Hübner, Livorno 1999.

64. R. Fubini, *Biondo Flavio*, in *Dizionario Biografico degli Italiani*, 10, Roma 1968, pp. 536-559.

65. J. Ruysschaert, *Albertini Francesco*, in *Dizionario Biografico degli Italiani*, 1, Roma 1960, pp. 724-725.

insieme alle *Antiquitates urbis* dell'antiquario Andrea Fulvio, scolaro di Pomponio Leto, morto forse durante il sacco (furono pubblicate a Roma poche settimane prima del sacco del 1527);[66] e finalmente L. Fenestella, *De romanis magistratibus* (Venezia 1475, Milano 1477, Firenze 1490, Lipsia 1509, Vienna 1510, Basilea 1523, Parigi 1529). Anche Bernardo Rucellai, scolaro di Leon Battista Alberti e suo committente, è noto per la passione antiquaria e per l'ammirazione verso gli acquedotti romani su cui si proponeva di scrivere un trattato: di lui resta l'opuscolo *De urbe Roma* (recuperato nel Settecento da Ludovico Antonio Muratori); l'opera di Bartolomeo Marliani, la *Topographia antiquae Romae* (Roma 1534, Lione 1534 edito da François Rabelais) è sì il superamento dell'archeologia di Biondo Flavio, ma dopo il sacco del 1527 divenne un documento veramente antiquario.[67]

Questo è, forse, un elenco cronologico troppo 'arido' che traduce, però, fino al 1527 un programma per il futuro, un vivo manifesto, unito (come notava Niccolò Machiavelli) ad una sfrenata attività di raccolta di antichità (vere o false, confluite in grandi collezioni di grandi principi o di patrizi, come Bernardo Rucellai che le riunì nel suo famoso giardino), dando luogo ad una attività economica rilevantissima.

Accompagnò questa passione il mito di Ercole (Eracle), l'eroe più celebre e più popolare della mitologia classica, diffuso nella scultura, nella pittura dell'epoca e poi nella grafica editoriale.[68] Aveva cominciato a 'biografarlo' Petrarca nel suo *De viris illustribus*, ma a continuarne la fortuna per mezzo della stampa fu l'urbinate Polidoro Vergilio, l'autore di una fortunata enciclopedia della scienza e della tecnica (*De rerum inventoribus*). L'opera fu stampata per la prima volta a Venezia, seguita da Roma, Firenze e Brescia ed ebbe un rilancio spettacolare in tutta Europa: in Francia se ne contano 14 edizioni parigine e 12 lionesi; in Germania 17 edizioni solo a Strasburgo, 18 a Basilea e altre a Colonia, Augusta, Magdeburgo e Francoforte; in Inghilterra 6 edizioni; altre edizioni in Olanda, Svizzera, Spagna.[69] Ispirandosi, a differenza del Petrarca, alla concezione evemeristica, riconosceva negli dei antichi degli uomini mortali, precursori della civiltà.

66. M. Ceresa, *Fulvio Andrea*, in *Dizionario Biografico degli Italiani*, 50, Roma 1998, pp. 709-712.

67. R. Weiss, *La scoperta dell'antichità classica nel Rinascimento*, Padova 1989, pp. 67 sgg. Di quanto il sogno umanistico di Roma si fosse da allora trasformato nella visione di un immenso, spettrale cimitero, in un informe ammasso di rovine, è testimone Montaigne: cfr. AA.VV., *Montaigne e l'Italia*, Atti del convegno internazionale di studi, Milano-Lecco, 26-30 ottobre 1988, Genève 1991 (Biblioteca del viaggio in Italia, 38) e soprattutto i saggi di G. Mathieu Castellani e di F. Charpentier.

68. J. Seznec, *La sopravvivenza degli antichi dei*, Torino 1981. In particolare le colonne d'Ercole a rappresentare il limite posto alla conoscenza umana.

69. J. Ferguson, *Notes on the work of Polydore Vergil «De Inventoribus Rerum»*, «Isis. International Review devoted to the History of Science», XVII (1932).

Il mito finì per contaminare anche quanto di più estraneo esisteva rispetto all'Umanesimo, cioè la cultura cavalleresca, come appare nel *Don Chisciotte* di Cervantes: «Miglior conto faceva di Bernardo del Carpio per avere in Roncisvalle morto Roldano l'Incantato, valendosi dell'astuzia di Ercole quando fra le braccia soffocò Anteo, il figlio della terra».[70]

Quindi si unì ad esso il mito della Fortuna,[71] come appare da un'ambasceria ferrarese del 1501 recatasi a Roma per accompagnare a Ferrara Lucrezia Borgia, sposa di Alfonso d'Este.[72] Esso non faceva che prolungare, in forma allegorica, una tradizione che dal Petrarca, che per primo l'aveva contrapposta alla 'virtù' («sola viribus fortunae legibus libera est atque illa olluctante clarius nitet») attraverso Leone Battista Alberti, che l'aveva paragonata alle correnti impetuose dei fiumi e alle onde del mare, Lorenzo Valla, Marsilio Ficino e Machiavelli, arriverà a Giordano Bruno, ogni volta rinnovandosi tipograficamente.[73]

Poi si presenta il mito di Prometeo,[74] uno dei più grandi benefattori dell'umanità. Gli si attribuiva, infatti, l'insegnamento dell'astronomia, della matematica, della navigazione, della medicina, del lavoro agricolo con animali addomesticati. Una tradizione affermava persino che avesse creato i primi uomini impastandoli col fango a somiglianza degli dei e infondendo loro il soffio vitale. Quando Aldo Manuzio volle rappresentare lo sforzo titanico da lui profuso nella sua attività editoriale si richiamò a un quadro mitologico, dove figuravano appunto Prometeo, Sisifo, Atlante.[75]

Contemporaneamente e dopo la diffusione di questi miti caratteristicamente rinascimentali in senso culturale si presentò quello dell'ellenismo. Sia che esso derivasse dalla massiccia presenza di greci a Venezia per via delle colonie nell'Egeo (4000 persone),[76] sia che si volesse salvare dal naufragio dell'umanità previsto per la fine del secolo la cultura – quella greca – che aveva preceduto e dato origine a una parte di quella latina, comparve a Venezia, quasi nascendo dal seno di questo mito, il più celebre degli stampatori-editori umanisti e rinascimentali che l'Europa abbia avuto: Aldo Manuzio.

70. M. De Cervantes, *Don Chisciotte della Mancia*, parte I, cap. I.

71. E. Cassirer, *Individuo e cosmo nella filosofia del Rinascimento*, Firenze 1974, pp. 119 sgg.

72. Ivi, pp. 119-120.

73. G. Gentile, *Giordano Bruno e il pensiero del Rinascimento*, Firenze 1920, pp. 149-153. È interessante che il Gentile, citando il passo dal *De remediis utriusque fortunae*, si richiami all'edizione basileese del 1581. Per quel che è della grafica, si può cominciare dalla *Fortuna su una nave* di Anonimo: cfr. Warburg, *La rinascita del paganesimo antico*, cit., tav. 67; A. Doren, *Fortuna im Mittelalter und in der Renaissance*, I, Leipzig 1924, tav. VI, figg. 14 e 16.

74. Cassirer, *Individuo e cosmo*, cit., pp. 149-157.

75. *Aldo Manuzio editore*, cit., II, p. 294.

76. D.J. Geanakoplos, *Bisanzio e il Rinascimento. Umanisti greci a Venezia e la diffusione del greco in Occidente (1400-1535)*, Roma 1967, pp. 61-80.

Aldo Manuzio

Quando da studente frequentava lo *Studium urbis* poté vedere tra il 1468 e il 1472 le edizioni di Giovanni Andrea de' Bussi, il segretario di Niccolò Cusano, copista del cardinale. I libri di Sweynheym e Pannartz erano quanto mai cari. Ebbe probabilmente conoscenza dei conati paganeggianti di Pomponio Leto. Poi scomparve inghiottito dalle corti di Mirandola e di Carpi. Dal 1490 al 1494 Aldo passò quattro anni di duro e oscuro lavoro a Venezia per imparare quanto era possibile imparare (ed era moltissimo) intorno all'arte nuova, per la prima volta apparsagli nella sua lontana giovinezza a Roma. Dove abbia appreso quell'arte non sappiamo: forse presso Andrea Torresani da Asola (il successore di Nicolas Jenson, dal quale il Torresani aveva acquistato i caratteri) con cui nel 1495 strinse una società tipografica e presso il quale Aldo pubblicò la prima edizione di una sua grammatica latina (1493) e di cui sposò più tardi la figlia (1505). Quel che rese duro il lavoro preparatorio di Aldo fu, anzitutto, lo studio impiegato nell'esecuzione dei caratteri minuscoli greci che presentano, oltre all'accentazione, un bizzarro andamento che si differenzia nettamente dal geometrismo dei latini; trovare poi (ma meglio sarebbe dire, 'istruire', 'formare') dei compositori capaci di leggere i manoscritti greci e di orientarsi «in mezzo alla folla di lettere accentate e al gran numero di legamenti che Aldo sembra essersi compiaciuto di moltiplicare all'infinito per imitare i manoscritti greci».[77] Tra le opere da lui stampate figurano quelle di Aristotele (meno la *Retorica* e la *Poetica*), tutte dedicate ad Alberto Pio principe di Carpi, che per la prima volta spazzavano via l'interpretazione di Averroè «che il gran commento feo», recuperando finalmente, dopo la deformazione medievale araba dell'età dei califfi Omayyadi e Abbasidi (erano passati ben dieci secoli dalla morte di Aristotele, otto dal 670 d.C.), i testi genuini di quel grande filosofo greco, a restaurare il quale gli europei avevano faticato così tanto tempo. Contemporaneamente e successivamente una serie di grammatiche greco-latine (Aldo Manuzio stesso, Costantino Lascaris, Giovanni Crastoni, Teodoro Gaza, Urbano di Belluno, Emanuele Crisolora, il Lessico di Suda) che avrebbero dovuto aiutare il pubblico a leggere i suoi autori. Questi i più significativi autori della prima produzione aldina. Aveva cominciato a disporre progressivamente di caratteri greci corsivi (per i quali ottenne un privilegio ventennale della Repubblica), di caratteri all'«antiqua» (1496, 1499) e del celebre «corsivo» (1501) incisi da Francesco Griffi «dalle mani dedalee». Intorno al 1503 il libro aldino si presentava in tutta la sua smagliante bellezza: piccolo formato, caratteri nitidi, eleganti ed elegantemente connessi, insegna (l'Ancora e il Delfino), buona carta, buoni inchiostri, testi corretti. Oltre trenta persone lavoravano nel suo opi-

124

77. Firmin-Didot, *Alde Manuce*, cit., p. 49.

ficio. Non sappiamo con precisione quale fosse l'attrezzatura tecnica, ma una tarda testimonianza notarile (1544) che inventaria un solo torchio lascia stupiti, visto il numero ingente dei libri stampati. Bisogna ricorrere, pertanto, alla ricostruzione romantica (ma documentariamente fondata!) di Michelet: «Ai nostri giorni ... non si è più in grado di valutare il sudore, le veglie inquiete che quelle prime edizioni ricavate da manoscritti difficili, discordanti dell'Antichità erano costate ai grandi stampatori. Opera santa! I primi che intrapresero l'opera furono assaliti da una emozione religiosa e da un'immensa ansietà. Con la stessa cura con cui restituivano al mondo queste divinità del pensiero, con altrettanta cura le avrebbero conservate. Stampatori, correttori, editori non dormivano più (uno di loro tre ore per notte); chiedevano a Dio di riuscire, e il loro lavoro era mescolato alle preghiere. Sentivano che in quelle lettere di piombo, vili e incolori, c'era la giovinezza del mondo, il tesoro dell'immortalità».[78] Ecco lì, in quelle veglie insonni, il segreto di quella scarsa attrezzatura! Usando simultaneamente della libertà d'azione imprenditoriale di cui, a differenza degli altri mestieri regolati dalle corporazioni, godeva allora la stampa e della protezione accordata dalla Repubblica di Venezia ai caratteri di Aldo che l'avrebbe dovuto proteggere dalla concorrenza sleale dei suoi concorrenti, Manuzio non solo si era immerso nel mondo commerciale veneziano adottando gli usi tradizionali, ma a partire dal 1501, grazie all'impiego del corsivo e del formato maneggevole (in 8°), con le sue tirature di 1000 copie (primo fra tutti un Virgilio, *Bucoliche*, *Georgiche* ed *Eneide*) contro una media di 400 copie com'era in uso nella seconda metà del Quattrocento, imponeva una 'mentalità' nuova al mercato.[79] Il prezzo dei suoi libri scese da 1-2 ducati[80] a 3 marcelli (1/12 di ducato). Per quanto sia difficile valutare questi prezzi, possiamo metterli a confronto con i salari degli arsenalotti (15-20 ducati all'anno), con quelli dei rematori delle galere (20 ducati all'anno), col salario giornaliero di un maestro dell'industria edilizia (30 soldi):[81] ne ricaveremo un ordine di valori ben altrimenti favorevole all'accessibilità del libro rispetto alle prime stampe dei prototipografi romani Sweynheym e Pannartz.

Tra i suoi collaboratori figura Erasmo, l'umanista cristiano che pubblicò a Venezia una delle prime edizioni degli *Adagia*, la cornucopia della saggezza antico-moderna dei proverbi. Gli eredi di Aldo arrivarono a pubblicare anche una

78. Michelet, *Renaissance et Réforme*, cit., p. 163.

79. R. Romano, *Tra due crisi: l'Italia del Rinascimento*, Torino 1971, pp. 81-82.

80. Si veda la riproduzione del primo catalogo delle edizioni aldine, comprendente i soli libri greci (1498), dove sono indicati i prezzi: «nummi aurei» sono i ducati. È interessante notare l'espressione «si vendono a non meno di marcelli x», che rinvia alle considerazioni sopra esposte circa l'impossibilità di conoscere una statistica storica dei prezzi a causa della contrattazione privata.

81. Sono dati della seconda metà del Cinquecento riportati da Lane, *Storia di Venezia*, cit., pp. 385-386.

Bibbia greca utilizzando il testo del Nuovo Testamento di Erasmo. Ma Erasmo, nei *Colloquia*, è anche il critico beffardo di quello stampatore dedito al risparmio più esasperato. E nel suo *Encomion Moriae* Aldo diventa il simbolo caricaturale del grammatico (umanista). Oltre al 'batavo' Erasmo, c'è un altro collaboratore, l'"Anglicus' Thomas Linacre, ricordato nella prima edizione delle opere di Aristotele e in quella di Proclo.

Tra il 1494 e il 1515 Aldo stampò 117 edizioni (130 volumi): 46 edizioni greche (57 volumi), 65 edizioni latine (67 volumi), 6 edizioni volgari. Di tutte queste edizioni, 33 erano in 8°. Aveva presumibilmente stampato 120.000 copie.[82]

Nata come sfida consapevole alle armi e alle guerre, l'impresa ellenizzante e umanistica del Manuzio si era posta sotto la protezione di Gesù Cristo e al nome di Gesù Cristo è, singolarmente, legato il primissimo impiego del carattere corsivo aldino. Era cresciuta, e si era imposta, questa impresa aprendosi progressivamente all'edizione di autori latini (Orazio, Ovidio, Stazio, Lucano, Marziale, Valerio Massimo, Giovenale, Persio, Catullo, Tibullo, Properzio, Cicerone, Lucrezio) e italiani (santa Caterina da Siena, Dante, Petrarca ecc.). Uomo dotato di una fede semplice e austera non sentì, come Erasmo, un'opposizione tra Aristotele e Cristo; più, semmai, tra il cristianesimo e le filosofie divergenti dell'Ellade: nulla, infatti, stampò di neoplatonico e Platone arrivò quasi alla fine della sua vita (1513). Sentì, certo, anche l'antitesi tra Lucrezio e la fede cristiana, eppure lo pubblicò due volte, prima che nel 1517 il concilio provinciale di Firenze ne proibisse la lettura.[83] Ma Aldo apparteneva a un'altra epoca della cultura e della storia della chiesa.

Aldo e il mondo

Oggi che la ricerca erudita di un secolo ha messo a disposizione degli studiosi gli inventari delle librerie di molti umanisti contemporanei di Aldo, è più facile capire la vastità e la profondità dell'influenza della sua attività editoriale.

Alla morte di Aldo, nel 1515, il suo collaboratore Marco Musuro dedicò la grammatica greca di Manuzio a Jean Grolier (1489-1565). I suoi ascendenti erano notai stabilitisi a Milano durante l'occupazione francese del ducato e inseriti stabilmente nell'apparato statale francese. Una carriera finanziaria in Italia mise il Grolier a contatto, durante la sua ascesa sociale, con quei mecenati delle lettere che allora facevano il buono e il cattivo tempo anche nel campo della tipografia, ma distillavano pure il 'buon gusto' per i sovrani e per i gran signori

82. R. Chartier, *L'ancien régime typographique: réflexions sur quelques travaux récents*, «Annales ESC», 36 (1981).

83. D. Cantimori, *Eretici italiani del Cinquecento. Ricerche storiche*, Firenze 1967, p. 10.

agevolando l'elaborazione di un 'decoro': nel 1530 Jean Grolier diresse il cantiere di Chantilly intervenendo per quel che concerne il 'decoro'.

La lettera con la quale Marco Musuro si rivolgeva a Jean Grolier è del novembre 1515 ed è piena di mestizia per la morte del gran maestro e angosciata per il destino della sua impresa ellenistica. È al Grolier come protettore degli Aldi e della loro funzione di conservatori della cultura greca che la lettera del Musuro è indirizzata: gli chiede, infatti, di aiutare la tipografia aldina (allora diretta da Andrea d'Asola e dai figli) a continuare a stampare «tam novi quam veteris oracula testamenti, Poetarum, et Aristotelis interpretes, Galeni volumina, Strabonem, Pausaniam, Dionem, Diodorum Siculum, Polybium, Plutarchi parallela, caeterasque illustrium ingeniorum lucubrationes»:[84] opere le quali, se non si correrà in loro aiuto con la stampa, c'è il pericolo che periscano, nonostante siano già corrette, a causa dell'incendio devastatore delle guerre (era da poco salito al trono Francesco I di Valois che dopo aver sconfitto a Marignano gli svizzeri si era impadronito del Ducato di Milano). Il rapporto di Jean Grolier con l'officina aldina fu successivamente confermata nel 1522 dalla stampa del *De asse* di Guillaume Budé, dedicata al Grolier. La corte francese di Francesco I e di Enrico II – erede in questo della collezione del duca di Berry – diede l'esempio a tutta l'Europa nella creazione di una biblioteca reale dove confluirono le biblioteche ereditate e le raccolte più recenti (soprattutto di manoscritti) acquistate dall'ambasciatore Guillaume Pellicier a Venezia e da Guillaume Postel in Siria, in Egitto, a Istanbul.[85] Una 'sezione italiana' fu creata appositamente dal suo bibliotecario Claude Chappuys che, dopo aver scelto una serie di edizioni aldine, le fece rilegare da Étienne Roffet.[86]

Jean Grolier è, tuttavia, celebre soprattutto per le sue collezioni, anche di libri (3000 volumi), due terzi dei quali sono edizioni italiane, specie veneziane (37%) comprese quelle di Aldo, ornate di magnifiche rilegature.[87] I suoi libri non erano, come quelli del castello reale di Fontainebleau, sottratti all'uso pubblico e riservati solo alla consultazione del sovrano e della sua corte, ma furono, invece, largamente aperti alla circolazione.[88]

84. A.A. Renouard, *Annales de l'imprimerie des Alde, ou histoire des trois Manuce et de leurs éditions*, Paris 1834, pp. 73-74.

85. Cfr. F.H. Taylor, *Artisti, principi e mercanti. Storia del collezionismo da Ramsete a Napoleone*, Torino 1954, pp. 199-214. Su altre collezioni principesche cfr. J. von Schlosser, *Raccolte d'arte e di meraviglie*, Firenze 1974.

86. Le edizioni aldine sono la celeberrima *Hypnerotomachia Poliphili*, la Santa Caterina, *Gli Asolani* del Bembo, Poliziano, Senofonte, Sallustio, Aristotele, gli Strozzi: cfr. T.K. Brooker, *Bindings Commissioned from Francis I's «Italian library» with Horizontal Spine Titles Dating from the Late 1530s to 1540*, «Bulletin du bibliophile», I (1997). Anche dopo la morte di Aldo (1515) la corte francese continuò a comprare le sue edizioni.

87. A. Hobson, *Renaissance Book Collecting, Jean Grolier and Diego Hurtado de Mendoza, their Books and Binding*, Cambridge 1998.

88. U. Baumeister, M.P. Laffitte, *Des livres et des rois. La bibliothèque royale de Blois*, Paris

L'irraggiamento delle edizioni di Manuzio è stato ricostruito ampiamente dal Lowry,[89] forse non con la stessa precisione e originalità con cui ha approfondito altri aspetti dell'attività di Aldo. Oltre alla Francia, cui spetta il primato della diffusione in virtù dell'interesse del suo sovrano rinascimentale Francesco I,[90] la Germania e la Svizzera con i loro circoli umanistici hanno dato ai libri di Aldo una notorietà straordinaria, forse proprio per la ristrettezza del fenomeno umanistico.[91] Si passa poi alla biblioteca di Erasmo da Rotterdam, dove si contano almeno 16 edizioni di Aldo;[92] la biblioteca di Wilibald Pirckheimer[93], che si è avvalso del genio artistico di Albrecht Dürer per abbellire alcune edizioni; la biblioteca di Beato Renano;[94] la biblioteca di Johannes Reuchlin.[95] La stessa situazione troviamo in Spagna dove, nella biblioteca di Fernando Colombo di Siviglia, troviamo un certo numero di edizioni aldine.[96] Per l'Inghilterra siamo ai primi approcci,[97] ma non c'è motivo per rifiutare una fonte insolita, l'*Utopia* di Thomas More, dove alcuni libri del catalogo di Aldo Manuzio figurano tra quelli

1992; H.-J. Martin, *La naissance du livre moderne (XIVe-XVIIe siècles)*, avec la collaboration de J.-M. Chatelain, I. Diu, A. Le Dividich, L. Pinon, Paris 2000, pp. 180-188 sostiene che la «lettera romana» passò in Francia all'epoca delle guerre d'Italia ed è legata alla corte di Francesco I. Sulle caratteristiche del collezionismo in genere cfr. K. Pomian, *Collezione*, in *Enciclopedia Einaudi*, III, *Città-Cosmologie*, Torino 1978.

89. Lowry, *Il mondo di Aldo Manuzio*, cit., soprattutto il cap. 7.

90. A. Hobson, *Humanists and Bookbinders*, Cambridge 1989; A. Le Roux de Lincy, *Recherches sur Jean Grolier, sur sa vie et sa bibliothèque*, Paris 1866; G. Austin, *The Library of Jean Grolier: a Preliminary Catalogue*, New York 1971.

91. P. Lehmann, *Grundzüge des Humanismus deutscher Lande zumal im Spiegel deutscher Bibliotheken des 15. und 16. Jahrhunderts*, «Aevum», 21 (1957), pp. 262-264; C. Schmidt, *Zur Geschichte der ältesten Bibliotheken*, Strassburg 1882.

92. F. Husner, *Die Bibliothek des Erasmus*, in *Gedenkschrift zum 400. Todestage des Erasmus von Rotterdam*, cit.; A. Vanatgaerden, *Item eine schöne Bibliothec: un deuxième inventaire de la bibliothèque d'Erasme*, in *Les humanistes et leur bibliothèque. Humanistes and Their Libraries*, a cura di R. De Smet, Peeters-Leuven-Paris-Sterling (Va) 2002. P. Armandi, *Erasmo da Rotterdam e i libri. Storia di una biblioteca*, in *Bibliothecae selectae da Cusano a Leopardi*, a cura di E. Canone, Firenze 1993.

93. E. Offenbacher, *La bibliothèque de Wilibald Pirckheimer*, «La Bibliofilia», XL (1938): Aristofane, Aristotele, Catullo, Cicerone, Euripide, Omero, Orazio, Museo, gli *Oratores Greci*, Ovidio, Platone, i *Raethores Greci*, Teocrito, Virgilio, Crastone, Esichio, Lascaris, Giulio Polluce, il *Thesaurus Cornucopiae*, Urbano Bolzani, Plutarco, Tucidide, Dioscoride, il Salterio greco, l'*Hypnerotomachia Poliphili*, gli *Adagia* di Erasmo.

94. J. Hirstein, *La bibliothèque de Beatus Rhenanus. Une vue d'ensemble des livres imprimés*, in *Les humanistes et leur bibliothèques*, cit., p. 132, conta almeno 29 edizioni aldine, il 2,25% dell'intera biblioteca.

95. K. Preisdanz, *Die Bibliothek Johannes Reuchlin*, in *Festgabe Johannes Reuchlin*, a cura di M. Krebs, Pforzheim 1955.

96. K. Wagner, *Aldo Manuzio e il prezzo dei suoi libri*, «La Bibliofilia», LXXVII (1975). Sono Esopo, Augurello, Pietro Bembo, *De Aetna*, Bessarione, il *Dictionarium graecum* (1497), Girolamo Donato, Euripide, Gregorio Nazianzeno, Giamblico, Isocrate, Lucano, A. Manuzio, Niccolò Perotto, Filopono, Giovanni Pico della Mirandola, Poliziano, Pontano, Prudenzio, Stazio, gli Strozzi, Giorgio Valla, Virgilio.

97. J.B. Trapp, *Erasmus, Colet and More: The Early Tudor Humanists and their Books*, London 1991.

portati da Raffaele Itlodeo agli abitanti di Utopia nel suo quarto viaggio: sono in genere libri greci.[98]

Alla luce di questa rapsodica inchiesta è più facile capire l'elogio che Erasmo tributò ad Aldo nell'edizione degli *Adagia* del 1508: «Chi salva le lettere dal declino – e questo è quasi più difficile che averle create –, compie prima di tutto qualche cosa di sacro e di immortale e successivamente agisce non nell'interesse di una singola provincia, ma di tutte le genti (dovunque esse siano) e di tutti i secoli. Per dirla in breve, un tempo questo era il compito dei principi e tra questi una lode precipua va a Tolomeo Filadelfo. Tuttavia mentre la sua biblioteca era contenuta tra le pareti anguste della sua casa, Aldo, invece, ha eretto una biblioteca i cui limiti sono i limiti stessi della terra».[99]

Ancora sul rapporto Nord-Sud dell'Europa

A questa fase dei rapporti tra Nord e Sud, troviamo un movimento di breve durata, nel quale il Sud si propose di conquistare il Nord: e fu la breve stagione di Girolamo Savonarola, quando almeno tre città tedesche (Ulma, Augusta, Magdeburgo, 1496-1500), due città dei Paesi Bassi (Anversa, Bruxelles, 1505-1515) e la capitale della Francia (Parigi, 1495-1524) pubblicarono alcune opere del frate,[100] il sintomo di un fermento che di lì a poco si sarebbe manifestato con la Riforma.

In una fase di poco successiva (al punto quasi da sovrapporsi) ci fu il tentativo da parte del Nord di sussumere il Sud e troviamo la straordinaria carta di Martin Waldseemüller (1507) annessa alla *Geografia* di Tolomeo: la configurazione del Nuovo Mondo ricavata dalle descrizioni epistolari di Amerigo Vespucci viene offerta in omaggio all'imperatore Massimiliano I, in attesa che una fortunata combinazione metta nelle sue mani la corona imperiale e la tiara pontificia,[101] unificando Nord e Sud, comprese le nuove terre scoperte.

Un altro episodio che possiamo considerare appartenente a questa fase, per così dire 'imperiale', tra il 1499 e il 1506 fu quello, accennato, del grande stampatore e umanista Aldo Manuzio il quale vagheggiò di trasferire la sua stamperia nei territori dell'Impero (a Innsbruck, a Vienna, a Wiener Neustadt, ad Augusta?) sotto le ali protettive di Massimiliano I. Tutto sembrava favorire il suc-

98. Thomas More, *Utopia (1516)*, a cura di L. Firpo, Napoli 1990, pp. 231-234. Ma cfr. anche L. Perini, *I filosofi dalla Morìa all'Utopia*, in *Erasmo e le utopie del Cinquecento. L'influenza della Morìa e dell'Enchiridion*, a cura di A. Olivieri, Milano 1996, p. 138.

99. Si tratta dell'adagio *Festina lente*.

100. Ph. Renouard, *Bibliographie des impressions et des oeuvres de Josse Badius Ascensius imprimeur et humaniste 1462-1535*, III, New York s.d., pp. 245-249.

101. H. Trevor-Roper, *Il Rinascimento*, Roma-Bari 1987, p. 24.

cesso dell'iniziativa,[102] a cominciare dal fervore culturale tedesco. Lo stesso imperatore Massimiliano, autore dotato di una cultura enciclopedica, voleva affidare alle mani dei suoi bravi stampatori tedeschi un'intera biblioteca di centotrenta libri da lui scritti (opere storiche, genealogiche, autobiografiche e tecniche). Per quanto ispirato dalla storia romano-imperiale, Massimiliano era imbevuto di cultura cavalleresca (come dimostra il suo poema *Teuerdank*): non si sa davvero in quale ansa del groviglio programmatico di questo enigmatico imperatore avrebbe potuto inserirsi il Manuzio, e tuttavia Massimiliano I si circondava di umanisti e favoriva l'Umanesimo.[103]

I Giunta

Nel quadro della tipografia umanistico-rinascimentale italiana dell'età di Aldo bisogna ricordare una delle succursali, quella fiorentina, dell'azienda internazionale della famiglia Giunta, il cui capostipite, trasferitosi da Firenze a Venezia, vi aveva impiantato una tipografia durata oltre un secolo. Da qui, sfruttando le competenze tecniche cittadine, la rete commerciale, gli usi creati dalla 'rivoluzione commerciale' medievale (l'industria a domicilio,[104] i contratti di accomandita), Lucantonio Giunta il Vecchio (1457-1538) aveva creato in tutta Europa (Firenze, Lione, Siviglia, Burgos, Salamanca) una rete di aziende succursali che, aderendo alle richieste dei mercati cittadini e ai 'gusti' dei lettori,[105] riempì

102. Cfr. C. Dionisotti, *Aldo Manuzio umanista e editore*, Milano 1995, pp. 85-87: è il saggio significativamente intitolato *Questioni aperte su Aldo Manuzio*; spetta al Dionisotti avere sollevato questa importante questione, che mostra come il Manuzio, «Romano», prima di inserirsi stabilmente a Venezia abbia pensato all'Impero e poi a Ferrara come sede della sua Accademia e dell'annessa stamperia.

103. Trevor-Roper, *Il Rinascimento*, cit., pp. 26-27.

104. Si tratta di un sistema (*Verlagssystem*) che produce per un mercato più ampio, dove il maestro non vende direttamente ai clienti, perché tra lui e il consumatore si è introdotto un intermediario (*der Verleger*), che assume la vendita delle merci prodotte dal maestro. Il termine è intraducibile in italiano, come notava G. Luzzatto, curatore di J.M. Kulischer, *Storia economica del Medio evo e dell'epoca moderna*, I, *Il Medio evo*, Firenze 1955, p. 333. Era diffusa nell'industria della lana, dalla quale proveniva Lucantonio Giunta.

105. Cfr. L. Perini, *Editoria e società*, in *Firenze e la Toscana dei Medici nell'Europa del Cinquecento*, Firenze 1980, pp. 245-308. Venezia, casa madre, e la succursale di Lione stampavano libri di diritto e di medicina destinati agli Studi universitari; quella di Burgos, invece, stampava libri di cavalleria, che venivano poi inviati nell'America ispanica. Cfr. ora anche W. Pettas, *An International Renaissance Publishing Family: the Giunti*, «Library Quarterly», 1974; Id., *A History & Bibliography of the Giunti (Junta) Printing Family in Spain 1526-1628. This Work covers the Junti (Giunti) Press and Imprenta Real in Burgos, Salamanca & Madrid. With a Brief History of the Several Giunti presses in Venice, Florence and Lyon. And a Bibliography of the Press of Juan Bautista Varesio in Burgos, Valladolid & Lerma*, Newcastle 2005. Pettas dedica appena 86 pagine dell'immane lavoro bibliologico (1047 pagine) alla storia di tutta la dinastia dei Giunti, dimenticando, tra l'altro, che, inerti come egli ci presenta i libri, essi sembrano non avere una storia: e invece, se avesse letto, come non

l'Europa di migliaia di libri. A rappresentare l'Umanesimo e il Rinascimento fu delegata l'azienda fiorentina.

Filippo di Giunta (1456-1517) viveva, per quel ch'è delle lingue classiche, dell'eredità e degli eredi di Agnolo Poliziano, ma vivendo nell'età che era ancora di Aldo, Filippo di Giunta non trovò di meglio che imitarlo ed anzi, in alcuni casi, le sue edizioni seguivano di qualche mese quelle stesse del Manuzio e comportamenti analoghi si possono riscontrare anche tra i suoi immediati successori. Filippo di Giunta, comunque, si industriò con l'aiuto di Benedetto Riccardini per stargli dietro nella stampa della letteratura greca, ma dovette abbandonare la gara quasi subito e attendere la morte di Aldo (1515) per mettersi di nuovo a pubblicare letteratura greca (Aldo moriva nel febbraio e Filippo di Giunta, il 28 marzo, firmava il *colophon* di una grammatica greca di Teodoro Gaza). Questa volta a prestargli aiuto era Frosino Bonini, un altro allievo del Poliziano. Morto Filippo nel 1517, i suoi eredi (Bernardo, Benedetto, Giovanni) continuarono la produzione greca con l'aiuto di Antonio Francini da Montevarchi e di Pier Vettori, il maggiore dei filologi italiani della seconda metà del Cinquecento.

La Riforma del Nord

Poi, con Martin Lutero, Nord e Sud si separano violentemente (a parte il tentativo di Filippo Melantone di riavvicinare il Nord al Sud). Quando il Nord cercò di trasferire al Sud la sua 'rivoluzione religiosa' si trovarono prima di tutto mercanti che trasferirono i libri di Martin Lutero e di Filippo Melantone: primo fra tutti il libraio comasco Francesco Minizio Calvo e poi i confratelli italiani dell'Ordine di Sant'Agostino, come quell'Alessio da Fivizzano, aderente pentito, che da solo aveva nella sua biblioteca ben 50 libri 'luterani' (a riprova dell'ampiezza della circolazione in Italia dei libri del Riformatore). Col 1525 è la volta delle traduzioni: il veneziano Niccolò d'Aristotele, detto lo Zoppino, che pubblicò delle opere minori di Lutero; forse tra il 1530 e il 1534, da una stamperia anonima, escono *I Principi de la Theologia di Ippofilo da Terra Negra* (Filippo Melantone). È probabile che sia arrivato in Italia anche il *De libertate christiana* di Lutero, la sintesi più alta della 'rivoluzione religiosa', che fu sì tradotta, ma non fu stampata.[106] L'*Institutione de la religion christiana* di Giovanni Calvino – per ricordare un altro dei riformatori più famosi – fu tradotta in italiano e stampata a Ginevra nel 1557, mentre tra il 1551 e il 1553 erano apparse almeno due tra-

sembra aver fatto, il vecchio Irving Leonard, si sarebbe accorto che i libri di cavalleria viaggiavano, fino a una certa data, verso il Nuovo Mondo.

106. Sta in *Martino Lutero secondo i suoi scritti. Scelta di scritti del Riformatore di Germania tradotti e presentati al popolo italiano per il quarto centenario della sua morte li 10 novembre 1883*, Roma-Firenze 1883. Il titolo: *Della vita christiana*.

duzioni italiane del suo trattatello contro i nicodemiti, *Del fuggir le superstizioni*: a Calvino non bastava la fede (come Lutero), ma pretendeva una fede professata eroicamente.[107]

Mentre si stava consumando il dramma di una delle ultime città-stato indipendenti italiane, Firenze, Martin Lutero fu testimone della tentazione della rinata Repubblica di entrare – contro il pontefice Clemente VII e l'imperatore Carlo V – a fare parte dell'area religiosa del Nord: «I Fiorentini, inviato un loro agente a Francoforte, gli hanno ingiunto di comprare per un ammontare di 1000 ducati i miei libri e di trasportarli a Firenze e forse, per fare dispetto al papa, consentiranno di diffondervi il Vangelo. Questo è quanto da Francoforte mi si comunica come un fatto certo».[108]

Come scrive Salvatore Caponetto, fino al 1542 la trama del contrabbando riuscì a superare i controlli della polizia civile e religiosa: tra gli agenti italiani si fa avanti il lucchese Pietro Perna che cominciò a diffondere in Italia, oltre alla propaganda luterana, anche le prediche di Bernardino Ochino. Quella vasta area di collaborazione, che Aby Warburg aveva scoperto agli inizi della stampa e della riscoperta dell'Antichità, si chiuse per l'intervento dell'Inquisizione, lasciando tuttavia aperti alcuni canali di comunicazione culturale tra Nord e Sud rappresentati dalle fiere di Francoforte: allegre per definizione, fanno vendere, certo, ma fanno soprattutto incontrare. E qui, fino dagli anni Quaranta del Cinquecento, troviamo il mediatore culturale tra il Nord e il Sud, lo stampatore italiano Pietro Perna.[109]

Basilea mediatrice

Nelle oscillazioni tra Nord e Sud che abbiamo proposto come criterio di scansione, la città di Basilea, per la sua stessa posizione nevralgica, ha rappresentato un momento di mediazione: nel 1540, per esempio, durante la tregua tra l'Impero e i protestanti della Lega di Smalcalda, comparvero gli *Opera omnia* di Erasmo stampati dai tipografi Hieronymus Froben e Nikolaus Episcopius dedi-

107. Cfr. L. Perini, *Firenze e la Toscana*, in *La stampa in Italia nel Cinquecento*, I, a cura di M. Santoro, Roma 1992, p. 447. L' identificazione dello stampatore «Bartolomeo» col futuro Bartolomeo Sermartelli proposta di recente (E. Garavelli, *Lodovico Domenichi e i 'Nicodemiana' di Calvino. Storia di un libro perduto e ritrovato. Con una presentazione di J.-F. Gilmont*, Roma 2004) lascia molto dubbiosi, in quanto i caratteri da stampa (anche in una fase di standardizzazione) non devono essere, nell'identificazione, «compatibili», ma «identici», magari per qualche loro replicato difetto. I frontespizi delle opere citate si trovano riprodotti in S. Caponetto, *La Riforma protestante nell'Italia del Cinquecento*, Torino 1997, tavv. 1, 2, 20, 21, 22.

108. M. Lutero da Coburgo a Niccolò Hausmann a Zwickau, 18 aprile 1530: M. Luther, *Briefwechsel*, a cura di L. Enders, Calw-Stuttgart 1897, 7, p. 297.

109. Kapp, *Geschichte des Deutschen Buchhandels*, cit., p. 458.

cati a Carlo V dal loro editore Beato Renano. Proprio in quel giro di anni si era installato a Basilea, dopo la sua fuga dall'Italia, il domenicano apostata Pietro Perna (1519-1582), libraio itinerante tra l'Italia e la Svizzera, la Germania, la Francia e la Boemia, il cui catalogo editoriale (430 titoli) arrivò a comprendere anche una parte dell'eredità italiana del Rinascimento (Petrarca, Ficino, Machiavelli, Guicciardini, Giovio).[110]

Come editore di una traduzione latina del *Principe* (1560, 1580) di Machiavelli (dove il politico fiorentino, superata la barriera che distingueva la storia prima e dopo Cristo, aveva, in nome di una comune nozione di «umanità», amalgamato gli esempi più vitali tratti anche da Tito Livio, fino allora ritenuto museo inerte di formule declamatorie), il Perna lo definiva non un Cristiano, ma un Filosofo, il cui insegnamento si poteva compendiare nella volontà di mantenere in pace le società, i cui interessi generali erano allora negati in Francia dal fanatismo delle contrapposte confessioni religiose dei cattolici e dei calvinisti, ed esaltava l'azione della regina Caterina de' Medici (non quella cui una tradizione controversa attribuiva il massacro della notte di San Bartolomeo, ma quella promotrice dei colloqui di religione) a difesa dello Stato.[111]

Come editore del Giovio risale al Perna l'idea di riprodurre una parte delle immagini degli uomini illustri (umanisti, papi, principi, uomini d'arme, esploratori, *conquistadores*) che riempivano il Museo creato dal Giovio a Como. Gli *Elogia*, più volte ristampati,[112] racchiudono una miniera di ritratti, molti dei quali abbiamo richiamato nel testo (Petrarca, Poggio Bracciolini, Biondo Flavio, Giovanni Pico della Mirandola, Teodoro Gaza, Emanuele Crisolora, Giano Lascaris, Niccolò Perotti, Marsilio Ficino, Niccolò Machiavelli ecc.)[113] e derivanti da quella istituzione rinascimentale del Museo[114] che esaltava il motivo della 'gloria' e che il Rinascimento, imitando l'Antichità, aveva posto all'apice delle sue aspirazioni sociali.

110. Cfr. L. Perini, *La vita e i tempi di Pietro Perna*, Roma 2002.

111. Ivi, pp. 366-368; su Caterina de' Medici cfr. A. Jouanna, *Catherine de Médicis*, in A. Jouanna, J. Boucher, D. Biloghi, G. Le Thiec, *Histoire et dictionnaire des guerres de religion*, Paris 1998, pp. 771-774. Sulla reputazione europea di Machiavelli, dovuta anche alla traduzione latina del suo *Principe*, cfr. G. Procacci, *Machiavelli nella cultura europea dell'età moderna*, Roma-Bari 1995.

112. Sono una delle fonti principali del celebre libro di J. Burckhardt, La *civiltà del Rinascimento in Italia*.

113. Tra i ritratti mancanti dalla raccolta c'erano quelli di Polidoro Vergilio e di Johannes Reuchlin, che tuttavia il Giovio aveva invano cercato.

114. Cfr. F. Haskell, *Le immagini della storia. L'arte e l'interpretazione del passato*, Torino 1997, pp. 38 sgg.; K. Pomian, *Paolo Giovio et la naissance du musée*, «Archiwum historii filozofii i myśli spo łecznej», 47 (2002).

Il mondo del Rinascimento si è allargato

Già da un secolo gli Stati continentali avevano cominciato a riorganizzare le loro strutture e con ciò si era posta la necessità di disporre di personale che conoscesse le scritture, il diritto, la matematica ecc. Lo stesso Carlo V, stretto dalle necessità di difendere nel Mediterraneo il suo impero, aveva dovuto dare vita a una struttura militare, amministrativa e giudiziaria e perciò ne era risultato un intensificato e accelerato processo di quel che già singolarmente gli Stati del Mediterraneo e gli Stati continentali avevano iniziato a predisporre a partire dalla seconda metà del Quattrocento. Le università avevano visto crescere il numero dei loro studenti sempre più bisognosi di libri. Anche se le statistiche mancano o sono lacunose, il numero degli 'intellettuali' si accrebbe e con ciò anche la necessità dei libri. Non tutti gli studenti, specie quelli di diritto – e specialmente quelli provenienti dagli Stati indipendenti – saranno stati attratti da una carriera 'coloniale' come invece poteva accadere ai sudditi della Spagna,[115] ma la corsa all'accrescimento del personale si accelerò, come prova lo Studio pisano.[116] L'epistolario di uno dei suoi laureati, Filippo Sassetti, ci porta con i suoi libri (comprese le *Navigazioni et viaggi* di Giovan Battista Ramusio) sulle navi del Portogallo nell'India portoghese.[117] Con altrettanta certezza si può affermare che anche il numero degli autori si era accresciuto rispetto a quelli esistenti nell'età di Manuzio, di Lucantonio Giunta ecc. La prima bibliografia stampata, quella di Conrad Gesner (1545), elencava circa 3000 autori e 10.000 libri: non tutti erano umanisti in quel senso così pregnante come abbiamo indicato, ma certo sarebbe molto strano che, seppur indirettamente, essi non avessero beneficiato di quella breve, ma intensa fase che in tutta Europa si era fino allora vissuta. Machiavelli stesso, che non aveva il titolo di *doctor iuris* e che nella comune reputazione passa per un uomo solo dotato di grandissima esperienza, aveva in gioventù (e poi nella maturità) attinto a una cultura libresca. Quando poi a metà del Cinquecento gli Stati di recente formazione avevano dovuto far fronte alla debole conoscenza del latino (per non parlare del greco) e avevano dovuto formare degli architetti (o degli ingegneri) si provvide, come nel caso della Toscana, a tradurre in volgare dal latino il libro di Leon Battista Alberti, *De re aedificatoria* (da Cosimo Bartoli e stampato da Lorenzo Torrentino nel 1550).[118] Queste brevi osservazioni aspi-

115. Come accadde a Hernán Cortés, notaio a Siviglia e a Hispaniola: cfr. J.H. Elliott, *La Spagna e il suo mondo 1500-1700*, Torino 1996, pp. 43-44.

116. Cfr. E. Mango Tomei, *Gli studenti dell'Università di Pisa sotto il regime granducale*, Pisa 1976, p. 124.

117. D. Cantimori, *Le idee religiose del Cinquecento. La storiografia*, in *Storia della letteratura italiana*, V, *Il Seicento*, Milano 1967, pp. 68-71.

118. *La stampa a Firenze 1471-1550. Omaggio a Roberto Ridolfi*, Catalogo a cura di D.E. Rhodes, Firenze 1984, p. 54; Perini, *Editoria e Società*, cit., p. 287.

rano, quindi, a richiamare l'attenzione, oltre che sul crescente numero di 'intellettuali', su quello altrettanto crescente dei libri in volgare. E questo dovunque, in tutta Europa.

Il mondo conosciuto si era allargato dall'età dei primi libri a stampa (incunaboli) e di Manuzio e, arrivati a metà del Cinquecento, lo stampatore veneziano Tommaso Giunta[119] presentò ai numerosi lettori la prima raccolta di resoconti di viaggio allestita da Giovan Battista Ramusio, le *Navigazioni et viaggi*, che ebbero tra il 1550 e il 1606 ben cinque edizioni, oltre a traduzioni ed edizioni 'pirata'. Il Ramusio, dedicando l'opera allo scienziato Girolamo Fracastoro che aveva scritto, col metodo ricavato dagli antichi,[120] il poema *Syphilis*, indicava chiaramente quali sarebbero stati i suoi futuri lettori: i gran signori (perché non pensare a Carlo V?) desiderosi di conoscere gli Stati di altri gran signori sparsi per tutto il mondo. Il Ramusio invitava anche a confrontare il suo lavoro con la *Geografia* di Tolomeo per dimostrare l'allargamento del mondo rispetto all'antichità,[121] ma, aggiungendo alle moderne relazioni di Colombo, Vespucci, Giovanni da Verrazzano, Vasco da Gama, Pedro Álvares Cabral, Afonso de Albuquerque[122] ecc. quelle di Iambolo, Nearco, Arriano, Ippocrate e poi quella di Marco Polo, mostrava, da umanista, la continuità degli sforzi degli europei di conoscere la terra, mentre portoghesi e spagnoli andavano formando i loro imperi e Francia e Inghilterra preparavano il loro ingresso nella competizione internazionale. Rispetto alle analoghe e posteriori raccolte di resoconti di viaggio (quella di Richard Hakluyt, *The principal Navigations, Voiages and Discoveries of the English nation* [1589] e quella di Théodore e Jean-Théodore De Bry, una famiglia originaria di Liegi, *Collectiones Peregrinationum*), ambedue imitatri-

119. Cfr. P. Camerini, *Annali dei Giunti*, I, *Venezia*, Firenze 1962, pp. 377-379.

120. «Rinovato il divino modo dello scrivere degli antichi circa le scienzie, non imitando o da libro a libro mutando e trascrivendo o dichiarando – come molti fanno – le cose d'altri, ma più tosto ... diligentemente considerando ... nell'astronomia ... in filosofia ... in medicina»: G.B. Ramusio, *Navigazioni e viaggi*, a cura di M. Milanesi, I, Torino 1978, pp. 3-4.

121. «Ma la cagione che mi fece affaticar volentieri in questa opera fu che, vedendo e considerando le tavole della *Geografia* di Tolomeo, dove si descrive l'Africa e la India, esser molto imperfette rispetto alla gran cognizione che si ha oggi di quelle regioni, ho stimato dover esser caro e forse non poco utile al mondo il mettere insieme le narrazioni degli scrittori de' nostri tempi che sono stati nelle sopradette parti del mondo e di quelle han parlato minutamente; alle quali aggiugnendo la descrizion delle carte marine portoghesi, si potrian fare altretante tavole che sarebbero di grandissima satisfazione a quelli che si dilettano di tal cognizione, perché sarian certi di gradi, delle larghezze e lunghezze almanco delle marine di tutte queste parti, e de' nomi de luoghi, città e signori che vi abitano al presente, e potrian conferirle con quel tanto che ne hanno scritto gli auttori antichi» (Ramusio, *Navigazioni et viaggi*, cit., I, pp. 4-5).

122. C'è il sospetto che, per esempio, nel *Sommario delle Indie orientali* di Tomé Pires siano stati soppressi (censurati) nel manoscritto originale (perduto) i passi relativi alle Molucche e alla Cina perché contenenti segreti commerciali: cfr. Ramusio, *Navigazioni e viaggi*, cit., II, Torino 1979, pp. 713-714.

ci del Ramusio, l'opera del veneziano presenta la caratteristica di riallacciarsi all'antichità, confermando anche da questo punto di vista la sopravvivenza di una tensione che manca invece alla raccolta inglese, più decisamente indirizzata a sostenere la sua politica 'imperiale', e a quella tedesca ispirata da motivi controversistici politico-religiosi.

I viaggi del Rinascimento si chiudono con una tragedia: l'infinito di Giordano Bruno

L'ultima fase di questo Rinascimento italiano, che siamo andati delineando, è rappresentata dai viaggi e dalle opere di Giordano Bruno.[123] L'inquietudine itinerante del filosofo è sembrata volersi ricongiungere alla tradizione filosofica di Niccolò Cusano,[124] non più ristampato in Italia dal principio del secolo XVI (e di cui Ernst Cassirer ha cercato di ricostruire le tracce in Italia)[125] e però ricomparso a Basilea dove, insieme alla tradizione di Pico e di Ficino,[126] si era conservata la memoria di una tradizione filosofica che, impossibilitata ad emergere e quasi soffocata nel Sud, era rinata nel Nord come coscienza dell'incompiutezza della stagione dei Concili quattrocenteschi e del concilio tridentino attuale.[127] Frammista a questa – e proprio nell'edizione basileese delle opere del mirandolano (1557) – troviamo anche una singolare testimonianza della reviviscenza della cultura ebraica stimolata dagli interessi di Giovanni Pico della Mirandola, che aveva influenzato anche il celebre ebraicista Johannes Reuchlin: che del Rinascimento platonico a Firenze (dov'era stato due volte) aveva lasciato una singolare testimonianza facendolo coincidere con la rinascita della mistica ebraica (Qabbalàh).[128]

L'itinerario di Giordano Bruno è stato ricostruito col richiamo alle opere da lui consultate, avute in dono o pubblicate e ne è risultato un interessante viaggio che partendo da Venezia e passando per Ginevra, Parigi, Oxford, poi ancora Parigi, Magonza, Wiesbaden, Marburg, Wittenberg, Praga, Tubinga, Helmstedt arriva fino a Francoforte sul Meno dove il Bruno alloggiò a spese dello stampa-

123. Su di lui cfr. E. Garin, *Giordano Bruno*, Milano 1965; M. Ciliberto, *Giordano Bruno*, Bari 1990.

124. E. Cassirer, *Individuo e cosmo nella filosofia del Rinascimento*, Firenze 1974, p. 79.

125. Ivi, pp. 79-118.

126. Quando, nel 1554, comparve a Basilea anche l'edizione delle opere di Petrarca, il fatto fece intendere che si era costituita una geografia dell'Europa che, dopo la frattura Nord-Sud provocata dalla Riforma e dalla Controriforma, indicava che un tentativo di riunificazione (o quanto meno di pacificazione) aveva ripreso la marcia anticipando di un anno la pace religiosa di Augusta (1555).

127. P. Bietenholz, *Der italienische Humanismus und die Blütezeit des Buchdrucks in Basel. Die Basler Drucke italienischer Autoren von 1530 bis zum Ende des 16. Jahrhunderts*, Basel-Stuttgart 1959.

128. E. Garin, *L'umanesimo italiano e la cultura ebraica*, in *Storia d'Italia*, *Annali*, 11, *Gli ebrei in Italia*, a cura di C. Vivanti, I, *Dall'alto Medioevo all'età dei ghetti*, Torino 1996, pp. 380-381.

tore Johann Wechel.[129] A Londra, nel 1584, aveva pubblicato (con falso luogo di stampa «in Venetia») un libro sconvolgente, *De l'infinito, universo e mondi*[130] nel quale, tra l'altro, veniva presentato e discusso uno dei concetti scientifici più controversi, quello di 'infinito' (tra gli interlocutori figurava anche Girolamo Fracastoro). Il Rinascimento scientifico, che si era fatto conoscere con l'edizione dell'opera di Euclide, con gli studi sull'algebra e la geometria di Luca Pacioli,[131] di Girolamo Cardano, di Niccolò Tartaglia, era continuato con l'esplorazione del cielo e con l'astronomia di Copernico. È da lui che Giordano Bruno aveva assunto il concetto di infinito, ma sulla parola di un vocabolario già aristotelico egli aveva fatto reagire i risultati di una serie di letture, a cominciare dal *De rerum natura* di Tito Lucrezio Caro (la cui più memoranda edizione in Italia era stata fatta, come abbiamo già visto, da Aldo Manuzio), per continuare con gli scritti di Niccolò Cusano che ormai (dopo la seconda edizione italiana del 1502) si poteva leggere nella quarta edizione di Basilea del 1565:[132] iniziata con un'operazione filologica (per così dire 'pedantesca') tipicamente umanistica,[133] quella del Bruno si era conclusa con una operazione filosofica, al termine della quale troviamo la sconvolgente nozione di 'infinito':[134]

114

> Non sono fini, termini, margini, muraglia che ne defrodino e suttragano la infinita copia de le cose. Indi feconda è la terra ed il suo mare; indi perpetuo è il vampo del sole, somministrandosi eternamente esca a gli voraci fuochi ed umori a gli attenuati mari; perché dall'infinito sempre nova copia di materia sottonasce. Di maniera che meglioramente intese Democrito ed Epicuro che vogliono tutto per infinito rinovarsi e restituirsi, che chi si forza di salvare eterno la costanza de l'universo, perchè medesimo numero a medesimo numero sempre succeda e medesime parti di materia con le medesime sempre si convertano. ... Conoscemo che sì grande imperatore non ha sedia sì angusta, sì misero solio, sì arto tribunale, sì poca numerosa corte, sì picciolo ed imbecille simulacro ... ma è un grandissimo ri-

129. Cfr. *Giordano Bruno. Gli anni napoletani e la «peregrinatio» europea. Immagini. Testi. Documenti*, a cura di E. Canone, Cassino 1992.

130. Dubitativamente attribuito a John Charlewood da V. Salvestrini, *Bibliografia di Giordano Bruno (1582-1950)*, II edizione postuma a cura di L. Firpo, Firenze 1958, pp. 85-86, è stato definitivamente attribuito a quello stampatore da G. Aquilecchia, *Schede Bruniane (1950-1991)*, Roma 1993, pp. 157-174.

131. Cfr. *Luca Pacioli e la matematica del Rinascimento*, a cura di E. Giusti e C. Maccagni, Firenze 1994. Figurava anche nella biblioteca di Leonardo da Vinci: Leonardo da Vinci, *Scritti letterari*, cit., p. 245.

132. Cfr. L. Perini, *Niccolò da Cusa nello specchio delle sue edizioni*, in *Nicolaus Cusanus zwischen Deutschland und Italien*, Beiträge eines deutsch-italienischen Symposiums in der Villa Vigoni, a cura di M. Thurner, Berlin 2002, pp. 289-301.

133. M. Ciliberto, *La ruota del tempo. Interpretazione di Giordano Bruno*, Roma 1986, p. 209.

134. Id., *Lessico di Giordano Bruno*, Tomo Primo: A-I, Roma 1979, pp. 588-599; cfr. anche L. De Bernard, *Immaginazione e scienza in Giordano Bruno. L'infinito nelle forme dell'esperienza*, Pisa 1986.

> tratto, mirabile imagine, figura eccelsa, vestigio altissimo, infinito ripresentante di ripresentato infinito, e spettacolo conveniente all'eccellenza ed eminenza di chi non può esser capito, compreso, appreso. Cossì si magnifica l'eccellenza de Dio, si manifesta la grandezza de l'imperio suo: non si glorifica in uno, ma in soli innumerabili: non in una terra, un mondo, ma in diececento mila, dico in infiniti.[135]

In queste pagine il Rinascimento, giunto al culmine, si affaccia su un ulteriore incognito rinascimento: la scienza, dopo aver liberato l'uomo dalle catene di un impero «angustissimo» (la Terra), «ne promuove alla libertà d'un augustissimo imperio».[136] Ad attendere e ad ascoltare il messaggio inaudito di Bruno, però, c'era a Venezia – città fatale – un nobile, Giovanni Mocenigo, che lo denunciò nel 1592 al Sant'Uffizio veneto e questo, dopo averlo interrogato e avere ascoltato i testimoni (che riferirono tra l'altro la straordinaria idea dell''infinito'), lo consegnò nel 1593 a quello romano che, dopo averne condannato tutti i libri al fuoco distruttore,[137] lo dannò affidandolo al magistrato secolare con l'«ipocrita» raccomandazione di «mitigare il rigore delle leggi circa la pena della tua persona, che sia senza pericolo di morte o mutilazione di membro». Il 16 febbraio 1600, nudo, Giordano Bruno fu legato a un palo in Campo dei Fiori e bruciato vivo. Così insieme a un uomo pensante e libero furono bruciati i suoi libri e con essi l'idea di 'infinito'. Finiva in questo modo, tragicamente, il Rinascimento, senza che se ne potesse riaprire un altro.[138]

Controriforma e crisi del Seicento

Un consuntivo numerico della produzione europea del libro a stampa (ormai diffusasi anche ad altri continenti, Africa, Asia, America) non è facile da farsi: è stata proposta una cifra – 200 milioni – che vale soprattutto come ordine di grandezza.[139] Per l'Italia esiste un censimento (contenuto in 61 codici vaticani),

135. Giordano Bruno, *Dialoghi italiani. Dialoghi metafisici e dialoghi morali*, Nuovamente ristampati con note da G. Gentile, III edizione a cura di G. Aquilecchia, Firenze s.d., pp. 361-362.

136. Ivi, p. 362. Si tratta della «Proemiale epistola» al *De l'infinito, universo e mondi* indirizzata a Michel de Castelnau.

137. «Di più condanniamo, riprobamo e proibemo tuti gli sopradetti e altri tuoi libri e scritti, come eretici ed erronei e continenti molte eresie ed errori, ordinando che tutti quelli che sinora si son avuti e per l'avvenire verranno in mano del Santo Offizio siano pubblicamente guasti e abbrugiati nella piazza di san Pietro, avanti le scale, e come tali che siano posti nell'Indice de' libri proibiti, sì come ordiniamo che si facci» (*Atti del processo di Giordano Bruno*, a cura di D. Dei, Palermo 2000, p. 205).

138. Con tutto il gran parlare che oggi si fa della 'persona', non si è ancora levato nessuno, tra gli eredi di coloro che avevano offeso mortalmente la sua persona, a rivendicarne il nome.

139. F. Braudel, *Capitalismo e civiltà materiale (secoli XV-XVIII)*, Torino 1977, p. 305.

frutto di un'inchiesta avviata nel 1599 e conclusasi nel 1602 estesa a 1382 biblioteche monastiche e conventuali italiane (eccetto i Domenicani e i Gesuiti) che, in fatto di depositi librari (comprese 8195 biblioteche personali), possiamo considerare rappresentativa della produzione europea (non solo religiosa): si aggira intorno a un milione di libri. Nella sola Venezia, rimasta nel Cinquecento il centro di maggiore produzione di libri, dai suoi 500 opifici tipografici uscirono non meno di 18.000.000 di copie.[140] Nell'inchiesta ecclesiastica è restato impresso il marchio dell'epoca (che è quello della Controriforma), rappresentato dagli elenchi dei libri proibiti[141] che raggiungono un numero ragguardevole: una sintesi di pensieri che la Chiesa romana pretese invano di sottrarre alla riflessione (non erano solo libri teologici, in quanto Petrarca, Machiavelli e Copernico non erano certo dei teologi) controllando da Roma (dal Sud dell'Europa) il movimento del pensiero. Quel che si trovò fu sequestrato e sottoposto a censura (quando non fu bruciato) e gli storici si sono sottoposti a uno sforzo di classificazione empirica soprattutto per l'autore che si è generalmente ritenuto il più rappresentativo dell'Umanesimo cristiano europeo, Erasmo. E si è creduto che se sette modi di censurare Erasmo (come ritiene Silvana Seidel Menchi, la nostra erasmista) non sono sufficienti a inquadrare la fenomenologia, bisogna ritenere che siano almeno otto (come ritiene Roberto Cardini).[142] Si è pensato, erroneamente, che questa volontà di controllo avesse allontanato l'Italia dal moto generale del progresso europeo, ma a giudicare dalla presenza, in queste biblioteche ecclesiastiche e in altre biblioteche italiane di fine secolo, di autori condannati e potenzialmente sottratti alla lettura, si deve concludere che o l'impotenza della Chiesa o la potenza dello spirito abbiano avuto ragione di quella illiberale decisione di durata plurisecolare. A quanto pare, inoltre, quel che restava dell'Umanesimo in Italia non voleva inabissarsi, scomparire: soprattutto non voleva rinunciare a una delle più originali espressioni della tradizione antica, la paremiologia (alla quale legò per primo il suo nome Polidoro Vergilio) e dopo lunghe traversie gli editori fiorentini Giunta pubblicarono nel 1575 una versione riveduta e 'purgata' degli *Adagia* di Erasmo alla quale aveva lavorato Paolo Manuzio, memore forse delle tradizioni familiari. Salvò il salvabile (che non era molto), ma quando si trovò davanti all'adagio pacifista *Dulce bellum inexpertis*, chiuse gli occhi e si lasciò sforbiciare tutto ciò che Erasmo aveva posto a commento: cioè l'aspetto più umano che gli umanisti avessero elaborato nelle loro conversazioni con l'Antichità, la pace.[143]

140. Burke, *Storia sociale della conoscenza*, cit., p. 212.

141. Cfr. G. Fragnito, *La Bibbia al rogo. La censura ecclesiastica e i volgarizzamenti della Scrittura (1471-1605)*, Bologna 1997, pp. 241 sgg.

142. S. Seidel Menchi, *Sette modi di censurare Erasmo*, in *La censura libraria nell'Europa del secolo XVI*, cit.; R. Cardini, *L'ottavo modo di censurare Erasmo*, in *Petrarca e i Padri della Chiesa*, cit.

143. Perini, *Editori e potere*, cit., pp. 800-805.

Un indicatore economico importante dell'editoria italiana, dalla metà del Cinquecento a tutto il Seicento, è rappresentato efficacemente dai dati delle fiere di Francoforte sul Meno: la presenza di Venezia e degli editori veneziani in quella famosa città di fiera fino al 1620 è un dato di rilievo;[144] poi, progressivamente, la loro presenza diminuisce fino al 1629. Da questa data, e per tutto il Seicento, Venezia scompare da Francoforte ed è intorno a queste due date (1620-1629) che la «crisi del Seicento» tocca anche l'editoria italiana,[145] mentre gli effetti della «rivoluzione commerciale» medievale si esauriscono visibilmente. Nel 1614 era scomparso da Francoforte anche l'editore veneziano Giovan Battista Ciotti, amico di Giordano Bruno, aspirante editore delle opere di Tommaso Campanella: nel 1599 era stato arrestato dall'Inquisizione e multato per l'importazione di libri provenienti dalla Germania.[146] L'approssimarsi della crisi economica si era congiunta agli ostacoli extraeconomici.

Un mutamento antropologico: i sensi cambiano la loro collocazione gerarchica

Ad uno sguardo sintetico, però, tutto quel materiale librario rivelato dall'inchiesta ecclesiastica, alla quale abbiamo fatto cenno sopra e che consolidava oltre un secolo di produzione economica, presenta anche un aspetto che riunisce in generale altre manifestazioni psico-sociali di epoche storiche distinte e diverse.

Mentre nei viaggi di Francesco Petrarca c'era la percezione cromatica dei luoghi visitati, accompagnata dai colori in rilievo che accompagnavano i codici degli umanisti e successivamente ancora i libri a stampa dei primi collezionisti, ai tempi di Giordano Bruno c'è soltanto un bianco e nero dispiegato in tutte le opere a stampa: scomparsi i colori, sono scomparse anche le annotazioni coloristiche dei paesaggi che accompagnavano i viaggi dei primi umanisti quattrocenteschi. Il grande libro di Daniel Roche, *Humeurs vagabondes*,[147] ci ha messo davanti agli occhi prima di tutto i risultati statistici di un repertorio settecentesco di libri di viaggio, quello di Boucher de La Richarderie, che mostra la costante progressione dei viaggi europei tra il XVI e il XVIII secolo, durante i quali dal viaggio umanistico si passa al viaggio erudito. Sintetizzandone le tendenze e le caratteristiche (da Theodor Zwinger a Montaigne, da Justus Lipsius a Monte-

144. Raggiunge degli apici tra il 1617 (104 edizioni tra libri latini e volgari) e il 1620 (70 edizioni, 49 libri latini e 21 libri italiani): cfr. G. Schwetschke, *Codex nundinarius Germaniae literatae bisecularis*, Nieuwkoop 1963.

145. Cfr. R. Romano, *Opposte congiunture. La crisi del Seicento in Europa e in America*, Venezia 1992, pp. 57-62.

146. Cfr. M. Firpo, *Ciotti Giovanni Battista*, in *Dizionario Biografico degli Italiani*, 25, Roma 1981, pp. 692-696.

147. D. Roche, *Humeurs vagabondes. De la circulation des hommes et de l'utilité des voyages*, Paris 2003.

squieu) lo storico ne ha messo in risalto almeno due componenti, convergenti ed equilibratrici: quella della *voluptas* e quella dell'*utilitas*, rivolta quest'ultima soprattutto a un fine pedagogico. Quello che venne progressivamente a mancare a questi viaggi (ad eccezione, forse, di quello del Montaigne) e che invece aveva accompagnato il viaggio degli umanisti nel loro ingenuo contatto col mondo esteriore è la parte dovuta all''occhio', alla gioiosa pratica descrittiva e coloristica del paesaggio. A chi guardi le opere dei viaggiatori, come per fare un solo esempio i viaggi di Giovambattista della Porta (che compì in tutta Italia, in Francia, in Spagna alla ricerca dei fenomeni delle forze occulte della natura),[148] non potrà sfuggire la scomparsa di questo elemento della percezione, sostituito da elementi astratti, 'sociologici'. Nel primo Rinascimento predominava un mondo dove l'udito e l'olfatto prevalevano sulla vista, secondo la fine notazione psicologica di Lucien Febvre, che parla di un mondo di uomini che «vedevano ma anche sentivano, annusavano, ascoltavano, palpavano, aspiravano la natura con tutti i loro sensi». Sembrerebbe di potersi riferire, contestualizzando il richiamo linguistico-geografico, al *Canzoniere* di Petrarca dove i paesaggi e Laura sono «immersi ... in un flusso di suoni».[149] Ad esso si andava sostituendo il mondo della visione dove, non casualmente, la geometria (anche in Giordano Bruno, anche in Galileo Galilei) attirava sempre più una mentalità scientifica,[150] cioè un'altra onda emozionale che avrebbe improntato l'orientamento e l'atteggiamento dei secoli a venire in quel gruppo ristretto di umanisti, battistrada della storia dell'umanità.

Il declino intellettuale italiano: un problema ancora discusso

Ma che ne fu dell'Italia iniziatrice? La Penisola, dopo aver trasferito i valori rinascimentali in tutta Europa, dopo aver attirato innumeri viaggiatori, si fermò in una situazione di apparente immobilismo che molecolarmente, però, presenta momenti di reale comunicazione. Questi valori rinascimentali – volontà di conoscere (e talvolta di imitare) i valori dell'Antichità – col passare dei decenni principiarono ad assumere il carattere di distacco critico e di conoscenza filo-

148. Cassirer, *Individuo*, cit., p. 240.

149. Così scrive R. Bettarini, *Francesco Petrarca*, in *Antologia della poesia italiana. Duecento-Trecento*, Roma 2004, p. 611. I versi del *Canzoniere*, che in maniera più esplicita si richiamano, non alla vista, ma agli altri sensi, mi sono sembrati C, 3-4;11; CXXII, 4; CXXIX, 69-70; CCLXX, 31-32; 52-53; CCCXI, 1-5 ecc.

150. *Il problema dell'incredulità nel secolo XVI. La religione di Rabelais*, Torino 1978, pp. 405-411. Per Bruno le figure de *La cena delle ceneri*, de *L'infinito*, dello *Spaccio de la bestia trionfante*, del *De umbris idearum* ecc.: cfr. Giordano Bruno, *Corpus iconographicum. Le incisioni nelle opere a stampa*, Catalogo, ricostruzioni grafiche e commenti di M. Gabriele, Milano 2001. Per Galileo mi limito a rinviare al *Dialogo sopra i due massimi sistemi del mondo*.

logicamente fondata introducendo – anche in piccoli gruppi – quell'atteggiamento di autonomia che ha preservato per secoli il nucleo di quel che fu in realtà l'Umanesimo.[151]

Di alcuni di loro si sbiadì la memoria: pochi conobbero Lorenzo Valla, Niccolò Machiavelli, Erasmo da Rotterdam, Giordano Bruno. In questi casi la loro 'fortuna' europea favorì la conservazione della memoria, mentre in Italia la Controriforma riuscì parzialmente a estinguerne il ricordo. Tuttavia non sembra che chiamare in causa la «clericalizzazione dell'educazione umanistica», come ha fatto John Monfasani[152] in un saggio informato, riesca a spiegare integralmente il fenomeno del «grande declino della vitalità intellettuale» italiana.

Quando nel Settecento si pensò alle riforme universitarie (Bologna, Torino) – e in particolare al progetto di restaurare in quelle università la cultura greca – lo si fece da parte dei 'laici' (Luigi Ferdinando Marsili e Scipione Maffei) richiamandosi alla necessità polemico-controversistica contro i protestanti.[153] Un altro testimone dell'Ottocento, Gerolamo Vitelli, invece, di fronte al fatto che gli italiani avevano perso dopo la metà del Cinquecento l'egemonia nel campo della filologia classica, lasciandola ai francesi, agli inglesi, agli olandesi, ai tedeschi, ne attribuiva la causa al «mercantilismo» degli italiani. Ma quali nazioni ci furono più 'mercantiliste' di quelle protestanti, si chiedeva Antonio Gramsci.[154]

Connettere la vitalità della cultura alla grandezza o 'potenza' di una nazione, come ricorda Fernand Braudel, non è una buona regola.[155] Non basta che vi siano capitali abbondanti, disponibili per esiti non sufficientemente remunerativi e neppure solo abbondanti, destinati, *ceteris paribus*, a investimenti funzionali, se nella società non si è mantenuta una scintilla di una cultura disinteressata.

151. D. Cantimori, *Valore dell'Umanesimo*, in Id., *Studi di storia*, Torino 1959.

152. J. Monfasani, *Umanesimo italiano e cultura europea*, in *Il Rinascimento italiano e l'Europa*, I, *Storia e storiografia*, a cura di M. Fantoni, Treviso-Costabissara (Vi) 2006, p. 59.

153. Cfr. A. La Penna, *Università e istruzione pubblica*, in *Storia d'Italia*, V/2, *I documenti*, Torino 1973, pp. 1758-1764.

154. A. Gramsci, *Quaderni del carcere*, a cura di V. Gerratana, Torino 1975, II, p. 900.

155. F. Braudel, *L'Italia fuori d'Italia*, in *Storia d'Italia*, II/2, *Dalla caduta dell'Impero romano al secolo XVIII*, Torino 1974, pp. 2247-2248.

Le maioliche

TIMOTHY WILSON

La terracotta rivestita di smalto stannifero, denominata in italiano 'maiolica' e talvolta, in altre lingue europee, anche *faïence* o *delftware*, deve le proprie origini al mondo islamico, ma è grazie al Rinascimento italiano che si è diffusa ed è divenuta nota in tutta Europa.

La maiolica non fu il solo genere di ceramica prodotto nell'Italia del Rinascimento. Nel corso dei secoli XV e XVI ingenti quantità di manufatti in ceramica ingobbiata e invetriata, graffiti, marmorizzati o decorati in altri modi, costituivano buona parte del vasellame d'uso quotidiano, soprattutto nell'Italia settentrionale. La loro lavorazione aveva il vantaggio di non richiedere stagno, che si poteva importare solo a caro prezzo. Se la tecnica di incisione della ceramica invetriata e graffita va fatta risalire al mondo bizantino e islamico e da lì alla Cina dei Tang, quella italiana rientrava nella lunga tradizione europea di terrecotte decorate con ingobbio (argilla semiliquida), lavorate da Cipro a Stoke-on-Trent, e solo occasionalmente (come avvenne nella Ferrara rinascimentale) raggiunse lo *status* delle più elevate forme d'arte o fu espressione di aspirazioni artistiche più ambiziose rispetto a quelle cui poteva mirare la produzione di vasellame 'popolare'.[1]

Per contrasto, la porcellana cinese suscitava grande ammirazione e godeva di notevole prestigio. In alcuni centri italiani se ne produssero imitazioni, con maggiore o minor successo, come avvenne negli anni Settanta e Ottanta del Cinquecento con il favore dei Medici, granduchi di Toscana.[2] Si trattò del progetto

1. H.-G. Stephan, *Die bemalte Irdenware der Renaissance in Mitteleuropea*, München 1987.

2. G. Cora, A. Fanfani, *La porcellana dei Medici*, Milano 1986; T. Wilson, *Renaissance Ceramics*, in *Systematic Catalogue of the National Gallery of Art: Western Decorative Arts, Part 1*, Washington-Cambridge 1993; M. Spallanzani, *Ceramiche alla Corte dei Medici nel Cinquecento*, Modena 1994; cfr. Wilson, *Renaissance Ceramics*, cit., p. 234 e M. Spallanzani, *Porcel-*

più riuscito – e l'unico di cui sono sopravvissuti reperti identificabili – ma, come altri, volto soprattutto ad accrescere il prestigio della corte. Le difficoltà tecniche e la mancanza di materie prime adeguate, infatti, non permisero a questi manufatti di entrare nei circuiti del commercio. Dopo l'inizio del Seicento non vi è più traccia di questa sperimentazione, alla quale nulla devono gli sviluppi che, in Francia e in Germania, avrebbero portato dopo il 1708 alla produzione di porcellana fine a Meissen.

La maiolica, che Bernard Rackham ha definito la «ceramica dell'Umanesimo»,[3] non è quindi da considerarsi soltanto, e a giusto titolo, la quintessenza dell'arte ceramica del Rinascimento, ma è anche il tipo di ceramica che con maggiore chiarezza rende evidente l'impatto esercitato dal Rinascimento italiano sul resto d'Europa.[4]

Il fatto che una vetrina potesse risultare bianco-opaca grazie all'aggiunta di ossido di stagno, e costituire così una buona base per la resa del colore applicato al manufatto ceramico, era un dato tecnico noto al mondo islamico fin dai tempi della sua scoperta nell'attuale Iraq, intorno all'anno 800 d.C.[5] Nei secoli XIII e XIV i vasai musulmani attivi a Malaga, nel regno islamico di Al-Andalus, applicavano il lustro alla terracotta rivestita di smalto stannifero per produrre oggetti, i più noti dei quali restano i grandi vasi lustrati dell'Alhambra, che testimoniano una bravura straordinaria e senza precedenti.

Il lustro di Malaga godette di meritata ammirazione e diede sviluppo a un mercato d'esportazione che si estendeva dai paesi del Mediterraneo all'Europa del Nord.[6] Nel Trecento il centro di gravità di questa manifattura si spostò e, risalendo la costa orientale della Spagna, si localizzò a Paterna e ancor più a Manises, nel regno cristiano di Valenza, da dove il commercio d'esportazione ampliò ulteriormente i suoi confini. Intorno al 1400 il 'mercante di Prato', Francesco di Marco Datini, era abitualmente impegnato a gestire gli ordini di ingenti quantità di ceramiche a lustro commissionate agli artigiani di Manises da facoltose famiglie di mercanti fiorentini.[7] Era questa la ceramica che la clientela ita-

13

lana medicea e porcellana romana, «Faenza», 88, 1-6 (2002) per altri tentativi documentati di produrre porcellana nell'Italia del Cinquecento.

3. B. Rackham, *The Pottery of Humanism*, «International Studio» (novembre 1930).

4. Tutte le successive trattazioni sull'argomento sono basate sulla lucida sintesi di G. Liverani, *L'influsso della maiolica italiana su quella di oltre alpe*, «Rassegna della Istruzione Artistica», 8 (1937).

5. Per l'interessante testimonianza di un ceramista riguardo alla tecnica tradizionale di applicazione dello smalto stannifero, cfr. A. Caiger-Smith, *Tin-Glaze Pottery in Europe and the Islamic World*, London 1973. Per una recente trattazione generale cfr. C. Hess, (con contributi di L. Komaroff e G. Saliba), *The Arts of Fire. Islamic Influences on Glass and Ceramics of the Italian Renaissance*, Los Angeles 2004.

6. *Spanish Medieval Ceramics in Spain and the British Isles*, a cura di C.M. Gerrard, A. Gutiérrez e A. Vince, «British Archaeological Reports, International Series», 610 (1995).

7. M. Spallanzani, *Maioliche ispano-moresche a Firenze nel Rinascimento*, Firenze 2006.

liana chiamava 'maiolica', un termine derivato probabilmente, in origine, dalla locuzione spagnola *obra de malica* (ceramica di Malaga), ma che alcuni acquirenti italiani associavano invece all'isola di Maiorca, non lontana da Valenza e uno dei principali porti di trasbordo, maturando la convinzione che le ceramiche provenissero da lì. A quell'epoca, in realtà, la 'maiolica' non veniva affatto prodotta a Maiorca, nonostante essa debba il suo nome all'isola spagnola.[8] Nel Cinquecento il termine si arricchì di significato fino a raggiungere l'accezione dell'italiano moderno, che ne fa uso in riferimento a qualsiasi manufatto di terracotta invetriato allo smalto stannifero, lustrato o meno.

Nell'Italia del Trecento, come in quasi tutti i paesi del bacino del Mediterraneo, la tecnica di rivestimento con lo smalto stannifero era già ampiamente diffusa.[9] Nel XIII secolo e in gran parte del XIV nelle regioni centrali e settentrionali della Penisola molta della cosiddetta 'maiolica arcaica' veniva lavorata principalmente, o esclusivamente, in bruno di manganese e verde-ramina. In seguito l'introduzione del blu ottenuto dal cobalto di importazione,[10] del giallo derivato dall'antimonio e di una gamma di tonalità arancio derivate dal ferro ampliarono notevolmente le possibilità di scelta cromatica. Il solo colore difficile da ottenere rimaneva un rosso pieno e omogeneo. Intorno al 1460 alcuni vasai italiani impararono il segreto islamico dell'applicazione del lustro metallico tramite una terza cottura riducente; intorno al 1500 questo lustro iridescente assunse un'importanza considerevole nell'economia di Gubbio e Deruta, accrescendo notevolmente il valore del vasellame prodotto nelle due località umbre per un lungo periodo di tempo. Non si è ancora in grado di stabilire con certezza come le maestranze italiane abbiano appreso dal mondo islamico le tecniche di applicazione dello smalto stannifero e del lustro: nei documenti italiani, infatti, non compare alcun riferimento ad artigiani dai nomi islamici.[11] In base a un testo redatto da un cronista senese, sappiamo che nel marzo 1514 il vasaio senese Galgano di Belforte si recò a Valenza e «con l'aiuto del mercante Battista di Goro Bulgarini, in-

8. Ivi, pp. 4-5.

9. Nella ricca letteratura sull'archeologia della maiolica medievale in Italia e nel suo più ampio contesto mediterraneo cfr., per esempio, C. Ravanelli Guidotti, *Mediterraneum. Ceramica spagnola in Italia*, Viterbo 1992; M.P. Soler *et al.*, *Mediterraneum. Ceramica Medieval en España e Italia*, Viterbo 1992; per quanto riguarda l'ambiente dell'Italia meridionale cfr. *Valenza-Napol: rotte mediterranee della ceramica/València-Nàpolis: les rutes mediterrànies de la ceràmica*, Catalogo della mostra a cura di L. Arbace, Napoli-Valencia 1977, e per una recente trattazione sommaria sulla diffusione del lustro cfr. M.P. Soler, *La diffusione della maiolica a lustro d'oro nell'Europa del XV secolo*, in *La maiolica italiana del Cinquecento. Il lustro eugubino e l'istoriato del ducato di Urbino*, Atti del convegno di studi, Gubbio 21, 22, 23 settembre 1998, a cura di G.C. Bojani, Firenze 2002.

10. Per la cronologia della *maiolica arcaica bleu* cfr. S. Gelichi, *La Ceramica a Faenza nel Trecento. Il contesto della Cassa Rurale e Artigiana*, Faenza 1992, p. 74.

11. Per quanto riguarda la porcellana dei Medici, d'altro canto, vi è il curioso riferimento a un misterioso *levantino* il quale «aveva indicato il mezzo per riuscire al Granduca Francesco de' Medici»: cfr. Wilson, *Renaissance Ceramics*, cit., p. 235.

dossati abiti umili e fingendosi un assistente di bottega, osservò in segreto il processo di decorazione della ceramica lustrata (alla lettera, dei «vasi dorati») e, imparata la tecnica, in quello stesso mese fece ritorno a Siena».[12] In realtà non vi è nulla che testimoni l'esistenza di una riuscita produzione di ceramica lustrata a Siena, mentre nel 1514 la tecnica risulta nota da circa mezzo secolo a Deruta, centro non molto distante da Siena. Quanto si racconta di Galgano di Belforte ci aiuta tuttavia a ricordare come la trasmissione delle tecniche possa avvenire in diversi modi.[13]

Nella prima metà del Quattrocento, se un facoltoso signore italiano – o la moglie – avesse desiderato possedere suppellettili spettacolari da esporre in bella mostra, qualcosa che potesse fare da ornamento alle stanze di maggior rappresentanza della sua casa (che non fossero la cucina), egli avrebbe ordinato ceramiche lustrate dalla Spagna; la produzione di ceramica locale, invece, era destinata soprattutto a oggetti d'uso quotidiano. È certo che verso la fine del secolo il vasellame sempre più raffinato e pretenzioso prodotto in alcuni centri italiani, caratterizzato dai nuovi cromatismi e dall'eleganza delle decorazioni (comprendenti motivi 'all'antica'), aveva iniziato ad attirare l'attenzione di mecenati autorevoli e sensibili. Nell'aprile 1490 Lorenzo il Magnifico scrisse a Galeotto Malatesta, signore di Rimini, che gli aveva inviato in dono alcuni manufatti di ceramica, ringraziandolo e riconoscendo negli oggetti ricevuti valori di rarità, originalità ed eccellenza: «Se le cose più rare debbono essere più chare, questi vasi mi sono più chari et più li stimo che se fussino de argento, per esser molto excellenti et rari, come dico, et nuovi a noi altri di qua».[14] Nonostante queste parole sottendano una retorica della cortesia, anche solo cinquant'anni prima nessun ita-

12. Il manoscritto della cronaca di Tizio è conservato nella Biblioteca Comunale di Siena, B.III.12, c. 484: «Galganus de Belforte Senensis figulus olim a Hyeronimo Scintilla scolastico Hispano Valentiam perductus, atque ibidem a Baptista Bulgarino mercatore Senensi adiutus vili habitu delitescens, et veluti Minister opificio figulino ibidem intendens auratorum vasorum colorem furtim percipiens, et animadvertens, peritus Senam mense hoc martio reversus est». Sono riconoscente a Philippa Jackson per la trascrizione corretta di questo documento pubblicato da G. Guasti, *Di Cafaggiolo e d'altre fabbriche di ceramiche in Toscana secondo studi e documenti in parte raccolti da Comm. Gaetano Milanesi*, Firenze 1902, p. 324.

13. Per una trattazione sullo sviluppo del lustro in Italia cfr. T. Wilson, *The Beginnings of Lustreware in Renaissance Italy*, in *The International Ceramics Fair and Seminar Handbook*, London 1996. Per il ruolo dei ricettari nella diffusione della tecnologia della ceramica cfr. C. Seccaroni, O. Mazzucato, *Ricettari quattrocenteschi per coperte, colori e lustri*, «Faenza», 90, 1-6 (2004).

14. L. Fusco, G. Corti, *Lorenzo de' Medici, collector and antiquarian*, Cambridge 2006, p. 314. Cfr. la lettera scritta nel 1478 da papa Sisto IV con la quale egli ringrazia Costanzo Sforza di Pesaro della ceramica ricevuta in dono: «non rem fictilem, sed vel aurum vel argentum putemus»: P. Berardi, *L'antica maiolica di Pesaro*, Firenze 1984, p. 44, nota 56; oppure A. Ciaroni (con testi di M. Moretti e P. Piovaticci), *Maioliche del Quattrocento a Pesaro. Frammenti di storia dell'arte ceramica dalla bottega dei Fedeli*, Firenze 2004, p. 191. In generale, per la disposizione delle ceramiche nella casa rinascimentale, cfr. *At Home in Renaissance Italy*, Catalogo della mostra a cura di M. Ajmar-Wollheim e F. Dennis, London 2006, *passim*.

liano avrebbe osato esprimersi in questi termini riferendosi a ceramiche prodotte nella Penisola.

È probabile che sia stato ancora Lorenzo il Magnifico – che sposò Clarice Orsini nel 1469 – a commissionare un orcio, oggi conservato a Detroit, dove è raffigurato lo stemma dei Medici bipartito con quello degli Orsini.[15] L'orcio fu realizzato nell'area di Firenze, forse a Montelupo Fiorentino, cittadina situata sull'Arno in procinto di diventare un centro specializzato di produzione ceramica. Il vasaio non era in grado di applicare il lustro, ma sia la forma, sia la decorazione floreale del manufatto (che nel 1480 un mercante toscano chiamò *fioralixi*),[16] imitano le prestigiose ceramiche lustrate, al tempo notevolmente più costose, importate da Manises. Dopo la morte di Lorenzo il vaso si trovava nella villa medicea di Poggio a Caiano ed è menzionato nel registro di un inventario; si tratta del primo riferimento a un pezzo identificabile e sopravvissuto di maiolica italiana rintracciato in un inventario.[17] Si può forse intravedere per la prima volta un ceramista italiano che, impegnato nel portare a termine una committenza araldica per un cliente facoltoso, cerca di competere direttamente con i prestigiosi oggetti importati dalla Spagna.

38

Gli sviluppi della maiolica in Italia furono tali che non molto tempo dopo questa aveva già interamente conquistato le vette del mercato interno e ne era divenuta il prodotto trainante.

In modo analogo a Lorenzo il Magnifico, nel 1486 l'ambasciatore ferrarese alla corte di Mattia Corvino, re di Ungheria, scrisse a Eleonora, duchessa di Ferrara, per informarla che se avesse voluto inviare un dono alla sorella Beatrice d'Aragona, regina d'Ungheria, avrebbe dovuto regalarle delle ceramiche di Faenza: «lavoreri de Faienza di terra» alla cui vista Beatrice «ne farà più festa che se fussino d'arzento».[18] Poco dopo fu realizzato un servizio di maiolica per la regina Beatrice (o per il re e la regina insieme), decorato con gli stemmi reali bipartiti. Gli artefici, tuttavia, non erano ceramisti di Faenza ma di Pesaro, un altro centro di produzione di maiolica in pieno sviluppo.[19]

Attraverso il controllo sempre maggiore dei colori e la padronanza del di-

15. U. Middeldorf, *Medici Pottery of the Fifteenth Century*, «Bulletin of the Detroit Institute of Arts», 16, 6 (March 1937), trad. it. *Ceramiche medicee del Quattrocento*, «Faenza», 41 (1955). Non si può escludere che il vaso sia stato realizzato per il figlio di Lorenzo, Piero, che nel 1487 sposò Alfonsina Orsini.

16. M. Spallanzani, *Maioliche di Valenza e di Montelupo in una casa pisana del 1480*, «Faenza», 72 (1986).

17. M. Spallanzani, *Il vaso Medici-Orsini di Detroit in un documento d'archivio*, «Faenza», 60 (1974).

18. T. Wilson, *Italian Maiolica around 1500. Some Considerations on the Background to Antwerp Maiolica*, in *Maiolica in the North. The archaeology of tin-glazed earthenware in north west Europe c. 1500-1600*, a cura di D. Gaimster, London 1999 (British Museum Occasional Papers, 122), nota 16, con rimandi.

19. A. Bettini, *Sul servizio di Mattia Corvino e sulla maiolica pesarese della seconda metà del* XV *secolo*, «Faenza», 83 (1997); Ciaroni, *Maioliche*, cit., pp. 74-79.

segno, i ceramisti riuscirono a ottenere una serie di effetti pittorici che culminarono, intorno al 1500, nello sviluppo dell'istoriato pieno, in base al quale il manufatto di maiolica veniva interamente decorato da disegni policromi e prospettici raffiguranti soggetti mitologici o storici.[20] Pur rappresentando sempre una minima parte dell'intera produzione dei centri ceramici, l'istoriato rimase per sessant'anni l'espressione più prestigiosa della produzione ceramica e la base delle sue sporadiche aspirazioni a essere considerata a pieno titolo una forma d'arte.[21]

Nonostante il rischio che l'elevato numero di ceramiche sopravvissute fino a oggi – conservate in collezioni o rinvenute in scavi – possa indurci a sovrastimare il prestigio e l'importanza dei manufatti del XVI secolo (così come di altre epoche), è certo che nel Rinascimento alcuni dei mecenati più sensibili apprezzavano le maioliche istoriate e altre forme di decorazione ceramica. Questi manufatti figurano spesso come doni scambiati tra donne.[22] Quando, nell'autunno del 1524, la duchessa di Urbino Eleonora Gonzaga, da poco tornata per riprendere il controllo del suo ducato insieme al marito Francesco Maria della Rovere, volle inviare un dono alla madre Isabella d'Este, vedova del marchese di Mantova, commissionò un servizio da tavola al miglior ceramista della città, Nicola da Urbino, che lo dipinse soprattutto con soggetti tratti dalle *Metamorfosi* di Ovidio. Eleonora lo inviò alla madre, esprimendo la sua speranza che il servizio potesse esserle utile nella sua residenza di campagna, a Porto:

> Pensando io di volere visitare V. Ex.tia cum qualche cosa de quelle che dano questi paesi, et chi gli potessero piacere a questi tempi non trovando cosa che mi paresse al proposito: Ho facto fare una credenza de vasi di terra, Quale la mando a v. Ex.tia per Baptista mio Credentiero p.ente exibitore, per havere li maestri de questo nostro paese qualche nome di lavorar bene, et se piacerà alla ex.tia v. mi serà di contento, et lei se ne farà servire a Porto per essere cosa da villa accettando el Bono animo mio in cambio de quanto vorrei ch'ella fusse: che certo desiderarei potergliela mandare de tante gioye rare, essendo mio debito de non pensare ad altro più che di poter servire e fare cosa grata.[23]

20. Per l'attribuzione del primo esemplare datato di istoriato (1498) a Pesaro cfr. T. Wilson, *Some* incunabula *of* istoriato-*painting from Pesaro*, «Faenza», 91, 1-6 (2005).

21. L. Syson, D. Thornton, *Objects of Virtue. Art in Renaissance Italy*, London 2001, pp. 229-281; T. Wilson, *A Fine Line*, «Ceramic Review», 200 (2003).

22. T. Wilson, *Faenza Maiolica Services of the 1520s for the Florentine Nobility*, in *Raphael, ellini, & a Renaissance Banker. The Patronage of Bindo Altoviti*, Catalogo della mostra a cura di A. Chong, D. Pegazzano e D. Zikos, Boston-Firenze 2003-2004, pp. 177-178.

23. La lettera, conservata presso l'Archivio di Stato di Mantova, fu ritrovata e pubblicata da M. Palvarini Gobio Casali, *La ceramica a Mantova*, Ferrara 1987, pp. 211-212, nota 29.

Perfino un sontuoso servizio di maiolica come questo era molto più economico di una credenza in metallo prezioso. Nel 1530 l'agente di Federico, duca di Mantova e figlio di Isabella, scrive che avrebbe potuto acquistare circa 100 pezzi di maiolica istoriata di Urbino per 25 scudi.[24] Nel 1525-1526 una saliera d'argento dorato disegnata da Giulio Romano per Federico costò 31 ducati per la materia prima e 20 ducati per il lavoro dell'orafo, senza contare il compenso richiesto da Giulio.[25] Uno scudo e un ducato avevano quasi identico valore, dal che si deduce che una saliera d'argento dorato costava circa il doppio di una credenza da 100 pezzi di maiolica prodotta a Urbino. Il valore che allora veniva attribuito alla maiolica, tuttavia, non può essere misurato solo in termini di denaro: nel contesto della società raffinata di cui amava circondarsi Isabella in privato tali oggetti di ceramica avevano un loro intrinseco valore culturale. Una «cosa da villa» come la sua credenza era oggetto di conversazione e segno di buon gusto e cultura umanista.[26]

A livelli sociali elevati come questo, ma anche più modesti, la produzione ceramica si arricchì di forme e tecniche diverse per meglio rispondere a nuove abitudini conviviali, più eleganti e raffinate. Esse riflettono lo sviluppo di quella «cultura materiale»[27] in cui Richard Goldthwaite ravvisa gli inizi della moderna società «consumistica».[28] La produzione ceramica, tuttavia, assunse un ruolo di primaria importanza solamente nell'economia di una città di medie dimensioni, Faenza, e di alcuni piccoli centri quali Deruta, Montelupo, Castel Durante e Castelli, che divennero poli specializzati nella produzione di maiolica alla fine del Quattrocento e agli inizi del Cinquecento.

Nel Rinascimento gran parte dello stagno utilizzato dai ceramisti italiani proveniva dalla miniere della Cornovaglia, nonostante il suo commercio fosse controllato da mercanti attivi nei Paesi Bassi e, di conseguenza, fosse conosciuto in Italia come lo 'stagno delle Fiandre'.[29] Nel suo *Della Pirotechnia* Vannoccio Biringuccio da Siena, che morì nel 1539, scrive a proposito dello stagno:

> La minera sua, anchor ch'io non la vedesse mai, perche in puochi luochi par che se' ne generi, pur secondo che da alcuni prattici ho sentito, il piu, & il meglior che

24. J.V.G. Mallet, *Mantua and Urbino: Gonzaga Patronage of Maiolica*, «Apollo», 114 (1981), p. 167.

25. B.L. Holman, *Disegno. Italian Renaissance Designs for the Decorative Arts*, Catalogo della mostra, New York 1977, p. 95.

26. Syson, Thornton, *Objects of Virtue*, cit., *passim*.

27. L. Jardine, *Worldly Goods. A New History of the Renaissance*, London 1996, cap. 6.

28. R. Goldthwaite, *Il mondo economico e sociale della maiolica italiana nel Rinascimento*, «Faenza», 83 (1997); cfr. le osservazioni di P. Güll, *L'industrie du quotidien. production, importations et consommation de la céramique à Rome entre XVIe et XVIe siècle*, Rome 2003 (Collection de l'École française de Rome, 314).

29. C. Piccolpasso, *The Three Books of the Potter's Art*, a cura di R. Lightbown e A. Caiger Smith, London 1980, II, p 54.

> nelle provincie d'Europa si truovi, è quel che si cava in Inghilterra, & ancho ho sentito dire truovarsene in certi luochi della Fiandra, & in Boemia, & nel ducato di Baviera, ma che per la stranezza de môti e luochi, aponto non vi so recitare.[30]

Paradossalmente è proprio l'assenza di giacimenti di stagno che spiega la maggiore diffusione dei servizi di maiolica in Italia rispetto ai paesi a nord delle Alpi. Nelle taverne e sulle tavole dei ceti medi di Francia, Germania e Inghilterra, infatti, era in uso soprattutto vasellame di peltro, piuttosto raro in Italia. Nel settembre del 1581 Montaigne, di passaggio nel Sud della Toscana, osservava:

> la pulitezza di questi vasellamenti di terra, che paiono di porcellana sì sono bianchi e netti e tanto a buon mercato, che veramente mi paiono più gustevoli per lo mangiare che il stagno di Francia, massimamente brutto come si trova nelle osterie.[31]

Nel XVI secolo i ceramisti non esitavano a trasferirsi nei luoghi dove potevano meglio mettere a frutto la loro maestria, dove vi erano condizioni economiche favorevoli o, ancora, una buona disponibilità di materia prima. Questa mobilità della manodopera sembra avere svolto un ruolo determinante nel rapido sviluppo dell'industria ceramica intorno al 1500. A Gubbio la produzione di ceramiche a lustro fu dominata da un lombardo, Maestro Giorgio,[32] mentre a Siena, agli inizi del secolo, una figura chiave nello sviluppo della maiolica fu Maestro Benedetto, proveniente da Faenza.[33] Il pittore di maiolica più originale e ambizioso della scuola di Urbino, Francesco Xanto Avelli, era di Rovigo,[34] e a fondare la famosa bottega situata nelle dipendenze della villa medicea di Cafaggiolo furono maestranze provenienti da Montelupo, ma di ascendenza slava.[35] A

30. Vannoccio Biringuccio, *De la Pirotechnia*, Venezia, G. Padoano, 1550, f. 15*v*.

31. M. de Montaigne, *Journal de voyage*, a cura di F. Rigolot, Paris 1992, p. 206. Montaigne scrisse questa parte del suo *Journal de Voyage* in italiano; per alcuni suoi precedenti apprezzamenti meno entusiasti cfr. ivi, p. 85, dove egli considera la terracotta fiorentina non propriamente pulita. Si tratta probabilmente di una reazione di fronte ad alcune varianti del 'bianco faentino'.

32. T. Biganti, *Maestro Giorgio Andreoli nei documenti eugubini (Regesti 1488-1575). Un contributo alla storia della ceramica nel Cinquecento*, Firenze 2002; Ead., *Sulle tracce di Maestro Giorgio. L'affermazione di un lombardo nella città di Gubbio*, in *La maiolica italiana del Cinquecento*, cit.; D. Thornton, T. Wilson, *Italian Renaissance Ceramics. A Catalogue of the British Museum collection*, London, in corso di stampa.

33. M. Luccarelli, *Contributo alla conoscenza della maiolica senese. La 'Maniera di Mastro Benedetto'*, «Faenza», 70 (1984) e Id., *Inventario dele masarizie dela butiga dele Rede di Benedeto da faeza orcolaio*, «Faenza», 91, 1-6 (2005).

34. J.V.G. Mallet, *Francesco Xanto Avelli: Pottery-painter, Poet, Man of the Italian Renaissance*, Catalogo della mostra, London 2007.

35. F. Berti, *Storia della ceramica di Montelupo*, Montelupo Fiorentino 1997-2003, IV, pp. 313-316. G. Fowst, *Ceramisti tedeschi nel Veneto e nelle regioni limitrofe nei secoli XV e XVI*, «Padusa», 8 (1972) cita esempi di vasai tedeschi attivi nell'industria ceramica italiana.

Venezia, verso la metà del XVI secolo, a dirigere le principali botteghe ceramiche vi erano due marchigiani, Giacomo da Pesaro e Francesco di Pietro da Castel Durante.[36] In alcuni casi è possibile ricostruire gli spostamenti compiuti da artigiani intraprendenti e capaci nel corso della loro intera carriera: è il caso di Francesco di Bernardino, meglio noto con il nome di Francesco Durantino, originario di Castel Durante. Nel 1537 lavora a Urbino; nel 1547 è a capo di una bottega a Monte Bagnolo, nei pressi di Perugia; intorno al 1566 è al servizio del duca di Savoia, a Torino, dove Piccolpasso osserva che egli «ha superato in questo essercitio, dico in tutta la fabrica dell'arte da fondamenti sino al compimento di essa»;[37] lavora in seguito a Roma e nelle vicinanze della città.[38] La presenza di vasai di comprovata esperienza tecnica e artistica promosse lo sviluppo dell'arte ceramica nelle varie località.

Sovrani e autorità municipali si resero presto conto che la crescita e lo sviluppo dell'industria ceramica potevano avere un ruolo importante per l'economia di una città o, quantomeno, accrescerne il prestigio. Per questa ragione essi adottarono provvedimenti tesi ad attirare e a trattenere in loco le maestranze più esperte, a proteggerle dalla concorrenza negativa e a incoraggiare l'innovazione. Nel 1498 i Masci, la più illustre famiglia di vasai di Deruta, dichiarano nel rendiconto catastale che le loro maioliche (ceramiche a lustro) sono «bellissime e mai viste prima e, vendute in ogni parte del mondo, fanno la gloria della città di Perugia e ne accrescono la fama».[39] Durante una riunione del consiglio municipale svoltasi a Urbino nel 1511 vi fu chi sostenne la necessità di fare in modo che artigiani come i vasai fossero incoraggiati a vivere in città e non nei paesi vicini, sia per ragioni economiche sia perché le «arti sono un decoro per le città e le nobilitano».[40] Nel 1519 un breve di papa Leone X garantì l'immunità fiscale a Maestro Giorgio che dalla Lombardia era giunto a Gubbio e vi aveva insediato una fiorente industria ceramica, in considerazione del fatto che egli era un eccellente maestro della maiolica e che le sue opere, vendute all'e-

36. A. Alverà Bortolotto, *Maiolica a Venezia nel Rinascimento*, Bergamo 1988.

37. Cipriano Piccolpasso, *Le piante et i ritratti delle città e terre dell'Umbria sottoposte al governo di Perugia*, a cura di G. Cecchini, Roma 1963, p. 242; appare sempre più probabile che il Francesco Gnagni menzionato da Piccolpasso sia lo stesso Francesco Durantino, anche se nei documenti di Torino non è stato ancora ritrovato alcun riferimento.

38. T. Wilson, *The Maiolica-Painter Francesco Durantino: Mobility and Collaboration in Urbino 'istoriato'*, in *Italienische Fayencen der Renaissance. Ihre Spuren in internationalen Museumssammlungen*, a cura di S. Glaser («Wissenschaftliche Beibände zum Anzeiger des germanischen Nationalmuseums», Band 22 [2004]).

39. T. Biganti, *Documenti: la produzione di ceramica a lustro a Gubbio e a Deruta tra la fine del secolo XV e l'inizio del secolo XVI. Primi risultati di una ricerca documentaria*, «Faenza», 73 (1987), p. 215: «maiolica et eorum laboreria pulcra et inaudita vendunt per universum orbem et propter hoc civitas perusina gloriatur et in fama crescit et omnes mirantur».

40. T. Wilson, *'Poca differenza...' Some Warnings against Over-confident Attributions of Renaissance Maiolica from the Duchy of Urbino*, «Faenza», 89, 1-6 (2003), p. 154: «artes decorant et nobilitant civitates».

stero, portavano onore e profitto (in termini di entrate doganali) alla città.[41] Nel 1569 un editto di Guidobaldo II, duca di Urbino, riconobbe come una importante innovazione la tecnica di doratura a fuoco su ceramica messa a punto da Giacomo di Girolamo di Lanfranco di Pesaro e, in segno di apprezzamento, gli concesse un monopolio e immunità fiscali.[42] Sebbene le numerose misure protezionistiche,[43] i privilegi e le immunità accordati all'industria ceramica rappresentino fonti storiche importanti, essi non sono stati ancora oggetto di studi approfonditi nell'ambito di un più ampio contesto storico-economico.

In casi eccezionali gli oggetti di maiolica furono scelti per elargire doni in contesti di tipo diplomatico. I duchi e le duchesse di Urbino, in particolare, colsero l'occasione di mostrare la magnificenza della maiolica prodotta nella loro città commissionando regali destinati a persone influenti.[44] Nel 1528, subito dopo il sacco di Roma, l'agente ducale alla corte di Clemente VII a Orvieto scrisse alla duchessa per sollecitarla a inviare un servizio di ceramica al papa poiché l'occasione lo richiedeva, avendo egli appena consumato un servizio che aveva ricevuto da Faenza, ma di farlo «in fretta, in fretta, poiché è giusto il momento».[45] Nel 1548, come annota il Vasari, il duca Guidobaldo II commissionò una serie di disegni a Battista Franco e in base ad essi fece realizzare una serie di servizi da donare all'imperatore Carlo V e all'autorevole cardinale Alessandro Farnese, fratello di sua moglie.[46] Intorno al 1560, grazie alla famiglia Fontana, la maiolica urbinate si arricchì di un nuovo tipo di decorazione, basata su grottesche meticolosamente dipinte su fondo bianco. Tale tipo di decorazione, apprezzato dalle famiglie più altolocate e influenti, divenne presto lo stile privilegiato per doni scambiati tra le classi più elevate, al punto che giunse a sostituire l'istoriato. Come narra ancora il Vasari, nel 1560 o 1561 il duca Guidobaldo commissionò a Taddeo e a Federico Zuccaro una nuova serie di disegni, raffiguranti le campagne e i trionfi di Giulio Cesare, per un servizio di maiolica da inviare in dono a Filippo II di

41. U. Nicolini, *Le maioliche di Deruta, Gualdo Tadino e Gubbio: stato della documentazione dei secoli XIV-XVI*, in *Maioliche umbre decorate a lustro. Il Rinascimento e la ripresa ottocentesca. Deruta, Gualdo Tadino, Gubbio*, Catalogo della mostra, a cura di G. Guaitini, Firenze 1982, p. 24: «ultra honorem quem ex dicto artificio apud quascunque nationes ad quas vasa a te confecta deferuntur, maximum lucrum et utilitatem in dohanis habuerunt».

42. P. Bonali, R. Gresta, *Girolamo e Giacomo Lanfranco dalle Gabicce maiolicari a Pesaro nel secolo XVI*, Rimini 1987, p. 196, doc. 212.

43. Cfr., per esempio, A. Alverà Bortolotto, *Storia della ceramica a Venezia dagli albori alla fine della Repubblica*, Firenze 1981, p. 18; Berardi, *L'antica maiolica*, cit., p. 48; Goldthwaite, *Il mondo economico*, cit., pp. 181-183.

44. T. Wilson, *Committenza roveresca e committenza delle botteghe maiolicarie del Ducato di Urbino nell'epoca roveresca*, in *I Dalla Rovere. Piero della Francesca, Raffaello, Tiziano*, Catalogo della mostra a cura di P. Dal Poggetto, Milano 2004.

45. Spallanzani, *Ceramiche alla Corte dei Medici*, cit., p. 129.

46. T. Clifford, J.V.G. Mallet, *Battista Franco as a Designer for Maiolica*, «The Burlington Magazine», 118 (1976); per una bibliografia più recente cfr. i contributi di Wilson e Nepoti in *I Della Rovere*, cit., p. 205 nota 29, pp. 422-424.

Spagna.[47] Più o meno nello stesso periodo fu realizzata una credenza altrettanto elaborata, dipinta con soggetti tratti dal romanzo *Amadigi di Gaula* e recante iscrizioni in spagnolo, destinata forse a Filippo o a un altro grande di Spagna.[48] Nel 1566 papa Pio V impose ai suoi cardinali di usare a tavola stoviglie di maiolica, invece che di metallo prezioso, e in un documento risalente al marzo del 1568 si legge che «il Duca di Urbino ha mandato a donar al Papa una bellissima credenza de piati de majolica historiati con figure, de' quali Sua Santità si vuole servire più che delli argenti».[49] Negli anni Novanta del Cinquecento la sorella del duca di Urbino inviò in dono alle mogli di due vicerè spagnoli di Napoli dei servizi stemmati di maiolica urbinate dipinta a grottesche.[50]

Anche le autorità municipali usavano le ceramiche come doni di prestigio. Nel 1556-1557 il consiglio municipale di Castel Durante decise di commissionare un vaso di maiolica decorato con soggetti militari, grottesche e simboli araldici da regalare al cardinale francese François de Tournon in occasione di una sua permanenza in città.[51] Secondo Cipriano Piccolpasso, fu in questa occasione che il cardinale gli suggerì di comporre i suoi *Tre libri dell'arte del vasaio*. L'opera, sopravvissuta nel manoscritto illustrato dall'autore ma stampata soltanto nell'Ottocento, dedica alla maiolica un trattato in stile classico, rivendicandole così lo *status* di forma d'arte; essa, inoltre, rappresenta una delle principali fonti di informazione sulle tecniche di produzione della maiolica nel Rinascimento. Sebbene non vi sia alcuna testimonianza che il manoscritto sopravvissuto sia stato effettivamente inviato in Francia, è probabile che il cardinale de Tournon fosse interessato a utilizzare il trattato come strumento per promuovere e sviluppare nel suo paese l'industria della maiolica in stile italiano.

Nel 1535 due illustri figure della corte francese, il cardinale Antoine Duprat, cancelliere di Francia, e il conestabile Anne de Montmorency furono i destinatari dei primi servizi istoriati realizzati per autorevoli personalità straniere. Anche in assenza di documentazione specifica si può ritenere con una certa sicu-

47. J.A. Gere, *Taddeo Zuccaro as a Designer for maiolica*, «The Burlington Magazine», 105 (1963); T. Wilson, *Italian Maiolica of the Renaissance*, Milano 1996, pp. 368-377; Wilson, *Committenza roveresca*, cit., e F. Vossilla, *Lo 'Spanish Service'. Un riepilogo*, in *I Della Rovere*, cit., pp. 205-206, 221-222.

48. Wilson, *Committenza roveresca*, cit., p. 205, fig. 2; Thornton, Wilson, *Italian Renaissance Ceramics*, cit.

49. G. Ballardini, *Spigolature*, «Faenza», 11 (1923), p. 46.

50. F. Negroni, *Una famiglia di ceramisti urbinati: i Patanazzi*, «Faenza», 84 (1998), p. 108; Wilson, *Committenza roveresca*, cit., p. 207, dove si citano altri esempi di oggetti di maiolica elargiti in dono dagli allora duchi e duchesse di Urbino.

51. Piccolpasso, *The Three Books*, cit., I, pp. XXII-XXIII; C. Dupuy, *Cipriano Piccolpasso auteur des Tre Libri dell'Arte del Vasaio et le cardinal François de Tournon*, in *Majoliques européennes. Reflets de l'estampe lyonnaise (XVIe et XVIIe siècles). Actes des journées d'études internationales "Estampes et majoliques", Rome (12 octobre 1996) - Lyon (10, 11 et 12 octobre 1997)*, a cura di J. Rosen, Dijon 2003; Wilson, *Committenza roveresca*, cit., p. 205.

rezza che i due servizi, realizzati a Urbino nella bottega di Guido Durantino, costituissero in qualche modo dei doni diplomatici.[52] Lo stesso Anne de Montmorency, in età più avanzata, svolse un ruolo attivo nell'incoraggiare lo sviluppo di un'industria della ceramica artistica in terra francese, finanziando le tre principali espressioni della produzione ceramica cortese della Francia rinascimentale: la maiolica di Masséot Abaquesne di Rouen,[53] le misteriose ceramiche di Saint-Porchaire[54] e le varie opere di Bernard Palissy.[55]

I manufatti che suscitavano l'interesse di principi e signori rappresentavano solamente una parte minima, e particolarmente raffinata, dell'intera produzione dei ceramisti del Rinascimento. Altri fiorenti centri ceramici quali Faenza, Montelupo e Deruta producevano maiolica per il grande commercio, sviluppando fiorenti e vasti mercati. Intorno al 1540 i vasai di Faenza cominciarono a sfruttare un nuovo tipo di ceramica rivestita di uno smalto spesso e bianco, decorata in uno stile molto più rapido denominato 'compendiario' e, talvolta, modellata in forme complesse e fantastiche. Come scrive Piccolpasso, lo smalto è «malamente oggi detto Bianco faentino» poiché si trattava, in realtà, di un'invenzione di Alfonso I, duca di Ferrara dal 1505 al 1534; in ogni caso, a prescindere dalla sua paternità, furono i vasai faentini che ne sfruttarono appieno il potenziale.[56] La produzione di ceramiche in 'bianco faentino' acquisì ampia notorietà e accelerò la tendenza a usare stoviglie di ceramica anziché d'argento sulle tavole delle famiglie nobili e facoltose. Le botteghe di Faenza giunsero a ricevere numerosi ordini per quantitativi mai richiesti prima, da parte di committenti italiani e stranieri: tra questi figura Camillo Gonzaga, conte di Novellara, che nel 1590 ordinò un servizio composto da 610 pezzi.[57]

Uno dei fattori che spiega la mobilità degli artigiani, e che interessò in particolar modo Faenza, sembra sia stata la diffusione del protestantesimo. A partire dagli anni Trenta del Cinquecento Faenza divenne un focolaio del pensiero protestante, poi spento dall'intervento spietato dell'Inquisizione, culminato con una serie di esecuzioni pubbliche nel 1569.[58] Le idee della Riforma erano particolar-

52. T. Crépin-Leblond, P. Ennès, *Le dressoir du prince: services d'apparat à la Renaissance*, Catalogo della mostra, Paris 1995, pp. 52-67; Wilson, *Committenza roveresca*, cit., pp. 204-205; Thornton, Wilson, *Italian Renaissance Ceramics*, cit.

53. C. Vaudour, *Masséot Abaquesne faïencier à Rouen*, «L'Estampille», 130 (febbraio 1981). È probabile che l'influenza esercitata dall'Italia sull'opera di Abaquesne, da considerarsi una personalità artistica quasi senza precedenti, sia stata mediata da Anversa.

54. Wilson, *Renaissance Ceramics*, cit., pp. 242-263.

55. L. Amico, *Bernard Palissy. In Search of Earthly Paradise*, Paris-New York 1966.

56. Piccolpasso, libro 2; Piccolpasso, *The Three Books*, cit., II, p. 61.

57. P. Marsilli, *I servizi compendiari faentini*, in AA.VV., *Atti del XV Convegno Internazionale della Ceramica, Albisola 1982*, p. 34. Alcuni servizi in 'bianco faentino' sono citati nel compendio di *Faenza-faïence 'Bianchi' di Faenza*, Catalogo della mostra a cura di C. Ravanelli Guidotti, Ferrara 1996, p. 569.

58. P. Marsilli, *Da Faenza in Moravia: ceramiche e ceramisti fra storia dell'arte e storia della riforma popolare*, in AA.VV., *Atti del XVIII Convegno Internazionale della Ceramica*, Albisola 1985, p. 10.

mente diffuse presso il ceto artigianale e buona parte di coloro che a Faenza subirono denunce da parte del tribunale dell'Inquisizione erano vasai. Non esiste un'adeguata documentazione che attesti con chiarezza che alcuni vasai di tendenza protestante abbiano lasciato Faenza trasferendo in luoghi più tolleranti la nuova tecnica della maiolica bianca faentina, ma l'ipotesi che ciò sia avvenuto sembra plausibile. È certo che nel Cinquecento i vasai di Faenza trasferirono altrove la loro maestria e il loro stile: per esempio, il primo pezzo di maiolica torinese marcato è una coppa traforata datata 1577 di stile difficilmente distinguibile da quello delle ceramiche faentine; è attribuita con buona ragione ad Alessandro Ardente da Faenza, un artigiano che lavorò a Torino dal 1572 al 1595.[59] A partire dagli ultimi anni del XVI secolo, infine, la ceramica rivestita di smalto stannifero, appartenente in qualche modo alla tradizione del 'bianco faentino', avrebbe incoraggiato lo sviluppo di una fiorente industria presso le comunità anabattiste sorte in Moravia, anche se non vi è testimonianza di un legame diretto tra questi vasai *habaner* di lingua tedesca e i protestanti italiani emigrati in quel paese.[60]

Le ceramiche di provenienza italiana rinvenute durante scavi archeologici in Gran Bretagna, nei Paesi Bassi e nel Nuovo Mondo[61] testimoniano come gran parte delle merci che viaggiavano nell'Atlantico passassero per i porti del Tirreno, soprattutto Pisa e Genova. Il maggior numero di ceramiche importate in Gran Bretagna nel XVI secolo proveniva da Montelupo e veniva spedito dal porto di Pisa, seguito dalle maioliche provenienti dalla Liguria e imbarcate a Genova.[62] Scavi archeologici eseguiti nei Paesi Bassi hanno portato alla luce, oltre che ceramiche provenienti da Montelupo e dall'area ligure, un buon numero di manufatti decorati nei caratteri del compendiario e appartenenti al genere del 'bianco faentino'. Quali di questi oggetti siano stati prodotti a Faenza e quali da maestranze faentine emigrate altrove è un dilemma risolvibile, forse, soltanto attraverso un programma di analisi scientifiche dell'argilla di cui sono composti.[63]

59. *Faenza-faïence 'Bianchi' di Faenza*, cit., pp. 43-44. Non conosco testimonianze che Ardente fosse protestante.

60. G. Ballardini, *Opere di maestri compendiari faentini al museo di Torino e loro rapporti con le ceramiche 'habane'*, «Torino», (aprile 1932); Marsilli, *Da Faenza in Moravia*, cit.; Id., *Bianchi mitteleuropei*, in *Faenza-faïence 'Bianchi' di Faenza*, cit.

61. K. Deagan, *Artifacts of the Spanish Colonies of Florida and the Caribbean 1500-1800. Volume I: Ceramics, Glassware, and Beads*, Washington-London 1987, pp. 67-71.

62. J.G. Hurst, *Italian pottery imported into Britain and Ireland*, in *Italian Renaissance pottery. Papers written in association with a colloquium at the British Museum*, a cura di T. Wilson, London 1991.

63. J.M. Baart, *Ceramiche italiane rinvenute in Olanda e le prime imitazioni olandesi*, in AA.VV., *Atti del XVI Convegno Internazionale della Ceramica, Albisola 1983*, Albisola [1984]; Id., *Italiaanse majolica en faïence uit de Amsterdamse bodem: het tafelgoed van de gegoede burgerij*, in *De smaak van de elite. Amsterdam in de eeuw van de beeldenstorm*, a cura di R. Kistemaker e M. Jonker, Amsterdam 1986; Id., *Italian pottery from the Netherlands and Belgium*, in *Italian Renaissance pottery*, cit.; Id., *Sixteenth century Majolica from the North Netherlands*, in *Majolica and Glass. The Transfer of Technology in the 16th-early 17th century*, Atti del convegno, Antwerpen 1999, a cura di J. Veeckman,

Nel corso del Cinquecento, quindi, i ceramisti italiani crearono una gamma di prodotti innovativi che, scalzando a buon titolo la ceramica lustrata spagnola dalla sua posizione ai vertici del mercato, ampliarono la scelta dei servizi da tavola diversamente decorati e ne incoraggiarono la domanda a tutti i livelli sociali e presso i mercati in espansione. Questo processo fu accelerato dalla volontà dei vasai di trasferirsi dove la loro maestria era meglio spendibile e dall'adozione di politiche, promosse da governanti e comunità, che li incoraggiavano a recarsi, o a rimanere, nei luoghi di loro dominio. Analoghi fattori operarono a livello internazionale.

La già citata credenza inviata al sovrano d'Ungheria Mattia Corvino, uomo di lettere, e alla sua consorte italiana fu la prima commissione a noi nota a essere realizzata per la famiglia reale di un paese straniero. Intorno al 1515 alcune influenti famiglie di mercanti di Augusta e di Norimberga, che intrattenevano con Venezia proficui rapporti commerciali, svilupparono un certo gusto per la maiolica veneziana decorata in tonalità di blu e di bianco, a imitazione della porcellana cinese o della ceramica islamica. Nel 1515 Regina Meuting (figlia di una Fugger) sposò Johann Lamparter von Greiffenstein di Augusta e in quell'occasione, o poco tempo dopo, essi ordinarono (o ricevettero in dono) un servizio che comprendeva il piatto oggi al Grassi Museum di Lipsia.[64] Altre famiglie del Sud della Germania, svizzere[65] e in alcuni casi austriache[66] divennero clienti abituali dei ceramisti italiani. Tra le commissioni più prestigiose di servizi da tavola vi fu un magnifico e ricco servizio in 'bianco faentino' realizzato nel 1576 per Alberto V, duca di Baviera, dalla bottega Bettisi di Faenza[67] di cui si sono conservati più di 120 pezzi, la maggior parte dei quali sono ancora a Monaco. Alcuni anni dopo, nel 1585, il successore di Alberto, Guglielmo V, ricevette in dono un servizio di maiolica dal duca di Urbino e lo apprezzò al punto da ordinarne un

39

Antwerpen 2002; *Maiolica in the North*, cit. È probabile che a tempo debito si giunga a dimostrare come alcune delle ceramiche bianche rinvenute al di fuori dell'Italia (anche in luoghi lontani quali Città del Messico), attribuite dagli archeologi a maestranze faentine, siano state in realtà prodotte altrove.

64. G. Szczepanek, *Italienische Majoliken mit Wappen Augsburger Familien (1515-1605)*, «Keramos», 186 (2004), p. 89; su Norimberga cfr. J. Lessmann, *Italienische Majolika in Nürnberg*, in *Italienische Fayencen der Renaissance. Ihre Spuren in internationalen Museumssammlungen*, a cura di S. Glaser, «Wissenschaftliche Beibände zum Anzeiger des germanischen Nationalmuseums», Band 22 (2004).

65. R. Schnyder, *Faenza e la Svizzera nel Seicento*, «Faenza», 66 (1980).

66. Per un servizio istoriato commissionato da Nikolaus Rabenhaupt von Suche, cancelliere dell'Austria Inferiore, e da sua moglie, appartenente alla famiglia di Augusta, cfr. *Ceramic Art of the Italian Renaissance*, Catalogo della mostra a cura di T. Wilson, London 1987, n. 210.

67. L. Hager, *Ein Majolika-Tafelgeschirr aus Faenza im Residenzmuseum München*, «Pantheon», 23 (1939); G. Szczepanek, *Prunkservice oder Gebrauchsgeschirr? Das Majolikaservice Herzog Albrechts V. von Bayern*, «Weltkunst», 72, 6 (2002) e Ead., *Die 'Metamorphosen'-Szenen aus dem Majolikaservice Herzog Albrechts V. von Bayern. Bildtradierung und Ikonographie*, in *Italienische Fayencen*, cit.; *Faenza-faïence 'Bianchi' di Faenza*, cit.

altro specificando, in piena adesione allo spirito della Controriforma, che venisse chiesto ai decoratori di evitare i soggetti mitologici più *risqué*: «Che siano avertiti i Pittori a non porvi cosa alcuna che tenga del dishonesto».[68]

Tra i primi esempi dell'influenza esercitata dalla tradizione italiana della maiolica su un artista tedesco si deve ricordare l'opera del pittore Bartholomäus Dill Riemenschneider (1500-ca. 1549), figlio del grande scultore Tilman Riemenschneider. Stabilitosi nell'Italia settentrionale, nonostante nel 1528-1530 fosse stato arrestato e accusato di protestantesimo, egli lavorò per il cardinale Bernardo Cles presso il suo palazzo di Trento. È lui il probabile autore delle piastrelle dipinte con animate grottesche per l'appartamento privato del cardinale (particolarmente ammirate da Montaigne), mentre gli vengono attribuiti con certezza i soggetti mitologici dipinti che decorano le grandi stufe di ceramica tanto apprezzate a nord delle Alpi ma indubbiamente poco 'italiane'.[69]

Nei primi anni del XVI secolo la superiorità della maiolica italiana rispetto a ogni altro tipo di ceramica prodotto in Europa, in termini di qualità tecnica e di raffinatezza artistica, era cosa evidente e ampiamente riconosciuta. Il commercio della maiolica cominciò a svilupparsi anche all'estero e i vasai più intraprendenti iniziarono a migrare altrove trasferendo la loro maestria a nuovi mercati e, in particolare, a quei centri di commercio dove i mercanti italiani avevano insediato solide comunità.

Tra i primi a migrare vi fu uno dei ceramisti più brillanti e misteriosi, Francisco Niculoso,[70] del quale è documentata la presenza a Triana, il noto quartiere dei vasai di Siviglia, nel 1498. Attivo per circa trent'anni nella città spagnola, egli vi realizzò una notevole serie di dipinti su maiolica in grande scala e vi introdusse la tavolozza della maiolica italiana.[71] Non ci è pervenuta alcuna testimonianza sulla vita di questo artista prima del suo arrivo a Siviglia e le sue origini rimangono sconosciute. A volte risulta menzionato con l'appellativo di 'Pisano', un aggettivo che nella Siviglia del tempo era generalmente riferito a qualsiasi italiano. In Italia non esiste niente di comparabile ai suoi splendidi dipinti su maiolica, prima espressione di una nuova forma d'arte destinata ad avere lunga storia sia in Spagna che in Portogallo. 44

Verso la fine del Quattrocento, nelle ricche città commerciali dei Paesi Bassi le importazioni di manufatti ceramici di lusso facevano registrare una sempre più marcata preferenza per la maiolica italiana rispetto al lustro di Valenza.

68. G. Gronau, *Documenti artistici urbinati*, Firenze 1932; Szczepanek, *Prunkservice*, cit.; Wilson, *Committenza roveresca*, cit., p. 207.

69. C. Ravanelli Guidotti, *Per un catalogo delle ceramiche: considerazioni generali*, in *Un museo nel Castello del Buonconsiglio. Acquisizioni, contributi, restauri*, a cura di L. Dal Prà, Trento 1995, pp. 369-370; Marsilli, *Bianchi mitteleuropei*, cit.; *Allgemeine Künstlerlexikon*, 27, München-Leipzig 2000, pp. 391-392.

70. A. Ray, *Francisco Niculoso called Pisano*, in *Italian Renaissance Pottery*, cit.

71. A.W. Frothingham, *Tile Panels of Spain*, New York 1969, pp. 1-20.

Emblematici di questo cambiamento sono due splendidi quadri dipinti a Bruges. Nella magnifica pala d'altare realizzata per il mercante fiorentino Tommaso Portinari intorno al 1475, Hugo van der Goes dipinse accanto alla Vergine un albarello valenzano contenente dei gigli.[72] Ma quando, circa un decennio più tardi, Hans Memling realizzò una deliziosa natura morta sullo sfondo di un ritratto (forse commissionato da un altro mercante italiano) vi pose al centro una brocca di maiolica italiana che, uscita probabilmente da una bottega di Pesaro, era in qualche modo approdata a Bruges.[73]

Nei vent'anni che seguirono al declino di Bruges si accompagnò l'affermazione di almeno tre ceramisti italiani nella grande metropoli di Anversa, dove il commercio era in pieno sviluppo.[74] A meglio riuscire nell'impresa fu Guido di Luca Savini che, stabilitosi nella città intorno al 1508, sposò in seguito due donne del posto piuttosto facoltose e si fece chiamare Guido Andries. Nei documenti di Anversa si fa riferimento a lui come veneziano ma, se è possibile che avesse lavorato per qualche tempo a Venezia prima di lasciare l'Italia, egli era in realtà di Castel Durante, la città del Ducato di Urbino destinata a diventare, nel corso del Cinquecento, fiorente centro di produzione ceramica.

La moda di usare servizi da tavola in maiolica, su cui si basava l'attività della maggior parte dei ceramisti italiani, non era ancora diffusa nell'Europa settentrionale e gli affari di Guido sembra poggiassero sulla produzione di vasi da farmacia e di piastrelle da pavimento. Egli, infatti, realizzò alcune piastrelle a The Vyne, nell'Hampshire, nel sud dell'Inghilterra, e un intero pavimento per l'abbazia cistercense di Herkenrode, nelle Fiandre. Dopo la sua morte, nel 1541, la vedova sposò un altro vasaio di Anversa di discendenza italiana, Franchois Frans, che continuò con successo l'attività di Guido.

43

Fu lo stesso Guido a rifiutare l'invito con il quale Enrico VIII gli chiedeva di stabilirsi in Inghilterra per insediarvi l'industria ceramica. Furono in seguito i suoi figli e i vasai formatisi nella sua bottega a diffondere oltre confine la versione di Anversa della maiolica italiana. Uno dei figli, Frans Andries, si trasferì a Siviglia e nel 1561 si impegnò a trasmettere la tecnica della maiolica italiana (*a pisano*) a un ceramista del luogo. Anche Jan Floris, un altro pittore di ceramiche

72. Per la datazione cfr. J. Sander, *Hugo van der Goes*, Mainz 1992, p. 246.

73. C. Eisler, *The Thyssen-Bornemisza Collection. Early Netherlandish Painting*, London 1989; Wilson, *Italian Maiolica*, cit., p. 6, figg. 1.2-1.4. La stessa brocca sembra essere raffigurata in un altro dipinto di Memling conservato a Berlino, la *Madonna con bambino*. Cfr., in generale, K. Strauss, *Keramikgefässe, insbesondere Fayencegefässe auf Tafelbildern der deutschen und niederländischen Schule des 15. und 16. Jahrhunderts*, «Keramik-Freunde der Schweiz Mitteilungsblatt», 84 (1972). Sono grato a Bieke Hillewaert per l'informazione che non vi sono testimonianze archeologiche provenienti da Bruges di una produzione di maiolica nella maniera italiana.

74. Per quanto riguarda la ceramica di Anversa ogni studio precedente è stato superato da C. Dumortier, *Céramique de la Renaissance à Anvers. De Venise à Delft*, Bruxelles 2002; cfr. anche *Majolica and Glass*, cit.

(membro di una nota famiglia di artisti) che sembra avesse imparato il mestiere nella bottega di Franchois Frans, raggiunse la Spagna e lavorò a Plasencia, a Madrid e a Talavera; nel 1562 Filippo II lo nominò «maestro de azulejos» dell'Escorial.[75] Un secondo figlio di Guido, Joris, avviò una bottega a Middelburg, nel nord dei Paesi Bassi, e un terzo, Jasper, si trasferì in Inghilterra e nel 1567 si stabilì a Norwich dove lavorò insieme a un altro vasaio di Anversa, Jacob Jansen. Nel 1570 i due soci si rivolsero alla regina Elisabetta affinché concedesse loro il privilegio di recarsi a Londra e di insediarvi la loro attività, facendo presente che essi erano giunti in Inghilterra «per evitare persecuzioni e per obbligo di coscienza», che erano stati i primi a introdurre «detta scienza» in quel Paese, che con grande dispendio di fatica e denaro si impegnavano nella ricerca delle materie prime e che da tre anni producevano «con grande artifizio» piastrelle da pavimento e vasi per gli speziali a Norwich.[76] Il risultato fu l'effettiva apertura di una bottega ad Aldgate, a est della città di Londra, condotta principalmente da Jansen, da cui prese vita e si sviluppò la fiorente industria della maiolica inglese, denominata in seguito *delftware*. Il piatto conservato nel Museum of London, realizzato in uno stile ispirato al manierismo di Anversa e recante un'iscrizione in inglese in lode della regina Elisabetta, fu indubbiamente opera di uno dei vasai fiamminghi attivi a Londra.[77] In modo analogo, l'impatto esercitato dai ceramisti di Anversa stabilitisi a Haarlem, Utrecht, Amsterdam e Delft ebbe un ruolo decisivo nello sviluppo della produzione di maiolica nel nord dei Paesi Bassi che culminò nella grande industria di Delft.[78]

40

L'origine e lo sviluppo dell'industria della maiolica a nord dei Paesi Bassi, e più specificatamente in Inghilterra, possono quindi essere fatti direttamente risalire alla presenza di due famiglie italiane stabilitesi ad Anversa all'inizio del Cinquecento. Le controversie religiose che culminarono nella 'furia spagnola' del 1576 rappresentarono senza dubbio un fattore che indusse Jasper Andries, un protestante, ad abbandonare Anversa così come altri vasai che si trasferirono nelle regioni protestanti dei Paesi Bassi per evitare persecuzioni e conflitti.

La concessione di privilegio richiesta alla regina Elisabetta dimostra come il favore di governanti e sovrani, che riconoscevano vantaggi nello sviluppo di industrie locali, potesse costituire uno stimolo essenziale allo sviluppo e al prosperare dei commerci e come il diritto alla libertà religiosa potesse essere addotto a sostegno di tali petizioni.

75. Dumortier, *Céramique de la Renaissance à Anvers*, cit., pp. 50-52, 237; A. Plezeguelo, *Jan Floris (c. 1520-1567): a Flemish Tile-maker in Spain*, in *Majolica and Glass*, cit.

76. F. Britton, *London Delftware*, London 1986, pp. 18-29; Dumortier, *Céramique de la Renaissance à Anvers*, cit., pp. 56-7, 228-229; due altri fratelli di Jasper, Joris e Lucas (un mercante), trascorsero alcuni periodi in Inghilterra.

77. Britton, *London Delftware*, cit., p. 105; la data si può leggere 1602 oppure 1600.

78. Dumortier, *Céramique de la Renaissance à Anvers*, cit., pp. 52-56.

Anche la tradizione della *faïence* francese è riconducibile all'influenza esercitata da alcune note maestranze italiane. Negli anni 1517-1518 il fiorentino Girolamo della Robbia lavorò per Francesco I realizzando decorazioni architettoniche in terracotta smaltata per alcuni palazzi reali, quali lo splendido Château de Madrid al Bois de Boulogne (distrutto durante la Rivoluzione Francese).[79] Tuttavia, dopo la sua morte, avvenuta a Parigi nel 1566 (in occasione della quale fu descritto come «noble homme architecte du roi»), nella città non rimase alcuna bottega di scultura smaltata. Lo spirito imprenditoriale che animava il commercio in provincia era destinato a esercitare un'influenza più durevole rispetto al mecenatismo dei sovrani a Parigi.

Nel grande centro commerciale di Lione la presenza di vasai italiani è testimoniata a partire dal 1512, anno in cui i documenti menzionano ceramisti definiti 'fiorentini'. Tra i reperti archeologici rinvenuti a Lione vi sono frammenti di albarelli, mentre altro vasellame decorato nello stile adottato nella stessa epoca a Montelupo fu probabilmente opera di artigiani emigrati da questo paese.[80] La presenza di vasai italiani attivi a Lione è testimoniata anche in seguito: tra questi vi erano Sebastiano Griffo, Filippo Seiton, Giovanfrancesco e Cristoforo Pesaro, tutti di Genova, e Giulio Gambini e Domenico Tardessir di Faenza.[81]

Nel 1581 Gironimo Tomasi, un pittore di maiolica che aveva imparato il mestiere a Urbino e lavorato successivamente a Savona (dal 1576 al 1581), si trasferì a Lione dove, l'anno seguente, dipinse e firmò il primo esemplare certo di maiolica francese in stile italiano sopravvissuto fino a oggi.[82] La scena della *Verga del faraone* è derivata da un'incisione tratta da uno dei diffusi libretti di illustrazioni della Bibbia pubblicati a Lione. Questi volumi poco costosi, stampati in grandi tirature e in diverse lingue, costituivano una fonte d'ispirazione privilegiata anche per i decoratori attivi in Italia.[83] A Lione, tuttavia, il successo commerciale della maiolica non fu costante e Gironimo vi morì in povertà nel 1602.[84]

42

Al tempo della morte di Gironimo un'industria della maiolica più attiva e più solida, rispetto a quella di Lione, era presente a Nevers. Nel 1565 Luigi Gonzaga assunse il titolo di duca di Nevers unendosi in matrimonio con Hen-

79. G. Gentilini, *I Della Robbia. La scultura invetriata nel Rinascimento*, Firenze 1992, II, pp. 362-369.

80. Un caratteristico albarello è in Wilson, *Maiolica*, cit., n. 38; per testimonianze d'archivio e archeologiche provenienti da Lione cfr. N. Rondot, *Les potiers de terre italiens à Lyon au XVIe siècle*, Lyon-Paris 1892, p. 27; A. Horry, *Premiers témoignages archéologiques des faïenciers lyonnais du XVIe siècle*, in *Majoliques européennes*, cit., p. 108.

81. Per i documenti cfr. Rondot, *Les potiers de terre*, cit.; C. Damiron, *La faïence de Lyon*, Paris 1926.

82. T. Wilson, *Gironimo Tomasi et le plat marqué* 1582 leon *du British Museum*, in *Majoliques européennes*, cit.

83. Cfr. E. Leutrat, *Bernard Salomon et la majolique: une circulation de formes au XVIe siècle*, in *Majoliques européennes*, cit., e altri saggi nello stesso volume.

84. L. Sfeir-Fakhri, *Gironimo Tomasi, les dernières recherches*, in *Majoliques européennes*, cit.

riette de Clèves e incoraggiò l'opera degli artisti italiani, compresi vetrai e ceramisti. Un buon numero di vasai si trasferì allora nella città: tra questi Giulio Gambini di Faenza, che vi arrivò da Lione, e alcuni esponenti di un'importante famiglia ligure, i Corrado, che in Francia presero il nome di Conrade. Il piatto conservato al Louvre, decorato con un disegno ispirato alla *Galatea* di Raffaello, porta una curiosa iscrizione franco-italiana, *FESI A NEVRS*, e fu probabilmente il frutto di una collaborazione tra Giulio Gambini e Agostino Corrado (Augustin Conrade). Nella prima metà del Seicento gran parte della maiolica prodotta a Nevers era rivestita di semplice smalto bianco, nella tradizione del 'bianco faentino'[85] per cui, gradualmente, si affermò in Francia il termine *faïence*. Nel 1644 Anthoine de Conrade fu nominato *fayancier ordinaire* del re mentre Nevers divenne una delle culle dell'industria della maiolica che nei secoli XVII e XVIII si insediò anche in molte altre regioni della Francia.[86]

41

L'industria della maiolica dimostra con eccezionale chiarezza come maestranze e artisti italiani abbiano fatto propria una tecnica di origine essenzialmente islamica, l'abbiano trasformata in una delle più piene espressioni della cultura del Rinascimento italiano, basata sul disegno e sull'innovazione tecnica, e abbiano prodotto una serie di manufatti sempre più richiesti dal mercato interno ed estero. I vasai possedevano una maestria altamente spendibile sul mercato e se gli storici della ceramica possono ripercorrerne gli spostamenti anche attraverso l'analisi storico-artistica degli stili decorativi, ciò che allora contava era soprattutto l'abilità tecnica, la capacità di riconoscere quale argilla, quali smalti e quali pigmenti avrebbero garantito insieme la migliore resa e la migliore reazione alla cottura. I vasai che emigrarono all'estero per trasferire a nuovi mercati il loro sapere tecnico e artistico, a scopo puramente commerciale o su invito di sovrani, governanti o aristocratici, diedero vita nei paesi di accoglienza a nuove tradizioni nazionali. Nel corso del Seicento, nell'Europa centrale e settentrionale, queste tradizioni si svilupparono in forme d'arte che oggi ci sembrano del tutto caratteristiche delle culture in cui presero vita. Nello stesso periodo le esportazioni di maiolica italiana diminuirono e mentre essa perdeva il suo primato tecnico e artistico, il ruolo decisivo svolto dalle maestranze italiane nello sviluppo della ceramica in Europa si smarriva.[87] *

85. J. Rosen, *L'émancipation des sources gravées. De la majolique italienne à la faïence française (1540-65)*, in *Majoliques européennes*, cit., p. 137.

86. M. Taburet, *La Faïence de Nevers et le miracle lyonnais au XVIe siècle*, Bruxelles 1981; D. Guillemé Brulon, *Histoire de la faïence française: Lyon et Nevers: sources et rayonnement*, Paris 1997; *Majoliques européennes*, cit.

87. Sono grato a John Mallet per osservazioni sul testo e a Elisa Paola Sani e Marco Spallanzani per alcune precisazioni linguistiche.

* Traduzione di Giovanna Albio

I dipinti

NEIL DE MARCHI E LOUISA C. MATTHEW*

Obiettivi e metodo

Questo saggio parte dal nostro comune interesse per gli aspetti economici della produzione pittorica nella prima Età moderna, e in particolare dalla specifica conoscenza della pittura veneziana del Cinquecento e delle condizioni del mercato dell'arte nei Paesi Bassi meridionali (secoli XV-XVII) e nella Repubblica Olandese (XVII secolo). Nessuno di noi due è un grande esperto della storia economica italiana o europea. Queste competenze dichiaratamente scarse interagiscono con quella che, sulla base delle ricerche, si presenta come una quasi totale assenza di interesse da parte degli storici economici per l'esportazione dei dipinti italiani. Al contrario, gli storici dell'arte, italiani e non, si sono soffermati su questi flussi, ma di norma il loro interesse si è limitato alle opere 'significative' e non ha riguardato il volume complessivo e i sistemi dei trasferimenti; le informazioni che essi forniscono, inoltre, sono disperse in un numero enorme di studi monografici. Nello spazio ristretto che ci è concesso non potevamo sperare di creare, partendo da fonti come queste, una banca-dati delle esportazioni e delle importazioni di dipinti italiani.[1] Questo avrebbe richiesto l'impegno di un'équipe per molti anni.

* Ringraziamo Isabella Cecchini, Maria Gilbert e Filip Vermeylen, i quali hanno fornito risposte dettagliate a quello che talvolta deve essere apparso loro come un vero fiume di domande. Ancora più grati siamo a Miguel Falomir, che nel corso di molti mesi ha condiviso con noi le sue vaste conoscenze sui dipinti e sui pittori italiani in Spagna, e sul modo in cui vi giunsero. Tutti questi amici ci hanno evitato di commettere errori, ma non sono responsabili dell'uso che abbiamo fatto delle informazioni da loro ottenute. I nostri ringraziamenti vanno anche a Jeroen Puttevils, che generosamente ci ha consentito di trarre spunti dalle ricerche, tuttora in atto, per la sua tesi di master. Siamo inoltre grati ai curatori che ci hanno trasmesso i loro punti di vista, suggerito altre fonti e fornito utili consigli.

1. Il nostro compito è di esaminare tutti gli

Di conseguenza, invece di fornire dati empirici su volumi e flussi internazionali – anche se non mancheranno analisi su questo punto – ci concentreremo sui meccanismi, che illustreremo con esempi specifici. Potremo così identificare il complesso dei sistemi in base ai quali venivano commercializzati i dipinti italiani, sistemi che potranno poi essere confrontati (operando le relative valutazioni) con quanto risulta sia stato attuato con successo nel traffico internazionale – questo sì, ben studiato – delle opere dei pittori olandesi all'inizio dell'Età moderna, con particolare riferimento alle esportazioni da Anversa.

I meccanismi vigenti nel commercio di esportazione del Nord, naturalmente, non si svilupparono dal nulla: si imposero quelli adottati in contesti in cui la produzione era alta rispetto alla domanda locale. Inoltre, in quelle città che sembrano essere state a lungo esportatrici-nette di dipinti – Malines/Mechelen e Anversa per esempio – si verificarono delle circostanze concomitanti che agevolarono le esportazioni. Per citare proprio il caso di Anversa, nel corso di buona parte del Cinquecento esisteva qui un gruppo residente di mercanti e agenti stranieri di varia origine la cui consistenza è presumibile che raddoppiasse temporaneamente in occasione delle due fiere annuali della città. Per un lungo periodo, per di più, fu sufficiente che i mercanti di Anversa operassero come fornitori e intermediari stanziali, perché le autorità cittadine avevano adottato speciali misure che assicuravano redditizie esportazioni di opere d'arte attraverso un più diretto contatto degli operatori locali con i compratori stranieri in un apposito edificio, inaugurato nel 1540, che prese il nome di *Exchange* (*borsa*, ovvero, in fiammingo, *beurs*). Al piano superiore della borsa erano collocati i banchi, 100 in tutto, destinati esclusivamente all'esposizione e alla vendita di oggetti d'arte figurativa (quadri e stampe, spesso dipinte a mano). L'Exchange rappresentava l'ultimo sviluppo di una serie di *panden*, ovvero strutture tipo loggia, usate per la vendita dei dipinti. Nell'ultimo terzo del XVI secolo, soprattutto a causa dei conflitti religiosi, i mercanti stranieri abbandonarono Anversa e il *beurs pand* perse la sua ragion d'essere; nello stesso tempo si avviò, tra i venditori, una trasformazione dettata dalla nuova situazione in cui essi vennero a trovarsi. Quelli di Anversa divennero meno stanziali e nel Seicento molti di essi, di concerto con gli artisti e altri mercanti, cominciarono – una volta all'anno o comunque con una certa frequenza – a raggiungere via terra i mercati della Repubblica Olandese, Parigi, Lille e le città circostanti, oltre che i centri della Germania meridionale. Altri si organizzarono come esportatori, via terra e via mare, e le loro imprese presentano le caratteristiche dell'integrazione verticale. Quelle di cui sappiamo qualcosa erano aziende familiari che si basavano su capitali di famiglia, e di conseguenza non erano grandi; gestivano il proprio parco di artisti, anche se solo sulla base delle

aspetti commerciali, ma ci concentreremo maggiormente sulle esportazioni per rendere più agevole il confronto con Anversa.

richieste, e dipendevano dai contatti esteri (amici, agenti familiari o su commissione, con legami di breve termine) per ottenere ordinativi e vendere i dipinti spediti in esecuzione dei medesimi.

Cercheremo di appurare, usando alcuni esempi di esportazione di dipinti dall'Italia verso la Spagna, se tali trasferimenti si realizzavano grazie a un'infrastruttura mercantile stabile come il *beurs pand* di Anversa del Cinquecento oppure attraverso il sistema prevalente in città nel secolo successivo, con intermediari che agivano come mercanti che in vario grado andarono specializzandosi in opere pittoriche. Le nostre conclusioni peraltro, dato che ci limiteremo a esemplificazioni di esportazioni dall'Italia alla Spagna senza disporre di elementi per accertare se esse possano ritenersi rappresentative, dovranno essere considerate di carattere ipotetico. Il nostro scopo, insomma, è modesto: proponiamo di utilizzare le strutture fin qui appena abbozzate, e che resero possibile un costante flusso di esportazioni di dipinti dai Paesi Bassi meridionali, come punto di riferimento per analizzare la situazione italiana. Tale approccio, speriamo, sarà utile a futuri ricercatori.

Lo studio del mercato dell'arte olandese, o dei Paesi Bassi settentrionali, da parte di economisti e storici dell'economia è stato in parte sviluppato, come ci si poteva aspettare, tramite la quantificazione di parametri-chiave. Ci chiederemo quali tipi di quantificazione, in linea di principio, potrebbero essere utili ai futuri ricercatori del settore nel contesto italiano, mettendo a confronto le risposte con quanto è disponibile per la Repubblica Olandese e i Paesi Bassi Spagnoli. Analizzeremo poi alcuni esempi specifici di esportazione di opere pittoriche dall'Italia alla Spagna concentrandoci sui loro meccanismi di funzionamento. Infine esamineremo in maniera più ravvicinata le importazioni e soprattutto le esportazioni di dipinti relative a una città – Venezia – per cercare un riscontro a quanto avremo dedotto dagli esempi utilizzati per le esportazioni dall'Italia verso la Spagna. Per offrire un quadro un po' più completo faremo anche cenno alle esportazioni documentate di prodotti artistici di poco prezzo da alcuni altri luoghi, nonché alle importazioni di opere pittoriche da Bruges a Firenze nel XV secolo. Il nostro saggio, tuttavia, intende essere principalmente un esercizio di metodo.

Parametri per la valutazione delle esportazioni italiane di dipinti

Come primo passo sarebbe utile adottare un principio basato sul senso pratico, in modo da poter distinguere le città che presentano un saldo netto a favore delle importazioni da quelle che si trovano nella situazione opposta. Una regola che sembra funzionare bene per il Nord Europa è che le città con un numero di artisti per migliaio di abitanti costantemente e decisamente superiore all'1‰ erano città prevalentemente esportatrici. Lo storico economico Michael Montias ha preso in esame la principale sede di lavoro degli artisti ai quali gli inventari seicenteschi di Amsterdam attribuiscono opere. Questa analisi ha mostrato che Amsterdam era un centro che importava con continuità e, dato che secondo Montias le esportazioni erano esigue, era di fatto un'importatrice-netta. Con riferimento all'esame comparativo della proporzione fra artisti e popolazione nelle città olandesi, Montias ha mostrato anche che Amsterdam non ebbe mai un rapporto superiore all'1‰, nemmeno negli anni di massima produzione artistica. Al contrario, alcune città della parte meridionale dei Paesi Bassi quali Malines (Mechelen) e Anversa, che lo studio di altre circostanze mostra essere state forti esportatrici, presentavano per il Cinquecento e il Seicento rapporti che andavano rispettivamente dal 3,5 al 5,3‰ e dall'1,3 al 2,4‰. Fra i notevolissimi problemi da affrontare per accertare questa proporzione vi è l'individuazione di una definizione valida di 'artista' e la decisione di chi far rientrare in questa categoria. Tentativi di ricavare questo rapporto percentuale sono stati fatti per Venezia nel XVI e XVII secolo, per Roma e Parigi nel XVII, per Firenze nel tardo XV secolo. Dai primi risultati sembra che le ultime due città fossero importatrici-nette e Roma un'esportatrice-netta. Venezia quasi certamente aveva un rapporto superiore all'1‰ nel tardo Quattrocento e all'inizio del Cinquecento, ma non è chiaro se fosse un'esportatrice-netta nei successivi secoli XVII e XVIII. Di fatto i problemi di misurazione non sono stati risolti per nessuna delle tre città italiane e i risultati ottenuti andranno certamente riesaminati.[2] Un lavoro d'équipe at-

2. I valori della proporzione fra artisti e popolazione sono presentati in una tabella dell'Appendice a N. De Marchi e H.J. van Miegroet, *The History of Art Markets*, in *Handbook of the Economics of Art and Culture*, a cura di V. Ginsburgh e D. Throsby, Amsterdam 2006, I, cap. 3. Tale tabella, tuttavia, dovrà essere utilizzata con cautela. Certi documenti che appaiono come fonti affidabili per numerosi artisti – i documenti corporativi, per esempio – sono sovente incompleti: talvolta forniscono soltanto, per un determinato anno, le iscrizioni dei nuovi artisti piuttosto che il loro numero totale, spesso comprendono artisti di categorie diverse da quelle impegnate nella pittura figurativa, e così via. Esistono, comunque, fonti alternative: censimenti delle attività o ruoli di imposta, per esempio, ma anche in questi casi sorgono problemi di definizione e l'incertezza si presenta dovunque. Pertanto, sia le elaborazioni ufficiali che – per ragioni analoghe – gli elenchi compilati da osservatori coevi richiedono di norma un controllo caso per caso da parte di chiunque voglia essere sicuro di avere ben compreso come sono stati costruiti e quindi valutarne l'utilità. Tutto questo, però, può richiedere anni e spesso il lavoro è senza fine. In questa situazione per molte città non c'è modo di pervenire a una valutazione ottimale; inoltre è quasi impossibile ottenere la coerenza fra i dati di città diverse. Né i problemi sono sempre legati alla documentazione, potendo riguardare anche le culture locali e i contrasti di interesse. I diversi modi in cui si combinano i mestieri, gli interessi commerciali e quelli dei consumatori influiscono inevitabilmente sulla definizione di artista. La nostra speranza è che se – malgrado queste difficoltà – si riuscisse a determinare la proporzione fra artisti e popolazione per una vasta gamma di città in un dato arco di tempo, potrebbe emergere una linea di tendenza ben definita e comparabile con quanto già noto sui contesti economici. In altre parole, questa stessa proporzione deve essere considerata come il riflesso delle condizioni economiche che l'hanno generata. Come si è ricordato, i valori accertati sono più affidabili – e la corrispondenza con la situazione economica più evidente – per le città olandesi che per quelle italiane.

tualmente in atto, condotto da Richard Spear e che si occupa delle città italiane del Seicento, promette di migliorare notevolmente la nostra comprensione della questione e le nostre stime quantitative. I risultati che per il momento emergono relativamente alle città italiane non sono di grande rilievo; quelli che riguardano la Repubblica Olandese e i Paesi Bassi meridionali, invece, sono abbastanza affidabili per i fini che ci siamo qui proposti.

Ma perché la distinzione fra città importatrici ed esportatrici è così importante? Una città che regolarmente produce molte più opere pittoriche di quante siano necessarie a soddisfare la domanda interna deve necessariamente dar vita a funzioni e meccanismi, ivi comprese le componenti infrastrutturali, in grado di favorire le esportazioni: le possibilità di spedizione e di assicurazione, il sistema creditizio, le reti di commissionari, agenti o partner all'estero, e così via. Tutto ciò deve essere disponibile se si vuol mantenere nel tempo un commercio di esportazione, e dovrebbe poter essere accertato dagli storici.

Il numero degli artisti – il numeratore nella proporzione sopra citata – è importante per determinare la produzione totale di dipinti in una città; e la produzione totale è rilevante perché in presenza di quantitativi maggiori si apre la possibilità di specializzazione. Non ci possiamo aspettare commercianti tendenzialmente specializzati, come quelli che si imposero ad Anversa, in città in cui venivano prodotti pochi quadri.

La conoscenza della produzione totale è importante anche perché sottraendo alla produzione la domanda interna si ottiene il surplus esportabile; conoscere la produzione è dunque un passo per accertare, seguendo un percorso autonomo, se una città era veramente esportatrice-netta. In linea di principio il calcolo della domanda interna non presenta alcuna difficoltà. Le ricerche d'archivio ci forniscono il numero medio dei dipinti presenti in ogni abitazione, generazione per generazione. Tali cifre riflettono sia la nuova domanda che il numero di opere facenti parte dello stock sopravvissuto. Le due cifre possono essere distinte se applichiamo allo stock ereditato un 'tasso di deprezzamento' o 'di perdita'. Il numero dei nuovi dipinti aggiunti in ogni generazione risulterà dunque dalla somma fra lo stock addizionale e il tasso di perdita calcolato sullo stock ereditato (si vedano le note 24 e 26 e l'Appendice qui sotto).

La produzione totale, naturalmente, risulterà legata alla popolazione degli artisti e alla produttività di ciascuno di essi. Se questi numeri, con le debite correzioni per gli stranieri non registrati, sono noti grazie – rispettivamente – ai registri delle corporazioni e ai contratti degli artisti, o se la produttività può essere desunta dalle entrate annuali conosciute degli artisti e dai prezzi medi dei dipinti, disporremo allora del totale della produzione nuova e potremo metterlo a confronto con la domanda. Come si è già osservato, un'eccedenza implica un surplus esportabile. Calcoli di questo tipo sono stati tutti applicati al caso della Repubblica Olandese e alcuni di essi, eseguiti con metodi simili, anche alla produzione complessiva di Malines/Mechelen e Anversa. L'Appendice descrive sommariamente i metodi applicati per la Repubblica Olandese.

La possibilità di istituire, mediante l'applicazione di un tasso di deprezzamento o di perdita, un rapporto fra il numero dei dipinti presenti in un dato momento e quello dei dipinti preesistenti riveste per noi un'importanza particolare. E ciò in quanto, nel caso specifico del traffico di opere pittoriche dall'Italia alla Spagna, noi conosciamo, grazie alla banca-dati degli Inventari Spagnoli del Getty, il numero dei quadri attribuiti ad artisti italiani compresi negli inventari privati redatti in Spagna fra il 1601 e il 1773. Facendo un calcolo ipotetico dello stock iniziale, applicando quello che ci sembra un adeguato tasso di perdita – calcoliamo un 20% per ogni generazione (supposta di venti anni), che dà luogo a una rimanenza di circa il 40% nel giro di quattro generazioni (100→80→64→51→41) – e tenendo conto di un certo numero di esportazioni verso la Spagna per ciascuna generazione, arriviamo a un numero totale di dipinti che corrisponde approssimativamente a quello della banca-dati Getty. Questo numero può quindi essere ritoccato verso l'alto per includervi i pezzi attribuiti a pittori italiani in collezioni non private. L'elaborazione di una stima del totale delle spedizioni dall'Italia verso la Spagna ci può anche dare un'idea del peso dello stesso tipo di esportazioni dai Paesi Bassi meridionali, e di conseguenza un'idea, di fonte ancora diversa, di quello che potremmo presumere avvenisse in Italia in fatto di meccanismi capaci di favorire le esportazioni. La domanda, in rapporto al nostro studio su Venezia, diventa dunque: esiste una prova diretta della presenza di tali meccanismi in questa città?

Come si è già detto, cominceremo con l'esame di alcuni esempi di esportazione di dipinti dalle città italiane verso la Spagna. Il nostro interesse – non dimentichiamolo – è qui limitato ai meccanismi che le hanno agevolate. Gli esempi coprono i decenni compresi fra il 1570 e il 1650, sebbene il periodo di maggiore popolarità della pittura italiana in Spagna si prolunghi in realtà fino al 1700.

Come avvenivano i trasferimenti dei dipinti dalle città italiane alla Spagna?

Possiamo iniziare con una spedizione da Venezia a Cadice, analizzata da Isabella Cecchini, effettuata nel 1647 dal mercante di collane Raffio Marinoni.[3] In questo specifico caso Marinoni aveva aggiunto alle collane anche pettini e ventagli, oltre ad alcune ceste contenenti piccoli quadri. Questi quadri, per i quali era

3. I. Cecchini, *Troublesome Business: Dealing in Venice, 1600-1750*, in *Mapping Markets for Paintings in Europe, 1450-1750*, a cura di N. De Marchi e H.J. van Miegroet, Turnhout 2006, pp. 116-122; cfr. anche Ead., *Quadri e commercio a Venezia durante il Seicento. Uno studio sul mercato dell'arte*, Venezia 2000, p. 230.

stato concordato il soggetto, rappresentavano singoli santi, un tipo di raffigurazione devozionale molto diffuso in Spagna. Il prezzo dei dipinti spediti da questo mercante è noto in altri due casi e l'ammontare complessivo è molto modesto. Da questo elemento, e dalla notevole scarsità della documentazione archivistica su tali spedizioni, la Cecchini arriva alla conclusione che il traffico era poco significativo: probabilmente occasionale ed episodico più che regolare e su larga scala. È difficile giudicare senza avere informazioni supplementari, ma possiamo aggiungere qualcosa confrontando le caratteristiche della spedizione di Marinoni verso Cadice con quelle di altri invii effettuati da Firenze, Roma e Napoli.

Christopher Marshall, per esempio, riferisce che nel 1623 lo spagnolo Jusepe de Torcalina, presente in quel momento a Napoli, stipulò un contratto con un pittore locale poco noto, Dominico d'Aquino, in base al quale questi doveva eseguire nel giro di un mese 100 dipinti su rame, ciascuno raffigurante un santo. L'ammontare della produzione era fissato in 25 quadretti alla settimana al prezzo di mezzo ducato ciascuno, spese escluse.[4] La destinazione di tali dipinti non viene precisata, ma le analogie con la spedizione da Venezia – sia per quanto riguarda il soggetto che il presunto prezzo a quadretto – fanno pensare che le due transazioni facessero parte di un vasto traffico di piccole immagini devozionali da pochi soldi fatte in serie. Risulta anche la presenza a Roma di un pittore fiammingo, Pieter Vlerick (1539-1581) che, secondo una ben informata testimonianza coeva, produceva opere su rame a poco prezzo e in grande quantità destinate all'esportazione nella penisola iberica.[5] Abbiamo anche notizia di una spedizione, effettuata nel 1605 da Raphael de Ciaperoni, di due casse di dipinti da Firenze a Valladolid, residenza provvisoria della corte degli Asburgo di Spagna. Nelle due casse c'erano 170 dipinti, tutti – salvo sei – con una figura devozionale. Dopo oltre sette anni solo 85 dei dipinti erano stati venduti, a un prezzo medio di poco inferiore ai 14 reali, ossia corrispondente a una volta e mezzo o due volte la paga giornaliera di un operaio edile di Siviglia. La moglie del venditore sottraeva le spese, il che riduceva a 8,6 reali la cifra spettante al mittente, ovvero, tenendo anche conto del costo del trasporto, forse non molto di più di quel mezzo ducato che era il prezzo dei dipinti spediti da Venezia e Napoli appena ricordati (0,5 ducati = 5,4 reali).

4. Ch.R. Marshall, *Dispelling Negative Perceptions: Dealers Promoting Painters in Seventeenth-century Naples*, in *Mapping Markets*, cit. Si noti che questo contratto ci fornisce notizie sulla produttività nel fondamentale mercato dei prodotti di basso livello. Altri elementi, derivanti da un contratto concluso a Siviglia nel luglio del 1600, vengono esaminati più avanti.

5. Questa notizia, insieme a quella della spedizione da Firenze, è tratta da M. Falomir, *Artists' Responses to the Emergence of Markets for Paintings in Spain, c. 1600*, in *Mapping Markets*, cit., nel caso di Vlerick (p. 144, n. 45), con la citazione di Karel van Mander, autore delle prime vite dei pittori olandesi, *Het Schilderboek*, Haarlem 1604.

In quest'ultimo caso il primo agente di vendita fu l'artista di corte Bartholomé Carducho (1560-1608), la cui moglie si assunse l'impegno di vendere i dipinti alla sua morte. Carducho proveniva da Firenze ed era fratello di Vicente Carducho (1576/1578 ca.-1639), che si stabilì a Siviglia e nel Seicento scrisse un trattato sulla pittura. Bartholomé Carducho viene ricordato come autore di copie e come importatore di quadri, che vendeva in ambedue i casi a un prezzo che andava dai 14 ai 16 reali l'uno; alcuni dei suoi dipinti originali, però, avevano un valore molto superiore. Fra i suoi clienti, sia per le opere di basso prezzo che per quelle più costose, figuravano dei nobili, e tra essi il duca di Lerma, famoso collezionista.[6]

Una differenza tra le spedizioni veneziane e quelle fiorentine risiede nel fatto che le prime erano dirette a Cadice, e questo ci fa supporre che la loro destinazione fossero le Americhe; intorno alla metà del XVI secolo, infatti, Cadice rimpiazzò Siviglia come porto di spedizione e transito verso i vicereami della Nuova Spagna, del Messico e del Perù. Era peraltro un fatto eccezionale che opere pittoriche venissero spedite da Venezia a Cadice,[7] visto che i quadri destinati ai mercati interni spagnoli venivano normalmente inviati dall'Italia a Cartagena. All'inizio del Seicento, per esempio, troviamo che il pittore fiorentino Pietro Sorri inviava i quadri a Bartholomé Carducho, che probabilmente operava come intermediario a Cartagena insieme al nipote di Sorri, Salustio Lucio.[8]

Il commercio verso le Americhe presentava un volume notevole. Al suo apogeo, nel 1600, vediamo un tale Gonzalo de Palma concludere con il pittore sivigliano Miguel Vázquez un contratto per la produzione non di 100 ma di 1000 'ritratti' di personaggi profani, tutti della stessa misura (0,75 *varas* di altezza x 0,5 *varas* di larghezza, ovvero cm 63 x 42), al ritmo di 25 per settimana e a un prezzo – quattro reali l'uno – perfino inferiore a quello dei dipinti in serie su rame commissionati a Napoli nel 1623.[9] Come si è già osservato, essendo Siviglia a quel tempo il porto d'imbarco verso la Nuova Spagna, questi ritratti erano probabilmente destinati ai vicereami. La Cecchini non dovrebbe essere lontana dal vero nel ritenere che il volume delle esportazioni di dipinti a basso prezzo da Ve-

6. Falomir, *Artists' Responses*, cit., pp. 129, 131, 133-134; Id., *The Value of Painting in Renaissance Spain*, in *Economia e Arte. Secc. XIII-XVIII*, Atti della trentatreesima Settimana di Studi dell'Istituto Internazionale di Storia Economica 'F. Datini' di Prato, Prato, 30 aprile-4 maggio 2001, a cura di S. Cavaciocchi, Firenze 2002, in particolare pp. 243 e 255-260.

7. Informazioni forniteci da Miguel Falomir.

8. Falomir, *Artists' Responses*, cit., p. 134, che cita J.C. Agüera Ros, *El comercio de cuadros Italia-España a través del Levante español a comienzos del siglo XVII*, «Imafronte», 6-7 (1990-1991).

9. Per dettagli sul contratto di Vásquez cfr. Falomir, *Artists' Responses*, cit., p. 127. Falomir (ivi, p. 128) osserva che 4-6,5 reali erano la norma per i quadri 'piccoli' (63 cm x 42 o 0,75 *varas* x 0,5), mentre le tele standard più grandi (103 cm x 84,5 o 1,23 *varas* x 1,0) venivano vendute a un prezzo compreso fra i 14 e i 16 reali.

nezia a Cadice non fosse notevole, ma andasse ad aggiungersi a un flusso più sostanzioso che attraversava l'Atlantico.

Dunque, per riepilogare quanto abbiamo detto finora: a) esisteva un traffico di dipinti di piccolo formato dalla Spagna alle Americhe, ed esistono prove circostanziate che le spedizioni che lo alimentavano partivano da Venezia, Napoli e Roma, sia pure forse solo occasionalmente; b) le opere commissionate per questo commercio di scarso valore consistevano sostanzialmente in immagini devozionali, per lo più recanti la figura di un unico santo; c) da quanto sappiamo circa le condizioni contrattuali vigenti per i lavori seriali a Siviglia e a Napoli possiamo dedurre che il prezzo corrente per i dipinti di questa categoria si aggirasse sul mezzo ducato per pezzo; d) alcuni di questi erano eseguiti su rame, supporto raramente usato in Spagna ma largamente impiegato dagli artisti di Anversa per le opere destinate alla Spagna e ai vicereami del Messico e del Perù; e) tutto ciò, insieme con le notizie secondo le quali almeno alcuni di questi quadri a buon mercato erano eseguiti a Venezia, Napoli e Roma – tre città nelle quali c'erano colonie di pittori fiamminghi – aumenta la possibilità che l'esportazione di questi dipinti di poco prezzo dall'Italia fosse in realtà un'estensione dell'attività di esportazione su vasta scala organizzata a partire dalla stessa Anversa.[10] Soggetto, dimensione, prezzo e – per quanto ne sappiamo – metodi di acquisto e spedizione nei casi citati erano del tutto simili a quelli adottati dai commercianti-concessionari di Anversa all'inizio del Seicento, e può darsi che tali pratiche e meccanismi siano stati semplicemente trasferiti in Italia, a prescindere dal fatto che in ogni operazione fossero coinvolti o meno gli artisti fiamminghi.

Il sistema adottato ad Anversa non era segreto, naturalmente, e i mercanti e gli intermediari italiani avrebbero potuto copiarne gli elementi di base: commissioni agli artisti per le loro opere devozionali in serie, poi spedizione all'ingrosso. Anversa faceva parte, con la vicina Malines, di un sistema di produzione congiunto e a Malines, nel Cinquecento, c'erano degli italiani impegnati nel traffico di opere d'arte. Ciò fa pensare che i metodi di Anversa possano essere arrivati in Italia tramite italiani residenti all'estero e rientrare in un'attività commerciale nata nelle città italiane ben prima delle spedizioni dell'inizio e della metà del Seicento che siamo in grado di individuare.[11] Per quanto ci consta, tuttavia,

10. Miguel Falomir ha avanzato questa ipotesi con noi, anche se non proprio in questi termini, sulla base delle spedizioni da Napoli e Roma. Noi abbiamo scelto di comprendere nella nostra analisi anche Venezia. Lì la colonia degli artisti fiamminghi poteva essere meno consistente ma, come nel caso di Napoli, i quadri 'alla fiammenca', fossero stati o meno eseguiti da artisti fiamminghi, erano molto abbondanti (almeno a giudicare dagli inventari). Falomir ci informa che negli inventari spagnoli tali quadri sono registrati come 'a la Flamenca' e, sebbene alcuni fossero arrivati dall'Italia, molto raramente furono catalogati come 'italiani'.

11. Cfr. N. De Marchi, H.J. Van Miegroet, *The Antwerp-Mechelen Production and Export Complex*, in *In His Milieu. Essays on Netherlandish Art in Memory of John Michael Montias*, a cura di A. Golahny, M.M. Mochizuki e L. Vergara, Amsterdam 2006.

non abbiamo una prova certa dell'esistenza, prima del Settecento, di concessionari-commercianti italiani più o meno specializzati nell'esportazione di opere pittoriche da loro stessi direttamente commissionate e finanziate, come nel primo esempio che abbiamo presentato. In due dei quattro casi sopra citati le figure chiave non erano italiane, e negli altri due, in cui i personaggi principali erano italiani, non sappiamo se le loro spedizioni fossero parte di un traffico regolare. Nel corso del Cinquecento, e anche prima, esisteva un flusso di dipinti fiamminghi diretti in Spagna: questi venivano venduti per lo più nelle fiere, come a Medina del Campo, e i mercanti che li trattavano vendevano principalmente oggetti d'arte di maggior valore, come arazzi, sculture, strumenti musicali ma anche stampe.[12] In quest'epoca non solo non esisteva un'analoga corrente di esportazioni di dipinti a basso prezzo dall'Italia alla Spagna (l'eccezione è rappresentata da certe icone bizantine di cui parleremo più avanti), ma sembra che i mercanti italiani che importavano dipinti da Anversa – soprattutto quando acquistavano grandi quantità – operassero tramite concessionari fiamminghi, piuttosto che trattare direttamente con gli artisti, e che si servissero di navi fiamminghe.[13] Questo esclude che tali mercanti fossero integrati in senso verticale come lo erano i mercanti fiamminghi nel Seicento e forse anche prima.

Fino a questo momento abbiamo parlato soprattutto di immagini devozionali di poco valore. Ora volgiamo la nostra attenzione agli acquisti di prezzo elevato. Trattando di questi ultimi è utile per diversi motivi distinguere tra le acquisizioni della corte, degli enti ecclesiastici e dei collezionisti privati spagnoli. Come ci ha ricordato Miguel Falomir, le acquisizioni degli Asburgo spagnoli seguivano metodi simili a quelli di molte altre corti: doni, richieste velate ed esplicite pretese sulle proprietà altrui avanzate con vari pretesti. Egli fa anche notare che quanto veniva acquisito dipendeva in maniera decisiva dal gusto del monarca del momento. Dato però che il nostro scopo è quello di scoprire tutto quello che possiamo a proposito del commercio italiano di opere pittoriche nei casi in cui le spedizioni avevano carattere di regolarità e prevedevano importi considerevoli – in altre parole, quando riguardavano i dipinti come merce – abbiamo ben poco da dire sulle acquisizioni reali.[14] Anche le acquisizioni della

12. Informazione tratta da Miguel Falomir; cfr. gli esempi forniti nel suo *The Value of Painting*, cit., p. 234; ma cfr. anche F. Vermeylen, *Painting for the Market. Commercialization of Art in Antwerp's Golden Age*, Turnhout 2003, pp. 79-99.

13. L. Campbell, *The Art Market in the Southern Netherlands in the Fifteenth Century*, «The Burlington Magazine», 118 (1976), in particolare p. 197; Vermeylen, *Painting for the Market*, cit., p. 83. Vermeylen riferisce che, conformemente ai registri delle esportazioni da Anversa, 1543-1545, soltanto il 9% dei quadri era diretto in Italia, contro il 34% avviato verso la Spagna e il Portogallo: ivi, p. 82. Per una discussione delle spedizioni effettuate da Anversa nel 1544, e comprendenti quadri diretti in Italia, vedi oltre.

14. Cfr., tuttavia, l'eccellente e dettagliata disamina contenuta in J. Brown, *Kings & Connoisseurs. Collecting Art in Seventeenth-Century Europe*, Princeton 1995.

Chiesa istituzionale – pale d'altare o dipinti di soggetti specifici da collocare in luoghi predefiniti – rivestivano un carattere particolare e dunque si collocano al di fuori del nostro discorso sui dipinti intesi come merce. Quanto al resto, sappiamo molte cose sui collezionisti aristocratici: essi usavano mezzi che andavano dal ricorso a un agente all'acquisto diretto dall'artista. Il nostro fine, non dimentichiamolo, è quello di individuare i meccanismi tramite i quali le opere pittoriche italiane finivano in Spagna. I casi che ora elencheremo ci consentono, nel loro insieme, di fornire una tipologia abbastanza esauriente delle forme dell'attività mercantile, ovvero dei meccanismi di trasferimento dei dipinti dall'Italia alla Spagna.

1) Privati e cittadini spagnoli che venivano in Italia con mansioni ufficiali compravano dipinti italiani o li commissionavano direttamente e per loro uso privato, oppure li acquistavano su incarico ufficiale. Per un lungo periodo le collezioni della corte spagnola ricorsero al secondo tipo di acquisto. Tra i funzionari che acquistarono e inviarono dipinti in Spagna per la corte ci fu Guzmán de Silva, ambasciatore a Venezia fra il 1569 e il 1578. Nel 1574, esattamente quattro anni dopo che Filippo II aveva insediato la corte asburgica a Madrid, Guzmán curò la spedizione di una *Storia di Giacobbe* di Jacopo da Bassano destinata all'Escorial. Falomir, che si è occupato della questione, ipotizza che l'ambasciatore abbia effettuato altri invii e che i suoi successori abbiano fatto lo stesso.[15] Un acquisto probabilmente per uso privato è quello effettuato da Juan de Tasis y Peralta, secondo conte di Villamediana, che fu in Italia dal 1611 al 1615 e spese 20.000 scudi a Roma (1 scudo = 400 maravedì = 11,7 reali, ovvero un po' più di un ducato) e altri 10.000 (= 117.300 reali) a Venezia.[16]

2) Non tutti i collezionisti spagnoli compravano direttamente in Italia: molti acquistavano tramite intermediari in loco. Un esempio di questo tipo è rappresentato dal quinto duca di Infantado (morto nel 1601); fra i 349 dipinti di sua proprietà esistenti al momento della sua morte, infatti, ve n'erano molti provenienti da Roma, tra cui 30 raffiguranti eremiti, inviatigli dal duca di Feria, e altri fornitigli dal cardinale Mendoza.[17]

3) Alcuni dipinti italiani arrivavano alla corte spagnola come doni. Falomir ipotizza che molti dei da Bassano originali giunti in Spagna siano arrivati da Firenze. Un canale fiorentino, infatti, si creò grazie a Ferdinando I de' Medici (1549-1609), che inviava continuamente alla corte spagnola dipinti in dono, e tra

46, 48

15. M. Falomir, *Los Bassano en la España del siglo de oro*, Salamanca 2001, pp. 177-179. Falomir ci ricorda che la bottega dei da Bassano era orientata verso l'esportazione e produceva un gran numero di quadri che prendevano la via della Spagna. Solamente al Prado vi sono circa 40 opere dei da Bassano.

16. Falomir, *Artists' Responses*, cit., p. 131.

17. Ivi, p. 134; dettagli sull'inventario vengono forniti da M.R. Burke, P. Cherry, *Collections of Paintings in Madrid, 1601-1755. Documents for the History of Collecting: Spanish Inventories*, I, a cura di M.L. Gilbert, Los Angeles 1997, pp. 199-203.

questi, nel 1590, *I dodici mesi* di Francesco da Bassano.[18] È probabile che per trasferire queste opere dall'Italia ci si servisse di corrieri ufficiali. I presenti dei Medici, comunque, non erano i soli: anche i duchi di Urbino e di Mantova inviarono dipinti in dono.[19]

4) Il considerevole flusso di quadri dei da Bassano venne arricchito da un'abbondante produzione di copie sul posto, e lo stesso può dirsi dei dipinti di altri artisti italiani. A tirare le fila di quest'attività di produzione di copie c'erano artisti italiani trapiantati in Spagna. Tra questi figuravano i pittori di corte Bartholomé Carducho e Angelo Nardi (1584-1665). Un altro artista coinvolto, non collegato alla corte, fu l'anconetano Antonio Ricci (1560 ca.-1632), che si stabilì in Spagna con Federico Zuccari e che aprì una bottega a Madrid già nel 1582.[20]

5) Alcuni artisti italiani che si stabilirono in Spagna si dedicarono al commercio. Il principale esempio è forse proprio Carducho, che trattava quadri di Pietro Sorri di Firenze, ma anche opere di fiorentini contemporanei come Passignano (maestro del Sorri) e Pagani, oltre che, forse, di altri maestri più vecchi.[21] Il modello del Carducho venne emulato dallo scultore milanese Pompeo Leoni (1530-1608), dal Ricci e, sotto l'ala del prestigioso collezionista Filippo IV (1602-1665), da Giovanni Battista Crescenzi (1577-1635), tutti e quattro italiani emigrati.[22]

I collezionisti spagnoli acquistavano quadri di qualsiasi grandezza e qualità, e a prezzi molto differenziati. Quanto alle misure dei dipinti, esistevano diversi standard: molto piccolo, 'più grande' e – per un ristretto numero di opere – enorme. I prezzi, come abbiamo visto, andavano dai 4 ai 14-16 reali rispettivamente per le opere piccole e per quelle 'più grandi', ma potevano anche arrivare a diverse centinaia di reali. Le copie erano molte, sia importate che eseguite in Spagna. Gli artisti italiani esportavano dipinti in Spagna, ma molti finivano per stabilirvisi, temporaneamente o, se necessario, definitivamente, sia come pittori di corte che come artisti che lavoravano in proprio. Nei meccanismi di scambio riguardanti gli artisti italiani vanno comprese le ordinazioni dirette e i doni, co-

18. Falomir, *Los Bassano*, cit., p. 180. Per i doni dei Medici cfr. E.L. Goldberg, *Artistic Relations between the Medici and the Spanish Courts, 1587-1621*, parti I e II, «The Burlington Magazine», 138 (1996).

19. Falomir, *Value of Painting*, cit., p. 242, n. 53. Riguardo ai corrieri, un invio da Mantova nel 1603 fu effettuato da Rubens: cfr. J.H. Elliott, *Royal Patronage and Collecting in Seventeenth-Century Spain*, in *Economia e Arte*, cit., in particolare p. 557.

20. Cfr. Falomir, *Los Bassano*, cit., pp. 180-181; Id., *Artists' Responses*, cit., pp. 131, 133; Burke, Cherry, *Collections*, cit., p. 33, n. 231. Sul Nardi cfr. A.E. Pérez Sánchez, *Borgianni, Cavarozzi y Nardi en España*, Madrid 1964. Dobbiamo questa citazione a Miguel Falomir.

21. Burke, Cherry, *Collections*, cit., p. 5, che citano A.E. Pérez Sánchez, *Pintura italiana del siglo XVII en España*, Madrid 1965.

22. Falomir, *Artists' Responses*, cit., p. 133. Su Filippo IV come collezionista cfr. Brown, *Princes & Connoisseurs*, cit.

sì come gli acquisti diretti da parte dei privati e quelli condotti tramite agenti oppure tramite artisti-commercianti operanti in Spagna. Le città italiane in cui – nei nostri esempi – avvenivano gli acquisti o le spedizioni erano Napoli, Roma, Venezia, Firenze, Urbino e Mantova.

Quali erano le dimensioni del commercio tra l'Italia e la Spagna?

Un'indicazione sul volume del commercio dei dipinti fra l'Italia e la Spagna è rappresentata dal numero dei dipinti attribuiti a pittori italiani presenti nelle collezioni private spagnole. La banca-dati del Getty Provenance Index documenta al momento, per gli anni 1601-1773, 18.452 dipinti provenienti da collezioni private spagnole, 2890 opere sono attribuite ad artisti conosciuti e 1271 di queste, cioè il 44%, sono italiane.[23] Nell'ambito del sottogruppo degli inventari relativi a Madrid compilato da Burke e Cherry verso la metà degli anni Novanta, che dà conto di quasi tutte le attribuzioni ad artisti italiani della banca-dati Getty, oltre il 70% dei dipinti attribuiti a un artista italiano noto sono compresi negli inventari del periodo 1651-1700. Questa concentrazione rende problematico applicare un tasso di perdita costante nel corso delle generazioni, come è stato fatto per la Repubblica Olandese (vedi Appendice). Ciò nonostante nella tabella riportata nella nota 26 abbiamo applicato il tasso di perdita costante del 20% sopra menzionato.[24] Abbiamo anche ipotizzato che fossero 1500 i di-

23. Questi dati e le informazioni connesse ci sono stati cortesemente forniti da Maria Gilbert. Si tratta di cifre che divergono da quelle che sono riportate nel testo di Burke e Cherry, *Collections*, cit., p. 6, nota 37. Una differenza importante è che la nota a pie' di pagina comprendeva le collezioni costituite in Italia da Gaspar de Haro, marchese del Carpio, che fu successivamente ambasciatore a Roma (1674-1682) e viceré di Napoli (1682-1687): cfr. ivi, pp. 726-786 e 815-829 per gli inventari compilati rispettivamente a Roma, nel 1682-1683, e a Napoli, nel 1687-1688. Le elaborazioni di Gilbert in quegli anni si riferiscono esclusivamente ai quadri italiani in Spagna, attribuiti ad artisti famosi. Se non calcoliamo i quadri di Gaspar de Haro, ma applichiamo un tasso di attribuzione di 0,75 sui 200 quadri non meglio identificati che egli spedì a Madrid (ivi, p. 815), la percentuale complessiva dei quadri attribuiti agli italiani in Spagna nel periodo 1651-1700 si riduce a circa il 57%. Il nostro valore del 63%, riportato nella tabella illustrativa della nota 26, rappresenta un compromesso fra le percentuali calcolate con e senza i quadri del marchese del Carpio.

24. Il tasso di perdita adottato nei principali studi olandesi (cfr. Appendice) è del 50% per ciascuna generazione, ovvero all'incirca del 90% nel giro di un secolo, che comprende a sua volta quattro cambi generazionali (100-50-25-12.5-6.25). Il tasso di perdita molto più basso da noi ipotizzato è motivato da due considerazioni. La prima è che il clima più asciutto della Spagna deve avere favorito la sopravvivenza fisica dei dipinti. In secondo luogo i dipinti italiani che arrivarono e poi rimasero in Spagna erano forse mediamente più preziosi delle opere olandesi là presenti, e venivano collezionati soprattutto dalla nobiltà più in vista, che li valutava sulla base della loro qualità artistica. Nel corso del Seicento, inoltre, i quadri di maggior valore venivano inseriti nel *mayorazgo*, ossia nel patrimonio familiare, il che li metteva al riparo dall'essere rivenduti (fonte: Miguel Falomir).

pinti spediti nel periodo 1571-1600. Questa cifra, come pure quelle relative alle opere inviate in ciascuno dei successivi periodi di vent'anni, è ipotetica, ma non del tutto arbitraria. La tabella indica, sebbene con grande approssimazione, la possibile percentuale di dipinti italiani compresi tra le opere attribuite negli inventari di Madrid e databili alla seconda metà del Seicento: la percentuale da noi calcolata è pari al 63% per il periodo 1641-1700. In aggiunta abbiamo cercato di determinare, per i dipinti rimasti nel ventennio 1681-1700, un numero non troppo distante da quello delle opere italiane presenti nelle collezioni private spagnole secondo la banca-dati Getty, ovvero 1271. Il nostro numero finale (in fondo a destra) è però superiore di circa un terzo, e questo per un periodo più breve di quello coperto dalla banca dati Getty. Per colmare questa differenza possiamo chiamare in causa la possibilità che si siano verificate perdite tra il 1700 e 1773, data finale della banca-dati Getty, e avanzare l'ipotesi che potessero esistere degli inventari comprendenti dipinti che però non ci sono pervenuti, o sono ignoti, e che quindi non sono entrati nei conteggi Getty.[25] Comunque stiano le cose, lo scopo del nostro lavoro non è di formulare una valutazione precisa di tutte le esportazioni, ma di produrre una stima che possa essere ritenuta corretta in base a quanto sappiamo sia sui meccanismi di esportazione in Italia e nei Paesi Bassi meridionali, sia sulle relazioni fra questi e il numero noto dei dipinti esportati da Malines e Anversa in Spagna. Si perviene così a un numero totale di dipinti italiani spediti verso la Spagna – la somma delle cifre disposte sulla diagonale della nostra tabella – che è di 3500, cioè di 27 all'anno.[26]

Teniamo a precisare che questo numero non è più affidabile delle ipotesi su cui è basato. Esso richiede inoltre un ovvio aggiustamento. Come abbiamo già ricordato, la banca-dati Getty riguarda i dipinti custoditi in collezioni spagnole

25. Miguel Falomir avverte che il totale del Getty potrebbe essere stato in una certa misura gonfiato dai dipinti che passavano da un collezionista all'altro a seguito di normali aste sui patrimoni e che quindi potrebbero essere compresi in più di un inventario.

26. Quella che segue è un'elaborazione esplicativa, basata su una possibile combinazione di ipotesi, con la quale si può pervenire a una valutazione numerica delle importazioni di dipinti italiani in Spagna:

	1571-1600	1601-1620	1621-1640	1641-1660	1661-1680	1681-1700
	1500*	1200	960	768	614	492
		500*	400	320	256	205
			500*	400	320	256
				500*	400	320
					250*	200
						250*
Totale:	1500	1700	1860	1988	1840	1723

* Nuove spedizioni. I totali risultano dalla somma delle nuove spedizioni in ciascun periodo più i dipinti rimasti dalle spedizioni precedenti.

private; oltre che tener conto – come abbiamo fatto – di inventari non pervenuti sino a noi o rimasti ignoti, dovremmo quindi aggiungere alcuni dipinti della collezione reale. Abbiamo preso il 1700 come momento finale. Non si sa con esattezza quanti fossero a quell'epoca i dipinti italiani presenti nella collezione reale, ma si ritiene che fossero quasi un migliaio.[27] Esiste una conferma, sia pur parziale, secondo la quale nel 1688, nel solo Alcázar (l'antico palazzo reale), c'erano 338 dipinti con i requisiti che ci interessano: 262 attribuiti a maestri italiani, 39 a imitatori italiani e 37 all'artista spagnolo Ribera, il cui lavoro si svolse prevalentemente a Napoli. Ma l'Alcázar era solo uno dei dodici palazzi in cui venivano esposti i dipinti reali. Se – come si è detto – assumiamo che il totale fosse di 1000 opere, acquisite in 130 anni, dal 1570 al 1700, la media annua risulta di circa 8. Questo alzerebbe la nostra stima della media annua di dipinti importati dall'Italia a 35.[28]

Tale numero può apparire ancora basso, specialmente alla luce delle spedizioni note di *pinturas ordinarias*. Tuttavia è probabile che, nel periodo considerato, il grosso delle esportazioni di questo tipo fosse destinato al commercio con le Americhe,[29] e quindi la maggior parte di quei dipinti non sarebbe potuta finire negli inventari spagnoli, che qui costituiscono il nostro punto di riferimento. Inoltre, se la cifra di 27 – la componente privata della nostra stima – sembra eccessivamente bassa, si potrebbe in alternativa calcolare una gamma di valori che abbia 27 al suo limite inferiore, e a tal fine sarebbe sufficiente adottare un tasso di perdita più alto compensandone l'effetto con spedizioni ipoteticamente più massicce. Per il momento, purtroppo, disponiamo di conoscenze troppo scarse per confermare con i fatti qualsiasi insieme di ipotesi.

Per quel che valgono, il 27 o il valore superiore 35 potrebbero essere messi in relazione con le informazioni disponibili sulle esportazioni effettuate da Anversa verso la Spagna e il Portogallo nel loro insieme. Dai registri delle tasse di esportazione di Anversa Filip Vermeylen ha desunto il numero delle spedizioni di dipinti e il loro valore rispettivamente per gli anni 1543-1545 e 1553.[30] Il

27. Queste stime e le relative informazioni sono state cortesemente fornite da Miguel Falomir. Cfr. anche Brown, *Kings and Connoisseurs*, cit., cap. III.

28. È opportuno tenere presente che molti dipinti italiani acquistati dagli Asburgo spagnoli non furono esportati espressamente dall'Italia alla Spagna, ma pervennero alla collezione reale per via indiretta. A questo proposito non abbiamo effettuato alcun aggiustamento.

29. Questo probabilmente non era vero prima della metà del Cinquecento, quando le piccole immagini religiose, per lo più 'alla greca', arrivavano in gran numero dall'Italia per il consumo interno (fonte: Miguel Falomir). Ciò è in linea con quanto affermato più avanti (nota 43) circa le 700 icone della Madonna ordinate a Candia – capitale della creta veneziana – nel 1499, 200 delle quali 'in forma alla greca'.

30. P. Vermeylen, *The Commercialization of Art: Painting and Sculpture in Sixteenth-Century Antwerp*, Turnhout 2003, pp. 79-85 e Id., *Further Comments on Methodology*, in *Early Netherlandish Painting at the Crossroads. A Critical Look at Current Methodologies*, a cura di M.W. Ainsworth, New York 2001, pp. 46-61, 66-69, in particolare pp. 50, 68.

valore totale sale da 1012 a 17.543 guilders, incremento che riflette la crescita della popolazione e, più in particolare, un forte aumento del numero dei pittori (da una media di 130 nel primo periodo a forse 150 nel 1553, per raggiungere un picco di 180 tra la metà e la fine degli anni Cinquanta del Cinquecento).[31] Gli affitti pagati dagli artisti e dai mercanti che vendevano dipinti nel *beurs pand* di Anversa presentano, in questo periodo, incrementi più o meno simili.[32] In quattro spedizioni del 1553 per le quali venne attribuito un valore a ogni dipinto il prezzo medio risultò di 39 fiorini al pezzo.[33] Se questo valore rappresentasse un riferimento medio per tutto l'insieme, quell'anno sarebbero stati esportati in Spagna e Portogallo 450 dipinti. È questo un totale annuale quasi certamente molto al di sopra di quelli prevalenti più avanti, nel XVI secolo e per buona parte del XVII. Tutto sta a indicare che gli anni Cinquanta e Sessanta del Cinquecento costituirono un'epoca di eccezionale produzione ed esportazione da Anversa. Da successive informazioni emerge tuttavia un quadro più equilibrato.

Nel 1610-1611 Paul du Jon, mercante di tessuti e diamanti di Anversa, inviò a Siviglia 5 colli e una cassetta di dipinti per un totale di 339 pezzi. Otto di essi furono valutati complessivamente 300 reali (18,75 ducati).[34] Veniva tuttavia precisato che i dipinti erano per la maggior parte molto piccoli e presumibilmente erano destinati alle Americhe e non ad acquirenti di Siviglia.

Tra il 1622 e il 1646 – secondo quanto ci risulta – la società commerciale di Chrisostomo van Immerseel e Marie de Fourmestraux, di Anversa, molto più specializzata in opere pittoriche, spedì 47 casse di dipinti in Spagna. In sette casi i dipinti erano 161. Se si applicasse questo valore medio a tutte le 47 spedizioni i due mercanti avrebbero inviato in Spagna almeno 7567 dipinti. In quattro spedizioni esaminate nel dettaglio i dipinti a soggetto specifico valevano in media 6,55 fiorini l'uno (circa 1,17 ducati o 12,9 reali).[35] In altre parole, van Immerseel e de Fourmestraux esportavano dipinti di valore molto superiore a quelli su rame, estremamente economici e fatti in serie, prezzati intorno ai 4 reali l'uno, e al tempo stesso un po' meno costosi dei molti eseguiti da Carducho e prezzati 14-16 reali. Nell'arco di un quarto di secolo que-

31. Conteggi preliminari di De Marchi, basati sulle iscrizioni annuali di nuovi maestri pittori presso la corporazione di San Luca. Le nude cifre per il XV secolo sono state messe generosamente a disposizione da Filip Vermeylen e per il XVI secolo da Natasja Peeters e Maximiliaan Martens.

32. Vermeylen, *Further Comments*, cit., p. 68.

33. Il nostro grazie a Filip Vermeylen per questa informazione.

34. E. Stols, *De Spaanse Brabanters of de Handelsbetrekkingen der Zuidelijke Nederlanden met de Iberische Wereld, 1598-1648*, Ledeberg-Ghent 1971, II, p. 200.

35. N. De Marchi e H.J. Van Miegroet, *Exploring Markets for Paintings in Spain and Nueva España*, in *Kunst voor de Markt/Art for the Market, 1500-1700*, a cura di R. Falkenburg, J. de Jong, D. Meijers, B. Ramakerrs e M. Westerman, Zwolle 2000.

sta società fece arrivare in Spagna una media di 303 dipinti all'anno. Anche questo numero è molto superiore alla nostra stima di 35 dipinti all'anno spediti dall'Italia, ma la maggior parte delle opere della ditta Immerseel-de Fourmestraux era destinata alle Americhe, per cui questo flusso non può essere messo in relazione con il nostro valore di 35 pezzi all'anno esportati dall'Italia verso il mercato spagnolo.[36]

Se guardiamo alla seconda metà del Seicento, quando il commercio verso le Americhe viveva una fase di prolungato declino, troviamo ad Anversa un'altra società formata da coniugi, quella di Matthijs Musson e Maria Fourmenois, una coppia pressoché specializzata nel commercio di opere pittoriche, che inviò – per quanto ci consta – qualcosa come 730 dipinti a Cadice nel periodo 1650-1668,[37] ovvero 40,6 quadri all'anno. Neppure in questo caso possiamo confrontare direttamente questo dato con la nostra stima dei 35 dipinti, anche se ciò si potrebbe fare per i circa 645 dipinti che i soci hanno inviato in altre città della Spagna nel periodo 1657-1677, e questo corrisponde a 32 all'anno. Se quindi il valore di 35 dipinti all'anno esportati dall'Italia rappresenta un ordine di grandezza appropriato, un mercante di Anversa della metà del Seicento avrebbe fornito da solo quasi altrettanti dipinti alla Spagna.

La società Musson-Fourmenois avrebbe potuto fare affidamento su più di 45 pittori in ciascun decennio del periodo 1650-1670, disponibilità peraltro molto lontana da quella su cui poteva contare per il solo traffico con la Spagna. Insieme con altri numeri conosciuti relativi ai dipinti che i due esportavano – Parigi ricevette da loro circa la stessa quantità di Cadice – anche questo dato mostra l'entità delle operazioni commerciali svolte dai mercanti di dipinti di Anversa.

36. Anche moltissimi quadri fiamminghi furono inviati in Spagna per rimanervi. Di questi, peraltro, abbiamo notizia soprattutto grazie ai documenti delle esportazioni da Anversa. A differenza dei quadri italiani essi furono acquistati da persone comuni e da religiosi, oltre che da nobili, e li si può trovare dovunque in Spagna, non solo a Madrid, da cui provengono quasi tutti gli inventari privati a noi noti. Dato che la maggior parte degli inventari che ci sono pervenuti fanno capo a famiglie nobili o quanto meno ricche e particolarmente in vista, non c'è da meravigliarsi che le attribuzioni ad artisti fiamminghi nella banca-dati del Getty relativa ai quadri delle collezioni private spagnole siano inferiori a quelle ad artisti italiani: il 22% contro il 44%.

37. Dobbiamo questo numero a una serie di documenti pubblicati originariamente da J. Denucé, *Na Peter Pauwel Rubens. Documenten uit den kunsthandel te Antwerpen in de XVIIe eeuw van Matthijs Musson*, Antwerp 1949. La datazione e le trascrizioni presenti in questa raccolta non sono sempre sicure. Un'edizione più affidabile di molti di questi documenti è quella di E. Duverger, *Nieuwe gegevens betreffende de kunsthandel van Matthijs Musson en Maria Fourmenois te Antwerpen tussen 1633 en 1681*, ristampata in «Gentse Bijdragen tot de Kunst Geschiedenis en de Oudheidkunde», XXI (1969). Le due fonti tuttavia non sono del tutto sovrapponibili, ed è difficile arrivare alla certezza che il nostro totale non sia influenzato da un doppio conteggio. È probabile che nessuna delle due raccolte dia un resoconto completo degli affari della Musson-Fourmenois.

I meccanismi per l'esportazione delle opere pittoriche erano simili tra l'Italia e il Nord Europa?

Le ditte Van Immerseel-de Fourmestraux e Musson-Fourmenois ci forniscono modelli complementari per il commercio internazionale di opere pittoriche. Van Immerseel faceva la spola tra Siviglia e Anversa, dove effettuava le ordinazioni dei dipinti o ne comprava di già pronti direttamente dai vari artisti, mentre sua moglie rimaneva a Siviglia e seguiva l'intero svolgimento degli affari, inclusi il perfezionamento della vendita o il trasbordo per le Americhe. Quanto alle loro esportazioni verso 'le Indie', la coppia si affidava a spedizionieri marittimi o capitani di navi, senza peraltro avvalersi – per quanto ci è dato sapere – di agenti.

Musson e Fourmenois viaggiavano raramente; la loro sede era Anversa, dove si limitavano a evadere le ordinazioni di dipinti trasmesse da altri che a loro volta li vendevano in Spagna o li spedivano alle Americhe. Talvolta effettuavano le vendite ad Anversa a un parente che era in affari e che risiedeva di norma nel Paese iberico: in questi casi venivano pagati immediatamente. Inviavano inoltre merce ad associati o agenti in Spagna, e allora erano pagati per mezzo di tratte che facevano seguito alla vendita definitiva. Questo naturalmente implicava ritardi e rischi del cambio, oltre al fatto di dover contare sulla buona fede dei propri agenti. Essi comunque limitavano i rischi non effettuando spedizioni verso le Americhe.

Come si è già accennato, queste due coppie lavoravano con capitali propri. Van Immerseel e de Fourmestraux dovevano talvolta ricorrere al prestito di somme contenute, mentre Musson e Fourmenois aumentavano il loro capitale realizzando delle compartecipazioni sia ad Anversa che nei luoghi di destinazione. Non è chiaro se essi fossero più riluttanti ad assumersi il rischio dell'impresa di Van Immerseel e de Fourmestraux, ma certamente distribuivano il rischio diversamente.

Tutti questi elementi sono comuni al commercio su lunghe distanze della prima Età moderna, dovunque avesse origine. Ciò che vogliamo evidenziare, però, sono tre caratteristiche che lo contraddistinguono. Innanzitutto, come si è osservato, ambedue le nostre aziende di Anversa erano praticamente specializzate nel commercio dei dipinti. Musson e Fourmenois trattavano, insieme ai quadri, anche *escritorios* e armadietti, specchi e cornici; Van Immerseel e de Fourmestraux esportavano anche tessuti, guanti e merletti. Ma per ambedue le società i dipinti (insieme alle stampe dipinte a mano) rappresentavano la parte più importante delle esportazioni e non articoli complementari. In secondo luogo entrambe le ditte restarono a lungo attive nel commercio di opere pittoriche: Musson e Fourmenois circa trent'anni dopo il loro matrimonio, Van Immerseel e de Fourmestraux circa venticinque. In terzo luogo si trattava di aziende integrate verticalmente. Abbiamo già evidenziato queste caratteristiche trattando del commercio dei dipinti di scarso valore, ma è chiaro che già nel Seicento alcuni mercanti esportavano non solo prodotti di poco prezzo in grande quantità ma anche opere di qualità.

A questo punto la questione diventa: esistevano imprese simili in Italia, altrettanto specializzate e ugualmente integrate verticalmente, impegnate nell'esportazione di dipinti e regolarmente attive per un periodo non breve? E in particolare a Venezia, dato che su di essa punteremo la nostra attenzione?

Importazione ed esportazione di opere pittoriche: il caso di Venezia

Nel periodo qui considerato Venezia era, naturalmente, un centro commerciale di grande importanza. Molti beni importati venivano prontamente riesportati, ma le materie prime venivano anche trasformate sul posto in un'ampia varietà di articoli per i quali la città era rinomata: sapone, libri a stampa, pigmenti, vetro, velluti e altre seterie.[38] Le produzioni urbane, così come i beni di lusso importati, venivano venduti al dettaglio nelle famose botteghe della città, ma, poiché essi venivano anche esportati in grande quantità, non deve meravigliare che Venezia possedesse anche molte delle infrastrutture tipiche del Nord e molti dei sistemi di regolamentazione necessari per agevolare il commercio internazionale. Essa disponeva di strutture per il deposito, la spedizione, il finanziamento e l'assicurazione. Esistevano inoltre avamposti commerciali veneziani all'estero, e quindi degli agenti. Non vi erano invece attrezzature per la promozione dell'esportazione dei dipinti: nessun mercato organizzato (*borsa*) dove i mercanti stranieri potessero vedere esposizioni di quadri locali, nessuna fiera annuale simile alle due di Anversa, che duravano a lungo e in cui le opere economiche avevano tanto spazio quanto quelle di alta qualità e prezzo.

I dipinti prodotti da artisti veneziani erano molto richiesti in tutta l'Europa. Dato però che molto di quanto sappiamo su queste opere riguarda prodotti di alto pregio realizzati da pittori famosi, il nostro obiettivo è sia di accertare se Venezia fosse un'esportatrice-netta di dipinti, sia di allargare la ricerca per includervi le opere di basso prezzo, spesso non espressamente ordinate e prodotte in serie, che certamente venivano eseguite in città. Le ricerche effettuate in questa direzione, purtroppo, sono appena cominciate, soprattutto per il periodo prece-

38. U. Tucci, *Venezia nel Cinquecento: una città industriale?*, in *Crisi e rinnovamento nell'autunno del Rinascimento a Venezia*, a cura di V. Branca e C. Ossola, Firenze 1991; L. Molà, *Le vie delle spezie e della seta. Il commercio d'esportazione dalle Venezie tra XIV e XVI secolo*, in *L'Europa e le Venezie*, a cura di G. Barbieri, Cittadella 1997; E. Ashtor, *Levant Trade in the Later Middle Ages*, Princeton 1983.

dente il 1550, e fino a oggi sono state ostacolate dalla scarsità di documenti.[39]

Che cosa si può dire circa i parametri auspicabili? Siamo in grado, per esempio, di determinare il rapporto fra artisti e popolazione? Esiste una trascrizione dell'elenco dei membri della corporazione veneziana alla quale appartenevano i pittori nel 1530,[40] ma l'attività svolta dai membri viene specificata in soli 77 casi su 230. Louisa Matthew, comunque, sta lavorando per aumentare il numero di coloro di cui si può individuare la qualifica: lo scopo è di determinare chi fossero i pittori 'da cavalletto' e di distinguerli da quelli di mobili, carte, ventagli, e così via. Le tre specializzazioni più strettamente collegate ai quadri da cavalletto erano quelle dei pittori di figure, dei miniatori e dei doratori. A tutt'oggi il lavoro svolto lascia intendere che esisteva un numero significativo di pittori 'da cavalletto', sebbene forse inferiore a quello dei pittori di mobili, ecc.

La lista del 1530 registra i nomi di pochissimi artisti stranieri. Le proteste nell'ambito della corporazione segnalano però che la presenza di stranieri non registrati rappresentava un problema. Un reclamo venne presentato nel 1479; un altro, nel 1513, si risolse in una modifica del regolamento, e cioè in una norma in virtù della quale da quel momento i maestri veneziani avrebbero dovuto registrare i maestri stranieri da essi assunti per più di tre giorni, sotto pena di una multa salata.[41] Nuovi nomi di pittori stranieri, in effetti, stanno emergendo dai documenti fiscali, che spesso segnalano chi prendeva in affitto botteghe e abitazioni, da quelli delle proprietà di beni immobili, dalle registrazioni dei decessi e dalle liste di iscrizione alle confraternite. Altri nomi ancora possono emergere dall'attento studio degli inventari di beni delle abitazioni veneziane, che esistono in gran numero a partire dagli anni Trenta del Cinquecento e per tutto il Seicento. Fino a oggi, tuttavia, su quest'ultima tipologia documentaria non sono state effettuate analisi quantitative di vasta portata, come invece è stato fatto per gli inventari dei Paesi Bassi.[42]

Tornando al rapporto fra pittori e popolazione si può rilevare che dei 77 membri della corporazione la cui specializzazione era indicata nella lista del

39. Isabella Cecchini sottolinea spesso i limiti delle testimonianze documentarie, anche per il periodo successivo al 1550: Cecchini, *Quadri e commercio*, cit. Per iniziare, tuttavia, cfr. L.C. Matthew, *Were there Open Markets for Pictures in Renaissance Venice?*, in *The Art Market in Italy 15th-17th Centuries*, a cura di M. Fantoni, L.C. Matthew e S.F. Matthews-Grieco, Modena 2003.

40. La trascrizione è riportatata da E. Favaro, *L'Arte dei pittori in Venezia e i suoi statuti*, Firenze 1975.

41. Ivi, pp. 58-59, 70. Cfr. anche L. Matthew, *Working Abroad: Northern Artists in the Venetian Ambient*, in *Renaissance Venice and the North. Crosscurrents in the Time of Bellini, Dürer and Titian*, a cura di B. Aikema e B.L. Brown, Milano 1999, pp. 61-69.

42. La fonte più preziosa per gli inventari veneziani del Cinquecento è il fondo dell'Archivio di Stato di Venezia intitolato *Miscellanea Notai Diversi*. Per maggiori notizie sugli inventari della famiglie cfr. P. Fortini Brown, *Private Lives in Renaissance Venice*, New Haven-London 2004.

1530, 37 (il 48%) erano – secondo la definizione già utilizzata – pittori da cavalletto. Se lo stesso rapporto valesse per tutti i 230 membri dell'arte nel 1530 ci sarebbero stati 110 pittori da cavalletto, ovvero 0,8 pittori per mille abitanti. È all'incirca la stessa situazione rilevabile intorno al 1630 ad Amsterdam, una città – va ricordato – nota per essere stata un'importatrice-netta di dipinti. Tuttavia la proporzione accertata per Venezia probabilmente sottostima gli artisti stranieri attivi e ignora del tutto quelli residenti in territori veneziani come Creta. Se soltanto 15-20 artisti da cavalletto stranieri avessero lavorato a Venezia a quell'epoca, il rapporto si alzerebbe a circa 1‰; e salirebbe ben al di sopra dell'unità se venissero inclusi i pittori di Candia (la futura Heraklion) nell'isola di Creta.

Sotto il controllo veneziano fin dal 1204, Candia divenne un importante centro di produzione di icone dopo la caduta di Costantinopoli nel 1453. Nella seconda metà del Quattrocento la città contava 120 pittori su una popolazione di 15.000 anime, con un rapporto – straordinariamente alto – di 8 artisti su 1000 abitanti. Esiste un documento riguardante due mercanti che a Candia, nel 1499, commissionarono un grande numero di icone, presumibilmente destinate a mercati stranieri.[43] La merce sarebbe passata prima per Venezia, probabilmente per essere sottoposta a dazio. Comunque siano andate le cose, a Venezia le icone di Candia venivano giudicate di alta qualità,[44] e sembra legittimo conteggiarle come 'interne', così come i loro produttori.

Se ammettiamo che il conteggio per Venezia possa includere fra i pittori da cavalletto sia gli stranieri che quelli di Candia, sul finire del XV secolo e all'inizio del XVI il rapporto tra artisti e popolazione (compresi quella di Creta) diventa notevolmente superiore all'1‰. È probabile, tuttavia, che in seguito questo non si sia verificato. All'inizio degli anni Quaranta del Seicento le registrazioni della tassa per il cosiddetto contributo navale 'impercettibile' richiesto alle corporazioni e calcolato per i loro membri in proporzione al reddito – la *tansa insensibile* – mostrano una media di 108 *pittori* registrati, oltre a doratori e miniatori, su una popolazione di circa 120.000 unità. Ancora più tardi esistono imposizioni fiscali relative ai soli *pittori*. Una media calcolata per gli anni 1684-1686, poco dopo che i pittori si erano staccati dalla più vasta corporazione che li comprendeva per formarne una propria, indica che c'erano 136 pittori (compresi alcuni artisti-commercianti) su una popolazione di circa 140.000 abitanti.[45] La mo-

50, 51

43. N. Chatzidakis, *Da Candia a Venezia. Icone Greche in Italia, XV-XVI secolo*, Atene 1993, pp. 1-3. Chatzidakis mette in evidenza i dettagli del contratto del 1499: due mercanti, uno identificato come italiano (e che era probabilmente un veneziano), e uno del Peloponneso, si accordarono con tre pittori di Candia per la produzione di icone della Madonna, 500 'in forma alla Latina' e 200 'in forma alla greca', che avrebbero dovuto essere completate entro 45 giorni.

44. Favaro, *L'Arte*, cit., p. 75.

45. Elenchi delle imposte dal 1640 al 1644, con la precisazione del mestiere dei membri della corporazione, in Favaro, *L'Arte*, cit., pp. 163-194; e per il Collegio, relativamente agli anni 1684-1686, ivi, pp. 195-211.

desta percentuale di artisti rispetto alla popolazione sembra dunque essere rimasta stabile (tra 0,8 e 1‰), sebbene – come si è detto – sul finire del Quattrocento e all'inizio del Cinquecento fosse superiore all'1‰, se si tiene conto degli stranieri e, per i primi anni, anche degli artisti di Candia.

Occupiamoci ora delle testimonianze dirette sulle esportazioni di dipinti da Venezia. Al di là del contratto di Candia del 1499 e della spedizione di Marinoni del 1647 il materiale aggiuntivo è scarso. Cercheremo dunque di ragionare un po' sull'ipotesi che questi frammenti possano rappresentare dei casi fortuitamente sopravvissuti, spie di un commercio in realtà molto più vasto. Ci serviremo anche di qualche informazione relativa ad altri luoghi.

Le disposizioni corporative veneziane menzionano l'attività di esportazione fin dagli anni Ottanta del Duecento, e quelle che consentono ai pittori di lavorare nei giorni festivi nel caso di produzione di opere destinate all'esportazione vennero riconfermate ancora nel Cinquecento.[46] I tipi di prodotto sono specificati raramente, ma le *ancone* vengono citate esplicitamente: per esempio, una norma del 1322 permetteva a non appartenenti alla corporazione di vendere le ancone dipinte solamente durante la festa dell'Ascensione, mentre un'altra norma dello stesso anno, riconfermata nel 1409, stabiliva che le ancone potevano essere vendute solo nella bottega di un maestro.[47] Il termine ancona viene spesso usato per indicare una pala d'altare dipinta su legno, ma la disposizione del 1457 menziona ancone grandi e piccole, ed è molto probabile che fra di esse fossero compresi i dipinti devozionali. Le importazioni di dipinti, come dovunque, erano soggette a restrizioni, anche se si facevano delle eccezioni, come verso la metà del Quattrocento, quando venne accordato il permesso di far entrare *ancone de extra Culphum*, espressione che probabilmente va riferita alle icone provenienti da Creta.[48]

52

Si può dedurre ancora qualcosa dal contratto del 1499 per le icone provenienti da Candia? Certamente esse erano commissionate per l'esportazione, ma purtroppo non sappiamo verso quale luogo – o luoghi – fossero destinate, né se si trattasse di un caso isolato o rientrasse nel quadro di scambi regolari. Sembra probabile che esistesse una produzione continuativa e considerevole di immagini della Madonna col Bambino, sia a Candia che a Venezia, sebbene l'unica prova risieda a) nel fatto che questi dipinti ci sono pervenuti; b) che in ben note botteghe veneziane erano in uso soggetti e copie di immagini del genere; c) che molti dipinti di questo tipo siano citati in inventari veneziani del Cinquecento;

46. Favaro, *L'Arte*, cit., pp. 25 e 75-76. Le regole stabilite nel 1537 e nel 1542 menzionano solamente l'estensione del permesso ai pittori di cassapanche (*casseleri*).

47. Ivi, pp. 28, 72.

48. Ivi, p. 75. Si può presumere che in questo caso il permesso sia stato richiesto per vendere a Venezia, che è un caso diverso dalla spedizione a Venezia per l'inoltro verso altre destinazioni, attività per la quale non sarebbe stato necessario alcun permesso.

in questi ultimi figura un certo numero di Madonne definite 'alla greca'.[49] Esisteva anche un commercio di esportazione di tali immagini? Sì, se prendiamo in considerazione le pur modeste quantità di icone 'alla greca' che giunsero in Spagna. Sì, inoltre, se consideriamo poco plausibile che 700 immagini di questo genere, 'alla latina' e anche 'alla greca' – come sono denominate nel contratto del 1499 – fossero destinate in un solo anno unicamente al mercato veneziano.

Nella seconda metà del Quattrocento un altro luogo di produzione di piccole immagini eseguite in serie, spesso di soggetto mariano, era Firenze. Fra di esse vi erano sia dipinti che tabernacoli dipinti. Erano eseguiti con materiali poveri, imitavano opere di famosi autori fiorentini quali fra Filippo Lippi e Francesco Pesellino, e avevano misure standard.[50] Venivano prodotti in una grande varietà di forme e di prezzi, e questa attività aiutò alcuni pittori, come Neri di Bicci, a diventare molto noti.[51] I libri contabili di Neri mostrano che alcuni articoli di questo tipo furono spediti a Roma tramite dei mercanti, ma non vi è sufficiente riscontro per affermare che tali spedizioni costituissero una componente normale della sua attività.

Alcuni documenti doganali romani del XV secolo indicano che le immagini a buon mercato della Madonna venivano importate in gran numero in città, ma anche in questo caso si tratta di testimonianze frammentarie.[52] Sembra ragionevole ipotizzare che la domanda di piccole immagini religiose a basso prezzo sia stata particolarmente alta nei centri di pellegrinaggio come Roma e Loreto, e per la verità tale domanda – ben supportata dai mercanti e dagli artisti – potrebbe aver fatto moltiplicare nel Quattrocento imprese come quelle sopra

49. L.C. Matthew, *The Painter's Presence: Signatures in Venetian Renaissance Pictures*, «The Art Bulletin», LXXX (1998), p. 645, nota 54, fornisce informazioni sulla situazione a Venezia. Chatzidakis rileva che nelle chiese di Venezia c'erano «pochissime» icone ma che aumentarono dopo che, nel 1498, vi si stabilì una comunità greca. Fa altresì notare l'esistenza di una domanda per dipinti di questo genere «in tutto il Mediterraneo orientale e nel Mare Adriatico»: Chatzidakis, *Da Candia*, cit., pp. 18-21. Lorenzo Lotto dipinse due piccoli quadri per un mecenate greco-ortodosso ad Ancona 'alla maniera greca': per questo cfr. F. Grimaldi, K. Sordi, *Lorenzo Lotto 1480-1556. Libro di Spese Diverse*, Loreto 2003, cc. 136*v*-137, pp. 192-193.

50. M. Holmes, *Copying Practices and Marketing Strategies in a Fifteenth-Century Florentine Painter's Workshop*, in *Artistic Exchange and Cultural Translation in the Italian Renaissance City*, a cura di S.J. Campbell e S.J. Milner, Cambridge-New York 2004, pp. 38-74. Cfr. anche M. Holmes, *Neri di Bicci and the Commodification of Artistic Values in Florentine Painting (1450-1500)*, e R. Comanducci, *Produzione seriale e mercato dell'arte a Firenze tra Quattro e Cinquecento*, ambedue in *The Art Market in Italy*, cit. Almeno uno studioso ha cominciato a prendere in considerazione le testimonianze relative a questo tipo di attività nella Siena dei secoli XIV e XV: cfr. G. Freuler, *The Production and Trade of Late Gothic Pictures of the Madonna in Tuscany*, in *Italian Panel Painting of the Duecento and Trecento*, a cura di V.M. Schmidt, Washington 2002.

51. Neri di Bicci, *Le Ricordanze 1453-1475*, a cura di B. Santi, Pisa 1976; A. Thomas, *The Painter's Practice in Renaissance Tuscany*, Cambridge 1995; M. Muraro, *Il libro secondo di Francesco e Jacopo dal Ponte*, Bassano del Grappa 1992. Cfr. anche la nota 37.

52. Il documento della dogana di Roma viene citato da Thomas, *The Painter's Practice*, cit., p. 290.

citate. È anche probabile che persone intraprendenti impiegassero le tecniche di riproduzione che mano a mano si rendevano disponibili per realizzare e mettere in commercio sia stampe su singoli fogli che libri composti dalle medesime, per quanto sia difficile documentare la storia della stampa che si occupava soltanto di riproduzioni, visto che anche le valutazioni più accreditate fanno risalire questa consuetudine a non prima del 1530, a Roma, ben presto divenuta la patria delle 'cartoline'.[53]

A parte le piccole immagini devozionali, si sa che nel XV secolo i pittori veneziani spedivano opere d'arte verso destinazioni straniere, anche se i documenti si riferiscono sempre e soltanto a opere di grande formato, solitamente pale d'altare, eseguite su commissione. Per queste opere abbastanza costose le condizioni di spedizione vengono talvolta precisate per filo e per segno in contratti scritti, ma le destinazioni possono anche essere dedotte dai luoghi in cui le opere veneziane si trovano oggi. Fra la fine del Quattrocento e l'inizio del Cinquecento si ha notizia dell'esistenza di pale d'altare del Carpaccio, dei Vivarini, di Giovanni Bellini, di Lorenzo Lotto e di Tiziano in Istria e a Ragusa, lungo la sponda orientale dell'Adriatico, ad Ancona e nelle Marche, ma anche in città della Puglia, sulla costa italiana dello stesso mare. Si conoscono molte di tali spedizioni, perfino relative unicamente a singole opere d'arte.[54]

49

Oltre ai contratti e ai documenti di spedizione, le fonti conosciute comprendono un documento veneziano del 1524 che elenca i dazi di esportazione e di importazione. Questo documento cita pale d'altare («pale d'altar»), tele dipinte («tele depente») e dipinti su tavole («quadri di legno»), oltre a sculture in marmo, legno, gesso e terracotta.[55] Non è chiaro se il governo ricavasse degli introiti dall'esportazione e/o importazione di tali opere d'arte. Lorenzo Lotto, il cui libro contabile degli anni fra il 1538 e il 1556 ci fornisce le uniche informazioni concrete di cui disponiamo sull'attività quotidiana della bottega di un pittore veneziano nel corso della prima metà del Cinquecento, spediva sporadicamente piccole opere da vendersi a Roma, a Loreto e a Messina.[56] Nel 1549, per esempio, inviò a un mercante di Loreto un numero imprecisato di immaginette raffiguranti il miracoloso trasferimento in quella città della Santa Casa della Vergine.[57] È compren-

53. Cfr. l'approfondita disamina di D. Landau, P. Parshall, *The Renaissance print, 1470-1550*, New Haven-London 1994, pp. 162-168.

54. P. Humfrey, *The Altarpiece in Renaissance Venice*, New Haven-London 1993, ci offre una sintesi di tale attività.

55. Questo documento, tratto da A. Morosini, *Tarifa del pagamento di tutti i dacii di Venetia*, 1524, viene citato, in forma leggermente diversa, da Cecchini, *Quadri e commercio*, cit., p. 210 e da M. Hochmann, *Peintres et commanditaires à Venise, 1540-1628*, Rome 1992, p. 75, che a sua volta cita M. Muraro, *Studiosi, collezionisti e opere d'arte veneta dalle lettere al cardinale Leopoldo de' Medici*, «Saggi e Memorie di Storia dell'Arte», IV (1965), p. 68.

56. L.C. Matthew, *Painters Marketing Paintings in Fifteenth and Sixteenth-Century Florence and Venice*, in *Mapping Markets*, cit., pp. 312-313 (p. 321 per Loreto e Roma).

57. Grimaldi, Sordi, *Lorenzo Lotto*, cit., c. 15*v*, p. 14.

sibile che siano rimaste tracce dell'invio di dipinti in quei luoghi, dato che essi si trovano sugli itinerari normalmente percorsi dai mercanti e dagli artigiani che fungevano da agenti per i pittori in quel periodo e, in alcuni casi, dai clienti desiderosi di possedere l'opera di un pittore veneziano.[58]

Le iniziative commerciali attuate dal Lotto per promuovere le sue opere sono un ulteriore segno che i pittori di Venezia e dintorni – ricordiamo i da Bassano di Bassano del Grappa – ebbero una parte importante nella promozione dei loro affari, anche sulla scena internazionale, ruolo questo che i pittori veneziani avrebbero continuato a svolgere per tutto il periodo qui preso in considerazione. I mercanti operavano anche come agenti nelle transazioni estere che riguardavano pale d'altare e, a giudicare dai pochi casi di cui siamo a conoscenza per il periodo precedente il 1550, agivano nello stesso modo anche per la spedizione e la vendita di dipinti di minor valore.[59] Anche questo non deve sorprendere, dato che i mercanti erano i viaggiatori per antonomasia della società rinascimentale, e sembra che essi si siano accollati di buon grado compiti supplementari per conto di famiglie o di comunità.[60] Era anche facile per un mercante regolarmente in viaggio accettare articoli in più da vendere nei luoghi in cui si recava, trattenendo poi una parte dell'utile. Questo tipo di contratto, la *commenda*, continuò a essere utilizzato a Venezia nel solco di una tradizione medievale di commercio con l'Oriente che si protrasse per tutto il Rinascimento: in base a tale accordo un mercante (o talvolta il capitano di una nave) accettava merci da consegnare a rischio del creditore, in cambio della quarta parte dell'utile finale.[61]

45, 47

Anche i mercanti e i banchieri italiani residenti in porti stranieri davano il loro contributo acquistando direttamente le opere d'arte, effettuandone il pagamento e curandone la spedizione. Nel Trecento, per esempio, il mercante di Prato Francesco Datini incaricava occasionalmente i suoi agenti all'estero di acquistare dei dipinti e se li faceva spedire. E circa un secolo più tardi anche gli agenti del Banco Medici presso la filiale di Bruges inviavano dipinti su tela a Firenze per le residenze di campagna della famiglia. Dei 142 dipinti che, secondo l'inventario stilato alla morte di Lorenzo il Magnifico nel 1492, erano di proprietà dei Medici un terzo erano fiamminghi, almeno 20 dei quali, su tela, si trovavano

58. Ashtor, *Levant Trade*, cit., e U. Tucci, *Traffici e navi nel Mediterraneo in età moderna*, in *La Penisola Italiana e il mare. Costruzioni navali, trasporti e commerci tra XV e XX secolo*, a cura di T. Fanfani, Napoli 1993.

59. Per i pittori di Firenze nel XV secolo cfr. Thomas, *The Painter's Practice*, cit., pp. 201-204 e S. Kuberski-Piredda, *Immagini devozionali nel Rinascimento fiorentino: produzione, commercio, prezzi*, in *The Art Market in Italy*, cit., pp. 116-118.

60. Il libro contabile di Lorenzo Lotto ci offre un esempio molto chiaro relativo al 1542. Il pittore fu incaricato di realizzare una pala d'altare per una piccola comunità vicino a Bari, e il contratto fu concluso da un mercante che agiva per conto suo: (Grimaldi, Sordi, *Lorenzo Lotto*, cit., cc. 2*v*-3, pp. 8-9).

61. Ashtor, *Levant Trade*, cit., p. 379.

nella villa di Careggi.[62] Agenti, familiari o amici all'estero venivano impiegati da numerose altre famiglie fiorentine, fra cui gli Strozzi, i Portinari, i Tani, i Baroncelli, i Pagagnotti e i Morelli, ma i dipinti acquistati viaggiavano come carico occasionale e supplementare: niente fa pensare che si trattasse di articoli di un traffico regolare, né tanto meno che vi fossero mercanti italiani specializzati nel commercio di opere pittoriche.[63]

Gli agenti svolgevano ruoli simili nel rendere possibile l'esportazione dei dipinti da Venezia, sebbene ancora una volta solo in casi specifici. Negli anni Ottanta del Seicento, per esempio, un allievo di Luca Giordano, nonché agente di commercio e mercante occasionale per conto dell'artista, Carlo della Torre, forniva dipinti dello stesso Giordano al mercante veneziano Simone Giogali. Quest'ultimo, a sua volta, ne inviava alcuni all'elettore di Baviera, utilizzando il suo agente a Monaco, Bartolomeo Piazza, per trattare l'affare e trasmettere il relativo pagamento.[64]

Tornando ai dipinti del Nord a Venezia, bisogna rilevare che a partire dal Cinquecento compaiono con sempre maggiore frequenza negli inventari delle famiglie dipinti denominati 'alla Fiandra'. Si trattava di copie eseguite a Venezia, o di originali importati dalle Fiandre? Disponiamo di testimonianze dell'esistenza

62. P. Nuttall, *'Panni Dipinti di Fiandra': Netherlandish Painted Cloths in Fifteenth-Century Florence*, in *The Fabric of Images. European Paintings on Textile Support in the Fourteenth and Fifteenth Centuries*, a cura di C. Villiers, London 2000. L'autrice ipotizza alla p. 114 che tali stoffe dipinte fossero disponibili a Pisa «sul pubblico mercato» ma non fornisce alcuna prova. Cfr. anche P. Nuttall, *From Flanders to Florence. The Impact of Netherlandish Painting, 1400-1500*, New Haven-London 2004, p. 106 e Appendice 1. Una fonte notevole per individuare i dipinti fiamminghi a Firenze è M. Rohlmann, *Flanders and Italy, Flanders and Florence. Early Netherlandish painting in Italy and its particular influence on Florentine art: an overview*, in *Italy and the Low Countries – Artistic relations. The fifteenth century*, a cura di V.M. Schmidt, G. Jan van der Sman, M. Vecchi e J. van Waadenoijen, Firenze 1999. È il caso di sottolineare che la raccolta del collezionista genovese Giovanni Agostino Balbi comprendeva alla sua morte, nel 1621, 154 dipinti, 63 dei quali erano fiamminghi: R. Goldthwaite, *L'economia del collezionismo*, in *L'Età di Rubens*, a cura di P. Boccardo, Genova-Milano 2004, in particolare p. 17. Vi sono senz'altro altri casi di questo genere e uno studio comparativo di tutti quelli di cui si viene a conoscenza dovrebbe permettere di comprendere meglio come avvennero le acquisizioni e se i dipinti venivano esportati come una qualsiasi merce insieme ad altre da parte di mercanti non specializzati o se rientravano nell'ambito di un traffico specializzato.

63. Nuttall, *From Flanders to Florence*, cit., p. 91 cita una spedizione verso Livorno di arazzi e *carte dipinte* (dipinti su carta o pergamena), effettuata nel 1500 per conto di mercanti fiorentini «con una rete di distribuzione che si estendeva fino a Siena e Roma», giungendo alla conclusione che in quell'epoca i dipinti erano diventati «un articolo di esportazione standard verso l'Italia». Quest'affermazione è difficile da giustificare sulla base di un solo resoconto. Gli studiosi olandesi di carte dipinte, in particolare, tendono a pensare che in ogni caso le loro esportazioni all'ingrosso da Anversa non abbiano assunto carattere di regolarità fino al XVII secolo (cfr. A. K.L. Thijs, *Antwerpen International Uitgeverscentrum van Devotie prenten, 17de-18de Eeuw*, Leuven 1993, p. 22).

64. Ch.R. Marshall, *Dispelling Negative Perceptions*, in *Mapping Markets*, cit., pp. 376-377.

di importazioni dalle Fiandre a partire dal Quattrocento, ma la maggior parte di queste sono inequivocabili solo per opere di artisti molto noti.[65] A quell'epoca esisteva a Venezia una vasta colonia mista di mercanti tedeschi e fiamminghi ma non abbiamo una documentazione che attesti importazioni istituzionalizzate, su vasta scala, di dipinti del Nord in città, né su tela né ad olio su tavola.[66] Resta da chiarire come i dipinti di minore pregio giungessero a Venezia, ma alcune possibilità si possono fin d'ora scartare. Per esempio, i numeri sono tali che è improbabile che le opere fossero tutte portate o mandate in patria da persone residenti all'estero per loro uso personale; sembra anche improbabile che queste fossero tutte prodotte dai pochi artisti fiamminghi di cui si sa che lavoravano a Venezia nel corso del Cinquecento, per lo più operando in botteghe di pittori locali.

Esistono informazioni sicure sulle spedizioni di dipinti verso l'Italia nei registri della tassa di esportazione di Anversa. Nel 1544, unico anno sin qui studiato a tal fine, troviamo registrate otto spedizioni verso l'Italia.[67] Una era per Venezia, ma aveva come destinazione finale Mantova: i dipinti furono valutati 5 lire fiamminghe (15 ducati). Le destinazioni di tutte le spedizioni sono note, tranne una. A parte quella per Venezia, due spedizioni erano per Milano, due per Pavia e una ciascuna per Genova e Roma. In nessun caso c'erano dipinti di valore superiore alle 20 lire fiamminghe (60 ducati), mentre in quattro casi questi erano quotati a 3 lire o meno. Il valore medio era di 9 ducati. Tutte e otto le spedizioni erano gestite dall'azienda familiare dei Van der Molens. Dalle lettere si deduce che la ditta esportava principalmente tessuti, mentre i dipinti erano articoli secondari. Nell'unica spedizione italiana in cui compaiono valori separati per gli articoli tessili e i dipinti la proporzione tra di essi era di 16 a 1 a favore dei primi.

È altresì istruttivo confrontare le spedizioni della Van der Molens con altre effettuate un secolo dopo dalla già citata azienda di Matthijs Musson e Maria Fourmenois. Nel 1661 un loro parente stretto si stabilì a Roma e si offrì di operare come agente. La coppia gli fece arrivare ogni anno, per un periodo di cinque anni, delle stampe, per un valore medio di circa 100 ducati. Non si tratta di una somma importante. Le stampe, comunque, avevano di norma una valutazione molto inferiore rispetto a quella dei dipinti, e nonostante ciò il loro valore annuale era pari a 1,4 volte il valore totale dei dipinti esportati da Van der Molens nel 1544. Allo stesso tempo le spedizioni di stampe da parte dei Musson-Four-

65. Per una trattazione incentrata sul XVI secolo e oltre, basata sugli inventari veneziani, cfr. B. Aikema, *The Lure of the North: Netherlandish Art in Venetian Collections*, in *Renaissance Venice and the North*, cit.

66. P. Stabel, *Venice and the Low Countries: Commercial Contacts and Intellectual Inspirations*, pp. 30-43, e B. Roeck, *Venice and Germany: Commercial Contacts and Intellectual Inspirations*, ambedue in *Renaissance Venice and the North*, cit.

67. Siamo grati a Jeroen Puttevils per averceli messi a disposizione su nostra richiesta, estraendoli dal *database* della sua tesi di laurea.

menois verso Roma costituivano solo una piccola parte delle loro esportazioni complessive di opere pittoriche. Se consideriamo questa ditta come rappresentativa di un'impresa commerciale internazionale pressoché specializzata in dipinti, troviamo conferma della nostra impressione che le opere esportate da Van der Molens, così come quelle spedite da agenti italiani nelle Fiandre del XV secolo, rappresentavano un settore assolutamente marginale. Dato che nei documenti veneziani non sono menzionati commercianti di fatto specializzati in dipinti fino alla fine del Seicento, e che fino alla metà del Settecento non lo sono neppure i concessionari-commercianti,[68] sarebbe strano che le esportazioni di dipinti dalla città, in epoca anteriore, fossero più rilevanti di quanto si è detto.

Ciò vale probabilmente anche per quanto riguarda il commercio di dipinti che si sviluppò verso la fine del Quattrocento a opera di famosi artisti veneziani, quando i collezionisti facoltosi cominciarono ad andare alla ricerca delle loro opere, ricorrendo ad agenti che le individuassero e le acquistassero per loro conto. Questi agenti, sia che operassero a Venezia per collezionisti abitanti altrove in Italia, sia che svolgessero la loro attività in Spagna o nei Paesi Bassi, non erano specializzati in quadri.[69] Il caso di Isabella d'Este alla corte dei Gonzaga a Mantova fornisce una valida conferma. Isabella collezionava antichità, oggetti curiosi di valore e anche dipinti, ed erano gli stessi agenti che la informavano e facevano acquisti per lei in tutti e tre i settori. Nel Cinquecento questi agenti, che operavano su commissione piuttosto che investire denaro per tenere la merce in deposito in attesa di rivenderla, erano spesso essi stessi patrizi e letterati, e/o facoltosi artisti (non di rado gioiellieri). Fornivano ai loro clienti una vasta gamma di beni di lusso,[70] ma – ripetiamo – non erano specializzati in quadri. Prendiamo, per esempio, il veneziano Jacopo Strada. Gioielliere di formazione, Jacopo divenne un personaggio di corte che acquistava antichità, libri, oggetti di arte decorativa e dipinti per illustri clienti quali il duca di Baviera. Offriva inoltre consulenze per l'acquisto di intere collezioni e consigli su come organizzarle.[71] In qualità di agente dell'imperatore teneva i contatti con Tiziano, che ne dipinse il ritratto. Lo stesso Tiziano perfezionò al massimo l'impiego di agenti – cortigiani, antiquari, perfino ambasciatori – per assicurarsi committenze o con-

64

68. Cfr. F. Montecuccoli degli Erri, *I 'bottegheri da quadri' e i 'poveri pittori famelici': il mercato dei quadri a Venezia nel Settecento*, in *Tra committenza e collezionismo. Studi sul mercato dell'arte nell'Italia settentrionale durante l'età moderna*, Atti del convegno internazionale di studi, Verona, 30 novembre-1 dicembre 2000, a cura di E.M. Dal Pozzolo e L. Tedoldi, Vicenza 2003.

69. Cecchini, *Quadri e commercio*, cit., pp. 192-235; Goldthwaite, *L'economia del collezionismo*, cit., pp. 13-21.

70. R. Pieper, *The Upper German Trade in Art and Curiosities before the Thirty years War*, in *Art Markets in Europe, 1400-1800*, a cura di M. North e D. Ormond, Aldershot 1998.

71. D.J. Jansen, *Jacopo Strada et le commerce d'art*, «Revue de l'art», 77 (1987); M. McCrory, *Dukes and Their Dealers: The Formation of the Medici Grand-Ducal Collections in the Sixteenth Century*, in *The Art Market in Italy*, cit.

tratti da parte di un'elitaria clientela internazionale. In effetti i collezionisti del Cinquecento e i loro consiglieri contribuirono gradualmente a creare un mercato di 'Antichi Maestri' che a sua volta generò un vivace mercato pan-europeo per le copie di dipinti veneziani del Seicento.[72] Ma, una volta di più, i riscontri di cui disponiamo fanno pensare che questa debba essere considerata un'attività commerciale del tutto diversa da quella in cui si erano impegnati i mercanti internazionali con un'accentuata specializzazione nelle opere pittoriche – i Van Immerseel, i Musson e i Forchondts – che incontriamo nell'Anversa del XVII secolo.

Talvolta furono ricchi commercianti a favorire le esportazioni di dipinti veneziani nel Seicento, ma anche in questi casi gli articoli trattati sembrano avere avuto un peso marginale rispetto al complesso dei loro affari.[73] Marinoni è un tipico rappresentante dei mercanti di dipinti di basso prezzo. Esistevano però anche mercanti che trafficavano in quadri, copie e perfino intere collezioni di valore: a spingerli era sia l'interesse personale per il collezionismo che il desiderio di ricavare un utile.[74] Il più noto di questi personaggi è il ricco mercante fiammingo Daniel Nys, che si stabilì a Venezia nel 1600.[75] Era un collezionista insaziabile, ma procacciava anche ogni genere di oggetti di lusso per la corte dei Gonzaga a Mantova e negli anni 1625-1627 divenne l'agente per le vendite dei dipinti dei Gonzaga a Carlo I d'Inghilterra. Non era dunque così strano, da quanto abbiamo visto, che l'interesse per il commercio di opere pittoriche fosse solamente uno fra i tanti.

Conclusioni

Per quanto riguarda i dipinti che sono arrivati a Venezia, città su cui abbiamo concentrato l'attenzione, o che da qui sono stati esportati, siamo stati in grado di fornire non molto più che riscontri basati su singoli episodi. Ciò è in parte una conseguenza della scarsità di materiale documentario. Questa scarsità è solo apparente, dovuta all'incapacità degli storici di indagare nei luoghi giusti, o reale, in quanto c'è ben poco da scoprire? Comunque stiano le cose, il dubbio resta. Perché non dovrebbero più esistere tracce evidenti dell'esportazione di dipinti in una città più grande di Anversa e con una popolazione che negli anni Sessanta del Cinquecento – in un periodo in cui ambedue i centri erano al loro apogeo – era quasi doppia (circa 190.000 abitanti contro 104.000), una città ugualmente dedita all'esportazione, nonché polo di attrazione per ar-

72. M. Loh, *Originals, Reproductions and 'A Particular Taste' for Pastiche in the Seventeenth-Century Republic of Paintings*, in *Mapping Markets*, cit.

73. Cecchini, *Quadri e commercio*, cit., pp. 226-231.

74. Ivi, p. 229.

75. Ivi, p. 226.

tisti stranieri, capace anche di offrire possibilità di carriera a giovani locali che lo avessero voluto?

Poiché la domanda interna di dipinti era in aumento, naturalmente, Venezia potrebbe aver assorbito tutto quello che i suoi artisti producevano. Ma questo sembra non sia avvenuto per le icone di poco valore, comprese quelle eseguite a Candia: di queste risultano esportazioni nel corso del Quattrocento e all'inizio del Cinquecento. Né la domanda interna impediva ai dipinti di maestri veneziani del XVI secolo di essere apprezzati nelle corti di tutta Europa, nelle quali, tuttavia, le quantità documentate sono troppo modeste perché si possa parlare di commercio di esportazione. Un vero e proprio traffico di opere pittoriche potrebbe essersi sviluppato sul finire del Cinquecento, allorché i dipinti non tradizionali, i 'paesaggi', gli interni, le nature morte, le scene di mercati con animali, cacciagione e pesce, le fiere, le raffigurazioni delle attività stagionali della vita rurale – la cosiddetta *minor pictura* – cominciarono a trasformare la pittura veneziana che era basata sulle figure, sia bibliche che allegoriche.[76] Un commercio incentrato su dipinti di questo tipo avrebbe posto Venezia sulla stessa strada di Anversa, che esportava un gran numero di opere di questo genere insieme a quadri che univano elementi del nuovo stile a soggetti più tradizionali, biblici e allegorici. Anche in questo caso, però, e nonostante sporadiche spedizioni, a Venezia un simile commercio non si sviluppò, oppure, se ciò avvenne, lasciò poca traccia, con l'eccezione – ancora una volta – dei Bassano.

Non è questa la sede per andare alla ricerca delle ragioni, ma è opportuno segnalare tre differenze tra Venezia e Anversa. Innanzitutto Anversa sperimentò, tra il 1560 e il 1680, una lunga serie di tensioni e crisi sul versante della domanda, ma ogni volta i suoi artisti risposero mettendo in atto iniziative innovative ed energiche sui mercati stranieri.[77] Tali difficoltà comprendono la già ricordata partenza dei mercanti stranieri (alla fine degli anni Sessanta del Cinquecento e dal 1585 in poi); l'occupazione militare e il dimezzamento della sua popolazione, dovuto anche alla forte emigrazione dei mercanti protestanti locali e dei relativi capitali (negli anni 1586-1588); la crescita del volume delle giacenze di vecchi dipinti che poi entrarono in competizione con la nuova produzione del XVII secolo; infine il raggiungimento, intorno al 1680, di un picco nella proprietà dei dipinti, cui si associò uno spostamento delle preferenze verso articoli di lusso a imitazione della moda francese. Al contrario, non vi è traccia di artisti veneziani che, sotto lo stimolo di analoghe pressioni e difficoltà, abbiano coscientemente cercato spazio sui mercati stranieri ricorrendo a strategie altrettanto innovative e aggressive.

76. Cfr. l'ottima trattazione di S. Mason, *Low Life and Landscape:* minor pictura *in Late Sixteenth Century Venice*, in *Renaissance Venice and the North*, cit.

77. Riassunte in De Marchi, Van Miegroet, *The History of Art Markets*, cit.

In secondo luogo le iniziative degli artisti di Anversa si basavano sulla collaborazione. Essi viaggiavano spesso insieme a mercanti che non raramente erano anche membri della loro stessa famiglia. Ma, fossero o meno parenti, tutti si muovevano come un sol uomo. Tali associazioni commerciali si sviluppavano a livello privato, senza il coinvolgimento delle strutture pubbliche.[78] Questo non era concepibile a Venezia; e d'altra parte la Repubblica non pensò neppure di intervenire per creare o appoggiare un commercio di esportazione di dipinti nelle stesse forme e con la stessa intensità che adottava per altri generi di lusso.

In terzo luogo gli artisti di Anversa, grazie alla normativa della loro corporazione, godevano di maggiore libertà rispetto ai loro colleghi di Venezia ed erano avvantaggiati da una formulazione e da un'applicazione più flessibile di tale normativa; inoltre gli artisti veneziani andavano in vari modi contro i loro stessi interessi economici. Quanto al primo punto, va detto che ad Anversa la corporazione di San Luca era molto aperta e consentiva la collaborazione tra le diverse specializzazioni. A Venezia, invece, i contrasti per stabilire i confini tra le varie categorie erano all'ordine del giorno. La maggiore apertura di Anversa implicava che i pittori potevano usufruire delle capacità artistiche altrui e ottenere economie di scala e di specializzazione senza essere costretti a ingrandire le proprie botteghe. La ridotta dimensione delle botteghe, a sua volta, non solo limitava le loro necessità di capitale, ma consentiva di far fronte velocemente e in modo innovativo a quelle variazioni della domanda e a quei cambiamenti del gusto che andavano a influenzare direttamente i loro redditi. Al contrario, la paura delle tendenze monopolistiche, e forse soprattutto il timore di cadere nelle mani dei concessionari-commercianti, portava gli artisti di Venezia a opporsi al sistema dei subappalti, mentre l'esistenza di norme che mantenevano diritti precisi a favore delle specializzazioni produttive significava che non si potevano ottenere né i vantaggi di scala né quelli connessi alla facilità di collaborazione tra le varie categorie di artisti.

Quanto al modo in cui le norme erano scritte rispetto a come venivano applicate, e circa il quesito se i pittori veneziani danneggiavano se stessi, si consideri la regola per la quale i dipinti dovevano essere venduti solo da membri con un'adeguata formazione e registrati nella loro propria arte.[79] Ciò conferiva ai pittori una certa garanzia di controllo della qualità, ma significava anche che essi erano costretti a dividere il loro tempo tra la creazione e la vendita, con la conseguenza che il loro giro d'affari rimaneva limitato. Molti aggiravano questi vincoli stipulando accordi segreti con venditori di qualsiasi tipo di merce. Questi

78. La famosa iniziativa pubblica per costituire, nel 1540, un mercato dei dipinti funzionante per tutto l'anno sopra la Borsa si esaurì nel corso degli anni Ottanta del Cinquecento.

79. Cfr. Favaro, *L'Arte*, cit., pp. 70-71. Circa la possibilità che gli artisti di Venezia fossero soppiantati dagli agenti-commercianti, cfr. De Marchi, Van Miegroet, *Mapping Markets*, cit., pp. 132-134.

venditori erano fuori legge e, se scoperti, pagavano una multa che andava a favore delle casse dei pittori. Questa forma di indennizzo corrisposta ai pittori nel loro insieme, però, non valeva a garantire che la commercializzazione fosse organizzata e diretta con competenze specialistiche e su larga scala. D'altronde, siccome il livello di competenza tecnica richiesto per l'esportazione e la distribuzione su vasta scala andava sempre più affinandosi, la norma e le infrazioni della medesima finivano semplicemente per impedire che Venezia diventasse un'esportatrice significativa di qualsiasi genere di quadri, eccezion fatta per quelli di tipo assai corrente. Peggio ancora, i pittori di Venezia consideravano in realtà l'attività commerciale come inferiore all'arte del dipingere. Nel 1682, quando i pittori crearono il loro proprio collegio, vi ammisero i mercanti che potevano vantare un apprendistato da pittori, ma negarono loro pieni diritti. E più tardi, nel 1769, espulsero tutti i mercanti perché – a loro dire – avevano perso il contatto col pennello: di conseguenza essi vennero invitati a iscriversi come pittori di mobili. Questo comportamento e le sue conseguenze pratiche non contribuirono a formare quel tipo di capacità, e ancor meno l'energia e l'impegno necessari per vendere all'estero, sui quali potevano invece contare gli artisti di Anversa. Gli agenti-*connoisseurs* non subirono le conseguenze congiunte del disconoscimento e della vergogna ma essi, come abbiamo visto, vennero solo raramente coinvolti in ciò che possiamo considerare un vero e proprio commercio di dipinti. Ad Anversa la regolamentazione corrispondente prescriveva che i mercanti fossero registrati nella corporazione, ma quando molti di essi si sottrassero perfino a quest'obbligo non vennero denunciati né puniti, almeno non durante il periodo compreso fra il 1550 e il 1648.

Ci sembra superfluo, a questo punto, aggiungere che queste sono solo considerazioni e riflessioni, e che le nostre ipotesi e deduzioni devono essere meglio soppesate e verificate sulla base di ricerche più dettagliate; chiaramente, inoltre, il raggio della ricerca deve essere allargato in modo da comprendere altre città italiane. Tuttavia – per richiamare il risultato principale dell'indagine sulle esportazioni italiane in Spagna con la quale abbiamo iniziato – non vi sono molti elementi per ritenere che le spedizioni di dipinti dalle altre città abbiano avuto luogo con l'ampiezza o con la regolarità caratteristiche del commercio specializzato e prolungato nel tempo.

Appendice

Metodi usati negli studi olandesi per calcolare la domanda e l'offerta complessive di quadri

Per queste indagini sono stati adottati due approcci indipendenti. Il primo è stato impostato da Ad van der Woude e prevede una successione di passaggi collegati fra loro.[80] Li possiamo suddividere fra quelli che riguardano la domanda e quelli relativi all'offerta. Il periodo esaminato da Van der Woude è compreso fra il 1580 e il 1800. Per quanto concerne la domanda:

a) Si dispone di stime affidabili circa il numero delle famiglie nelle varie località nel periodo fra il 1650 e il 1800. Facendo un'ipotesi sulla dimensione e sulla durata nel tempo di ciascuna famiglia possiamo arrivare al numero complessivo di famiglie nell'insieme del periodo.

b) Quanti quadri possedeva ciascuna famiglia? Disponiamo di un ottimo studio di Thera Wijsenbeck-Olthuis sulla Delft del Settecento, studio basato su un campione stratificato di 100 inventari certificati e relativi a cinque classi di imposte di successione, un campione per ognuno dei tre periodi di venticinque anni ricavati nell'arco del XVIII secolo: 1706-1730, 1738-1762 e 1770-1794. Wijsenbeek-Olthuis ha calcolato quanti dipinti (con l'aggiunta di altre opere per la 'decorazione delle pareti', come stampe, disegni, carte geografiche e specchi) erano presenti in ciascuna casa del campione. I risultati mostrano che i numeri dei quadri catalogati in base al valore tassabile presentano forti differenze rispetto alla media (41 al limite massimo, 7 al minimo), con una notevole diminuzione nel corso del Settecento (per quanto in proporzione differente per i vari livelli patrimoniali).

c) Per estendere i risultati ottenuti nel caso di Delft alla Repubblica Olandese si rendono necessarie ulteriori ipotesi, numerose e impegnative. Per cominciare Van der Woude ha ipotizzato che il numero medio di dipinti per ciascuna famiglia di Delft, distinta per classi di ricchezza, possa valere per l'intera Provincia dell'Olanda (che include Amsterdam, Haarlem, Leida, L'Aia, Delft e Rotterdam) e per l'intero periodo preso in considerazione (1590-1800). Ha ipotizzato inoltre che la distribuzione della ricchezza a Delft fosse rappresentativa di quella dell'intera Olanda e che il profilo della medesima rimanesse stabile ovunque in quel vasto territorio. Infine ha ipotizzato che ciò che valeva per l'Olanda valesse per l'intera Repubblica. E questa è un'ipotesi accettabile, posto che in Olanda risiedeva il 40% della popolazione della Repubblica.

80. *The Volume and Value of Paintings in Holland at the Time of the Dutch Republic*, in *Art in History. History in Art. Studies in Seventeenth-Century Dutch Culture*, a cura di D. Freedberg e J. de Vries, Santa Monica 1991.

Si arriva così a stimare che il numero delle famiglie nel periodo 1590-1800 (undici generazioni di vent'anni ciascuna) superasse i 2 milioni. Queste famiglie avrebbero posseduto 25 milioni di quadri, corrispondenti a 11,5 per famiglia. L'ipotesi che le famiglie rurali possedessero meno quadri rispetto alla media porta a ridurre il totale a circa 20 milioni e, se si introduce un aggiustamento per il numero inferiore di abitanti delle campagne ascrivibili alle classi di reddito più alte, questa cifra scende a circa 18 milioni di quadri.

Veniamo ora all'offerta. Le stime appena riportate si riferiscono sia a quadri nuovi che ereditati, ma le due categorie devono essere tenute separate.

d) Lo studio di Wijsenbeek-Olthuis ha dimostrato che il 70% dei quadri esistenti nel primo dei tre periodi in cui era stato diviso il XVIII secolo non c'erano più nel 1800. La perdita deve essere stata anche maggiore dato che nel corso del secolo dovrebbero essere stati aggiunti molti quadri. Se i due terzi dei quadri rimasti nel 1800 furono prodotti nel XVIII secolo, allora soltanto lo 0,3 x 0,33% (= quasi il 10%) dei quadri prodotti prima del 1700 sarebbero stati ancora esistenti nel 1800. Se viene registrata una perdita del 90% in cento anni, con il succedersi di quattro generazioni, ciò significa che circa la metà dello stock di quadri scompare a ogni cambio delle medesime: 100→50→25→12,5.

e) Questo calcolo non tiene conto dei quadri prodotti per l'estero. Non disponendo di elementi concreti per stimarne il numero, Van der Woude si è rifatto a stime di altri che inducevano a concludere che nel 1900, nei più importanti musei del mondo posti fuori dall'Olanda, potevano essere rimasti 30.000 dipinti olandesi. La supposizione di un tasso di sopravvivenza del 10% comportava che i dipinti prodotti per l'estero fossero stati 300.000, cioè il 3,3% della nuova produzione interna nel periodo 1580-1700. Ed egli riteneva che questa fosse una valutazione cauta.

È evidente che queste conclusioni poggiano su una notevole quantità di ipotesi. Sul piano teorico ogni ipotesi dovrebbe essere soggetta a riscontri effettivi, anche se in molti casi questo è impossibile. Per essere ritenuti accettabili, di conseguenza, tali risultati dovrebbero poter essere raggiunti anche seguendo una strada completamente diversa. E così Van der Woude si è chiesto di quanti artisti ci sarebbe stato bisogno, e con quale produzione individuale di dipinti alla settimana, per arrivare ai totali di cui sopra. L'ipotesi, prudenziale, che gli artisti costituissero lo 0,5% degli abitanti delle città negli anni 1580-1700 e lo 0,3% negli anni 1700-1800, conduce – combinando queste percentuali con i dati conosciuti delle popolazioni urbane dell'Olanda – a un totale di 5120 artisti nell'intero periodo, di cui 3200 anteriori al 1700. Potevano questi artisti – 480 in ciascun anno del XVIII secolo e 800 in ciascuno del periodo fra il 1650 e il 1700 –, lavorando ognuno per una media di 25 anni, aver prodotto fra i 9 e i 10 milioni di dipinti? Ciò avrebbe richiesto che ciascuno di loro realizzasse 1,6 dipinti per ogni settimana di sei giorni (38,5 settimane lavorative all'anno). Questa cifra è inferiore ai 3 dipinti a settimana indicati dall'unico contratto di artista rimasto cui Van der Woude si riferisce, ed è in sintonia con la testimonianza storica riguardante la velocità alla quale un artista poteva lavorare. In appoggio a questo elemento, a favore del quale le prove sono scarse, Van der Woude ipotizzava che gli artisti avrebbero guadagnato almeno quanto un maestro carpentiere, il cui salario è noto, e si chiedeva quanti quadri sarebbero stati necessari se ad essi si fosse attribuito quel prezzo medio che risulta dal campione degli inventari di Amsterdam riportanti le valutazioni. Questo riscontro ci dà 1,5 quadri alla settimana, risultato notevolmente vicino a quello da lui calcolato in precedenza.

Il secondo approccio adottato per queste indagini è quello messo a punto da J. Michael Montias. In sostanza si tratta di un'alternativa ai procedimenti di controllo di Van der Woude sopra descritti. Montias ha preso in considerazione il numero degli artisti e i loro redditi nell'anno 1650 relativamente a un certo numero di città olandesi.[81] Nella maggior parte dei casi ha fatto direttamente ricorso al numero totale degli artisti risultanti dai documenti corporativi e li ha modificati sulla base delle notizie conosciute di decessi e spostamenti da una città all'altra. Ha inoltre avuto a disposizione un ulteriore contratto di un artista, che gli ha fornito l'esatto ammontare del reddito annuo, oltre a informazioni sugli introiti giornalieri degli artisti confrontati con quelli dei maestri carpentieri. I dati di Montias dimostrano che gli artisti guadagnavano da 3,5 a 5 volte il salario medio dei maestri carpentieri. L'integrazione fra questi elementi di fatto ha portato a una stima ragionevole dell'introito giornaliero di un artista. Montias, inoltre, aveva una buona conoscenza dei metodi di pittura, il che conferisce attendibilità a tutte le sue stime sulla capacità produttiva dei pittori (numero di quadri prodotti alla settimana). Van der Woude ha fatto ricorso al *database* che Montias aveva costruito su una campionatura casuale degli inventari di Amsterdam. Dopo di allora quel *database* è stato ulteriormente analizzato da Montias e ciò gli ha consentito di elaborare dei prezzi medi distinti per i quadri di maggior costo, che secondo lui dovrebbero corrispondere agli originali, e per quelli più a buon mercato (le copie).[82] Montias è arrivato alla conclusione che ad Amsterdam, verso il 1630, il prezzo medio degli originali si attestava fra i 10 e i 13 fiorini e quello dei più economici fra i 5 e i 9 fiorini. Questi valori sono inferiori a quelli utilizzati da Van der Woude (15 fiorini). I prezzi medi più bassi di Montias, a loro volta, concordano con le sue stime più prudenti sul numero totale di artisti operanti in Olanda (1650) e ad Amsterdam (1630). Egli valutava che la produttività settimanale di un artista di Amsterdam intorno al 1630 fosse di 1,6 quadri per gli originali e di 3-4 per le copie. Questi risultati combaciano con quelli di Van der Woude relativamente ai dipinti di maggior prezzo; i valo-

81. *Estimates of the Number of Dutch Master-Painters, their Earnings and their Output in 1650*, «Leidschrift», 6 (1990).

82. *Notes on Economic Development and the Market for Paintings in Amsterdam*, in *Economia e Arte*, cit.

ri sono invece molto più alti, sebbene ancora plausibili, per le copie di poco prezzo e per le opere in serie.

Oltre a ciò, Montias ci aiuta a comprendere meglio la situazione di esportatrice-netta della città di Amsterdam. Mediante l'individuazione del luogo in cui operavano gli artisti cui vengono attribuiti i dipinti negli inventari di Amsterdam, giunge a concludere che la città fu importatrice-netta di quadri durante tutti i decenni della sua maggior produzione pittorica. In quale misura essa lo fosse non è certo, ma le importazioni – secondo lo studioso – ammontavano da sole a circa il 20% del consumo, mentre le esportazioni erano «con tutta probabilità molto inferiori».[83]

A tutt'oggi questo è l'unico serio tentativo di quantificare il commercio di quadri fra le città dei Paesi Bassi, nonché l'unica stima della condizione di una specifica città come esportatrice-netta. Come si è già rilevato, per l'Italia non risultano tentativi né dell'uno né dell'altro tipo; i metodi di Montias, però, indicano una strada percorribile quando mancano dati esaurienti sulle esportazioni. Possiamo dire la medesima cosa sugli approcci di Van der Woude e di Montias tesi a valutare la produzione totale di quadri e la capacità produttiva degli artisti. Esistono anche altre stime sul numero degli artisti nella Repubblica Olandese del Seicento. Jan de Vries ha utilizzato fonti agevolmente disponibili (quadri nelle collezioni dei musei) per creare dei campioni non casuali di nomi di artisti olandesi e fiamminghi con le loro date di nascita, e ha così potuto formulare delle stime sull'ipotetico numero degli artisti attivi, decennio per decennio.[84] È stato in grado di verificare i numeri così ottenuti mettendoli a confronto con le attribuzioni delle banche-dati degli inventari olandesi. Un ulteriore riscontro è stato effettuato da Gary Schwartz, che ha utilizzato *The Union List of Artist Names* per ricavare il totale degli artisti olandesi, ottenendo per l'anno 1650 un numero di gran lunga superiore a quello stimato da Montias, ma che include molti artisti di cui non si conosce alcuna opera.[85] *

83. Ivi, pp. 127-128. Per le stime cfr. M. Montias, *Works of Art in Seventeenth-Century Amsterdam. An Analysis of Subjects and Attributions*, in *Art in History. History in Art*, cit., tavola 8, p. 362.

84. J. De Vries, *Art History*, ivi.

85. *The Shape, Size and Destiny of the Dutch Market for Paintings at the End of the Eighty Years' War*, in *1648: War and Peace in Europe*, a cura di K. Bussmann e H. Schilling, Münster-Osnabrück 1998.

* Traduzione di Giovanni Marchi

I marmi

GENEVIÈVE BRESC-BAUTIER

Materiale di lusso, simbolo di eternità, il marmo non è un prodotto come gli altri. Bianco immacolato, è prezioso e, alla stregua delle gemme, apprezzato in proporzione alla sua purezza. Tanto più costoso quanto più grandi e privi di difetti sono i blocchi, è allora destinato all'arte statuaria, alle grandi sculture religiose, alle tombe prestigiose e alla rinascita del ritratto all'antica. Leggermente venato, diviene invece fontana, pezzo architettonico, colonna, cornice e caminetto, o più umilmente mortaio o vera da pozzo. Colorato, è amato per l'intensità delle sue tinte: il bel rosso scuro del 'rosso antico', la tonalità decisa del 'giallo di Siena', il grigio-azzurro del 'bardiglio', il verde scuro del 'verde mare', il nero striato di bianco del 'grande antico', il viola della 'breccia medicea'. Serve allora per i rivestimenti parietali delle cappelle e dei palazzi. E poi c'è il marmo corrente, quello delle lastre pavimentali, delle piastrelle e dei lavabi, che, tagliato in tasselli di diversi colori, partecipa alla realizzazione di sontuosi e rari mosaici pavimentali.

Non seguirò qui le classificazioni dei geologi, che riservano il nome di marmo esclusivamente al bianco ben metamorfosato, disdegnando i marmi colorati e le brecce; adotterò, invece, l'uso dei marmisti, gli specialisti dell'estrazione, del taglio e spesso anche della commercializzazione di marmi e di pietre marmoree o di pietre a queste assimilate dall'utilizzo e non dalla geologia, escludendo l'alabastro, il serpentino, il granito, il porfido e il basalto.

L'Italia: una vasta zona di estrazione

L'eredità antica delle grandi cave imperiali, che avevano alimentato un'immensa attività statuaria, si era spenta lasciando il posto a rare iniziative particolari, a una produzione medievale limitata a un raggio geografico relativamente breve, e al riutilizzo dei monumenti di epoca classica trasformatisi ormai in vere e proprie cave. Tutto ciò non escludeva, tuttavia, una diffusione di prestigio: i canonici di Saint-Ruf, in Provenza, arrivarono a inviare un messaggero fino a Pisa allo scopo di procurarsi il marmo necessario per il loro chiostro, situato probabilmente a Valence.

Le antiche cave di Luni, dette ormai di Carrara, furono fra le prime a rinascere.[1] Queste producevano il bianco statuario, l'unico marmo utilizzato nel Rinascimento dopo la perdita dei giacimenti del Mediterraneo orientale che avevano fatto lo splendore dell'arte greca. Dalla metà del XII secolo fu Genova ad importare questo marmo, impiegato principalmente nell'architettura, poi si fecero avanti anche i pisani: Nicola Pisano poté così procurarsi, nel 1265, i marmi necessari alla realizzazione del famoso pulpito scolpito della cattedrale di Pisa. A questo punto gli sfruttatori delle cave, a condizione di vedersene concedere il diritto, attaccarono la montagna di marmo delle Alpi Apuane. Nel 1473, dopo essere stati a lungo contesi tra Milano, Lucca, Firenze e grandi famiglie come i Campofregoso di Sarzana e di Genova, il principato di Massa e con esso il marmo di Carrara caddero definitivamente nelle mani dei Malaspina, poi Cybo, che costruirono la loro fortuna sui diritti di dogana. Tuttavia la zona sud del giacimento, l'Altissimo, dove la qualità era peraltro migliore, si trovava in territorio toscano, cosicché sulla frontiera delle Apuane si accese una 'guerra del marmo' commerciale e politica.

Parallelamente, lo sviluppo dei grandi cantieri medievali portò allo sfruttamento di altri marmi meno prestigiosi, ma ritenuti comunque adeguati per l'architettura: i pisani li estraevano dal Monte Pisano, i lombardi si procuravano quelli di Candoglia o di Ornavasso in val d'Ossola, dalle venature leggermente rosate, o ancora del lago di Como. Sarà questo il materiale principale del prolungato cantiere della cattedrale di Milano, in concorrenza con il marmo di Carrara riservato alla statuaria.[2]

Sempre a partire dal XII secolo riapparvero i marmi colorati, soprattutto il giallo di Siena e il rosa di Verona. Colonne, atlanti e leoni di cattedre, di pontili e di protiri aggiunsero agli edifici una nota di colore, spesso rossa. Si sviluppò contemporaneamente anche l'uso di marmi dai colori più semplici, come il 'bardiglio' grigio delle facciate pisane o l''arabescato' dalle venature grigie. Nella Liguria occidentale si affermò, invece, il 'rosso di Levanto'. Tutti questi colori si combinavano con pietre più opache, nere o grigie, come il gres nero toscano, detto 'pietra serena', o l'ardesia ligure, la famosa 'lavagna'.

La domanda sempre più pressante di marmo pregiato richiese, quindi, la

1. Ch. Klapisch-Zuber, *Les maîtres du marbre. Carrare 1300-1600*, Paris 1969.

2. P. Boucheron, *Le pouvoir de bâtir. Urbanisme et politique édilitaire à Milan, XIVe-XVe siècles*, Rome 1988 (Collection de l'École française de Rome, 239).

ricerca di nuove cave. Fu a rischio della propria vita che Michelangelo si recò di persona sulle Alpi Apuane, facendovi aprire la migliore cava di bianco statuario mai esistita, l'Altissimo, che, come lascia supporre il nome, si trovava in una posizione che rendeva il trasporto estremamente difficile. Poiché la zona era sotto il dominio toscano, fu Cosimo I a far realizzare una strada per estrarre i blocchi senza pericoli.

Il XVI secolo è il momento del rigoglio del grande marmo statuario delle Alpi Apuane e anche quello della ricomparsa di varietà prestigiose quali il 'portoro', un marmo nero e oro (oppure nero e argento) proveniente dalle isole dinanzi a Porto Venere, a sud di La Spezia, la 'breccia verde' della val Polcevera, situata a nord di Genova, e la superba e costosa 'breccia medicea' di Seravezza, dagli accenti violacei su fondo bianco, scoperta nel 1516.

L'esportazione dei marmi italiani in Europa fu riservata alle varietà più apprezzate. Mentre il marmo impiegato in architettura non ebbe che una diffusione locale, lo statuario di buona qualità era destinato a un grande avvenire all'estero, seguito dai marmi colorati solo a partire dalla fine del Cinquecento. Ogni paese possedeva, infatti, dei materiali ai quali gli uomini del mestiere erano abituati. Il Belgio aveva marmi colorati, calcare carbonifero di Tournai, utilizzabile per lapidi e *gisants*, nero di Dinant, rosso di Hainaut o di Liegi. L'Inghilterra, dopo aver utilizzato il 'marmo' di Purbeck, una pietra marmorea del Dorset, a partire dal XIV secolo sfruttò largamente i filoni di alabastro di Nottingham, che permisero non solo la realizzazione di grandi statue e dei *gisants* reali di Westminster, ma anche una vera e propria industria della tomba e dell'ancona. Sostenuta da una dinamica commerciale, senza rapporto con il calo costante della qualità artistica, la produzione si orientò verso la consegna di ancone finite e la diffusione di blocchi che rifornirono i grandi cantieri dei Paesi Bassi e della Francia settentrionale. Gli scultori che avevano maggiore familiarità con l'arte italiana, dopo aver compiuto delle esperienze a Firenze e a Roma, ritornarono invece a scolpire l'alabastro come se fosse marmo. I marmisti dei Paesi Bassi, tuttavia, diffusero ampiamente anche i propri marmi grigi, neri o rossi, impiegati in architettura e nella decorazione, e fecero della pietra di Tournai, di un nero intenso, il materiale principe di lapidi e perfino di certi *gisants*. Nelle chiese tedesche, accanto all'onnipresente legno policromo, dominavano l'alabastro e il marmo rosso o grigio locali, impiegati per altari e tombe, mentre la pietra fine di Solnhofen permetteva sculture più raffinate. Più a oriente si trovavano il 'marmo' di Slivenec e di Vlašim, utilizzato in Boemia, e quelli del Tirolo, a Vipiteno, e di Obernberg, nei pressi di Salisburgo, sfruttati dall'Austria. Anche la Spagna conobbe a lungo il predominio quasi assoluto dell'alabastro, soprattutto di quello della bassa valle dell'Ebro, mentre la policromia era ottenuta grazie alle molteplici varietà di marmo rosa o rosso, qualificate come diaspri. Quando poi il marmo di Carrara divenne di moda gli operai italiani arrivati in Spagna per lavorarlo restarono a tagliare anche materiali locali, trasportati dal Portogallo o dalla cava di Macael (posta a nord di Almería nella sierra di Los Filabres), sia nel patio del castello di Vélez Blanco[3] o nella corte circolare del palazzo di Carlo V a Granada, sia in numerosi monumenti funerari. Fu quindi il turno del marmo di Espeja, utilizzato largamente nel cantiere dell'Escorial di Filippo II. Quando si trattava di sculture destinate agli interni, tuttavia, l'alabastro rimaneva il miglior sostituto del marmo.

Quanto alla Francia, poiché il marmo locale dei Pirenei, estratto a Saint-Béat, non usciva dall'ambito regionale, s'imponeva sempre l'alabastro, estratto dalle grotte del Giura, del Delfinato, della Franca Contea e della Borgogna o importato dall'Inghilterra, accanto a pietre bianche e fini come il tufo, il calcare della Mosa o la creta del Vernon. A questi si aggiunsero poi i marmi colorati dei Pirenei, di cui i re francesi cercarono di far rinascere lo sfruttamento sul modello antico.

L'Italia poteva, dunque, contare sulla qualità di un materiale più duro, più brillante, più bianco, meno fragile, essenzialmente statuario. Il marmo colorato, invece, ebbe mercato – ma in maniera più episodica – solo dalla fine del XVI secolo, quando si diffuse la moda delle tarsie di pietre fini e di marmi preziosi, dopo che la tecnica del 'commesso' era stata messa a punto a Roma e a Firenze, dove nel 1588 i laboratori dell'Opificio delle pietre dure erano stati promossi al rango di manifattura dal granduca Ferdinando.

Lo sfruttamento dei bacini marmiferi era di norma affidato a cavatori professionisti. Tuttavia, per commissioni importanti, poiché era necessario essere certi della qualità e sorvegliare la preparazione dei blocchi per non avere brutte sorprese, i cantieri delle chiese e poi gli scultori – o piuttosto le botteghe di scultura – gestivano in proprio le ordinazioni per opere di grande pregio, lasciando ai gestori la commercializzazione di blocchi standardizzati, lastre, pezzi per realizzare busti, oggetti più o meno finiti come mortai, vere da pozzo e balaustre.

Dopo l'estrazione e la discesa dei blocchi su tregge, la cosiddetta lizzatura, si effettuava una prima fase di trasformazione del marmo, che veniva in seguito portato fino al mare, in genere sulla spiaggia di Avenza, che non era ancora un porto dai fondali profondi. I blocchi venivano allora issati su imbarcazioni di poco pescaggio e partivano alla volta dei grandi scali vicini. Poiché la nave, via mare o via fiume, era il mezzo di trasporto più comodo, Genova e Livorno, dalle flotte ben organizzate, si affermarono come punti di partenza privilegiati per i materiali lavorati dai carrarini, dai lombardi o dai fiorentini nella stessa Carrara e a Genova. Il grosso della produzione era destinato all'attuale Italia, il paese do-

3. O. Raggio, *The Velez Blanco Patio. An Italian Renaissance Monument from Spain*, «The Metropolitan Museum of Art Bulletin», 23, 4 (1964), p. 154.

ve più si affermarono gli scultori, mentre le esportazioni verso l'Europa rappresentavano un commercio prestigioso ma limitato dai problemi di trasporto e dai rischi a questo connessi (guerre, pirateria, maltempo). La Spagna, soprattutto nelle zone che potevano essere raggiunte dalle coste, divenne un cliente privilegiato: il marmo sbarcava nei grandi porti – Cadice per Siviglia, Alicante e Cartagena per Granada, Malaga, Valencia, Barcellona – e, solo in casi specifici nei quali era necessario arrivare il più vicino possibile alla destinazione, in porti minori come il piccolo scalo di Salou nei pressi di Tarragona. Poi, però, verso l'entroterra i trasporti su carro risultavano assai difficoltosi, cosicché la domanda di marmo era appannaggio esclusivo di un'élite assai fortunata.

La Francia non fu che un cliente occasionale, sebbene per rifornirla bastasse risalire i fiumi: la Senna da Honfleur (poi da Havre de Grâce dopo che questo fu fondato da Francesco I), attraverso Rouen, fino al porto di Gaillon o alle banchine di Parigi;[4] la Loira da Nantes fino a Tours e Orléans. L'importanza dell'ambiente mercantile di Lione spiega, tuttavia, perché i marmi ordinati da Anna di Bretagna per Tours risalissero invece il Rodano, attraversassero il valico tra Lione e Roanne e scendessero poi lungo la Loira,[5] mentre quelli per Brou passavano sempre per il Rodano e quindi per la Saône.

L'Italia nord-orientale, viceversa, era assai più difficile da raggiungere partendo da Genova e circumnavigando la Penisola, soprattutto in periodi di guerra: fu per questa ragione che la pietra d'Istria invase il Veneto e le città della costa adriatica, mentre il marmo di Carrara fu riservato alle commissioni statuarie importanti.

Esportazione di marmo e di scultori specializzati

Fra i primi a introdurre l'arte italiana in Francia figurano gli scultori di re Renato d'Angiò,[6] che, rimasto colpito dalla grazia del Rinascimento durante il periodo del suo sfortunato regno a Napoli, chiamò alla sua corte itinerante tra Anjou, Lorena e Provenza due scultori del grande cantiere napoletano di Alfonso il Magnanimo, Pietro da Milano e Francesco Laurana, che risiedettero nel regno tra il 1461 e il 1466. Il dalmata Laurana ritornò poi dal suo mecenate fran-

4. Il trasporto dei marmi della tomba monumentale dei duchi d'Orléans da Rouen a Parigi avvenne nel 1504: cfr. Bibliothèque nationale de France, Ms. fr. 26109.

5. La testimonianza del pittore Jean Perréal, che in una lettera a Margherita d'Austria le raccomandava di acquistare il marmo per Brou a Genova, è edita da B. Fillon, *Documents relatifs aux œuvres de Michel Colombe exécutées pour le Poitou, l'Aunis et le Pays hantais*, Fontenay-le-Comte 1865, p. 5; nuova edizione critica di P. Pradel («Bibliothèque de l'École des Chartes»).

6. Fr. Robin, *La Cour d'Anjou-Provence. La vie artistique sous le règne de René*, Paris 1985, pp. 244-258.

cese nel 1477. Due importanti opere in marmo segnano la sua attività in Provenza, *Notre-Dame de l'Espasme*, che raffigura lo svenimento della Vergine durante la salita al Calvario, del 1479-1481, e la cappella di Saint-Lazare de la Major di Marsiglia, del 1478-1481, realizzata in collaborazione con Tommaso Malvito da Como su richiesta del commerciante Jacques de Ramesan.[7] In queste opere fu impiegato esclusivamente marmo italiano, sia nelle grandi statue della Major e nel rilievo dello *Svenimento della Vergine*, destinato al convento dei Celestini e oggi a Saint-Didier di Avignone, sia nella decorazione ornamentale. Ignoriamo quali fossero le condizioni dell'approvvigionamento del marmo per queste commesse, né conosciamo quelle vigenti per la tomba monumentale del fratello minore di Renato, Carlo IV d'Angiò, conte del Maine, morto nel 1472 e inumato nella cattedrale di Le Mans, un monumento funerario attribuito forse un po' troppo sbrigativamente al medesimo Laurana. L'interrogativo di fondo è se Renato avesse commissionato in Italia l'opera o solo il marmo per eseguirla.

L'attività di Andrea Sansovino nella penisola iberica rimane invece avvolta da un alone di mistero: fu uno dei propagatori dell'arte del marmo fuori d'Italia? Secondo il Vasari Sansovino realizzò per il re Giovanni del Portogallo «un bellissimo palazzo con quattro torri» e, tra il 1491 e il 1500, prima di trasferirsi a Toledo, scolpì parecchie statue. Si trattava di opere in marmo? Non lo sappiamo. Prima della sua partenza per la Spagna nel 1499, ignoriamo completamente anche l'attività del carrarino Alberto Maffioli, attivo a Parma, Cremona e Pavia, anche se forse la sua mano è stata riconosciuta nella tomba del cardinale Pedro González de Mendoza, realizzata in materiale locale.

L'esportazione di sculture finite: il caso della Francia di Luigi XII

Mentre nel Quattrocento la presenza di artisti italiani all'estero restò un fatto limitato, fu l'importazione di opere finite destinate ai sovrani a permettere, a partire dall'inizio del Cinquecento, l'effettiva adozione – pur lenta e contrastata – del nuovo stile. L'acquisizione di marmi scolpiti, commissionati o semplicemente comprati sul mercato dell'arte, passava attraverso intermediari, integrandosi in un circuito commerciale relativamente limitato nella misura in cui il mercato era confinato alle grandi corti o ai cortigiani. Ciò avveniva perché si cercava di evitare l'importazione 'a scatola chiusa' di blocchi che potevano rivelarsi difettosi, ma nello stesso tempo era la testimonianza del fatto che gli artisti italiani esercitavano il loro fascino su di una ristretta élite convertitasi al Rinascimento. Per quanto ce ne rimanga ignota la forma, è comunque significativo che un

7. E. Mognetti, *Francesco Laurana, sculpteur du roi René en Provence*, in AA.VV., *Le roi René en son temps, 1382-1481*, Catalogo della mostra, Aix-en-Provence 1981.

artista come Antonio Rossellino avesse inviato all'estero delle sculture e in particolare una tomba monumentale a Lione.[8]

La Francia, infatti, fu una cliente affezionata della scultura lombarda e genovese durante la breve dominazione di Luigi XII sul Ducato di Milano (1500-1512).[9] Diretta conseguenza della conquista del Milanese e di Genova da parte del sovrano francese fu la commissione di sculture alle botteghe attive nelle città conquistate, dal 1502 fino alla morte del sovrano, avvenuta nel 1515. Già nel 1502 l'opera della cattedrale di Milano autorizzava Cristoforo Solari a eseguire, tra l'agosto e il settembre di quell'anno, sei medaglioni di marmo per un «maresciallo di Francia» che potrebbe identificarsi sia con il Trivulzio, sia con il maresciallo di Gyé, il quale avrebbe potuto collocarli nel suo castello di Verger.[10]

L'organizzatore del lavoro a Genova era Giovanni Spinola, signore di Serravalle, incaricato di procurare i marmi, di sorvegliare gli scultori, per i quali era anche garante, e quindi di fornire gli imballaggi di legno e di effettuare il trasporto.[11] Ignoriamo, però, in che misura Spinola contribuisse alla scelta degli scultori.

L'impresa più prestigiosa fu destinata al re in persona, che ordinò al proprio tesoriere nel Milanese, Jean Hérouet,[12] di trattare con un consorzio di artisti la realizzazione del monumento funerario dei suoi avi Luigi d'Orléans e Valentina Visconti – da quest'ultima egli traeva i diritti sul Ducato di Milano –, del padre, il poeta Charles d'Orléans, e dello zio, Filippo, conte di Virtù. Il contratto concluso nell'agosto 1502, assai minuzioso, elencava in dettaglio i marmi, i *gisants*, i basamenti e le statuette che dovevano essere scolpite da due società, quella dei lombardi Michele d'Aria e Girolamo Viscardo e quella dei fiorentini Benedetto da Rovezzano e Donato Benti, entrambe già attive sulla scena genovese.[13] Il prezzo dell'esecuzione, elevatissimo, non comprendeva il viaggio e il soggiorno dei due scultori per sistemare il monumento presso i Celestini di Parigi.

53

Sull'esempio del re i consiglieri reali presenti a Genova o a Milano si fecero spedire marmi appositamente realizzati per le loro residenze. Il più insaziabile fu senza dubbio il cardinale Georges d'Amboise, principale ministro di Luigi XII, che fece del castello degli arcivescovi di Rouen a Gaillon un centro di spic-

8. Vasari, ed. Milanesi, riferisce nella vita di Rossellino di «molte altre cose mandate fuori, siccome a Lione di Francia una sepoltura di marmo».

9. B. Jestaz, *Les rapports des Français avec l'art et les artistes lombards: quelques traces*, in *Louis XII en Milanais, guerre et politique, art et culture*, Actes du XLI Colloque international d'études humanistes, Tours, 30 giugno-3 luglio 1998, a cura di Ph. Contamine e J. Guillaume, Paris 2003.

10. Ivi, pp. 293-295.

11. F. Alizeri, *Notizie dei professori del disegno in Liguria dalle origini al secolo XVI*, Genova 1876, IV, pp. 287, 290, 298, 306-307, 339-341.

12. È stata ripetuta una cattiva lettura di Alizeri. Si trattava di un importante tesoriere reale, che costruì l'Hôtel Hérouet a Parigi, ornato da una torretta gotica.

13. Alizeri, *Notizie*, cit., p. 286.

co del primo Rinascimento. Il cardinale pagava l'affitto di una baracca sul porto di Genova per i lavori dello scultore Pace Gagini, lombardo di Bissone.[14] A partire dal 1504 Giovanni Spinola fece intervenire il governatore di Genova presso il marchese di Massa affinché lasciasse uscire dal suo territorio i marmi necessari ai lavori eseguiti per conto del cardinale nella città ligure.[15] È così che furono trasportate a Rouen una fontana e a Gaillon due grandi fontane genovesi, montate dal genovese Bertrand de Meynal, una delle quali era stata commissionata agli scultori Agostino Solario e Antonio della Porta in società con Pace Gagini nel 1506.[16] Nel Milanese, di cui era governatore suo nipote Charles II d'Amboise, il cardinale commissionò nel 1508 allo scultore milanese Lorenzo da Mugiano un mezzobusto del re, conservato ora al museo del Louvre, e dei medaglioni di imperatori all'antica che fece venire attraverso l'intermediazione di Guido Mazzoni e dell'ammiraglio Prégent. Sono ormai noti una quarantina di medaglioni e di profili ornamentali in marmo provenienti da Gaillon. Altri otto medaglioni e busti ornamentali, firmati da Lorenzo da Mugiano, oggi conservati nel museo della città, furono spediti per ornare il palazzo di giustizia di Grenoble, mentre altri sedici furono integrati nella decorazione del castello di Meillant, proprietà di Charles d'Amboise, e altri ancora, ora al museo di Bourges, andarono a ornare il castello di Nançay, proprietà di Gabriel de La Châtre, capitano delle guardie di Luigi XII.

Alla stessa epoca Raoul de Lannoy, governatore di Genova dopo la rivolta del 1507, commissionò ad Antonio della Porta detto Tamagnino, già distintosi nella certosa di Pavia, il proprio monumento funebre in marmo bianco per la cappella situata nella sua proprietà di Folleville in Piccardia.[17] Lo scultore eseguì le opere a Genova, affidando al nipote Pace Gagini il trasferimento dei marmi in Francia. Fu così che Gagini inserì la bella lastra raffigurante i due sposi e un rilievo decorato con due piccoli geni funerari in un sepolcro di tipo francese, nel quale gli elementi gotici rispondevano alla decorazione rinascimentale del sarco-

14. Ivi, p. 314.

15. Ivi, p. 306.

16. Ivi, pp. 315-316. L'identificazione delle due fontane, note attraverso un disegno e un'incisione di Du Cerceau, è stata oggetto di dibattito. A mio avviso restano della grande fontana la vasca dal diametro di 4 metri, oggi a Rochefoucauld, proveniente da Liancourt, e della fontana di Solari e di Gagini i quattro pannelli decorati da teste di leone con cornucopie, oggi al museo del Louvre: cfr. G. Bresc-Bautier, *Fontaines laïques de la Renaissance française: les marbres de Tours, de Blois et de Gaillon*, in *Sources et fontaines du Moyen Âge à l'âge baroque*, Actes du colloques tenu à l'université Paul Valéry, Montpellier, 28-30 novembre 1996, a cura di M.-M. Fragonard, Paris 1998. La fontana della corte, sebbene sia stata considerata nel XVII secolo un dono della Repubblica di Venezia, proveniva invece proprio da Genova: cfr. M. Smith, *Rouen-Gaillon: témoignages italiens sur la Normandie de Georges d'Amboise*, in *L'architecture de la Renaissance en Normandie*, Actes du Colloque, Cerisy-la-Salle 1998, a cura di Ch. Corlet, Caen 2005.

17. P. Vitry, *Michel Colombe et la sculpture française de son temps*, Paris 1901, pp. 158-161; H.W. Kruft, *Antonio della Porta, gen. Tamagnino*, «Pantheon», 28 (1970).

fago. Egli vi aggiunse, inoltre, una graziosa statuetta della *Vergine con il Bambino*, ora nella chiesa di Ruisseauville, e i personaggi di una *Deposizione*, conservata oggi a Joigny in Borgogna, il solo gruppo di questo genere realizzato in marmo in una Francia che ne contava invece un gran numero in pietra policroma. È inoltre probabile che anche il medaglione di Antoine de Lannoy, oggi al museo di Piccardia, facesse parte di questa commessa genovese.

Anche Antoine Bohier, abate di Fécamp e consigliere del re, si dimostrò particolarmente ambizioso in occasione del suo soggiorno a Genova nel maggio 1507, quando si accordò con Girolamo Viscardo per l'acquisto di tre insiemi marmorei composti da architetture a pilastri decorati, da statuette e da rilievi: un tabernacolo dalla vistosa decorazione destinato alla reliquia più preziosa della sua chiesa, il Santo Sangue; l'altare del Salvatore, di cui sono rimasti cinque bassorilievi; infine una cassa reliquiario ornata dalle figurine dei dodici Apostoli e accompagnata dalle statue di santa Susanna e di san Taurin.[18]

Altre opere, sebbene meno note, meritano comunque di essere segnalate: fra queste la grande *Vergine con il Bambino* – per la verità in alabastro – offerta nel 1510 a François de Rochechouart, governatore di Genova dal 1508 al 1512, che provvide a farla sistemare nel suo castello di la Motte-Chandenier da dove fu poi trasferita nella cattedrale di Poitiers; ma anche l'insieme di sculture, recentemente scoperto e studiato, del castello di Cordès, in Alvernia:[19] un'ancona, un'acquasantiera e la lastra sepolcrale di Yves II d'Allègre, compagno del Bayaro, ucciso nella battaglia di Ravenna nel 1512, cui bisogna aggiungere un'acquasantiera firmata «Jehan de la Barda, 1512», ora ospitata nella chiesa di Milhaud nei pressi d'Issoire. È probabile, inoltre, che almeno il materiale delle due statue della cappella palatina di Aigueperse, se non addirittura le opere stesse, raffiguranti san Luigi e la Vergine, provengano da Genova. I Borboni Montpensier, patroni della cappella, erano infatti assai legati all'Italia, sia Gilbert, che aveva seguito Carlo VIII nella sue spedizioni e aveva sposato Chiara Gonzaga; sia Luigi II, che dal 1499 aveva comandato il secondo esercito inviato da Luigi XII nel Milanese ed era morto a Napoli nel 1501; sia infine Carlo, che nel 1507 aveva accompagnato Luigi XII nella città di Genova in rivolta prima di diventare l'eroe della battaglia di Agnadello nel 1509.

La perdita del Milanese, le numerose rivolte e i molti assedi di Genova finirono con l'impedire gli acquisti sul mercato genovese. Nel 1530, tuttavia, Francesco I accordò al mercante lucchese Nicola di Nobile il permesso di caricare nella città ligure le pietre di una fontana commissionata dal cardinale legato e cancelliere di Francia Antoine Duprat per il proprio castello di Nantouillet.

18. Alizeri, *Notizie*, cit., pp. 296-298; Vitry, *Michel Colombe*, cit., pp. 152-158.

19. M. Durin-Tercelin, *Le mobilier de marbre de la chapelle de Cordès, un ensemble de la Renaissance italienne*, «Recherche en Histoire de l'art», 3 (2004).

In cambio del salvacondotto, che superava l'interdizione reale allora vigente di commerciare con Genova, Francesco I autorizzava la nave ad esportare ogni mercanzia non proibita, grano, vino, olio, miele, mandorle e lana.[20]

Gli italiani in Spagna: il prestigio delle sculture 'prefabbricate'

Nel lungo periodo il cliente principale dei marmisti di Genova si rivelò la Spagna dei re cattolici e di Carlo V,[21] dove i genovesi dominavano il commercio delle città meridionali. Tuttavia, mentre il marmo veniva sempre estratto a Carrara, gli scultori provenivano da ambienti diversi: erano lombardi, fiorentini, spagnoli o napoletani e aprivano le loro botteghe a Genova o il più vicino possibile alle cave. Il banco genovese di Siviglia funzionava poi da garante finanziario e da vera e propria *lobby* che proponeva gli scultori, permettendo inoltre l'acquisto dei marmi e il trasporto marittimo. Già nel 1472 Elia da Bissone aveva inviato delle colonne a Siviglia. I nobili della corte si convertirono: i patii andalusi si ammantarono di bianco e la fiorente città arrivò vantare nel Settecento più di 30.000 colonne di marmo italiano. Fu con l'attività del fiorentino Domenico Fancelli,[22] però, che la scultura italiana si radicò definitivamente in Spagna. Sembra che ad aprire la strada sia stata la tomba del cardinale Pedro González de Mendoza a Toledo, alla quale Fancelli avrebbe partecipato con altre botteghe locali (e forse con Maffioli), che fu realizzata in pietra locale. Viaggiando quindi incessantemente da una sponda all'altra del Mediterraneo, lo scultore fiorentino persuase i suoi committenti a utilizzare da allora in poi il marmo di Carrara e organizzò una bottega nella stessa città apuana, la cui attività sarebbe stata in seguito continuata da Bartolomeo Ordóñez e poi dagli Aprile. Dal 1508 Fancelli acquistò marmi a Carrara, probabilmente per eseguire la tomba monumentale del cardinale Diego Hurtado de Mendoza, collocata nel 1510 nella cattedrale di Siviglia. Il suo successo fu tale da fargli ottenere commissioni prestigiosissime e di grande rilievo politico: la tomba dell'infante Giovanni, figlio dei re cattolici, a

20. E. de Fréville, *Sauf-conduit de François Ier pour la fontaine du château de Nantouillet (1530-1535)*, «Nouvelles Archives de l'Art français», 3 (1853-1855), pp. 184-185.

21. P. Andrei, *Sopra Domenico Fancelli e Bartolomeo Ordognes Spagnolo. Memorie estratte da documenti*, Massa 1871; J. de Contreras, Marquès de Lozoya, *Escultura de Carrara en España*, Madrid 1957; R. Lopez Torrijos, *La scultura genovese in Spagna*, in AA.VV., *La scultura a Genova e in Liguria dalle origini al Cinquecento*, Genova 1987; L. Migliaccio, *Carrara e la Spagna nella scultura del primo Cinquecento*, in AA.VV., *Le vie del marmo. Aspetti della produzione e della diffusione dei manufatti marmorei tra '400 e '500*, Catalogo della mostra, Pietrasanta, 1 agosto-4 ottobre 1992, Firenze 1992, pp. 101-136, 169-170.

22. Andrei, *Sopra Domenico Fancelli*, cit.; Migliaccio, *Carrara e la Spagna*, cit.; P. Lenaghan, *The Arrival of the Italian Renaissance in Spain: the Tombs by Domenico Fancelli and Bartolomé Ordóñez*, Ph.D. dissertation, New York University, Ann Arbor 1993.

San Tommaso d'Avila (1511-1513), poi quelle dei sovrani stessi (1514-1517) per la cappella di Granada e infine, nel 1518, la sepoltura di Filippo il Bello e di Giovanna la Pazza, che non fece però in tempo a cominciare e che fu compiuta in gran parte da Bartolomeo Ordóñez e, dopo la morte di questi avvenuta nel 1520, dal suo successore alla guida della bottega di Carrara, Pietro Aprile. Convertitosi al marmo e alla maniera italiana durante il suo soggiorno a Napoli, Ordóñez aveva già usato questo materiale in due stupefacenti rilievi del *trascoro* della cattedrale di Barcellona, che il capitolo gli aveva espressamente richiesto in marmo di Genova o di Carrara nel 1517. Egli era dunque in Catalogna quando ricevette l'incarico di continuare l'opera del Fancelli, di cui adottò i metodi di lavoro. Nel 1518 Fancelli aveva anche accettato di eseguire la sepoltura del celebre cardinale Francisco Ximénez de Cisnéros, l'uomo forte dell'unificazione dei due regni, sepolto all'interno dell'università di Alcalá da lui fondata. La decorazione in marmo fu eseguita dalla bottega di Ordóñez e poi di Aprile, suo collaboratore ed erede, nel 1520.

54

Le tombe monumentali all'italiana, i cui elementi venivano scolpiti in Italia, a Genova o a Carrara, e poi montati in Spagna, fecero concorrenza ai laboratori locali, fedeli all'alabastro, riuscendo a imporsi grazie alle scelte di alcune ricche famiglie, vicine al potere e imbevute di cultura umanistica. Così Fabrique Enríquez, primo marchese di Tarifa, grande viaggiatore e cugino di Ferdinando d'Aragona, di passaggio a Genova al ritorno dalla Terrasanta nel 1520, commissionò nella città ligure i sontuosi monumenti sepolcrali dei suoi genitori per la certosa di Las Cuevas a Siviglia: la tomba del padre, Pedro Enríquez, fu firmata da Antonio Mario Aprile, quella della madre, Catalina de Ribera, da Pace Gagini.[23] I due giganteschi *arcosolia*, in guisa di archi di trionfo, decorati di rilievi e di statue, mostrano i *gisants* dei defunti adagiati su sarcofaghi sovraccarichi. Rimasto in rapporti con le botteghe genovesi, il marchese affidò loro, nel 1528, l'evocazione del proprio lignaggio materno, i Ribera, sempre per la certosa di Siviglia, attraverso una serie di sei *gisants* e di statuette;[24] al contempo stipulò con i fratelli Pietro e Antonio Maria Aprile un favoloso contratto (2058 ducati) per la decorazione del suo nuovo palazzo di Siviglia, la famosa Casa de Pilatos, Gerusalemme mistica, di cui sono in marmo le colonne del patio e il portale, ai quali si aggiunsero alla fine dei lavori due fontane.[25] A collocare i *gisants* e le statuette delle tombe monumentali della certosa il laboratorio degli Aprile, fornitore ufficiale del marchese, inviò Bernardo Gagini.

58

In un crescente entusiasmo le tombe monumentali importate da Genova si moltiplicarono: quelle della famiglia Fonseca a Coca, iniziate da Ordóñez prima del 1520, vennero portate a termine e completate da Pietro e Antonio Ma-

23. Contreras, *Escultura*, cit., pp. 7-14.
24. Ivi, pp. 18-19.
25. Ivi, pp. 19-22.

ria Aprile dieci anni più tardi. Nel 1524 Francisco Ruiz, vescovo d'Avila e collaboratore di Cisnéros, di passaggio a Genova, ne approfittò per stipulare, con Pietro Angelo della Scala e Giovanni Antonio Aprile, un contratto per la propria tomba, destinata al convento di San Juan de la Penitencia di Toledo, la cui installazione fu affidata a Bernardino Gagini.[26] Distrutto nel 1936, il monumento funerario, ornato dalle figure delle Virtù sedute, in uno stile assai prossimo a quello di alcune statue della tomba monumentale di Luigi XII, era decorato con numerose statuette e rilievi di un marmo che il committente aveva espressamente richiesto di qualità analoga o superiore a quella del materiale delle sepolture dei re cattolici e di Cisnéros. Un accordo dello stesso genere unì, nel 1536-1539, Giangiacomo e Guglielmo della Porta con Antonio Maria Aprile per la realizzazione della tomba monumentale del cardinale Baltásar del Rio nella cattedrale di Siviglia. Dopo la prima ondata di committenze, queste cessarono per un breve periodo, per riprendere tuttavia nel 1564 con il monumento funebre del marchese di Cenete e di sua moglie Maria de Fonseca nella cappella dei re di Valencia, commissionato a due comaschi stabilitisi a Genova, Giovanni Orsolini e Giovanni Carlone.[27]

Se la scultura funeraria fu la più notevole per l'importanza delle committenze, dei committenti e delle somme di denaro spese, la scultura religiosa di importazione restò minoritaria rispetto ai fasti delle opere in alabastro e in legno policromo e dorato del Rinascimento spagnolo. Alcune ancone nella cattedrale di Granada (1529, 1539), la grande ancona di San Francesco di Siviglia, affiancata dalle statue del marchese e della marchesa d'Ayamonte in preghiera (1526-1532) eseguite dagli Aprile e da Pietro Angelo della Scala,[28] e ancora l'ancona della cappella dei Genovesi della cattedrale di Murcia, tuttavia, attestano l'esistenza di una domanda di arte italiana.

Ritroviamo le stesse botteghe genovesi attive anche nel campo della scultura ornamentale: portali, riquadri di finestre, colonne con capitelli. La moda cominciò con il patio dello straordinario castello di La Calahorra, a est di Granada, voluto da don Rodrigo de Vivar y Mendoza, marchese di Cenete, figlio del cardinale González de Mendoza. Fu chiamato allora uno scultore e caposquadra, Michele Carlone, che si occupò della stesura del progetto con il manifesto sostegno del banco genovese di Granada. Nel 1509, dunque, fu reclutata una squadra di sette scultori liguri e lombardi per il castello, mentre alcuni elementi 'prefabbricati' venivano ordinati a Genova. Un anno dopo, nel 1510, tutta la scultura ornamentale del castello veniva spedita, pronta per essere montata: piedistalli, pilastri, colonne con basi e capitelli, piastrelle in mar-

26. Ivi, pp. 16-17.

27. R. Lopez Torrijos, *Los autores del sepulcro de los marqueses del Zenete*, «Archivo Español de Arte», 203 (1978).

28. Contreras, *Escultura*, cit., p. 18.

mo bianco e in pietra nera di Promontorio.[29] Sarebbero stati seguiti poi da una fontana, come a Gaillon.

Le commissioni di prestigio sivigliane si moltiplicarono. Di passaggio nella sua città natale, nel 1529, al seguito di Carlo V, il bibliofilo Ferdinando Colombo, figlio del più celebre Cristoforo, colse l'occasione per ordinare ad Antonio Maria Aprile e ad Antonio di Lanzio il portale e le finestre della propria biblioteca a Siviglia.[30]

L'esempio fu seguito anche dalla corte reale. Nel 1532 furono realizzati Genova, ad opera di Giangiacomo della Porta, Antonio Maria Aprile, Antonio da Lanzo e Nicola da Corte, le colonne, i pilastri e gli architravi dei patii alto e basso dell'Alcázar di Siviglia,[31] completati nel 1535 dallo stesso Aprile e da Bernardino Gagini.[32] Passando per Genova, al rientro dalla campagna imperiale di Tunisi, l'ammiraglio Álvaro de Bazán, il duca d'Alba e il grande scudiero Juan de Bossa ne approfittarono per acquistare elementi decorativi prefabbricati pronti per essere montati.[33] Nel 1537, poi, l'Ammiraglio fece eseguire da Giangiacomo della Porta e da Gianpietro di Pasallo la fontana di marmo del castello di El Viso, una sorta di villa lombarda nella Mancia, e reclutò artisti per i propri cantieri. E mentre il duca d'Albe faceva decorare la sua oasi paradisiaca, il giardino d'Abadía in Estremadura, di busti e di statue,[34] la sua casa contava più di cento colonne e nove fontane.

Tutto ciò portò, a Genova, alla formazione di società di scultori capaci di collaborare per grandi progetti. Il laboratorio artigiano, la bottega, divenne un'impresa. Quelle di Fancelli, poi di Ordóñez e di Aprile, eredi le une delle altre, ottennero i contratti più prestigiosi, ramificandosi in società stipulate per un periodo determinato o per un certo cantiere. Tali società, forti di compagni venuti da fuori, reclutavano i propri membri anche all'interno della famiglia o fra altri marmisti, soprattutto di origini lombarde o comasche, come gli Aprile di Carona, sul lago di Lugano, i Gagini di Bissone, i Solari, i Della Porta, Nicola di Corte. Pietro Aprile, che utilizzava contemporaneamente il marmo delle sette cave di Carrara,[35] non esitò ad assumere anche giovani scultori fiorentini, come Raffaello da Montelupo, o napoletani, come Giangiacomo da Brescia e Girolamo Santacroce, o più semplicemente a ingaggiare degli *scarpellini* per la parte più ripetitiva del lavoro. Quelle commissionate erano opere collettive, in cui si riconoscono mani diverse: il titolare del contratto era un imprenditore che riuniva intorno a sé forze vive capaci di far funzionare egregiamente un grande cantie-

29. Alizeri, *Notizie*, cit., V, p. 75.

30. Contreras, *Escultura*, cit., pp. 20-21.

31. Klapisch-Zuber, *Les maîtres du marbre*, cit., doc. 38, pp. 289-291.

32. Contreras, *Escultura*, cit., pp. 21-22.

33. Ivi, p. 24.

34. Ivi, pp. 26-27.

35. Klapisch-Zuber, *Les maîtres du marbre*, cit., p. 113.

re. Fondate sull'utilizzazione del marmo di Carrara, i cui sfruttatori non avevano in realtà il controllo della commercializzazione, queste imprese di produzione non avrebbero potuto estendere il loro raggio d'azione senza la rete bancaria e commerciale genovese. I nomi dei patrizi genovesi incaricati di garantire la qualità del lavoro sono eloquenti: Lazzaro Piccanoto e Martino Centurione trattarono per le forniture di La Calahorra; Niccolò Cattaneo si occupò di sei contratti relativi a monumenti funerari aristocratici a Siviglia; Niccolò Grimaldi sorvegliò a Genova i lavori relativi a queste ultime opere e quelli per la biblioteca di Ferdinando Colombo; Antonio Pinelli trattò con Ordóñez per la tomba monumentale di Cisnéros, Adamo Centurione per i patii reali di Granada, mentre i Cattaneo – Girolamo e Gregorio – fecero altrettanto per l'Alhambra di Siviglia; ancora, Gregorio Pallavicino o Costantino Gentile ordinarono i marmi per il Gran Scudiero e per il conte d'Olivares; Antonio Spinola e Baldassarre Lomellino, infine, sorvegliarono la realizzazione della tomba monumentale del marchese di Cenete. Non si trattava tanto di intermediari, quanto piuttosto di grandi finanzieri in grado di poter anticipare i capitali necessari per l'acquisto del marmo, i contratti di manodopera e il trasporto marittimo.

Le colonie di mercanti genovesi a Cadice, a Jerez e a Valencia ricorrevano ai propri concittadini allo scopo di ricreare delle piccole Italie di marmo. Ma, rispetto all'Andalusia e alla Nuova Castiglia del marmo, la vecchia Spagna e la Catalogna restarono fedeli alla loro tradizione. Una certa uniformità, rafforzata dalla volontà di imitare i nuovi modelli creati in Italia, perciò, si creò soprattutto sul versante sud-occidentale della penisola iberica. Questi innesti di arte lombarda e fiorentina in terra di Spagna contribuirono al progressivo abbandono delle forme gotiche e a una relativa uniformazione dei modelli culturali aristocratici. Certo, furono soltanto poche famiglie aristocratiche – più o meno sempre le stesse, Méndoza o Fonseca – ad aderire alla formula del marchese de Tendilla, ambasciatore a Roma, il quale aveva ordinato, nel 1505, che la tomba del proprio fratello, Diego Hurtado de Mendoza, «non dovesse contenere il benché minimo elemento francese, tedesco o moresco, ma tutto dovesse essere romano».[36] Egli, d'altronde, non faceva altro che ripetere in parte la richiesta dello stesso cardinal Mendoza che, nel 1494, aveva domandato un monumento funebre all'antica, come un arco di trionfo. Non era solo il desiderio di sfoggiare la propria ricchezza, ma anche di affermare una cultura filosofica e politica che gli ambasciatori e i cardinali avevano acquisito in Italia. È necessario sottolineare, tuttavia, come questa antichità agognata restasse un mito, non essendo che il riflesso delle grandi realizzazioni italiane, e come gran parte di tale produzione artigianale geno-

36. «Mi voluntad es que no se mezcle con la otra obra ningun cosa fraçesa ni alemana ni morisca syno que todo sea Romano»: cit. in Lenaghan, *The arrival of the Italian Renaissance*, cit., p. 474.

vese non possedesse la creatività dell'arte toscana, sebbene alcuni spagnoli acculturatisi in Italia riuscissero talora a ispirare il nuovo stile con la loro personalità.

Nel Regno di Napoli, dal 1503 strettamente unito alla Corona di Spagna, l'italianizzazione degli artisti e dei governanti – come Ordóñez o Diego de Siloe – era profonda, ma la regione non poteva offrire le stesse possibilità finanziarie proprie della *lobby* carrarino-genovese e l'ambiente culturale non era così stimolante come Firenze o Roma. Furono dunque rare, fra il 1509 e il 1536, le commesse per i napoletani e limitate all'iniziativa di esponenti politici di primo piano, come i viceré Ramon Folch e Giovanni d'Aragona (a Montserrat), l'ammiraglio Bernat de Villamari (sempre a Montserrat) o il reggente del consiglio Jeroni Descoll (Museo Diocesano di Barcellona). La più straordinaria di queste opere è senz'altro l'immenso e complesso monumento funebre del viceré Ramon Folch de Cardona, commissionato dalla sua vedova a Giovanni Marigliano da Nola nel 1524 e inviato a Bellpuig in Catalogna nel 1530.[37]

Il vigore del centro napoletano e l'intraprendenza dei laboratori lombardi e genovesi, coniugati a personalità capaci di imporre nuovi criteri artistici, ebbero l'effetto di convertire progressivamente la Spagna. Le «aquile» dell'arte spagnola – come Francisco de Hollanda definisce Bartolomeo Ordóñez e Alonso Berruguete – seppero fare l'uso migliore del marmo di Carrara con un linguaggio esasperato e una foga personalissima. Il merito, tuttavia, non era solo del materiale: gli scultori maggiormente influenzati dal nuovo stile, come Felipe Bigarny o Vasco de la Zarza e le loro botteghe, furono in grado di adattare senza complessi il linguaggio del Rinascimento anche all'alabastro locale e al legno.

Le sculture contemporanee da collezione

L'attrazione per il Rinascimento italiano spinse spesso i sovrani e i grandi dei regni ad acquistare da scultori famosi opere d'eccezione. Nel 1488 il re d'Ungheria Mattia Corvino, per esempio, di cui è ben nota la passione libraria, si procurò una vasca intagliata dal Verrocchio in un blocco di marmo acquistato da un cavatore di Carrara.

Il re di Francia Francesco I non si accontentò più soltanto di sculture funzionali, ma ricercò, come del resto fecero anche i suoi cortigiani, capolavori della contemporanea scultura italiana. Il suo agente in Italia, Giovanni Battista della Palla, la cui attività ci è descritta dal Vasari, non si limitava infatti a rifornirlo di 'anticaglie': fu così che il sovrano acquistò la statuetta della *Natura* opera

37. J. Yeguas Gassó, *Giovanni da Nola e la tomba del vicerè Ramon de Cardona, il trasferimento da Napoli a Bellpuig e i legami con la scultura in Catalogna*, «Napoli Nobilissima», s. V, 6, 1-4 (2005).

del Tribolo, conservata al castello di Fontainebleau, e l'*Ercole* di Michelangelo, andato purtroppo perso.

Carlo V, invece, dopo la conquista del Ducato di Milano scelse di legare a sé lo scultore milanese Leone Leoni, commissionandogli nel 1549 otto sculture, che l'artista pensò a inviare a Bruxelles da dove arrivarono, infine, in Spagna. Sebbene Leoni lavorasse principalmente il bronzo e l'alabastro, fu in marmo bianco di Carrara che scolpì a Milano i ritratti in bassorilievo e le grandi statue dell'imperatore e dell'imperatrice, oggi al museo del Prado, terminati dal figlio Pompeo dopo la sua morte in Spagna.[38]

In questo commercio rivolto alle corti e ai grandi, il ruolo dei mercanti restò marginale, anche se con alcune eccezioni degne di nota. Così la famiglia di Alexandre Mouscron, che commerciava con Firenze e Roma, fece arrivare nel 1506 la grande *Madonna* di marmo, capolavoro di Michelangelo, che adorna ancora oggi la chiesa di Notre-Dame di Bruges.[39] Un uomo d'affari di Lione ottenne l'autorizzazione a fare uscire da Roma nel 1547 dei grandi clipei di busti in marmo colorato e un mascherone di fontana.[40] Il banchiere di origini fiorentine Girolamo Gondi, infine, si procurò il grande *Orfeo che incanta gli animali*, firmato da Pietro Francavilla nel 1598; l'immenso marmo, conservato oggi al museo del Louvre, fu circondato da animali eseguiti da Taddeo del Gadda e andò a decorare il giardino della residenza parigina del banchiere, dove suscitò l'ammirazione di Enrico IV, che decise di chiamare lo scultore a Parigi.

Nella diffusione di queste sculture la Chiesa svolse un ruolo importante, sebbene più 'laico' che religioso. Una parte delle esportazioni, infatti, avveniva ad opera di italiani commendatari di abbazie o di vescovadi. Alla presenza dei Della Rovere ad Agen, per esempio, dobbiamo il medaglione femminile conservato ora nel museo di questa città. Per converso, le autorizzazioni a esportare da Roma busti o statue moderne venivano accordate essenzialmente a cardinali stranieri, come du Bellay, d'Armagnac e de Guise, oppure ad ambasciatori presso la Santa Sede, come Guillaume de Balzac d'Entraigues, du Maine e Claude d'Urfé, che si attivavano, oltre che per loro stessi, anche per il re e per gli amici, come il conestabile Anne de Montmorency.[41]

Un discorso a parte meriterebbero i doni diplomatici, spesso dei pezzi antichi, ma talora anche opere contemporanee che, se di pregio, non erano sempre di prima mano. Come fu accolto alla corte di Francia il dono di Roberto Strozzi dei *Prigioni* che Michelangelo aveva previsto per la tomba di Giulio II e lascia-

38. AA.VV., *Los Leoni (1509-1608). Escultores del Renacimiento italiano al servicio de la corte de España*, Catalogo della mostra, Madrid 1994, n. 4-5, pp. 114-117, 136.

39. C. de Tolnay, *The Youth of Michelangelo*, Princeton 1969, p. 157.

40. B. Jestaz, *L'exportation des marbres de Rome de 1535 à 1571*, «Mélanges d'archéologie et d'histoire. École française de Rome», 75 (1963), p. 452.

41. Ivi, pp. 438-444.

ti incompiuti? Le statue andarono a ornare le nicchie del castello d'Ecouen, dove il conestabile di Montmorency aveva costituito un notevole centro di irradiazione del Rinascimento.

Anche il re di Spagna fu fatto oggetto di questo genere di attenzioni. Uno dei suoi familiari, infatti, fu probabilmente il destinatario della graziosa statua di san Giovanni Battista bambino di San Salvador d'Ubeda, dono del Senato di Venezia. Filippo II, inoltre, ricevette dei busti dei dodici Cesari da quel grande mecenate e collezionista che fu il cardinale Ricci da Montepulciano (il quale inviò anche delle tavole lavorate a commesso al re Sebastiano del Portogallo), una grande fontana da don Garcia di Toledo nel 1571 e un'altra da Andrea Doria. Nel 1576, inoltre, il granduca Ferdinando de' Medici gli offrì il superbo *Cristo in croce* di grandi dimensioni che Benvenuto Cellini aveva scolpito tra il 1556 e il 1562 per la propria sepoltura. La scultura, tuttavia, era un oggetto di recupero: spinto da preoccupazioni di ordine materiale, Cellini aveva infatti venduto l'opera a Cosimo I, che alla sua morte non l'aveva nemmeno fatta sballare; il suo erede, Francesco, le aveva perciò trovato una nuova destinazione, del tutto appropriata alla nota devozione del re di Spagna, nel convento dell'Escorial.

Il commercio di marmo grezzo

Prodotto raro e prezioso, ma assai pesante, il marmo grezzo poteva essere spedito come semplice zavorra negli scambi marittimi e perciò non ha lasciato traccia nei documenti, se non indirettamente attraverso le quantità possedute dai mercanti di marmo e dagli scultori – ma la confusione tra marmo e alabastro è allora frequente – e naturalmente attraverso l'analisi dell'insieme della produzione scultorea presente fuori d'Italia. Una parte delle esportazioni era senza dubbio priva di destinazione precisa e doveva essere perciò relativamente standardizzata, un'altra corrispondeva invece a ordinazioni precise, per le quali siamo meglio informati. Il procedimento, tuttavia, era piuttosto aleatorio, poiché lo scultore restava sempre alla mercé di un difetto, di una venatura, di una fessura, di una cavità, di una parte fragile o troppo colorata dagli ossidi metallici.

A partire dal Trecento i maggiori scultori francesi, spesso di origini fiamminghe o vallone – Jean Pépin de Huy, André Beauneveu, Jean de Cambrai o Jean de Liège – erano stati i principali utilizzatori del marmo bianco, sempre in un contesto reale o al più alto livello della vita politica. Se i *gisants* reali erano fatti da immensi blocchi di marmo, i pezzi funerari secondari o le varie statue e statuette erano tagliati in lastre relativamente sottili. L'uso di maschere e di mani in marmo bianco nei *gisants* o inseriti nelle lastre funerarie di pietra erano il segnale di un utilizzo al risparmio del materiale e, probabilmente, di una sua commercializzazione sotto forma di 'fette' già segate.

Nelle grandi committenze reali del primo Rinascimento, dopo una fase di interruzione, riprese l'uso del marmo d'importazione per i monumenti funerari. Per la scultura religiosa, in effetti, i francesi si accontentavano normalmente dell'alabastro o della pietra marmorea dipinta a encausto o sbiancata. Ci voleva tutta la passione per l'Italia di un Montmorency perché la statua della *Vergine con il Bambino* del suo castello di Ecouen, oggi al museo del Louvre, fosse realizzata in marmo, probabilmente di Carrara.

In un primo momento le importazioni importanti seguirono di pari passo l'insediarsi di scultori reali, specialisti del marmo. Il primo di costoro fu senza dubbio lo *scarpellino* Girolamo da Fiesole, forse identificabile con lo scultore noto in Francia come Jérôme Pacherot. Costui, che nel 1497 figurava tra gli artisti di corte, si recò in Italia per scegliere del marmo per conto di Anna di Bretagna, per la quale lavorò in seguito. La regina, infatti, aveva progettato di far realizzare la tomba monumentale dei suoi genitori, il duca Francesco II di Bretagna e Margherita de Foix, per la chiesa dei Carmelitani di Nantes e quella dei figli suoi e di Carlo VIII per la cattedrale di Tours. Alla fine del 1499, dunque, la sovrana aveva inviato il suo agente Guglielmo Bonino o de Boni (Guillaume Bonin?) e Girolamo da Fiesole affinché si procurassero del marmo di Carrara[42] e poi del marmo rosso e nero presso l'Opera del Duomo di Firenze. All'inizio del 1500 il materiale fu trasportato da Genova a Tours. Grazie alla collaborazione del vecchio scultore Michel Colombe – a torto qualificato spesso come artista di gusto gotico – e di due scultori ornatisti italiani, fu innalzato a Nantes un magnifico monumento funerario, affiancato da quattro grandi statue raffiguranti le Virtù, immaginato dal pittore Jean Perréal. Il marmo di Carrara vi regna sovrano, nei due *gisants*, nei grandi angeli che li assistono e nel decoro del basamento, in cui l'ornato all'italiana valorizza una folla di statuette nelle nicchie e di figure dolenti nei medaglioni. Il marmo di Carrara è anche il materiale esclusivo della tomba monumentale di Tours: del basamento decorato di putti con ghirlande, della singolare modanatura concava ornata dalle fatiche d'Ercole e da altre raffigurazioni all'antica, persino dei *gisants* dei minuscoli principini vegliati da angeli attribuiti ad artisti francesi.

56

Stabilitosi in Francia, Pacherot, che potremmo definire un imprenditore, compì lavori da ornatista e da specialista del marmo a Tours e a Gaillon. Il cantiere di Gaillon, in particolare, si segnala per i massicci consumi di marmo non solo lavorato, ma anche grezzo. Pace Gagini preparò forse dei blocchi a Genova? Fu comunque Pacherot a portare da Gaillon a Tours il grande blocco di marmo, venato e disomogeneo, in cui Michel Colombe scolpì l'ancona della cappella del castello raffigurante il combattimento di san Giorgio, patrono del commit-

42. I protettori di San Giorgio si rivolsero al capitano di Sarzana perché li aiutasse a procurarsi del marmo: cfr. Alizeri, *Notizie*, cit., IV, p. 305.

tente, contro il drago. Mentre il rilievo fu scolpito a Tours nel 1508-1509, non sappiamo se, come asserisce la tradizione, il suo riquadro e i rilievi di marmo della porta della cappella, ora al museo del Louvre, furono eseguiti a Gaillon da ornatisti probabilmente italiani – il genovese Bertrand de Meynal, Jean Chersalle e Pacherot – oppure a Genova dal laboratorio di Gagini, come lascerebbe supporre la non conformità della cornice alle dimensioni dell'ancona.

A Gaillon furono attivi anche i fratelli Giusto, che fondarono una dinastia di scultori fiorentini stabilitisi a Tours capaci di lavorare alternativamente la terra e il marmo: Antonio di Giusto Betti, morto nel 1519, e suo fratello minore Giovanni o Jean, il quale conobbe una più lunga carriera proseguita dal nipote Jean II. La loro attività fu inaugurata dalla tomba di Thomas James, vescovo di Dol in Bretagna, datata e firmata da Giovanni di Giusto nel 1507, realizzata tuttavia non in marmo ma in pietra. Dopo il cantiere di Gaillon, l'opera capitale dei Giusto fu la monumentale tomba di Luigi XII, la cui esecuzione si protrasse dal 1514, data della morte di Anna di Bretagna, al 1531, anno del trasferimento per nave dei marmi da Tours alla chiesa abbaziale di Saint-Denis. Tutto, in questo monumento funerario, è di marmo: la cappella ad arcate, lontano ricordo della certosa di Pavia; i pilastri decorati da grottesche; il basamento, ornato da rilievi che illustrano le vittorie e i trionfi di Luigi XII in Italia; le quattro robuste Virtù cardinali, assise agli angoli; il collegio apostolico in atteggiamento vario. Da tempo si cerca di privare i Giusto della paternità delle sculture più notevoli dell'insieme, la duplice effigie dei sovrani: in preghiera e vesti regali sulla terrazza superiore, poveri e nudi, segnati dalle stigmate dell'imbalsamazione e della morte sul sarcofago. A mio avviso il monumento funerario potrebbe essere, come era avvenuto in Spagna, opera di una bottega diretta dai Giusto, situata ad Amboise e poi a Tours, in stretti rapporti con l'Italia, da dove sarebbero potuti arrivare dei pezzi prefabbricati, mentre la parte più personale e simbolica della tomba, i *gisants* e gli oranti, e anche i rilievi del basamento, sarebbero stati eseguiti in Francia. La grandissima eterogeneità delle figure – degli Apostoli, per esempio – e il loro evidente rapporto con la contemporanea arte italiana vanno a ulteriore sostegno dell'ipotesi di un'impresa di bottega, realizzata in parte forse a Carrara. I legami che Antonio di Giusto aveva conservato con la città apuana potrebbero implicare l'esistenza di una bottega dello stesso tipo di quella del Fancelli e poi dell'Ordóñez: Giusto possedeva a Carrara una casa, ereditata forse dal padre, dove nel 1516, almeno stando alla testimonianza del Fancelli, aveva stipulato contratti con undici marmisti.

Accanto a queste commissioni di vasta portata troviamo in Francia anche un certo numero di grandi e begli oggetti decorativi in marmo, come vasche di fontane, fonti battesimali e acquasantiere[43] di cui ignoriamo se siano stati impor-

43. Vitry, *Michel Colombe*, cit., pp. 198-201 ne fornisce una lista e le considera scolpite in Francia: acquasantiere di Avignone, di Genillé (datata 1494), di Saint-Cyr e nella cappella del

tati o eseguiti sul posto da ornatisti che lavoravano materiale italiano. Lo stile è quello del primo Rinascimento, il repertorio ornamentale presenta delle armi, delle figure araldiche o delle imprese che dimostrano come i clienti fossero francesi; non c'è però modo di sapere se costoro avessero commissionato un pezzo particolare in Italia o se l'esecuzione avesse avuto luogo in Francia. La presenza di un certo numero di marmi in un raggio relativamente vicino a Tours – i fonti battesimali della cattedrale cittadina, l'acquasantiera della cattedrale di Bourges datata 1507, le fontane del castello reale di Blois consegnate nel 1503 o quelle più tarde di Villesavin – sarebbe a favore di una produzione delle botteghe della Turenna di Pacherot o dei Giusto, che erano comunque legati. Poiché questa regione si trovava allora al centro del potere reale, però, non si possono neppure escludere delle importazioni da Genova, come quella, attestata, dei blocchi della fontana che il finanziere Jacques de Bearne de Semblançay offrì a Tours nel 1511. Era del resto probabile che per le vasche e per i bacili si spedissero in Francia dei pezzi almeno semilavorati, come si sarebbe fatto nelle epoche successive, per le quali disponiamo di maggiore documentazione.

Materiale di prestigio, il grosso blocco di marmo italiano immacolato era assai richiesto, nonostante il suo costo, per scolpire *gisants*. Nel 1511 il pittore Jean Perréal lo raccomandava a Margherita d'Austria per le tombe monumentali che costei intendeva far innalzare a Brou, poiché – scriveva – «sarà un'opera perpetua e degna di una principessa ... giacché il marmo può conservare la sua bellezza per mille anni». Così, mentre per l'insieme della scultura, di deciso stampo gotico, veniva estratto un bel pezzo di alabastro dalla cava di Saint-Lothain sul Giura, i blocchi di marmo destinati ai *gisants* della duchessa, della suocera e del marito Filiberto di Savoia, oltre che ai geni piangenti della tomba di Filiberto stesso[44] (di gusto più meridionale, scolpiti da Conrad Meit e dalla sua bottega, di cui faceva parte anche un fiorentino) furono fatti arrivare da Carrara nel 1528.

Anche la Spagna, passata la moda di importare da Genova o da Napoli monumenti funerari in pezzi separati, cominciò a richiedere blocchi di marmo da lavorare sul posto. Per le effigi funerarie erano in genere impiegati monoliti imponenti, le cui dimensioni erano di per sé significative dell'importanza dei defunti. Già nel 1532 il conestabile di Castiglia, Pedro Fernández de Velasco, aveva fatto arrivare da Genova i due blocchi di marmo in cui Felipe Bigarny aveva scolpito i *gisants* dei suoi avi nella cappella del conestabile nella cattedrale di

liceo nei pressi di Tours, *Santa Redegonda* (proveniente da Marmoutier e datata 1522). La forma circolare della modanatura e del piede suggerisce in ogni caso di vedervi un prodotto perlomeno semilavorato in Italia. Aggiungiamo anche il piedistallo della *Trinità* di Vendôme, in cui niente viene a sostegno dell'ipotesi che si tratti del piede di una fontana.

44. M.-Fr. Poiret, *Marbres et albâtres dans l'église de Brou (Bourg-en-Bresse)*, in *Marbres en Franche-Comté*, Actes des journées d'études, Besançon, 10-12 giugno 1999, a cura di L. Poupard e A. Richard, Besançon 2003, pp. 95-96, 102-103. Per la lettera di Perréal cfr. l'edizione di P. Pradel citata alla nota 5.

Burgos.[45] Quasi trenta anni dopo lo stesso committente si sarebbe fatto recapitare da Carrara altri quattro blocchi di marmo per la propria sepoltura. Incaricato del contratto fu allora il grande scultore Alonso Berruguete, che ordinò a Juan da Lugano, marmista milanese di Genova, i marmi sgrezzati secondo il suo modello in cera. Lo stesso marmista gli aveva fornito, sulla base di un modello in legno, anche il marmo di Polvazzo per la tomba monumentale del cardinale Tavera a Toledo (1554-1557). Anche se Berruguete non fece in tempo a realizzare il desiderio del conestabile, riuscì comunque, prima di morire, a montare la sontuosa tomba del cardinale nella chiesa dell'ospedale Tavera. Le grandi commissioni andavano ormai moltiplicandosi: il *gisant* di Antonio del Corro opera di Juan Bautista Vásquez a Siviglia (1564); i 35 blocchi per la tomba monumentale dell'infanta Giovanna d'Austria, importati da Jacopo da Trezzo, per il monastero delle Descalzas Reales di Madrid (1575); la statua di Diego Espinosa in preghiera, realizzata da Pompeo Leoni (1577-1578).

57

I cantieri ecclesiastici erano invece meno attenti ai materiali, con l'eccezione di quello del capitolo di Barcellona, che commissionò a Ordóñez il *trascoro* della cattedrale in marmo di Genova o di Carrara. Ancor prima di stabilire la sua bottega in Italia, perciò, lo scultore castigliano si recò a Carrara per scegliere i suoi marmi e ne organizzò il trasporto in Spagna su di una caravella, che però fece naufragio in Provenza nel 1518, cosicché il suo prezioso carico dovette essere riacquistato in ragione del diritto di naufragio. Beninteso, anche la Spagna meridionale 'genovese' importava, insieme alle opere prefabbricate, blocchi destinati alla scultura, in particolare per i cantieri sivigliani. Il palazzo di Carlo V all'Alhambra di Granada, trionfale architettura all'italiana in cui abbondavano sculture realizzate in marmi locali ad opera di italiani, spagnoli e fiamminghi, ebbe solo tardivamente una decorazione in marmo di Carrara per il portale principale, scolpito da Niccolò di Corte (1548), e per il portale meridionale (1563).[46] A Siviglia si distinse anche Juan Bautista Vásquez, autore di tre rilievi di Virtù nel portale dell'ospedale della Sangre.

Tuttavia, a partire dalla metà del Cinquecento, in tutta l'Europa il commercio dei blocchi di marmo si era pienamente sviluppato a vantaggio delle botteghe locali, in cui si mescolavano scultori venuti da ogni dove. Così, con l'affermazione dei grandi cantieri manieristi, il marmo italiano cominciò ad arrivare in Francia o in Spagna come una merce qualsiasi, di cui gli imprenditori genovesi non detenevano più il monopolio. Erano ben 300 i blocchi promessi nel 1575 ad alcuni mercanti spagnoli di Pisa,[47] mentre altri erano già stati consegnati nel 1573 al portoghese Giovanni Rodrigo Suares.

45. I. del Río de la Hoz, *El mármol de Carrara: una elección social del Condestable de Castilla (1532-1555)*, in *Le vie del marmo*, cit.

46. Contreras, *Escultura*, cit., pp. 23-25.

47. Klapisch-Zuber, *Les maîtres du marbre*, cit., docc. 43-45, pp. 302-306.

A Orléans un enorme ammasso di blocchi di marmo sembrava giacere abbandonato in attesa di una qualche commissione, quando fu infine trasferito a Parigi, tra il 1551 e il 1555, per essere impiegato nella realizzazione della tomba monumentale di Francesco I, commissionata a Philibert Delorme da Enrico II per Saint-Denis: *gisants* e oranti, rilievi e colonne, geni funerari ai quali lavorarono in successione, nel corso di dieci anni, François Carmoy, François Marchand, Ponce Jacquiot, Germain Pilon e soprattutto Pierre Bontemps. Quest'ultimo realizzò anche, in un marmo di eccellente qualità, il monumento funerario in onore del cuore del re, composto da un alto piedistallo e da un'urna con coperchio (1550). A queste opere dobbiamo senz'altro aggiungere il marmo destinato, durante il regno di Enrico II, alla residenza della sua favorita, Anet, di cui ci è pervenuta la grande fontana di Diana, oggi al museo del Louvre, e il cui straordinario pavimento doveva certamente contenere del marmo bianco italiano. Nei palazzi reali, invece, il marmo restò un materiale raro, se si eccettuano il caminetto con i motivi delle Stagioni scolpito nel 1556 da Pierre Bontemps per il castello di Fontainebleau e le due grandi figure attribuite a Jean Goujon nella sala delle Cariatidi del Louvre.

Con la regina fiorentina Caterina de' Medici il marmo cominciò ad arrivare a bastimenti interi. Vedova inconsolabile, 'novella Artemisia', Caterina commissionò contemporaneamente, a partire dal 1561, il monumento del cuore del re per il convento dei Celestini di Parigi, oggi al museo del Louvre, e la tomba monumentale del sovrano per Saint-Denis. Il primo è il gruppo delle *Tre Grazie* realizzato da Germain Pilon su di un piedistallo fortemente manierista di Domenico Fiorentino, tutto in marmo; la seconda, destinata alla cappella dei Valois concepita dal Primaticcio, è composta essenzialmente da marmo venato per la parte architettonica e bianco per i *gisants* e i rilievi, mentre i mascheroni sono in marmo rosso e largo spazio è lasciato al bronzo. Seguirono poi il monumento del cuore di Francesco II (1564) e il gruppo della *Resurrezione* eseguito da Germain Pilon per la rotonda dei Valois. Stando ai *Comptes des Bâtiments du Roi*,[48] i registri dei conti delle costruzioni reali, l'acquisto dei marmi avvenne nel 1560-1561 con l'intermediazione di un segretario del re, Étienne Troisrieux, e dell'ufficiale incaricato dell'estrazione dei marmi dai Pirenei, Dominique Bertin. Depositi o magazzini furono quindi sistemati sui luoghi di lavoro degli scultori: in un primo tempo nel convento di Orléans, poi a Parigi, all'Hôtel d'Etampes sotto la direzione di Philibert Delorme, all'Hôtel de Nesle sotto quella di Francesco Primaticcio, e infine presso la chiesa abbaziale di Saint-Denis. Per quanto i materiali fatti arrivare a Parigi e inviati a Saint-Denis nel 1569 per realizzare la tomba fossero abbondanti, non furono però sufficienti per decorare la rotonda dei Valois. In contemporanea con l'acquisto delle colonne di marmo di Dînant, per-

48. *Les Comptes des Bâtiments du Roi, 1528-1570, suivis de documents inédits sur les châteaux royaux et les arts au XVIe siècle, recueillis et mis en ordre par feu le marquis de Laborde*, ed. postuma, I-II, Paris 1877-1880.

ciò, nel 1572 Carlo IX raccomandò il bailo di Grasse Vincent de La Tour presso il duca di Massa, in modo che questi potesse esportare marmi per la corte di Francia, marmi arrivati a Rouen e di là a Saint-Denis in due spedizioni, prima del 1573 e nel 1575-1578. Gli inventari registrano liste di oltre 300 blocchi di marmo di tutte le dimensioni, alcuni dei quali assai grandi. Fu allora che l'ufficio delle Costruzioni poté consegnare a Pilon dei blocchi adeguati per eseguire i grandi *gisants* di Enrico II e di Caterina de' Medici nelle vesti dell'incoronazione e altre sculture di destinazione imprecisata come l'*Addolorata* e il *San Francesco*. Il cantiere, però, smise di funzionare durante le guerre di religione e della Lega, cosicché l'imponente deposito dei marmi di Saint-Denis finì con il servire nel XVII secolo per le commissioni dei Borbone, come il bel caminetto di marmo bianco del castello di Fontainebleau, eseguito da Matthieu Jacquet nel 1600, o il piedistallo della statua equestre di Enrico IV sul Pont Neuf.

Durante il regno di Enrico IV divenne evidente che il marmo bianco doveva essere impiegato come simbolo del prestigio dei re. Il monumento funerario del sovrano, rimasto incompiuto, sarebbe dovuto essere di marmo,[49] così come le sculture commissionate a Pietro Francavilla: il *David* conservato al museo del Louvre e *Il Tempo che rapisce la Verità* nel parco di Pontchartrain. Altrove erano invece la pietra e lo stucco a dominare.

Nonostante una crescente volontà protezionista e nazionalista, di cui si fece portavoce l'architetto Philippe Delorme, a partire dalla seconda metà del XVI secolo l'alabastro venne progressivamente abbandonato a vantaggio del marmo. Nei grandi monumenti funerari – la tomba di Valentina Balbiani eseguita da Germain Pilon (1573), per esempio, o quella del conestabile di Montmorency realizzata da Barthélemy Prieur, entrambe al museo del Louvre – le statue erano ormai rigorosamente scolpite in marmo bianco, fornito dagli stessi committenti. Vale la pena di sottolineare, inoltre, come l'ultimo dei Giusto, Jean II, conservasse dei legami con Carrara e si impegnasse a scolpire nel marmo apuano la tomba monumentale di François de Coligny nel 1562.[50] Anche in città i monumenti funerari, soprattutto le figure oranti e i busti, erano ormai di marmo bianco con cornici di marmi colorati, in genere belgi e dei Pirenei.

Perfino nei Paesi Bassi e nei territori dell'Impero, dove l'alabastro continuava peraltro a regnare sovrano, si cominciò a preferire il marmo di Carrara a quello del Tirolo per la realizzazione di alcuni elementi dei grandi monumenti funerari, come i rilievi della tomba monumentale di Massimiliano I alla Hofkirche di Innsbruck o il monumento di Massimiliano II nella cattedrale di San Vito a Praga, opera di Alexander Colin.

55

49. Blocchi di marmo consegnati a Barthélemy Prieur nel 1609. Solo la statua della *Giustizia* (Washington, National Gallery) fu abbozzata.

50. M. Roy, *François de Coligny d'Andelot, son monument funéraire à la Roche-Bernard, oeuvre de Jean II Juste*, «Gazette des Beaux-Arts», (agosto 1931).

Il marmo colorato, pietra preziosa

L'interesse per i marmi colorati italiani si sviluppò poco a poco. I monumenti antichi di Roma, infatti, servirono a lungo come cave da cui ottenere le varietà più rare e preziose e il ricercatissimo porfido. Così ancora nel 1541 il cardinal Georges d'Armagnac, arcivescovo di Rodez e ambasciatore di Francia presso la Santa Sede, importò una cappella di alabastro, come pure alcune placche e dei dischi di marmo mischio.[51] Nel 1550 il cardinale du Bellay caricò una nave di vari marmi e di colonne con cui intendeva decorare il sontuoso castello di Saint-Maur,[52] ma questi finirono con tutta probabilità nelle mani di Caterina de' Medici. La regina fiorentina, infatti, era un'appassionata del marmo. Alle Tuileries era in funzione un vero e proprio laboratorio di marmisti addetti alla decorazione del palazzo:[53] costoro incassarono i simboli della sua vedovanza (cordone, specchio infranto, lacrime, piccone da becchino), scolpiti in marmo bianco, entro spesse lastre di marmo rosso, senza dubbio dei Pirenei. L'inventario stilato dopo la morte della sovrana traboccava di marmi.

Nel 1579, infatti, Caterina aveva fatto venire a Parigi il marmista Jean Ménard, che con il nome di Franciosino, e la protezione del cardinale Ricci, si era costruito a Roma una grande fama.[54] Specialista nell'arte di incastonare le pietre, egli aveva esportato dall'Urbe una congerie di marmi grezzi, di figure e di busti moderni, di palle di breccia che, divenuti preda dei pirati di Algeri, furono infine condotti a destinazione grazie al talento diplomatico della regina madre. Se la morte, sopraggiunta nel 1582, impedì al Ménard di avere a Parigi un'attività simile a quella svolta a Roma dal 1555 al 1579, si deve comunque rilevare la presenza in Francia, presso Caterina de' Medici, Gabrielle d'Estrées e lo stesso sovrano, di alcuni tavoli in marmi intarsiati.

Con Enrico IV e la seconda regina Medici, Maria, i marmi colorati furono utilizzati in maniera crescente. E sebbene il re, come già aveva fatto Carlo IX prima di lui, si interessasse allo sfruttamento dei giacimenti di marmi colorati esistenti nei Pirenei e nel Delfinato, il marmo di Carrara continuò ad avere un ruolo importante. Questa passione per il marmo, dunque, portò alla realizzazione dell'ambiziosa decorazione dei rivestimenti parietali e dei pavimenti della sala degli Antichi del Louvre, dove si mescolavano, su modello fiorentino, marmi vari, francesi naturalmente, ma di certo anche italiani.

51. Jestaz, *L'exportation*, cit., p. 451.

52. Ivi, pp. 444, 454.

53. I frammenti, ritrovati in occasione degli scavi archeologici del 1991, sono conservati al museo del Louvre.

54. Su Ménard e le sue opere in Francia cfr. J.-N. Ronfort, *Jean Ménard (c. 1525-1582), marqueteur et sculpteur en marbre et sa famille*, «Antologia di Belle Arti», n.s., 39-42 (1991-1992).

La diffusione dello stile italiano e la commercializzazione del marmo, due percorsi differenti

La diffusione del linguaggio artistico italiano e quella del marmo della Penisola non rappresentarono un unico fenomeno. Gli artisti europei potevano convertirsi al Rinascimento senza per questo utilizzare necessariamente il marmo. Per esempio, la cappella Fugger nella chiesa di Sant'Anna ad Augusta (1508-1518), manifesto di Jakob Fugger e dei suoi fratelli, affidata a Sebastian Loscher e Hans Daucher, fu realizzata nello stile innovatore, ma in alabastro, mentre il suo superbo pavimento era composto essenzialmente da marmi locali, neri, rossi e gialli con poco bianco. Analogamente gli scultori della Penisola, attirati dallo scintillio delle corti reali o scacciati dalla loro patria da eventi drammatici, importarono il loro stile e il loro bagaglio di conoscenze, limitandosi al contempo alle proprie tecniche usuali, molto più avanzate che nel resto d'Europa: stucco, terracotta policroma o meno, bronzo. Chiamare uno o più scultori italiani alla propria corte, perciò, non significava necessariamente adottare l'uso del marmo di Carrara. Al ritorno dalla sua spedizione in Italia, Carlo VIII fece venire alla sua corte una squadra di artisti e di artigiani, tra i quali Guido Mazzoni, originario di Modena, Girolamo della Robbia e Jérôme Pacherot. Il primo, celebre per i suoi drammatici *Compianti* in terracotta, realizzò la tomba monumentale del suo mecenate in bronzo dorato. Il secondo, come del resto tutta la sua dinastia, lavorava la terracotta invetriata e solo ormai vecchissimo, negli anni 1564-1565, si misurò con il marmo, eseguendo il *gisant* di Caterina de' Medici e alcuni geni per il monumento funerario del cuore di Francesco II. Resta, infine, Pacherot, di minor levatura e certamente legato alla scultura ornamentale del marmo. Tuttavia, i primi esempi di decorazione all'italiana, i pilastri della chiesa abbaziale di Solesmes, furono scolpiti in una pietra bianca locale.

Di fatto la corte francese non fece ricorso a specialisti della lavorazione del marmo prima del regno di Enrico IV e dell'arrivo, nel 1600, di Pietro Francavilla, artista originario di Cambrai ma a lungo attivo a Firenze. Non che Francesco I o Enrico II non avessero invitato alla loro corte degli italiani, come il Primaticcio, Rosso Fiorentino, Naldini, Cellini o Rustici; costoro, però, lavoravano lo stucco, la terracotta e il bronzo. A Domenico Fiorentino possiamo solo attribuire il piedistallo del monumento del cuore di Enrico II, dopo che questi aveva lavorato l'alabastro e la pietra nella Champagne.

Il giro d'Europa compiuto da Pietro Torrigiani, da Malines a Londra e alla Spagna, è altrettanto eloquente. Giunto nel 1511 con dei mercanti fiorentini alla corte di Enrico VIII, egli realizzò le sue opere più significative in bronzo e terracotta; e altrettanto fece il suo successore in Inghilterra, Benedetto da Rovezzano, sebbene avesse episodicamente proceduto ad acquisti di marmo a Firenze intorno al 1524-1529. Analogo fu il caso di Pompeo Leoni alla corte di

Spagna; e del resto i suoi superbi bronzi, fusi sul posto, rappresentano un'impresa lunga, dispendiosa e altrettanto prestigiosa della scultura in marmo, senza tuttavia presentarne i rischi. Allo stesso modo i principali scultori del Nord di ritorno dall'Italia – Paludano (Van de Broeck), De Vries e Gerhardt – preferirono utilizzare il bronzo o l'alabastro, senza doversi preoccupare dei problemi di trasporto di un materiale costoso.

Il marmo, pesante e voluminoso, infatti, non era una merce facile da trasportare. La via marittima e i fiumi navigabili permettevano esportazioni lontane, ma solo con grande difficoltà i carri potevano trascinare i blocchi o le opere nelle località dell'interno. La guerra, inoltre, alla stregua delle difficoltà del trasporto terrestre, scandiva gli arrivi, complicava la vita dei cantieri, arrestava le commissioni. Il marmo era un materiale il cui commercio veniva ritmato dai rischi dei conflitti europei, il che spiega come la situazione economica potesse variare considerevolmente a seconda delle epoche. Le vie commerciali, gli attori e i clienti del Cinquecento, infatti, non sono gli stessi del Seicento e le strutture del commercio non possono venire estese da un secolo all'altro.

Il marmo italiano, dunque, restò relativamente raro, ma la sua importanza appare evidente nella trasformazione degli stili, dall'ornato lombardo al vigore manierista, passando per la monumentalità all'antica dell'architettura di tipo fiorentino. Materiale dei re e di un'aristocrazia convertita al nuovo stile rinascimentale, fu leggermente 'democratizzato' dal commercio laddove le condizioni di trasporto lo permettevano. Per il valore esemplare delle sue realizzazioni, che si collocavano al centro dei grandi cantieri, permise una diffusione di modelli sostenuta anche dalla circolazione di raccolte di disegni, di incisioni e di opuscoli. Ma furono soprattutto i viaggi degli artisti, del Nord Europa e spagnoli in Italia, italiani in Spagna o Oltralpe, che assicurarono al Rinascimento il suo trionfo nelle sue molteplici sfaccettature.*

* Traduzione di Angela Tomei

Le antichità

PATRICIA FORTINI BROWN

Durante il Medioevo reperti antichi venivano ricercati in tutta l'Europa. Cammei e intagli, molto spesso rinvenuti tra gli arredi funerari, finirono – vista la loro preziosità – nei tesori reali ed ecclesiastici e furono di sovente utilizzati per adornare reliquiari, calici, scettri e corone.[1] I sarcofagi stessi furono conservati per essere riutilizzati mentre, con la rinascita e lo sviluppo delle città a partire dall'XI secolo, altri reperti marmorei di alta qualità – colonne, blocchi, fregi decorativi – furono riciclati nelle cattedrali e nelle chiese, spesso con ostentazione.

Come notò Rodolfo Lanciani, l'insigne cronachista della distruzione dell'antica Roma, il quartiere centrale della città medievale era chiamato *Calcararia* o *Calcaria*, dalle fornaci che ridussero migliaia di antiche statue in semplice calce. I marmi risparmiati dalle fornaci spesso erano impiegati come materiale dozzinale da costruzione. Lanciani mise in evidenza il fatto che fu prodotta talmente tanta calce da eccedere la domanda e si dovettero trovare nuovi sbocchi commerciali altrove, inaugurando così un mercato internazionale del marmo. Tuttavia, per il periodo medioevale, le attestazioni di tale commercio sono scarse e aneddotiche.[2]

1. E. Muntz, *Les arts à la cour des papes pendant le XVe et le XVIe siècle; recueil de documents inédits tirés des archives et des bibliothèques romaines*, 2, *Paul II, 1464-1471*, Paris 1878-1882, pp. 160-162; M. Greenhalgh, *The Survival of Roman Antiquities in the Middle Ages*, London 1989.

2. R. Lanciani, *Vanished Rome*, «The Pall Mall Magazine», 4 (1894), pp. 207-211; Id., *Storia degli scavi di Roma e notizie intorno le collezioni romane di antichità*, I, *a. 1000-1530*, Roma 1902, p. 27; P. Fedele, *Sul commercio delle antichità in Roma nel XII secolo*, «Archivio della Società Romana di Storia Patria», 33 (1909); B. Brenk, *Spolia from Constantine to Charlemagne: Aesthetics versus Ideology*, «Dumbarton Oaks Papers», 41 (1987).

Dalla fornace da calce allo studio

La situazione cominciò a cambiare nel XIII secolo avanzato, quando si poterono cominciare a percepire i primi incerti tentativi di richiesta di antichità da parte di artisti e di amatori del genere. Ristoro d'Arezzo parlò di scultori, disegnatori e «cognoscenti» i quali «deventavano quasi stupidi» quando trovavano antichi vasi aretini che tenevano come oggetti sacri («tenelli in modo de cose santuarie»).[3] Come osserva Krzystztof Pomian, «con un processo assai interessante, i reperti si trasformarono in semiofore».[4] Questa nuova categoria delle semiofore, o segni, subentrò con l'avvento dell'Umanesimo. Uniti dalla conoscenza del latino e dalla dedizione alle lettere classiche, gli umanisti costituirono un nuovo gruppo sociale che si distingueva per l'attività letteraria. Questi uomini, burocraticamente attivi sia in ambito ecclesiastico che civile, volevano definire se stessi e il loro rango sociale riempiendo i loro studioli con monete, marmi, iscrizioni e altre vestigia del passato. Per molti collezionisti con inclinazione umanistica, però, l'interesse principale era costituito dalle monete antiche, che erano apprezzate più per il loro valore morale e illustrativo che per le loro qualità estetiche. Come fece Petrarca, quando offrì in dono all'imperatore Carlo IV «certe monete a me carissime d'oro e d'argento colla effigie di antichi imperatori e la leggenda loro a minutissime lettre iscritta...: queste, gli dissi, o Cesare, sono coloro de' quali successore tu sei: ecco chi ammirare ed imitare tu devi, sì che ne calchi le orme, e le persone in te ne ritragga».[5] I seguaci di Petrarca – un gruppo di umanisti appassionati con un interesse molto spiccato per le vestigia del passato – e artisti come Ghiberti e Donatello divennero collezionisti per avere modelli e stimolarono la domanda di antichità nel XV secolo.[6] Di lì a poco, le corti e le dimore aristocratiche di tutta Italia avevano cominciato ad allestire collezioni.

La prima importante collezione aristocratica del XV secolo fu allestita dal cardinale veneziano Pietro Barbo, che divenne papa Paolo II (1464-1471). Essa era costituita da antichità 'minori' (mancavano infatti grandi statue marmoree); un inventario del 1457 elencava 47 bronzi antichi, 325 gemme intagliate, 227 cammei, 97 monete romane d'oro e 1000 d'argento. Sebbene la collezione di cammei fosse stata valutata l'ingente somma di quasi 4600 fiorini d'oro, le monete d'argento furono stimate in media appena due *carlini* o un quinto di ducato ciascuna.[7] La rela-

3. Cit. da N. Dacos, *Arte italiana e arte antica*, in *Storia dell'arte italiana*, I/III, *L'esperienza dell'antico*, a cura di G. Previtali, Torino 1979, p. 9.

4. K. Pomian, *Collectors and Curiosities, Paris and Venice, 1500-1800*, Cambridge 1990, pp. 34-41.

5. Francesco Petrarca, *Lettere*, a cura di G. Fracassetti, Firenze 1866, XIX.3 (25 febbraio 1355), p. 162.

6. R. Weiss, *The Renaissance Discovery of Classical Antiquity*, Oxford 1972, pp. 180-185.

7. Müntz, *Les arts à la cour des papes*, cit., pp. 139-141, 196-200, 223-245, 265-279; J. Cunnally, *Ancient Coins as Gifts and Tokens of Friendship during the Renaissance*, «Journal of the History of Collections», 6 (1994), p. 129.

tivamente modesta valutazione delle monete significa che erano nelle possibilità di qualsiasi umanista interessato a raccoglierle. La collezione di Paolo II, il primo a usare standard umanistici per una collezione aristocratica veramente importante, fu anche il precursore dei gabinetti numismatici che sarebbero diventati un attributo fondamentale per duchi, principi, re e imperatori nel XVI secolo. Con la morte di Paolo II, buona parte fu rilevata da Lorenzo de' Medici, la cui collezione a Firenze comprendeva anche dei marmi, e fu la più importante in Italia sino al momento del suo decesso nel 1492.[8] Sebbene la collezione dei Medici sia stata smembrata dopo la loro caduta politica a Firenze nel 1494, ormai il collezionismo privato si era ben radicato nelle maggiori città italiane. A Roma, verso la fine del secolo, i palazzi e i giardini di agiati banchieri, mercanti, umanisti e, soprattutto, cardinali, vantavano il possesso di raccolte di oggetti antichi di tutti i generi, dalle monete alle iscrizioni alla statuaria.[9] Gli scavi portavano quotidianamente a nuovi ritrovamenti, sia durante la costruzione di edifici o strade che durante specifiche ricerche, e furono importati a Venezia pezzi dalle Isole dell'Egeo e dalla Grecia. E pure la maggior parte di tali pezzi rimase in Italia. L'interesse per le antichità fu esportato nell'Europa del Nord insieme all'Umanesimo, ma non i manufatti medesimi.[10]

Mercati e meccanismi

Sebbene si potessero trovare antichità in tutta la penisola, dall'inizio del XVI secolo le due maggiori piazze commerciali erano Roma e Venezia. Roma, la più grande cava d'Italia e la capitale della cristianità, era l'emporio principale, non solo a motivo delle antichità rinvenute nel suolo romano, ma anche a causa dei tanti stranieri legati alla curia, o presenti come mercanti, o in visita come pellegrini. Venezia, nonostante non abbondasse di proprie vestigia classiche, era il polo finanziario d'Italia e aveva un affermato mercato del cambio, forniture di antichità greche provenienti dall'Egeo, nonché volonterosi compratori tra gli eruditi del Nord e i viaggiatori che transitavano in città diretti verso sud.[11]

A Venezia le botteghe di gioiellieri e di antiquari erano da tempo concentrate a Rialto, una delle zone più vivaci della città, frequentata dagli stranieri an-

8. Weiss, *The Renaissance Discovery*, cit., pp. 186-190.

9. Lanciani, *Storia degli scavi*, cit., I, pp. 100-136; S. Magister, *Censimento delle collezioni di antichità a Roma: 1471-1503*, «Xenia Antiqua», 8 (1999), cita oltre 125 collezioni private.

10. Per gli scavi cfr. Lanciani, *Storia degli scavi*, cit., I, pp. 45-127. Per le monete cfr. J. Cunnally, *Images of the Illustrious. The Numismatic Presence in the Renaissance*, Princeton 1999, pp. 4-5.

11. R.C. Mueller, *The Venetian Money Market. Banks, Panics, and the Public Debt, 1200-1500*, Baltimore 1997, p. 304; L. Altringer, *Ausländische Sammler in Venedig*, in AA.VV., *Venezia! Kunst aus venezianischen Palasten: Sammlungsgeschichte Venedigs vom 13. bis 19. Jahrhundert*, Bonn 2002, pp. 263-271.

che per la vicinanza del Fondaco dei Tedeschi, magazzino e ospizio dei mercanti provenienti dalla Germania. Inizialmente la *mariegola* dell'Arte degli orefici e dei gioiellieri obbligò i membri dell'arte a commerciare esclusivamente nella zona di Rialto ed escluse l'iscrizione di ebrei, ma col tempo alcuni gioiellieri poterono aprire negozi in altre parti della città.[12]

73, 74

A Roma i compratori potevano trovare antichità nelle officine degli scultori e nelle botteghe degli antiquari in tutta la città; entro la metà del XVI secolo, però, Campo dei Fiori divenne il maggiore mercato al quale contadini e proprietari di vigne portavano i loro ritrovamenti. Nelle immediate prossimità sorgevano i negozi di gioielleria che fiancheggiavano la vicina Via dei Pellegrini. Nel 1582 Stefano Alli, un agente del granduca di Toscana, lamentava che alcuni operatori rilevavano per primi i pezzi migliori, dominando il mercato e creando difficoltà agli esterni nel concludere un buon affare, e aggiungeva che non riponeva in loro fiducia: «Questi tali che ragunano queste medaglie e altre anticaglie che sono cogiurati di tal sorte insiemi che l'è cosa deficile a poterne avere se non dalle man loro». Tuttavia, riconosceva che alcuni contadini vendevano i loro ritrovamenti da soli, insieme a frutta e verdura, e che non si vergognava di trattare direttamente con loro.[13] Un altro luogo, piazza Navona, viene menzionato nel XVII secolo dall'inglese John Evelyn, che visitò Roma nel 1645. Egli scrive che aveva trascorso «an Afternoone in Piazza Navona, as well to see what Antiquities I could purchase among the people, who hold Mercat there for Medaills, Pictures, & such Curiosities, as to heare the Mountebanks prate, & debate their Medicines».[14]

Le monete antiche erano di solito chiamate medaglie, anche se propriamente non lo erano. La questione se tutti i pezzi antichi fossero stati monete destinate alla circolazione come valuta, oppure medaglie realizzate soltanto per una commemorazione, divenne oggetto di considerevole dibattito nel primo Rinascimento. Ma Enea Vico, nei suoi *Discorsi sopra le medaglie degli antichi* (1555), insistette correttamente sul fatto che tutti questi pezzi antichi in origine venivano usati come monete: «Le medaglie appresso gli antichi erano monete e si spendevano a honore di chi elle furono fatte».[15]

Il collezionista, o l'agente d'ingegno, ricorreva a tutta una serie di strate-

12. E. Benini Clementi, *Riforma religiosa e poesia popolare a Venezia nel Cinquecento*, Firenze 2000, pp. 5-6.

13. M. McCrory, *An Antique Cameo of Francesco I de' Medici: an Episode from the Story of the Grand-ducal Cabinet of Anticaglie*, in *Le Arti del Principato Mediceo*, a cura di P. Barocchi, Firenze 1980, pp. 303, 315-316. Per *antiquarii* e *rigattieri* nella Roma del XVI secolo cfr. Lanciani, *Storia degli scavi*, cit., III.

14. J. Evelyn, *The Diary of John Evelyn*, a cura di E. de Beere, 2, Oxford 1955, p. 368; F. Haskell, *Patrons and Painters: A Study in the Relations Between Italian Art and Society in the Age of the Baroque*, rev. ed., New Haven-London 1980, p. 122.

15. Cit. da M. McCrory, *Domenico Compagni: Roman Medalist And Antiquities Dealer of the Cinquecento*, in *Studies in the History of Art*, a cura di G. Pollard, Washington 1987, p. 115; S. Lawrence, *Imitation and Emulation in the Numismatic Fantasies of Valerio Belli*, «Medal», 28 (1996).

gie per ottenere anticaglie. Queste ultime erano vendute al minuto nelle botteghe da antiquari o da gioiellieri che semplicemente smerciavano opere d'arte e antichità come attività secondaria, o da rigattieri che trattavano anche mobili e altra oggettistica, o da artigiani che potevano altresì essere coinvolti nella riparazione e nel restauro degli oggetti. Alcuni imprenditori crearono notevoli collezioni da rivendere al dettaglio. A Roma un rigattiere francese conosciuto soltanto come Francesco aveva una bottega vicino a Santa Maria della Pace di cui l'antiquario Ulisse Aldovrandi scriveva nel 1551: «In una stanza dietro la ... botega si veggono quasi infinite e belle statue antiche».[16]

Così come diversi cardinali crearono imponenti collezioni grazie ai ritrovamenti nelle loro vigne a Roma e dintorni, alcuni agenti commerciali scavavano essi stessi. Giovanni Ciampolini, citato da Lanciani come «il principe e capostipite degli antiquarii romani del Cinquecento», possedeva una vigna sull'Aventino dove, nella prima decade del secolo, effettuò scavi di antichità da vendere ai clienti. Mentre il papa e il consiglio cittadino cercavano di limitare le esportazioni dei ritrovamenti dalla città, i proprietari terrieri avanzavano diritti di proprietà sulle antichità rinvenute nei loro possedimenti. Uno strumento notarile datato 1523 concesse esplicitamente a un certo Gillet Rondel, un francese residente a Roma, i diritti di proprietà su qualsiasi antichità rinvenuta scavando la cantina nel suo terreno, inclusi marmi e monete d'oro, d'argento o di bronzo.[17]

Antiquari e rigattieri facevano affari sia individualmente sia d'accordo con altre persone. Lanciani cita come esempio tipico la società costituitasi tra l'orafo Vincenzo Mantovano e il berrettaio Giuseppe della Porta nel 1560. Mantovano, esperto in antiche medaglie e in sculture, forniva la perizia e della Porta il capitale. I soci acquistarono pezzi per la rivendita e divisero i guadagni sino a che della Porta vendette una pregevolissima «testa di marmo di uno Vespasiano» trovata da Mantovano, scordando di versargli la sua percentuale.[18] Anche gli ebrei si impegnarono come rigattieri nel commercio delle antichità. Un certo «Vital d'Alexandria hebreo» trattò in «marmi, bronzi, pietre et altre antiquità» a Venezia e fu coinvolto nella vendita della collezione del duca di Savoia Emanuele Filiberto nel 1573.[19] Il gioielliere veneziano Alessandro Caravia combinò l'acquisto non solo di oreficeria e di pietre preziose, ma anche di anticaglie. Agendo talvolta da intermediario tra un venditore e un potenziale compratore, egli investì anche denaro proprio e dei suoi amici in pezzi rari per qualche vantaggiosa rivendita, o su commissione o come speculazione.[20] Le botteghe come quelle di Cara-

16. Lanciani, *Storia degli Scavi*, cit., III, pp. 258-259.

17. R. Cooper, *Collectors of Coins and Numismatic Scholarship in Early Renaissance France*, in AA.VV., *Medals and Coins from Budé to Mommsen*, London 1990, p. 9.

18. Lanciani, *Storia degli Scavi*, cit., III, p. 254.

19. *Ibid.*

20. Benini Clementi, *Riforma religiosa*, cit., pp. 277-278.

via divennero luoghi d'incontro tra mercanti francesi, tedeschi, olandesi e turchi, per lo scambio sia di merci che di idee.[21]

Alcuni operatori commerciali crearono delle associazioni all'estero. Il gioielliere Piero Nicolai, originario di Venezia, si trasferì a Parigi, dove divenne cittadino naturalizzato francese e aprì un negozio. Nel suo testamento del 1573 elencò le merci tenute «en compagnie» con altri mercanti, parecchi dei quali a Venezia. Tra questi beni c'erano pietre semipreziose – «marchandise de lappis» – adatte per l'intaglio, di cui un terzo del profitto (tolte le spese per l'intaglio e la finitura) sarebbe dovuto andare a Trivio Vignoin, un mercante di Ferrara residente a Venezia nella *Ruga dei oresi*, «au lieu de Rivalto». Inoltre Nicolai teneva merce su commissione, compresi alcuni cammei inviatigli da un gioielliere operante a Venezia che trafficava in antichità, conosciuto come Domenico da le Due Regine: uno con l'immagine dell'imperatore Tito o Domiziano valutato 80 scudi, l'altro con «una Venus oppure un Ermafrodito» valutato 60 scudi, un terzo con l'immagine di Alessandro valutata 25 scudi, e un grande onice con inciso un Baccanale valutato 50 scudi.[22]

Le vendite all'asta o incanti erano abbastanza comuni in tutta Italia per qualsiasi genere di cose, inclusi uffici pubblici, licenze, vino e beni mobili compresi abiti, arredi e mobilia. Tuttavia, l'acquisto di un raro vaso d'agata da parte di Isabella d'Este nella vendita all'asta dei beni del defunto Michele Vianello, nel 1506, sembra essere il solo esempio attestato di antichità acquisita in tal modo. Ella si fece prestare il denaro da Baldassare Machiavelli di Ferrara; dal momento però che Baldassare non aveva egli stesso il denaro necessario in contanti, il prestito fu sottoscritto da Alessandro e Zoan Antonio Saraceni che spiccarono una lettera di cambio su Bruges pagabile ai suoi corrispondenti a Venezia.[23] Questa e simili vendite all'asta a Venezia erano autorizzate e sovrintese dai Provveditori alla Giustizia Vecchia e un attento esame della relativa documentazione potrebbe rivelare altre vendite del genere.[24]

Una lettera scritta nel 1597 dall'antiquario olandese Abramo Ortelio al nipote Colius, che stava per partire per un viaggio in Europa, così descrive quella 'repubblica delle lettere', cioè la vasta rete di eruditi conoscenti che facilitò la circolazione di piccole antichità, soprattutto monete:

> Ho amici che mando a salutare a Parigi, Pierre Pithou e Adam de la Planche; Jean Jacques Boissard a Metz. In Germania: [Joannes] Camerarius a Norimberga;

21. Ivi, pp. 1-18.

22. C. Grodecki, *Documents du Minutier central des notaries de Paris. Histoire de l'art au XVIe siècle*, 2, Paris 1986, pp. 269-270, n. 945.

23. C. Brown, *An Art Auction in Venice in 1506*, «L'Arte», 18-19/20 (1972).

24. P. Allerston, *The Market in Second-Hand Clothes and Furnishings in Venice, c. 1500-c. 1650*, Ph.D. dissertation, European University Institute, Firenze 1996, pp. 234-252.

> Nathan Chytraeus a Brema; Marcus Welser e Adolpho Occo ad Amburgo; tra molti altri, Johann Georg von Werdenstein a Monaco. A Roma puoi andare dal mio *familaris* belga Macarius *alias* l'Heureux. A Venezia, tra gli altri, Franciscus Superantius (*vulgo* Soranzo) è senza dubbio un buon amico, che mi ha fatto spesso dei favori ... A Napoli porterai i miei saluti a Vincenzo della Porta.[25]

Molte monete antiche furono sottratte dal mercato e circolavano in tutta l'Europa come doni dati in omaggio o in segno d'amicizia. Tra le varie donazioni numismatiche dei suoi corrispondenti, Erasmo ricevette una moneta d'oro dell'imperatore Graziano e un esemplare in argento «sacro a Ercole» da Giacomo Piso, ambasciatore d'Ungheria presso la curia romana. Erasmo diede, a sua volta, due antiche monete a un amico a Parigi come regalo di nozze. Le monete potevano anche essere regalate a ospiti illustri, confermando così stima e amicizia; altre venivano spedite per lettera per essere godute e analizzate, passando così di mano in mano da un umanista all'altro.[26]

Anche le altrui sfortune favorirono la circolazione di tesori d'arte e l'attento collezionista leggeva gli annunci di morte con una certa *Schadenfreude*. Nel 1633 Peiresc scrisse a Claude Menestrier, suo agente a Roma, del decesso di alcuni collezionisti a Parigi e si domandò che cosa si sarebbe potuto trovare sul mercato dalle loro collezioni. Egli notò anche con interesse

> des singularités du Cabinet de Bavière, qui se sont vendues par les soldats et capitaines suédois, à Augsbourg, ce prince n'ayant rien sauvé que ses médailles d'or, toutes celles d'argent et de cuivre ayant été exposées au pillage. Je crois que vous y feriez bien vos affaires, si vous y faisiez un voyage ... Il y a même des cabinets entiers à vendre, fort assortis, dit-on.[27]

Eruditi e antiquari

Nella seconda metà del XVI secolo la passione per le antichità si estese in tutta Europa.[28] Con il passare del tempo fu possibile distinguere due gruppi di potenziali acquirenti: la 'repubblica delle lettere', costituita da eruditi, da anti-

25. Cit. da T. Meganck, *Erudite Eyes: Artists and Antiquarians in the Circle of Abraham Ortelius (1527-1598)*, Ph.D. dissertation, Princeton University, 2003, I, p. 53.

26. Cunnally, *Images of the Illustrious*, cit., pp. 4-5; Id., *Ancient Coins*, cit., pp. 131-135.

27. A. Bresson, *Peiresc et le commerce des antiquités à Rome*, «Gazette des Beaux-Arts», 85 (1975), in particolare pp. 67-68; W. Stenhouse, *Visitors, Display, and Reception in the Antiquity Collections of Late-Renaissance Rome*, «Renaissance Quarterly», 58 (2005), p. 413.

28. Pomian, *Collectors and Curiosities*, cit., pp. 34-41; Cooper, *Collectors of Coins*, cit., pp. 5-24; Stenhouse, *Visitors, Display, and Reception*, cit., pp. 399-403.

quari e in minor grado da artisti che tendevano a concentrarsi su monete, iscrizioni e piccole antichità di interesse storico e accessibili; i ricchi e i potenti – facoltosi mercanti e principi collezionisti – che erano spesso in grado di offrire più degli eruditi per questi pezzi, ma anche di competere l'uno con l'altro per la sempre minore disponibilità di pezzi di alta qualità, in particolare i costosi marmi.[29]

Nell'Europa Settentrionale, come in Italia, gli umanisti ebbero un ruolo di primo piano. Come già detto, per buona parte del XV secolo l'Italia esportò nel Nord molte nuove idee ma poche antichità. Pertanto gli eruditi del Nord, soprattutto quelli formatisi in Italia, cominciarono ad acquistare piccoli oggetti d'antiquariato – soprattutto monete e iscrizioni su pietra – dai siti ubicati nei loro stessi paesi. L'umanista tedesco Konrad Peutinger, che studiò a Padova nel decennio 1480 e visitò Roma nel 1491, tornò ad Augusta e a poco a poco raccolse 20 pietre con iscrizioni da tutta la regione.[30] Collezioni di tali pietre antiche e di monete furono messe insieme da dotti umanisti anche in altre città di lingua tedesca ma di fondazione e tradizioni romane, come Treviri, Colonia e Vienna. L'importanza di tale operazione fu duplice: da un lato suscitò un interesse intellettuale e storico per le antichità classiche; dall'altro un interesse nazionalistico a riprova del fatto che il Sacro Romano Impero era il legittimo erede dell'Impero Romano. Parimenti, durante tutto il Rinascimento si registrarono ritrovamenti in siti locali in Francia, in Inghilterra e nei Paesi Bassi.[31] Ma la domanda ben presto superò l'offerta disponibile da fonti locali e i collezionisti del Nord cominciarono a guardare verso il Sud. Le monete antiche erano gli oggetti da collezione più comuni tra gli interessati. Numerose, trasportabili e relativamente poco costose, venivano acquistate in Italia e inviate nel Nord con crescente frequenza. Secondo uno schema comune per tutto il secolo XVI, il funzionario curiale tedesco Jacob Questenberg – che completò il suo trattato numismatico *De sestertio, talento, nummis et id genus* nel 1499 – comprò a Roma monete greche e romane per mandarle nel Nord al suo patrono Johann von Dalberg, vescovo di Worms.[32]

29. A. Schnapper, *Curieux du Grand Siècle: collections et collectionneurs dans la France du XVIIe siècle*, II, *Oeuvres d'art*, Paris 1994, pp. 38-39; Magister, *Censimento*, cit.

30. R. von Busch, *Studien zu deutschen Antikensammlungen des 16. Jahrhunderts*, Tesi di Ph.D., Eberhard-Karls-Universität, Tübingen 1973, pp. 1-15.

31. Ivi, pp. 16-60; Cooper, *Collectors of Coins*, cit., pp. 5-9; M. Wheeler, *Rome Beyond the Imperial Frontiers*, London 1954, pp. 7-94; Meganck, *Erudite Eyes*, cit.

32. Weiss, *The Renaissance Discovery*, cit., p. 176; G. Mercati, *Opere minori*, IV, Città del Vaticano 1937, pp. 456-457; P. Walter, «*Inter nostrae tempestatis pontifices facile doctissimus*»: *Der Wormser Bischof Johannes von Dalberg und der Humanismus*, in *Der Wormser Bischof Johann von Dalberg (1482-1503) und seine Zeit*, a cura di G. Bönnen e B. Keilmann, Mainz 2005, pp. 120, 144-145.

Il collezionismo dei principi

Nella prima decade del Cinquecento papa Giulio II stabilì i paradigmi del collezionismo dei principi creando il cortile delle statue del Belvedere nel Vaticano, dove dovevano essere collocati i migliori esemplari dell'arte statuaria romana.[33] La situazione sarebbe cambiata ancora una volta. Cercando di adeguarsi al nuovo modello di magnificenza definito da Giulio II, monarchi, duchi e arciduchi del Nord e persino agiati cittadini entrarono nel mercato dei marmi italiani e di altre antichità sulla scorta degli umanisti. I francesi furono i primi, seguiti verso la metà del secolo dagli spagnoli e dai tedeschi e agli inizi del Seicento dagli inglesi e dagli olandesi.

Francesco I, re di Francia, altro non fu se non ambizioso. Nel 1515 chiese al successore di Giulio II, Leone X, di mandargli in dono il *Laocoonte*. Aggirando abilmente questa sfacciata richiesta, Leone X promise di fargli avere un'esatta riproduzione. Nel momento in cui Baccio Bandinelli terminò una copia in marmo nel 1524, il cardinale Giulio de' Medici divenne papa Clemente VII e, secondo Vasari, «parve questo opera tanto buono a Sua Santità, che egli mutò pensiero et al re si risolvé mandare altre statue antiche e questa a Firenze»;[34] l'identità e il destino di queste statue però sono ignoti. Nel 1528 il re inviò l'agente Battista della Palla in Italia per vedere che cosa poteva ottenere dai collezionisti in difficoltà in seguito al Sacco di Roma; tuttavia, la spedizione fruttò solo pochi pezzi e di non grande valore. Come riportò un corrispondente da Roma, «perché qui sono huomini di simil gusto et quanto più la terra è exhausta manco in persona vile simil cose si trovono, et il Cardinale mio [Niccolò Ridolfi] non n'hè tanto copioso come avanti li Casi [il Sacco], ma bene n'hè diventato più goloso».[35] Parimenti, François de Dinteville, vescovo di Auxerre e ambasciatore di Francia a Roma, scrisse a Philibert Babou, ministro delle finanze del re, nel 1532: «Gli spagnoli hanno rubato i bronzi durante il sacco, e qui non ci sono né pittori né scultori a cui potersi rivolgere».[36] Verso il 1540 la collezione documentata di antichità di Francesco I era costituita soltanto da una notevole *Venus Genetrix* marmorea inviatagli dal suo luogotenen- 62

33. A. Michaelis, *Geschichte des Statuenhofes im Vaticanischen Belvedere*, «Jahrbuch des kaiserlich deutschen Archäologischen Instituts», 5 (1890).

34. Marin Sanudo, *I diarii di Marin Sanuto*, Venezia 1892, XXIV, p. 225; G. Vasari, *Vite de' più eccellenti pittori, scultori e architetti*, a cura di G. Milanesi, Firenze 1885, 6, p. 29; F. Haskell, N. Penny, *Taste and the Antique: The Lure of Classical Sculpture 1500-1900*, New Haven-London 1981, p. 2; J. Cox-Rearick, *The Collection of Francis I: Royal Treasures*, Antwerp-New York 1996, pp. 319-324.

35. C. Elam, *Art in the Service of Liberty: Battista della Palla, Art Agent for Francis I*, «I Tatti Studies», 5 (1993), pp. 52, 100-101.

36. «Les Espaignols en desrobèrant les moules au sac, et n'y a par deçà ouvrier de paincture ne sculpture dont l'on se peust ayder»: L. Dorez, *Extraits de la correspondance de François de Dinteville, Ambassadeur de France a Rome (1531-1533)*, «Revue des Bibliothèques», 4 (1894).

te generale a Napoli, da opere minori recuperate per lui da della Palla, e da una copia in bronzo dello *Spinario*.[37]

Dal momento che gli originali erano davvero difficili da ottenere, si scelse un altro approccio. Così nel 1540 il re mandò a Roma l'artista italiano Francesco Primaticcio, che aveva trascorso il decennio precedente impegnato nella creazione di un'ambientazione 'all'antica' a Fontainebleau con pitture e stucchi, «per copiare diverse medaglie, quadri, archi di trionfo e altre raffinate e pregevoli antichità, per poter effettuare una selezione e indicare quelle che sembrano essere le più adatte».[38] Entro il 1545, secondo Vasari, Primaticcio acquistò 125 marmi e numerose monete, e realizzò disegni di parecchie statue antiche. E, cosa ancor più significativa per un maggiore impatto sul gusto europeo, Primaticcio fece eseguire anche le sagome in grandezza naturale delle più famose statue, incluso il *Marco Aurelio* sul Capitolino, un certo numero di bassorilievi dalla Colonna Traiana, nonché il *Laocoonte*, il *Commodo*, la *Venus*, il *Tiberio*, il *Nilo*, e la *Cleopatra* del Belvedere. Queste opere furono inviate in Francia e fuse in bronzo in una fonderia vicino a Fontainebleau.[39] Una volta collocata nella residenza reale, la collezione di copie di Francesco I costituì il primo canone internazionale di valori artistici espressi in specifiche opere dell'antichità.[40]

Il mercante fiorentino Roberto Strozzi, vivendo in esilio a Lione, presentò a Francesco I lo *Schiavo morente* e lo *Schiavo ribelle* di Michelangelo nel 1546 o nel 1550. Significativamente, il re non collocò le opere in uno dei suoi palazzi reali, ma le affidò al *connétable* Anne de Montmorency, che le collocò nel proprio castello a Écouen. Sembra che il re abbia preferito circondarsi di statue classiche e di busti, anche se soltanto copie di bronzo, forse considerandole insegne più adeguate di dignità e di magnificenza reale. Egli accumulò anche antiche medaglie, argenti, vasi e disegni nel suo gabinetto di curiosità a Fontainebleau.[41]

Negli anni successivi la collezione di antichità classiche, soprattutto sculture marmoree, divenne cosa assai desiderata da corti e residenze signorili in tutta Europa. Nelle terre germaniche il primo importante collezionista fu il facol-

37. Elam, *Art in the Service of Liberty*, cit.; Cox-Rearick, *The Collection of Francis I*, cit., p. 325; C. Scaillierez, *François Ier et ses artistes dans les collections du Louvre*, Parigi 1992, pp. 20, 90; M.-G. de La Coste-Messelière, *Battista della Palla conspirateur, marchand ou homme de cour?*, «L'Oeil», 129 (1965), pp. 19-24, 34. Cfr. Haskell, Penny, *Taste and the Antique*, cit., pp. 196-199.

38. Cit. da Cox-Rearick, *The Collection of Francis I*, cit., p. 325: «a fin de pourtraire plusieurs médailles, tableaux, arc triomphaux et autres antiquailles exquis y estans, que nous désirons veoir aussi choisir ed adviser celles que nous y pourrons recouvrer et achapter».

39. Ivi, pp. 325-344; Haskell, Penny, *Taste and the Antique*, cit., pp. 3-5; S. Favier, *Les Collections de marbres antiques sous François Ier*, «La Revue du Louvre et des Musées de France», 24, I (1974).

40. Haskell, Penny, *Taste and the Antique*, cit., p. 5.

41. Favier, *Les Collections de marbres antiques*, cit., p. 156; C. de Tolnay, *Michelangelo: Sculptor, Painter, Architect*, Princeton 1975, pp. 199-200.

toso mercante Hans Jakob Fugger (1516-1575) di Norimberga. Cogliendo l'opportunità di acquisire la *nobilitas* romana mediante il possesso di antichità, verso il 1544 egli assunse due agenti in Italia, Jacopo Strada e Niccolò Stoppio, e cominciò ad acquistare monete e altri pezzi. Si sa poco dell'estensione della collezione Fugger; nel 1550 egli commissionò a Strada la compilazione di un *corpus* numismatico illustrato, un progetto che alla fine ammontò a trenta volumi.[42]

64

Sebbene probabilmente non riferendosi a Fugger, nel 1558 Gabriele Simeoni lamentò che dilettanti facoltosi, ma ignoranti, accumulavano monete antiche «per dire di essere antiquari, e fare credere alla gente di avere un animo signorile e di impiegare il proprio tempo in una nobile attività».[43] Dal suo punto di vista, i legittimi eruditi erano stati estromessi dal mercato, dal momento che molti dei grandi signori avevano pagato più del dovuto. Nel 1560, quando Hubert Goltzius visitò Italia, Paesi Bassi, Germania e Francia, il collezionismo delle monete era diventato talmente alla moda che non solo antiquari, ma anche re, regine, principi e duchi consideravano il possedere un gabinetto di monete antiche una necessità. Dei quasi 1000 gabinetti che Goltzius vide, 380 erano in Italia, 200 nei Paesi Bassi, 175 in Germania e 200 in Francia.[44]

Il *corpus* numismatico di Strada fu completato nel 1571 per il duca Alberto V di Baviera (1528-1579), che aveva rilevato la biblioteca di Fugger e assimilato la sua passione per le antichità, giovandosi pure dei servigi di Strada e di Stoppio. Mandando Strada a Venezia nel 1567 per negoziare sulla famosa collezione del patrizio Andrea Loredan, Alberto V fu il primo dei principi del Nord ad acquisire *in toto* una delle più importanti collezioni italiane. La trattativa si concluse l'anno seguente con l'acquisto di oltre 200 marmi, circa 120 piccoli bronzi, una collezione di quasi 2500 monete romane e greche e un numero di altri piccoli oggetti per il valore totale di 7000 ducati. In aggiunta alla *Kunstkammer*, che ospitava pezzi preziosi e rari, Alberto V costruì a Monaco un Antiquarium per la sua biblioteca e per la sua collezione di antichità; quest'ultima non aveva paragoni per dimensioni e qualità a nord delle Alpi.[45]

42. Busch, *Studien*, cit., pp. 108-113, 194-198; H. Frosien-Lienz, *Venezianische Antikennachahmungen im Antiquarium der Münchner Residenz aus der Sammlung Albrechts V*, in *Venezia e l'archeologia. Un importante capitolo nella storia del gusto dell'antico nella cultura artistica veneziana*, Atti del congresso internazionale, Venezia, 25-29 maggio 1988, a cura di I. Favaretto e G. Traversari, Roma 1990 («Rivista di Archeologia», Supplementi 7); D. Jansen, *Jacopo Strada (1515-1588): Antiquario della Sacra Cesarea Maestà*, «Leids Kunsthistorisch Jaarboek», 1 (1982), p. 57 e Id., *Jacopo Strada's Antiquarian Interests: A Survey of his Musaeum and its Purpose*, «Xenia», 21 (1991), pp. 59-60.

43. Cit. da Cooper, *Collectors of Coins*, cit., p. 18.

44. C. Blunt, *Early Coin Collecting in Europe*, «The Numismatist», 60 (1947), p. 757.

45. Busch, *Studien*, cit., pp. 108-163, 194-195; E. Weski, H. Frosien-Leinz, *Das Antiquarium der Münchner Residenz, Katalog der Skulpturen*, Münich 1987; D.J. Jansen, *Jacopo Strada et le commerce d'art*, «Revue de l'Art», 77 (1987), p. 12; Id., *Jacopo Strada's Antiquarian Interests*, cit.

Anche gli Asburgo crearono importanti collezioni di antichità, a partire dall'imperatore Ferdinando che nel 1564 lasciò in eredità più di 1000 monete a suo figlio, l'imperatore Massimiliano II. Quest'ultimo incrementò quanto era in suo possesso con l'aiuto di Strada, che fu al suo servizio come antiquario di corte dal 1567 sino alla morte, avvenuta nel 1588. Negli anni Settanta del Cinquecento il fratello di Massimiliano, l'arciduca Ferdinando II del Tirolo, cominciò a organizzare a Schloss Ambras un ancor più grande gabinetto numismatico per accompagnare la sua collezione di armature e di dipinti che ritraevano uomini di stato, guerrieri, governanti.[46]

La monarchia spagnola collezionò antichità in modo abbastanza casuale. Filippo II (1527-1598) succedette a Carlo V sul trono di Spagna nel 1556, quando il possesso e l'esibizione di antichità erano diventate un segno di gusto e di sapere non solo per gli eruditi, ma anche per i principi. Tuttavia, più appassionato di pittura che di scultura, Filippo II non seguì l'esempio di Francesco I nell'ordinare ai suoi ambasciatori di trovare marmi antichi o di commissionare calchi a Roma o altrove. Piuttosto, assemblò una collezione di antichità suo malgrado, grazie a donazioni spontanee e legati a favore della monarchia. Già all'età di tre anni aveva ricevuto a Roma per la sua educazione una scelta di antiche monete degli imperatori romani dal gesuita Filippo Archinto. Questi gli promise anche alcune sculture antiche, tutte «cose antiche rarissime». Nel 1558 Filippo II ereditò una collezione di sculture, in gran parte calchi, dalla zia Maria d'Ungheria. Dopo che un'attesa donazione di diversi pezzi antichi da parte di Pio IV andò invece a finire nella collezione dei Medici a Firenze, nel 1561 il cardinale Giovanni Ricci da Montepulciano gli inviò una serie di busti moderni degli imperatori romani, fatti 'all'antica', mettendo pure a disposizione i due scultori che avevano realizzato le opere per la riparazione di qualsiasi danno eventualmente subito durante la spedizione. Pertanto, nel 1568 Filippo II ereditò le proprietà di suo figlio Don Carlos che morì a 23 anni dopo aver assemblato una rilevante collezione di libri, sculture sia antiche che moderne, monete romane e altri oggetti di pregio, avuti sia in dono che tramite acquisto, soprattutto a Roma.[47]

46. D.J. Jansen, *The Instruments of Patronage*, in AA.VV., *Kaiser Maximilian II. Kultur und Politik im 16. Jahrhundert*, a cura di F. Edelmayer e A. Kohler, München-Wien 1992, (ediz. aggiornata di Id., *Gli strumenti del mecenatismo: Jacopo Strada alla corte di Massimiliano II*, in AA.VV., *Familia del principe e famiglia aristocratica*, a cura di C. Mozzarelli, Roma 1988; Id., *Jacopo Strada (1515-1588)*, cit.; M. McCrory, *Coins at the Courts of Innsbruck and Florence: The Numismatic Cabinets of Archduke Ferdinand II of Tyrol and Grand Duke Francesco I de' Medici*, «Journal of the History of Collections», 6, 2 (1994); Michaelis, *Geschichte des Statuenhofes*, cit.; R. Distelberger, *The Habsburg Collections in Vienna during the Seventeenth Century*, in *The Origins of Museums. The Cabinet of Curiosities in Sixteenth- and Seventeenth-Century Europe*, a cura di O. Impey e A. MacGregor, Oxford 1985.

47. P. Silva Maroto, *Escultura clásica en las colecciones reales: de Felipe II a Felipe V*, in AA.VV., *El coleccionismo de escultura clásica en España: actas del simposio, 21 y 22 de mayo de 2001*, Madrid 2001; R. Coppel, *Colección de escultura del principe don Carlos (1545-1568)*, ivi.

In Spagna la più raffinata collezione privata fu probabilmente quella messa insieme da Afán de Ribera. Ricevuto il titolo di duca di Alcalá e nominato vicerè di Napoli da Filippo II, de Ribera si trasferì a Napoli nel 1558 e collezionò sculture classiche sino alla sua morte, avvenuta nel 1571. Ordinò a degli agenti, compresi l'antiquario napoletano Adriano Spadafora e lo scultore Giuliano Menichini, di acquistare i pezzi in vendita su tutto il territorio. Menichini scrisse che aveva personalmente cercato «anche nella città di Roma, a Capua, a Napoli e in altre zone, portando tutto nella città di Napoli e nel palazzo reale, dove i pezzi sarebbero stati risistemati e ordinati». Le proprietà di de Ribera furono incrementate da Pio V con la donazione di pezzi provenienti dal Belvedere vaticano. Nel 1568 de Ribera inviò Menichini e un architetto italiano da Brescia alla sua residenza (detta Casa de Pilatos) a Siviglia, con l'intera collezione. Entro il 1571 la residenza fu ristrutturata, e le sculture installate.[48] Diego Ortiz de Zúñiga avrebbe più tardi scritto nei suoi *Anales eclesiásticos y seculares de la muy noble y muy leal ciudad de Sevilla* che il viceré aveva inviato alla propria casa di Siviglia

> gran numero de estatuas antiguas de Roma, que le dió el Pontifice Pio Quinto, que deseó mucho alexar de la Santa Ciudad aquellas reliquias de su gentilismo.[49]

Gli inglesi invece erano dei ritardatari. Come le loro controparti sul continente, cominciarono a collezionare a livello locale reperti della Britannia romana, ed entrarono nel mercato italiano come acquirenti solo verso la fine del XVI secolo. Il principe Enrico, figlio di Giacomo I, cominciò a creare una collezione di monete, ma morì giovane, nel 1612.[50] Thomas Howard, conte di Arundel e del Surrey, fu pioniere nel collezionismo della scultura classica in Inghilterra. In seguito a un viaggio in Italia nel 1613-1614, accompagnato dalla moglie e da Inigo Jones, comprò un certo numero di statue a Roma, ma i suoi sforzi per rilevare i pezzi migliori furono vani e perciò provò a comprarne altre ancora nelle isole greche. Tuttavia, trattò l'acquisto di 263 cammei e intagli della collezione Gonzaga per la sorprendente somma di 10.000 sterline.[51] Ispirato dai suoi sforzi,

48. M. Trunk, *Colección de esculturas antiguas del primer duque de Alcalá de la Casa de Pilatos en Sevilla*, in *El coleccionismo de escultura clásica en España*, cit.

49. D. Ortiz de Zúñiga, *Anales eclesiásticos y seculares de la muy noble y muy leal ciudad de Sevilla, metrópoli de Andaluzía, que contienen su más principales memorias. Desde el año 1246 hasta el 1671*, Madrid, Imprenta Real, 1677, p. 540.

50. R. Lightbown, *Charles I and the Tradition of European Princely Collecting*, in *The Late King's Goods. Collections, Possessions and Patronage of Charles I in the Light of the Commonwealth Sale Inventories*, a cura di A. MacGregor, London-Oxford 1989, p. 65.

51. D. Howarth, *Lord Arundel and his Circle*, New Haven-London 1985, pp. 77-93; E. Angelicoussis, *The Collection of Classical Sculptures of the Earl of Arundel, 'Father of Vertu in England'*, «Journal of the History of Collections», 16, 3 (2004); M. Vickers, *Greek and Roman Antiquities in the Seventeenth Century*, in *The Origins of Museums*, cit.

il re Carlo I acquisì la collezione Gonzaga di dipinti e sculture antichi nel 1628 e – come il conte di Arundel – mandò praticamente in rovina la sua Tesoreria.[52] Nello stesso periodo, il mercante olandese Jan Reynst, operante a Venezia, acquistò oggetti d'arte dalla Turchia, dalla Grecia e dall'Italia, e li inviò a suo fratello e socio Gerard ad Amsterdam. Il loro più grande affare fu l'acquisizione in blocco della vasta collezione di antichità, inclusi 230 marmi, del collezionista veneziano Andrea Vendramin.[53] Sebbene in competizione con le famiglie di agiati cardinali romani – come i Giustiniani, i Ludovisi, i Borghese, i Barberini e i Pamphili – gli acquirenti del Nord continuarono ad acquisire le grandi collezioni italiane fino al Seicento inoltrato. Le maggiori acquisizioni di gemme e di iscrizioni antiche furono fatte dall'erudito francese Nicolas-Claude Fabri de Peiresc (in competizione con il conte di Arundel) e da Gaston d'Orléans, quelle di marmo dai cardinali francesi Richelieu e Mazzarino.[54]

Agenti, intermediari e operatori commerciali

Con lo sviluppo del mercato nel XVI e nel XVII secolo comparvero delle nuove figure professionali: operatori commerciali specializzati in antichità, agenti indipendenti che acquistavano antichità per rivenderle, contraffattori, restauratori che le riportavano ai primordiali splendori, ed esperti che ne valutavano l'autenticità. Gli agenti più attivi avevano validissime reti di informatori nelle città di tutta Italia che permettevano loro di sapere quando i pezzi sarebbero andati sul mercato. I maggiori collezionisti erano attentamente tenuti d'occhio per i segnali di preoccupazioni finanziarie, problemi di salute o morte con le conseguenti vendite patrimoniali, nonché per l'eventuale propensione di fare doni a importanti patroni. Alcuni agenti rappresentavano i compratori, altri lavoravano per i venditori, e altri ancora operavano indipendentemente.

Jacopo Strada e Niccolò Stoppio rappresentano due modelli contrastanti dell'antiquario professionista specializzatosi nell'acquisto di antichità per i collezionisti del Nord. Strada, che proveniva dalla nobiltà minore di Mantova, si formò come orafo e si distinse per la sua competenza di antiquario, soprattutto

52. D. Howarth, *Charles I, Sculpture and Sculptors*, in *The Late King's Goods. Collections. Possessions and Patronage of Charles I in the Light of the Commonwealth Sale Inventories*, a cura di A. MacGregor, London-Oxford 1989; Id., *'Mantua Peeces': Charles I and the Gonzaga Collections*, in *Splendours of the Gonzaga*, a cura di D. Chambers e J. Martineau, London 1981; Vickers, *Greek and Roman Antiquities*, cit., p. 228; Lightbown, *Charles I*, cit.

53. A.-M. Logan, *The 'Cabinet' of the Brothers Gerard and Jan Reynst*, Amsterdam-Oxford-New York 1979, pp. 57-97.

54. Schnapper, *Curieux du Grand Siècle*, cit., pp. 38-40; Id., *Le géant, la licorne et la tulipe: collections et collectionneurs dans la France du XVIIe siècle*, I, *Histoire et histoire naturelle*, Paris 1988, pp. 133-140; M. Montembault, J. Schloder, *L'album Canini du Louvre et la collection d'antiques de Richelieu*, Paris 1988, pp. 29-49.

per quanto riguarda le monete. Si trasferì a Norimberga nel 1544; dopo aver servito il Fugger per otto anni, nel 1553 passò a Roma, dove entrò al servizio di papa Giulio III e sviluppò contatti nel circolo intellettuale del cardinale Alessandro Farnese e del suo bibliotecario Fulvio Orsini. Ritornò in Germania dopo la morte del papa, nel 1555, ed entrò al servizio degli Asburgo d'Austria. La sua nomina ad antiquario imperiale (*Diener und Antiquarius*) e ad architetto di corte da parte dell'imperatore Massimiliano II gli fruttò due rendite di 300 gulden annui, ma il suo considerevole patrimonio derivò anche da altre fonti. Fu pagato a parte dall'imperatore per produrre manoscritti, comprare antichità e opere d'arte, e disegnare – tra gli altri incarichi – una fontana per uno dei giardini reali. Tali pagamenti furono effettuati a Strada in denaro direttamente da un agente commerciale del duca o tramite banchieri come i Fugger, e probabilmente anche in natura. Gli incarichi ricevuti imponevano a Strada di essere a disposizione a corte, ma non gli impedirono di coltivare anche i propri interessi di studioso e di lavorare per altri clienti. Gli fu così possibile acquisire la famosa collezione del veneziano Andrea Loredan per il duca Alberto V di Baviera sul finire degli anni Sessanta del Cinquecento per 7000 ducati, con una trattativa che comportò due viaggi a Venezia e l'intervento della Signoria.[55]

Costantemente alla ricerca di collezioni da acquisire, Strada forniva al duca Alberto e agli altri clienti inventari annotati e poi aspettava di ricevere un ordine esplicito a procedere, prima di muoversi per acquistare qualsiasi pezzo. A parte un piccolo numero di antichità, pare non abbia raccolto per sé sculture e altri pezzi oltre a quelli acquistati per i propri clienti. Da quanto emerge dalle sue fatture, per favorire queste trattative egli usò degli intermediari (*Unterkäufer*) come Giovanni Battista Mondella, un sensale ingaggiato per la valutazione della collezione Loredan. Per perizie e informazioni, Strada si rivolse anche ad artisti come Alessandro Vittoria, Tintoretto e Tiziano, e si avvalse pure di una vasta rete di contatti – in ambiti o di corte, o commerciali, o umanistici – in altre città.[56]

Gli illustri natali di Strada, la sua ricchezza, il tratto signorile, il tenore di vita aristocratico e la reputazione di intenditore gli permisero di muoversi con disinvoltura tra principi e magnati. Si presentò da erudito consulente piuttosto che da uomo d'affari. Offrendo i suoi servigi all'arciduca Ernesto, scrisse: «Serenissimo principe! ... se Quella vorrà anche fare un bel studio di antiquità e di medaglie, anche a questo la servirò; se Quella vorrà dirizzare una belissima libraria di hogni sorte de libri, anche in questo la potrò servire». Il biografo di Strada, Dirk Jansen, lo definisce un *agent de confiance* – un uomo di talento che possede-

55. Jansen, *Jacopo Strada et le commerce d'art*, cit.; Id., *The Instruments of Patronage*, cit.

56. Jansen, *Jacopo Strada et le commerce d'art*, cit., pp. 12-13; A. van der Boom, *Tra Principi e Imprese: The Life and Works of Ottavio Strada*, in AA.VV., *Prag um 1600. Beiträge zur Kunst und Kultur am Hofe Rudolfs II*, Freren 1988.

va non solo erudizione e competenza artistica, ma anche cognizione pratica e contatti che gli permisero di acquisire tesori nascosti – piuttosto che un mercante d'arte. Gasparo Visconti, un ricchissimo nobile milanese impegnato in attività simili a quelle di Strada per il principe Guglielmo di Baviera, disse che difficilmente si potevano svolgere tali mansioni senza essere nobili.[57]

Al contrario, Niccolò Stoppio – il grande rivale di Strada – fu anzitutto un mercante, sebbene erudito. Originario delle Fiandre, visse a Venezia e fornì ad Hans Jacob Fugger bollettini quotidianamente aggiornati, come pure antichità, libri e manoscritti, nonché prodotti di lusso quali saponi e medicinali. Il suo settore di competenza fu la musica – sia per quanto riguarda gli strumenti che i musicisti – che portò anche alla corte di Baviera. Fu un uomo di lettere rispettato, ma non fu né ricco né celebre, e si risentì del contrasto tra la sua posizione e quella di Strada. Nei suoi comunicati ufficiali a Fugger, Stoppio criticò il comportamento arrogante di Strada, contestò la sua competenza professionale e lo accusò di aver pagato cifre esorbitanti per le antichità rilevate per conto di Alberto V.[58]

L'arciduca Ferdinando II del Tirolo assunse al proprio servizio una vasta rete di confidenti, funzionari di corte, agenti e operatori commerciali, per trovare possibili pezzi da acquistare per sé e da donare. Si rivolse a suo cognato, Francesco I de' Medici, granduca di Toscana, per un consiglio su come procurarsi monete in Italia.[59] Famoso per la sua collezione di monete e di medaglie, Francesco I gli segnalò uno dei suoi più fidati operatori commerciali: l'antiquario Ercole Basso di Bologna. Quest'ultimo, che era specializzato in monete antiche e in piccoli bronzi, come pure in armi e in armature, fu ben presto contattato da Christopher Truchsess, un agente dell'arciduca, e chiamato a Innsbruck per aiutare ad allestire lo «studio dell'antichità» di Ferdinando II a Schloss Ambras. Dopo averlo visitato di persona nel 1577, egli tornò a Bologna e inviò un «carro con quelle anticaglie» all'arciduca l'anno seguente. Basso continuò a cercare pezzi pregiati. Avendo anticipato del denaro in prima persona per ottenerli, all'inizio del 1579 scrisse all'arciduca da Trento, dichiarando che sarebbe rimasto là, alla Hosteria della Rosa, sino a che Ferdinando II non gli avesse rimborsato la somma che gli doveva per una consegna.[60] In questi anni Avanzino de' Avanzini, un altro operatore commerciale italiano, da Venezia mandò all'arciduca «alcune belle

57. Jansen, *Jacopo Strada et le commerce d'art*, cit., pp. 14-15.

58. Ivi, pp. 11-12.

59. McCrory, *Coins at the Courts of Innsbruck and Florence*, cit., pp. 153, 158. Cfr. E. Scheicher, *The Collection of Archduke Ferdinand II at Schloss Ambras: its Purpose, Composition and Evolution*, in *The Origins of Museums*, cit.

60. M. McCrory, *The Dukes and Their Dealers: The Formation of the Medici Grand-Ducal Collections of the Sixteenth Century*, in AA.VV., *The Art Market in Italy 15th-17th Centuries*, a cura di M. Fantoni, L. Matthew e S. Matthews-Grieco, Modena 2003, pp. 359-360; Id., *Coins at the Courts of Innsbruck and Florence*, cit., pp. 153-172.

medaglie di bronzo insieme con certi vasi antichi» che aveva trovato in Sicilia.[61] Anche Ferdinando II ricevette dei doni: nel 1586 il nobile Leonhard von Attems di Graz gli inviò da Venezia tre statuette di bronzo, insieme a una scelta di monete: una d'oro, 37 d'argento e 153 di bronzo, sia grandi che piccole.[62] Al momento della sua morte, nel 1596, l'arciduca aveva accumulato una collezione enciclopedica di più di 12.000 monete, migliaia delle quali erano antiche. Costituì anche un'importante biblioteca numismatica, con 31 trattati sulle monete, catalogate sotto la rubrica di 'storia'.[63]

Anche i cardinali ebbero un ruolo rilevante nei movimenti delle antichità fuori dall'Italia. Seguendo le direttive reali, i cardinali francesi Charles de Guise e Jean du Bellay colsero dalla loro residenza a Roma l'opportunità di costituire importanti collezioni di *anticaglie* e di mandarne un buon numero in patria. Lanciani definì il cardinale Jean du Bellay un «raccoglitore instancabile di opere d'arte e di antichità, principale esportatore delle medesime nel regno di Francia».[64] Analogamente, Otto Truchsess, cardinale-vescovo di Augusta (detto anche 'il Cardinale d'Augusta'), cominciò a collezionare opere d'arte e antichità subito dopo aver ricevuto la porpora cardinalizia, nel 1544. Viaggiando frequentemente tra la Baviera e Roma, Truchsess era informato sulle collezioni create dal papa e da altri cardinali, e conosceva il mercato delle antichità. Costruì la Heiligen Turm a Dillingen per ospitare dipinti, vestigia e antichità che mandava da Roma. Tuttavia nella fredda atmosfera successiva al concilio di Trento (che si concluse nel 1563), egli fu severamente criticato dai cardinali non italiani e dagli amici gesuiti per le sue «impudiche statue e immagini, che offendono gli occhi casti».[65] Nel 1568 divenne il principale agente a Roma del duca Alberto V di Baviera. Avvalendosi di consiglieri locali quali il vescovo Gerolamo Garimberto per procedere agli acquisti, Truchsess sollecitò anche la donazione di antiche sculture per Alberto V da parte di altri importanti collezionisti. Era un periodo propizio per i collezionisti stranieri, vista la mancanza di entusiasmo di Pio V per le «vestigia pagane». Il papa disapprovava l'esposizione del Belve-

61. Ivi, pp. 166-167.

62. D. Ritter von Schönherr, *Urkunden und Regesten aus dem. K.K. Statthalterei-Archiv in Innsbruck*, «Jahrbuch der kunsthistorischen Sammlungen des allerhöchsten Kaiserhauses, Wien», 14 (1893), p. CCVIII, n. 11161 [26 luglio 1586].

63. McCrory, *Coins at the Courts of Innsbruck and Florence*, cit., pp. 161-164; A. Lhotsky, *Die Ambraser Sammlung. Umrissse der Geschichte einer Kunstkammer*, in AA.VV., *Die Haupt- und Residenzstadt Wien Sammelwesen und Ikonographie der österreichische Mensch*, Wien 1974.

64. Lanciani, *Storia degli scavi*, cit., II, p. 138; Cooper, *Collectors of Coins*, cit., p. 10; M. François, *La constitution des collections d'art au XVIe*, «Bulletin de la Société Nationale des Antiquaires de France», (1954-1955); B. Jestaz, *L'exportation des marbres de Rome de 1535 à 1571*, «Mélanges d'archéologie et d'histoire», 75 (1963).

65. Cit. da N. Overbeeke, *Cardinal Otto Truchsess von Waldburg and his Role as Art Dealer for Albrecht V of Bavaria (1568-73)*, «Journal of the History of Collections», 6 (1994), p. 178.

dere e regalò parecchie sculture della collezione pontificia. Nel 1569 Truchsess mandò ad Alberto V diversi pezzi appartenuti al papa e a tre cardinali, aggiungendovi un ritratto di Giulio Cesare di sua proprietà.[66] Neppure Vienna rimase ignorata. Nel 1568 il cardinale Alessandro Farnese predispose la donazione all'imperatore Massimiliano II di una statua di Ercole e di una Venere fuori grandezza naturale appartenute a Pio V, alle quali aggiunse una statua di Mercurio di sua proprietà, e busti di Socrate e Antonino appartenuti al cardinale Marcantonio Colonna.[67] Sebbene diversi cardinali non esitassero a inviare pezzi pregiati a Filippo II in Spagna, il vescovo spagnolo Antonio Agustín manifestò una rigida opinione condivisa da diversi esponenti della gerarchia ecclesiastica: «Io dubito che bisogni sotterrare tutte le statue ignude ... Che se bene alli studiosi giovano, e alli artefici, li Otramontani si scandallizzano bestialmente».[68] Visto il costante entusiasmo dei principi del Nord per «le statue ignude», si potrebbe concludere che egli fu il portavoce di una minoranza. Molti cardinali continuarono a valorizzare i loro tesori agli occhi degli ospiti invitati (e talvolta non invitati), stimolando così ulteriormente l'appetito dei visitatori di Roma provenienti dal Nord per tali oggetti.[69]

Allertando la clientela straniera su possibili acquisti di antichità, e negoziando vendite e donazioni, anche gli ambasciatori furono importanti intermediari. Sir Dudley Carleton, nominato ambasciatore inglese presso Repubblica di Venezia nel 1610, sperava di favorire le sue stesse ambizioni politiche combinando l'acquisto di opere d'arte e di antichità per cortigiani influenti e per altri membri dell'aristocrazia inglese. Con la collaborazione dell'operatore commerciale d'arte Daniel Nys, mercante fiammingo residente a Venezia, Carleton trattò l'acquisto di 15 pitture veneziane e di 29 casse di statuette antiche e teste per Robert Carr (visconte di Rochester e conte del Somerset), uno dei suoi maggiori clienti. Quando nel 1616 Carr cadde in disgrazia e fu imprigionato nella Torre di Londra, Carleton riuscì a vendere ad Anversa, nel 1618, le sculture a Pieter Paul Rubens in cambio di 9 suoi dipinti, e vendette le pitture veneziane ad altri collezionisti inglesi.[70]

Quando, a causa delle loro difficoltà finanziarie, i Gonzaga di Mantova

66. Ivi, pp. 173-179; C. Brown, *'Verzeichnis etlicher Antiquitäten, so von Herrn Kardinal von Trient überschickt worden'. Paintings and Antiquities from the Roman Collection of Bishop Gerolamo Garimberto Offered to Duke Albrecht V^th of Bavaria in 1576*, «Xenia», 10 (1985).

67. J. Delumeau, *Vie économique et sociale de Rome dans la seconde moitié du XVIe siècle*, Paris 1957, I, p. 130.

68. Cit. da Stenhouse, *Visitors, Display, and Reception*, cit., p. 410, n. 51.

69. Ivi, pp. 403-428.

70. R. Hill, *The Ambassador as Art Agent: Sir Dudley Carleton and Jacobean Collecting*, in *The Evolution of English Collecting: Receptions of Italian Art in the Tudor and Stuart Periods*, a cura di E. Chaney, New Haven-London 2003; Id., *Ambassadors and Art Collecting in Early Stuart Britain: The Parallel Careers of William Trumbull and Sir Dudley Carleton, 1609-1625*, «Journal of the History of Collections», 15, 2 (2003).

valutarono la possibilità di vendere la collezione di famiglia, si scatenò una guerra di offerte all'asta tra i più grandi collezionisti europei dell'epoca. Carlo I, re d'Inghilterra, entrò in competizione con il cardinale Richelieu, il duca di Parma, e Maria de' Medici, la regina madre di Francia, per i tesori della collezione. Si svolsero trattative segrete a livello diplomatico, con gli ambasciatori in rappresentanza degli altolocati offerenti, in un delicato 'poker' orchestrato da Daniel Nys. In una ingarbugliata storia di doppio gioco e false notizie, Nicolas Lanier, l'agente di Carlo I, concordò un costoso contratto di 50.000 scudi (18.000 sterline) con Nys per i dipinti e i marmi senza preventiva approvazione, suggerendo a Filippo Burlamacchi – principale prestatore di denaro al re – di scrivere a uno dei cortigiani di quest'ultimo: «I praie lett me know his Ma[jesty's] pleaseur, but above all where monie shall by found to pay this great somme».[71] L'operazione commerciale fu resa pubblica e Nys fece una sottile pressione mandando un sottoposto a Londra per informare «all the grandees that the statues and pictures of his Majesty are daily visited here in Venice by all the great people of the city, as well as by foreigners. That all speak in admiration of their beauty and rarity, observing that the King of England will possess the most beautiful works in the world».[72] Carlo I voleva queste opere e i dipinti e alcune delle sculture gli furono infatti spedite, ma tardava a eseguire il pagamento. Dal canto suo, Nys era esposto a gravosi interessi sulle cambiali emesse da Burlamacchi sul mercato veneziano, e così offrì segretamente il resto delle sculture e il *Trionfo di Cesare* di Mantegna a Richelieu e a Maria de' Medici, mentre scrisse a Carlo I che aveva rilevato le statue e i dipinti del duca di Mantova, suggerendo minacciosamente che li avrebbe potuti rivendere al cardinale Richelieu con grande profitto.[73] Ma Lord Dorchester, che già una volta aveva prestato servizio come ambasciatore a Venezia, affrontò Nys per il suo doppio gioco e Carlo I continuò a ignorare il conto. Nell'ottobre 1630 Thomas Rowlandson, successore di Wake, si procurò da Nys gli ultimi pezzi della collezione mantovana e li inviò a Londra con tre navi. Nell'estate 1631, quando aprì la sua casa ai creditori, Nys doveva ancora ricevere più di 10.000 sterline; aveva trovato un certo numero di capolavori (inclusi dipinti di Tiziano e di Raffaello) e di sculture che il re credeva di aver già acquistato. Alla fine Carlo I ottenne tutte le opere e Nys finì in bancarotta.[74]

71. W.N. Sainsbury, *Original Unpublished Papers Illustrative of the Life of Sir Peter Paul Rubens. As an Artist and a Diplomatist*, London 1859, p. 323.

72. *Ibid.*

73. Montembault, Schloder, *L'album Canini*, cit., p. 33: «Achapté pour soy les statues et peintures dernières du duc de Mantua, lesquelles il pouvoit revendre au Cardinal Richelieu à fort grand profit».

74. Howarth, *'Mantua Peeces'*, cit.; Id., *Charles I, Sculpture and Sculptors*, cit.; Montembault, Schloder, *L'album Canini*, cit., p. 29; Altringer, *Ausländische Sammler*, cit., p. 266.

Il controllo delle esportazioni

Dal Medioevo in poi, sembra che il Papato abbia esercitato un certo controllo sull'esportazione dei marmi da Roma. Nel XII secolo Giovanni di Salisbury annotò nella sua *Historia Pontificalis* che Enrico di Blois, vescovo di Winchester, «prima di partire, ottenne il permesso di acquistare alcune vecchie statue a Roma, e riuscì a portarle a Winchester».[75] Tuttavia, le tracce documentarie sono scarse sino al 1471, anno in cui papa Sisto IV emise un decreto in virtù del quale «non potevano essere esportati da Roma tutti i tipi di marmo, o con iscrizioni o con raffigurazioni, o in colonne o in qualsiasi altra forma».[76] L'ordinanza fu trasmessa dal camerlengo Latino Orsini al castellano di Ostia, agli agenti di dogana in Ripa e in Ripetta, e alla dogana delle merci a Roma. Non ci sono però attestazioni relative al fatto che il decreto abbia sortito effetto alcuno dal momento che, nel sessantennio seguente, i marmi erano abitualmente esportati in altre città d'Italia, e persino in Francia.[77]

Il primo parzialmente efficace tentativo di impedire la dispersione di marmi romani fu effettuato da papa Paolo III, con un breve emesso il 28 novembre 1534, appena pochi giorni dopo la sua elezione al soglio pontificio. Egli osservava con «summo dolore» che, non appena i più grandi ornamenti della città erano stati recuperati «tra gli alberi di fico e di edera, e tra altri arbusti e rovi», venivano abbattuti senza indugio; «e quel che è ancor più dannabile» – continuava – «è che statue, iscrizioni, marmi e tavole di bronzo, porfido, numidica e altri tipi di pietre sono anche trasportate fuori dalla capitale verso paesi e città straniere».[78] Per porre rimedio a questa deplorabile situazione, il papa nominò «commissario delle antichità» Latino Giovenale de' Manetti – un nobile romano noto per il suo amore e la sua conoscenza delle antichità – rendendolo così responsabile della salvaguardia degli antichi monumenti e, cosa importante, della loro preservazione all'interno della città. Ma, come rileva Bertrand Jestaz, se il papa poté essere ragionevolmente mosso dal suo amore per le antichità, non fu

75. John of Salisbury, *Ioannis Saresberiensis Historia Pontificalis / John of Salisbury's Memoirs of the Papal Court*, a cura di M. Chibnall, London 1956, pp. 78-80: «accepta licentia rediens uteres statuas emit Rome, quas Wintoniam deferri fecit». Cfr. anche Fedele, *Sul commercio*, cit.; R. Krautheimer, *Lorenzo Ghiberti*, Princeton 1970, p. 227.

76. Cit. da Jestaz, *L'exportation des marbres*, cit., p. 423: «Nullum genus marmoris tam in signis et ymaginibus, quam in columnis aut quacumque alia forma». Cfr. Lanciani, *Storia degli scavi*, cit., I, p. 75, con una trascrizione sostitutiva di «quam in coliduis atque» per «quam in columnis aut».

77. Jestaz, *L'exportation des marbres*, cit., p. 424.

78. *Ibid.*: «Verum, quid non sine summo dolore referimus, factum est, imo fit quotidie ut ceterum decora alta Quiritum lacerentur, conterantur, obruantur, exportentur. Illa est culpa atque segnitia sinere caprificos et hederas aliasque arbores et vepreta innasci quibus marmora et moles findatur, mox evertantur ... et quod multo damnabilius est, etiam statuas, signa, tabulas marmoreas atque aeneas, porphyreticos et numidicos aliorumque generum lapides extra Urbem in alienas terras ac civitates asportari».

nemmeno ignaro del potere politico conferitogli per concedere o negare deroghe a persone altolocate che gli si rivolgevano con delle suppliche.[79]

Le persone abituate a esportare pezzi a piacimento furono comprensibilmente offese. Lo scambio epistolare del 1539 tra Filiberto Ferrerio, nunzio pontificio in Francia, e il cardinale Alessandro Farnese, serve a illustrare le complessità diplomatiche che avrebbero accompagnato – da allora in poi – tali iniziative a Roma; il Ferrerio scrisse per conto di Jean Breton, signore di Villandry e ministro delle Finanze del re di Francia. Su richiesta di Villandry, Charles Hérmard de Denonville, vescovo di Mâcon e ambasciatore di Francia a Roma, aveva acquistato

> una certa tavola di porfiro quale gli costò 150 scudi et che hora con la opportunità di certi navili di Francia che si trovavano a Civitavechia di ritorno la voleva far condurre in qua et che li era fatto intendere che Sua Beatitudine l'haveva proibito per il che mi prego a volerne scrivere dua versi a V.S. Rev. con pregarla fusse contenta fargli questo favore di dirne una parola lei propria a Sua Santità et supplicarla a concedergli tal licentia.[80]

Con manovre dietro le quinte, di cui non resta attestazione, Paolo III fu indotto ad approvare la spedizione, ma rifiutò bruscamente un'analoga richiesta, avanzata diversi mesi dopo dall'ambasciatore di Francia, per esportare due teste di marmo. In quell'occasione, Ferrerio riferì che «Sua Santità gli rispose che li doveva bastare la gratia fattali di extrahere quella tavola et che haveva; poco causa di farle piacere cum sit che gli era stato ditto che Sua Signoria Reverenda non faceva tutti quei buoni ufficii era obligato di far».[81]

L'editto di Paolo III ridusse la migrazione dei marmi oltre le Alpi o nelle varie località d'Italia? Le licenze di esportazione concesse dai camerlenghi pontifici sono annotate nei registri della Diversa Cameralia all'Archivio Vaticano (per il periodo 1534-1571) e nel Fondo Camerale della Camera Apostolica all'Archivio di Stato di Roma (per il periodo successivo al 1571).[82] Dal momento che sono state annotate nelle *Diversa Cameralia* solo nove licenze di esportazione per il periodo 1535-1545, è ragionevole credere che altre spedizioni furono effettuate clandestinamente. Tuttavia, è anche plausibile che le spedizioni degli esportatori più altolocati – cardinali, ambasciatori, oratori di principi stranieri – avessero minore probabilità di sfuggire a un minuzioso controllo. Così, proba-

79. Ivi, pp. 425-427.

80. Ivi, p. 426.

81. Ivi, p. 427.

82. Ivi, pp. 415-466; A. Bertolotti, *Esportazione di oggetti di belle arti da Roma nel secolo XVIII*, «Archivio Storico Artistico Archeologico e Letterario della Città e Provincia di Roma», 3 (1878-1879), pp. 171-183 (Francia) e 281-286 (Spagna), 5 (1880), pp. 71-91 (Gran Bretagna); Id., *Relazioni di inglesi col governo pontifico nei secoli XVI, XVII e XVIII*, «Giornale Araldico-Genealogico-Diplomatico», 15 (1888), pp. 120-121.

bilmente, si rendicontò la maggior parte delle spedizioni verso porti stranieri. Nella morte di Paolo III, avvenuta nel novembre 1549, l'oratore Claude d'Urfé e il cardinale di Guise videro un'occasione d'oro e fecero due spedizioni di ben 53 casse di marmi e bronzi al re di Francia nell'aprile seguente. Durante il pontificato di Giulio III (7 febbraio 1550-23 marzo 1555) si concessero 13 spedizioni in Francia, Spagna e nelle città italiane, 7 delle quali descrissero i pezzi con termini come «non antiqua sed nuper facta». L'ultimo giorno del pontificato di Marcello II, durato solo tre settimane (9-30 aprile 1555), furono inviati al re di Francia due ingenti carichi di marmi, prevalentemente recenti, ma che comprendevano anche due teste «rifatte di nuovo». Tuttavia, tale opportunità si sarebbe perduta con l'elezione di Paolo IV, il 23 maggio 1555. Il 20 dicembre 1556 egli ripristinò l'editto di Paolo III del 1534 e mise in rilievo ancor più severamente il divieto di esportazione da Roma. Mario Frangipani, appena nominato «sovrintendente e conservatore» di antichità, fu autorizzato a confiscare qualsiasi pezzo presente in dogana privo di autorizzazione papale. Durante il pontificato quadriennale di Paolo IV fu registrata soltanto una licenza di esportazione e fu autorizzato l'espatrio di due bronzi moderni da parte del cardinale di Montepulciano.[83]

Ma sembra che il saccheggio sia comunque continuato, con crescente preoccupazione, tra contraffazioni, falsificazioni e restauri irresponsabili. Appena un anno dopo l'elezione di papa Pio IV (25 dicembre 1559), il Consiglio della città di Roma deliberò di rivolgere una supplica al pontefice per farlo intervenire:

> Inoltre, con grande nostro dispiacere d'intende et vede che quelle poche de antichità che erano restate nella nostra città vadano via et, quel che peggio è, vanno con finti colori in diversi parti; sarà dunque bene che il magistrato incompagnato d'alcuni voi altri signori vada da Sua Santità et supplicarla a esser contenta che non possa uscire fuori di Roma cosa anticha senza motu proprio di Sua Beatitudine.[84]

Fu costituita una delegazione di otto nobili per incontrare il papa, al quale avanzare la richiesta che, prima che qualsiasi antichità potesse essere esportata, il Consiglio potesse esercitare il diritto di prelazione. L'11 luglio 1562 il papa rispose con un nuovo *motu proprio* reiterando le limitazioni di Paolo III e di Paolo IV, ma vietando l'alterazione o la contraffazione di opere antiche, e istituendo nuovi controlli sulle vendite da parte di scultori, gioiellieri e intagliatori di gemme.[85]

83. Jestaz, *L'exportation des marbres*, cit., pp. 427-429, 454-456.

84. Ivi, pp. 429-430. Per la continua distruzione dei monumenti cfr. Lanciani, *Storia degli scavi*, cit., II, pp. 23 sgg.

85. Jestaz, *L'exportation des marbres*, cit., pp. 430-431.

Sotto Pio V (7 gennaio 1566-1 maggio 1572) le licenze di esportazione si moltiplicarono, rivelando o il fatto che egli fu più indulgente verso l'arte statuaria considerata pagana, oppure che la sorveglianza fu più stretta e un numero minore di antichità lasciava la città senza l'autorizzazione pontificia. Il 20 giugno 1570 il nuovo camerlengo Luigi Cornaro divulgò un *Bannum super antiquitatibus Urbis*, la più dettagliata serie di norme dell'epoca. La vendita non autorizzata, il trasporto o il danno per «l'antiche statue et altri ornamenti degni di memoria fati da li antichi», sia in marmo che in metallo, avrebbe comportato l'ingente multa di 500 scudi, mentre gli ufficiali della dogana avrebbero ricevuto la stessa sanzione se avessero concesso il passaggio di «opere antiche o moderne» qualsiasi senza autorizzazione. Multe, rispettivamente di 100 e di 50 scudi, minacciavano i carrettieri che trasportavano tali marmi o pietre, e i falegnami che fabbricavano le casse per il loro trasporto.[86] Ma, meno di tre settimane dopo, si ebbe la prima grande spedizione nelle terre germaniche. L'8 luglio Truchsess ricevette l'autorizzazione per portare nove statue a Monaco di Baviera al duca Alberto V; un mese dopo quindici statue di marmo, «tutte antiche», raggiunsero l'imperatore Massimiliano II su ordine del cardinale Ippolito II d'Este di Ferrara. Le esportazioni – sia regolari che irregolari – continuarono, e il divieto pontificio fu rinnovato nel 1599, nel 1686, nel 1701 e nel 1704.[87]

Nel resto d'Italia la situazione dei permessi fu differente. Venezia, che come piazza di commercio delle antichità fu seconda solo a Roma, piuttosto che un giacimento originario era un deposito. Non ci sono attestazioni relative al controllo, da parte del governo veneziano, sugli scavi nei suoi territori, ma fu imposta una tassa sulle esportazioni. L'inglese Lord Roos fu a Venezia negli anni 1608-1609 e ancora nel 1611 e il doge gli concesse una *grazia* che gli permise di esportare beni esentasse, nonostante le proteste dell'ufficiale della dogana. Non si sa se tale transazione riguardasse le antichità.[88] Quando la collezione Gonzaga fu inviata in Inghilterra negli anni Trenta del Seicento, sir Isaac Wake, ambasciatore inglese a Venezia, andò a Palazzo Ducale per procurasi l'esenzione dalle tasse doganali per il carico, che fu valutato «100 tunnes».[89] Forse tale esenzione fu più una questione politica che economica; va detto che, a differenza della situazione vigente a Venezia, a Roma persino acquirenti altolocati quali i regnanti di Francia e di Inghilterra non furono esentati dal pagamento dei dazi.

86. Ivi, p. 433.

87. Ivi, pp. 434, 460-461.

88. S. Bracken, *The Early Cecils and Italianate Taste*, in *The Evolution of English Collecting: Receptions of Italian Art in the Tudor and Stuart Periods*, a cura di E. Chaney, New Haven-London 2003.

89. Howarth, *'Mantua Peeces'*, cit., p. 96.

I trasporti

I trasporti costituivano un altro ostacolo per le acquisizioni da parte di stranieri, a causa dei costi e dei rischi di danno o di furto. Le statue di marmo, a causa del loro peso e della loro altezza, rappresentavano un particolare problema.[90] Le notevoli difficoltà nel trasporto dei marmi in quel periodo sono documentate dalla corrispondenza legata alla donazione di alcune statue di papa Pio V all'imperatore Massimiliano II. Nel 1568 il conte Prospero d'Arco scrisse al monarca che le teste di marmo dei dodici imperatori che il papa desiderava dargli erano state invece inviate in Spagna, poiché era molto difficile trasportarle con i muli e il solo costo del trasporto sarebbe ammontato a 800 scudi. Scrivendo ancora il 4 luglio 1569 d'Arco annotò che il papa gli stava invece mandando le antiche statue di Ercole e di Venere, fuori grandezza naturale. Dal momento che i due pezzi erano davvero grandi, sarebbe stato necessario mandarli «in lettica» a Pesaro, dove sarebbero stati imbarcati e inviati via fiume sul Po sino a Mantova. Lì sarebbero stati caricati su dei carri e mandati via terra ad Hall, vicino a Innsbruck, come era d'uso con altre merci. Gli era stato detto che questa era la modalità di trasporto più sicura ed economica, ed entro il 17 settembre le statue erano in viaggio. D'Arco voleva che giungessero a Hall prima dell'arrivo della brutta stagione e diede ordine al carrettiere di informare l'imperatore quando fossero giunte a destinazione.[91]

Le statue a figura intera spesso erano smembrate per il trasporto d'Oltralpe e riassemblate una volta giunte a destinazione. Otto Truchsess permise lo smembramento di diverse statue per facilitarne l'invio al duca Alberto V. Quando questi si lamentò, Truchsess gli assicurò che «i vari pezzi saranno facilmente rimessi insieme».[92] Persino le antichità di dimensioni minori creavano problemi. La corrispondenza tra Peiresc e il suo agente a Roma, Claude Menestrier, rivela preoccupazioni legate non solo all'autenticità delle opere acquistate, ma anche all'imballaggio per la spedizione. Peiresc si aspettava di ricevere i pezzi in perfette condizioni e insistette affinché monete e altri esemplari fossero imballati con un'imbottitura capace di reggere qualsiasi urto. Casse impermeabili, tela cerata, doppio fondo, furono tutti argomento di lunghe negoziazioni.[93]

90. R. Pieper, *The Upper German Trade in Art and Curiosities before the Thirty Years War*, in *Art Markets in Europe, 1400-1800*, a cura di M. North e D. Ormrod, Aldershot 1998, p. 96.

91. Michaelis, *Geschichte des Statuenhofes*, cit.

92. Overbeeke, *Cardinal Otto Truchsess*, cit., p. 177.

93. Bresson, *Peiresc et le commerce des antiquités*, cit.

I simulacri

Come attestato dalle difficoltà di Francesco I per ottenere marmi di alta qualità a Roma, entro la metà XVI secolo la passione per le antichità – ampiamente diffusa in Europa – si sarebbe ristretta, nel mercato, ai soli collezionisti più facoltosi e meglio introdotti. Il conte di Arundel ricevette il permesso di scavare nelle rovine di diverse case romane, ma trovò ben poche statue antiche. Senza scoraggiarsi, nel 1614 egli commissionò quattro statue nuove, ma fatte 'all'antica', allo scultore romano Egidio Moretti: due «homini armati» e due «in abita alla consolare», che furono esportati in Inghilterra tre anni dopo.[94] Comparvero anche sul mercato surrogati di antichità sotto forma di calchi, copie, disegni e stampe. Ma i pezzi moderni potevano passare per antichi, come capitò, ad esempio, a una serie di teste, probabilmente eseguite da un artista romano e mandate a Filippo II in Spagna per abbellire il palazzo reale. Queste opere entrarono dunque a far parte di collezioni archeologiche come antichità, e solo ora sono state identificate come imitazioni rinascimentali.[95]

Lo scultore veneziano Simone Bianco realizzò un certo numero di busti di marmo, convincentemente scolpiti 'all'antica', firmandoli con la forma greca del suo nome (Simone Leukòs Veneto) ma senza intenti truffaldini; anzi, all'epoca fu elogiato per la sua singolare abilità di realizzare busti secondo la foggia antica. Dal momento che tutti i busti di Simone ora sono nelle collezioni del Nord Europa, si può ipotizzare che le firme siano state aggiunte per stimolare il commercio d'esportazione. Diversi busti di Simone furono mandati a Francesco I negli anni Trenta del Cinquecento e Christoph Fugger fu uno dei suoi maggiori mecenati nel decennio successivo.[96]

I collezionisti poterono anche soddisfare i propri gusti antiquari con le miniature. Le piccole copie in bronzo di grandi statue antiche erano una particolare specialità degli scultori fiorentini per i gabinetti dei collezionisti. Antonio Susini realizzò cinque esemplari dell'*Ercole Farnese*, tre dei quali furono mandati in Francia.[97]

I calchi in gesso non furono spacciati per antichi, ma ben presto cominciarono vere e proprie contraffazioni. Uno dei più noti specialisti fu l'artigiano fiorentino Pietro Maria Serbaldi, detto Tagliacarne, ricordato da Vasari. Uno dei suoi manufatti fu una tazza in porfido triangolare che sotterrò in un campo a Ro-

94. M. Vickers, *Lord Arundel's Roman Patronage: Two 'Lost' Statues by Egidio Moretti Rediscovered*, «Apollo», 110 (1979); Angelicoussis, *The Collection*, cit., p. 149.

95. E. Paul, *Falsificazioni di antichità in Italia dal Rinascimento alla fine del XVIII secolo*, in *Memoria dell'Antico nell'Arte Italiana*, a cura di S. Settis, II, *I generi e i temi ritrovati*, Torino 1985.

96. A. Luchs, *Tullio Lombardo and Ideal Portrait Sculpture in Renaissance Venice, 1490-1530*, Cambridge 1995, pp. 108-112.

97. Schnapper, *Curieux du Grand Siècle*, cit., p. 41.

ma e che fu poi ritrovata con altri pezzi da cortigiani di Carlo VIII nel 1495. Poiché la tazza era rotta, fu ricomposta e tenuta insieme da una fasciatura e venduta a caro prezzo come oggetto indiscutibilmente antico. In seguito fu vista da Marcantonio Michiel nella collezione di Franco Zio a Venezia.[98]

Ascanio Condivi, biografo di Michelangelo, scrisse che questi aveva scolpito in marmo nel 1495-1496 un *Eros* dormiente e lo aveva mostrato a Lorenzo di Pierfrancesco de' Medici, che gli diede un consiglio: «Se tu acconciassi che paresse stato sotto terra io lo manderei [a] Roma, e passarebbe per antico, e molto meglio lo venderesti».[99] Cogliendo quest'occasione per emulare gli antichi, Michelangelo rimodellò l'*Eros* per farlo sembrare antico e lo mandò a un agente a Roma che lo vendette come un'antichità al cardinale Raffaele Riario per 200 ducati. Michelangelo non trasse profitto da tale falso, poiché l'intermediario gli versò soltanto 30 ducati, presumibilmente il prezzo corrente per un'opera moderna. Quando il cardinale venne a conoscenza della frode, chiese la restituzione del denaro, e la statua andò a finire a Mantova nella collezione di Isabella d'Este, che dichiarò che «per cosa moderna non ha pari».[100] L'attuale collocazione dell'opera è sconosciuta.

Tra le pur abbondanti monete antiche divenne sempre più difficile trovare esemplari di quelle particolarmente ambite. L'evoluzione dall'accumulo casuale alla collezione organizzata portò a preferire le serie complete di imperatori romani e altre categorie, con i pezzi più rari ricercati con insistenza. La tentazione di fornire a un compratore disperato gli oggetti tanto agognati fece nascere una fiorente industria di contraffazione di medaglie che si volevano far passare per antiche. Enea Vico, nei suoi *Discorsi sopra le medaglie degli antichi* (1555), intitolò un capitolo *Sulle frodi perpetrate sulle monete moderne per farle sembrare antiche*, ed elencò un certo numero di artisti allora responsabili delle contraffazioni. Oltre a personaggi ben noti, come Benvenuto Cellini, tra i nomi elencati spicca quello di Giovanni Cavino (1500-1570), un artista padovano che eseguì fedeli riproduzioni di originali antichi. I suoi conii divennero essi stessi pezzi da collezione: un antiquario ne acquistò 122 per il re di Francia dalla famiglia Lazarra di Padova, a metà XVII secolo.[101]

L'autenticità di molte monete da collezione in questo periodo è stata ed è oggetto di dibattito tra i numismatici. È stato, ed è ancora, difficile distinguere tra

98. E. Paul, *Die falsche Göttin*, Leipzig 1962, p. 40.

99. A. Condivi, *Vita di Michelagnolo Buonarroti*, a cura di G. Nencioni, Firenze 1998, p. 17. Per un resoconto completo cfr. P. Norton, *The Lost Cupid of Michelangelo*, «Art Bulletin», 39 (1957).

100. J. Gaye, *Carteggio inedito d'artisti dei secoli XIV, XV, XVI*, Firenze 1839-1840, II, p. 54 (22 luglio 1502).

101. Cit. da W. Sayles, *Classical Deception: Counterfeits, Forgeries and Reproductions of Ancient Coins*, Iola 2001, pp. 33-34; A. Burnett, *Coin Faking in the Renaissance*, in *Why Fakes Matter. Essays on Problems of Authenticity*, a cura di M. Jones, London 1992, p. 16; Cunnally, *Images of the Illustrious*, cit., pp. 46-48.

una copia, una contraffazione intenzionale e un'opera moderna fatta 'all'antica'. I falsi intenzionali, venduti come autentici, erano realizzati con profitto per i venditori astuti, anche se talvolta alcuni compratori ne acquistavano consapevolmente alcuni per completare una loro serie iconografica. Ercole Basso scrisse al segretario del granduca di Toscana che urgeva l'acquisto di una moneta d'oro di Didio Giuliano realizzata da un medaglista contemporaneo, Andrea Cambi. Sottolineando che «è coniata s'una medaglia antica», egli precisò che sarebbe rimasta nella collezione sino a che non si fosse trovato un esemplare autentico.[102]

Si realizzavano anche calchi di antiche monete e di gemme intagliate da mandare ai vari collezionisti per una valutazione. Peiresc costituì il nucleo della sua imponente collezione durante i suoi studi in Italia, negli anni 1599-1602. Dopo essere tornato in Francia, per un certo periodo rimase in contatto con il procuratore veneziano Federigo Contarini, di cui aveva visitato il museo privato. Attraverso un intermediario, Johann van Cootwijck – un olandese conosciuto anche come Giovanni Cotovico, che lavorava come libraio a Venezia – Contarini fornì a Peiresc i calchi in piombo di alcune sue monete. Peiresc era più interessato all'iconografia che al possesso materiale, e addirittura offrì a Contarini la sua collezione completa. Questi, però, avanzò delle obiezioni «poiché ragion non vuole che si privi un virtuoso del tutto delle sue fatiche per appropriarlo a se, bensì potrebbe far cambio di qualche cosa quando o l'una o l'altra parte havesse cosa doppia». Allora Peiresc convinse Contarini a realizzare i calchi di tutte le monete della sua collezione, casella dopo casella. Ma a quel punto Peiresc passò il limite, offrendo a dei suoi amici a Roma i calchi di alcune monete del Contarini. Questi, furioso, accusò Peiresc e Cotovico di complottare per «dar fuori le sue medaglie per cavarne impronti con total ruina et smacco del suo studio». Egli avrebbe preferito regalare le medaglie, piuttosto che produrre copie false che sarebbero state spacciate per antiche. Il malinteso, che pose fine ai loro rapporti, rappresenta un classico esempio di confronto tra due mentalità: quella dell'antiquario francese, il cui intento primario era la conoscenza numismatica, e quella dell'intenditore veneziano, che mirava al possesso dei pezzi più rari e autentici.[103] Ma Peiresc era in contatto con altri conoscenti italiani, anzitutto Lelio Pasqualini a Roma e Natalizio Benedetti a Foligno, e i tre si passavano calchi di intagli per discuterne l'iconografia. Nel 1637, al momento della sua morte, Peiresc possedeva 1119 intagli, per ciascuno dei quali era scrupolosamente annotato il nome del venditore, la data di acquisto e il prezzo.[104]

Con la crescente popolarità delle collezioni enciclopediche, disegni e

102. McCrory, *Domenico Compagni*, cit., p. 117.

103. P. Sénéchal, *Peiresc e la collezione di monete antiche di Federigo Contarini*, in *Venezia e l'archeologia*, cit.

104. M. van der Meulen, *Nicolas-Claude Fabri de Peiresc and Antique Glyptic*, in *Engraved Gems: Survivals and Revivals*, a cura di C. Brown, Washington 1997, pp. 196-198.

stampe poterono anche essere utilizzati per colmare le lacune nella propria collezione. Alberto V raccolse dipinti, stampe e disegni dei pezzi originali che non era riuscito a ottenere per il suo museo. Nel XVII secolo il figlio di Jacopo Strada, Ottavio, commerciò con successo serie di disegni di antichità per illustri stranieri quali il re di Spagna Filippo II, l'imperatore, l'elettore di Sassonia, e magnati tedeschi, austriaci e boemi. Il *Museo Cartaceo* di Cassiano dal Pozzo comprendeva un'ampia gamma di oggetti di erudizione e di scienza, incluse stampe e disegni di antichità. Fu una sorta di collezione 'surrogata' laddove esistevano poche autentiche antichità.[105]

Le importazioni

In questo periodo il movimento delle antichità era di solito dall'Italia verso il Nord, piuttosto che viceversa, ma il *Cammeo Tolemaico* (o *Alessandro e Olimpia*), ora a Vienna, costituisce una singolare eccezione alla regola; rubato dal Reliquiario dei Re Magi della cattedrale di Colonia nel 1574, ricomparve a Roma nel 1586, quando Fulvio Orsini ne raccomandò l'acquisto al cardinale Alessandro Farnese:

> Sono quattro giorni che è capitato in Roma un mercante di gioie fiamingho, il quale ha un cameo col ritratto di Alessandro et Olympiade, antico indubitamente et non ritocco ... non si possa vedere cosa migliore di questa essendo di maestro eccellentissimo et la pietra bellissima ... Il prezzo che è stimato qui il cameo sono 500 scuti d'oro; il che ho voluto soggiongere, [nel] caso che a Vostra Signoria paresse parlare di compra in qualche modo.

Farnese esaminò la gemma e autorizzò Orsini a offrire dai 200 ai 300 scudi. Non si sa se la vendita fu conclusa, ma l'anno seguente gli agenti del duca Vincenzo Gonzaga la stimarono 1000 scudi e questi la acquistò per la sua collezione a Mantova. Sembra perciò che non facesse parte della summenzionata vendita del 1628 a Carlo I. Nel 1630 le truppe imperiali saccheggiarono la città, e nel 1636 il conte di Arundel la vide in possesso di Franz Albrecht di Sassonia, principe di Lauenberg, che intendeva donarla all'imperatrice. Si potrebbe dire che il 'commercio' di questa tanto preziosa antichità sia stato condotto mediante saccheggi e furti, vendite illegali e rivendite.[106]

105. D.J. Jansen, *Antiquarian Drawings and Prints as Collector's Items*, «Journal of the History of Collections», 6 (1994).

106. C. Brown, *Isabella d'Este Gonzaga's* Augusta and Livia *Cameo and the* "Alexander and Olympias" *Gems in Vienna and Saint Petersburg*, in *Engraved Gems: Survivals and Revivals*, a cura di C. Brown, Washington 1997.

Philipp Hainhofer, mercante di seta di Amburgo, ottenne un vasto numero di antichità e di oggetti di lusso per il suo patrono, il duca Massimiliano I di Baviera, attraverso una rete di «rappresentanti e amici» in altre città d'Europa, ma forse i suoi più rilevanti pezzi di commercio furono le grandi *Kunstschränke*, facenti funzione di *Kunstkammern* in miniatura, con un piccolo stipo e cassetti pieni di tutta una serie di oggetti naturali e non, incluse antiche monete e gemme. Le commissionò a sue spese ad artigiani e ad artisti, e le vendette in tutta Europa inviando dettagliate descrizioni in più lingue – latino, inglese, francese, italiano, tedesco – ai potenziali acquirenti, inclusa la Signoria di Genova. Un esemplare fu inviato alla granduchessa Maria Maddalena di Toscana nel 1613, ma non sembra sia pervenuto. Un altro fu venduto nel 1628 all'arciduca Leopoldo V d'Austria, che lo donò al granduca Ferdinando II di Toscana, nipote della moglie. Detto *Stipo d'Alemagna*, è ora al Museo degli Argenti di Palazzo Pitti.[107]

65

Conclusioni

Durante il XVI e il XVII secolo, l'esportazione di antichità verso gli altri paesi può in un certo senso aver privato l'Italia di una parte del suo patrimonio culturale, ma ha contribuito alla nascita di un museo universale in tutti i paesi d'Europa, con passaggio di oggetti, nel corso del tempo, dal privato al pubblico. Si aprì anche la strada a nuovi generi da collezione. Quando, a causa dei costi elevati, i marmi antichi divennero appannaggio esclusivo dei collezionisti più agiati i prezzi di dipinti e sculture moderne crebbero a tal punto che superarono il valore di quelli. L'esistenza di vasti patrimoni di antichità classiche o di copie rese accessibili a un pubblico sempre più numeroso nei paesi del Nord, rese possibile l'affermarsi del canone universale di bellezza che rimase valido sino al XIX secolo. E, cosa ancor più importante, il consolidamento dei legami creati dall'Umanesimo in maniera concreta e visiva attorno alle antichità contribuì anche a costituire una comune cultura europea a un livello forse non superato dallo scambio internazionale di altre merci dell'epoca.[108] *

107. H.-O. Boström, *Philipp Hainhofer and Gustavus Adolphus's Kunstschrank in Uppsala*, in *The Origins of Museums*, cit.; *Il Museo degli Argenti a Firenze*, a cura di C. Piacenti Aschengreen, Milano 1968, pp. 19, 174; Pieper, *The Upper German Trade*, cit., p. 98.

108. Stenhouse, *Visitors, Display, and Reception*, cit., pp. 424-428; Haskell, Penny, *Taste and the Antique*, cit., *passim*.

* Traduzione di Maria Pia Pagani

Gli schiavi

SALLY MCKEE

Dalla dimora che il Senato veneziano gli aveva concesso per gli anni in cui risiedette a Venezia, Francesco Petrarca poteva assistere allo scarico delle merci dalle galere ancorate lungo la riva sotto la sua finestra. A un certo punto, nei tardi anni Sessanta del Trecento, egli fu testimone di una scena che descrisse in una lettera al suo amico, l'arcivescovo di Genova:

> Come per il passato qui venivano ogni anno molte navi cariche di frumento, così ora vediamo molte approdarne piene di schiavi, che gli stessi loro genitori stretti dal bisogno vendono a prezzo. E tu già vedi per le vie di questa bella città vagare errante una turba di servi dell'uno e dell'altro sesso e, come torbido torrente si mesce alle acque di limpido fiume, portare in giro per tutto la bruttura e la deformità della scitica razza...[1]

Descrivendo dettagliatamente i loro capelli impastati, i visi rudi e, in un florilegio di esagerazioni, l'erba incastrata tra i denti e le unghie, Petrarca crea un'immagine vivida di uomini e donne, ragazzi e ragazze, sporchi e stracciati, sottomessi, forse sconfitti, ammassati in gruppo sulla riva dopo essere usciti dalla stiva delle navi che li avevano trasportati lì dal Mediterraneo orientale. Il suo

1. *Rerum Senilium Libri* (*Lettere senili*), X, in *Opere di Francesco Petrarca*, a cura di E. Bigi, commento di G. Ponte, Milano 1968[4], pp. 956-959: «Ut, unde nuper ingens annua vis frumenti navibus in hanc urbem invehi solebat, inde nunc servis honuste naves veniant, quod urgente fame miseri venditant parentes. Iamque insolita et inextimabilis turba servorum utriusque sexus hanc pulcerrimam urbem scithicis vultibus et informi colluvie, velut amnem nitidissimum torrens turbidus inficit; que, si suis emptoribus non esset acceptior quam michi et non amplius eorum oculos delectaret quam delectat meos, neque feda hec pubes hos intra suam Scithiam cum fame arida ac pallenti lapidoso in agro, ubi Naso illam statuit, raras herbas dentibus velleret atque unguibus. Et hec quidem hactenus».

disprezzo, tipico delle persone privilegiate abituate alla miseria attorno a loro, sembra familiare anche oggi. Meno familiare è il modo in cui li chiama: sciti, nome dato dai romani a genti che vivevano nelle steppe dell'Asia centrale più di mille anni prima che Petrarca scrivesse la lettera. Solo un amante della letteratura classica come Petrarca avrebbe chiamato 'sciti' degli sfortunati schiavi.

Quando i mercanti dichiaravano agli uffici doganali, come era richiesto da molte città, il luogo d'origine degli schiavi, non li avrebbero certo chiamati sciti. Invece usavano diversi termini per distinguere gli schiavi gli uni dagli altri: tartari, abkazi, circassi, bulgari, russi, turchi, greci, mingrelli e altri appellativi; sono questi i termini etnici più usati nei documenti riguardanti schiavi importati e venduti durante il XIV e il XV secolo.

Il termine 'sciti' usato da Petrarca per gli schiavi non è il solo elemento della sua descrizione che merita un approfondimento. Anche se la sua asserzione che i vascelli mercantili sbarcavano più schiavi che grano sembra esagerata, essa riflette la consapevolezza non solo dell'esistenza di schiavi non italiani tra la popolazione veneziana, ma anche di un investimento economico dall'esito molto visibile nei confronti del quale la gente rispondeva in modo ambiguo, se non provando addirittura una ripugnanza morale. Più ancora, il punto di vista di Petrarca – un punto di vista che non ha solo i limiti della sua finestra – ci ricorda quanto 'impressionistica' sia la nostra visione del commercio di schiavi nel Mediterraneo nel corso del Rinascimento.

Gli studi sulla schiavitù

Considerare la tratta degli schiavi un argomento meritevole di studio separato rispetto a quello di altre merci potrebbe dare l'impressione che il traffico di essere umani abbia avuto, nell'economia dell'Italia rinascimentale, un ruolo maggiore di quello che ebbe effettivamente. Come Steven Epstein ci ricorda, «la schiavitù non ebbe un ruolo dominante nemmeno nell'economia di città quali Venezia e Genova, dove infatti rimase un elemento secondario rispetto al traffico marittimo e al commercio locale».[2] Ugualmente significativo è il fatto che, in contrapposizione con il precoce sfruttamento spagnolo e portoghese del lavoro degli schiavi nelle isole atlantiche al largo delle coste africane, il lavoro servile nelle terre poste sotto il dominio di stati italiani non abbia avuto un ruolo importante nella produzione agricola o industriale.[3]

Tuttavia, anche se il commercio degli schiavi nel Mediterraneo non co-

2. S.R. Epstein, *Speaking of Slavery: Color, Ethnicity & Human Bondage in Italy*, Ithaca 2001, p. 161.

3. B. Arbel, *Slave Trade and Slave Labour in Frankish Cyprus (1191-1571)*, «Studies in Medieval and Renaissance History», n.s., 14 (1993).

stituiva una parte importante nei sistemi economici delle potenze marittime italiane, sono gli storici dell'economia che hanno esercitato, fino a poco tempo fa, quasi un monopolio su questo argomento. Ritrovare un documento che riguarda gli schiavi che Vincenzo Lazari, Mario Gaudioso, Charles Verlinden, Iris Origo, Domenico Gioffré, Henri Bresc e Michel Balard non abbiano citato, sembra oggi una scoperta notevole.[4] La lunga lista degli esaustivi articoli di Charles Verlinden, storico belga dell'economia, sarebbe da sola sufficiente per sollevare il dubbio se sia il caso di studiare ulteriormente la schiavitù pre-moderna. Che gli schiavi figurassero tra i vari tipi di merci che gli italiani trasportavano per il Mediterraneo per scopi di scambio non è più sorprendente. Allora cosa rimane da dire?

Mentre è improbabile che l'aggiunta di ulteriori dati tratti dagli archivi possa alterare in modo significativo ciò che gli studiosi hanno già colto riguardo gli aspetti quantificabili della schiavitù, alcune domande rimangono in attesa di risposte che consentano di collocare il tema in un contesto economico e sociale più ampio. Per esempio, quanto abbiamo ben compreso del costo degli schiavi? Il loro ruolo come servitori domestici nelle famiglie italiane spiega adeguatamente sia la domanda che il loro costo? In che proporzione gli schiavi acquistati dai mercanti italiani in Oriente vennero venduti nei mercati italiani invece che in quelli mussulmani? I mercati mussulmani erano l'obiettivo primario dei mercanti italiani che commerciavano in schiavi?

Alcune di queste domande – o, più precisamente, alcuni aspetti di ognuna di queste domande – sono state poste già da precedenti generazioni di storici. È accaduto che, come risultato di un accresciuto interesse per i dibattiti attorno all'era della colonizzazione e ai rapporti sociali all'interno delle colonie stesse, le domande siano diventate più complesse. Ciò che segue qui è un tentativo non solo di fare il punto sullo stato delle ricerche recenti riguardanti la schiavitù nell'Italia del Rinascimento, ma anche di identificare quegli aspetti che richiedono una maggior attenzione, un'analisi più approfondita e una prospettiva comparata derivata da studi sulla schiavitù in altre regioni e periodi.

4. V. Lazari, *Del traffico e delle condizioni degli schiavi in Venezia nei tempi di messo*, Torino 1862; M. Gaudioso, *La schiavitú domestica in Sicilia dopo i Normanni: legislazione, dottrina, formule*, Catania 1926; G. Prunai, *Notizie e documenti sulla servitù domestica nel territorio senese (secc. VIII-XVI)*, «Bulletino senese di storia patria», 7 (1936); L. Tria, *La schiavitù in Liguria. Ricerche e documenti*, «Atti della Società Ligure di Storia Patria», 70 (1947); C. Verlinden, *L'esclavage dans l'Europe medievale*, Bruges 1955-1977; I. Origo, *The Domestic Enemy: The Eastern Slaves in Tuscany in the Fourteenth and Fifteenth Centuries*, «Speculum», 30 (1955); A. Tenenti, *Gli schiavi di Venezia alla fine del Cinquecento*, «Rivista Storica Italiana», 67 (1955); D. Gioffré, *Il mercato degli schiavi a Genova nel secolo XV*, Genova 1971; H. Bresc, *Un monde méditerranéen: économie et société en Sicile, 1300-1450*, Rome 1987; M. Balard, *Esclavage en Crimée et sources fiscales Génoises au XVe siècle*, «Byzantinische Forschungen», 22 (1996); Id., *Giacomo Badoer et le commerce des esclaves*, in *Milieux naturels espaces sociaux. Études offertes à Robert Delort*, a cura di E.M. Mornet, Paris 1997.

Molte delle fonti su cui faccio affidamento sono già state prese in considerazione da precedenti studiosi. Inoltre mi rifaccio qua e là a una banca-dati di poco più di 2000 contratti di vendita di schiavi, molti scoperti di recente nell'Archivio di Stato di Venezia, ma molti già raccolti da Charles Verlinden, Domenico Gioffré e altri e inclusi nelle loro opere. Le apparenze, comunque, possono ingannare. La banca-dati non può essere considerata un campione ampio. Tralasciando il problema del non sapere quanti documenti notarili siano andati persi durante gli ultimi cinquecento anni, dev'essere tenuto presente che quei contratti riguardano solo le vendite al minuto. Il commercio all'ingrosso ha lasciato poche tracce documentali a paragone dei tanti atti notarili che riguardano la vendita di schiavi al dettaglio. Libri di conti di compagnie impegnate nel commercio degli schiavi sono rari. Il ritrovamento occasionale di relazioni e di lettere che menzionano l'arrivo a Venezia, Genova o Palermo di imbarcazioni contenenti centinaia di schiavi ci fa capire quanto poco sappiamo della partecipazione italiana al commercio di schiavi nel Mediterraneo. Gli atti di compravendita tra singoli venditori e compratori sono praticamente tutto ciò che abbiamo.

Nonostante i limiti della banca-dati, credo essa abbia comunque una sua utilità.

Dalla tabella 1 si evince che la banca-dati informa più chiaramente sulla schiavitù a Venezia e a Genova che altrove, ma anche così, come si vede dalla tabella 2, il numero totale dei contratti ammonta a dieci, venti, al massimo trenta contratti all'anno nella maggior parte delle decadi.

Tabella 1. Numero di contratti di vendita per città, 1360-1499

Luogo di vendita	Totale	Donne (% del totale)	Uomini (% del totale)	Genere sconosciuto
Venezia	965	787 (82%)	178 (18%)	–
Genova	962	773 (80%)	162 (17%)	27 (3%)
Candia	28	22 (78%)	6 (22%)	–
Cipro	21	14 (67%)	7 (33%)	–
Tana	17	14	3	–
Chio	11	6	5	–
Trebisonda	7	2	5	–
Ragusa	5	5	–	–
Alexandria	2	1	1	–
Chilia	1	1	–	–
Modone	1	1	–	–
Siena	1	1	–	–
Totale	2021	1627 (81%)	367 (18%)	27 (1%)

Tabella 2. Numero di contratti di vendita di schiavi per decennio dal 1360 al 1499

Decennio	Numero di contratti
1360-1369	123
1370-1379	38
1380-1389	70
1390-1399	299
1400-1409	136
1410-1419	233
1420-1429	229
1430-1439	173
1440-1449	184
1450-1459	160
1460-1469	104
1470-1479	73
1480-1489	102
1490-1499	97
Totale	2021

La tabella dimostra che il campione documenta la schiavitù soprattutto tra gli anni Novanta del Trecento e la fine del Quattrocento. Forse l'incremento del numero dei documenti dalla metà del Trecento in poi riflette un volgersi in Italia verso il lavoro servile in conseguenza della perdita di forza lavoro libera in seguito alla peste del 1348. Ma un'ampia documentazione, che qui non viene presa in esame, di un attivo commercio di schiavi nel Mediterraneo precedente alla peste, ci deve mettere in guardia su quanto possa essere imperfetto un giudizio per così dire 'scientifico' se formulato meramente attraverso una lente d'archivio.[5]

Le origini

Prima che il commercio di schiavi si sviluppasse nell'Oceano Atlantico alla fine del XV secolo, mercanti da Genova, Venezia, Palermo e altre città italiane rifornivano i mercati mussulmani e cristiani di schiavi catturati in terre al di fuori del

5. Anche Creta era un importante mercato di schiavi, come si vedrà sotto. Nell'apposita banca-dati, su 292 contratti di vendita, 264 o il 90% furono rogati prima del 1333. Non li ho inclusi in questo studio soprattutto perché non rientrano dal periodo chiamato Rinascimento. J.B. Williams parla della schiavitù a Genova nel XIII secolo in *From the Commercial Revolution to the Slave Revolution. The Development of Slavery in Medieval Genoa Italia*, Ph.D. dissertation, University of Chicago 1995.

mondo occidentale. Sebbene gli italiani non si impegnassero nel commercio degli schiavi con la stessa dedizione dei catalani e dei portoghesi nel XIV e XV secolo, i genovesi e i veneziani nondimeno si presentavano come degli agguerriti concorrenti.

La caduta dell'Impero Romano d'Occidente e i cambiamenti nel diritto al possesso della terra nel primo Medioevo contribuirono a un considerevole declino della schiavitù in Italia, ma non alla sua estinzione. I veneziani, per esempio, fornivano ai mussulmani schiavi provenienti dall'Europa già dall'VIII secolo.[6] Il commercio e il possesso di schiavi aumentarono dopo che i porti del Mediterraneo orientale divennero accessibili ai mercanti italiani agli inizi del XIII secolo, ma il periodo più intenso che vide gli italiani coinvolti nel commercio di schiavi fu il secolo successivo, alla fine del quale il vantaggioso commercio si spostò sull'Oceano Atlantico.

I mercanti italiani acquistavano schiavi soprattutto nel Mediterraneo orientale e nel Mar Nero. Dopo la caduta dell'Impero bizantino nel 1204 e lo stabilirsi dei principati latini in quella che oggi è la Grecia con le isole egee, Venezia, Genova e degli avventurieri catalani indipendenti contesero agli emirati turchi dell'Asia minore il dominio sulla regione. I commercianti spogliarono lo smembrato Impero bizantino di molte delle sue risorse umane. Fino alla fine del XV secolo, le aste di schiavi nei porti del Mar Nero e attraverso l'Egeo avevano luogo alla fine dell'estate. I mercanti si recavano ai porti di Caffa e Tana nel Mar Nero soprattutto in cerca di grano, pellicce, pelli di mucca, cera, miele, sale e ovviamente pesce, che esportavano in Italia, ma gli schiavi comparivano in maniera rilevante tra i loro carichi.[7] Tebe e il principale porto sull'isola di Negroponte (Eubea) attiravano mercanti, cristiani e non, in cerca di schiavi.[8]

Gli schiavi provenivano dalle zone interne, dalle isole e dalle coste attorno al Mediterraneo orientale e al Mar Nero. Venivano portati al mercato da mercanti locali che li vendevano ai cristiani e ai mussulmani che erano venuti in cerca di buone offerte e di beni smerciabili. Non rimane alcuna descrizione dei mercati o della condizione degli schiavi messi in vendita in questi porti, ma i metodi della loro segregazione non dovevano essere cambiati molto dal IX e X secolo, quando i viaggiatori scrivevano di aver visto gruppi di giovani uomini e donne, spesso incatenati attorno al collo o alle gambe, ammassati insieme sulla battigia, in attesa di essere caricati sulle imbarcazioni.[9] Entro il XIV secolo il trasporto di

6. M. McCormick, *Origins of the European Economy: Communications and Commerce, AD 30-900*, Cambridge 2001, p. 753.

7. M. Balard, *Caffa from the Fourteenth to the Fifteenth Century*, in *Medieval Frontiers: Concepts and Practices*, a cura di D. Abulafia e N. Berend, Aldershot 2002, p. 149.

8. Archivio di Stato di Venezia (d'ora in poi ASVe), *Notai di Candia*, b. 244, notaio Giovanni Similiante, fasc. 1, f. 138*r*, a. 1333; *Regestes des délibérations du Sénat de Venise concernant la Romanie*, a cura di F. Thiriet, Paris 1958, II, n. 1197, pp. 54-55, 1405.

9. McCormick, *Origins of the European Economy*, cit., p. 741.

schiavi sul mare presentò problemi a cui Venezia cercò di ovviare proibendo il trasporto di schiavi sulle galere.[10] La minaccia di una rivolta o di dimostrazioni di panico da parte degli schiavi veniva più facilmente tenuta a bada sulle cocche o altre navi tonde di quanto fosse possibile nelle strette e basse galere. A differenza delle galere, con il loro limitato e inadatto spazio per il carico, le imbarcazioni progettate per la navigazione nelle acque mediterranee possedevano stive in cui gli schiavi potevano essere ammassati e trasportati con maggior sicurezza di quanta fosse possibile nelle galere.

95, 97, 98

Gran parte delle donne e degli uomini venduti a e da italiani provenivano dall'Europa orientale e dall'Asia centrale. I mercanti commerciavano in russi, circassi, tartari, abkazi, mingrelli, geti, valacchi, turchi e altri individui, provenienti dai Balcani, dal Caucaso e dalle regioni centrali dell'Asia, tra i quali cristiani, catturati da intraprendenti commercianti locali o venduti come schiavi da genitori indebitati. Nella Firenze del tardo Trecento la maggior parte degli schiavi era costituita da tartari.[11] I mercanti genovesi vendettero individui di lingua greca, aderenti alla chiesa d'Oriente, sui mercati italiani e dell'area egea fino al tardo Trecento, quando il governo genovese non lo permise più. Schiavi greci appaiono molto di meno nelle fonti notarili italiane a partire dall'inizio del XV secolo, il che suggerisce che chi possedeva schiavi fosse giunto a ritenere la schiavitù di greci illegittima quanto la propria.[12]

Nelle tabelle 3 e 4 l'andamento generale del commercio di schiavi, identificato da precedenti studiosi, sembra confermato. I genovesi preferivano soprattutto russi, circassi e tartari fino agli anni Sessanta del Quattrocento. A Venezia i tartari erano tra gli schiavi più venduti; solo il numero dei russi raggiunse livelli quasi comparabili. Quando persero l'accesso al Mar Nero, alla fine del Quattrocento, i genovesi e i veneziani si rifecero per la perdita con bosniaci, serbi e albanesi, prigionieri degli ottomani.[13] Schiavi africani sub-sahariani cominciarono ad apparire con più frequenza nei registri genovesi e veneziani nella seconda metà del secolo, nello stesso periodo in cui la schiavitù in Italia stava subendo un declino.[14]

Le origini degli schiavi comprati e venduti nelle colonie create dagli italiani cambiarono più lentamente di quanto accadde in Italia. Nella Creta veneziana, come nella Cipro franca e nella genovese Chio, la riduzione in schiavitù

10. *Regestes des délibérations du Sénat*, cit., p. 119, n. 463. Lane rivolge l'attenzione su questa restrizione in *Venice: A Maritime Republic*, Baltimore-London 1973, p. 133.

11. M. Boni, R. Delort, *Des esclaves toscans, du milieu du XIV*e *au milieu du XV*e *siècle*, Rome 2002 (Mélanges de l'École Française de Rome, 112), p. 1070.

12. Williams, *From the Commercial Revolution*, cit., pp. 207-208.

13. D. Evans, *Slave Coast of Europe*, «Slavery and Abolition», 6 (1985).

14. S. Tognetti, *The Trade in Black African Slaves in fifteenth-century Florence*, in *Black Africans in Renaissance Europe*, a cura di T.F. Earle e K.J.P. Lowe, Cambridge 2005; R.C. Mueller, *Venezia e i primi schiavi neri*, «Archivio Veneto», 110 (1979).

Tabella 3. Origine degli schiavi venduti a Genova dal 1390 al 1490

Origine	1390	1400	1410	1420	1430	1440	1450	1460	1470	1480	1490	Totale
Abkhazi	–	2	11	19	22	5	10	12	1	4	3	89
Albanesi	–	–	1	1	–	–	2	–	1	6	1	12
Bulgari	–	2	10	7	–	2	5	5	4	–	2	37
Canarioti	–	–	–	–	–	–	–	3	1	4	4	12
Circassi	–	15	33	14	17	9	30	30	11	10	10	179
Goti	–	–	4	–	–	–	–	1	–	–	–	5
Ungheresi	–	–	–	–	–	–	1	3	2	1	–	7
Giudei	–	–	–	–	–	–	–	–	–	1	7	8
Mingrelli	–	–	2	–	2	–	4	1	–	2	1	12
Mori	–	–	–	2	–	–	3	8	32	35	38	118
Neri	–	–	1	–	–	–	1	–	–	–	–	2
Russi	–	15	21	22	46	38	41	24	7	1	1	215
Serbo/Bosn.	–	–	–	–	–	–	1	1	5	17	15	39
Tartari	33	29	19	12	14	18	10	2	–	–	–	138
Turchi	2	2	3	–	2	–	–	4	6	16	11	46
Valacchi	–	–	–	–	–	–	–	–	–	2	–	2
Totale	35	65	105	77	103	72	108	94	70	99	93	921

Tabella 4. Origine degli schiavi venduti a Venezia dal 1360 al 1450

Origine	1360	1370	1380	1390	1400	1410	1420	1430	1440	1450	Totale
Abkhazi	–	–	–	–	–	1	6	2	2	–	11
Bosniaci	–	–	–	12	1	2	–	–	–	–	15
Bulgari	–	–	1	10	2	5	–	–	–	–	18
Circassi	–	1	12	31	8	26	16	11	20	12	137
Greci	2	–	1	1	–	–	–	–	–	–	4
Neri	–	–	–	–	–	1	–	–	–	–	1
Russi	–	–	4	9	2	39	81	25	38	8	206
Saraceni	–	–	–	4	–	5	–	–	–	–	9
Tartari	95	35	42	218	20	30	31	21	41	14	547
Totale	97	36	60	285	33	109	134	59	101	34	948

di greci persistette per tutto il XV secolo, sebbene, nel caso di Creta, schiavi greci fossero importati in quell'isola da altri luoghi grazie a mercanti genovesi, veneziani e catalani. I contadini cretesi indigeni che parlavano greco avevano uno *status* sociale appena più alto di quello di uno schiavo, legato alla proprietà terriera e alla produzione agricola. Il regime coloniale di Creta provò a contrastare gli avventurieri veneziani e genovesi che compivano razzie sulle isole egee e nella terraferma greca. Nonostante i tentativi di bloccare la riduzione in schiavitù di greci, i mercati di Tebe, Naxos, quelli negli emirati dell'Asia minore – dove i mercanti turchi vendevano a italiani e catalani schiavi catturati soprattutto lungo le coste egee e anatoliche, e la città portuale di Candia a Creta – continuarono a essere i centri principali del commercio di carne umana. In Italia e in tutto l'Egeo, comunque, fino alla fine del XV secolo individui catturati nei Balcani e in Africa rimpiazzarono quelli provenienti dalle isole greche e dal Mar Nero.[15]

72

Fin qui questa discussione sulle origini etniche degli schiavi coincide con le conclusioni già raggiunte dalla maggior parte degli studiosi. Finché lo studio della schiavitù imposta da cristiani nel Mediterraneo fu condotto soprattutto dagli storici economici, che si erano basati prevalentemente su dati empirici e quantificabili, le origini e il colore della pelle degli schiavi furono considerate solamente due delle molteplici categorie demografiche che gli studiosi usavano nel trattare del commercio degli schiavi. Poiché si supponeva – per lo più, correttamente – che la riduzione in schiavitù di esseri umani, cosa permessa dalle autorità cristiane nel Medioevo e nella prima Età moderna, non poggiasse su ragionamenti razziali o etnici, gli storici si interessarono meno alle origini etniche degli schiavi che alla loro religione che pensavano giocasse un ruolo più importante per la legittimazione della schiavitù. Ora, l'accresciuto interesse, sia in Europa che negli Stati Uniti, per la storia della schiavitù come fenomeno trans-atlantico riduce in pratica la tratta degli schiavi nel Mediterraneo del tardo Medioevo a suo mero precedente. Alcuni studiosi di storia medievale e rinascimentale hanno rivisto gli assunti su cui avevano lavorato gli storici economici che si erano occupati della schiavitù nel Mediterraneo; non sorprende che, stante la posizione dominante ricoperta in questo campo di studi dallo schiavismo negli Stati Uniti, il loro interesse si sia concentrato principalmente sulla presenza di africani neri nel Mediterraneo cristiano.

Schiavi sub-sahariani cominciano a comparire nei documenti dell'Italia settentrionale già verso la metà del Trecento. Fino alla metà del Quattrocento mercanti italiani dell'Italia settentrionale acquistavano schiavi neri africani dai

15. S. McKee, *Uncommon Dominion: Venetian Crete and the Myth of Ethnic Purity*, Philadelphia 2000, pp. 87-88 e *passim*. Cfr. anche S.M. Stuard, *Ancillary Evidence for the Decline of Medieval Slavery*, «Past & Present», 149 (1995); Lane, *Venice*, cit., p. 133.

mercanti mussulmani. Quando il Portogallo, nella prima metà del Quattrocento, cominciò a trasportare prigionieri provenienti dalla costa occidentale del continente africano, Lisbona divenne un'altra importante fonte di schiavi africani. I neri africani, tuttavia, non furono mai più di una piccola minoranza tra gli schiavi che si potevano trovare in una qualsiasi città dell'Italia settentrionale. Nell'Italia del Sud, invece, la loro presenza è riscontrabile molto prima e persiste molto più a lungo: ciò fu dovuto in parte ai rapporti commerciali e politici della Sicilia con l'Aragona e alla sua vicinanza con i mercati del Nord Africa. Salvatore Bono ritiene che in Sicilia i neri provenienti dall'Africa costituissero la metà degli individui di condizione servile nel XVI secolo, ma che il loro numero sia calato nettamente dopo che i mercanti cominciarono sempre più a rifornire di schiavi africani le colonie dell'emisfero occidentale. Per rimpiazzarli, quindi, i mercanti di schiavi in Sicilia si rivolsero ai mussulmani del Maghreb.[16] Dovunque venissero venduti schiavi neri in Italia, i loro prezzi scesero significativamente al di sotto di quelli degli schiavi di pelle più chiara, il che farebbe ipotizzare che fossero meno richiesti degli schiavi originari dell'Asia centrale o dell'Europa orientale; e consolida l'opinione precedentemente avanzata dagli studiosi in merito ai pregiudizi degli italiani nei confronti delle genti dalla pelle scura.[17]

Artisti come Carpaccio e Veronese ponevano nei loro dipinti africani subsahariani – scarsamente presenti nelle città italiane – perché persone dalla pelle nera spiccavano come nettamente differenti ed esotiche. Isabella d'Este e i membri della sua famiglia sono i più noti esempi di mecenati del XV secolo che cercavano avidamente, a prezzo di considerevoli sforzi, di trovare bambini africani prigionieri da aggiungere alla loro collezione di schiavi, servi, dipendenti e oggetti curiosi.[18] In parte perché non c'erano veramente mai stati tanti neri nelle città italiane, gli schiavi di colore non divennero comunque una giustificazione della schiavitù come accadrà invece in Spagna e Portogallo.[19] Quel che sappiamo oggi sugli schiavi neri in Italia è influenzato, più che da una loro documentata presenza, dalle catastrofiche conseguenze della successiva tratta trans-atlantica di Spagna, Portogallo e Inghilterra.

66

16. S. Bono, *Schiavi musulmani nell'Italia moderna: galeotti, vu'cumprà', domestici*, Perugia 1999, p. 38.

17. Sergio Tognetti fornisce una tabella con i prezzi di 27 schiavi di colore e non venduti a Firenze da un mercante a Lisbona attraverso la banca Cambini di Firenze: Tognetti, *The Trade in Black African Slaves*, cit., pp. 223-224.

18. P. Kaplan, *Isabella d'Este and Black African Women*, in *Black Africans in Renaissance Europe*, cit.

19. Per un'opera recente sulla schiavitù in Spagna cfr. A. Stella, *Histoires d'esclaves dans la péninsule ibérique*, Paris 2000 e D.G. Blumenthal, *Implements of Labor, Instruments of Honor: Muslim, Eastern, and Black Slaves in Fifteenth-Century Valencia*, Ph.D. dissertation, University of Toronto, Toronto 2000.

La manomissione

Un'area di indagine suggerita dalla ricerca su schiavi neri nell'Italia rinascimentale riguarda la sorte di molti schiavi affrancati, tutti di origine non europea, che furono assimilati nella popolazione urbana.[20] Durante il periodo della schiavitù domestica, gli schiavi potevano ottenere lo *status* di liberi sia con una formale garanzia di successiva manomissione sia attraverso una disposizione testamentaria del padrone. Di solito, i proprietari concedevano la libertà ai loro schiavi a condizione che questi si impegnassero a restare al loro servizio per un certo numero di anni, mantenendo in tal modo il controllo sotto forma di patronato.[21] La promessa di manomissione nel testamento di un padrone porterà gli schiavi a uccidere i loro proprietari in numeri sufficientemente alti da spingere il governo genovese a proibire le manomissioni testamentarie.[22] Le manomissioni, comunque, non erano rare anche se la maggior parte degli schiavi non raggiunse mai lo stato di libero. Sebbene non ci sia modo di sapere quanto frequenti fossero le manomissioni, gli archivi di Firenze, Genova e Venezia conservano un numero di atti di manomissione sufficiente a far sperare nella manomissione come a una possibile ricompensa per una vita spesa nel servizio coatto.

Data la diversità etnica degli schiavi presenti in Italia, la pratica della manomissione ebbe come conseguenza che le città italiane assorbirono gli ex schiavi nella loro popolazione. Un soggetto assai sottovalutato è che gli schiavi liberati e i loro discendenti appaiono non solo nei documenti, ma anche nell'arte del periodo.[23] Gli atti del tribunale veneziano, per esempio, contengono numerosi riferimenti a uomini e donne indicati come *tartarus* o *tartara*, senza però specificare se essi fossero, o fossero stati, schiavi, anche se è altamente probabile che lo fossero stati o che ne fossero i discendenti.[24] Entro il XV secolo, il fatto che nelle fonti archivistiche il termine 'tartaro' sia diffusamente presente, potrebbe indicare che per i veneziani era diventato un termine generico, come *slavo* per 'schiavo', che essi applicavano a tutti gli schiavi dell'Est, agli ex schiavi e ai loro discendenti.

Inoltre, sarebbe un errore ritenere che tutti i neri che compaiono nel-

20. Per un appunto simile cfr. K.J.P. Lowe, *Introduction: The Black African Presence in Renaissance Europe*, in *Black Africans in Renaissance Europe*, cit., p. 2.

21. Sulle manomissioni cfr. J. Heers, *Esclaves et domestiques au Moyen Âge dans le monde méditerranéen*, Paris 1981, pp. 261-262; Bono, *Schiavi musulmani*, cit., pp. 86-93. Si possono trovare tracce di manomissioni a Creta in *Wills from Late Medieval Venetian Crete 1312-1420*, a cura di S. McKee, Washington 1998.

22. Epstein, *Speaking of Slavery*, cit., p. 99.

23. P. Kaplan, *Local Color: The Black African Presence in Venetian Art and History*, in *Fred Wilson. Speak of Me as I Am. Essays by S. Hassan and P. Kaplan*, Cambridge (Mass.) 2003.

24. Per la miglior argomentazione sullo sviluppo dell'uso di *slav* per indicare 'schiavo' cfr. H. Kahane, R. Kahane, *Notes on the Linguistic History of 'Sclavo'*, in AA.VV., *Studi in onore di Ettore Lo Gatto e Giovanni Maver*, Firenze 1962.

le opere d'arte del XV e XVI secolo fossero schiavi. Non si può presumere che gli schiavi africani beneficiassero della manomissione con minore frequenza degli altri schiavi. I gondolieri di colore raffigurati nelle opere di artisti come il Carpaccio o i servi della *Cena in casa di Levi* del Veronese potevano benissimo essere sia schiavi che servi domestici liberi che erano stati schiavi un tempo o che discendevano da schiavi liberati. Inoltre non c'è nemmeno riscontro che le schiave nere non sostenessero come le bianche l'onere di servigi sessuali, anche se il loro prezzo basso rifletterebbe una bassa domanda. Uno studioso, in effetti, ha elaborato una tesi per tentare di dimostrare che la madre di Alessandro de' Medici, il primo duca di Firenze, era una ex schiava africana liberata.[25] Che gli schiavi liberati, specialmente quelli dalla carnagione più scura, si collocassero ai margini delle popolazioni urbane o che si stessero assimilando completamente e continuativamente, è una ipotesi ancora in attesa di essere verificata.

67, 68

Sebbene i recenti contributi alle nostre conoscenze sugli africani neri in Italia siano stati istruttivi, nondimeno essi hanno sviato l'attenzione degli studiosi da altri aspetti della schiavitù nel Rinascimento. Se da una parte tali aspetti sono meno rilevanti per la successiva evoluzione trans-atlantica della schiavitù razziale, essi sono però più utili per comprendere come gli italiani del XV secolo percepivano le differenze etniche e religiose tra gli schiavi domestici. In verità, lo studio sulla schiavitù in Italia offre una base solida per esplorare gli usi quotidiani dei contemporanei nell'applicare le distinzioni religiose ed etniche nei mercati e nelle aule giudiziarie.

Prima del XV secolo, i mercanti cristiani riducevano in schiavitù donne e uomini cristiani non occidentali con l'approvazione dei governi secolari e del Papato. La conversione al rito romano, tuttavia, non portava alla manomissione. Per il Papato, chi si convertiva rimaneva schiavo, ma era considerata illegittima la riduzione in schiavitù di chi già aveva aderito al rito latino. I governi secolari in Italia, sostenuti dal Papato, proibirono l'asservimento di sudditi di governanti, come il re d'Ungheria, che riconoscevano la supremazia spirituale del papa. Genova e Venezia, a volte, e solo per brevi periodi, quando negoziavano i trattati commerciali con gli emirati dell'Asia Minore nel XIV secolo considerarono anche i mussulmani turchi *off limits*.[26]

L'origine degli schiavi assumeva importanza soprattutto quando andava a confrontarsi con la percezione delle autorità in merito a chi non poteva essere soggetto ad asservimento. A differenza dei secoli successivi, quando si tenevano in conto gli antenati o la razza per determinare chi realmente fosse schiavo, nel XV secolo l'ascendenza venne messa in rapporto con il credo reli-

25. J. Brackett, *Race and Rulership: Alessandro de' Medici, first Medici Duke of Florence, 1529-1537*, in *Black Africans in Renaissance Europe*, cit.

26. E.A. Zachariadou, *Trade and Crusade: Venetian Crete and the Emirates of Menteshe and Aydin (1300-1415)*, Venezia 1983.

gioso per determinare chi non poteva essere fatto schiavo. La registrazione delle origini degli schiavi servì, in parte, per monitorare chi veniva ridotto in schiavitù. Quando i mercanti cristiani compravano schiavi nei porti del Mar Nero o del Mar Egeo controllati dai genovesi e dai veneziani, erano obbligati a registrare i loro acquisti sia presso le autorità portuali locali che presso le proprie. Tale registrazione non solo era un modo per le autorità portuali genovesi e veneziane di imporre una tassa sulla merce umana per poterla esportare, ma servì pure, in principio, come mezzo per impedire l'asservimento di individui ritenuti dalla società cristiana liberi in virtù della loro religione e della loro ascendenza.

Dichiarare l'ascendenza di uno schiavo non doveva essere una procedura semplice. I mercanti maggiormente esperti avranno forse potuto distinguere schiavi di origini diverse per lingua o abbigliamento, ma per lo più essi erano costretti ad accettare l'informazione che i fornitori locali davano sui prigionieri. È verosimile che gli schiavisti locali nelle loro incursioni non si facessero scrupoli a catturare sia cristiani che non cristiani, cosicché, quando arrivava il momento di venderli, essi avevano ottime ragioni per nasconderne le origini. I mercanti sapevano bene che, come per i mussulmani era improbabile comprare mussulmani, ai mercanti cristiani era proibito comprare schiavi cristiani. Le parti che contrattavano non potevano essere sicure della provenienza dello schiavo venduto, ma il punto era quello di assicurarsi che lo schiavo non venisse da terre cristianizzate. La coscienza del mercante e la paura di sanzioni economiche, se si veniva scoperti, erano i soli deterrenti per impedirgli di comprare e vendere donne e uomini cristiani latini che per legge erano tutelati dall'asservimento.

La religione non era l'unico parametro per stabilire chi non poteva essere ridotto in schiavitù, come rivelano gli atti processuali che riguardano casi di schiavitù. La religione di uno schiavo era desunta dalla dichiarazione della sua ascendenza. Verso la fine del XIV secolo alcuni procedimenti intentati a Candia, a Genova e a Lucca riguardarono schiave che facevano causa per la loro libertà sulla base dell'ascendenza e della religione. Queste donne dimostrarono la loro ascendenza – in tre casi ungherese e in un caso bosniaca – sulla base della quale la corte giunse alla conclusione che esse fossero cristiane latine e quindi illegalmente sottomesse.[27] Poiché ben pochi schiavi erano in grado di far causa per ottenere la libertà, questi episodi danno l'idea che fosse relativamente facile evadere le regole e che molti venivano tratti in schiavitù tra le maglie degli scrupoli dei mercanti.

27. ASVe, *Archivio del Duca di Candia, Memoriali*, b. 30bis, fasc. 26bis, ff. 19*v*-21*v*; Tria, *La schiavitù in Liguria*, cit., p. 189, n. LIX, 1455; pp. 207-208, n. LXXV; Archivio di Stato di Lucca, *Atti civili del Podestà di Lucca*, 881, 1413, Bosnia.

Il commercio degli schiavi

Il grande numero di documenti che riguardano il commercio di schiavi tra cristiani conservato in archivi e biblioteche italiani nasconde in realtà una grave perdita di materiale documentario. Per ogni schiavo venduto a un cristiano in Italia, Francia meridionale e Aragona, altrettanti, se non di più, venivano venduti a mussulmani. Non sappiamo e forse non sapremo mai con precisione quale fosse la proporzione degli schiavi venduti a cristiani e a mussulmani, per due ragioni: la prima che le proibizioni papali contro la vendita ai mussulmani di qualsiasi cosa potesse essere usata come equipaggiamento da guerra – gli schiavi remavano nelle galere da guerra mussulmane – incoraggiavano un commercio illecito che, virtualmente, non lasciava nessun documento sul fronte italiano; la seconda è che è emerso veramente poco dalle fonti mussulmane che ci possa aiutare a capire meglio quanti schiavi i mercanti italiani vendevano ai mussulmani.

Non ci sono dubbi che, per gran parte del XIV secolo, la domanda di schiavi dall'Egeo e dal Mar Nero fosse maggiore nei mercati d'Egitto e negli emirati turchi dell'Anatolia che in quelli italiani, sia nella penisola che nelle colonie.[28] Altrettanto sicuramente, benché ci fosse il divieto sulla vendita di greci sui mercati cristiani, i commercianti cristiani – sia aragonesi che italiani – continuavano le loro incursioni lungo le coste delle isole e nell'entroterra per catturare schiavi da vendere nei mercati mussulmani. Così, non solo non possiamo essere sicuri sulle origini degli schiavi scambiati tra cristiani, ma non possiamo nemmeno definire in quale misura i mercanti cristiani rispettassero il bando sulla vendita di schiavi cristiani a mussulmani.

Ciò che la documentazione esistente riflette più chiaramente sono le diverse strade che prendevano gli schiavi dai mercati d'Italia. Come le altre merci, anche gli schiavi acquistati nell'Est viaggiavano verso i porti dei loro compratori, dove veniva stabilito e tassato il loro valore prima della riesportazione o della rivendita. Genova e Venezia imponevano una tassa del 5% su ogni schiavo, Firenze 4 lire a testa.[29] I mercanti italiani, poi, riesportavano gli schiavi in altre località in Italia e nel Mediterraneo cristiano, o li trasportavano, apertamente o clandestinamente, nei mercati dell'area mussulmana.

Poiché quasi tutti i documenti riguardanti il commercio all'ingrosso sono andati persi, le tracce di mercanti specializzati nella compravendita di schiavi sono rare. Tra i 2021 contratti di vendita di schiavi che ho esaminato, in un arco di tempo che va dagli anni Sessanta del Trecento agli ultimi decen-

28. Per il commercio di schiavi tra Genova ed Egitto mamelucco nel XIII secolo cfr. Williams, *From the Commercial Revolution*, cit., pp. 178-180.

29. S.R. Epstein, *Genoa and the Genoese*, Chapel Hill 1996, p. 38; M.E. Mallett, *The Florentine Galleys in the Fifteenth Century*, Oxford 1967, p. 114.

ni del Quattrocento, solo 3 dei 923 mercanti di schiavi a Genova – sicuramente il più grande mercato di schiavi in Italia – vendettero 3 o più schiavi in una volta. A Venezia, su 965 schiavi venduti, 7 mercanti ne vendettero 3 o più, ma non più di 6, alla volta.[30] Per quanto ampia possa sembrare la tabella riguardate gli schiavi compilata da Gioffré, essa ci dà notizie solo sulle singole transazioni, ma non sul mercato all'ingrosso degli schiavi tra i genovesi e i loro clienti, italiani o stranieri che fossero.[31] Concludere, sulla base di queste vendite al dettaglio, che i mercanti non fossero coinvolti anche in vendite all'ingrosso significa fraintendere la natura dei documenti notarili, che contengono solo transazioni al minuto.

All'ingrosso o al minuto, la tratta degli schiavi era redditizia per mercanti e governi. È veramente difficile calcolare i tassi di profitto in assenza di libri contabili che riportino i prezzi d'acquisto e di rivendita degli schiavi. Un mercante medio, comunque, poteva ottenere un profitto fino al 150% nel mercato iberico, sebbene, come sottolinea Michel Balard, il guadagno potenziale potesse non valere i rischi del trasporto via mare di schiavi.[32] I documenti ci fanno capire chiaramente quali fossero i rischi. Nel 1400 arrivò a Venezia un'imbarcazione con un carico di circa 40 schiavi del valore di 50 ducati ciascuno; quando quasi tutti morirono di peste, il prezzo degli schiavi sul mercato ebbe un repentino rialzo, fino a raggiungere i 70 ducati.[33]

Nel 1862, Vincenzo Lazari affermava, in quello che rimane l'unico studio sulla schiavitù a Venezia, che lo Stato veneto ricavava 50.000 ducati dalla tassazione sugli schiavi importati dalla città. Egli stimava che, a 5 ducati a testa, fossero stati esportati da Venezia 10.000 schiavi tra il 1414 e il 1423.[34] Lazari non indica da dove ricava la somma di 50.000 ducati, ma, come suggeriscono Monica Boni e Robert Delort, quella cifra rappresenta forse il valore degli schiavi piuttosto che l'entrata derivante dalla tassa sulla loro vendita. Se è così, e se utilizziamo quello che loro ipotizzano sia il prezzo medio per schiavo, di 42 ducati

30. Solo nelle fonti notarili del porto di Candia a Creta compaiono dei mercanti con grandi gruppi di schiavi da vendere e quei contratti di vendita non sono inclusi nella banca-dati perché appartengono ai primi decenni del XIV secolo. Diciotto uomini, tra cui dei catalani, hanno venduto tra tre e venticinque schiavi. Guglielmo Simon, un mercante catalano di Perpignan, fece due viaggi a Candia, il primo nel 1332 e il secondo l'anno seguente; durante la prima visita vendette 9 uomini e 4 donne a una gamma di acquirenti, mentre nel 1333 vendette 14 uomini e 11 donne: ASVe, *Notai di Candia*, b. 244, notaio Giovanni Similiante, fasc. 1, f. 121*r*-*v*, a. 1332.

31. Il commento di Pistarino sul commercio di schiavi genovese deve essere letto tenendo a mente i limiti dei dati di Gioffré. G. Pistarino, *Tratta di schiavi da Genova in Toscana nel secolo XV*, in AA.VV., *Studi di storia economica toscana nel medioevo e nel rinascimento*, Pisa 1987, pp. 288, 290.

32. Balard, *Giacomo Badoer et le commerce des esclaves*, cit., p. 562.

33. Archivio Datini, Prato, carteggio di Venezia, b. 713, 4 settembre 1400.

34. Lazari, *Del traffico e delle condizioni degli schiavi*, cit., p. 469.

in quegli anni, allora solo 1200 schiavi circa furono esportati da Venezia in quei 10 anni. Gli ufficiali veneziani della dogana avrebbero raccolto invece una somma più vicina ai 6000 ducati.[35]

I mercanti si lamentavano dell'onere doganale imposto sul commercio di schiavi all'ingrosso. L'archivio Datini di Prato conserva una ricca collezione di libri di conti e di corrispondenza di una compagnia di commercio attiva nel primo XV secolo. Dalle lettere che gli agenti del Datini scrissero da Venezia al loro ufficio principale di Firenze, tra la fine degli anni Ottanta del Trecento e i primi anni del XV secolo, emerge un interesse continuo per l'acquisto di schiavi già sottoposti all'ispezione doganale. Nel 1387 una schiava intorno ai vent'anni poteva valere fino a 55 ducati, che sembravano un costo proibitivo ai mercanti toscani.[36] Da una lettera del 1402 di uno degli agenti del Datini al capo della compagnia, Francesco Datini venne a sapere dell'arrivo a Venezia di tre cocche che portavano 306 schiavi di ambo i sessi. Ciò che colpì maggiormente l'agente non fu il numero degli schiavi, ma il loro alto valore di mercato, intorno ai 70-75 ducati a testa.[37] In questo caso, a 5 ducati ciascuno, gli schiavi avrebbero portato poco più di 1500 ducati nelle casse del governo.

Similmente, il Senato nel 1381 alzò il numero degli schiavi che potevano essere trasportati su una nave: da tre schiavi per ogni membro dell'equipaggio, a quattro.[38] I libri dei conti di Giacomo Badoer, un mercante veneziano attivo nella prima metà del XV secolo, fanno riferimento a due spedizioni: una di 164 schiavi su un'imbarcazione e una di 182 su un'altra.[39] La domanda critica è con quale frequenza imbarcazioni che portavano centinaia di schiavi arrivavano nei porti italiani. La risposta sembrerebbe essere che, tra la fine del Trecento e gli inizi del Quattrocento, questi trasporti erano abbastanza frequenti da essere notati dalla popolazione, ma non abbastanza perché i mercanti non si scrivessero regolarmente chiedendo in quali porti attualmente si trovassero gli schiavi da acquistare. La scarsa reperibilità e i prezzi alti caratterizzano i riferimenti agli schiavi fatti dai compratori e dai mercanti nella corrispondenza dell'epoca. Se non vengono alla luce altri libri contabili di altre compagnie coinvolte nel commercio degli schiavi, le stime su quanti schiavi furono importati e ri-esportati dall'Italia rimangono puramente speculative.

35. Boni, Delort, *Des esclaves toscans*, cit., p. 1070 nota 34.

36. Archivio Datini, Prato, carteggio di Venezia, b. 709, 31 ott. 1386, Zenobi Gaddi a Venezia all'ufficio di Firenze.

37. Ivi, b. 714, 2 dicembre 1402, Bindo Piaciti a Venezia a Francesco di Marco Datini e Stoldo di Lorenzo a Firenze. Mi sono aggiunta alla lunga lista di studiosi che sono in debito con Reinhold Mueller per la sua generosità.

38. Lane, *Venice*, cit., p. 133.

39. Balard, *Giacomo Badoer et le commerce des esclaves*, cit., p. 563.

Il numero degli schiavi

Gli schiavi non costituivano una parte significativa della popolazione urbana in Italia, con la possibile eccezione di Palermo. Henri Bresc stima che non più del 12% della popolazione della maggiore città siciliana fosse di *status* servile, ma, considerando quanto sia ridotto il suo campione, è ragionevole domandarsi se la percentuale fosse davvero così alta.[40] Anche a Genova, dove la presenza di schiavi deve essere stata paragonabile a quella di Palermo, il loro numero si aggirava tra il 2 e il 5 per cento; le stime, riferite a molti anni diversi del secolo che va dal 1360 al 1460, si mantengono stabilmente tra i due e i tremila schiavi.[41] La schiavitù a Siena era quasi scomparsa entro l'anno 1400.[42] Mentre a Firenze si contavano circa un migliaio di schiavi alla fine del 1300, il loro numero, nel 1427, era sceso a meno di 400, con un numero molto ridotto di famiglie che possedevano più di uno schiavo.[43] Boni e Delort registrano solo 200 schiavi a Pisa tra il 1410 e il 1434.

Stimare il numero di schiavi, in un momento qualsiasi, a Venezia, la maggior potenza nel mercato degli schiavi, rappresenta una sfida a causa della fuorviante natura della documentazione. Lane parla di «centinaia di schiavi» tra i servitori domestici a Venezia, il che sembra plausibile, dato che i livelli della popolazione tra il XIV e il XV secolo scesero sotto le 100.000 unità.[44] Ma ci sono indicazioni che la proporzione di schiavi a Venezia non si avvicinò mai a quella riscontrata a Genova. Anche se nei processi penali del XV secolo gli schiavi si trovano spesso, il loro numero assoluto non è alto. In due anni, tra il 1366 e il 1368, il Consiglio dei Quaranta, il più importante tribunale di Venezia e la magistratura che a quel tempo regolava il movimento di schiavi dentro e fuori la città, concesse la licenza a 156 veneziani, e non, di comprare o vendere schiavi fuori dalla città. Le 145 schiave e i 55 schiavi accompagnavano i loro padroni e le loro padrone in altre città come Treviso, Padova, Bologna, Milano, Firenze, Genova e Roma, o, come in un caso, venivano mandati in dono a un amico che viveva altrove. Duecento schiavi in due anni, comunque, sembrano pochi visti i traffici fuori e dentro la città. Le stime indicano un basso numero di schiavi nel-

40. Bresc, *Un monde Méditerranéen*, cit., I, p. 474.

41. Gioffré, *Il mercato degli schiavi a Genova*, cit.; Epstein, *Genoa and the Genoese*, cit., p. 267; Heers, *Esclaves et domestiques*, cit., pp. 12-15.

42. Prunai, *Notizie e documenti*, cit., p. 251.

43. Boni, Delort, *Des esclaves toscans*, cit., p. 1060; Ch. Klapish-Zuber, *Women Servants in Florence during the Fourteenth and Fifteenth Centuries*, in *Women and Work in Preindustrial Europe*, a cura di B.A. Hanawalt, Bloomington 1986, p. 69; Tognetti, *The Trade in Black African Slaves*, cit., p. 214. Avendo trovato degli schiavi in alcuni documenti privati che non appaiono tra le registrazioni degli schiavi da parte del Comune, Boni e Delort ritengono che non tutti gli acquisti di schiavi venissero riportati dai fiorentini, in modo da evitare di pagare la tassa sulla vendita.

44. Lane, *Venice*, cit., p. 332.

le famiglie veneziane verso la fine del XIV secolo.[45] La schiavitù domestica, in tutte le città italiane, declinò nel XV secolo, sia come conseguenza del passaggio dal lavoro schiavistico a uno libero salariato sia perché l'accesso al Mar Nero divenne sempre più difficoltoso per i mercanti.[46]

Un simile andamento si riscontra nelle colonie fondate da Stati italiani. Susan M. Stuard ha accertato che nei due decenni finali del 1300, circa 300 schiavi «arrivarono, vissero o passarono attraverso Ragusa durante gli anni per i quali abbiamo dei documenti».[47] La città assorbì molti degli schiavi importati, ma le fonti notarili e legislative attestano che gli schiavi costituivano una piccola percentuale della popolazione servile e ammontavano al massimo a poche centinaia. Il fatto che dai documenti della Creta veneziana risulti una costante presenza di schiavi permette di affermare con certezza che nella colonia vi erano più famiglie proprietarie di schiavi di quante ve ne fossero in patria.[48] Senza dubbio la stessa cosa accadeva nella genovese Chio e a Cipro.[49]

La domanda di schiavi

Un certo numero di fattori contribuirono al crescente coinvolgimento dei mercanti italiani nel commercio di schiavi e nell'incremento della domanda nelle città italiane. Il primo di questi fattori è la totale assenza di impedimenti economici, sociali o morali che scoraggiassero i mercanti dall'entrare in un commercio già ben sviluppato e in rapida espansione. Ovunque i mercanti italiani ottenevano l'accesso agli empori di scambio dai quali erano stati precedentemente esclusi, rapidamente si specializzarono nel commercio di una vasta gamma di beni. Gli schiavi erano stati per lungo tempo una delle tante merci reperibili nel Mediterraneo orientale, nel Mar Nero, nei porti africani e nelle isole. Fino al XVI secolo, le preferenze dei mercanti italiani, comunque, differirono da quelle della loro controparte mussulmana, come emerge chiaramente considerando l'età media, il prezzo e il genere degli schiavi venduti privatamente tra gli italiani. Come dimostra la tabella 5, gli schiavi comprati

45. ASVe, *Quarantia criminal*, reg. 16, ff. 63*v*-97*r*. Nell'aprile del 1368 il Consiglio dei Quaranta ritenne di doversi occupare di faccende ben più rilevanti del commercio degli schiavi; assegnò pertanto il compito di garantire le licenze di esportazione ai proprietari degli schiavi ai Capi dei sestieri, un corpo di polizia. Non sopravvivono però i registri con le licenze di esportazione.

46. D. Romano, *Housecraft and Statecraft: Domestic Service in Renaissance Venice, 1400-1600*, Baltimore-London 1996, p. 93.

47. S.M. Stuard, *To Town to Serve: Urban Domestic Slavery in Medieval Ragusa*, in *Women and Work*, cit., p. 42.

48. S. McKee, *Households in Fourteenth-Century Venetian Crete*, «Speculum», 70 (1995).

49. Gli schiavi a Cipro, sotto il dominio veneto, lavoravano nelle piantagioni di canna da zucchero: cfr. Arbel, *Slave Trade*, cit.

e venduti privatamente dagli italiani, nel corso del secolo e mezzo considerato in questo contributo, tendevano in misura rilevante a essere giovani e di sesso femminile.

I padroni italiani chiaramente preferivano giovani donne. Quando la schiavitù cominciò a declinare in Italia durante il XV secolo, schiavi più vecchi apparivano con maggiore frequenza negli atti notarili. Boni e Delort hanno accertato che tra il 1366 e il 1368 l'età degli schiavi in Toscana andava dai 9 ai 30 anni, con una prevalenza intorno ai 18. Tra il 1427 e il 1428, invece, l'arco di età si ampliò dagli 8 agli 80 anni.[50]

Tabella 5. Età media degli schiavi a Venezia e Genova dal 1360 al 1490

Decennio	Età media delle schiave		Età media degli schiavi	
	a Venezia	a Genova	a Venezia	a Genova
1360	19	–	13	–
1370	21	–	15	–
1380	19	–	14	–
1390	21	–	14	–
1400	29	22	21	20
1410	22	21	17	19
1420	25	20	13	22
1430	21	19	18	20
1440	21	23	16	16
1450	27	24	24	23
1460	–	24	–	20
1470	–	25	–	17
1480	–	22	–	19
1490	–	22	–	19

I prezzi nella tabella 6 indicano quanto poteva essere costoso l'acquisto di uno schiavo. I prezzi raccolti per Firenze coincidono con l'impressione desunta dalle precedenti tabelle. Il prezzo medio di 357 schiavi venduti a Firenze tra il 1366 e il 1368 era di 30 fiorini; tra il 1427 e il 1428, per un numero simile di contratti il prezzo salì a 45 fiorini.[51] L'alto valore di mercato degli schiavi incoraggiò a tal pun-

50. Boni, Delort, *Des esclaves toscans*, cit., p. 1070.

51. *Ibid.*

to il pagamento in ducati e fiorini d'oro che uno storico dell'economia ritiene che la domanda degli schiavi in Italia abbia contribuito al deflusso dell'oro dall'Europa e di conseguenza a una bilancia commerciale negativa tra l'Occidente e i paesi islamici.[52] Per calcolare il loro costo in termini di compenso, nel 1400 a Venezia il salario annuo di un domestico si aggirava sui 7 ducati sia per gli uomini che per le donne, mentre i contratti di apprendistato erano leggermente inferiori.[53] Le balie avevano salari più alti: per gran parte dello stesso secolo guadagnavano dai 15 ai 20 ducati all'anno,[54] come i lavoratori non qualificati.[55] Comprare uno schiavo può aver costituito un risparmio a lungo termine all'inizio del XV secolo, ma nel corso dello stesso secolo gli schiavi divennero sempre più costosi.

Tabella 6. Prezzo medio di schiave e schiavi nei contratti di vendita per decennio a Genova e a Venezia dal 1360 al 1490

	Genova		Venezia	
	Donne Prezzo (n. di contratti)	Uomini Prezzo (n. di contratti)	Donne Prezzo (n. di contratti)	Uomini Prezzo (n. di contratti)
Decennio	Lire	Lire	Ducati	Ducati
1360	–	–	26 (75)	25 (18)
1370	30 (1)	–	29 (29)	31 (7)
1380	59 (1)	–	42 (45)	34 (15)
1390	–	–	43 (234)	37 (48)
1400	81 (62)	71 (14)	49 (28)	33 (7)
1410	100 (87)	70 (14)	52 (97)	44 (11)
1420	105 (63)	77 (22)	57 (109)	45 (48)
1430	140 (90)	107 (17)	54 (49)	55 (7)
1440	133 (55)	92 (15)	41 (75)	39 (23)
1450	146 (86)	102 (11)	40 (22)	42 (10)
1460	167 (80)	117 (10)	65 (1)	–
1470	167 (49)	98 (6)	–	–
1480	192 (66)	89 (7)	–	–
1490	180 (70)	74 (5)	–	–

52. P. Spufford, *Money and Its Use in Medieval Europe*, Cambridge 1988, p. 343.

53. R.C. Mueller, *Aspects of Venetian Sovereignty in Medieval and Renaissance Dalmatia*, in *Quattrocento Adriatico: Fifteenth-Century Art of the Adriatic Rim*, Atti del colloquio, Firenze 1994, a cura di C. Dempsey, Bologna 1966 (Villa Spelman Colloquium, s. 5), pp. 54-55.

54. Romano, *Housecraft and Statecraft*, cit., pp. 139-141.

55. Lane, *Venice*, cit., p. 333.

Nonostante il loro alto costo, i proprietari di schiavi appartengono a tutti gli strati sociali. Nobili, preti, notai, maestri artigiani, mercanti di spezie, marinai e lavoratori tessili erano i principali venditori, e altrettanto vasta era la gamma degli acquirenti. A Venezia i patrizi, ovviamente, costituivano la fascia maggiore dei venditori e dei compratori; come gruppo essi avevano più capitali disponibili per acquistare schiavi. Dato ancor più interessante, il successivo gruppo più ampio di venditori e compratori erano le vedove patrizie, seguite dai preti. Allo stesso modo, i detentori delle licenze per esportare schiavi da Venezia provenivano da tutti i livelli della società: patrizi, medici, capitani, mercanti, fabbri, membri del clero e notai.[56] A Genova, durante il XV secolo, dei 229 compratori la cui occupazione viene menzionata, furono più i mercanti (37) che qualsiasi altro gruppo professionale ad acquistare al dettaglio schiave femmine, seguiti da 28 lavoratori della seta (setaiolo, filatore di seta, tintore di seta), 22 notai e 15 fabbri. Anche se il campione genovese è veramente ridotto, tra chi comprava schiavi maschi il numero dei mercanti (10) supera ancora quello di altre professioni. A fronte di 28 acquirenti attivi nell'industria della seta abbiamo 30 venditori (di 28 schiave e 2 schiavi) attivi nelle industrie della seta, del cotone e della lana. Epstein ha calcolato che più della metà degli schiavi a Genova era di proprietà di nobili degli 'alberghi', benché anche calzolai e fabbri ne possedessero.[57]

Essere schiavi domestici

In apparenza, i proprietari di schiavi di alto o medio rango sociale in Italia ritenevano le giovani schiave più utili degli uomini, nonostante il loro alto prezzo, soprattutto a Genova e nonostante i rischi che le riguardavano. Schiave e schiavi malnutriti erano vulnerabili alle malattie e ai maltrattamenti, ma le schiave correvano rischi in più, in particolare lo stupro. I loro padroni, i parenti maschi di questi, ospiti delle famiglie ed estranei approfittavano delle schiave e delle serve domestiche. Le gravidanze che ne risultavano potevano essere un beneficio per i loro padroni nel breve termine se queste donne venivano affittate come balie, ma il parto in quel periodo era così rischioso che i padroni contraevano delle assicurazioni sulle schiave in caso morissero.[58] Nonostante il rischio di gravidanze, i servigi sessuali contribuirono certamente, e in larga parte, alla domanda di schiave nelle famiglie italiane. Esse non erano impiegate in alcuna attività produttiva al di fuori di quella tessile, e anche in quel campo in termini numericamente ridotti.[59]

56. Gli schiavi erano impiegati nei lavori servili all'interno delle industrie di Venezia: Lane, *Venice*, cit., p. 333; L. Molà, *La comunità dei Lucchesi: Immigrazione e industria della seta nel Tardo Medioevo*, Venezia 1994, pp. 172-173.

57. Epstein, *Genoa and the Genoese*, cit., p. 267.

58. Heers, *Esclaves et domestiques*, cit., p. 16.

59. Questo è vero eccetto che per Genova, dove Boni e Delort hanno trovato indicazioni che

Altri studiosi hanno rilevato il fatto che le schiave prestavano servizi sessuali anche se la legislazione a Venezia, Genova e Firenze condannava lo sfruttamento sessuale delle schiave e delle serve da parte sia dei membri delle famiglie in cui esse lavoravano sia di estranei.[60] I servizi di questo tipo possono essere una spiegazione del perché le vedove costituissero il secondo gruppo più ampio dei venditori dopo gli uomini patrizi. Forse con la vedovanza alcune di queste donne tentavano di rimuovere la fonte di tensione nelle loro famiglie quando i loro mariti erano ancora vivi. Allo stesso modo, il deciso e rapido aumento del prezzo delle schiave a Genova durante il XV secolo, in contrasto con gli schiavi maschi a Genova e gli schiavi di entrambi i sessi a Venezia, potrebbe riflettere la tacita tolleranza della città per il concubinato con le schiave. Ma sotto questo aspetto Genova non costituiva un'eccezione.

La natura privata delle attività sessuali umane, sottraendosi a qualsivoglia documentazione, rende impossibile fornire prove certe di questo tipo di comportamento, eccetto nei casi in cui nascevano figli: in questo senso, i servigi sessuali delle schiave ebbero un impatto sulla società nel Rinascimento italiano. Nel XV secolo, la legge vigente a Firenze, a Genova, molto probabilmente a Venezia e in alcune altre città, accettò del tutto informalmente le relazioni sessuali tra schiave e uomini liberi quando i figli delle schiave cominciarono a ereditare lo *status* dei padri invece che quello delle madri.[61] Tuttavia, non tutti i bambini nati da un rapporto tra un padrone e una schiava godevano di questo beneficio: la vita di un bambino dipendeva interamente dalla volontà del padre di riconoscerne la paternità; il grande numero di bambini figli di schiave abbandonati negli ospizi per trovatelli è un segnale della diffusione dei rapporti tra padroni e schiave.[62] Uno studioso sostiene addirittura che il vantaggio di dare in affitto le schiave come balie costituiva un incentivo per i padroni ad abusare di loro.[63] Lo sfruttamento sessuale delle schiave nelle famiglie italiane e le sue conseguenze costituiscono un soggetto che meriterebbe un'attenzione più approfondita da parte degli studiosi.

i genovesi li utilizzavano nelle loro manifatture e nelle terre fuori città: cfr. Boni, Delort, *Des esclaves toscans*, cit., p. 1073. I loro risultati non coincidono con quelli del mio *database*.

60. Heers, *Esclaves et domestiques*, cit.; Pistarino, *Tratta di schiavi da Genova in Toscana*, cit., p. 286; Epstein, *Speaking of Slavery*, cit.; L. Balletto, *Stranieri e forestieri a Genova: Schiavi e manomessi (secolo XV)*, in AA.VV., *Forestieri e stranieri nelle città basso-medievali*, Atti del convegno italo-canadese, Firenze, 4-8 giugno 1984, Firenze 1988; G. Ruggiero, *The Boundaries of Eros*, Oxford 1985. Boni e Delort dubitano sulla prevalenza del concubinato: cfr. Boni, Delort, *Des esclaves toscans*, cit., p. 1073, note 41 e 42.

61. S. McKee, *Inherited Status and Slavery in Late Medieval Italy and Venetian Crete*, «Past & Present», 182 (2004).

62. T. Kuehn, *Illegitimacy in Renaissance Florence*, Ann Arbor 2002, pp. 142-144.

63. C. Cluse, *Frauen in Sklaverei: Beobachtungen aus genuesischen Notariatsregistern des 14. und 15. Jahrhunderts*, in *Campana pulsante convocati: Festschrift anläßlich der Emeritierung von Prof. Dr. Alfred Haverkamp*, a cura di F.G. Hirschmann e G. Mentgen, Trier 2005.

La schiavitù domestica in Italia declinò durante la seconda metà del XV secolo senza sparire del tutto. I mercanti italiani persero l'accesso ai mercati orientali a cui una volta si rivolgevano. Per i veneziani il mercato della Tana, situato alla fine di importanti rotte carovaniere provenienti dall'Asia centrale, rimase aperto solo per la prima metà del XV secolo. I genovesi riuscirono a mantenere la loro base a Caffa fino al 1475, quando l'accesso al Mar Nero fu negato loro dagli ottomani.[64] Quando la fonte di schiavi del Mar Nero venne prosciugata, diminuirono anche i veneziani padroni di schiavi e il relativo commercio. Il commercio genovese di schiavi cominciò altresì a calare, sebbene i genovesi partecipassero ancora ai traffici degli aragonesi nell'Atlantico. In Toscana gli schiavi scomparvero quasi interamente. L'unica area italiana dove gli schiavi continuarono a essere comprati e venduti fu il Sud: Palermo rimase un importante centro di smistamento per l'esportazione di schiavi in Spagna e nel mondo mussulmano.

Le ragioni del declino della schiavitù domestica in Italia non sono solo dovute al diminuito afflusso di schiavi. Per i mercanti, il rischio di fornire schiave a un mercato incerto, in combinazione con la crescente scarsità di risorse umane, portò i prezzi oltre le possibilità economiche di tutti tranne che dei più ricchi. Il risparmio derivante dalla disponibilità di lavoratori salariati meno cari, che erano altrettanto facilmente sfruttabili, cominciò ad avere la meglio sul prestigio associato al possesso di schiavi. La gente del Nord Italia trovava più economico e conveniente pagare un salario minimo a uomini, donne e bambini poveri provenienti dall'*hinterland* delle città e dai Balcani.[65] La manodopera a contratto divenne la norma a Venezia e in Toscana. I bambini, in particolare, soffrirono per la nuova tendenza a impiegarli nel servizio domestico. Al posto delle schiave, ragazzi e ragazze indigenti, detti *anime*, venivano portati dalle coste della Dalmazia e dalle regioni interne alle città italiane, dove i loro rapitori ottenevano un rimborso per il trasporto e un piccolo profitto da quelli che cercavano servi per la casa. I bambini, nominalmente liberi, venivano legati ai loro padroni con un contratto per periodi di servizio che duravano quattro anni o più.[66] La distinzione tra manodopera a contratto e schiavitù cominciò a diventare sempre più sottile, ciononostante la tendenza generale lungo l'Italia era quella di spostarsi verso il lavoro salariato.

64. Lane, *Venice*, cit., p. 129; Origo, *The Domestic Enemy*, cit., p. 354.

65. Stuard, *Ancillary Evidence*, cit.

66. Heers, *Esclaves et domestiques*, cit., pp. 145-158; Romano, *Housecraft and Statecraft*, cit., pp. 47-48.

Dalla schiavitù domestica a quella nelle galere

La schiavitù in Italia assunse nuove forme dopo il XV secolo. Dal XVI al XVIII secolo milioni di persone furono ridotte in schiavitù nei territori cristiani e mussulmani del Mediterraneo proprio nel momento in cui prendeva forza il commercio transatlantico degli schiavi prelevati in Africa e tradotti alle colonie spagnole, portoghesi, francesi e inglesi dell'emisfero occidentale.[67] Sia le potenze cristiane che quelle mussulmane punivano le incursioni, la cattura e tanto la vendita quanto il riscatto dei prigionieri. «La pirateria e lo schiavismo» nota Robert C. Davis, «divennero strumenti politici dello stato in due modi: il ridurre in schiavitù i civili non solo privava il nemico di migliaia di cittadini produttivi, ma forniva anche forza lavoro utile e una significativa fonte d'entrate in caso di riscatto».[68] I cristiani italiani da soli devono aver schiavizzato 50.000 persone tra il 1500 e il 1700.[69] Napoli, Messina e Palermo divennero i più importanti mercati italiani dove i prigionieri di guerra erano venduti sia alle potenze che cercavano forza lavoro che ai mercanti mussulmani venuti per riscattare schiavi mussulmani. Sempre coinvolta più di altre potenze italiane nel commercio degli schiavi, Genova continuava ad avere un alto numero di schiavi, anche quando la schiavitù domestica stava scomparendo altrove.[70] Entro il primo Seicento, comunque, la più alta concentrazione di schiavi si poteva trovare a Napoli e a Livorno.[71]

Alcuni mercanti italiani continuarono a commerciare in schiavi durante il XVI secolo, ma operando nella sfera commerciale di altre potenze. Quando i portoghesi si aprirono la via verso le Azzorre, le Canarie e, di là, lungo la costa occidentale dell'Africa, gli italiani li accompagnarono. Nelle prime decadi del XVI secolo, durante una visita del mercante fiorentino Giovanni da Empoli a Malacca in Indonesia, dominata dai portoghesi, egli notò che la schiavitù era veramente su larga scala nelle società mussulmane del luogo.[72] Le migliaia di schiavi che Giovanni da Empoli e altri videro in India e Indonesia richiedevano risorse logistiche più ampie di quelle che gli italiani potevano permettersi, soprattutto dato il tasso di mortalità fra gli schiavi.[73] Incapaci di competere con l'ampiezza del commercio di cui erano testimoni, i fiorentini e i veneziani potevano solo stare a guardare, mentre portoghesi e spagnoli sviluppavano le rot-

67. R.C. Davis, *Christian Slaves, Muslim Masters: White Slavery in the Mediterranean, the Barbary Coast, and Italy, 1500-1800*, Basingstoke 2003; R. Blackburn, *The Making of New World Slavery: From the Baroque to the Modern, 1492-1800*, London 1992.

68. Davis, *Christian Slaves*, cit., p. 140.

69. Bono, *Schiavi musulmani*, cit., p. 35.

70. Ivi, p. 31.

71. Ivi, p. 27.

72. M. Spallanzani, *Giovanni da Empoli, un mercante fiorentino nell'Asia portoghese*, Firenze 1999, p. 187.

73. M. Spallanzani, *Mercanti fiorentini nell'Asia portoghese (1500-1525)*, Firenze 1997, p. 143.

te e gli accordi commerciali lungo le coste africane per comprare e trasportare migliaia di schiavi nei mercati lontani.

Allo stesso tempo, e forse in parte come conseguenza, in Italia si cominciò a considerare una stravaganza il possesso di schiavi domestici. Ma l'economia statale individuò altri modi di utilizzarli. In alcune città gli schiavi lavoravano ai progetti edilizi finanziati dai governi. La maggior parte degli schiavi posseduti dallo stato vennero messi a remare nelle galere da guerra. Questo cambio di utilizzo comportò un cambio nella demografia degli schiavi. Mentre la maggior parte degli schiavi domestici erano state donne, i rematori e i lavoratori manuali erano quasi esclusivamente maschi, sebbene uomini, donne e bambini di tutto il bacino mediterraneo continuassero a essere esposti a improvvise e violente razzie.

Questi cambiamenti nelle forme di schiavitù coincisero con dei cambiamenti nel panorama politico, nel commercio e nella guerra marittima nel Mediterraneo. Sotto la spinta del papa, verso la fine del XVI secolo Venezia, Napoli, Genova e altre potenze italiane unirono le loro forze, assieme a Spagna e agli Asburgo, per sfidare la dominazione ottomana sul Mediterraneo orientale. Gli scontri sul mare tra la Lega Santa e gli ottomani, e i pirati e i corsari su ambo i lati, fornirono una costante fonte di prigionieri che potevano essere messi a lavoro nelle galere. Regolarmente, nel corso del XVI secolo, schiavi magrebini, neri africani e turchi venivano incatenati per le caviglie ai banchi e costretti a tirare i remi delle galere che appartenevano agli stati italiani o ai mercanti.[74] I greci si trovarono nuovamente faccia a faccia con la possibilità di essere ridotti in schiavitù sia dai mussulmani che dai cristiani, questa volta dai capitani delle galere sponsorizzate dallo stato che avevano un equipaggio insufficiente e che rastrellavano le coste egee in cerca di uomini da mettere ai remi.[75]

Ciò nondimeno, nemmeno sulle galere gli schiavi costituirono mai la maggioranza tra i rematori. La proporzione più grande era costituita da condannati, ma schiavi e criminali insieme superavano il numero dei galeotti salariati. Molti equipaggi delle galere da guerra comprendevano un misto di lavoratori liberi e schiavi dello stato. Dal 1571 in poi i comandanti delle galere veneziane affiancarono alle ciurme di lavoratori salariati criminali condannati alla galera e schiavi che avevano comprato.[76] Il più ampio contingente di schiavi usato per incrementare gli equipaggi delle galere apparteneva al granduca di Toscana, la maggior potenza della penisola italiana che non si era unita alla Santa Lega, sebbene numerose galere toscane avessero partecipato alla battaglia di Lepanto nel

74. F. Angiolini, *Slaves and Slavery in Early Modern Tuscany (1500-1700)*, «Italian history and Culture», 30 (1997), pp. 71, 77.

75. Bono, *Schiavi musulmani*, cit., p. 41.

76. Lane, *Venice*, cit., p. 368; Id., *Wages and Recruitment of Venetian Galeotti, 1470-1580*, in *Studies in Venetian Social and Economic History*, a cura di B.G. Kohl e R.C. Mueller, London 1987, pp. 30, 32.

1571.[77] Nelle mani dei privati cittadini fiorentini non vi erano più schiavi; dalla metà del XVI secolo in poi gli schiavi furono solo di proprietà dello stato fiorentino, che ne mandò la maggior parte a Livorno, la base della flotta medicea, e mise quelli che restavano a lavorare alle opere pubbliche.[78] Le galere fiorentine impiegavano una percentuale di prigionieri di guerra ridotti in schiavitù maggiore di quella presente sulle galere delle altre potenze italiane. Quando le prigioni fiorentine non ne fornivano un numero sufficiente, Firenze poteva contare su Mantova e Ferrara che mettevano a disposizione i loro condannati.[79]

Con così tante migliaia di mussulmani e cristiani ridotti in schiavitù, l'affare del loro riscatto crebbe di misura e d'importanza. Divenne più vantaggioso riscattare uno schiavo che mantenerne uno.[80] Fino alla metà del XVI secolo, gli ordini religiosi istituiti nel periodo delle crociate con lo scopo di liberare i cristiani fatti schiavi dai mussulmani furono in grado di far fronte alle suppliche che arrivavano loro dalle famiglie dei prigionieri. Il drammatico aumento della guerra, della pirateria e della schiavitù invece pose un così improvviso e pesante fardello sulle spalle degli ordini della Santissima Trinità per la Redenzione degli Schiavi (Trinitari) e della Madonna della Mercede (Mercedari) – per citare solo i due più noti – che i poteri statali dovettero assumere alcune delle responsabilità per organizzare e finanziare i processi di riscatto.

Nel XVII secolo Napoli divenne il centro dell'attività di riscatto grazie alla sua posizione come parte dell'Impero asburgico i cui territori mediterranei in Italia e Spagna cadevano facilmente vittime dei pirati provenienti dalle coste del Maghreb.[81] Vennero rivolti pubblici appelli per raccogliere fondi per il riscatto dei prigionieri. A parte il fatto di far crescere il senso della compassione negli italiani, gli ordini religiosi sentivano un'ulteriore urgenza temendo che più a lungo i cristiani rimanevano in cattività, più sarebbero stati tentati di convertirsi all'Islam nella speranza di ottenere un trattamento migliore. Le spedizioni verso le città della costa maghrebina partivano con il denaro necessario per riscattare i prigionieri e riportarli in Italia. Il denaro che serviva poteva essere molto: alla fine del XVI secolo il riscatto di uno schiavo poteva arrivare a costare tra i 400 e i 500 scudi d'oro.[82]

77. Angiolini, *Slaves and Slavery*, cit., pp. 78-79. Per la presenza toscana a Lepanto cfr. L. Monga, *Galee toscane e corsari barbareschi. Il diario di Aurelio Scetti galeotto fiorentino (1565-1577)*, Pisa 1999, p. 106.

78. Angiolini, *Slaves and Slavery*, cit., p. 68.

79. Ivi, p. 77. Allo stesso modo gli schiavi non costituivano la maggioranza dei rematori non liberi nelle galere francesi del XVI secolo; la maggioranza consisteva in *forcats*, cioè uomini che erano stati condannati alla galera. Cfr. P. Walden Bamford, *The Procurement of Oarsmen for French Galleys, 1660-1748*, «American Historical Review», 65 (1959), p. 32. Per un'utile ricerca sulle galere da guerra e l'introduzione dei cannoni nel Mediterraneo cfr. J. Francis Guilmartin, *Gunpowder and Galleys: Changing Technology and Mediterranean Warfare at Sea in the Sixteenth Century*, Cambridge 1974.

80. Angiolini, *Slaves and Slavery*, cit., pp. 80-81.

81. Davis, *Christian Slaves*, cit., pp. 149-151.

82. Angiolini, *Slaves and Slavery*, cit., pp. 80-81.

Rimane da esaminare in che misura la reale terrificante minaccia di essere tradotti in schiavitù ridusse la tolleranza di questo fenomeno tra le popolazioni italiane durante il Rinascimento. Poiché il numero di schiavi galeotti crebbe rapidamente dopo la fine del XVI secolo, la risposta deve essere che ebbe scarso effetto. Diversamente dal sistema di schiavitù sviluppatosi nello stesso periodo oltre Atlantico, gli schiavi in Italia continuarono a servire come galeotti sulle galere da guerra e mercantili fino al XVIII secolo. I mercanti italiani trafficarono in esseri umani finché i profitti furono maggiori dei rischi. La nascita del potere economico iberico e l'emergere di mercati nell'Oltreatlantico scoraggiarono i mercanti italiani dall'approfondire ed estendere il loro coinvolgimento nel commercio di merce umana.*

* Traduzione di Erika Brandolisio e altri

COMMERCIARE FUORI DALLA PATRIA

Gli uomini d'affari stranieri in Italia

MARIA FUSARO

The increase of any estate must be upon the foreigner
(for whatsoever is somewhere gotten is somewhere lost)
Francis Bacon[1]

L'eredità storiografica

Fin dai suoi inizi la storia economica italiana ha dedicato una particolare attenzione allo studio della presenza degli italiani all'estero, quasi che nell'indubbia preminenza del commercio e della finanza italiana nel periodo medievale si trovasse un valido esempio del successo del 'genio della nazione' che ne compensasse l'incapacità politica di consolidarsi in uno stato al pari degli altri stati europei. Si trattava di una visione risorgimentale della storia che ben si accompagnava a un certo campanilismo per il quale la presenza anche di un solo mercante italiano in una città, mercato o corte del resto d'Europa era motivo di orgoglio, laddove il fenomeno opposto era giusto un'altra manifestazione del 'barbaro invasor' sul suolo natio. In quest'ottica i mercanti italiani medievali erano visti come i veri inventori del capitalismo che avevano poi esportato con successo alle loro controparti europee; queste ultime, imparata la lezione, avevano successivamente conquistato non solo l'egemonia economica ma la stessa penisola, condannandola alla sudditanza politica e al declino economico.[2] Anche quando dopo la seconda guerra mondiale la storiografia italiana si riscattò in gran parte da quest'eredità, la categoria di 'Italia fuori d'Italia'[3]

1. Francis Bacon citato da J. de Vries, *The Economy of Europe in an Age of Crisis, 1600-1750*, Cambridge 1996, p. 177.

2. Mito tanto forte da influenzare anche studiosi non italiani; valga l'esempio di Fernand Braudel che parlava della presenza di mercanti italiani nei centri nodali in espansione dell'economia europea proprio negli anni in cui «gli eserciti stranieri calpestano il suolo dell'Italia»: F. Braudel, *La vita economica di Venezia nel* XVI *secolo*, in *Storia della civiltà veneziana*, a cura di V. Branca, Firenze 1979, II, *Autunno del Medioevo e Rinascimento*, p. 262.

3. L'origine di questa espressione è probabilmente da cercarsi in C. Balbo, *Della storia d'Italia dalle origini fino all'anno 1814. Sommario*, Losanna 1846³, pp. 314-316.

è stata ed è talmente radicata nell'immaginazione e nell'autorappresentazione collettiva della classe intellettuale – e non solo – del paese, che è stata utilizzata nei campi più diversi come *leitmotiv* dell'esperienza italiana attraverso i secoli. Alla presenza di stranieri in Italia veniva dedicata attenzione sostanzialmente solo se impegnati nel *Grand Tour*, un altro modo per continuare a sottolineare la potenza dell'influenza italiana anche nel periodo della riconosciuta decadenza.[4] Un'attenzione decisamente minore è stata invece mostrata alla presenza di operatori commerciali stranieri in Italia, che era il segno visibile della fine di quel predominio economico italiano in Europa che aveva caratterizzato i secoli del Medioevo.[5]

Nel corso di questo saggio l'attenzione sarà focalizzata proprio su quest'ultimo fenomeno, le attività commerciali e finanziarie degli stranieri in Italia durante il Rinascimento, periodo inteso come racchiuso da un lato dalla ripresa dopo la pandemia di metà Trecento e dall'altro dalla crisi paneuropea degli anni venti del Seicento. Un lungo arco di tempo, sulla cui caratterizzazione interna non solo dal punto di vista dei cicli economici si è discusso per decenni, senza peraltro giungere a una conclusione soddisfacente.[6] Nell'affrontare la questione della presenza degli stranieri nel commercio e nella finanza italiana, il punto centrale è il rovesciamento dell'equilibrio per cui a una forte presenza italiana all'estero nel Medioevo si sostuisce, a partire dalla seconda metà del Cinquecento, la presenza di stranieri in Italia; questa condizione oggettiva orienterà la mia analisi verso la parte finale di quest'arco cronologico.

Il ritardo delle ricerche su quest'argomento, a causa sia dell'atteggiamento della storiografia che ho appena menzionato che della frammentarietà della documentazione, fanno sì che allo stato attuale degli studi sia impossibile fornire dei dati quantitativi che consentano di valutare puntualmente il ruolo giocato

4. J. Le Goff, *L'Italia fuori d'Italia. L'Italia nello specchio del Medioevo*, in AA.VV., *Storia d'Italia, Dalla caduta dell'Impero romano al secolo* XVIII, II/2, Torino 1974; F. Braudel, *L'Italia fuori d'Italia, Due Secoli tre Italie*, in AA.VV., *Storia d'Italia*, cit.; F. Venturi, *L'Italia fuori d'Italia*, in AA.VV., *Storia d'Italia, Dal Primo Settecento all'Unità*, III, Torino 1976; R. Paris, *L'Italia fuori d'Italia*, in AA.VV., *Storia d'Italia*, IV, *Dall'Unità a oggi*, Torino 1976. Cfr. anche D. Abulafia, *Gli italiani fuori d'Italia*, in AA.VV., *Storia dell'economia italiana*, a cura di R. Romano, I, *Il medioevo: dal crollo al trionfo*, Torino 1990; G. Pagano de Divitiis, *L'Italia fuori d'Italia*, in AA.VV., *Storia dell'economia italiana*, a cura di R. Romano, II, *L'età moderna: verso la crisi*, Torino 1991; AA.VV., *L'Italia fuori d'Italia. Tradizione e presenza della lingua e della cultura italiana nel mondo*, Atti del convegno di Roma 7-10 ottobre 2002, Roma 2003.

5. Già a un corso di lezioni di Armando Sapori edito nel 1952 era allegata una bibliografia in cui ben quindici pagine di titoli trattavano degli 'Italiani nel mondo': A. Sapori, *Le marchand Italien au Moyen Âge*, Parigi 1952, pp. 43-58.

6. Sul dibattito sulla natura del sistema economico italiano nel Rinascimento cfr. F. Franceschi, L. Molà, *L'economia del Rinascimento: dalle teorie della crisi alla 'preistoria del consumismo'*, in *Il Rinascimento italiano e l'Europa*, I, *Storia e storiografia*, a cura di M. Fantoni, Vicenza 2005; cfr. anche G. Galasso, *Rinascimento ora e domani*, «Rivista Storica Italiana», 117 (2005).

dai mercanti stranieri nell'economia della penisola, e rende molto arrischiato anche il solo fornire valutazioni di scala del fenomeno. Quindi, più che proporre una nuova interpretazione del ruolo giocato dagli stranieri nell'economia italiana durante il Rinascimento, intendo piuttosto ridelineare il campo di indagine e tentare una nuova problematizzazione della questione che colleghi il ruolo economico degli stranieri con la tipologia della società ospitante. A questo fine utilizzerò una breve casistica indicativa illustrando sia i risultati delle ricerche svolte che alcune promettenti linee di sviluppo futuro.

'Stranieri' e 'Italia'

Chi sono i mercanti stranieri in Italia? Qui si intende come straniero chi non appartiene all'etnia, e come forestiero chi è della medesima etnia ma appartiene a un'altra realtà socio-politica.[7] In questo saggio limiterò l'analisi ai 'non-italiani' privilegiando un confronto fra l'Italia e le altre realtà europee rispetto a uno interno fra diverse realtà della penisola; la posizione dei non-italiani resta poi quella meno sistematicamente analizzata dalla bibliografia sull'argomento.[8] Mi occuperò inoltre esclusivamente degli operatori commerciali – i mercànti – lasciando da parte gli operatori attivi nel mercato finanziario e gli operatori produttivi – gli artigiani. Due motivi sono alla base di questa scelta: da un lato la presenza di artigiani stranieri in Italia è piuttosto limitata,[9]

7. G. Rossetti, *Introduzione*, in *Dentro la città. Stranieri e realtà urbane nell'Europa dei secoli XII-XVI*, a cura di G. Rossetti, Napoli 1989, p. XIV.

8. *Dentro la città*, cit.; *Comunità forestiere e nationes nell'Europa dei secoli XIII-XVI*, a cura di G. Petti Balbi, Napoli 2001; *Sistema di rapporti ed élites economiche in Europa (sec. XII-XVII)*, a cura di M. Del Treppo, Napoli 1994; fra le poche monografie dedicate a questo spiccano G. Pagano de Divitiis, *Mercanti inglesi nell'Italia del Seicento. Navi, traffici, egemonie*, Venezia 1990; M.C. Engels, *Merchants, Interlopers, Seamen and Corsairs. The 'Flemish' Community in Livorno and Genoa (1615-1635)*, Leiden 1997.

9. A Livorno, fra i fiamminghi erano attivi non solo mercanti, ma anche artigiani e qualche 'industriale' (specie nella produzione di zucchero). Da notare che spesso anche costoro provenivano da Anversa, situazione simile a quella dei pochi artigiani fiamminghi attivi a Venezia; cfr. M.C. Engels, *La comunità «fiamminga» di Livorno all'inizio del Seicento*, «Nuovi Studi Livornesi», 1 (1993); Ead., *Dutch Traders in Livorno at the Beginning of the Seventeenth Century*, in *Entrepreneurs and Entrepreneurship in Early Modern Times. Merchants and Industrialists within the Orbit of the Dutch Staple Market*, a cura di C.M. Lesger e L. Noordegraaf, The Hague 1995, p. 66. Sulle attività degli anversani a Venezia cfr. P. Stabel, *Venice and the Low Countries: Commercial Contacts and Intellectual Inspirations*, in *Renaissance Venice and the North: crosscurrents in the time of Dürer, Bellini and Titian*, a cura di B. Aikema e B.L. Brown, London 1999, pp. 39-40. Ringrazio Maartje van Gelder per le informazioni che mi ha generosamente fornito sulle attività dei fiamminghi a Venezia. Fra i tedeschi a Firenze erano invece presenti artigiani, soprattutto nei mestieri del tessile: cfr. F. Franceschi, *Tedeschi e l'Arte della Lana a Firenze fra Tre e Quattrocento*, in *Dentro la città*, cit., p. 263; cfr. anche K. Schulz, *Artigiani tedeschi in Italia*, in *Comunicazione e mobilità nel Medioevo. Incontri tra il Sud e il Centro dell'Europa (secoli XI-XIV)*, a cura di S. De Rachewiltz e J. Riedmann, Bologna 1997.

dall'altro le loro strategie sociali ed economiche, particolarmente l'atteggiamento nei confronti dell'integrazione nella società ospite, sono generalmente assai diverse da quelle dei mercanti.[10] A questo proposito vale la pena di menzionare l'alta frequenza con cui, in tutta Italia, artigiani tedeschi appaiono attivi soprattutto nei mestieri collegati alla panificazione[11] e nel comparto tessile, in misura minore nell'importazione e nella lavorazione di metalli e nell'industria tipografica.[12]

Se definire chi sia lo straniero in Italia presenta una sua peculiare complessità, altrettanto spinosa si presenta la questione dell'uso e dell'accezione che si vuole dare al termine stesso di 'Italia'. Mentre dal punto di vista politico e sociale si è svolta a questo proposito una lunga riflessione, dal punto di vista economico è stata spesso favorita un'interpretazione che sottolineava le discontinuità e le differenze. Se è certamente possibile parlare dell'Italia Quattrocentesca dal punto di vista politico come di un sistema di stati territoriali,[13] fino a che punto si possa anche parlare di un «sistema integrato da un punto di vista commerciale, manifatturiero e finanziario» è argomento molto dibattuto, anche se è stata ipotizzata «l'esistenza, non volontaria e nemmeno chiaramente identificata, di un livello propriamente economico delle interconnessioni funzionali fra le parti che compongono il sistema degli stati italiani tardomedievali».[14]

La questione si complica nel Cinquecento, proprio nel momento in cui la

10. R.C. Mueller, *«Veneti facti privilegio»: stranieri naturalizzati a Venezia tra XIV e XVI secolo*, in *La città italiana e i luoghi degli stranieri, XIV-XVIII secolo*, a cura di D. Calabi e P. Lanaro, Bari-Roma 1998; Cecilie Hollberg ha dimostrato come all'interno della comunità tedesca a Venezia nel tardo Medioevo gli artigiani tendessero assai più dei mercanti a integrarsi nella società veneziana, al punto da perdere la loro identità 'tedesca': cfr. C. Hollberg, *Deutsche in Venedig im späten Mittelalter. Eine Untersuchung von Testamenten aus dem 15. Jahrhundert*, Göttingen 2005.

11. A. Esch, *Le fonti per la storia economica e sociale di Roma nel Rinascimento: un approccio personale*, in *Economia e società a Roma tra Medioevo e Rinascimento. Studi dedicati ad Arnold Esch*, a cura di A. Esposito e L. Palermo, Roma 2003, p. 10. A Roma i 'panettieri tedeschi' dal 1421 avevano anche una loro confraternita: A. Esposito, *Fondazioni per forestieri e studenti a Roma nel tardo Medioevo e nella prima Età moderna*, in *Comunità forestiere e «nationes»*, cit., p. 76. M. Del Treppo, *Stranieri nel Regno di Napoli. Le élites finanziarie e la strutturazione dello spazio economico e politico*, in *Dentro la città*, cit., pp. 183-184; C. Hollberg, *Deutsche in Venedig im späten Mittelalter*, *passim*; Ph. Braunstein, *Remarques sur la population allemande de Venise à la fin du Moyen Âge*, in AA.VV., *Venezia centro di mediazione tra Oriente e Occidente (sec. XV-XVI). Aspetti e problemi*, I, Firenze 1978, p. 236.

12. G. Casarino, *Stranieri a Genova nel Quattro e Cinquecento: tipologie sociali e nazioni*, in *Dentro la città*, cit., p. 142; A. Esch, *Le importazioni nella Roma del primo Rinascimento*, in A. Esch *et al.*, *Aspetti della vita economica e culturale a Roma nel Quattrocento*, Roma 1981, p. 54; Franceschi, *Tedeschi e l'Arte della Lana*, cit.; Schulz, *Artigiani tedeschi in Italia*, cit.

13. Per un'elegante sintesi recente: I. Lazzarini, *L'Italia degli stati territoriali. Secoli XIII-XV*, Bari-Roma 2003.

14. Sull'integrazione dei mercati e delle economie regionali cfr. M. Ginatempo, *Gerarchie demiche e sistemi urbani nell'Italia bassomedievale: una discussione*, «Società e Storia», 72 (1996), p. 350; Lazzarini, *L'Italia degli stati territoriali*, cit., pp. 151, 153.

presenza di stranieri diventa un fenomeno continuativo dal punto di vista temporale e importante da quello strutturale. Ma proprio nella sfera economica è a mio avviso possibile parlare di un sistema degli stati italiani anche per questo periodo. Infatti, assumendo come punto di vista quello degli operatori stranieri attivi nella penisola, l'uso di 'Italia' come termine generale assume un effettivo valore euristico. Le fonti documentarie prodotte da costoro, pur nelle differenze locali delle diverse realtà in cui si trovavano a operare, rivelano una percezione dell'Italia e della sua economia come una realtà unica, o quantomeno come un sistema articolato ma pur sempre riconoscibile come una singola entità. Esempi di questa visione dell'Italia come *una* realtà economica, e degli italiani come portatori di *una* ben specifica tradizione commerciale e finanziaria sono particolarmente evidenti nella trattatistica di argomento economico inglese, dal *Libelle of Englyshe Polycye* (scritto attorno al 1436) al trattato di Thomas Mun *England's Treasure by Foreign Trade*, (edito nel 1664 ma scritto circa trent'anni prima). Anche dalle fonti italiane emerge sia una cultura che un *modus operandi* comune che consentono di parlare di economia italiana piuttosto che di economie italiane. Fra la fine del Cinquecento e il primo quarto del Seicento questo approccio diventa ancora più lecito dal momento che la crisi del 'modello italiano' è ormai evidente, e conclamata tanto nelle fonti coeve quanto nella letteratura.[15] Pur parlando di economia italiana al singolare resta però evidente che si trattava di un sistema economico caratterizzato da forti concorrenze interne e da alleanze strategiche fra operatori appartenenti a diverse realtà statuali, all'interno delle specifiche specializzazioni economiche.[16] Concentrerò le mie riflessioni sulle grandi metropoli commerciali del centro-nord della penisola, formalmente ancora indipendenti o quanto meno semi-autonome: Venezia, Firenze e Genova, affiancandole agli altri centri dello scambio di lunga distanza, Ancona e la nuova arrivata Livorno. Alla base di questa scelta è la convinzione che il Sud dell'Italia a partire dalla metà del Quattrocento venne a far parte del complesso sistema economico iberico, grazie al progetto di «piena integrazione della produzione e dei mercati di tutti i Regni della Corona d'Aragona»[17] portato avanti da Alfonso V.[18] Non è mia intenzione entra-

15. C.M. Cipolla, *The Decline of Italy. The Case of a Fully Matured Economy*, «The Economic History Review», n.s., 5 (1952).

16. Un esempio di queste alleanze è il noleggio da parte fiorentina di navi genovesi nel tardo Medioevo per il commercio con l'Inghilterra: cfr. F. Melis, *Sulla 'nazionalità' del commercio marittimo Inghilterra-Mediterraneo, negli anni intorno al 1400*, in Id., *I trasporti e le comunicazioni nel medioevo*, Firenze 1984; anche M. Mallett, *The Florentine Galleys in the Fifteenth Century*, Oxford 1967, p. 7. Sui rapporti di collaborazione fra mercanti fiorentini e veneziani cfr. R.C. Mueller, *Mercanti e imprenditori fiorentini a Venezia nel tardo Medioevo*, «Società e Storia», 55 (1992).

17. M. Del Treppo, *I mercanti catalani e l'espansione della Corona d'Aragona nel secolo XV*, Napoli 1972, p. 206.

18. La storiografia del Mezzogiorno ha spesso attribuito a ciò il sottosviluppo della zona. Una silloge critica di questa storiografia in S.R. Epstein, *Potere e mercati in Sicilia. Secoli XIII-XVI*, Torino 1996, pp. 1-22, (trad. it. di *An Island for Itself. Economic Development and So-*

re in questo dibattito almeno in questa sede, ma ritengo che gli sviluppi di questa situazione politica rendano assai complesso determinare chi fossero gli operatori stranieri all'interno dell'economia del Mezzogiorno visto che, almeno in questo periodo, costoro erano soprattutto iberici, quegli stessi iberici che erano anche al vertice della classe dirigente politica locale.[19]

Per motivi speculari ho deciso anche di escludere l'importante ruolo svolto da greci e slavi nell'economia di Venezia. Questi infatti, per quanto stranieri, facevano però parte integrante del sistema economico della Repubblica di cui erano sudditi.[20]

Anche la città cosmopolita per eccellenza – Roma – rimarrà fuori da quest'analisi sia per l'unicità della sua situazione di centro della cristianità, che per le particolarità della sua economia definibile come un «mercato di importazione» che rispondeva a dinamiche del tutto particolari risentendo fortemente della presenza della corte papale.[21]

Tipologia della società ospite e del mercante straniero

Lo studio della presenza degli stranieri nelle varie società europee e del loro ruolo economico e sociale è apparso come soggetto storiografico forte nell'ultimo decennio, in concomitanza con l'aumento dei movimenti migrato-

cial Transformation in Late Medieval Sicily, Cambridge 1992). Cfr. anche D. Abulafia, *Le due Italie*, Milano 1991 (trad. it. di *The Two Italies. Economic Relations Between the Norman Kingdom of Sicily and the Northern Communes*, Cambridge 1977); Del Treppo, *Stranieri nel Regno di Napoli*, cit.; cfr. anche P. Corrao, *Mercanti stranieri e Regno di Sicilia: sistema di protezioni e modalità di radicamento nella società cittadina*, in *Sistema di rapporti*, cit.; *Commercio, finanza, funzione pubblica. Stranieri in Sicilia ed in Sardegna nei secoli* XIII-XV, a cura di M. Tangheroni, Napoli 1998.

19. H. Bresc, *Un monde méditerranéen. Économie et société en Sicile 1300-1450*, Roma 1986, I, pp. 282-283.

20. Venezia aveva molti possedimenti in Grecia dal tempo della quarta Crociata (1204) e gran parte del territorio della Dalmazia dall'inizio del Quattrocento era in mano veneziana di fatto se non *de iure*, quindi le minoranze greche e slave a Venezia erano costituite da persone più o meno suddite; lo stesso dicasi per gli Albanesi. I sudditi venivano generalmente trattati come cittadini *de intus*, clausola presente negli atti di dedizione delle città soggette in Terraferma dal 1405 (cfr. R.C. Mueller e L. Molà, *Essere straniero a Venezia nel tardo Medioevo: accoglienza e rifiuto nei privilegi di cittadinanza e nelle sentenze criminali*, in *Le migrazioni in Europa*, a cura di S. Cavaciocchi, Firenze 1994, p. 842), quelli di Levante *de intus et extra*, mentre i cittadini della Dalmazia come *de intus*: cfr. Mueller, *«Veneti facti privilegio»*, cit., p. 45.

21. R. Ago, *Economia Barocca. Mercato e istituzioni nella Roma del Seicento*, Roma 1998, pp. 12-13; A. Esposito, *I «forenses» a Roma nell'età del Rinascimento: aspetti e problemi di una presenza «atipica»*, in *Dentro la città*, cit., p. 168; Ead., *Fondazioni per forestieri e studenti a Roma nel tardo Medioevo e nella prima Età moderna*, in *Comunità forestiere e «nationes»*, cit., p. 75; A. Esch, *Le importazioni nella Roma del primo Rinascimento*, in Esch, *Aspetti della vita economica*, cit.; Id., *Roma come centro di importazione nella seconda metà del Quattrocento ed il peso economico del Papato*, in *Roma Capitale (1447-1527)*, a cura di S. Gensini, Pisa 1994.

ri verso l'Europa occidentale, e con la crescita dei problemi – o quantomeno della loro percezione – derivanti della coabitazione fra individui di diverse culture ed etnie. Per il tardo Medioevo e la prima Età moderna sono stati formulati dei contributi molto interessanti a proposito dell'insediamento degli stranieri all'interno delle realtà urbane, contestualizzandone soprattutto il loro agire sociale, con lo scopo di valutare il rapporto fra interazione e integrazione nelle società ospiti.[22] Ma nello studio della presenza di mercanti e finanzieri stranieri in Italia durante l'età rinascimentale la questione fondamentale, e ancora irrisolta, è quella di riuscire a formulare una valutazione puntuale del ruolo che essi giocarono all'interno dell'economia della penisola. Il fulcro di questo saggio è appunto quello di delineare una base analitica per questo tipo di studi, collegando le diverse attività commerciali svolte dagli stranieri alle diverse tipologie delle società ospitanti. Sono convinta infatti che, pur all'interno del 'sistema Italia', la diversa natura strutturale e sostanziale delle varie realtà in cui si articolava l'economia della penisola ebbe un peso fondamentale nell'orientare le modalità della presenza e dell'azione degli operatori stranieri. Da un lato abbiamo economie attive e mature come Venezia, dall'altro empori creati apposta per attrarre operatori stranieri, come Livorno con il suo porto franco. Fra questi due estremi si pongono situazioni intermedie come Ancona, o ambigue come Genova, in cui il legame politico con la Spagna ebbe un peso determinante nelle scelte economiche della classe dirigente autoctona. Questa complessa articolazione delle realtà economiche determinò le diverse tipologie della presenza straniera; si trattava di una situazione di equilibrio dinamico che si estrinsecava tramite incentivi o disincentivi alla presenza straniera che vediamo riflessi nei mutevoli atteggiamenti degli attori politici ed economici.[23] Da questo deriva che la differenza fra lo straniero integrato e privilegiato e quello infiltrato e non privilegiato va ben al di là dell'aspetto meramente formale e, anzi, rappresenta un'importante chiave di lettura dell'interazione fra le politiche economiche della società ospitante e quelle degli stranieri in essa operanti.

Inoltre, come scriveva Frédéric Mauro qualche anno fa, «lo studio delle comunità mercantili rappresenta la dimensione sociologica della ricerca sugli imperi mercantili ... le comunità mercantili sono la base sociale dell'universo del

22. *La città italiana e i luoghi degli stranieri*, cit.; *Les étrangers dans la ville. Minorités et espace urbain du bas Moyen Âge à l'époque moderne*, a cura di J. Bottin e D. Calabi, Paris 1999; D. Calabi, *Gli stranieri e la città*, in *Storia di Venezia*, V, *Il Rinascimento: società ed economia*, a cura di A. Tenenti e U. Tucci, Roma 1996; S. Luzzi, *Stranieri in città. Presenza tedesca e società urbana a Trento (secoli XV-XVIII)*, Bologna 2003.

23. Interessanti considerazioni sul legame fra la prosperità delle comunità straniere e l'atteggiamento delle società ospitanti in F. Mauro, *Merchant Communities, 1350-1750*, in *The Rise of Merchant Empires. Long Distance Trade in the Early Modern World, 1350-1750*, a cura di J.D. Tracy, Cambridge 1990, p. 262.

mercante».[24] Collegando questo approccio 'sociale' a quello 'economico' sarà in futuro possibile gettare luce sulla *vexata quaestio* della suddivisione dei profitti: era la società ospitante o i mercanti stranieri ospiti ad avvantaggiarsi maggiormente della relazione? Si tratta in effetti di un compito non facile anche in presenza di fonti che diano notizie quantitative relativamente affidabili, in quanto le interazioni fra diverse reti mercantili per il completamento delle transazioni rendono assai complesso il rintracciare sia la distribuzione che la destinazione finale degli utili. Un ulteriore elemento per quest'analisi, ma che è stato finora quasi ignorato dalla storiografia, è infatti quello dello studio dei rapporti che intercorrevano fra le diverse reti straniere operanti sul suolo italiano al di là delle relazioni dirette con la società ospite. Queste alleanze trasversali fra stranieri complicano ulteriormente il quadro, dal momento che nella loro articolazione pratica spesso travalicavano il confine fra le presenze utili al funzionamento del sistema ospitante, e quelle che rappresentavano invece una pericolosa concorrenza agli interessi economici della società ospitante.

Un altro argomento che sarà necessario affrontare è quello degli investimenti di capitale straniero e di quale ruolo giocassero nell'economia italiana, al di là della presenza fisica di operatori stranieri *in situ*. La questione è resa complessa a causa dell'esistenza di quella «repubblica internazionale del denaro», ipotizzata da Fernand Braudel e successivamente dimostrata da molti studi, soprattutto dallo splendido volume curato da Aldo De Maddalena e Hermann Kellenbenz che porta lo stesso titolo.[25] Queste ricerche hanno evidenziato l'esistenza e il funzionamento di una rete sovranazionale di banchieri, specie genovesi e tedeschi, le cui attività si estendevano non solo su tutta Europa ma ovunque nel globo fossero attivi gli europei. La natura sovranazionale di queste complesse operazioni finanziarie, che avevano il loro centro nel finanziamento della Corona spagnola, e regolari momenti di incontro nelle fiere finanziarie dell'epoca (Lione, Besançon-Piacenza, Medina del Campo), pone questo tipo di operazioni al di fuori di quest'analisi. Lo studio degli investimenti individuali sarà però fondamentale per valutare il ruolo che operatori e investimenti stranieri giocavano all'interno dell'economia italiana. Si tratta di un argomento di pressante attualità anche al giorno d'oggi; nella prima Età moderna – prima dell'avvento dello stato-nazione – la questione aveva contorni più sfumati, ma ciò non toglie che occupasse una posizione privilegiata nei dibattiti contemporanei sia tecnici che politici sullo stato dell'economia. Non abbiamo studi su quest'argomento per la prima Età moderna, ma sappiamo che a Venezia molti stranieri fin dal Duecen-

24. Ivi, p. 255.

25. *La repubblica internazionale del denaro*, a cura di A. De Maddalena e H. Kellenbenz, Bologna 1986; F. Braudel, *Civiltà materiale, economia e capitalismo (secoli* XV-XVIII*)*, I, *Le strutture del quotidiano*; II, *I giochi dello scambio*; III, *I tempi del mondo*, Torino 1981-1982.

to «investivano ingenti capitali negli istituti finanziari dello stato veneziano».[26] A partire dal XIII secolo l'investire capitali nel debito pubblico degli stati italiani sembra essere stato una scelta abbastanza comune; la frequenza di questo tipo di operazioni spinse le autorità della Repubblica di Ragusa (Dubrovnik) nel 1575 a stabilire «un'imposizione annua del 20% sulla rendita dei capitali investiti all'estero» per contrastare questa 'fuga di capitali'.[27]

Presenza, radicamento e cittadinanza

Una delle questioni che più spesso è stata invece affrontata a proposito della presenza straniera nelle città italiane è quella che riguarda il rapporto fra l'acquisizione dei privilegi di cittadinanza e lo svolgimento delle attività economiche. Si tratta di un problema indubbiamente fondamentale nel Medioevo ma che, almeno per i mercanti, perde velocemente di rilevanza a partire dalla metà del Cinquecento. La crescente complessità delle transazioni, la crisi economica incipiente e la destrezza degli operatori economici sia autoctoni che stranieri, portarono a una situazione in cui per le magistrature degli antichi stati italiani fu sempre più difficile applicare in maniera efficace la legislazione vigente, che normalmente poneva limiti piuttosto stretti alle attività economiche degli stranieri. Divenne quindi sempre più facile per i mercanti stranieri condurre i propri affari infiltrandosi negli interstizi del sistema, eludendo con crescente successo le barriere legislative. La tendenza della storiografia a concentrarsi principalmente sulla questione formale di chi avesse diritto a operare all'interno del sistema può diventare quindi un grosso limite a una reale comprensione dello svolgimento delle operazioni commerciali. Questo iato fra la situazione formale-istituzionale e la realtà sul terreno fa sì che spesso il problema della concessione o meno della cittadinanza come prerequisito allo svolgimento degli affari, sia in realtà un problema fittizio. Con la scomparsa dell'incentivo economico, mentre i costi associati all'acquisizione della cittadinanza rimanevano ben reali, non c'è quindi da sorprendersi se sempre meno mercanti stranieri la richiedessero.[28]

Prendendo in esame il caso forse più classico di presenza 'strutturata', l'e-

26. R.C. Mueller, *Stranieri e culture straniere a Venezia. Aspetti economici e sociali*, in *Componenti storico-artistiche e culturali nei secoli XIII e XIV*, a cura di M. Muraro, Venezia 1981, p. 75; Id., *The Venetian Money Market. Banks, Panics and Public Debt, 1200-1500*, Baltimore-London 1997, da cui però emergono molti forestieri e pochissimi stranieri, cosa che non sorprende visto il periodo esaminato.

27. Per gli investimenti di ragusei in Italia cfr. A. Di Vittorio, *Gli investimenti finanziari ragusei in Italia tra XIV e XVIII secolo*, in A. Di Vittorio, S. Anselmi, P. Petrucci, *Ragusa (Dubrovnik) una repubblica Adriatica. Saggi di storia economica e finanziaria*, Milano 1994, p. 168.

28. A. Cowan, *Foreigners and the City. The Case of the Immigrant Merchant*, in *Mediterranean Urban Culture*, a cura di A. Cowan, Exeter 2000.

sempio veneziano è illuminante: gli estesi privilegi commerciali del Fondaco dei Tedeschi avevano agito fin dal Medioevo come freno alle richieste di naturalizzazione da parte di mercanti tedeschi.[29] Ma anche per gli altri stranieri attivi in città, anche se non inseriti in strutture di questo tipo, dagli inizi del Cinquecento i vantaggi pratici della cittadinanza diminuirono di molto.[30] Le leggi che proibivano il commercio con il Levante ai non cittadini non venivano infatti più messe in atto efficacemente e compagnie commerciali miste, pur rimanendo proibite dalla legislazione, erano continuamente costituite senza alcun problema reale.[31] L'acquisizione della cittadinanza continuava a richiedere il pagamento regolare delle tasse, la contribuzione ai prestiti forzosi e la residenza permanente: a conti fatti offriva quindi più costi che benefici. Di conseguenza, di fronte a queste mutate condizioni, gli stranieri erano sempre meno interessati a perseguire una piena assimilazione. Questo fenomeno è osservabile, per esempio, fra i mercanti fiamminghi e inglesi, questi ultimi inoltre spesso in movimento fra la metropoli e il Dominio da Mar.[32] Nella stragrande maggioranza dei casi i mercanti stranieri decisero di gestire le loro attività negli interstizi della società ospite, senza che questo influisse negativamente sul loro giro di affari e sulle loro frequentazioni con connazionali, altri stranieri o locali. La richiesta della cittadinanza si trasformò quindi da una necessità economica in una scelta di vita personale, non per questo meno determinante per il protagonista, ma spesso purtroppo al di là delle possibilità di indagine dello storico.

Due novità caratterizzano il profilo del mercante straniero in Italia dal Cinquecento in avanti specie se paragonato alla figura del mercante italiano in Europa nel Medioevo. Nel periodo medievale le presenze di operatori stranieri e forestieri all'interno delle città italiane – ed europee – erano regolamentate attraverso strutture istituzionali note come *nationes*, aventi non solo una propria personalità giuridica ma anche una propria identità sociale. Nel periodo più tardo queste istituzioni persero di peso e questo legame si allentò quando non si sciolse del tutto. A proposito del caso italiano nel periodo medievale, Giovanna

29. Mueller, «*Veneti facti privilegio*», cit., p. 47. Sui privilegi concessi ai mercanti operanti all'interno del Fondaco dei Tedeschi cfr. H. Simonsfeld, *Der Fondaco dei Tedeschi in Venedig und die deutschvenetianischen Handelsbeziehungen*, Stuttgart 1887.

30. L'altro vantaggio sostanziale, quello della possibilità di acquisire proprietà immobiliari, interessava solo a chi voleva stabilirvisi in modo permanente. In una situazione come quella veneziana, in cui quasi tutti vivevano in affitto, questo perdeva molto del suo valore simbolico: cfr. J.-F. Chauvard, *Scale di osservazione e inserimento degli stranieri nello spazio veneziano tra XVII e XVIII secolo*, in *La città italiana e i luoghi degli stranieri*, cit.; D. Calabi, *Gli stranieri e la città*, in *Storia di Venezia*, V, *Il Rinascimento*, cit.; L. Megna, *Comportamenti abitativi del patriziato veneziano (1582-1740)*, «Studi Veneziani», n.s., 22 (1991).

31. M. Fusaro, *The English Mercantile Communities in Venice and in the Ionian Islands, 1570-1670*, Tesi inedita di dottorato, Università di Cambridge, 2002.

32. M. Fusaro, *Uva passa. Una guerra commerciale tra Venezia e l'Inghilterra (1540-1640)*, Venezia 1996; Ead., *The English Mercantile Communities*, cit.

Petti Balbi ha scritto che bisognerebbe «parlare di *nationes* aristocratiche mercantili, in quanto sono gli esponenti delle élites politiche ed economiche internazionali, mercanti o banchieri, che le creano».[33] È ben vero che anche nel Medioevo non tutti gli stranieri facevano parte delle élites, ma d'altro canto il peso di queste era preponderante all'interno delle *nationes* e ne determinava il comportamento.[34] È importante sottolineare come invece dal Cinquecento in avanti i mercanti stranieri presenti in Italia facessero ormai raramente parte delle élites dei loro paesi di origine, e anzi il loro profilo sociale tendesse ad abbassarsi. Un aspetto collegato a questo, e non ancora studiato in tutte le sue sfaccettature, è come si sia articolata l'evoluzione storica dall'istituto delle *nationes* medievali a quello dei consolati moderni, con tutti i problemi che questo pone per l'analisi della complessa relazione fra interessi politici ed economici della società ospitante e della presenza straniera.

Dal Cinquecento in poi il mercante straniero non era quindi né facilmente assimilabile a un immigrante qualsiasi né all'élite del suo luogo di provenienza. La sua stessa presenza fisica nella società ospitante non era necessariamente continuativa, permanente o definitiva, ma ciò non ne limitava il peso economico. Soprattutto nella prima Età moderna la sua posizione giuridica formale non sembrava più essere necessariamente sottoposta alla rigida regolamentazione caratteristica del periodo precedente e conseguentemente si aprivano al mercante maggiori spazi di azione.

Nel momento in cui la cornice istituzionale diviene più elastica, l'analisi dei comportamenti sociali ed economici dello straniero si complica. Lo studiare come queste trasformazioni si articolassero nella gestione degli affari e nella vita quotidiana di questi mercanti richiede infatti un lavoro assai complesso di scavo documentario. Come già accennato in precedenza, il grosso limite dell'approccio istituzionale alla storia economica, specialmente per lo studio di questo tipo di problemi, è quello di ritenere che la struttura formale rispecchi la realtà effettiva. E questo mi porta alla necessità di un breve *excursus* sull'uso delle fonti nello studio della presenza di operatori stranieri. Di fronte allo iato crescente fra legislazione e prassi delle attività commerciali, la scelta della documentazione su cui basare le ricerche diventa una questione di importanza cruciale.[35] Molto è stato discusso e scritto sull'utilità delle fonti notarili – di cui l'Italia è generalmente ricca – come base per questo tipo di ricerche. Più di quarant'anni fa Federigo Me-

33. G. Petti Balbi, *Introduzione*, in *Strutture del potere ed élites economiche nelle città europee dei secoli XII-XVI*, a cura di G. Petti Balbi, Napoli 1996, p. XVI.

34. M. Del Treppo, *Introduzione*, in *Sistema di rapporti*, cit., p. XI.

35. Considerazioni interessanti su questo in B. Lepetit, *Proposition et avertissement*, in *Les étrangers dans la ville*, cit., pp. 11-15. Cfr. anche G. Pinto, *Forestieri e stranieri nell'Italia comunale: considerazioni sulle fonti documentarie*, in AA.VV., *Forestieri e stranieri nelle città basso-medievali*, Atti del convegno internazionale di studio, Bagno a Ripoli, Firenze, 4-8 giugno 1984, Firenze 1988.

lis, parlando della situazione fiorentina, criticò la loro utilità nello studio delle attività dei mercanti sostenendo che costoro, conoscendosi fra di loro, concludevano affari direttamente senza l'intermediazione del notaio.[36] Occupandosi però di un argomento nel quale la documentazione di natura istituzionale e normativa non corrisponde più alla realtà sul terreno, e considerando sia la straordinaria ricchezza di informazioni che i ben noti problemi collegati all'utilizzo delle fonti giudiziarie, il notarile rimane pertanto una fonte indispensabile – e non solo integrativa – per tentare di arrivare a una descrizione attendibile della situazione sul terreno. L'annosa questione che l'utilizzo di queste fonti porti a una sopravvalutazione del commercio estero perde molto del suo valore quando si vogliano indagare le attività di operatori stranieri su piazze commerciali che erano empori internazionali.[37] E, in realtà, anche indagando i loro affari nell'ambito del commercio locale, gli archivi notarili rimangono una fonte privilegiata in quanto per i mercanti forestieri la registrazione notarile delle transazioni sembrava rappresentare in sé e per sé una garanzia di protezione dei loro interessi.[38]

Ebrei come stranieri?

Protagonisti di una rete sovranazionale per eccellenza, gli ebrei svolsero nell'economia della penisola italiana un ruolo che è di complessa definizione, e oggetto di una vastissima letteratura. L'espulsione dai territori spagnoli aveva creato una diaspora globale di individui caratterizzati da stretti legami familiari, formando così una rete assai estesa dal punto di vista geografico ma assai stretta da quello dei legami personali. La prima questione da affrontare è quella del loro *status*, cioè se fossero da considerarsi come stranieri o meno. Andrea Lattes, occupandosi dell'atteggiamento degli antichi stati italiani rispetto ai meccanismi

36. F. Melis, *Firenze*, in *Città, mercanti, dottrine nell'economia europea dal* IV *al* XVIII *secolo: saggi in memoria di Gino Luzzatto*, a cura di A. Fanfani, Milano 1964, p. 111. Interessante notare che questo sembra essere valido anche per le attività dei mercanti ebrei attivi in alcune parti d'Italia nel periodo successivo, come si vede negli atti fra ebrei nelle comunità di Ancona e Ferrara, che erano spesso redatti da rabbini e non registrati dal notaio: cfr. A. Di Leone Leoni, *Per una storia della nazione portoghese di Ancona e Pesaro*, in *L'identità dissimulata. Giudaizzanti iberici nell'Europa cristiana dell'età moderna*, a cura di P. C. Ioly-Zorattini, Firenze 2000, p. 38.

37. Stephen Epstein, in una lucida critica all'utilizzo delle fonti notarili come base della ricerca della storia economica, ritiene che per quanto riguarda la rappresentazione di mercanti stranieri e commerci di lunga distanza, il notarile tenga molto bene come fonte di riferimento, cfr. Id., *Potere e mercati in Sicilia*, cit., pp. 14-15. Edoardo Grendi sostiene invece con forza la necessità di non limitarsi alle fonti notarili in questo tipo di ricerche, cfr. Id., *Gli inglesi a Genova (sec. XVII-XVIII)*, «Quaderni Storici», XXXIX (2004), p. 241.

38. Come si vede dal fatto che anche contratti 'illegali' venivano spesso registrati di fronte a un notaio, cfr. M. Fusaro, *Les Anglais et les Grecs. Un réseau de coopération commerciale en Méditerranée vénitienne*, «Annales HSS», 58 (2003).

di autogoverno delle comunità ebraiche, ha sostenuto che «il pensiero politico diffuso negli stati italiani vedeva la collettività ebraica come un gruppo straniero stante a sé».[39] In sostanza gli ebrei erano molto più che semplici stranieri, in quanto il loro *status* religioso e culturale li rendeva qualcosa d'altro. Ma tale è la varietà e complessità della presenza ebraica nella penisola italiana che alcune distinzioni interne sono necessarie. Nel periodo medievale era limitata ai cosiddetti ebrei 'italiani' e 'tedeschi', questi ultimi in origine provenienti dalla Germania ma nella stragrande maggioranza dei casi stabilitisi da tempo nella penisola italiana.[40] Il loro ruolo economico era legato principalmente al piccolo prestito su interesse, e la loro posizione all'interno delle società ospiti era caratterizzata da un forte livello di insicurezza. Nel 1509 la Repubblica di Venezia decise non solo di ammetterli in città ma anche di concedere loro privilegi; alla base della decisione c'era la necessità di assicurare liquidità sulla piazza commerciale nel momento di crisi che seguiva alla sconfitta di Agnadello.[41]

La situazione cambiò profondamente nel corso del Cinquecento, quando la diaspora sefardita si riversò sull'Europa distribuendosi nei centri dell'economia europea e assumendo presto un ruolo importante nei commerci di lunga distanza.[42] Gli ebrei sefarditi, che dopo l'espulsione dalla penisola iberica erano stati accolti nell'Impero Ottomano, erano conosciuti come 'ebrei levantini'. A loro si affiancò alla fine del secolo una seconda ondata di emigrazione costituita principalmente da nuovi cristiani portoghesi spesso tornati alla religione dei loro padri; costoro erano invece noti come 'ebrei ponentini'. I primi erano sudditi dell'Impero Ottomano e al suo interno assunsero un ruolo di crescente importanza nel commercio. La situazione formale dei secondi era più complessa dal momento che il ritorno più o meno aperto all'ebraismo – cosa non sempre tollerata dalle autorità – favoriva la presenza di molteplici identità che rendono il lavoro di ricerca assai difficile. Nel 1589 costoro ottennero concessioni dal governo di Venezia che dimostrano come la Repubblica ritenesse che la loro presenza potesse arginare la crisi incipiente. Questo atteggiamento delle autorità veneziane non rimase un caso isolato: la maggioranza delle classi dirigenti economiche e politiche della penisola sembrava condividere la convinzione che

39. A.Y. Lattes, *Aspetti politici ed istituzionali delle comunità ebraiche in Italia nel Cinque-Seicento*, «Zakhor», II (1998), p. 27; C. Storti-Storchi, *Foreigners in Medieval Italy*, in *Citizenship and immigration*, a cura di V. Ferrari, T. Heller e E. Di Tullio, Milano 1998, p. 34.

40. B. Ravid, *An introduction to the charters of the Jewish Merchants of Venice*, in Id., *Studies on the Jews of Venice, 1382-1797*, Aldershot 2003, p. 204.

41. B. Ravid, *The Legal Status of the Jewish Merchants of Venice*, «The Journal of Economic History», 35 (1975).

42. Una lucidissima sintesi del complesso ruolo della diaspora ebraica nei commerci internazionali è nell'introduzione di J.I. Israel, *Diasporas within a Diaspora. Jews, Crypto-Jews and the World Maritime Empires (1540-1740)*, Leiden 2002, pp. 1-39. Un bel dibattito sulle varie *nuances* nelle diverse definizioni della diaspora ebraica è nella *Discussione coordinata da Girolamo Arnaldi*, in *Gli ebrei a Venezia*, a cura di G. Cozzi, Milano 1987, specie pp. 89-94.

la presenza di mercanti ebrei – specialmente della diaspora sefardita – fosse essenziale per il mantenimento di un'efficiente comunicazione commerciale con gli imperi spagnolo e ottomano. Genova era l'eccezione a questa regola,[43] ma gli altri stati italiani sembravano addirittura in competizione per attirare ebrei levantini e ponentini; Venezia e soprattutto Livorno, come avremo occasione di vedere più avanti, saranno molto attive in questo campo.[44] Su questa questione si sviluppò all'epoca, praticamente in tutti gli stati della penisola, un vivace dibattito politico che verteva su quali fossero le misure da adottare per contrastare la crisi economica italiana.

Questo processo di attrazione e di inserimento dei mercanti ebrei – nelle loro varie accezioni di 'levantini', 'ponentini', 'portoghesi', 'marrani', 'nuovi cristiani' – non fu un processo lineare e spesso incontrò forti resistenze all'interno degli stati italiani, come dimostrano l'esempio del Ducato di Milano e dello Stato Pontificio.[45] Benjamin Ravid ha attribuito il mancato decollo di Nizza, come uno dei nuovi centri del commercio internazionale, proprio al fatto che Emanuele Filiberto di Savoia non ebbe la forza politica di accogliere nuovi cristiani tornati al giudaismo a causa delle pressioni congiunte esercitate dal papa e dal re di Spagna.[46]

Anche a Venezia si levarono voci preoccupate per la possibilità che gli ebrei arrivassero a dominare il mercato a scapito dei veneziani. Nel lungo dibattito che ne seguì spicca il parere di Paolo Sarpi che sostenne come concedendo a costoro di stabilirsi a Venezia, si impedisse il trasferimento delle loro risorse finanziarie e imprenditoriali nei domini del Turco: l'accoglierli quindi avrebbe portato benefici non solo a Venezia ma all'intera cristianità.[47] Resta il fatto che proprio nella natura sovranazionale, priva di un'entità statale di riferimento, delle reti ebraiche, poggiava il loro successo: in quanto gli ebrei venivano raramente percepiti come un pericoloso concorrente commerciale, a eccezione dei casi

43. Gli stretti rapporti con la Spagna sono probabilmente alla base di questo e anche del fatto che, nonostante la presenza di legislazione sul segno distintivo giallo, non sembrino esserci ebrei in questo periodo, cfr. C. Brizzolari, *Gli ebrei nella storia di Genova*, Genova 1971, pp. 129-130.

44. Narrazione sintetica ma dettagliata in B. Ravid, *A Tale of Three Cities and their 'Raison d'Etat': Ancona, Venice, Livorno and the Competition for Jewish Merchants in the Sixteenth Century*, in *Jews, Christians and Muslims in the Mediterranean World after 1492*, a cura di A. Meyuhas Ginio, London 1992; Id., *Venice, Rome and the reversion of new Christians to Judaism: a Study in* Ragione di Stato, in *L'identità dissimulata*, cit., pp. 166-167.

45. R. Segre, *La Controriforma: espulsioni, conversioni, isolamento*, in *Storia d'Italia. Annali*, II, *Gli Ebrei in Italia*, a cura di C. Vivanti, I, *Dall'alto medioevo all'età dei ghetti*, Torino 1996.

46. Ravid, *A Tale of Three Cities*, cit., p. 146; cfr. anche R. Segre, *Sephardic Settlements in Sixteenth-Century Italy: A Historical and Geographical Survey*, in *Jews, Christians and Muslims in the Mediterranean*, cit., pp. 128-130; R. Bonfil, *Gli ebrei in Italia nell'epoca del Rinascimento*, Firenze 1991, pp. 56-57; A. Milano, *Storia degli ebrei in Italia*, Torino 1963, pp. 272-276.

47. Citato in B. Pullan, *The Jews of Europe and the Inquisition of Venice, 1550-1670*, Oxford 1983, p. 186.

in cui interessi particolari erano messi in pericolo. Queste peculiarità del loro *status* erano ben comprese all'epoca e furono spesso incorporate nei dibattiti coevi. Recentemente si è anche argomentato che la letteratura apologetica prodotta dagli stessi ebrei in quel periodo sia alla base di una sopravvalutazione del loro ruolo effettivo nel commercio internazionale.[48]

Ancona: ebrei e politica economica dello stato pontificio

Il Comune di Ancona, al fine di attirarvi il commercio internazionale e per contrastare lo strapotere commerciale veneziano nel Mar Adriatico, già dalla fine del Trecento aveva concesso notevoli riduzioni dei diritti doganali a parecchie 'nazioni' mercantili; risultato di questa politica fu la presenza di mercanti catalani e ragusani, che vi mantennero consolati per tutto il Quattrocento. Sia i catalani che i ragusei si servirono di Ancona come della loro base nell'Adriatico per commerciarvi una varietà di merci, specie verso i mercati balcanici.[49]

Anche dopo l'annessione ai domini pontifici (1532) venne continuata una politica di incentivazione della presenza commerciale straniera al fine di rafforzare soprattutto il commercio del porto. Pur considerando le peculiarità della politica economica dello stato pontificio, spesso presentata come estremamente variabile in quanto dipendente dal carattere e dalle diverse personalità dei papi e degli *entourages* che li accompagnavano,[50] appare evidente che lo sviluppo di Ancona al fine di farne una fonte sicura di entrate, rimase una costante preoccupazione dei pontefici in questo periodo.[51] Priva di una forte classe mercantile

48. Sull'utilità della presenza ebraica ai fini del commercio e dell'espansione dell'economia basti qui citare le argomentazioni alla base del famoso testo di Simone Luzzatto, se pur di poco posteriore al nostro schema cronologico; cfr. B. Ravid, *«How profitable the Nation of the Jewes are»: The* Humble Address *of Menasseh ben Israel and the* Discorso *of Simone Luzzatto*, in *Mystics, Philosophers, and Politicians: Essays in Jewish Intellectural History in Honor of Alexander Altmann*, a cura di J. Reinharz e D. Swetschinski, Durham N.C. 1982. Per le argomentazione sulla sopravalutazione del ruolo svolto dalle reti ebraiche nel commercio internazionale cfr. le interessanti considerazioni in B. Braude, *The Myth of the Sephardi Economic Superman*, in *Trading Cultures: the Worlds of Western Merchants. Essays on Authority, Objectivity and Evidence*, a cura di J. Adelman e S. Aron, Turnhout 2001.

49. E. Ashtor, *Il commercio anconetano con il Mediterraneo Occidentale nel Basso Medioevo*, in AA.VV., *Mercati, mercanti, denaro nelle Marche (secoli XIV-XIX)*, Atti del convegno, Ancona, 28-30 maggio 1982, «Deputazione di Storia Patria delle Marche, Atti e Memorie», 87 (1982) [1989]).

50. Cosa particolarmente evidente nei confronti dell'atteggiamento verso gli ebrei: cfr. S. Simonsohn, *The Apostolic See and the Jews*, 7, *History*, Toronto 1991, pp. 446-451; un'agile sintesi degli eventi del secondo Cinquecento in Ravid, *A tale of Three Cities*, cit., pp. 174-175. Anche A. Esposito, *I* forenses *a Roma nell'età del Rinascimento: aspetti e problemi di una presenza «atipica»*, in *Dentro la città*, cit.

51. P. Partner, *Papal Financial Policy in the Renaissance and Counter-Reformation*, «Past and Present», 88 (1980), p. 21.

autoctona, il volume del suo traffico portuale senza dubbio aumentò nella seconda metà del Cinquecento, anche grazie a un sostanziale miglioramento delle strutture portuali, ma questo ebbe pochissima influenza sull'economia della città e della regione circonvicina. Nonostante che, eccezionalmente per lo Stato Pontificio, anche qui fossero stati concessi privilegi alla comunità ebraica al fine di stimolare lo sviluppo economico della città in linea con quanto abbiamo visto stava accadendo nel resto della penisola, i risultati furono scarsi.[52] Da questo atteggiamento verso il settore commerciale appare chiaro il disegno pontificio di fare di Ancona il terminale principale all'interno dei propri territori, più difficile è invece valutare se ci fosse effettivamente l'ambizione di farne un terminale adriatico internazionale in diretta competizione con Venezia. Se questo fosse il caso sarebbe difficile sottrarsi alla tentazione di vedere Ancona come un esperimento simile a Livorno, ma fallito in quanto la città era priva sia della posizione strategica che della legislazione favorevolissima al commercio frutto della visione e della costanza dei granduchi. Ancona non riuscì mai ad assumere un ruolo di primo piano nei circuiti internazionali tranne che in brevissimi periodi, e rimase un centro del commercio di transito su scala regionale dominato non tanto da mercanti stranieri quanto da forestieri, specie dai fiorentini che controllavano il mercato del tessile.[53]

Operatori stranieri alleati o concorrenti?

La questione di come la classe dirigente locale si ponesse nei confronti della presenza degli operatori stranieri è collegata direttamente al ruolo che gli operatori stranieri giocavano nell'economia. Erano alleati e rappresentavano quindi una necessaria funzione di sostegno allo svolgimento dei commerci, o si presentavano invece come una concorrenza agli interessi locali? Nel primo caso si trattava normalmente di presenze straniere inserite nel sistema economico e spesso oggetto di particolari privilegi commerciali, nel secondo invece il loro ingresso veniva avversato dal sistema.[54]

I tedeschi – Voglio ritornare all'esempio veneziano con qualche considerazione su quella che era la più antica presenza commerciale straniera, quella

52. Di Leone Leoni, *Per una storia della nazione portoghese*, cit.; A. Toaff, *L' «Universitas hebraeorum portugallensium» di Ancona nel Cinquecento. Interessi economici e ambiguità religiosa*, in *Mercati, mercanti e denaro*, cit.; V. Bonazzoli, *Una identità ricostruita. I portoghesi ad Ancona dal 1530 al 1547*, «Zakhor», v (2001-2002).

53. E. Ashtor, *Il commercio anconetano*, cit.; P. Earle, *The Commercial Development of Ancona, 1479-1551*, «The Economic History Review», 22 (1969), p. 35.

54. Gli inglesi si trovarono in questa situazione sia a Venezia che a Genova. Per Genova cfr. T. Kirk, *Genoa and the Sea. Policy and Power in an Early Modern Maritime Republic, 1559-1684*, Baltimore-London 2005; per Venezia cfr. Fusaro, *Uva passa.*, cit.

tedesca. Fin dai tempi della pace di Venezia (1177) la Repubblica era riuscita a interdire ai tedeschi il commercio diretto con l'Oriente e ne aveva inquadrato la presenza in città all'interno del Fondaco dei Tedeschi, una sorta di frontiera mercantile con il ruolo di nodo funzionale primario di scambio tra i paesi centro-europei gravitanti verso l'Adriatico e le economie mediterranee e del Vicino e Medio Oriente.[55] Durante tutto il Medioevo i mercanti tedeschi erano «uno dei gruppi stranieri più numerosi della città»[56] e l'argento che dalla Germania giungeva a Venezia era essenziale per la sua egemonia nei commerci con il Levante; in cambio i tedeschi a Venezia avevano facile accesso alle merci orientali.[57] Nel Duecento e nel Trecento il commercio tedesco-veneziano occupava il primo posto nel commercio estero della Repubblica, e il fatturato annuo dei tedeschi a Venezia veniva valutato da Paolo Morosini in un milione di ducati. Nel periodo successivo divennero uno dei canali principali di sbocco della produzione serica veneziana.[58] Si trattava di una relazione commerciale di indubbio vantaggio reciproco, ma il cui controllo era strettamente nelle mani veneziane, dal momento che sia il commercio che la presenza fisica dei tedeschi in città erano strettamente regolamentati dal governo della Repubblica.[59]

73-75

Se analizziamo la presenza di operatori economici tedeschi negli altri centri italiani, anche qui si attua questo modello basato sulla mutua convenienza. Si sa ancora poco sulle loro attività commerciali a Genova, come Hermann Kellenbenz lamentava più di vent'anni fa.[60] Durante il Quattrocento i tedeschi, con i catalani,[61] erano i meglio rappresentati fra i mercanti non italiani presenti a Geno-

55. Mueller, *Stranieri e culture straniere*, cit., p. 75; E. Concina, *Fondaci. Architettura, arte e mercatura tra Levante, Venezia e Alemagna*, Venezia 1997, p. 126.

56. Dopo slavi e greci, che però provenivano da zone sotto il controllo effettivo, se non proprio *de iure*, della Repubblica, cfr. P. Braunstein, *Appunti per la storia di una minoranza: la popolazione tedesca a Venezia nel medioevo*, in *Strutture familiari, epidemie, migrazioni nell'Italia medievale*, a cura di R. Comba, G. Piccinni e G. Pinto, Napoli 1984, p. 511.

57. H. van der Wee, *Structural Changes in European Long-distance Trade, and Particularly in the Re-export Trade from South to North, 1350-1750*, in *The Rise of Merchant Empires*, cit., p. 27; Ph. Braunstein, *Immagini di un'identità collettiva: gli ospiti del Fondaco dei Tedeschi a Venezia*, in *Sistema di rapporti*, cit.

58. K.E. Lupprian, *Il fondaco dei Tedeschi e la sua funzione di controllo del commercio tedesco a Venezia*, Venezia 1978, p. 6; G. Rösch, *Il Fondaco dei Tedeschi*, in AA. VV., *Venezia e la Germania*, Milano 1986, p. 52; L. Molà, *La comunità dei lucchesi a Venezia. Immigrazione e industria della seta a Venezia nel tardo Medioevo*, Venezia 1994, pp. 239-249.

59. La storia della presenza tedesca a Venezia attende ancora una sistemazione moderna, con una nuova e aggiornata monografia. In attesa di questo sono ancora indispensabili Simonsfeld, *Der Fondaco dei Tedeschi in Venedig*, cit.; Lupprian, *Il fondaco dei Tedeschi*, cit.

60. H. Kellenbenz, *Relazioni commerciali tra il Levante e i paesi d'Oltralpe*, in *Navigazioni mediterranee e connessioni continentali (Sec. XI-XVI)*, a cura di R. Ragosta, Napoli 1982, p. 312; Id., *Mercanti tedeschi in Toscana nel Cinquecento*, in AA.VV., *Studi di Storia Economica Toscana nel Medioevo e nel Rinascimento in memoria di Federigo Melis*, Pisa 1987, p. 203.

61. Si trattava però di una presenza modesta e

va: la cosa non sorprende in quanto Germania e Catalogna erano due mercati fondamentali per l'intermediazione commerciale genovese. Prova dell'importanza dei tedeschi per l'economia locale è il fatto che dal 1421 era stato loro concesso il privilegio di libera navigazione nelle acque di Genova, peraltro assai poco usato e forse concesso proprio per questo motivo. Anche i Fugger avevano regolari rapporti con gli operatori genovesi, ma questi non raggiunsero mai un livello tale da richiedere l'apertura di una filiale in città.[62] Se mancano studi specifici dedicati alle loro attività mercantili sappiamo però che «ancora all'inizio del Quattrocento è invalso l'uso che dei due consoli dei tessitori uno sia tedesco e l'altro Lombardo» e questo testimonia l'importanza dell'elemento tedesco fra gli artigiani specializzati presenti in città.[63]

In Toscana le loro destinazioni predilette erano Firenze e Lucca, dove augustani e norimberghesi erano acquirenti della produzione serica locale. All'inizio del Seicento Cosimo II tentò di attirare i mercanti tedeschi presenti a Lucca verso Pisa, dove voleva incentivare la produzione serica; il progetto fallì in quanto la produzione pisana non si dimostrò capace di scalzare il predominio lucchese.[64]

In Lombardia fin dal Trecento erano attivi sia mercanti tedeschi dell'Impero che della Confederazione Elvetica, i primi coinvolti nel commercio di lunga distanza, gli altri essenziali per quello di derrate alimentari, vista la loro posizione di controllo dei valichi alpini sulle principali vie commerciali verso il centro e Nord Europa. Questo commercio si espanse nel periodo del dominio visconteo-sforzesco, grazie a facilitazioni daziarie concesse loro come misura antiveneziana.[65]

I fiamminghi – Espandendo l'analisi ad altre presenze straniere, oltre ai tedeschi anche i fiamminghi erano presenti nella penisola italiana fin dal Medioevo.

A Napoli la presenza di mercanti fiamminghi era segno dell'integrazione economica dei territori sotto il controllo spagnolo ulteriormente stimolata da Carlo V, e si trattava quindi di un fenomeno da collocarsi all'interno delle dinamiche economiche dell'impero spagnolo. Quello fra le Fiandre e il viceregno di Napoli era un commercio basato sull'importazione di tessili e sull'esportazione

che aveva un ruolo marginale nell'economia cittadina: cfr. J. Heers, *Les Catalans à Gênes vers 1450. Étude sociale*, in *Atti del III convegno internazionale di studi colombiani*, Genova 1979.

62. H. Kellenbenz, *Germania e Genova nei secoli moderni. Relazioni terrestri e marittime*, in *Rapporti Genova-Mediterraneo-Atlantico nell'età moderna*, a cura di R. Belvederi, Genova 1983, p. 485.

63. G. Petti Balbi, *Presenze straniere a Genova nei secoli XII-XIV: letteratura, fonti, temi di ricerca*, in *Dentro la città*, cit., pp. 128-130; Casarino, *Stranieri a Genova*, cit., pp. 141, 149-150.

64. Kellenbenz, *Mercanti tedeschi in Toscana*, cit., p. 204. Da notare anche la loro presenza a Pisa agli inizi del Seicento: cfr. R. Mazzei, *Pisa Medicea. L'economia cittadina da Ferdinando I a Cosimo III*, Firenze 1991, pp. 99-108.

65. P. Mainoni, *La nazione che non c'è. I tedeschi a Milano e a Como fra Tre e Quattrocento*, in *Comunità forestiere e nationes*, cit., p. 206.

di derrate alimentari, specie frutta. Vi erano attivi Jan de la Faille e membri delle famiglie Vendaneyden e Roomer, tutti impegnati nel settore dei commerci marittimi, ma questi ultimi anche ricchi collezionisti e mercanti d'arte. Gaspar De Roomer, nativo di Anversa, aveva fatto la sua fortuna in Italia e nella prima metà del Seicento era considerato l'uomo più ricco di Napoli.[66]

A Venezia fino a metà Cinquecento i fiamminghi venivano assimilati ai tedeschi, ed erano definiti spesso nella documentazione «de Fiandra sive de Alemania».[67] Una situazione simile a quella di Livorno dove agli inizi della loro presenza i due gruppi erano uniti nella nazione «olandese-alemanna»;[68] del resto tedeschi e fiamminghi avevano un profilo commerciale molto simile, essendo impegnati nel collegare i mercati del centro e Nord Europa con l'Italia. Dalla fine del Cinquecento, specie dopo l'inizio del conflitto fra le future Province Unite e la Spagna (1568) e il sacco di Anversa (1576), le cose si complicarono. Da un lato, la documentazione italiana si riferisce loro con terminologia molto ambigua: 'fiamminghi' 'olandesi' e, a volte, anche 'ponentini' divengono termini intercambiabili dietro i quali si possono trovare indifferentemente personaggi provenienti dal Nord o dal Sud dei Paesi Bassi, ma spesso anche tedeschi o addirittura inglesi.[69] Dall'altro, le necessità derivanti dal mantenere aperte le vie commerciali, anche durante il conflitto con la Spagna, portavano a frequenti false dichiarazioni di appartenenza da parte degli stessi protagonisti. A Venezia i 'fiamminghi' da presenza marginale si trasformarono nell'ultimo quarto del Cinquecento in una vera e propria colonia. Questi mercanti ivi residenti furono particolarmente attivi nel commercio con i Paesi Bassi – sia meridionali che settentrionali – e con la Spagna e il Portogallo, usufruendo soprattutto delle vie di terra e convertendosi solo in un secondo tempo al commercio marittimo.[70]

Con la crisi granaria che colpì l'area mediterranea nell'ultimo decennio del Cinquecento infine giunsero in Italia anche gli olandesi veri e propri. La gravità della carestia nella penisola italiana fu tale da spingere Filippo II, nel 1591, a concedere libero lasciapassare nelle acque spagnole a tutte le navi cariche di grano dirette a Genova, comprese quelle della nemica Inghilterra e dei Paesi Bassi

66. A. Musi, *Le élites internazionali a Napoli dal primo Cinquecento alla guerra dei Trent'anni*, in *Sistema di rapporti*, cit., pp. 133, 141, 157; R. Ruotolo, *Mercanti Collezionisti Fiamminghi a Napoli: Gaspare Roomer e i Vandeneynden*, Napoli 1982; Engels, *Merchants, Interlopers*, cit., p. 190.

67. Braunstein, *Appunti per la storia di una minoranza*, cit., p. 515.

68. Un console specificatamente olandese veniva nominato solo nel 1612; data la sua controversia, molti fiamminghi rimasero associati con i tedeschi, cfr. Engels, *La comunità «fiaminga»*, cit., pp. 31-33; P. Castignoli, *La Nazione Olandese-Alemanna*, in AA.VV., *Livorno: progetto e storia di una città tra il 1500 e il 1600*, Pisa 1980, p. 231.

69. Sui problemi interpretativi derivanti da questa ambiguità terminologica, cfr. E.O.G. Haitsma Mulier, *Genova e l'Olanda del Seicento: contatti mercantili e ispirazione politica* in *Rapporti Genova, Mediterraneo, Atlantico*, cit., p. 431; W. Brulez, *Marchands flamands à Venise*, 1, *(1568-1605)*, Bruxelles-Rome 1965, p. VI.

70. Ivi, pp. XXII-XXV.

ribelli.[71] Jonathan Israel ha contestato la tradizionale interpretazione di Fernand Braudel per la quale, una volta entrati nel Mediterraneo, costoro avrebbero dominato il commercio della zona fra il 1590 e il 1650, e ha sostenuto in modo convincente come la loro preponderanza nel commercio granario non si trasformò poi in una altrettanto intensa partecipazione agli altri traffici, rimanendo questa limitata ai periodi delle tregue nel conflitto con la Spagna.[72] La tesi di Israel per la quale il commercio granario con l'Italia fosse finanziato da mercanti italiani, nonostante l'utilizzo di navi dei Paesi Bassi, e che la partecipazione degli Olandesi ai ricchi commerci mediterranei rimanesse quindi assai limitata almeno nel periodo iniziale, è stata confermata da recenti ricerche,[73] rafforzando l'interpretazione che la natura della presenza di operatori commerciali fiamminghi sia assimilabile a quella tedesca: alleati e non concorrenti.

Iberici e ragusei – Pur escludendo dall'analisi i territori sotto il controllo o l'influenza delle corone iberiche, abbiamo visto come mercanti catalani fossero stati attivi in altre zone della penisola italiana fin dal Medioevo. Fra gli iberici, la presenza più significativa fu però probabilmente quella dei castigliani: soprattutto a Genova, dove vedremo più avanti come fossero anche impegnati nel mercato finanziario, e a Roma dove erano coinvolti nel commercio dell'allume della Tolfa. Dalla fine del Quattrocento particolarmente importante divenne la loro presenza a Firenze, collegata all'aumento dell'uso della lana spagnola per la produzione di panni di lana di pregio medio da parte della manifattura fiorentina. In quell'epoca aumentarono anche le importazioni da parte degli spagnoli di seta grezza e di grana (cocciniglia), quest'ultima utilizzata per la tintura dei drappi serici. Soprattutto per l'industria serica fiorentina, quella castigliana fu una presenza di grande vantaggio economico per ambedue le parti in quanto i mercanti castigliani da un lato fornivano materie prime, dall'altro acquistavano dai setaioli fiorentini prodotti finiti.[74] Non si sa molto sull'organizzazione della *natio* castigliana a Firenze, se non il fatto che era composta da operatori di peso intermedio,[75] ma valutando quanto

71. T.A. Kirk, *Genoa and Livorno: Sixteenth and Seventeenth-century Commercial Rivalry as a Stimulus to Policy Development*, «History», 86 (2001).

72. J.I. Israel, *The Dutch Merchant Colonies in the Mediterranean during the Seventeenth Century*, «Renaissance and Modern Studies», 30 (1986). Cfr. anche P.C. van Royen, *The maritime Relations between the Dutch Republic and Italy, 1590-1605*, in *Lucca e L'Europa degli Affari, secoli XV-XVIII*, a cura di R. Mazzei e T. Fanfani, Lucca 1990; Id., *The First Phase of the Dutch Straatvaart (1591-1605): Fact and Fiction*, «International Journal of Maritime History», II (1990).

73. M. van Gelder, *Supplying the* Serenissima*: The Role of Flemish Merchants in the Venetian Grain Trade during the First Phase of the* Straatvaart, «International Journal of Maritime History», XVI (2004).

74. B. Dini, *Mercanti spagnoli a Firenze (1480-1530)*, in Id., *Saggi su una economia-mondo. Firenze e l'Italia fra Mediterraneo ed Europa (sec. XIII-XVI)*, Pisa 1995, pp. 292-295.

75. F. Ruiz Martín, *Pequeño capitalismo, gran capitalismo: Simón Ruiz y sus negocios en Florencia*, Barcelona 1990, p. 63; Id., *Lettres marchands échangées entre Florence et Medina del Campo*, Paris 1965, p. LXVII.

la comunità pagava nella prima metà del Cinquecento alla sede centrale del consolato di Burgos – nel cui calcolo venivano presi in considerazione sia il numero che il volume delle transazioni – sembra che la loro presenza a Firenze fosse in quell'epoca la terza per importanza in Europa, dopo Bruges e Nantes.[76] Come per i tedeschi e per i 'fiamminghi' possiamo quindi ipotizzare che quella castigliana fosse una presenza funzionale all'economia ospitante, anche se Felipe Ruiz Martín ha ipotizzato che alla fine del Cinquecento la bilancia dei pagamenti tra il Regno di Castiglia e il Granducato di Toscana fosse favorevole agli iberici.[77] Resta il fatto che, nelle parole di Bruno Dini, «la presenza di mercanti spagnoli in Firenze determina una congiuntura favorevole per le attività economiche cittadine, che poterono contare su consistenti e continui rifornimenti di materie prime e su una maggiore e continua domanda di prodotti finiti. Nello stesso tempo quella presenza, attraverso il gioco delle lettere di cambio, contribuì a stabilire e a estendere le relazioni fra gli operatori economici castigliani e i mercanti banchieri fiorentini in Lione».[78]

I mercanti ragusei furono un'altra presenza di lungo periodo nei mercati italiani e raggiunse il suo apice fra Quattro e Cinquecento. A Firenze vendevano solitamente lino e acquistavano tessuti di lana, ad Ancona abbiamo visto come vi avessero un consolato e il loro commercio fosse molto diversificato, cosa che non stupisce vista la vicinanza fra Ancona e Ragusa. I ragusei mantennero una presenza sporadica anche nell'Italia meridionale; nel breve periodo fra la fine del Quattrocento e l'inizio del Cinquecento in cui riuscirono a inserirsi nel commercio fra l'Inghilterra e il Mediterraneo, i ragusei furono i maggiori importatori di panni inglesi in Sicilia.[79] Ma la loro consistenza quantitativa e il livello dei loro affari non furono mai tali da elevarli al di sopra di una presenza di nicchia all'interno dell'economia italiana.

Genova, Venezia e il 'caso Livorno'

Già nel Quattrocento Genova era stata sostanzialmente estromessa dal Mediterraneo orientale[80] e si era quindi lanciata verso la conquista di nuovi mercati a occidente. Da un ruolo simile a quello veneziano, cioè di collegamento fra

76. H. Casado Alonso, *El Triunfo de Mercurio. La presencia castellana en Europa (siglos XV y XVI)*, Burgos 2003, pp. 131-134.

77. Ruiz Martín, *Lettres marchands*, cit., p. CXXXI.

78. Dini, *Mercanti Spagnoli a Firenze*, cit., p. 309; considerazioni, quelle sull'interazione dei mercati finanziari, condivise anche da Ruiz Martín, *Pequeño capitalismo, gran capitalismo*, cit., *passim*.

79. Un commercio che era normalmente nelle mani dei mercanti genovesi: cfr. C. Trasselli, *Frumento e panni inglesi nella Sicilia del XV secolo*, in Id., *Mediterraneo e Sicilia all'inizio dell'epoca moderna*, Cosenza 1977, p. 322.

80. Anche se conservò l'isola di Chio fino al 1566.

Levante ed Europa del Nord, l'economia genovese si riconvertì velocemente verso la finanza. Nel fare ciò si legò alle sorti della Spagna giocando un ruolo fondamentale nell'economia dell'Europa intera, non a caso il periodo 1557-1627 è stato definito come il «secolo dei genovesi».[81] Una delle conseguenze di questo rapporto privilegiato con la Spagna era stato il provocare la dispersione dei genovesi in Europa, piuttosto che favorire l'ingresso di stranieri a Genova, dove però erano attivi alcuni operatori finanziari castigliani specie di peso intermedio.[82] Costoro, i cui interessi finanziari si allargavano spesso anche verso Firenze e la curia romana, erano solitamente anche attivi nelle fiere finanziarie dell'epoca – principalmente Medina del Campo, Lione e Piacenza – che erano peraltro dominate dai finanzieri genovesi.

Nella seconda metà del Quattrocento il naviglio basco aveva giocato un ruolo importante nel commercio genovese e per una breve stagione, alla metà del Cinquecento, navi ragusee fecero regolarmente rotta verso Genova. Ma si trattò di episodi limitati nel tempo e di importanza relativa nell'economia della Repubblica.[83] Come nel resto della penisola, anche a Genova a fine Cinquecento giungevano navi fiamminghe, anseatiche e inglesi cariche di grano. Come porto mediterraneo delle navi nordiche Genova era in netto ritardo rispetto a Livorno: fra il 1573 e il 1585 vi giunsero 47 navi nordiche contro le 84 di Livorno, una tipica scelta inglese se si considera che di quelle 84 ben 71 erano inglesi. Nonostante questo sembra che fino agli anni Trenta del Seicento non si siano stabiliti in città mercanti fiamminghi o inglesi.[84]

Il Quattrocento aveva rappresentato invece l'apogeo della supremazia economica veneziana, e nel secolo successivo a Venezia si era mantenuta una relativa prosperità, nonostante le forti *débacles* politiche e militari subite in Italia e l'inesorabile avanzata ottomana in Levante, che aveva causato però solo una leggera contrazione del commercio con quella zona. La cessazione dei

94

81. Braudel, *I tempi del mondo*, cit., pp. 140-155; F. Ruiz Martín, *La banca genovesa en España durante el siglo* XVII, in AA.VV., *Banchi pubblici, banchi privati e monti di pietà nell'Europa preindustriale. Amministrazione, tecniche operative e ruoli economici*, Atti del convegno, Genova, 1-6 ottobre 1990, «Atti della Società Ligure di Storia patria», n.s., XXXI, fasc. 1 (1991); F. Braudel, *Civiltà e imperi del Mediterraneo nell'età di Filippo II*, Torino 1976, I, p. 536.

82. Cfr. Ruiz Martín, *Pequeño capitalismo, gran capitalismo*, cit. Per il tardo Medioevo da sottolineare anche il fatto che Genova era un importante centro di smistamento del commercio degli schiavi, e molti acquirenti stranieri vi facevano capo: cfr. G. Pistarino, *Tratta di schiavi da Genova in Toscana nel secolo XV*, in *Studi di storia economica toscana nel Medioevo e nel Rinascimento*, cit., p. 289.

83. J. Heers, *Le commerce des basques en Méditerranée au XVe siècle*, in Id., *Société et économie à Gênes (XIVe-XVe siècles)*, London 1979, II, pp. 297-298; E. Grendi, *Traffico portuale, naviglio mercantile e consolati genovesi nel Cinquecento*, «Rivista Storica Italiana», LXXX (1968), p. 606.

84. E. Grendi, *I nordici e il traffico del porto di Genova: 1590-1666*, «Rivista Storica Italiana», LXXXIII (1971), pp. 25, 47. Ma la presenza stabile di mercanti inglesi viene datata agli anni 1630-1640, cioè al di fuori della nostra periodizzazione: cfr. Id., *Gli inglesi a Genova*, cit., pp. 242, 255. Sulla sporadica presenza di mercanti tedeschi cfr. Kellenbenz, *Germania e Genova nei secoli moderni*, cit., pp. 479-501.

viaggi delle galere di mercato verso il Nord Europa (1533) ebbe invece conseguenze assai più serie, fra cui quella di spingere gli inglesi a entrare nel Mediterraneo con il loro naviglio. Alla fine del secolo il commercio dell'Inghilterra con Venezia e i territori della Repubblica divenne monopolio della Venice Company (1583), che fu poi più tardi inglobata all'interno della Levant Company (1592). Nessuna altra zona della penisola italiana era sottoposta a un monopolio commerciale da parte inglese, segno del forte interesse per questo traffico e fattore di incalcolabile importanza per gli sviluppi della presenza inglese nel Mediterraneo nel lungo periodo. La Levant Company era infatti particolarmente interessata al commercio con i domini orientali di Venezia, e l'incapacità veneziana di sviluppare una politica economica coerente per il suo *Stato da Mar* ebbe conseguenze pesantissime per la Repubblica. Questa da un lato perse una grande occasione di incrementare le sue entrate, dall'altro fornì all'espansionismo commerciale inglese una splendida occasione che gli inglesi non si lasciarono sfuggire.[85]

96

Come è ben noto, Livorno fu una creazione dei granduchi di Toscana per ovviare all'interramento del porto pisano. Questo progetto si inquadrava in una spinta verso il commercio marittimo, individuato come fondamentale per lo sviluppo commerciale da parte di un stato che non aveva mai avuto una reale presenza sul mare.[86] Nel valutare il boom di Livorno è difficile sopravvalutare l'importanza della sua posizione strategica, del resto per il successo di Venezia nel periodo precedente era stata determinante anche la sua posizione geografica rispetto ai flussi commerciali dell'epoca.[87] Ma la 'modernità' di Livorno è anche da vedersi nel ruolo che ebbero le sue splendide infrastrutture per il suo successo. In questo periodo l'importanza delle infrastrutture portuali ai fini dello sviluppo commerciale stava diventando sempre più un fattore determinante. Ben lo dimostra l'episodio del fallito boicottaggio di Ancona in favore di Pesaro da parte dei mercanti ebrei come protesta alle persecuzioni di Paolo IV nel 1557. Il tentativo si risolse in un nulla di fatto in quanto, nonostante che il porto di Pesaro avesse un'ottima posizione geografica, non era attrezzato a sufficienza per poter far fronte ad un aumento del traffico.[88]

Con la promulgazione delle famose 'Livornine' nel 1591 e 1593, che concedevano straordinarie facilitazioni a chi fosse disposto a trasferirsi con le pro-

85. Fusaro, *Uva passa*, cit.; Ead., *The English Mercantile Communities*, cit.

86. Vanno però menzionate le attività delle galere fiorentine negli anni centrali del Quattrocento, un tentativo da parte di Firenze di liberarsi dalla dipendenza da genovesi e veneziani per il trasporto delle merci: cfr. M. Mallett, *Anglo-Florentine Commercial Relations, 1465-1491*, «The Economic History Review», 15 (1962); Id., *The Florentine Galleys*, cit.

87. Van der Wee, *Structural Changes*, cit., p. 21.

88. Una sintesi degli eventi, e dell'interessantissimo dibattito interno alle comunità ebraiche sul da farsi si trova in Di Leone Leoni, *Per una storia della nazione portoghese*, cit., pp. 78-84; cfr. anche Bonfil, *Gli ebrei in Italia*, cit., pp. 60-61.

prie operazioni commerciali in città, si ovviò all'assenza di un «oligarchia di commercianti e di armatori livornesi».[89] Grazie alla totale assenza di interessi locali precostituiti, ebrei, forestieri e stranieri divennero la classe dirigente economica di Livorno, e la comunità ebraica vi prosperò grazie alla concessione di privilegi di gran lunga superiori rispetto a quelli che erano stati concessi loro da altri stati italiani. Se non altro per questo motivo, quindi, ogni paragone fra Livorno e gli altri centri commerciali maggiori – come Genova e Venezia – perde di valore reale.

Fu specialmente il rapido successo di Livorno come centro del commercio granario a preoccupare Genova, che fin dalla metà del Cinquecento si era impegnata a favorire l'arrivo di grano nei suoi magazzini fornendo esenzioni fiscali per alcune merci.[90] Anche Venezia si preoccupò molto presto, ma nonostante le continue sollecitazioni a prendere delle contromisure, specie da parte dei Cinque Savi alla Mercanzia, il concedere facilitazioni di ampio respiro per gli operatori stranieri simili a quelle di Livorno non fu mai un'opzione presa in seria considerazione, in quanto troppo aliena dalla politica economica e dagli interessi costituiti della Repubblica.[91]

Nel prologo alla 'Livornina' Ferdinando de' Medici aveva invitato i mercanti stranieri a stabilirsi in città, dichiarando apertamente quali erano le sue ambizioni: «Sperando ne abbia a risultare utile a tutta Italia».[92] Ma paradossalmente Livorno rimase sostanzialmente esterna al sistema economico italiano,[93] e pare molto dubbio che abbia effettivamente giovato persino all'economia toscana e allo sviluppo economico della regione.[94] Una situazione simile a quella odierna di Gioia Tauro, fra i principali centri mondiali della redistribuzione del traffico di

89. A. Mangiarotti, *Il porto franco, 1565-1676*, in *Merci e monete a Livorno in età granducale*, a cura di S. Balbi de Caro, Milano 1997, p. 39. Edizione critica del testo delle due Livornine in R. Toaff, *La Nazione ebrea a Livorno e a Pisa (1591-1700)*, Firenze 1990, pp. 419-435.

90. T. Kirk, *Genoa and Livorno*, cit., considerazioni ampliate in Id., *Genoa and the Sea*, cit., pp. 151-185; cfr. anche Engels, *Merchants, Interlopers*, cit., pp. 109-110.

91. Ravid, *A Tale of Three Cities*, cit., p. 149.

92. Toaff, *La Nazione ebrea*, cit., pp. 419-420.

93. Cosa su cui c'è un sostanziale accordo della bibliografia: Jean Pierre Filippini dichiara come «il commercio di Livorno sia un commercio passivo, che dipende dalle bandiere straniere»: cfr. Id., *Il porto di Livorno e la Toscana*, Napoli 1988, I, p. 45. Cesare Ciano sostiene addirittura che alla metà del Seicento Livorno fosse un «corpo estraneo rispetto alla realtà politica ed economica della Toscana»: cfr. Id., *Uno sguardo al traffico fra Livorno e l'Europa del Nord verso la metà del Seicento*, in AA.VV., *Atti del Convegno Livorno e il Mediterraneo nell'età Medicea*, Livorno 1978, p. 151.

94. Engels, *Merchants, Interlopers*, cit., pp. 34-46. È stato sottolineato come anche alcune attività produttive si spostarono da altri centri dello stato verso Livorno: cfr. L. Frattarelli-Fischer, *Livorno città nuova 1574-1609*, «Società e storia», 46 (1989), p. 891. Rita Mazzei ha però sottolineato l'esistenza di legami tra Livorno e l'economia manifatturiera pisana: cfr. R. Mazzei, *L'economia pisana e la dinamica del commercio internazionale dell'età moderna*, in *Pisa e il Mediterraneo. Uomini, merci, idee dagli Etruschi ai Medici*, a cura di M. Tangheroni, Milano 2003.

containers, ma il cui effetto nell'economia calabrese, per quanto continuamente sbandierato, stenta in realtà a farsi sentire. La realtà dei fatti sembra essere che la creazione di Livorno abbia rappresentato più una soluzione alla crisi economica del granduca piuttosto che a quella del granducato, uno splendido guizzo di genio imprenditoriale degno di un Medici. Senza dubbio Livorno, soggetta direttamente al granduca, era la sua maggior fonte di entrate finanziarie grazie anche alla vocazione granaria e cerealicola del porto, in cui il granduca aveva un grosso interesse personale.[95] Senza le attività commerciali degli operatori stranieri Livorno non sarebbe potuta esistere, ma la sua creazione era una soluzione o un palliativo alla crisi economica percepita non solo dal Granducato di Toscana, ma da tutta la penisola? Forse dobbiamo concordare ancora una volta con quanto disse Fernand Braudel quando ne parlò come della cartina al tornasole dell'uscita di scena italiana dal grande panorama dell'espansione economica europea nel globo.[96]

Conclusioni

Per poter valutare effettivamente il ruolo giocato dalla presenza di operatori stranieri nell'economia italiana sarà quindi necessario coniugare allo studio dei loro comportamenti sociali uno studio rigoroso del loro peso reale nell'economia italiana, andando al di là dei singoli casi e del loro interesse narrativo. Solo riformulando il problema in questi termini sarà possibile comprendere quali fossero sia i punti deboli del sistema economico italiano, che i motivi del successo dell'azione economica degli operatori stranieri.

Nell'espansione del capitalismo commerciale europeo su scala globale è stato individuato uno dei principi della modernità. In un periodo cruciale per la costruzione dell'egemonia europea, il commercio ha rappresentato il settore privilegiato sia in termini reali che di percezione da parte dei contemporanei.[97] La discesa dei 'nordici' – ma forse bisognerebbe dire degli 'inglesi' – nel Mediterraneo è senza dubbio uno dei fenomeni più visibili e che ebbero un impatto maggiore sull'Italia e sulla sua economia, ma è interessante notare come abbia suscitato un interesse relativamente tiepido nelle storiografie dei paesi d'origine avendo come riflesso un interesse limitato agli *exploits* di questi mercanti, specie di quanti erano attivi in Italia.[98] Alla base di questo c'è stata senza dubbio la sottovalutazione dell'importanza

95. A. Mangiarotti, *La politica economica di Ferdinando I de Medici*, in *Merci e monete a Livorno*, cit., p. 21.

96. Braudel, *L'Italia fuori d'Italia*, cit., p. 2227, opinione sostenuta anche nella bibliografia successiva; fra gli altri cfr. G. Pagano de Divitiis, *Il porto di Livorno fra l'Inghilterra e l'Oriente*, «Nuovi Studi Livornesi», 1 (1993), p. 75; E. Grendi, *Gli inglesi a Genova*, cit., p. 242.

97. Braudel, *L'Italia fuori d'Italia*, cit., p. 2226.

98. Al contrario dell'Impero Ottomano: cfr. S.A. Skilliter, *William Harborne and the Trade with Turkey, 1578-1582: a Documentary study*

relativa dell'area mediterranea, una sorta di pregiudizio per cui questa rappresentava il passato, mentre il futuro era invece in gioco sugli scacchieri oceanici. Ma è indubbio che il Mediterraneo fosse il tessuto connettivo dell'Europa, e quindi teatro dello stesso gioco per l'egemonia del resto del globo; come Richard Rapp affermava trent'anni fa «it was the invasion of the Mediterranean, not the exploitation of the Atlantic, that produced the Golden Ages of Amsterdam and London».[99]

In un saggio molto interessante di qualche anno fa, Molly Greene sosteneva che era giunto il momento di andare al di là dell'invasione dei nordici e di concentrarsi invece sulle permanenze di altre strutture commerciali all'interno del Mediterraneo. A suo parere i nordici, pur avendo conquistato il controllo dei traffici col Nord Europa, non avevano modificato sostanzialmente i commerci intra-mediterranei.[100] Questa argomentazione sull'importanza delle permanenze è valida per l'area mediterranea in generale, anche se forse sottovaluta il crescente peso dei nordici nei commerci e trasporti intra-mediterranei. Lo è invece assai meno riguardo al sistema economico della penisola italiana, in quanto non mi sembra che prenda nella dovuta considerazione i molti lati ancora oscuri di quella che invece Thomas Mun chiamò una vera e propria «rivoluzione commerciale».[101] Considerando il fatto che sin dal Medioevo «l'unica preoccupazione dei veneziani era di bloccare la concorrenza dei capitali stranieri nel commercio levantino»,[102] diventa assai difficile sostenere che il sostituirsi degli inglesi ai veneziani in questo ambito non abbia avuto delle conseguenze assai rilevanti – e non solo economiche – per l'intero scacchiere, e che valga quindi la pena di indagarne le dinamiche più in profondità.[103] Un esempio illuminante è la sinergia fra trasporti e commerci, cose diverse ma spesso collegate e ambedue estremamente redditizie. Gli ebrei per tutto il periodo esaminato non furono coinvolti nel trasporto e tradizionalmente non sembrarono mai particolarmente interessati alla proprietà di naviglio;[104] quelli attivi nella piazza di Venezia finirono pertanto con l'appoggiarsi ai nordici per le loro esigenze di trasporto, dal

of the First Anglo-Ottoman Relations, Oxford 1977; D. Goffman, *Britons in the Ottoman Empire, 1642-1660*, Seattle-London 1998.

99. R.T. Rapp, *The Unmaking of the Mediterranean Trade Hegemony: International Trade Rivalry and the Commercial Revolution*, «Journal of Economic History», 35 (1975), p. 501, tesi su cui concorda anche Robert Brenner; cfr. la sua analisi dell'espansione inglese come 'import-driven' in R. Brenner, *Merchants and Revolution: Commercial Change, Political Conflict, and London's Overseas Traders, 1550-1653*, Cambridge 1993; cfr. anche Fusaro, *Uva passa*, cit., pp. 9-26.

100. M. Greene, *Beyond the Northern Invasion: the Mediterranean in the Seventeenth Century*, «Past and Present», 174 (2002).

101. T. Mun, *A Discourse of Trade, From England unto the East Indies...*, London, Nicholas Okes, 1621, pp. 39-40.

102. Mueller, *Stranieri e culture straniere*, cit., p. 75.

103. Fusaro, *Les Anglais et les Grecs*, cit.; per Livorno cfr. Pagano de Divitiis, *Mercanti inglesi*, cit., p. 40 e *passim*.

104. B. Arbel, *Jewish Shipowners in the Early Modern Eastern Mediterranean*, in Id., *Trading Nations. Jews and Venetians in the Early Modern Eastern Mediterranean*, Leiden-New York 1995.

momento che la crisi della costruzioni marittime a Venezia non consentiva loro di utilizzare navi veneziane. Quindi pur non rappresentando concorrenza di per sé, tramite la loro dipendenza dal naviglio dei nordici gli ebrei favorirono inglesi e olandesi. L'interazione fra diversi gruppi di operatori stranieri sul suolo italiano, o in circuiti commerciali che coinvolgevano l'Italia, è uno degli aspetti meno studiati – ma fondamentali – della penetrazione di operatori stranieri nell'economia italiana. L'arrivo degli inglesi mise effettivamente in moto delle modifiche strutturali sostanziali al sistema commerciale italiano: da un lato con il loro sostituirsi agli italiani nel commercio con il Nord Europa, dall'altro con la loro sempre crescente partecipazione al commercio marittimo intra-mediterraneo, cosa che li rese da subito dei temibili concorrenti per quanti fra gli italiani erano ancora attivi in questo settore.

Molto si sta facendo per chiarire questi aspetti della questione ma molto resta ancora da fare. L'utilizzo della stessa categoria di 'straniero' – opposto a 'italiano' – apre una serie complessa di questioni metodologiche che, mentre stanno cominciando ad essere oggetto di alcuni studi molto interessanti nell'ambito della storia legale, non sono state ancora metabolizzate dalla storia economica e sociale.[105] Solo di recente stanno emergendo come soggetti di studio altre questioni centrali come la costruzione della fiducia indispensabile al funzionamento di transazioni commerciali di lunga distanza al di fuori delle tradizionali reti diasporiche legate da vincoli etnici e religiosi.[106] Si tratta di problemi storici e storiografici di straordinaria complessità, che alla luce di queste nuove ricerche andranno riformulati e riaffrontati. Pochi argomenti storiografici sono di attualità come il comprendere quale ruolo giochino gli stranieri nel conquistare un'economia ricca e matura, ma incapace di rinnovarsi e di mantenersi al passo con i tempi.

105. M. Ascheri, *Lo straniero nella legislazione statutaria e nella letteratura giuridica del Tre-Quattrocento: un primo approccio*, in *Forestieri e stranieri nelle città basso-medievali*, cit.; C. Storti-Storchi, *The Legal Status of Foreigners in Italy (XVth-XVIth Centuries): General Roles and their Enforcement in Some Cases Concerning the* Executio Parata, in *Of Strangers and Foreigners (Late Antiquity - Middle Ages)*, a cura di L. Mayali e M.M. Mart, Berkeley 1993; Ead., *Foreigners in Medieval Italy*, cit. Su questo aspetto cfr. anche *Sistema di rapporti*, cit.

106. F. Trivellato, *Juifs de Livourne, Italiens de Lisbonne et Hindus de Goa. Réseaux marchands et échanges interculturels à l'époque moderne*, «Annales HSS», 58 (2003).

Le nationes *italiane all'estero*

GIOVANNA PETTI BALBI

Identità e storiografia

La scelta del titolo si adegua ad un uso sedimentato nel linguaggio storiografico con una dizione impropria che necessita di qualche spiegazione. Preliminarmente occorrerebbe aggiungere l'aggettivo mercantile: la precisazione sembra ovvia in un contesto di storia economica, ma necessaria, perché il termine nazione ha valore polisemico e non è peculiare dell'ambito mercantile. Oltre la connessione non solo semantica con il linguaggio politico, richiama anche fatti culturali, perché *nationes* sono chiamate le associazioni di studenti che dal secolo XII danno l'avvio a un rinnovamento culturale e caratterizzano il mondo universitario. Si può parlare di una sorta di contaminazione, di una *translatio* del termine tra i settori culturale, mercantile, politico, almeno nell'elementare accezione di raggruppamenti costituiti su base geografica da individui provenienti da uno stesso paese o da una comune località, dotati di propri privilegi. L'aggettivo mercantile inoltre indica chiaramente il *milieu*, chi siano i promotori di questo tipo di *nationes*, anche se nel prosieguo del tempo artefici e protagonisti ne diventano soprattutto i mercanti-banchieri, gli esponenti dell'aristocrazia del danaro, gli uomini d'affari europei dalle molteplici vocazioni più che i semplici mercanti.[1]

Inoltre la definizione *nationes* italiane pare contraddittoria e non consona all'assetto dell'Italia del Rinascimento, perché in questi secoli l'articolato e frammentario assetto politico della penisola non permette il costituirsi di una coscienza unitaria e quindi di dar vita a un'unica nazione italiana che coaguli gli

1. G. Petti Balbi, *Introduzione*, in *Comunità forestiere e 'nationes' nell'Europa dei secoli XIII-XVI*, a cura di G. Petti Balbi, Napoli 2001, pp. XI-XVIII (Quaderni dell'Europa mediterranea, 19); Ead., *Negoziare fuori patria. Nazioni e genovesi nel medioevo*, Bologna 2005.

abitanti della Penisola, ma a tante nazioni quante sono le città più o meno autonome che costellano l'Italia, da dove provengono i mercanti. Così a fronte di nazioni mercantili veramente 'nazionali' nel senso moderno del termine quali portoghese, catalana, alemanna, francese, anseatica, espresse da mercanti appartenenti a paesi in fase di trasformazione in veri stati nazionali, i mercanti veneziani, genovesi, fiorentini, lucchesi, napoletani danno vita ad altrettante nazioni che visualizzano e proiettano all'esterno la situazione italiana, manifestando la coscienza di appartenenza a una città, a una realtà più ristretta che per loro è la patria, oltre il policentrismo che costituisce uno dei caratteri originali della storia italiana nel lungo periodo.

C'è da ricordare che sotto il nome di una nazione cittadina confluiscono talora individui che vivono sotto il dominio di una città egemone o all'interno di uno stato regionale. La precisazione all''estero' esplicita che anche in Italia si sono costituite nazioni mercantili italiane o straniere, in quanto l'abitante di una città vicina e non solo di un paese lontano si sentiva ed era considerato forestiero. In nessuna località della penisola però le nazioni riescono ad acquisire l'importanza e il prestigio di quelle italiane sorte all'estero, anche se cospicue ed importanti per motivi diversi diventano quelle presenti a Roma, a Napoli, a Palermo, soprattutto di fiorentini e genovesi.[2] Le nazioni sono talora designate come consolati, massarie, logge, *domus* o case, con termini di 'derivazione interna': dal console, che è a capo della comunità, dal massaro, che è un componente della stessa preposto all'amministrazione del fondo comune, dal polo di aggregazione e dal luogo di riunione della comunità. Sono termini di chiara derivazione latina, rimessi in circolazione e riproposti in età comunale, nel momento in cui sorgono le nazioni mercantili.

La questione della genesi delle *nationes* è un argomento ancora controverso che solleva numerosi problemi, soprattutto in relazione con i consolati o le colonie d'Oltremare, nati dopo le crociate a seguito delle generose elargizioni dei signori franchi in favore di Pisa, Genova e altre città marittime, in cambio dei generosi aiuti prestati per la conquista dei loro regni in Oltremare.[3] Fino a tempi abbastanza recenti, basti pensare all'ampio lavoro del Masi sulle colonie fiorentine all'estero, ma anche al più recente contributo del de Roover per la Storia economica Cambridge,[4] *nationes* e consolati d'Oltremare sono stati assimilati

2. *Spazio urbano e organizzazione economica nell'Europa medievale*, a cura di A. Grohmann, Napoli 1995, Atti della sessione C23, Eleventh International Economic History Congress; *La città italiana e i luoghi degli stranieri, 14/18 secolo*, a cura di D. Calabi e P. Lanaro, Bari 1998.

3. *État et colonisation au Moyen Âge*, a cura di M. Balard, Lyon 1989; M. Balard, *Consoli d'Oltremare (sec.* XII-XV*)*, in *Comunità forestiere e nationes*, cit..

4. G. Masi, *Statuti delle colonie fiorentine all'estero (sec.* XV-XVI*)*, Milano 1941; R. de Roover, *L'organizzazione del commercio*, in AA.VV., *Le città e la politica economica del medioevo*, in *Storia economica Cambridge*, Torino 1977, III, pp. 70-71, 117-119.

e confusi, trattati con un approccio unilaterale, mentre sono istituzioni che nascono in ambiti e per volontà diverse, anche se si propongono obiettivi e finalità fondamentalmente simili.

Le colonie d'Oltremare, rette prima da un visconte e poi da un console, sono emanazione di mere volontà politiche, scaturiscono da trattative intercorse esclusivamente tra soggetti politici e mirano alla territorialità, all'acquisizione di un fondaco proprio, di un quartiere, se non di un'intera città. Le nazioni mercantili sono associazioni private e volontarie, poste in essere da uomini d'affari che soggiornano temporaneamente in terra straniera, che si coagulano sulla base della provenienza, per perseguire interessi e obiettivi comuni e che si propongono come diretti interlocutori dei poteri locali, senza allentare i vincoli con la madrepatria o cercare sistemazione in zone esclusive. Nascono in ambito mercantile, come del resto le Mercanzie cittadine, ma assumono subito una valenza più complessa perché, per esistere, la *natio* ha bisogno anche di un supporto esterno, di un riconoscimento politico e giuridico. Occorre cioè, come è stato da altri ben sintetizzato,[5] che la città d'appartenenza sia disposta a tutelare il complesso di interessi privati posti in essere dai propri mercanti nel paese straniero e che a sua volta le autorità di quest'ultimo, in deroga al principio dell'esercizio delle funzioni di diritto pubblico all'interno del loro territorio, permettano alle comunità forestiere di essere regolate da leggi e da magistrati propri riconosciuti dalla madrepatria. È impossibile parlare di priorità, anche se i consolati d'Oltremare sembrerebbero anteriori. Dal Trecento comunque il termine nazione viene talora applicato anche alle comunità forestiere organizzate che sorgono negli antichi regni crociati, nell'Impero bizantino o nei paesi mussulmani, costituite da quanti provengono da una patria comune e svolgono attività diverse, senza distinzione di stato o di professione.

Non sempre, quasi mai direi, le nazioni nascono su di una base di reciprocità, con la contestuale presenza di una comunità organizzata costituita dai mercanti di una città in un paese ospitante che a sua volta esprime una nazione nella città in questione. Tralasciando l'ovvia mancanza di reciprocità per le nazioni sorte *in partibus infidelium*, in località soggette alle autorità mussulmane, anche questa peculiarità pare sottolineare la selezione economica più che politica che sta alla base della nazione, in quanto sono i mercanti che scelgono le località ritenute strategicamente favorevoli, facendo successivamente intervenire le istituzioni politiche, e non il contrario.

Statuti e console, sempre approvati dalle istituzioni politiche, cioè regole e capo della comunità, sono i due elementi fondanti e legittimanti che presiedono all'organizzazione delle nazioni mercantili, evidenziando quindi le strette

5. G. Brancaccio, *«Nazione genovese». Consoli e colonia nella Napoli moderna*, Napoli 2001.

connessioni tra le categorie dell'economico e del politico, tra libertà e controllo. La libertà di commercio, le franchigie concesse dal paese ospitante offrono garanzie all'attività economica e ai beni dei forestieri, ma li sottopongono a un controllo a cui sembrano prestarsi volontariamente gli aderenti alle nazioni, perché il sostegno e l'accordo con le istituzioni permettono il mantenimento della propria legislazione e la tutela delle persone. Talora l'autorità del console può apparire troppo severa e coercitiva, come accade per il console e i consiglieri della nazione lucchese a Bruges definiti «tiranni». Del resto esplicita in proposito è l'affermazione contenuta nel libro di questa nazione: «La comunità è possente di fare ordini e di disfare e di quietare e chondannare».[6]

Pochi sono gli statuti o le raccolte dei privilegi delle *nationes* pervenuti, che potrebbero offrire preziose informazioni sui fondamenti giuridici di queste strutture, sulla consistenza del patrimonio comunitario, sul numero e le presenze, l'esportazione di usi e di costumi originari: tra quelli superstiti il più antico è il libro della nazione lucchese a Bruges, che risale al 1369. Molteplici spunti di riflessione offrono gli statuti della nazione fiorentina a Bruges del 1426 o quelli della stessa nazione a Lione del 1487 e a Londra nel 1513, e quelli della nazione genovese ad Anversa del 1536. Sembrano attestare una sorta di preminenza da parte dei toscani, che in parte è reale, forse perché questi sono più legati alla pratica della scrittura o sottoposti a più rigidi controlli da parte della madrepatria, o ancora perché taluni di loro, come Benedetto Dei a fine Quattrocento, ne hanno lasciato ricordo.[7] In ogni caso promanano da quelle nazioni, genovese, fiorentina, lucchese, veneziana, convenzionalmente definite aristocratiche-mercantili, di alto profilo sociale e cetuale, costituite da un'immigrazione qualificata, mercanti, banchieri e uomini d'affari attivi nei centri più vitali del tempo, che si distinguono dai numerosi consolati di basso profilo sociale ed economico, costituiti da modesti mercanti, patroni di navi, talora artigiani, che costellano ad esempio il litorale italiano o le coste della Provenza in Età moderna.[8]

85, 86, 90, 91

Un caso a sé è quello dei cosiddetti 'lombardi', i prestatori di danaro provenienti soprattutto dall'attuale Piemonte e Lombardia, con una grande maggio-

6. *Libro della comunità dei mercanti lucchesi a Bruges*, a cura di E. Lazzareschi, Milano 1949.

7. Benedetto Dei, *La cronica dall'anno 1400 all'anno 1500*, a cura di R. Barducci, Firenze 1984, p. 134: «E siene testimonianza vera i vostri [fiorentini] mercanti e gli altri che venghono a Lione e 'n Francia e 'n Brugia e 'n Londra e Anverssa e 'n Avignone e a Ginevra e pe' la Provenza e a Marsilia, tutti luoghi e stanze là dove sono banchi grosissimi e borsse magnifiche e merchanti degni e fondachi reali, chon case e stanze ferme, e chiese e fondachi e paramenti ricchi, chomme lo sanno i vostri che ogn'anno vanno alle fiere ... E non vi chonto la Chatalognia e la Spagna e la Barberia e Sivilia e 'l Portoghallo e altri luoghi pe' la costiera, là ove sono e banchi e fondachi e consoli e chiese fiorentine».

8. Cfr. in proposito le intuizioni di E. Grendi, *Traffico portuale, naviglio mercantile e consolati genovesi nel Cinquecento*, «Rivista Storica Italiana», LXXX (1968).

ranza di persone originarie di Asti e di Chieri, che trasformano in un'attività stanziale l'esercizio saltuario del credito e del prestito su pegno, praticato dalla fine del secolo XII soprattutto nei luoghi di fiera. Quanti si riconoscono in questa categoria aspirano a ottenere dal paese ospitante non il riconoscimento di nazione, ma l'autorizzazione individuale ad aprire uno stabilimento atto a svolgere l'attività di prestito, chiamato *casana*, banco o tavola. Questi lombardi, chiamati nel regno di Francia genericamente italiani, non possono quindi confondersi con le nazioni lombarde o milanesi che dal tardo Quattrocento si costituiscono in Europa, quando appare anche nelle Fiandre una nazione piemontese, in cui confluiscono taluni lombardi prestatori di Asti e di Chieri, con l'intento di nobilitarsi e di perdere la fama di grandi usurai. Nonostante recenti approfondimenti, non è ancora del tutto individuato il percorso di questa nazione piemontese, sottoposta dal secolo XVI con i lombardi prestatori a un sovrintendente delle tavole di prestito, fatto questo che preclude alla scomparsa dei lombardi e al sorgere dei Monti di pietà a metà del secolo successivo.[9]

Si deve comunque sottolineare che le *nationes*, nate in età medievale in ambito economico, non hanno suscitato l'interesse degli specialisti di storia economica, soprattutto italiani, proiettati sull'Età moderna, quando le nazioni perdono fisionomia e vocazioni originarie, surclassate dal trionfo dell'economia capitalistica e dalla formalizzazione di forme di relazioni politico-diplomatiche tra paesi stranieri, in particolari i consolati di cui le nazioni sono state precursori. Allo stato attuale manca una riflessione storiografica d'insieme, un tentativo d'interpretazione unitario, a fronte di incoraggianti contributi abbastanza recenti su singole situazioni e consolati particolari.[10]

Matrice originaria e trasformazioni

La diaspora dei mercanti, che è uno degli aspetti e delle conseguenze più eclatanti della mobilità dell'uomo medievale, non offre un quadro uniforme, perché conosce nel lungo periodo modificazioni qualitative e quantitative. Rimangono sempre come motivazioni principali di questi spostamenti l'interesse privato, il desiderio del guadagno, la febbre dell'oro, le curiosità e una sorta d'inquietudine esistenziale; ma dal tardo Trecento si affievoliscono lo spirito d'avventura,

9. Cfr. da ultimo i contributi di diversi autori in *Lombardi in Europa nel medioevo*, a cura di R. Bordone e F. Spinelli, Milano 2005.

10. Recenti contributi su singole situazioni, dovuti a studiosi italiani e stranieri di formazione diversa, sono apparsi nei «Quaderni dell'Europa mediterranea» coordinati da Gabriella Rossetti. Fuggevoli cenni trovano anche in taluni volumi degli atti delle settimane di studio dell'Istituto internazionale di storia economica F. Datini di Prato. Cfr. ora anche l'agile strumento bibliografico di I. Ait, *Il commercio medievale*, Roma 2006.

il gusto del rischio, la sfida della fortuna, così che si afferma il tipo del cosiddetto 'mercante sedentario', che non si espone più ai rischi e ai pericoli, si fa più cauto e avveduto, organizza e gestisce da casa le proprie fortune, trasformandosi in un vero e proprio manager che non disdegna anche di occuparsi di politica, d'arte, di lettere. A questa 'sedentarizzazione' si accompagna il passaggio dal sistema delle iniziative individuali o delle associazioni a termine tra mercanti per una singola impresa (contratti di commenda, di *societas maris* o di colleganza) alla costituzione di società o compagnie a lungo termine, di aziende giuridicamente indipendenti le une dalle altre, dotate di rilevanti capitali e costituite da familiari, soci, agenti o fattori dislocati nei centri commerciali più importanti o nei luoghi di fiera, in cui la pratica della mercatura e l'attività di banco si sostengono e si potenziano sinergicamente a vicenda. Un po' ovunque in Italia si costituiscono società o dinastie mercantili a base familiare, come a Genova o a Venezia, e società commerciali e bancarie aperte ad estranei come a Firenze e a Milano, dedite a molteplici attività, dando vita a «sistemi di aziende» come le definisce il Melis o a vere e proprie *holdings* come preferisce chiamarle il de Roover.[11]

Di pari passo si sviluppano un affinamento dei sistemi dell'amministrazione commerciale e delle tecniche contabili, una maggiore istruzione e preparazione tecnico-culturale del mercante che tratta i propri affari per iscritto, per lettere invece che di persona, un efficiente sistema informativo sull'andamento dei mercati, una fitta rete di scambi, l'acquisizione di nuove curiosità. Diminuiscono le remore di natura religiosa, le preclusioni di ordine morale, la diffidenza della Chiesa nei loro confronti. Si affinano la professionalità tecnica, la possibilità di dominare il tempo, lo spazio, il rischio, che è stata l'aspirazione dell'uomo medievale, la capacità di assecondare i flussi di danaro e i consumi e soprattutto la qualità primaria del nuovo uomo d'affari, la duttilità e la capacità di adattarsi a mercati, usi e paesi diversi.[12] E proprio in virtù di tali coordinate e degli orizzonti psicologici d'avanguardia gli uomini d'affari del Sud, provenienti soprattutto dalla penisola italiana, riescono a superare la crisi del Trecento, a trovare nuovi spazi operativi, ad attuare e assecondare la conversione delle attività economiche e finanziarie verso il Nord.

Queste dinamiche di dimensione europea incidono e influiscono anche

11. F. Melis, *Aspetti della vita economica medievale*, Siena 1962; R. de Roover, *The Rise and Decline of the Medici Bank (1397-1494)*, Cambridge (Mass.) 1963, trad. it. *Il banco Medici dalle origini al declino (1397-1494)*, Firenze 1970.

12. A. Sapori, *Le marchand italien au Moyen Âge*, Paris 1952, trad. it. *Il mercante italiano nel medioevo*, Milano 1983; J. Favier, *De l'or et des épices. Naissance de l'homme d'affaires au Moyen Âge*, Paris 1987, trad. it. *L'oro e le spezie. L'uomo d'affari dal Medioevo al Rinascimento*, Milano 1990; G. Petti Balbi, *Il mercante*, in *Ceti, modelli, comportamenti nella società medievale*, Atti del diciassettesimo convegno internazionale di studi a cura del Centro italiano di storia e d'arte, Pistoia 2001; G. Todeschini, *I mercanti e il Tempio. La società cristiana e il circolo virtuoso della ricchezza tra medioevo ed età moderna*, Bologna 2002.

sulla formazione, la composizione, il proporsi delle nazioni, a capo delle quali sta sempre un console, in origine espresso dal paese di provenienza dei costituenti la comunità; eccezionale è la presenza di due, come alla guida della *natio* genovese a Siviglia. Dal pieno Trecento nelle località di scarsa importanza strategico-economica, verso cui gravitano modesti mercanti, patroni di navi o marinai, ove si costituiscono *nationes* di basso profilo socio-economico, il console viene scelto tra i notabili locali per meglio tutelare gli interessi delle varie comunità, nel rispetto del principio di reciprocità. Nei principali centri economici della penisola italiana o europei invece il console rimane un cittadino della propria nazione, pur espresso con procedure diverse: designato direttamente dai concittadini *in loco* (è questa la procedura usuale per lucchesi e genovesi) o eletto direttamente dalla madrepatria (come per veneziani e fiorentini), necessita sempre dell'assenso e del *placet* da parte della madrepatria e delle autorità locali, anche se nei confronti delle proprie nazioni le istituzioni della penisola paiono meno invadenti rispetto a quelle di altri paesi.

Nelle sedi minori dal tardo Medioevo il consolato si trasforma talora in una sorta di vitalizio personale, ma un po' ovunque la carica, piuttosto ambita per ragioni di prestigio e di guadagno, supera l'annualità. Per pagare il salario del console e per provvedere alle attività e alle esigenze comunitarie, sociali, assistenziali o religiose, a cui i membri della nazione hanno l'obbligo di concorrere, viene imposta una tassa su tutte le operazioni commerciali, bancarie e cambiarie effettuate da ogni componente la nazione, chiamata diritto di massaria o di nazione, o consolaggio, che varia nei tempi e nei luoghi. I diritti di nazione ben evidenziano i diversi destini, l'incremento o la riduzione degli affari di una nazione su di una piazza, lo sviluppo dell'attività di cambio e dei contratti di assicurazione a scapito del movimento delle merci, la gerarchia stessa delle nazioni, le resistenze degli aderenti a contribuire alla cassa comune. I lucchesi ad esempio, che nel corso del Cinquecento vanno perdendo posizioni e spazi operativi ad Anversa di fronte a genovesi e fiorentini, dopo aver constatato la difficoltà di «cavar danari» per supplire alle spese «per honore e reputatione della nazione», tentano di ripristinare l'antico diritto di massaria o del Volto Santo, ma dopo la metà del secolo propongono di sopprimerlo *in toto*, ritenendolo troppo oneroso, forse nell'intento di incrementare la presenza di connazionali con questo incentivo.

Il console svolge compiti di carattere interno ed esterno: amministra la giustizia e dirime le controversie tra i connazionali, li rappresenta e li protegge dagli interventi arbitrari delle autorità locali, si prende cura dei beni dei defunti, difende i privilegi commerciali e le esenzioni. Nell'espletamento di questi doveri è assistito da due o più consiglieri, eletti *in loco* tra i membri della nazione, e da un massaro o camerlengo, un economo, incaricato della tenuta della cassa e dell'amministrazione dei beni comuni. A ragione si parla di beni perché, a proprie spese, in talune località i costituenti la nazione erigono logge o sedi di rappresentanza, cappelle o edifici religiosi, che rimangono proprietà loro e non della madrepatria, palesando, da un lato, la propensione degli uomini d'affari italiani a investire anche all'estero in immobili per ragioni di prestigio, dall'altro, il disimpegno della madrepatria che non intende spendere danari ad uso esclusivo di una piccola parte già privilegiata di cittadini.

Gli statuti o i libri dei privilegi delle nazioni mostrano che queste caratteristiche strutturali rimangono quasi immutate nella lunga durata, così che come organizzazione e finalità le nazioni rimangono ancorate al loro impianto originario, alle loro radici medievali, procedendo quasi per forza d'inerzia verso l'Età moderna, senza sostanziali innovazioni. Diverso è il discorso se dal contenitore, dall'involucro esterno, si sposta l'attenzione all'interno, sui protagonisti, sul ruolo e sugli spazi dei loro interventi.

Sino al Trecento le nazioni sono costituite da mercanti isolati di diversa fortuna e spesso da giovani che fanno pratica presso operatori economici più maturi e più esperti, che soggiornano in una data località per breve tempo, se non per il tempo necessario a espletare un negozio. Successivamente i mercanti, che affiancano all'attività mercantile l'attività di cambio e di banco, si fermano per periodi più lunghi su di una piazza con soggiorni non brevi, al punto che gli statuti quattro-cinquecenteschi frequentemente parlano di «merchanti habitanti» oltre che di mercanti presenti, e sempre più spesso di operazioni bancarie e di cambi. Componenti delle nazioni più qualificate diventano infatti i rappresentanti di compagnie familiari o di società commerciali che, pur senza naturalizzarsi, rimangono a lungo in una località, ne condizionano domanda e offerta, produzione e consumo, acquistano familiarità con persone e detentori di potere locali, imponendosi ovunque per il modo di gestire gli affari e per lo stile di vita. Sono le nazioni italiane di alto profilo socio-economico che hanno inciso nelle vicende dell'Europa rinascimentale, espresse da un'emigrazione d'élite, da uomini d'affari provenienti da città politicamente deboli, divise e talora soggette a dominazioni straniere, ma economicamente e culturalmente ricche. Quelle di modesta composizione sociale ed economica invece non escono dai confini della penisola e vengono in un certo senso declassate anche dai contemporanei che le definiscono di preferenza consolati, quasi per distinguerle dalle nazioni presenti sul suolo europeo.

Le nazioni italiane si affermano in Europa perché esportano tecniche mercantili e bancarie più sofisticate, valori professionali e culturali, conoscenze, curiosità, costumi e interessi di varia natura, in una parola diffondono la cultura innovativa di cui sono in possesso i loro componenti, acquisendo una supremazia, non solo economica, che suscita emulazione e creando una sorta di modello di nazione a cui guardano e cercano di uniformarsi anche gli altri. Ad esempio gli operatori economici del Nord, anseatici o inglesi, attivi da tempo come mercanti, ma meno abili a trasformare il capitale mercantile in capitale finanziario, rimasti più a lungo legati a tecniche mercantili arretrate (ad esempio solo dal Cinquecento adottano la partita doppia) e alla figura del mercante singolo che si sposta personalmente e opera in proprio senza agenti, si trovano ad agire in condizione di inferiorità di fronte agli italiani.[13]

La presenza nei consolati italiani di alto profilo socio-economico di rappresentanti delle varie compagnie commerciali porta però a una sorta di concorrenza o di sovrapposizione tra i due istituti. Dovrebbero quindi meglio indagarsi i non sempre limpidi rapporti tra di loro, i margini di manovra e d'intervento dell'autorità consolare, tenendo conto che questi operatori internazionali si collocano comunque al vertice di una piramide dalla base piuttosto larga e composita. Pare farsi strada nel Cinquecento, ad esempio all'interno della nazione fiorentina a Londra come di quella genovese ad Anversa, quasi l'identificazione tra nazioni e società, definite talora anch'esse *domus* o case, persino anche tra console e direttore d'azienda: spesso più che singoli e sciolti operatori economici alla guida della nazione compaiono infatti direttori o agenti di importanti società. Dal tardo Medioevo le nazioni sembrano perdere la connotazione originaria di istituto destinato a radunare presenze temporanee di mercanti provenienti da una stessa località per trasformarsi in coagulo di uomini d'affari, senza tenere conto della temporaneità dei soggiorni, riservando però l'entratura solo a connazionali cospicui, con l'affermazione quindi di una chiara volontà di selezione che promana dal loro interno. Si parla anche di un'evoluzione dal «negozio» alla «negoziazione», perché le nazioni si integrano talora con i loro rappresentanti più qualificati con la diplomazia istituzionalizzata.[14]

Operare fuori patria

Le nazioni sono e rimangono un fenomeno urbanocentrico. Le città sono state il regno dei mercanti, il teatro delle loro attività, verso cui hanno convogliato materie prime, manodopera, danaro, abilità tecnico-professionale, diventando volano di modificazioni strutturali e contribuendo a modificare anche gli assetti politici e le gerarchie sociali.[15] Con la loro presenza hanno decretato il decollo e il fallimento di un polo economico, di una piazza mercantile o di un'area di fiera,

13. P. Jeannin, *I mercanti del Cinquecento*, Milano 1962; de Roover, *L'organizzazione del commercio*, cit., pp. 124-126.

14. J.-F. Genet, *Conclusion: négocier vers la constitution de normes*, in *Négocier en la etad media. Négocier au moyen âge*, a cura di M.T. Ferrer Mallol, J.-M. Moeglin, St. Péquignot e M. Sanchez Martínez, Barcelona 2005, in particolare p. 180.

15. G. Rossetti, *Le élites mercantili nell'Europa dei secoli XII-XVI: loro cultura e radicamento*, in *Dentro la città. Stranieri e realtà urbane nell'Europa dei secoli XII-XVI*, a cura di G. Rossetti, Napoli 1989, nuova ed. riv. 1999 (Quaderni dell'Europa mediterranea, 2); G. Ruffolo, *Quando l'Italia era una superpotenza. Il ferro di Roma e l'oro dei mercanti*, Torino 2004.

ovviamente sempre in presenza di situazioni ambientali favorevoli, stante l'interazione e l'interdipendenza tra strategie politiche e iniziative economiche. La toponomastica di molte città europee testimonia la loro presenza: dalla londinese *Lombard street* o dalla parigina rue des Lombards, alla bruggense piazza della Borsa, al Castello *de los Genoeses* a Malaga, per citare gli esempi più noti. Significativa è anche l'ascesa di Bruges dal Trecento, soppiantata poi da Anversa nel Cinquecento e a sua volta superata da Amsterdam alla fine del secolo, lo sviluppo di Lione che sostituisce Ginevra come città di fiera, lo scambio di ruoli tra Augusta e Norimberga o tra Besançon e Piacenza. E proprio questo scambio di sedi e di funzioni, in parte innescato dagli operatori economici italiani, favorisce la circolazione degli uomini e delle idee, di culture e di tecniche tra paesi mediterranei ed europei, che confluiscono nella comune civiltà europea sopranazionale.

Non si può negare che tra la diffusione delle nazioni italiane e il contemporaneo sviluppo economico europeo esistano rapporti di dipendenza assai complessi e difficili da enucleare, tali da superare la semplice relazione diretta di causa ed effetto. Spiegare questo nesso non casuale, questa correlazione, non è semplice, perché, oltre la carenza documentaria, bisogna considerare molteplici fattori estremamente complessi e cause di natura strumentale che interagiscono sull'economico, quali lo sviluppo della marineria, dell'armamento, degli strumenti nautici e l'adozione di imbarcazioni più capienti, o motivazioni politico-ideologiche, quali il fenomeno del fuoriuscitismo, il rifiuto o l'accoglienza dello straniero, la guerra dei Cent'anni o la Riforma religiosa, il protagonismo e la volontà d'imperialismo di principi e sovrani europei. Pur senza indicare una discriminante nello sviluppo delle vicende europee, pare che dal Trecento al pieno Cinquecento, fino ai tempi del concilio di Trento, verso circa il 1570 per indicare un lasso di tempo più ristretto, mentre il Rinascimento si evolve in tutta Europa verso forme culturali, religiose, politiche, sociali difformi, gli strumenti dell'attività economica, i procedimenti specifici degli uomini d'affari, la vita delle nazioni rimangano più stabili e non mutino di molto.[16]

Il settore in cui si sono maggiormente impegnati e specializzati gli italiani e le loro nazioni è quello del danaro, del credito, del prestito, del trasferimento di capitali, anche se i loro interessi si aprono talora alle arti, alle lettere e ad altri aspetti della vita quotidiana e il potere economico viene talora convertito in potere politico. Un particolare argomento di grande interesse, ripetutamente affrontato a livello storiografico, non solo dagli specialisti di storia economica, è stato quello del rapporto tra capitale privato e finanza pubblica, tra élites mercantili e bancarie italiane e pubblici poteri. La profonda compenetrazione tra mercato del credito gestito dagli italiani e finanza pubblica è uno dei fenomeni del

16. Su questa linea interpretativa cfr. A. Tenenti, *Il mercante e il banchiere*, in *L'uomo del Rinascimento*, a cura di E. Garin, Bari 1995, in particolare p. 207; G. Rossetti, *Uomini e storia*, in *Dentro la città*, cit.

Rinascimento meglio studiato: da un lato assicura la fortuna di parecchie nazioni italiane, dall'altro permette la realizzazione di grandi iniziative e di operazioni politiche attuate dai sovrani dell'epoca. Già dal tardo Duecento un po' ovunque la crescente pressione fiscale sui cittadini o sui sudditi non è più sufficiente a soddisfare le necessità finanziarie, a sostenere le politiche sempre più ambiziose dei sovrani, il costo delle guerre, l'alto tenore di vita, così che sempre più spesso si ricorre a entrate straordinarie, a prestiti forzosi, a mutui che diventano veri prestiti, o anche all'apertura di nuove fiere e di mercati per incrementare gli introiti fiscali. In passato i profitti derivanti dalla presenza dei mercanti stranieri, gli introiti di dazi e di balzelli imposti sulle merci e sul commercio, avevano reso i 'lombardi' e i mercanti forestieri preziosi serbatoi a cui attingevano i governanti. Ora però i crescenti compiti assunti dalle monarchie nazionali aumentano le spese non sostenute dalla crescente pressione fiscale, impongono di ricorrere al prestito internazionale, assicurato quasi esclusivamente dagli uomini d'affari italiani, perché i sovrani fanno «une grand consommation du crédit».[17]

Indubbi sono i nessi tra commerci, flussi di capitali e pubblici poteri, che talora in nome dei traffici innestano anche processi di adattamento istituzionale. Ad esempio nel Quattro e nel Cinquecento le nazioni italiane, approfittando delle difficoltà dei sovrani oberati da spese militari e in preda a una politica di *grandeur*, in cambio di prestiti riescono a ottenere una normativa più favorevole in materia di esazioni doganali e di libertà di commercio, che suscita però violente reazioni da parte dei ceti produttivi autoctoni. L'uso del credito ai principi implica rischi elevati, come avevano sperimentato con altri Bardi e Peruzzi all'inizio del Trecento in Inghilterra, per l'ambiguità e l'incertezza della politica economica regia, sempre oscillante tra una sorta di protezionismo contro i forestieri, quasi sempre sollecitato dall'elemento indigeno, e il rapido ritorno a una politica di accettazione e d'incoraggiamento dell'attività mercantile e bancaria. E proprio quest'altalenante politica economica, unita all'emergere di operatori economici locali, mette talora in difficoltà i mercanti forestieri e le nazioni nelle loro tradizionali attività mercantili e contribuisce a orientarli verso un settore più specialistico, il commercio e il prestito del danaro, che determina un mutamento nelle vocazioni degli uomini d'affari e diventa la loro arma vincente.

In genere la protezione, la benevolenza, la tolleranza, la connivenza dei pubblici poteri sembrano incrementare un po' ovunque la concessione di prestiti, in particolare nelle Fiandre, poste ai margini del grande conflitto tra la corona francese e inglese, dove i duchi di Borgogna, dal Quattrocento detentori della contea, aspirano a mettersi alla pari con le grandi potenze del tempo e a rivaleg-

17. G. Bigwood, *Le regime juridique et économique du commerce de l'argent dans la Belgique du Moyen Âge*, Bruxelles 1921; *Poteri economici e poteri politici secc. XIII-XVIII*, a cura di S. Cavaciocchi, Firenze 1999, Atti delle settimane di studi dell'Istituto internazionale di storia economica F. Datini di Prato, 30.

giare con le altre monarchie e dove le municipalità devono sottostare a pesanti imposizioni fiscali. Ad esempio nel 1397, quando Bruges viene tassata con oltre 18.000 nobili per contribuire al riscatto del figlio di Filippo II duca di Borgogna e conte di Fiandra, fatto prigioniero dai turchi a Nicopoli, il lucchese Filippo Rapondi, fratello del più celebre Dino, presta da solo 6000 'nobili' all'interesse variabile tra il 23 e il 38%, giustificato dal rischio della perdita della somma. Qualche anno dopo, nel 1402, un gruppo di mercanti, tra i quali si segnalano Dino Rapondi e il genovese Francesco da Passano, anticipano al duca 16.000 fiorini per pagare le sue milizie. E molti altri prestiti vengono contratti con genovesi e fiorentini.

Sembra che i duchi seguano la via tracciata dai precedenti conti di Fiandra, privilegiando singoli uomini d'affari stimati e influenti all'interno della loro nazione, che vengono innalzati a posti di responsabilità economica e politica e che fungono quasi da mediatori e da garanti nei confronti dei connazionali. Dal prestatore astigiano Simone di Mirabello, che all'inizio del Trecento diventa tesoriere delle Fiandre e conquista cariche e fortune, al lucchese Dino Rapondi, console della nazione lucchese nel 1383, che per oltre quarant'anni nel secondo Trecento offre danaro e servigi, diventando il principale consigliere del duca e riuscendo anche a persuadere taluni esponenti della nazione genovese a concedere prestiti alla corona, fino al fiorentino Tommaso Portinari, anche lui console della nazione fiorentina a Bruges, che nella seconda metà del Quattrocento gode di grande influenza alla corte borgognona, ammirato e invidiato per la sua rapida carriera, questi attivi e intraprendenti uomini d'affari, originari di diverse città e inseriti in altrettante nazioni, dal commercio del danaro si aprono alla politica, alla diplomazia, alle arti, imponendo nel ducato se stessi e la loro nazione, come dimostrano parate e cortei solenni dalla grande potenza evocativa.[18] Occorrerebbe meglio indagare su questa commistione tra finanza pubblica e nazioni e non solo su singoli individui, Simone di Mirabello, Dino Rapondi, Tommaso Portinari o Orazio Pallavicini, che attraggono spesso l'attenzione degli studiosi e che comunque più del console fungono da interlocutori e da mediatori tra i duchi e la loro comunità, assicurando a se stessi e a tutti i connazionali la momentanea preminenza su una piazza a scapito di altri.

Il sostegno economico alle iniziative dei potenti, i prestiti, diventano volano di modificazioni complesse che portano all'assunzione di nuovi ruoli, a processi di promozione sociale, alla valorizzazione dell'identità culturale originaria. All'esportazione di capitali e al controllo del mercato internazionale i mercanti-

18. Per una visione d'insieme su questi personaggi e sul loro modo di operare cfr. *Lucca e il mondo degli affari. Secoli XV-XVII*, a cura di R. Mazzei e T. Fanfani, Lucca 1990; P. Racine, *Les marchands italiens dans le royaume de France (XII-XIV siècle)*, in *Spazio urbano e organizzazione economica*, cit.; L. Galoppini, *«Nationes» toscane nelle Fiandre*, in *Comunità forestiere e nationes*, cit.; A. Vandewalle, *Les nations étrangères à Bruges*, in *Les marchands de la Hanse et la banque des Médicis. Bruges marché d'échanges culturels en Europe*, a cura di A. Vandewalle, Oostkamp 2002.

banchieri affiancano una nuova etica economica e un più generale coinvolgimento nella vita del tempo: in qualità di imprenditori, di committenti d'arte, di diplomatici e di funzionari al servizio non solo della madrepatria, ma di ogni principe a cui prestano i loro servigi, si propongono tra i maggiori protagonisti delle radicali trasformazioni in atto in Europa, come singole persone più che come nazioni. Queste vanno perdendo nel tempo la loro connotazione originaria, in conseguenza di fenomeni tipicamente rinascimentali, quali il trionfo della specializzazione e dell'individualismo: da un lato il mercante-banchiere, come viene qualificato l'antico operatore economico medievale, si concentra sempre più sull'attività di banca e nel settore del credito con sistemi contabili più sofisticati che permettono il trasferimento monetario senza bisogno di spostamenti personali; dall'altro l'esercizio del credito in favore dei detentori del potere colloca il banchiere in una zona protetta, lo pone in una posizione privilegiata, senza la necessità di trovare la protezione e il sostegno offerto dalla nazione agli operatori economici fuori patria, almeno fino a quando nel Sei-Settecento l'affermazione dello Stato, la statualità non ne attenua l'identità mercantile.

Ai margini dell'Europa

Le nazioni possono aprire uno spiraglio d'intelligibilità privilegiata sulle gerarchie e la modificazioni degli spazi, non solo economici, in ambito europeo: per questo più che generalizzare è opportuno fissare lo sguardo sulle singole realtà, nell'intento di delineare una sorta di geografia e di mappa di questo fenomeno. Si possono comunque indicare alcune linee di tendenza: innanzi tutto la presenza in aree ad alta densità demografica e a forte sviluppo economico, con una graduale estensione del loro ambito dall'area mediterranea a quella centro-nord europea, dal Sud verso il Nord, mentre in senso orizzontale si può parlare di una preminenza dell'Ovest rispetto all'Est, ovviamente guardando il fenomeno dalla penisola italiana. Condizionano la loro diffusione le opportunità economiche, rappresentate da fiere e mercati, e le politiche economiche di principi e sovrani che favoriscono o ritardano il riconoscimento delle comunità forestiere, al punto che per certe situazioni si è parlato di comunità o meglio di *natio* senza nazione, almeno fino al tardo Quattrocento.

Emblematica è la situazione inglese, Londra e Southampton in particolare, ove pure sono presenti già dalla fine del Duecento operatori economici, soprattutto toscani, impegnati nel commercio della lana o nell'attività di banco, perché precocemente i sovrani inglesi ricorrono ai loro servigi.[19] I primi ad affer-

19. D. Abulafia, *Cittadino e denizen: mercanti italiani a Southampton e Londra*, in *Sistema di rapporti ed élites economiche in Europa (sec. XII-XVIII)*, a cura di M. Del Treppo, Napoli 1994 (Quaderni dell'Europa mediterranea, 8); E. Basso, *Note sulla comunità genovese a Londra*

marsi sono i fiorentini, ma dopo la crisi dei Ricciardi, Bardi e Peruzzi emergono i genovesi, seguiti a loro volta dai veneziani. Per giustificare la mancanza di una qualche nazione italiana fino a metà del Quattrocento sono stati chiamati in causa la diffusa ostilità dei mercanti locali nei confronti degli stranieri che sfocia talora in cruente azioni di xenofobia, definiti movimenti *anti-alien*, il sistema di triangolazione Londra-città italiane-Bruges che penalizza il mercato inglese, l'accusa di drenaggio di risorse metalliche, i pregiudizi e i sospetti che ancora oltre il Cinquecento si nutrono nei confronti dell'attività bancaria svolta dagli italiani, gli antichi privilegi di cui godono gli anseatici, così che a lungo sono le varie nazioni italiane presenti a Bruges a farsi carico e tutelare gli interessi dei connazionali sul suolo isolano.

Si deve però guardare soprattutto all'ambiguità della disinvolta politica economica regia, alle ricorrenti imposizioni di *alien-subsidies* (tasse sugli stranieri) e alla ritrosia dei sovrani inglesi a concedere il diritto di nazione. Questi sembrano infatti praticare una strategia che concede protezione e larghi privilegi individuali alternativamente a operatori economici di diversa nazionalità, con l'intenzione quasi di suscitare una sorta di competizione e di concorrenza tra mercanti, cambiatori e prestatori di danaro, i quali acquistano talora lo *status* di *denizen* o residenti autorizzati.

La politica dei privilegi o delle concessioni a titolo personale, che reca indubbi vantaggi ai singoli e porta talora alla naturalizzazione, è decisamente contraria allo spirito comunitario che dà vita e anima le nazioni. Impedisce il coagulo, l'unione tra i connazionali, come ben intuiscono veneziani, genovesi, fiorentini e lucchesi che, pur divisi da feroci rivalità e da una diversa considerazione in ambito locale (i genovesi ad esempio paiono meglio tollerati dei veneziani e dei fiorentini), appena ottenuto il riconoscimento del consolato si coalizzano, danno vita a una sorta di cartello e manifestano un raro momento di solidarietà. Infatti il 22 giugno 1457 i rappresentanti delle quattro nazioni adottano una strategia comune per l'importazione, l'esportazione e la vendita delle merci e contro i provvedimenti restrittivi adottati nei loro confronti; inoltre dopo una violenta sommossa xenofoba minacciano di boicottare la piazza di Londra e di trasferirsi a Winchester. È questo uno dei primi e dei più significativi documenti in cui si parla di consoli, di massari e dell'esistenza di nazioni italiane a Londra.

Più che l'affermazione di una nazione i sovrani inglesi, forse sobillati dal-

nei secc. XIII-XVI, in *Comunità forestiere e nationes*, cit.; G. Nordio, *La colonia mercantile veneziana nella Londra di metà Quattrocento: attività commerciale e movimento anti-alien*, in *Politiche del credito. Investimenti, consumo, solidarietà*, a cura di G. Boschiero e B. Molina, Asti 2004 (Collana del Centro studi sui lombardi e il credito in Europa, 3); A. Nicolini, *Mercanti e fattori genovesi in Inghilterra nel Quattrocento*, «Atti della Società Ligure di storia patria», n.s., XLV (2005). Sempre valido A.A. Ruddock, *Italian Merchants and Shipping in Southampton, 1270-1600*, Southampton 1951.

le pressioni di taluni loro favoriti tra gli operatori economici italiani, paiono sostenere l'emergere di singoli individui: nel primo Trecento il genovese Antonio Pessagno, definito mercante regio, persona di fiducia dei sovrani, potente e influente a corte alla fine del Quattrocento; il connazionale Ambrogio Spinola, un finanziere attivo a Londra, protetto e impiegato da Enrico VIII anche in delicate operazioni diplomatiche; e alla fine del Cinquecento l'altrettanto celebre ser Orazio Pallavicini, finanziere, diplomatico e agente segreto al servizio di Elisabetta, definito «più cittadino d'Europa più che di qualsiasi altro paese» per il suo cosmopolitismo, per la molteplicità dei suoi interessi non solo economici. Le capacità commerciali e finanziarie di questi e di altri genovesi, che raramente allentano i vincoli con la madrepatria e con i congiunti attivi su altre piazze, ma che non disdegnano talora di accogliere nelle loro imprese anche elementi locali, favoriscono la loro affermazione sul suolo inglese, più incisiva e duratura di quella di altri italiani inseriti all'interno di solide compagnie. In ogni caso il rinnovato interesse per la presenza italiana nel Regno sembra ora poter colmare la scarsa attenzione e una perdurante carenza storiografica sulle nazioni italiane, a fronte «di studi su gruppi di mercanti stranieri, quali i castigliani e i ragusei, in tutta l'Inghilterra» lamentata da Abulafia.[20] Il caso inglese pare dimostrare che, pur in presenza di concessioni e di privilegi individuali o collettivi, non si può parlare automaticamente di nazione, sino a quando non sia esplicitamente attestata la presenza di un console.

Diversa è la situazione nella Germania meridionale, ove le nazioni italiane non riescono ad affermarsi, nonostante la massiccia presenza di tedeschi in Italia, a Venezia per esempio, ove dal loro fondaco rigidamente controllato dalla Serenissima commerciano con l'Oriente, e nonostante gli stretti rapporti instaurati tra i Fugger di Augusta e i banchieri genovesi, mediatori nel trasferimento di danari tra la Spagna e Augusta nell'età di Carlo V. Un'esigua documentazione, che privilegia soprattutto la presenza in quest'area dei 'lombardi', i tanto vituperati prestatori di danaro provenienti soprattutto dal Piemonte, riguarda individui isolati, non compagnie o nazioni, forse per la presenza di grosse compagnie locali, come la *Magna societas* di Ravensburg o Grosse Ravensburger Gesellschaft attiva tra il 1380 e il 1530, o per la scarsa tutela giuridica riservata ai forestieri e alle merci, o ancora per le limitazioni frapposte all'esercizio delle loro attività, oltre che per le ricorrenti crisi politiche; in conclusione, per la mancanza di quei presupposti ambientali e di quella convergenza di volontà politiche che presiedono alla costituzione della nazione.[21]

20. Abulafia, *Cittadino e denizen*, cit., p. 274.

21. F. Braudel, *I giochi dello scambio*, in *Civiltà materiale, economia e capitalismo (secoli XV-XVIII)*, Torino 1981, II, pp. 419-424; H. Kellenbenz, *Le élites a Ratisbona, Norimberga e Augusta nel tardo medioevo e nella prima età moderna*, in *Sistema di rapporti*, cit.

Le scarse menzioni nei libri o trattati di mercatura del tempo su italiani presenti nella *Magna* testimonia che questo spazio economico è poco congeniale alle loro attività mercantili o finanziarie, talora espletate dai mercanti anseatici. A fronte «della relativa importanza che il commercio con l'Europa centrale e orientale aveva per gli operatori economici fiorentini» e di «una precedente scarsa presenza di operatori economici italiani sulle piazze commerciali tedesche, ad eccezione forse di Colonia», dalla seconda metà del secolo XVI, dopo l'esplosione delle lotte dinastico-religiose in Francia e dopo la crisi di Anversa, si registra un deciso intervento degli italiani nella vita dell'Europa orientale e le nuove fiere tedesche di una certa importanza, Norimberga, Augusta e soprattutto Lipsia, richiamano gli italiani. I fiorentini in particolare, con in testa i Torrigiani, si portano a Norimberga per spostarsi successivamente a Cracovia e in Polonia nella seconda metà del Seicento, grazie al favore che gli ultimi Jagelloni elargivano loro; si installano in altri centri della Polonia, mirano in particolare alla cittadinanza di Cracovia, danno la scalata alle cariche pubbliche e per un secolo costituiscono il patriziato locale.[22] Nell'attuale panorama degli studi sarebbero auspicabili ulteriori indagini sulle strategie e gli strumenti adottati dagli italiani per imporre la propria cultura, comunque sempre rispettosa delle tradizioni locali.

106

I luoghi di mercato

Le *nationes* assecondano e tengono dietro al trend economico europeo e il loro reticolato permette quasi di seguire e di tracciare una mappa del sistema economico del tempo. Ad esempio è innegabile l'attrazione esercitata dai luoghi di fiera, dai centri in cui esiste un raduno periodico di mercanti organizzato e tutelato. Alle quattro fiere di Champagne, le più celebri fino al secolo XIII insieme a quelle fiamminghe meno internazionali, si contano oltre una quindicina di nazioni italiane. In proposito la bibliografia è sterminata, ma riserva pochi e rari cenni alla nazioni presenti sui luoghi di fiera.[23] Non esiste tra gli studiosi concordanza d'opinione o una sola tesi atta a giustificare la decadenza delle fiere di Champagne a cui nel Trecento succede più a sud Ginevra, una libera città-stato, retta da un vescovo principe, ma di fatto controllata dalla casa di Savoia, al cen-

8, 9

22. B. Dini, *L'economia fiorentina e l'Europa centro-orientale nelle fonti toscane*, in Id., *Saggi su una economia mondo. Firenze e l'Italia tra Mediterraneo e Europa (sec.* XIII-XVI*)*, Pisa 1955, p. 276; R. Mazzei, Itinera mercatorum. *Circolazione di uomini e di beni nell'Europa centro-orientale, 1550-1650*, Lucca 1999, p. 19.

23. Tra i molti contributi: J.-F. Berger, *Genève et l'économie européenne de la Renaissance*, Paris 1963; M. Cassandro, *Le fiere di Lione e gli uomini d'affari italiani nel Cinquecento*, Firenze 1979; *Fiere e mercati nell'integrazione delle economie europee*, a cura di S. Cavaciocchi, Firenze 2001 (Atti della settimana di studio dell'istituto internazionale F. Datini di Prato, 32); *La pratica dello scambio. Sistemi di fiere, mercati e città in Europa (1400-1700)*, a cura di P. Lanaro, Venezia 2003.

tro di aree produttive soprattutto manifatturiere, situata lungo il corso del Rodano, l'importante via fluviale navigabile nel cuore dell'Europa. Per la sua felice ubicazione e per le larghe concessioni governative, le quattro fiere che si tengono nella città del Lemano raccolgono in un certo senso l'eredità di quelle di Champagne e raggiungono il massimo rigoglio nel Quattrocento, assolvendo alla funzione di «stanza di compensazione di debiti e di crediti di tutta l'Europa».[24]

Gli italiani, che paiono trascurare le contemporanee fiere di Chalon-sur-Saône perché la località non diventa una vera piazza finanziaria su cui circola il danaro, si spostano su Ginevra ove costituiscono le loro nazioni. Come numero sembrano prevalere milanesi e lombardi, ma dal primo Quattrocento si impongono soprattutto i toscani e la compagnia dei Medici, con una ben organizzata *natio*, che dispone anche di una propria cappella. I componenti delle nazioni italiane, costituite in prevalenza dalle élites internazionali o dagli esponenti di grandi compagnie commerciali, vivacizzano il mercato commerciale e finanziario e utilizzano anche personale locale per esplicare le loro attività, dando così incremento alle attività praticate dagli indigeni. È però difficile stabilire se queste nazioni, numericamente inferiori rispetto a quelle francesi e tedesche, abbiano lasciato un segno duraturo nella città e nella vita ginevrina. È certamente forte il loro ruolo nel mercato del danaro e nei maneggi finanziari, costante la tendenza a favorire il perfezionamento delle tecniche mercantili, lo sviluppo delle *halles* e di nuovi quartieri che accolgono una popolazione in crescita. Ma l'andamento pulsante delle fiere non rende lunga e costante la loro presenza, nemmeno dei fiorentini che pure inseriscono all'interno della nazione per oltre quaranta anni importanti direttori della compagnia Medici. Solo dalla seconda metà del Quattrocento si assiste, anche per motivi religiosi e politici, a soggiorni più prolungati e a fenomeni di radicamento, soprattutto da parte dei lucchesi, che danno un impulso decisivo alla sviluppo dell'industria serica locale.

86

Un po' diversa è la situazione di Lione, altro centro di fiera che decolla dalla seconda metà del Quattrocento in gara con Ginevra, soprattutto per le strategie politiche e il sostegno del re di Francia: le nazioni italiane, attirate dai larghi privilegi reali, ritenendo questa piazza più favorevole ai loro interessi, abbandonano Ginevra e convergono sulla città francese ben collocata sulle vie di comunicazione. La prima a muoversi sembra essere stata la nazione fiorentina che nel 1466 si trasferisce a Lione. Si dota di statuti che sono in definitiva gli stessi che l'avevano regolata a Ginevra, gode di largo credito, diventa la comunità finanziariamente più potente e fa sempre bella mostra di sé con i suoi aderenti riccamente addobbati in occasione di cortei o di entrate reali. Sulla sua scia lucchesi, genovesi, milanesi, veneziani si organizzano a Lione, così che nel cor-

24. R. Gascon, *Grand commerce et vie urbane. Lyon et ses marchands (environs de 1520, environs de 1580)*, Paris 1971.

so del Cinquecento le nazioni italiane arrivano a dominare il commercio d'importazione e il trasferimento dei capitali, anche per la presenza al loro interno di operatori economici di spicco in qualità di rappresentanti di importanti società su piazza: Sassetti, Portinari, Martelli, Frescobaldi, Guadagni, Capponi, Strozzi tra i fiorentini, Bonvisi e Bernardi tra i lucchesi, Grimaldi, Spinola, Sauli tra i genovesi, Beaqua, Panigarola, Lampugnano tra i milanesi, che sono gli ultimi ad arrivare.

Sembra essersi instaurata a Lione tra le nazioni italiane una sorta di pacifica coesistenza, di gerarchia e di divisione degli spazi operativi: fiorentini e lucchesi si muovono in prevalenza nel mondo degli affari commerciali e bancari, mentre i milanesi, e in parte i genovesi, si dedicano soprattutto al commercio di beni di lusso e di prodotti di alto valore, sempre presenti nei mercati fieristici. Gli italiani pongono le basi del grande sviluppo della mercatura in Francia soprattutto dopo il fastoso ingresso in città di Enrico II, avvenuto nel 1548, e il suo forte sostegno allo sviluppo di Lione. E già all'inizio del secolo il canonico Antonio de Beatis, al seguito del cardinale Luigi d'Aragona, aveva definito Lione «la più bella villa di Franza», popolata da mercanti «de ogni natione», soprattutto da italiani.[25]

Gli italiani hanno fatto di Lione il cuore finanziario dell'Europa, il centro internazionale dell'attività cambiaria, perché gli affari svolti dagli operatori economici all'interno delle nazioni sorte in quasi tutto il continente possono avere qui la loro conclusione. Ad esempio proprio attraverso operazioni bancarie effettuate a Lione vengono finanziati sia il primo viaggio di Giovanni da Empoli verso l'India, sia il viaggio di Giovanni da Verrazzano verso le Americhe, così che a ragione si è parlato di un ruolo primario sostenuto dall'organizzazione finanziaria degli italiani nella scoperta del nuovo mondo, non solo sul suolo iberico. Nel Cinquecento la presenza italiana è massiccia, predominante su quella degli altri forestieri: per il forte spirito di coesione, il sentimento di appartenenza, il senso della propria identità, la capacità evocativa, le varie nazioni non vengono indebolite nemmeno dalla naturalizzazione a cui talora i componenti ricorrono per motivi d'interesse e «a Lione ... e forse anche altrove, restano sostanzialmente delle isole, bagnate per così dire dallo stesso mare».[26]

Si dovrebbero conoscere meglio i motivi della loro tenuta su questo mercato internazionale. Gli italiani infatti si segnalano per doti personali, fiuto e senso degli affari, capacità di inserimento politico-economico, per il loro modo di operare e di vivere, per una sorta di abito mentale, per la costruzione di un

25. A. Castel, *Luigi d'Aragona. Un cardinale del Rinascimento in viaggio per l'Europa*, Roma-Bari 1987, pp. 247-248.

26. M. Cassandro, *I forestieri a Lione nel '400 e '500: la nazione fiorentina*, in *Dentro la città*, cit.; Id., *Le élites internazionali a Ginevra e Lione nei secoli XV-XVI*, in *Sistema di rapporti*, cit., p. 246.

sistema operativo dai contenuti e dai risvolti quasi perfetti, che portano in particolare le nazioni fiorentina e lucchese, che sono le meglio conosciute, ad assumere un ruolo di predomino a Lione e a imporre il loro modello di nazione per tutto il Cinquecento, fino a quando le drammatiche vicende politiche e religiose e la conversione dell'economia non inducono le compagnie e le nazioni ad abbandonare la città. Anche i fiorentini, che costituiscono la nazione più numerosa, vengono gravemente penalizzati, al punto che a metà del Seicento non si trovano qui soggetti capaci di potere «esercitare la carica di consolo della nazione».[27] Nonostante la parziale tenuta dei genovesi ancora nel Seicento, il venir meno della loro spinta propulsiva al mondo degli affari accelera il declino di queste fiere, sottolineando ancora una volta la convertibilità e le flessibilità tipiche degli italiani, l'adozione di scelte operative che concorrono al declino o al successo di una piazza commerciale.

Le nazioni italiane hanno contribuito a potenziare e a selezionare i centri di fiera europei che poi progrediscono quasi per forza d'inerzia. Ne sono stati i dominatori incontrastati e hanno fatto da tramite tra le fiere medievali e quelle rinascimentali, tra mercatura e cambio, accentuando la diversificazione tra l'attività mercantile, precipua delle prime fiere, e l'attività di cambio che si impone nell'Età moderna a Ginevra, a Lione, a Medina del Campo, a Besançon, a Piacenza. Il modo di pensare e di agire, le strategie operative, l'internazionalità delle loro operazioni, lo scambio interculturale, si vanno affinando nel tempo, ma sembra legittimo parlare di perfezionamento più che di innovazione di strumenti operativi e di mentalità imprenditoriale. Sempre attenti agli eventi politici, ai fenomeni religiosi, ai mutamenti di mentalità, ai consumi, con una nitida visione della congiuntura economica, in ogni caso hanno dettato i ritmi dell'economia europea.

I luoghi del primato

Particolare attenzione meritano le Fiandre e in particolare Bruges, ove le nazioni hanno lasciato le tracce più cospicue della loro presenza, a cominciare dal libro della nazione lucchese, che è il più antico e prezioso documento su di loro. Già dal secolo XIII Bruges si è imposta come luogo di mercato per tedeschi e anseatici, tuttavia la sua trasformazione in «capo camera di mercanzie» e la sua integrazione nel sistema economico mediterraneo iniziano verso la fine del Duecento, dopo la crisi delle fiere di Champagne e l'apertura nel 1277 della rotta atlantica verso l'Inghilterra e le Fiandre effettuata dai genovesi, subito seguiti da

27. La citazione è tratta da Mazzei, Itinera mercatorum. *Circolazione di uomini e beni*, cit., p. 7.

altri operatori economici italiani. Inizia così la fortuna di Bruges a scapito di Anversa, già sede di fiera e pur frequentata da taluni mercanti italiani, come attesta Francesco Balducci Pegolotti che, al servizio dei Bardi, proprio ad Anversa redige nel 1315 il suo celebre manuale di mercatura.[28] Intorno alla metà del Trecento veneziani, genovesi, lucchesi, fiorentini, probabilmente in questa successione, ottengono l'autorizzazione a costituirsi in nazione, un fenomeno questo generalizzato che coinvolge nello stesso lasso di tempo altre comunità straniere, catalani, inglesi, portoghesi, evidentemente per le buone prospettive di mercato e per le agevolazioni concesse dalle autorità centrali e periferiche della contea di Fiandra, annessa all'inizio del secolo successivo al ducato di Borgogna. Si realizza così su questa piazza, apparentemente decentrata, un vivace interscambio tra il mondo mediterraneo, l'Oriente greco e arabo e l'area germanico-anseatica, con un grosso giro d'affari gestito e controllato dagli uomini d'affari stranieri più che dagli indigeni.

In particolare gli italiani, coagulati nelle loro nazioni, fanno di questa città il crocevia e la cerniera tra queste aree di circolazione economica, trasformano Bruges nel più grande mercato europeo del Tre-Quattrocento in virtù delle tecniche d'avanguardia di cui sono in possesso. Lettera di cambio, contabilità a partita doppia, assicurazione marittima, efficace *know-how*, rapidi sistemi informativi sull'andamento dei mercati, sono questi gli strumenti e i tratti distintivi di un vero e proprio modello di penetrazione economica, del proporsi come mercanti-banchieri di successo, abili e pronti a trasformare il capitale mercantile in capitale finanziario da mettere a disposizione per operazioni redditizie al servizio di chi necessita di danaro. Nelle Fiandre più che altrove si possono cogliere questi elementi innovativi, questa cultura in cui la capacità di fare e di attrarre danaro, di incrementare consumi di lusso produce un forte impatto sulla domanda, sul mercato, sulla mentalità e consente alle nazioni di esercitare un forte controllo sulla circolazione delle merci, del danaro, degli uomini.

Emblematico è l'articolo di uno statuto della *natio* lucchese che concede l'esercizio dell'attività mercantile-finanziaria a Bruges esclusivamente ai lucchesi inseriti nella stessa, escludendo di fatto tutti gli altri connazionali presenti in città. Per un altro verso si può ricordare la concessione a titolo gratuito da parte della municipalità di Bruges a due mercanti genovesi, che si sono distinti per i generosi prestiti elargiti agli scabini, di un terreno su cui erigere la loggia della nazione, che finisce per diventare polo di attrazione per tutti gli altri operatori economici e trasformare la località, come si vedrà più avanti, in piazza della borsa. Eloquente è anche il privilegio del 1468 di Carlo il Temerario, duca di

28. R. de Roover, *Money, Banking and Credit in Mediaeval Bruges. Italian Merchand-Bankers, Lombards and Money-Changers. A Study in the Origins of Banking*, Cambridge (Mass.) 1948; J.A. Van Houtte, *L'attività delle élites meridionali nei grandi centri dei Paesi Bassi tra il XIII e il XVI secolo*, in *Sistema di rapporti*, cit.; G. Petti Balbi, *Mercanti e nationes nelle Fiandre: i genovesi in età bassomedievale*, Pisa 1996 (Piccola Biblioteca Gisem, 7).

Borgogna, che proibisce per venticinque anni la circolazione nei suoi domini di allume non cristiano su pressione di Tommaso Portinari, nell'intento di favorire la compagnia Medici, azionista delle allumiere di Tolfa, e mettere in crisi la nazione genovese, che sino ad allora importava l'allume da Chio e ne deteneva il monopolio in Occidente.[29]

A differenza dei membri delle altre nazioni che in genere soggiornano presso albergatori o privati, gli italiani si dotano di abitazioni e soprattutto di sedi proprie in cui trattare gli affari, introducendo così vistose trasformazioni nel paesaggio urbano e nella vita della città, perché la loro presenza, anche se non numerosa, costringe le autorità a concedere o a creare infrastrutture adeguate per la loro accoglienza, come mercati coperti, alberghi, logge, almeno fino all'inizio del Cinquecento, quando le vicende politiche della regione, la contrastata successione a Carlo il Temerario, la ribellione di Gand e di Bruges, le misure repressive di Massimiliano d'Austria, più che l'insabbiamento del porto, consigliano l'esodo degli italiani, determinando il declino di Bruges, relegata a livello di mercato regionale, in favore di Anversa.

89

Nel Cinquecento la città sull'Escaut si afferma come nuovo polo di mercato internazionale in sintonia con il graduale spostamento delle attività economiche anche atlantiche verso Est, al punto che, in conseguenza dell'apertura della Nuova Borsa nel 1531, un anonimo mercante milanese osserva all'inizio del secolo che vi sono costruite «più de case 800 nuove».[30] Qui primeggia la nazione genovese e i suoi statuti, approvati dalla madrepatria nel 1536, offrono un'eloquente chiave di lettura dell'assetto tipicamente aristocratico-mercantile della stessa, in conseguenza anche dei mutamenti politici intervenuti in patria, dall'avvento al potere di Andrea Doria alla riforma nobiliare e alla conversione della città nell'orbita spagnola. I membri della nazione devono appartenere un albergo nobiliare e risiedere da un anno ad Anversa: il termine residenza ha comunque significato improprio e deve intendersi come presenza temporanea presente. Pochi genovesi infatti appaiono attratti dal privilegio di borghesia e rimangono invece legati al «dogma familiare» che caratterizza ovunque le loro nazioni e il sistema Genova.[31] Dalla metà del secolo XVI la nazione più importante ad Anversa diventa quella spagnola, per ovvi motivi legati all'integrazione dei Paesi Bassi alla monarchia spagnola, ma i genovesi li seguono a ruota e con le loro strategie operative triangolari su Anversa-Medina del Campo-Besançon mantengono le posizioni in virtù del ruolo di banchieri di Carlo V e di Filippo II, fino a

88

29. M. Boone, *Apologie d'un banquier médiéval: Tommaso Portinari e l'Etat bourguignon*, «Le Moyen Âge», CV (1999).

30. *Un mercante di Milano in Europa. Diario di viaggio del primo Cinquecento*, a cura di L. Monga, Milano 1985, p. 75.

31. G. Doria, *Conoscenza del mercato e del sistema informativo: il know-how dei mercanti finanzieri genovesi nei secoli XVI e XVII*, in *La Repubblica internazionale del denaro tra XV e XVII secolo*, a cura di A. De Maddalena e H. Kellenbenz, Bologna 1986, ora anche in Id., *Nobiltà e investimenti a Genova in età moderna*, Genova 1995.

quando la rivolta dei Paesi Bassi contro la Spagna a partire dal 1572 non segna la fine di questa piazza a favore di Colonia e di Amsterdam, quest'ultima diventata nel Sei e Settecento «le magazin de l'univers», ove agisce la potente Compagnia delle Indie orientali.[32]

Parlando di genovesi il pensiero corre all'occidente europeo, alla Spagna e a Siviglia in particolare, la città di frontiera ove da tempo la nazione genovese detiene il controllo commerciale e finanziario in virtù degli aiuti militari ed economici offerti prima al regno di Castiglia nella lotta contro gli infedeli e la corona d'Aragona e successivamente alla monarchia di Castiglia-Aragona nell'ultima fase della Reconquista e nell'impresa del Nuovo Mondo. È rimasto il libro dei privilegi della nazione costituito dalla stratificazione di circa 55 documenti, che copre il periodo 1251-1508. Guidata non da uno, ma da due consoli genovesi proprio per l'importanza e il numero degli aderenti, dispone di un proprio notaio, ovviamente genovese, svolge una sorta di coordinamento degli altri consolati situati nel sud dell'Andalusia e controlla tutto il movimento mercantile verso l'Atlantico, come si evince dalle frequenti missive inviate dalla madrepatria, che costituiscono un vero e proprio patrimonio di sapere e di suggerimenti politico-diplomatici.

Diventati banchieri e finanziatori dei re cattolici, i genovesi impongono su questa piazza, diventata con Lisbona centro del commercio con le colonie americane, il loro modello di nazione, fondata su gruppi familiari, resa compatta da fitte interrelazioni con la madrepatria e con parenti attivi altrove, caratterizzata da una solida strategia di base, in grado di elaborare a seconda delle circostanze percorsi e soluzioni vincenti. A ragione un ambasciatore veneziano in Francia osserva con preoccupazione all'inizio del Cinquecento che «un terzo di Genova è in Spagna» dove stanno «trecento case di genovesi», compendiando in questo sintetico giudizio i motivi della debolezza interna della Repubblica, abbandonata per lunghi soggiorni all'estero dagli esponenti più qualificati di questa aristocrazia del danaro che condiziona dal di fuori la vita cittadina, imponendo scelte politiche consone ai propri interessi economici.[33] Non si deve neppure dimenticare che i genovesi disponevano nel regno nazarita di Granada di un proprio consolato a Malaga, sorto quindi *in partibus infidelium*, che continuava a fungere da tramite non solo commerciale con il mondo mussulmano del Maghreb e con i consolati di Tunisi e di Alessandria d'Egitto, al punto che si è parlato di un loro stato commerciale all'interno della penisola spagnola.

32. Sempre valido in proposito J.A. Goris, *Étude sur les colonies marchandes méridionales (Portugais, Espagnols, Italiens) à Anvers de 1488 à 1567*, Louvain 1925.

33. E. Otte, *Il ruolo dei genovesi nella Spagna del XV e XVI secolo*, in *La Repubblica internazionale del danaro*, cit.; F. Ruiz Martín, *La banca genovese en España durante el siglo XVII*, in *Banchi pubblici, banchi privati e monti di pietà nell'Europa preindustriale*, «Atti della Società Ligure di storia patria», n.s., XXXI (1991). La citazione è tratta da Doria, *Conoscenza del mercato*, cit., p. 134.

In conclusione pare di poter affermare che fino quasi a metà del Seicento genovesi e fiorentini dominano i commerci, i cambi, la finanza europea e che le loro due nazioni si affermano e si contendono la supremazia dalla Spagna alle Fiandre, dalla Germania all'Inghilterra, scarsamente interessate a sfruttare le rotte transoceaniche. Favoriscono un'ampia circolazione di uomini, di tecniche, di saperi, di metodi organizzativi. Il patrimonio comune, la vasta rete di informazioni, di rapporti personali, la genialità, la rapidità nell'affrontare i problemi e predisporre soluzioni adeguate impongono gli italiani e assicurano loro un posto privilegiato nel gioco degli scambi.[34]

Cultura e autorappresentazione

Il termine cultura inteso nella sua accezione più ampia, non solo lingua e istruzione, ma modo di porgersi, coscienza di sé, messaggio, ben si adatta alle nazioni italiane. I loro aderenti, uomini d'affari, abili, istruiti, esperti, esportano i loro saperi e i loro metodi operativi; impongono mentalità e pratiche mercantili e imprenditoriali nuove e spregiudicate, ma conservano come elemento distintivo il latino e talora il volgare e lo rendono familiare ad altre persone con cui entrano in contatto; rimangono ancorati allo scritto e alla formalizzazione delle trattative economiche e alla validità giuridica dei negozi, ricorrendo a notai della stessa patria o comunque italiani, che seguono gli *itinera mercatorum*. All'estero questi professionisti del diritto non si limitano ad agire per i membri della nazione nella rispettiva loggia, ma rogano per una clientela eterogenea, indigena o forestiera, e per le stesse autorità. Nelle Fiandre, e a Bruges in particolare, sono da attribuirsi all'attività dei notai italiani al seguito degli operatori economici e delle nazioni l'affermazione e lo sviluppo del notariato latino a scapito del diritto consuetudinario vigente.[35]

La cultura delle nazioni rimane una cultura essenzialmente pragmatica, empirica e cosmopolita, forgiata su esperienze diversificate, su una vasta rete di referenti, con il costante ricorso a un sistema informativo integrato e con un continuo arricchimento delle conoscenze utili all'agire non solo economico; è una cultura in movimento o *in fieri* che fa interagire le proprie tradizioni con i costumi dei paesi ospitanti. Gli statuti delle nazioni insistono sull'osservanza dei capi-

34. Oltre alle opere citate in precedenza, si ricordano almeno Y. Renouard, *Les hommes d'affaires italiens au Moyen Âge*, Paris 1968, trad. it. *Gli uomini d'affari italiani del medioevo*, Milano 1973; i saggi contenuti in *La Repubblica internazionale del danaro*, cit.; F. Melis, *I mercanti italiani nell'Europa medievale e rinascimentale*, a cura di L. Frangioni, Firenze 1990; D. Igual Luís, *La emigración genovesa hacia el Mediterráneo bajomedieval. Algunas reflexiones a partir del caso español*, in *Genova. Una porta del Mediterraneo*, a cura di L. Gallinari, Genova 2005.

35. J.M. Murray, *Notarial Instruments in Flanders between 1280 and 1452*, Bruxelles 1995.

toli, l'obbedienza al console, il reciproco rispetto, la solidarietà tra i connazionali, con l'intento di mantenere saldi i legami con la madrepatria e omogenee la loro identità e la loro cultura. Nel prosieguo del tempo le nazioni elaborano anche un nucleo di regole di disciplinamento sociale e una sorta di codice deontologico attento a ogni dimensione dell'agire, puntano sulle qualità morali, sulla fama e sul buon nome, preoccupate di comportamenti e di stili di vita che possano qualificare la comunità e assicurane una positiva visibilità esterna. Del resto gli uomini d'affari trattano direttamente con principi e sovrani, familiarizzano con le élites politiche ed economiche locali, conducono non più una vita «da chani», come Francesco Datini definiva la vita del mercante,[36] ma una vita di fasto e di magnificenza, che ha però alti costi e porta talora dalla magnificenza alla rovina.

In questo contesto le nazioni sviluppano anche iniziative assistenziali e caritative in favore di connazionali meno abbienti o caduti in disgrazia, artigiani, soldati mercenari, girovaghi che costituiscono i 'poveri' della nazione. Anche i mercanti-banchieri sono partecipi della carità e della pietà collettiva che pervade gli uomini del tempo: utilizzano il fondo comune non solo per operazioni di prestigio e di potenza, ma per forme di assistenza, che portano in taluni casi a generose elargizioni per case e ospedali, svolgendo quasi compiti precipui delle confraternite. La vocazione assistenziale maturata all'interno delle nazioni, che già in età medievale le aveva assimilate in talune città della Penisola alle confraternite, è un tema ancora scarsamente indagato che merita un'attenzione maggiore di quella che finora le è stato riservato, perché talora anche all'estero le confraternite nascono per volontà di questa oligarchia mercantile.[37]

La visibilità, l'apparire, è uno dei punti cardine del programma e dello stile di vita delle nazioni: tutto, abbigliamento, moralità, comportamenti, programmi edilizi, serve a rafforzare l'identità d'origine, a ricordare la patria lontana, il particolarismo politico italiano; tutto è funzionale all'ideologia di potere, alla magnificenza, all'immagine dell'uomo di successo, alla competizione e alla gerarchia tra le stesse nazioni, in sintonia quasi con le teorie mercantilistiche del tempo che teorizzano come vero fine dello stato e della vita umana l'arricchimento dei cittadini. Utili a questo scopo paiono soprattutto le parate solenni davanti ai potenti e alla cittadinanza: non bastano abiti suntuosi, gioielli, perle, pellicce, ricche bardature per i cavalli, presenze numerose e qualificate; occorrono segni e manifestazioni più incisive e immediate, di cui sembrano maestri soprattutto fiorentini e genovesi a Lione, a Bruges, ad Anversa. Del resto cortei ed en-

36. I. Origo, *Il mercante di Prato*, Milano 1987. Per la ricostruzione del dibattito storiografico e per le attuali linee di tendenza, F. Franceschi, L. Molà, *L'economia del Rinascimento: dalle teorie della crisi alla 'preistoria del consumo'*, in *Il Rinascimento italiano e l'Europa*, I, *Storia e storiografia*, a cura di M. Fantoni, Treviso-Costabissara (Vicenza) 2005.

37. Renouard, *Gli uomini d'affari*, cit., pp. 247-252; R.C. Mueller, *Mercanti e imprenditori fiorentini a Venezia nel tardo medioevo*, «Società e Storia», XV (1992).

trate solenni sono tra le manifestazioni meglio conosciute del fasto principesco e in consonanza con questo clima si manifestano le più grandiose operazioni culturali di cui sono portatrici le nazioni.

Eccezionale in merito è la situazione delle nazioni italiane nelle Fiandre. Nel 1469, in occasione dei festeggiamenti a Bruges per le nozze tra Carlo il Temerario e Margherita di York, quando tutte le nazioni forestiere sfilano di fronte agli sposi, quella genovese ricorre a un sorta di allegoria vivente con una ragazza a cavallo, che raffigura la principessa liberata dal drago, seguita da un cavaliere armato di tutto punto in sella a un cavallo coperto da una gualdrappa di damasco bianco con effigiata una croce rossa, che rappresenta san Giorgio. È questo un messaggio, un segno parlante, allusivo all'identità genovese, al simbolo crociato presente nel vessillo del Comune, a san Giorgio, il protettore delle milizie genovesi, raffigurato nel sigillo della nazione di Bruges e nell'architrave della loro loggia, oltre che in molti portali della città ligure. Nel 1549 la nazione di Anversa fa erigere per l'entrata del futuro Filippo II un arco di trionfo che suscita l'ammirazione di tutti gli astanti e viene ricordato in parecchi testi per la sua concezione e la ricchezza del programma iconografico, una sorta di allegoria cosmica in cui, insieme con Giano, il mitico fondatore di Genova, e una figura femminile allusiva alla città stessa, compaiono mostri marini, divinità, giganti, oltre le imprese del destinatario illustre e del padre Carlo V. Ma anche la nazione fiorentina a Lione aveva strabiliato in occasione della visita alla città di Francesco I: era infatti ricorsa all'ingegno del grande Leonardo, che aveva costruito un leone meccanico che si era avvicinato in atteggiamento minaccioso al sovrano.

Segni visibili e duraturi delle nazioni sono le loro logge o *domus*, le sedi di rappresentanza, il luogo di riunione dei connazionali, talora la residenza del console, anche queste ben conosciute soprattutto a Bruges. Qui nel 1394 i lucchesi acquistano un'abitazione, intorno al 1397 i veneziani avevano preso in affitto la casa della famiglia Van der Beurse e nel 1399 i genovesi ottengono in dono dagli scabini un terreno su cui costruire *ex novo* la loro loggia: tutte queste operazioni avvengono nella zona nord della città e gli stabili si affacciano su di una piazza che sarà chiamata Beursplein o piazza degli affari, ove agli inizi del Quattrocento anche i fiorentini pongono la loro sede di rappresentanza. In virtù dell'appropriazione dello spazio urbano e di questa scelta insediativa, favorita dalla municipalità forse per decongestionare il centro e la piazza del mercato, la Beursplein, su cui si affacciano le logge delle nazioni, diventa il nuovo polo economico e finanziario della città, una delle sue meraviglie, come la definisce ancora nel secolo XVI Ludovico Guicciardini, e costituisce il prototipo della moderna Borsa, il centro finanziario internazionale aperto ad Anversa nel 1532 e successivamente trasferito ad Amsterdam.[38]

38. G. Petti Balbi, *Spazio urbano e presenza genovese a Bruges*, in *Spazio urbano e organizzazione economica*, cit.; E. Parma, *Rapporti artistici tra Genova e le Fiandre nei secoli XV e XVI*,

Di queste logge è oggi superstite e visibile, nonostante le varie trasformazioni d'uso subite nel tempo, quella dei genovesi, la cosiddetta Saaihalle, ampliata nel 1441 con l'acquisto di una casa vicina adibita ad abitazione del console. L'edificio imponente, affidato soprattutto alle incisioni contenute nella *Flandria illustrata* di Antonio Sanderus (1586-1664), è il luogo della memoria, il segno della ricchezza e del prestigio della nazione, il mezzo per relazionarsi con la società bruggense: si dovrebbero meglio conoscere l'eventuale collaborazione con le maestranze locali, il trasferimento di cognizioni tecniche, i messaggi trasmessi da taluni stemmi araldici ancora non ben identificati, puntando soprattutto sulla cultura materiale e l'aspetto artistico. Simile indagine andrebbe estesa agli edifici di culto, ai monumenti religiosi, alle cappelle superstiti delle nazioni, intitolate ai santi patroni, san Marco per i veneziani, il Volto Santo per i lucchesi, san Giovanni Battista per fiorentini e genovesi, anche se talora questi ultimi ricorrono a san Giorgio o a san Lorenzo, l'eponimo della cattedrale. Questi edifici, in cui vengono scandite le tappe più salienti della vita comunitaria, sono un momento significativo per l'aggregazione sociale e spirituale della comunità, costituiscono occasioni di incontro tra tradizioni, lusso, gusto rinascimentale. In questo modo le nazioni e gli uomini d'affari ostentano anche i legami con la madrepatria, il senso di appartenenza, la religiosità: partecipi della pietà collettiva, mostrano di aver superato il dilemma tra etica capitalistica ed etica cristiana, con una chiara rivalutazione della vita attiva, con un invito a non sciupare, ma a gestire il tempo, con un messaggio che è alla base dell'etica e della vita rinascimentale.

Rientra nella cultura delle nazioni, o almeno di quelle presenti sul suolo fiammingo, l'attenzione verso le manifestazioni artistiche, la committenza, il ruolo di tramite per l'importazione e la diffusione in Italia dei grandi pittori fiamminghi, come mecenati prima ancora che come mercanti. I numerosi ritratti in un contesto devozionale o in semplici immagini di prestigio, dal trittico dei genovesi Lomellini al doppio ritratto dei coniugi Arnolfini di Jan van Eyck, dai ritratti dei consoli veneziani Marco Barbarigo e Antonio Contarini a quello dei coniugi Portinari ritratti da Hans Memling, sono stati oggetto di studi e di analisi approfondite. Gli atteggiamenti, le vesti, gli oggetti, gli arredi che li circondano sembrano rappresentare lo stile di vita, l'ambizione, la fortuna, la spregiudicatezza, la devozione e la strumentalizzazione della religione, in una parola la personalità degli uomini d'affari italiani di successo, l'ostentazione del superfluo e del lusso che sono tipici di una civiltà del benessere quale è quella rinascimentale.[39]

92

Nelle Fiandre gli italiani inseriti nelle nazioni non limitano i loro interessi agli artisti, si rivolgono anche alle lettere, talora come committenti di mano-

Genova 2002; E. Lecupre Desjardin, *Premiers essais d'ethnographie: moeurs et coutumes des populations du Nord, d'après les observations des voyageurs méridionaux au tournant des* XV *et* XVI *siècles*, «Revue du Nord», 87 (2005).

39. Rossetti, *Le élites mercantili*, cit., pp. 338-345.

scritti o di libri, talora impegnandosi personalmente nell'attività di amanuensi, nei momenti di ozio o di svago. Significativa è anche la fondazione di accademie, simili a quelle che dal Cinquecento sorgono in Italia, con lo scopo di radunare persone animate da interessi e vocazioni comuni, disposte a discutere e a confrontarsi su varie tematiche. A metà del Cinquecento ad Anversa compare l'Accademia dei Gioiosi, in cui entrano parecchi uomini d'affari italiani, che si trasforma poi in Accademia dei Confusi, frequentata esclusivamente da genovesi e fondata dal genovese che ebbe un ruolo di primo piano anche nella concezione dell'arco di trionfo di Filippo II di cui già si è parlato.[40]

Nel movimento intellettuale e culturale che si diffonde in Europa anche ad opera delle nazioni e degli uomini d'affari italiani non si può non citare il loro apporto alla circolazione dei libri a stampa e indirettamente alla diffusione della Riforma, perché al pari delle spezie, dell'oro, dei tessuti, delle derrate, i libri vengono trattati sul mercato, soprattutto nei luoghi di fiera, a Lione e successivamente a Francoforte, che diventa il mercato librario per eccellenza, mentre l'editoria diventa nel Rinascimento un'impresa di punta, un'attività imprenditoriale in cui si cimentano anche i mercanti-banchieri. Nella cultura lasciata in eredità dalle nazioni italiane all'Europa rinascimentale confluisce il loro ricco patrimonio di tecniche, di esperienze, di strumenti, libri contabili, atlanti, mappamondi, orologi, bussole, perché questi italiani hanno saputo avviare un processo di osmosi tra operatori economici e uomini di lettere o scienziati che lavorano per loro, tra economia e scienza. Gli italiani non si limitano a far uso e consumo della cultura o della scienza, ma la commercializzano, la fanno circolare, certo spesso a scopo di lucro, contribuendo comunque allo sviluppo del pensiero scientifico e alla trasformazione dell'incerta visione del mondo in uno spazio reale, pronto a essere esplorato e conquistato dall'uomo.[41]

Le nazioni hanno finito per proporre all'Europa un modello di vita elitario e cosmopolita consono alle aspirazioni del tempo, basato su di un ben articolato sistema di intermediazioni e di interazioni mercantili, finanziarie, diplomatiche, culturali, che ha toccato tutti gli aspetti della vita associata e conquistato anche potenti e sovrani. Di questo modello sono stati però individuati soprattutto gli artefici, le punte di diamante, più che la poliedricità del fenomeno, di questo primato italiano.

40. Ch. Beck, *La nation génoise à Anverse dans la première moitié du 16 siècle*, in *Rapporti Genova-Mediterraneo-Atlantico nell'età moderna*, a cura di R. Belvederi, V, Genova 1983.

41. J. Fried, *Kunst und Kommerz*, München 1993, trad. it. *Il mercante e la scienza. Sul rapporto tra sapere ed economia nel medioevo*, Milano 1996.

Il commercio italiano in territorio ottomano

JAMES D. TRACY

Introduzione

Dall'epoca delle crociate fino alla seconda metà del XV secolo le repubbliche marinare italiane dominarono il commercio dell'Europa col Levante. Genova, alleata dell'Impero bizantino restaurato nel 1261, si concentrò sul Mar Nero, a quel tempo principale sbocco delle spezie asiatiche e della seta persiana. Dalle *enclaves* del Corno d'Oro (Pera/Galata) e della Crimea (Caffa), rese sicure da cinte murarie, i mercanti genovesi crearono trentanove colonie intorno al Mar Nero; galee da guerra con base a Pera mantenevano liberi i Dardanelli. Quando Tamerlano (1402) sconvolse le esistenti vie commerciali, i sultani ottomani fecero di Bursa, al di là del Mar di Marmara rispetto a Costantinopoli, la destinazione preferita per i mercanti persiani e le loro carovane della seta. Bursa era accessibile anche da Chio, controllata dal 1346 dalle società finanziarie dette *maone*, che si erano succedute nel tempo ed erano state fondate da investitori genovesi. La vicina Foça (Focea), anch'essa in mano genovese, fu fino agli anni Sessanta del Quattrocento la principale fornitrice di allume per l'Europa. I cantieri genovesi costruirono allora delle navi da carico a un albero eccezionalmente grandi per trasportare sia allume che sete e spezie, che facevano vela da Caffa, Pera o Chio alla volta del Mare del Nord; nel viaggio di ritorno, spesso senza nemmeno fare scalo a Genova, portavano tessuti leggeri di lana inglesi o fiamminghi che trovavano sempre smercio all'Est.[1]

1. K. Fleet, *European and Islamic Trade in the Early Ottoman State. The Merchants of Genoa and Turkey*, Cambridge 1999, cap. 1; per il precedente commercio genovese nell'Impero mammelucco cfr. P. Holt, *Qalawun's Treaty with Genoa in 1290*, «Der Islam», 57 (1980). G. Veinstein, *From the Italians to the Ottomans: the Case of the Northern Black Sea Coast in the 16th Century*, «Mediterranean Historical Review», 1 (1986); G. Pistarino, *Chio dei*

Venezia, alleata dell'ormai tramontato Impero Romano d'Oriente, possedeva un'unica *enclave* non cinta da mura sulle rive meridionali del Corno d'Oro, di faccia a Pera; a parte la Tana, situata dove il fiume Don sfocia nel Mare di Azov, anche nella regione del Mar Nero c'erano poche colonie veneziane. La Repubblica di San Marco invece si era concentrata su Siria ed Egitto, dove fino al 1517 governavano i sultani mamelucchi del Cairo. Le spezie pervenivano ad Alessandria lungo il Mar Rosso, oppure a Damasco attraverso il Golfo Persico e Bassora; Damasco era anche un centro mercantile per il cotone siriano, sempre più richiesto dai tessitori di fustagno. Sebbene i genovesi ad Alessandria fossero, fino al 1400, più numerosi dei rivali veneziani, solo Venezia possedeva una serie di porti sicuri per lo scalo delle *galee grosse* che venivano costruite nell'Arsenale e noleggiate ai mercanti. Se necessario, i vascelli veneziani potevano fare scalo a Corfù, Cefalonia, Zante, Modone o Corone. Negroponte (Eubea) fungeva sia da stazione intermedia che da deposito per il commercio di Costantinopoli (dopo che era stata conquistata dagli ottomani, nel 1470, Venezia offrì invano 250.000 ducati per riavere Negroponte); Creta assolveva alle stesse funzioni per il commercio con Siria ed Egitto. E dai convogli veneziani (le *mude*), e non genovesi, che raggiungevano regolarmente Alessandria e Beirut, avevano finito per dipendere i commercianti locali; Venezia, e non Genova, aveva colonie mercantili a Ramallah, Acri, Beirut, Tripoli, Hama, Sarmin e Aleppo, come pure a Damasco e ad Alessandria. Tutto ciò spiega perché la conquista ottomana di Costantinopoli (1453) ebbe nell'immediato uno scarso impatto sulle importazioni veneziane dal Vicino Oriente. La Serenissima riparò alla perdita di Negroponte con la graduale annessione di Cipro (1473-1489), a circa centotrenta chilometri dalla costa siriana, e le relazioni con la Siria e l'Egitto prosperarono come non mai.[2]

Fu tuttavia l'ascesa del potere ottomano a mettere fine alla supremazia italiana nel commercio col Levante, in vari modi. Nei Balcani, le conquiste ot-

Genovesi nel tempo di Cristoforo Colombo, Roma 1995, capp. IV e V. Cfr. anche Ph.P. Argenti, *The Occupation of Chio by the Genoese and their Administration of the Island, 1346-1566*, Cambridge 1958, I, capp. I-III e X; H. İnalcık, *Capital Formation in the Ottoman Empire*, «Journal of Economic History», 29 (1969), in particolare pp. 108-111; E. Ashtor, *Levant Trade in the Later Middle Ages*, Princeton 1983, pp. 121-133 e A. Novosel'tsen, *Oriental Silk Trade with Europe in the Middle Ages*, in *La Seta in Europa. Sec. XIII-XX*, a cura di S. Cavaciocchi, Prato 1993.

2. Ashtor, *The Levant Trade*, cit., cap. III, IV, VII; H. Kellenbenz, *Venedig als Internationales Handelszentrum und die Expansion des Handels im 15en und 16en Jahrhundert*, in *Venezia centro di mediazione tra Oriente e Occidente (secoli XV-XVI)*, a cura di H.-G. Beck, M. Manoussacas e A. Pertusi, Firenze 1977; É. Vallet, *Marchands Vénétiens en Syrie à la fin du XVe Siècle*, Paris 1999; E. Concina, *Il quartiere Veneziano di Costantinopoli*, in *L'eredità Greca e l'Ellenismo Veneziano*, a cura di G. Benzoni, Firenze 2002; B. Arbel, *Le colonie d'Oltremare*, in *Storia di Venezia dalle Origini alla Caduta della Serenissima*, V, *Il Rinascimento. Società ed economia, 1400-1540*, a cura di A. Tenenti e U. Tucci, Roma 1996, p. 959 e Id., *Cyprus, the Franks, and* Venezia, *13th-16th Centuries*, Ashgate 2000, cap. III.

tomane (Venezia nel 1500 aveva già perso le sue colonie albanesi)[3] crearono nuove possibilità di scambi con l'Occidente. Dubrovnik (Ragusa), tributaria della Sublime Porta fin dal 1438, aveva la posizione più favorevole per avvantaggiarsi del fatto che si era creato un regime unico di leggi e imposte per tutta la regione. Nel corso del XV secolo gli uomini di Dubrovnik potevano spingersi dalle sedi commerciali della Bosnia fino a Skopje, Belgrado (conquistata solo nel 1521), Novi Pazar, Timisoara e Varna, con magazzini per le pelli del posto e la cera, nonché negozi che offrivano stoffe europee. In molti luoghi i ragusei si organizzarono in colonie (*kolone*), che prevedevano un'assemblea di commercianti (*skup*) e un responsabile operativo (*kolonier*); la più grande, con sessantasei edifici, era a Sarajevo, città fondata dagli ottomani. C'erano qualcosa come trecento commercianti di Dubrovnik sparsi in trenta città ottomane, e in tutto «da due a tremila ragusei» che vivevano sotto la protezione del sultano.[4] In Occidente, Dubrovnik dimostrò che non aveva bisogno di Venezia come sbocco per le proprie merci; quando Venezia pretese che il 25% degli introiti dell'argento proveniente dalle miniere della Bosnia e della Serbia venisse speso nell'acquisto di stoffe veneziane, i ragusei dirottarono il loro argento su Firenze. In Oriente essi talvolta subentrarono ai genovesi o ai veneziani che se ne andavano: le conquiste ottomane – Chilia e Cetatea Albă (Akkerman), gli ultimi porti del Mar Nero controllati dagli europei, caddero nel 1484 – resero la regione ostile ai mercanti e ai banchieri italiani. L'eccezione fu la Transilvania, che pagava il tributo al sultano ma che (a differenza della Valacchia e della Moldavia) tenne lontani i distaccamenti ottomani.[5]

3. G. Valentini, *Dell'Amministrazione Veneta in Albania*, in *Venezia e il Levante fino al Secolo XV*, Atti del primo convegno internazionale di storia della civiltà veneziana, Venezia, 1-5 giugno 1968, a cura di A. Pertusi, Firenze 1973; J.-W. Zinkeisen, *Geschichte des Osmanischen Reiches in Europa*, Hamburg 1840-1858, II, pp. 397-437.

4. S. Anselmi, *Adriatico. Studi di storia, secoli XIV-XIX*, Ancona 1991, cap. 8, *Motivazioni economiche della neutralità di Ragusa nel Cinquecento*; Z. Zlatar, *Our Kingdom Come. The Counter-Reformation, the Republic of Dubrovnik, and the Liberation of the Balkan Slavs*, Boulder 1992, pp. 118-121; H. İnalcık, *Economic and Social History of the Ottoman Empire*, I, *1300-1600*, Cambridge 1994, pp. 256-266; P. Sugar, *East-Central Europe in the Middle Ages, 1000-1500*, Seattle 1974, p. 176; J. Tadić, *Le commerce de Dalmatie et à Raguse et la décadence économique de Venise au XVIIe siècle*, in AA.VV., *Aspetti e cause della decadenza economica veneziana nel secolo XVII*, Atti del convegno, Venezia, 27 giugno-2 luglio 1957, Venezia-Roma 1961, pp. 237-241, 248.

5. R.C. Mueller, *La crisi economica-monetaria veneziana di metà Quattrocento nel contesto generale*, in AA.VV., *Aspetti della vita economica medievale. Atti del Convegno di studi nel X anniversario della morte di Federigo Melis*, Firenze 1985; Fleet, *European and Islamic Trade*, cit., p. 59; M. Berindei, *L'Empire Ottoman et la 'route moldave' avant la conquête de Chilia et Cetatea Alba (1484)*, «Journal of Turkish Studies», 10 (1986); C.M. Kortpeter, *Ottoman Imperial Policy and the Economy of the Black Sea Region in the Sixteenth Century*, «Journal of the American Oriental Society», 86, 2 (1966); S. Goldenberg, *Notizie del commercio italiano in Transilvania nel secolo XVI*, «Archivio Storico Italiano», CXXI (1963); Ş. Papacostea, *Venise et les Pays Roumains au Moyen Âge*, in *Venezia e il Levante*, cit.

Per i nuovi sovrani di 'Roma', Costantinopoli era una priorità assoluta. Sotto le insegne dell'Islam, Maometto II (1451-1481) e i suoi successori restituirono la loro nuova capitale alla magnificenza di un tempo: dai 40.000-60.0000 abitanti di poco prima della conquista, la popolazione salì negli anni Venti del Cinquecento a circa 500.000, cioè si decuplicò nel giro di tre generazioni.[6] L'approvvigionamento della metropoli in costante crescita dava ovviamente luogo a commerci; i mercanti che portavano beni dall'Europa erano ben accetti, purché senza illusioni di predominio: per disposizione (*ahidname*)[7] di Maometto II i capifamiglia genovesi fecero ritorno a Pera, le cui mura di cinta erano state rase al suolo. Ma le rotte marittime verso il Nord e verso il Sud, tramite le quali Costantinopoli era sempre stata approvvigionata, dovevano essere sottratte al controllo degli infedeli. Genova cercò di portare truppe e materiale da guerra a Caffa (attraverso la Germania, la Polonia e il Dnestr) ma la resa di questa essenziale colonia alle forze ottomane nel 1475 portò al collasso dell'intera sua rete commerciale sul Mar Nero. I più forti investitori della Repubblica di San Giorgio, avvertendo come tirava il vento, avevano già «abbandonato i mercati dell'Oriente Europeo, volgendosi verso l'Occidente».[8]

Nell'Egeo gli Ottomani consentirono che la *maona* rimanesse sotto il controllo di Chio (Chio), dietro il pagamento di un tributo di 10.000 ducati, aumentati a 12.000 nel 1508. Ma saccheggiarono Mitilene (1463), governata da un nobile genovese; a 10.000 abitanti fu intimato di trasferirsi per incrementare la popolazione della capitale. Nella guerra turco-veneziana del 1463-1479 Venezia perse la maggior parte dei suoi possedimenti nella Morea (Peloponneso), tranne Modone e Corone (perdute poi nella guerra del 1499-1502). Nell'arcipelago delle Cicladi gli europei persero tutto, salvo Tino (veneziana sin dal 1379) e il ducato di Nasso.[9] Dato che l'egemonia commerciale italiana in queste acque si

6. R. Mantran, *Histoire d'Istanboul*, Paris 1996, pp. 196-202, 227.

7. H. İnalcık, *Ottoman Galata*, in *Première Rencontre International sur l'Empire Ottoman et la Turquie Moderne*, a cura di E. Eldem, Paris-Istanbul 1991, in particolare pp. 17-26. Gli ordini del sultano venivano tipicamente male interpretati dagli europei (probabilmente con un certo incoraggiamento da parte dei traduttori ottomani) come 'trattati', quasi fossero stati il risultato di una trattativa fra uguali. Secondo la prassi della Sublime Porta, non vi era nessuno alla pari del sultano, il quale non trattava con chicchessia. Cfr. A.H. De Groot, *The Historical Development of the Capitulatory Regime in the Ottoman Middle East from the Fifteenth to the Nineteenth Century*, in *The Ottoman Capitulations: Text and Context*, a cura di K. Fleet e M. van den Bogert, «Oriente», n.s., XII (2003) e Roma 2004.

8. İnalcık, *Economic and Social History*, cit., pp. 179-187; L. Mitler, *The Genoese in Galata: 1453-1682*, «International Journal of Middle East Studies», 10 (1979); Pistarino, *Chio dei Genovesi*, cit., pp. 207-222, 299-316, 356-357; M.B. Kizilov, *Slave Trade in Early Modern Crimea from the Perspective of Christian, Jewish and Muslim Sources*, «The Journal of Early Modern History», 7 (2007).

9. Argenti, *The Occupation of Chio*, cit., 206-213; W. Heyd, *Le colonie commerciali italiane in oriente nel Medio Evo*, Venezia 1865-1867, II, pp. 145-166; F. Thiriet, *La Romanie Vénitienne au Moyen Âge. Le développement et exploitation du domaine colonial vénitien* (XIIe-XVe

fondava sulla potenza marittima, la guerra ebbe conseguenze importanti. Mentre anteriormente al 1463 i trattati con i veneziani stipulavano che le galee ottomane non dovevano spingersi oltre gli stretti, ora, facendo proprio un sistema sperimentato da Venezia, gli ottomani si misero a costruire un complesso di servizi portuali che consentisse loro di diventare una potenza navale. Pur senza vincere alcuno scontro marittimo in questa guerra, i turchi «rafforzarono immensamente la loro posizione sul mare» conquistando Negroponte.[10]

A partire dall'inizio del XVI secolo i domini ottomani confinavano a est con un Iran appena unificato sotto gli scià Safavidi, a sud con l'impero mamelucco. Sconfiggendo lo scià Isma'il (1501-1524) a Chaldiran, a nord-est del lago di Van, nel 1514, il sultano Selim I (1512-1520) portava parecchio a est la sua frontiera anatolica. Sconfiggendo poi l'esercito mamelucco davanti ad Aleppo e di nuovo vicino alle piramidi nel 1516-1517, diventò il padrone della Siria e dell'Egitto.[11] Nel 1519 Bartolomeo Contarini, inviato da Venezia presso il sultano Selim I al Cairo, rimase esterrefatto nel trovarsi afferrato per le braccia da funzionari e condotto davanti al trono, per fare la *proskyenesis* o prostrazione, atto che da allora in poi sarebbe stato preteso da tutti gli ambasciatori europei. Questo atto di ossequio, compiuto *obtorto collo*, sanciva il nuovo *status* di Selim quale padiscià e conquistatore:[12] nessuno poteva trattare affari nelle terre del sultano se non per sua concessione.[13]

Nonostante tutto il commercio con il Levante continuò, e anche piuttosto florido. Come vedremo, nel corso del lungo XVI secolo il volume delle merci che affluì nei porti italiani – spezie asiatiche, seta persiana, cotone siriano – raggiunse o superò i picchi del passato, sebbene i mercanti e i capitani di navi italiani fossero sempre meno coinvolti nella gestione del movimento delle merci. Anche se questa fase post-coloniale del commercio italiano nel Levante non ha

siècles), Paris 1959, pp. 386-390; B.J. Slot, *Archipelagus Turbatus. Les Cyclades entre colonisation Latine et occupation Ottomane, ca. 1500-1718*, Istanbul 1982, I, pp. 1-3.

10. J.H. Pryor, *Geography, Technology and War. Studies in the Maritime History of the Mediterranean, 649-1571*, Cambridge 1988, p. 177.

11. H. İnalcık, *The Ottoman Economic Mind and Aspects of the Ottoman Economy*, in *Studies in the Economic History of the Middle East*, a cura di M.A. Cook, London 1970; G. Casale, *The Ottoman Age of Exploration: Spices, Maps and Conquest in the 16th Century Indian Ocean*, tesi Ph.D., Harvard 2004, capp. 1 e 2 (sono grato al prof. Casale, mio collega all'Università del Minnesota, per avermi concesso di consultare la sua inedita dissertazione); N. Hanna, *Making Big Money in 1600: the Life and Times of Isma'il Abu Taqiyya, Egyptian Merchant*, Syracuse 1998, capp. 1, 2.

12. K. Dilger, *Untersuchungen zur Geschichte des osmanischen Hofzeremoniells im 15. und 16. Jahrhundert*, München 1967, p. 58; C. Imber, *The Ottoman Empire, 1300-1650. The Structure of Power*, London 2002, pp. 115-127.

13. Sono grato alla prof. Kate Fleet per aver letto questo contributo e per avermi fatto notare che Emmanuel Piloti ha fatto la stessa osservazione relativamente ai mercanti che operavano nel territorio mammelucco all'inizio del XV secolo, e cioè che tutto dipendeva «dal volere del sultano del Cairo»: E. Piloti, *L'Egypte au commencement du quinzième siècle d'après le Traité d'Emmanuel Piloti de Crète, incipit 1420*, a cura di P.-H. Dopp, Cairo 1951, p. 51.

il fulgore dell'impero,[14] su di essa sono stati effettuati studi molto attenti. Gli storici, lavorando sui documenti disponibili, ci hanno fornito dei quadri ricchi di dettagli ma dai confini ben definiti: qui i veneziani, là i genovesi. Tuttavia, se si vuole cogliere la tendenza generale del commercio col Levante e i nessi vitali che esso crea tra gli europei e la storia ottomana, si deve prendere in considerazione il fenomeno del commercio italiano con l'Oriente nel suo complesso. Questo saggio offre un'ampia panoramica dal punto di vista delle nuove condizioni createsi sotto il governo ottomano. Se vogliamo porre in luce le priorità regionali nell'ambito dell'Impero, dobbiamo trattare separatamente i Balcani, le rotte marittime verso Costantinopoli e infine l'Egitto e la Siria.

I Balcani

Nel 1460 Benedetto Dei – «spia, avventuriero, mercante e cronachista» – giunse a bordo di una galea fiorentina e venne subito convocato per essere ricevuto dal sultano. Se Maometto II era indubbiamente attratto dall'idea di vedersi portare le merci europee da mercanti a cui mancava l'appoggio di una potente flotta, era anche vero che i rapporti di Dei con il sultano negli anni 1460-1472 erano basati più su «pratiche e intelligenze»[15] che sul commercio. Nel Levante era anche calato l'interesse per quei settori commerciali in cui erano specializzati i fiorentini; i banchieri di Firenze erano bensì attivi in Ungheria e in Transilvania, ma il tribunale di Costantinopoli non riconosceva come vincolanti i contratti stilati da notai europei. D'altra parte i lanaiuoli fiorentini producevano pannilana di alta qualità, una merce molto richiesta dagli ufficiali e dai funzionari ottomani. Allo stesso tempo i setaioli, pur adoperando anche seta italiana, volevano aggiungere seta persiana al loro assortimento di materie prime. Così nel 1469 una cinquantina tra mercanti e agenti di commercio fiorentini erano attivi a Edirne, Costantinopoli, Pera/Galata e Gallipoli.[16] Nel frattempo gli invii di

14. Sul problema di come questa supremazia possa essere meglio messa a fuoco cfr. U. Tucci, *La Grecia e l'economia veneziana*, in *L'eredità greca e l'ellenismo veneziano*, a cura di G. Benzoni, Firenze 2002, p. 142: «Si trattava di un impero commerciale che aveva come elemento d'aggregazione la rete dei collegamenti marittimi, e più che di un impero, in termini più appropriati, di uno Stato che aveva la sua base territoriale nel mare». Cfr. anche E. Ashtor, *Studies on the Levantine Trade in the Middle Ages*, Ashgate 1978, cap. VI, *The Venetian Supremacy in Levantine Trade: Monopoly or Pre-Colonialism?*.

15. F. Babinger, *Mehmed the Conqueror and his Time*, tradotto dall'ed. tedesca (1959²) da R. Manheim, Princeton 1978, pp. 182-183 (la citazione) e 276-277; Benedetto Dei, *La Cronica. Dall'anno 1409 all'anno 1500*, a cura di R. Barducci, Firenze 1985. Cfr. l'amicizia fra il padre di Maometto II, il sultano Murad II (1430-1451), e Francesco Draperio di Genova: Pistarino, *Chio dei Genovesi*, cit., pp. 191-192.

16. H. Hoshino, *Industria tessile e commercio internazionale nella Firenze del tardo Medioevo*, a cura di F. Franceschi e S. Tognetti, Firenze

merce fiorentina a Costantinopoli vennero sospesi durante la guerra veneto-ottomana e il sistema statale delle galee di linea cessò del tutto nel 1480. Il sultano Bayezid II (1481-1512) tuttavia inviò un emissario a Firenze nel 1483 per rinnovare i legami; anche se Lorenzo de' Medici non inviò a sua volta un'ambasciata fino al 1487, incoraggiò però le costruzioni navali private e partecipò finanziariamente alle imprese Oltremare.[17]

Le merci fiorentine destinate a Costantinopoli non dovevano affrontare i rischi di un lungo viaggio per mare. Per lunghi periodi i mercanti che operavano ad Ancona spedivano le loro merci direttamente oltre l'Adriatico, sfruttando i collegamenti transabalcanici di Dubrovnik, oppure prenotavano degli spazi su una delle due o tre navi anconetane che facevano vela ogni anno verso Costantinopoli o Alessandria. C'era una piccola colonia anconetana in territorio ottomano di cui facevano parte i Freducci (o Ferducci); Othman di Lillo Freducci da Ancona commissionò l'*Amyris* di Giovanni Maria Filelfo, un poema epico in latino in lode di Maometto II. Intorno al 1500 Ancona era ormai passata da centro commerciale regionale a «centro commerciale di prima grandezza», soprattutto grazie al commercio di tessuti fiorentini. I contratti di assicurazione degli anni 1520-1530 indicano che mentre alcune spedizioni avvenivano ancora da Porto Pisano su vascelli genovesi, il collegamento Ancona-Dubrovnik era «la base del commercio di Firenze col Levante». Gli agenti delle compagnie fiorentine o accompagnavano direttamente le loro mercanzie a Dubrovnik, o le vendevano a mercanti provenienti dall'altra sponda dell'Adriatico – uomini di Dubrovnik, ebrei levantini, greci – che troviamo in numero sempre maggiore ad Ancona. Ai terminali orientali delle carovane di muli o cavalli da soma, altri agenti fiorentini applicavano la classica strategia del baratto propria del commercio levantino; sarebbe a dire che per quanto possibile essi pagavano la seta persiana non con moneta sonante ma con tessuti europei. Nel suo esame dei margini di profitto negli anni 1480-1490, Hidetoshi Hoshino concluse che i pannilana fiorentini avevano mercati migliori e più vicini: e infatti i tessuti di migliore qualità, come i panni di *San Martino*, di solito non venivano inviati in Levante. I lanaiuoli dunque inviavano i loro prodotti migliori o quasi a Costanti-

2001, pp. 113-114, dove si cita una cronaca modenese che riferisce come l'ambasciatore di Bayezid II aveva prospettato un commercio annuale di 5000 panni fiorentini; S. Tognetti, *Un'industria di lusso al servizio del grande commercio. Il mercato dei drappi serici e della seta nella Firenze del Quattrocento*, Firenze 2002, p. 35; İnalcık, *Ottoman Galata*, cit., pp. 60-62; *Florentine Merchants in the Age of the Medici. Letters and Documents from the Selfridge Collection of Medici Manuscripts*, a cura di G. Randolph Bramlette Richards, Cambridge (Mass.), 1932, pp. 35-51.

17. F. Babinger, *Lorenzo de' Medici e la Corte Ottomana*, «Archivio Storico Italiano», CXXI (1963); M. Mallett, *The Florentine Galleys in the 15th Century*, Oxford 1967, pp. 18-19, 69-70; *Florentine Merchants in the Age of the Medici*, cit., pp. 35-51 (per l'incoraggiamento e la partecipazione di Lorenzo de' Medici nel commercio, pp. 47-48).

nopoli all'unico scopo di trarre un profitto supplementare dalla vendita della seta persiana a Firenze. Questa analisi spiegherebbe perché i commercianti fiorentini erano così pochi a Costantinopoli dopo il 1530 circa. Ancor prima che il sultano Solimano II (detto il Legislatore, 1520-1566) lanciasse la prima delle sue campagne persiane nel 1534-1535, le tensioni sulla frontiera ottomano-safavide troncarono il traffico attraverso l'Anatolia, sospingendo le carovane più a sud, verso la Siria. Bursa rimase un emporio per la seta, ma non fu più il mercato d'elezione dei compratori europei.[18]

Sebbene il traffico da Firenze fosse diminuito, altri tre fattori aumentarono l'importanza di Ancona come centro commerciale per il traffico col Levante per buona parte dei restanti anni del XVI secolo. Per prima cosa gli ebrei levantini ora controllavano la maggior parte del commercio di esportazione dei principali prodotti dei territori sotto il governo ottomano: fra di essi figuravano la seta greggia della Grecia, i cereali dell'Albania e il pellame dei Balcani. C'era anche una forte domanda per i cosiddetti ciambellotti (tessuti di lana pregiati fatti con pelo di cammello o capra), specialmente quelli prodotti nella regione di Ankara, zona originaria delle capre angora (Ankara). Ad Ancona i mercanti ebrei erano bene accetti, e ve n'erano centinaia verso la fine del XV secolo. L'occupazione della città da parte delle truppe papali (1532) consolidò lo stato privilegiato dei sudditi ottomani (turchi, greci e armeni oltre che ebrei), e questo almeno fino al pontificato di Paolo IV, che invece condannò al rogo venticinque portoghesi marrani perché accusati di essere ricaduti nell'eresia (1555). Non appena i papi successivi ristabilirono i diritti degli ebrei levantini – che non potevano essere accusati di eresia – i mercanti tornarono dai vari luoghi in cui avevano trovato rifugio. Ancona mise a disposizione non solo acquirenti per le merci portate dai mercanti ebrei, ma anche venditori di pannilana per i quali sembrava che non diminuisse mai l'interesse nell'Est. Due compagnie lucchesi avevano agenti in città negli anni Cinquanta del Cinquecento, i quali vendevano le loro sete a fiorentini o a ebrei italiani, che a loro volta li smerciavano a mercanti ebrei, ragusei o levantini. All'epoca, tuttavia, i principali articoli richiesti per l'invio al di là

18. P. Earle, *The Commercial Development of Ancona, 1479-1551*, «Economic History Review», XXII (1969), p. 28; per lo sviluppo di Ancona fino al 1300 circa cfr. J.-F. Leonhard, *Die Seestadt Ancona im Spätmittelalter*, Tübingen 1983; per una delle vie carovaniere dei Balcani cfr. R. Murphey, *Patterns of Trade along the Via Egnatia in the 17th Century*, in *The Via Egnatia under Ottoman Rule (1380-1699)*, a cura di E.A. Zachariadou, Rethymon 1996, pp. 171-191; sull'*Amyris* cfr. N. Bisaha, *Creating East and West. Renaissance Humanists and the Ottoman Turks*, Philadelphia 2004, pp. 87-91; B. Dini, *Saggi su una economia-mondo. Firenze e l'Italia fra Mediterraneo ed Europa (secoli XII-XVI)*, Pisa 1995, pp. 216-231 (in particolare p. 229), 243-247, 264-265; Hoshino, *Industria tessile e commercio internazionale*, cit., pp. 113-118; sull'industria tessile fiorentina (e veneziana) di quest'epoca cfr. anche i paragrafi finali del saggio di John Munro in questo volume; H. Gerber, *Economy and Society in an Ottoman City: Bursa, 1600-1700*, Jerusalem 1988 (The Max Schloessinger Memorial Series, monograph III), pp. 114-221.

dell'Adriatico erano i *kerseys* di Winchcombe nel Gloucestershire e i panni leggeri fiamminghi; Firenze e Lucca cercarono altri mercati nell'Europa centrale o orientale, ma non nel Levante.[19]

In secondo luogo, l'importanza di Ancona come mercato aumentò di pari passo con quella di Dubrovnik, i cui capitani marittimi approfittarono dell'incertezza creata dai conflitti veneto-ottomani. Negli anni tra 1540-1544 e 1560-1570 la flotta mercantile di Dubrovnik salì da 132 vascelli con una capacità complessiva di 15.200 *carri* a 180 vascelli con una capacità di 35.000 *carri*. Durante la guerra che culminò con la battaglia di Lepanto e la conquista di Cipro (1570-1573) il traffico passato per Dubrovnik toccò il suo livello massimo; le entrate doganali quintuplicarono rispetto agli anni di pace. Dal 1550 al 1590 circa, quando le forniture di cereali nel Mediterraneo occidentale venivano spesso a mancare, i mercanti di Dubrovnik avevano maggiore facilità che non i loro colleghi veneziani o genovesi a ottenere dai funzionari ottomani la *tratta* o licenza necessaria per l'esportazione di cereali, particolarmente da zone (come per esempio l'Albania) che non facevano parte della rete di approvvigionamento di Costantinopoli. Seguendo uno schema adottato dalla marineria mercantile veneziana e ancor più genovese nei decenni precedenti, i vascelli ragusei trasportavano le merci del Levante fino al Canale della Manica, e merci europee nel Levante, facendo scalo nel corso del viaggio per completare il carico. Ancona era il porto 'naturale' per il primo o l'ultimo scalo.[20]

Infine, come hanno dimostrato gli studi di Alberto Tenenti, la pirateria aveva reso il trasporto per mare più a rischio, soprattutto dal 1580 in poi, e persino nella zona adriatica, chiaramente sotto la protezione dei convogli navali di

19. B. Ravid, *A Tale of Three Cities and their Raison d'État: Ancona, Venice, Livorno and the Competition for Jewish Merchants in the 16th Century*, «Mediterranean Historical Review», 6 (1991), in particolare pp. 139-148; sui *ciambellotti* cfr. C. Kafadar, *A Death in Venice (1575): Anatolian Muslim Merchants Trading in the Serenissima*, in *Merchant Networks in the Early Modern World*, a cura di S. Subrahmanyam, Ashgate 1996, in particolare pp. 111-113; B. Arbel, *Trading Nations. Jews and Venetians in the Early Modern Mediterranean*, Leiden 1995, pp. 3-11, 15-17; G. Poumarède, *Pour en Finir avec la Croisade: Mythes et realités de la lutte contre les Turcs aux XVIe et XVIIe siècles*, Paris 2004, pp. 342-371; Anselmi, *Adriatico*, cit., pp. 131-136; J.I. Israel, *Diasporas within a Diaspora. Jews, Crypto-Jews and the World Maritime Empires (1540-1740)*, Leiden 2002, pp. 63-65; V. Bonazzoli, *Mercanti lucchesi ad Ancona nel Cinquecento*, in *Lucca e l'Europa degli affari: secoli 15-17*, a cura di R. Mazzei e T. Fanfani, Lucca 1990; R. Mazzei, Itinera Mercatorum. *Circolazione di uomini e beni nell'Europa centro-orientale, 1550-1650*, Lucca 1999, cap. 2, *Da Norimberga a Cracovia*.

20. Per la flotta mercantile di Dubrovnik cfr. B. Krekić, *Ragusa (Dubrovnik) e il mare: aspetti e problemi (XIV-XVI secolo)*, in Id., *Dubrovnik: a Mediterranean Urban Society, 1300-1600*, Aldershot 1993, cap. XV, tavola a p. 151; Tadić, *Le commerce de Dalmatie*, cit., pp. 248-253; M. Aymard, *Venise, Raguse et le commerce du blé pendant la seconde moitié du XVIe siècle*, Paris 1966, p. 49. Per le stime delle reciproche consistenze delle flotte mediterranee intorno al 1600 cfr. J. Tadić, *Le port de Raguse et sa flotte au XVIIe siècle*, in *Le navire et l'économie maritime du Moyen Âge au XVIIIe siècle*, a cura di M. Mollat, Paris 1959, pp. 15-16, secondo la versione di F. Braudel, *La Méditerranée et le monde méditerranéen à l'époque de Philippe II*, Paris 1985[6], I, p. 407.

Venezia. Gli uscocchi di Senj, nemici dichiarati dell'attività marittima degli infedeli, non si facevano scrupoli nel catturare i vascelli cristiani che capitavano nei pressi dei loro rifugi lungo la costa dalmata. I corsari ottomani che partivano dai porti dell'Albania e della Grecia erano ancor più numerosi in quei mari, e molto più pericolosi; la loro zona preferita di operazione erano le acque che univano il mare Adriatico allo Ionio, punto di attraversamento dove si incrociavano tutte le rotte di Venezia. I corsari che avevano come base le regioni berbere presero ad agire in queste acque dove a quanto pare le azioni piratesche rendevano di più. Queste situazioni contribuirono a introdurre nel Mediterraneo le navi di tipo atlantico con i bordi altissimi, provenienti soprattutto dall'Inghilterra. I *bertoni*, più veloci delle imbarcazioni italiane delle stesse dimensioni, e forniti di più pezzi d'artiglieria, si difendevano con maggior efficacia dai pirati; se era il caso, erano essi stessi a prendere l'iniziativa dello scontro. Per coloro che dovevano spedire merci verso il Levante, intraprendere il breve tragitto attraverso l'Adriatico era più logico che non un lungo itinerario via terra.[21] Quelli che continuarono ad avventurarsi in mare si servirono spesso di imbarcazioni inglesi o olandesi.

Nel frattempo il traffico dei porti dalmati di Venezia – Zara (Zadar), Spalato (Split) e Sebenico (Šibenic) – rimaneva a livelli modesti. Dopo tutto, era legge ferrea che le merci dai domini della Serenissima venissero portate a Venezia prima di essere inoltrate verso qualsiasi altro luogo. Per esempio, sebbene il sale delle saline dalmate fosse abbondante nella maggior parte delle annate e venisse impiegato nelle montagne come «una specie di moneta di scambio», la Repubblica concedeva a fatica ai mercanti locali il diritto di portarne quantità anche minime su per le montagne perché il sale dalmata era destinato invece ai clienti del monopolio veneziano del sale in Terraferma o nel Ducato di Milano. Ciononostante, Venezia si preoccupava della concorrenza proveniente dal collegamento Ancona-Dubrovnik e per di più aveva motivi strategici per promuovere il commercio delle colonie dalmate il cui retroterra era stato ridotto nel corso delle guerre ottomane del 1537-1540 e del 1570-1573.[22] Inoltre, sudditi ebrei del sultano stavano approntando un altro scalo a Ploče, punto d'appoggio otto-

21. A. Tenenti, *Naufrages, corsaires et assurances maritimes à Venise, (1592-1609)*, Paris 1959, pp. 13-25, 27-42, 69; Id., *Venezia e i corsari*, Bari 1961. J.H. Pryor, *Geography, Technology and War. Studies in the Maritime History of the Mediterranean*, Cambridge 1988, p. 183, accetta la stima di Tenenti e Fontenay secondo i quali le incursioni dei corsari cristiani nel Mediterraneo orientale con tutta probabilità non avevano recato nemmeno un decimo dei danni di quelle effettuate dai corsari ottomani nel Mediterraneo centrale e occidentale. Cfr. anche C.W. Bracewell, *The Uskoks of Senj: Piracy, Banditry, and Holy War in the 16th Century Adriatic*, Ithaca 1992.

22. R. Paci, *La 'Scala' di Spalato e il commercio veneziano nei Balcani fra Cinque e Seicento*, Venezia 1971 (Deputazione di Storia Patria per le Venezie, Miscellanea di Studi e Memorie, XIV), p. 47: gli Ottomani presero la fortezza strategica di Klis (Clissa), minacciando Split, nella prima guerra, e nella seconda guerra due delle fortezze costruite per proteggere

mano sulla costa dalmata, che serviva la valle della Neretva (Narenta) in direzione di Mostar e Sarajevo. Da Ploče si potevano spedire le merci a Dubrovnik, ma Venezia era un mercato più grande e all'epoca accoglieva, sia pure di malavoglia, i sudditi turchi ed ebrei del sultano (per esempio, dopo il trattato del 1573 che aveva posto fine alla guerra di Cipro, i turchi specializzati nel commercio dei ciambellotti erano sempre più numerosi). In una lettera del 1563 il tesoriere del pascià della Bosnia raccomandava al doge di Venezia l'amico Daniel Rodrigues, un ebreo spagnolo levantino residente a Ploče.[23]

76

Nel 1573 Rodrigues presentava al Senato una petizione con la quale suggeriva che si potesse deviare su Venezia il traffico da Dubrovnik ad Ancona, attrezzando Spalato per farne uno scalo adeguato, capolinea sia per le carovane di cavalli da soma dirette verso le montagne sia per una nuova linea di galee provenienti da Venezia. La proposta di Rodrigues incontrò delle resistenze: da un lato personaggi di rilievo di Venezia (e di Spalato) erano riluttanti ad accettare nel loro ambito una colonia prospera e potente di ebrei, mentre dall'altro i funzionari ottomani di Ploče erano ben decisi a non far passare un progetto che avrebbe significato la fine dello scalo che stavano approntando. Nel 1589, infine, il Senato approvò una prima assegnazione di fondi per nuove attrezzature a Spalato. Nello stesso tempo Venezia (col supporto di Rodrigues) lanciò un'offensiva diplomatica tesa a persuadere il pascià della Bosnia a non tenere conto dell'opposizione di Ploče e ad autorizzare la spesa che sarebbe stata necessaria da parte ottomana (per migliorare le strade e fornire scorte per le carovane di cavalli da soma). Nel 1594 esistevano già carovane di cavalli regolarmente programmate da Sarajevo e da Banja Luka, residenza del pascià; il secondo di questi tragitti comportava dieci giorni di viaggio al ritmo di circa venti chilometri al giorno, mentre per il primo bastavano sette giorni, con un cambio di cavalli a Duvno. Questo nuovo itinerario ben presto divenne la maggior arteria per il commercio veneziano verso Costantinopoli, sebbene più per le merci veneziane che non per i mercanti veneziani; la comunità mercantile ebraica di Split, di cui il primo console fu Daniel Rodrigues, gestiva il traffico che attraversava le montagne. Negli anni Venti del Seicento, cioè nel suo momento di maggiore attività, il commercio attraverso Split raggiunse un volume di 25.000 *colli*, che rappresentavano il 25% del valore di tutte le merci impor-

Split; per quanto riguarda il 1581 la popolazione della Dalmazia veneziana era stata ridotta a circa 61.000 unità, fra cui circa 15.000 adulti maschi, con solo 400 individui residenti a Split.

23. Braudel, *La Méditerranée*, cit., I, pp. 262-263; J.-C. Hocquet, *Le sel et la fortune de Venise*, Lille 1979, I, pp. 243, 250-251 (per la citazione), 258 269, 319 322; Paci, *La 'Scala' di Spalato*, cit., pp. 48-50; per le traduzioni croate di questa lettera e di altri documenti relativi alla carriera di Rodrigues cfr. V. Morpurgo, *Daniel Rodriguez i Osnivanje Splitske Skele u XVI. Stoljeću*, «Starine», 52 (1962), in particolare p. 186; sui mercanti turchi a Venezia cfr. Kafadar, *A Death in Venice*, cit., pp. 107-108.

tate da Venezia. Anche quando il traffico negli anni successivi subì una flessione, le carovane di cavalli lungo l'itinerario balcanico rappresentarono un ultimo elemento di splendore per quello che era stato il favoloso commercio fra Venezia e il Levante. Nel 1640 i pannilana veneziani erano ancora molto richiesti a Serres in Macedonia.[24]

Il Mar Nero, Costantinopoli e l'Egeo

Intorno al 1500 il potere ottomano si estese a est lungo la costa meridionale del Mar Nero fino ai confini con la Georgia, e a nord e a ovest fino al delta del Dnestr, al di là del quale si trovava il canato tartaro della Crimea, finanziato dal Tesoro ottomano. A Caffa «l'elemento genovese scomparve quasi totalmente» dalla popolazione dopo il 1475, quando circa settecento profughi si rifugiarono a Pera/Galata. Nonostante ciò, alcuni a Genova sognarono di far rivivere i ricchi commerci dei tempi andati. Nel 1522 Paolo Centurione andò, passando per l'India, alla corte dello zar Basilio II, in qualità di messo del papa Leone X, ma anche con la speranza, peraltro vana, di aprire una via per il commercio attraverso il Mar Caspio. Per i beni più correnti della vita quotidiana il traffico continuò. Le navi italiane continuarono a far scalo nei porti della Crimea per tutto il XVI secolo, portando tessuti europei e tornando in patria con prodotti locali come il pesce, il caviale e le pelli. A Caffa i mercanti europei (tra cui certo anche degli italiani) parteciparono al commercio degli schiavi che fiorì come non mai nel passato in quello che era nel frattempo diventato un sanjaccato (ossia un'unità amministrativa) ottomano. Il commercio dei cereali diventò via via più importante, specie dal 1550 circa, ma sempre sotto l'occhio vigile dei funzionari ottomani. Valacchia e Moldavia dovettero mettere a disposizione grandi quantità di cereali da spedire, a prezzi e volumi imposti, alla capitale; sotto la spinta della Sublime Porta, le steppe al di là di Varna vennero trasformate in terreni per la coltura del grano e l'allevamento del bestiame. Per gli europei occidentali non c'era alcuna possibilità di ottenere cereali dal Mar Nero senza un permesso speciale, sotto forma di *tratta*: le navi con destinazione Mediterraneo dovevano sottoporsi a un'ispezione doganale presso le fortezze sul Bosforo e sui Dardanelli: Anadolu Hisarı e Kilidülbahr.[25]

A Galata, i genovesi rimasero per qualche tempo in maggioranza all'in-

24. Paci, *La 'Scala' di Spalato*, cit., pp. 51-63, 92; Tadić, *Le commerce de Dalmatie*, cit., pp. 243, 255-271; Ravid, *A Tale of Three Cities*, cit., pp. 148-154; Israel, *Diasporas within a Diaspora*, cit., 71-74; D. Sella, *Commerci e industrie a Venezia nel secolo XVII*, Venezia-Roma 1961, p. 64.

25. Veinstein, *From the Italians to the Ottomans*, cit., pp. 223 (per la citazione), 228-229; İnalcık, *Economic and Social History*, cit., pp. 184-187, 197; Braudel, *La Méditerranée*, cit., I, pp. 102-103; Mitler, *The Genoese in Galata*, cit., pp. 75-76; Kizilov, *Slave Trade in Early Modern Crimea*, cit.

terno di quelle che erano state le mura di Pera. Ma se Galata aveva 322 nuclei familiari 'franchi' nel 1478, nel 1545 ne rimasero solo 75. Sulla scia della crescita della capitale, anche la popolazione di Galata aumentò, con nuovi quartieri turchi, ebrei (anche di provenienza iberica) e armeni. Man mano che Galata diventava levantina, i diplomatici e i mercanti europei abbandonano la città i preferendo una zona più alta e salubre, 'le vigne di Pera', da cui si godeva la vista, al di là del Corno d'Oro, dell'immenso palazzo del sultano. Nel frattempo il governo aristocratico di Genova, insediatosi nel 1528, consolidò le sue fondamenta non solo sui ventotto *alberghi*, ma anche sui saldi legami con l'imperatore Carlo V, tramite le famiglie di banchieri della città, e sulla flotta militare di Andrea Doria. Questo legame, favorevole agli Asburgo e dunque anti-ottomano, ebbe ripercussioni sui commerci; gli investitori cercarono nuove opportunità nella Spagna asburgica o nell'Africa settentrionale, non più nel Levante. Dal momento quindi che non c'era più bisogno di servire le colonie del Mar Nero, gli armatori genovesi «intensificarono la loro attività a favore di terzi».[26] Nonostante ciò, fino a quando Chio offrì uno scalo protetto, con possibilità di magazzinaggio e servizi per la liquidazione dei conti, i mercanti genovesi, anche se non appartenenti alle grandi famiglie della città, continuarono a cercare profitti all'Est. A Bursa, che aveva una colonia genovese, le carovane dalla Persia portarono ben 25.000 chilogrammi di seta in un solo anno (1513), per un valore di 220.000 ducati. Non appena il commercio della seta verso Bursa diminuì, i ciambellotti anatolici divennero i carichi preferiti per la loro redditività; Bursa era anche un punto di raccolta del cotone anatolico, non dello stesso livello delle varietà siriane, ma pur sempre richiesto in Occidente. Negli anni 1507-1537 le fibre tessili di ogni provenienza dall'Est e dall'Ovest rappresentavano dal 60 al 70% delle importazioni genovesi. I centri tessili europei, infine, continuavano ad essere interessati all'allume di Foça, nonostante le nuove miniere scoperte negli stati papali nel 1462 e le minacce di scomunica per chi acquistava allume da non cristiani.[27]

Non tutti a Genova inoltre erano soddisfatti della politica del governo aristocratico, specialmente quando la guerra Asburgo-Valois del 1552-1559 sembrava volgere alla conclusione. Assecondando le pressioni (così sembra) dei *nobili nuovi*, la Repubblica nel 1558 inviò un plenipotenziario alla Sublime Porta con istruzioni di limitarsi a promuovere gli scambi commerciali, non di chiedere garanzie per Chio. Secondo fonti francesi e veneziane, i genovesi erano particolarmente interessati ai cereali ottomani, ma quelli non erano anni favorevoli per

26. İnalcık, *Ottoman Galata*, cit., pp. 55-62; Mitler, *The Genoese in Galata*, cit., p. 77; G. Pistarino, *I Signori del Mare*, Genova 1992, pp. 395, 444; A. Pacini, *La Genova di Andrea Doria nell'impero di Carlo V*, Genova 1999.

27. M. Mazzaoui, *The Italian Cotton Industry in the Later Middle Ages, 1100-1600*, Cambridge 1981, pp. 34-35, 45-48; Poumarède, *Pour en finir avec la Croisade*, cit., pp. 324-341.

ottenere *tratte*, nemmeno per l'alleato del sultano, il re di Francia. Si noti inoltre che anche Firenze in quegli anni aveva un *bailo* alla Sublime Porta che chiedeva licenze per l'esportazione di cereali, ma che venne espulso dopo che il granduca Francesco I e i suoi cavalieri di Santo Stefano avevano prestato aiuto ai cavalieri di Malta nel corso del grande assedio del 1564-1565. Inoltre, Chio stava diventando sempre più vulnerabile. Le entrate controllate dai *maonesi* (per esempio quelle relative al commercio della resina di Chio) non erano sufficienti per pagare il tributo annuo. I governanti della Repubblica non potevano difendere questo avamposto così lontano e si stancarono di salvare la *maona* dalla bancarotta. In effetti il brutale assalto a Chio da parte degli ottomani nel 1565[28] segnò la fine di un'epoca per il commercio genovese. Eppure non c'era niente che potesse frenare l'imperiosa necessità di cereali. L'anno dopo, un messo genovese propose al *divan* del sultano un accordo in base al quale la Transilvania avrebbe dovuto promettere di consegnare fino a 600.000 staia di grano ai rappresentanti genovesi sul Danubio; per il permesso di esportare questo grano attraverso gli stretti offrì uno scudo d'oro per staio. Non vi è motivo alcuno per credere che fosse stata concessa una *tratta*.[29]

A differenza di Genova, Venezia rimase una potenza coloniale. Inoltre i tessuti pregiati tradizionalmente inviati nel Levante vennero sempre più spesso fabbricati non in città lombarde ma nella stessa Venezia, dove l'industria della lana ebbe un'espansione spettacolare tra il 1520 circa e l'inizio della guerra di Cipro (1570).[30] I veneziani diedero vita alla più numerosa comunità commerciale

28. Argenti, *The Occupation of Chio*, cit., I, pp. 272, 336, 343-344, 353-355, 359-360, 482-510.

29. Per la missione genovese del 1558 cfr. E. Charrière, *Negotiations de la France dans le Levant*, Paris 1848-1860, II, pp. 427-428, 433-434, 490-491 (corrispondenza tra François de Noailles a Venezia e Jean de la Vigne a Pera) e Bibliothèque Nationale de France (d'ora in poi BNF), Manuscrits Français (d'ora in poi *MF*), 20982, cc. 88-89); cfr. anche B. Simon, *Contribution à l'Étude du Commerce Vénitien dans l'Empire Ottoman au Milieu du XVIe Siècle*, «Melanges de l'École française de Rome. Moyen Âge-Temps Modernes», 96 (1984), p. 994. Per il bailo di Firenze alla Porta cfr. i dispacci del 1578, citati più avanti, nota 41. Per il rifiuto delle *tratte* per l'esportazione dei cereali richieste da Venezia, Firenze, Genova, San Pietro in Corsica, e Francia, cfr. BNF, *MF*, 16142, cc. 123*v*-126, 130-133, lettere di Antoine de Petremol a Jean Hurault de Boistaillé, 13 novembre 1562, 17 gennaio 1563. Per la proposta di Francesco dei Franchi nel 1566, Archivio di Stato di Venezia (d'ora in poi ASVe), *Dispacci degli Ambasciatori al Senato* (d'ora in poi *DAS*), *Costantinopoli*, filza 1, cc. 180-181*v*, ambasciatore Soranzo da Constantinopoli, 21 giugno 1566. L'ambasciata del 1558 non viene citata né da G.C. Musso, *Genovesi in Levante nel secolo XVI: fonti archivistiche*, in AA.VV., *Rapporti Genova-Mediterraneo-Atlantico nell'Età Moderna*, Genova 1983, né da T.A. Kirk, *Genoa and the Sea. Policy and Power in an Early Modern Maritime Republic, 1559-1684*, Baltimore-London 2005; cfr. però la trattazione di Kirk sulle contemporanee proposte per costituire una flotta statale di galee, pp. 25, 55-59.

30. D. Sella, *The Rise and Fall of the Venetian Woollen Industry*, in *Crisis and Change in the Venetian Economy in the 16th and 17th Centuries*, a cura di B. Pullan, London 1968; per lo sviluppo delle industrie seriche italiane nello stesso periodo e le esportazioni verso il Levante cfr.

italiana nella capitale ottomana nel corso del XVI secolo e oltre, nonostante le importanti concessioni commerciali a favore della Francia (1535) e dell'Inghilterra (1580).[31] La richiesta di prodotti veneziani rimaneva forte; i vetri di Murano trovavano sempre un mercato e le più costose qualità delle seterie veneziane erano così conosciute che i dignitari ottomani inviavano regolarmente ordini di acquisto a Venezia, talvolta per conto dello stesso sultano. Rappresentando la loro nazione in una terra in cui «i vestiti venivano ritenuti la forma più importante di sfoggio (*pompa*)», il bailo e i suoi dignitari facevano di tutto per mostrarsi nelle cerimonie della Porta con i panni più fini – «un ragionevol splendor et un negozio vivo».[32] Eppure la corrispondenza dei baili sta a indicare che a seguito della guerra veneto-turca del 1537-1540 il commercio di Costantinopoli non ritornò al livello precedente. Secondo Marino Cavalli, bailo dal 1556 al 1558, su un totale stimato in 460.000 ducati di introiti doganali riscossi dai funzionari ottomani sul flusso delle merci veneziane in arrivo e in partenza, meno del 10% era da attribuire al settore Romania-Constantinopoli.[33] Un problema fu che il sultano Solimano I, più devoto nei suoi ultimi anni, indossava solo indumenti di lana o ciambellotti, «come comanda la sua Legge»; i suoi cortigiani dunque dovevano anch'essi rinunciare alla seta. Un ostacolo maggiore sarebbe stato frapposto dagli ebrei levantini, dei quali si diceva che si fossero accaparrati il commercio degli articoli scelti come carichi per il rientro, e specialmente dei ciambellotti. Un bailo deprecava che gli ebrei facessero anche scorte di tessuti veneziani in modo da controllarne la rivendita; un altro accusava gli agenti delle compagnie veneziane, di cui circa tredici ancora attive in Costantinopoli, perché «con poca fatica da parte loro fanno fare tutto agli ebrei».[34]

L. Molà, *The Silk Industry of Renaissance Venice*, Baltimore 2000, pp. 3-18, 91-104.

31. G. Poumarède, *Négocier près de la Sublime Porte: Jalons pour une nouvelle histoire des capitulations franco-ottomanes*, in *Histoire de l'invention de la diplomatie*, a cura di L. Bély, Paris 2000; S.A. Skilliter, *William Harborne and the Trade with Turkey*, 1578-1582, Oxford 1977.

32. Molà, *The Silk Industry*, cit., pp. 91-92; ASVe, *DAS*, *Constantinopoli*, filza 6, cc. 351*v*-352, ambasciatore Antonio Badoer; ivi, baili Antonio Tiepolo e Marcantonio Barbaro al Senato, 27 agosto 1573 (per il passo citato); filza 16, cc. 189-191*v*, bailo Paolo Contarini al Senato, 13 ottobre 1582 (in cui si riferisce dell'arrivo della *rosetta verde* e del *cremosin* per il sultano, come da ordine del veneziano Capiaga); Sella, *Commerci e industrie a Venezia*, cit., pp. 12-13.

33. Simon, *Contribution à l'Étude du Commerce Vénitien*, cit., p. 976: Cavalli valutava in 80.000 ducati gli introiti doganali ottomani dal commercio veneziano in Dalmazia, in 120.000 ducati quelli dalla Siria, in 220.000 ducati gli introiti da Alessandria, e in solo 40.000 ducati quelli da Romania-Costantinopoli.

34. *Relazione del Bailo Marino Cavalli*, 1560, in E. Albèri, *Relazioni degli Ambasciatori Veneti al Senato*, Firenze 1838-1865, IX, p. 274 (per ambedue le citazioni); *Relazione del Bailo Bernardo Navagero*, febbraio 1553, ivi, pp. 101-102; cfr. anche Arbel, *Trading Nations*, cit., cap. 1, *Venice and the Jewish Merchants of Istanbul during the 16th Century*. Simon, *Contribution à l'Étude du Commerce Vénitien*, cit., p. 988, ipotizza che il numero sempre maggiore di lagnanze dei veneziani a proposito della concorrenza ebraica potrebbe essere collegato a una seconda on-

A partire dal 1550 circa ricorrenti periodi di carestia in Occidente attirarono l'attenzione sul grano ottomano, proveniente non dal Mar Nero[35] ma da porti a sud-ovest della capitale, come Tekirdağ (sul Mar di Marmara), Kavála (oggi nella Tracia greca), Cassandra (sul golfo di Salonicco), oppure Volos (di fronte a Negroponte). Vi fu un personaggio che ottenne una *tratta* dal governo e trattò con i proprietari terrieri, spesso funzionari ottomani, come Rüstem pascià, che era stato gran visir fino a quando non era caduto in disgrazia presso il sultano Solimano I. I dignitari ottomani a volte possedevano direttamente dei *caramussali* (piccole veloci navi da carico del Mediterraneo orientale) e in certe occasioni li si poteva convincere a trasportare i cereali direttamente a un porto veneziano. Nell'arcipelago delle Cicladi solo la veneziana Tino, protetta dalla fortezza di Sant'Elena e da una guarnigione di 1300 uomini, offriva un porto veramente sicuro ai vascelli europei. Ma molte isole del medesimo arcipelago ospitavano minoranze latino-cristiane piuttosto considerevoli, comea anche Chio, e i soldati e i funzionari ottomani erano sparsi in piccoli contingenti per tutta la regione. L'Egeo dunque offriva punti naturali di incontro tra le navi europee, più grandi, e i caramussali, comandati da capitani greci o turchi, che portavano i cereali da Volos o Kavála. Tra il 1558 e il 1560, su quarantanove viaggi di navi tonde veneziane dalla capacità di 400 *botti* o più diretti verso porti ottomani, venticinque ricevettero l'ordine di caricare «granaglie nell'Arcipelago». Siccome era assolutamente consigliabile mantenere sin dove possibile il segreto circa le scarsità di talune merci a Venezia e nei suoi domini, si doveva comunque trovare il modo per fare a meno dei permessi ufficiali; nel 1564 il bailo Daniele Barbarigo stabilì che le navi potevano caricare il grano dai domini della Serenissima, ma non da Venezia stessa, e senza far richiesta di una *tratta*.[36]

L'importante studio di Maurice Aymard sul commercio del grano ottomano si chiude con l'epoca in cui incominciarono ad arrivare in Italia massicci invii di cereali dal Baltico (1590-1593). Ma sebbene le *tratte* per l'esportazione

data di espulsioni di ebrei dalle terre degli Asburgo, cioè dal Regno di Napoli (1541).

35. Aymard, *Venise, Raguse et le commerce du blé*, cit., p. 46: l'ultima *tratta* per l'esportazione del grano dalle «partes Varnae» venne rilasciata nel 1551.

36. Ivi, pp. 47-51, 125-136; Slot, *Archipelagus Turbatus*, pp. 14-21; Simon, *Contribution à l'Étude du Commerce Vénitien*, cit., p. 979 (le venticinque navi inviate a caricare cereali); Albèri, *Relazioni degli Ambasciatori*, cit., Relazioni di Domenico Trevisan (1554), IX, pp. 183-185, e Daniele Barbarigo (1564), ivi, VI, p. 22; ASVe, *DAS*, *Constantinopoli*, Antonio Tiepolo al Senato, 15 gennaio 1575, filza 6, 445-446*v* (gli ottomani, restituendo una nave ragusea, ne avevano trattenuto il grano, acquistato da un mercante siciliano; Venezia tenta di riavere il carico, in quanto il siciliano operava in qualità di agente della signoria); Giovanni Correr al Senato, 5 novembre 1577, filza 11, cc. 258-261 (un reclamo da parte del gran visir contro l'aga dei giannizzeri, il cui caramussale era stato sorpreso a portare grano a Candia); Marco Venier al Senato, 23 marzo 1594 e 25 marzo 1594, filza 39, cc. 32-33, 65-70*v*; Ottaviano Bon al Senato, 15 marzo 1605, filza 61, cc. 27-30*v*; C.A. Frazee, *Tinos, Venetian Outpost of the Aegean*, «Modern Greek Studies Yearbook», 7 (1991).

dei cereali in realtà non venissero più concesse dal governo, continuarono a stipularsi accordi privati tra acquirenti e venditori. Forse con la speranza di nascondere gli interessi che vi erano coinvolti, era sempre più frequente che le singole funzioni di spedizioniere, proprietario di nave e capitano venissero assunte da personaggi di differenti nazionalità. A Chio per esempio, nel 1594, una *nave grossa* comandata da Iseppo Radeghi il Raguseo «costruita a Napoli ma inviata dai genovesi», stava caricando cereali da un certo numero di caramussali. Il *bey* di Alessandria, avendo sentito dire che navi franche stavano imbarcando granaglie nell'Egeo, si precipitò con tre galee della sua flotta, ma venne respinto dai cannoni sia delle navi più piccole che della *nave grossa*. Nel frattempo però soldati nascosti per ordine dell'ammiraglio «in alcuni dei caramussali che di solito trasportano granaglie» catturarono tre imbarcazioni francesi che erano in attesa di un carico di grano da Atene.[37]

Verso la fine del XVI secolo i veneziani di Costantinopoli costituivano ancora la più grande colonia mercantile europea. I mercanti veneziani dell'ultimo decennio del XVI secolo, tuttavia, a differenza dei loro predecessori, probabilmente non erano né patrizi, né cittadini 'nativi' della Repubblica. Erano invece, come dimostra Eric Dursteler, ambiziosi uomini di Terraferma, per esempio di Brescia e Bergamo, che avevano acquisito la cittadinanza veneziana, oppure cristiani nati in territorio ottomano che erano considerati veneziani. Questo mutamento nella composizione sociale della categoria dei mercanti non fu il preannuncio di una diminuzione nel volume del traffico. L'interesse europeo nell'Egeo si stava anzi ravvivando, perché l'idea di una nuova crociata si fuse con la crescente rivalità tra le principali nazioni attive nel commercio. I cavalieri di Santo Stefano, della Toscana, occuparono per poco tempo Chio nel 1599; a partire dal 1613 l'isola di Milos, nell'arcipelago, aveva ormai consoli inviati da Venezia, da Marsiglia e dalla Repubblica Olandese. C'era anche una nuova attività in alcuni porti anatolici occidentali, come Ayasuluk (nei pressi di Efeso, di fronte a Samo), e Çeşme, ai quali incominciò ad arrivare la seta persiana destinata a Chio, passando per i Dardanelli. Intorno al 1640 questa tendenza portò al grande sviluppo di Izmir (Smirne), raggiungibile da Çeşme aggirando il promontorio di Karaburun, quale luogo d'incontro per i mercanti provenienti da Oriente e Occidente: un processo in cui Niccolò Orlando, mercante veneziano e in seguito console olandese, ebbe una parte decisiva. Ma la vera ragione della trasformazione di Izmir da placido villaggio a porto attivissimo va ricercata molto al di là dell'Egeo: Izmir era il luogo in cui i mercanti europei che trafficavano con il Levante potevano acquistare cotone e seta, i migliori carichi di ritorno che potessero trovare ora che il flusso delle

37. ASVe, *DAS*, *Constantinopoli*, Marco Venier al Senato, 23 marzo 1594, cc. 32-33, 65-70*v*; Slot, *Archipelagus Turbatus*, cit., pp. 117-125.

spezie attraverso l'Egitto e la Siria era stato stroncato a seguito dei cambiamenti intervenuti nell'Oceano Indiano.[38]

Egitto e Siria

In quanto protettori delle Città Sante, i mamelucchi avevano la responsabilità di salvaguardare il passaggio dei pellegrini, vuoi per mare vuoi per terra. Di conseguenza gli sforzi del Portogallo per controllare il traffico attraverso l'Oceano Indiano sfidavano l'autorità dei mamelucchi, e i sultani del Cairo reagirono (una flotta mamelucca venne sbaragliata al largo delle coste del Gujarat nel 1509). I governanti ottomani, successori dei mamelucchi, ereditarono una base navale a Suez e furono più abili nell'estendere il loro potere nel Mar Rosso e oltre. Anche le loro navi da guerra ebbero la peggio in scontri con i portoghesi nelle acque indiane (Diu, 1538), ma conquistando il controllo dello Yemen e del litorale occidentale del Mar Rosso verso sud, fino allo stretto di Bab al-Mandab (durante il 1556), i sultani di Costantinopoli fecero del Mar Rosso, come del Mar Nero, un lago ottomano. I portoghesi furono così tagliati fuori dal contatto con gli alleati cristiani etiopi e frustrati nelle loro speranze di bloccare il traffico in entrata e in uscita dal Mar Rosso. Nel frattempo le forze ottomane avevano conquistato Bassora sul Golfo Persico (1546) e i diplomatici turchi avevano stabilito contatti con il sultano di Aceh (Sumatra settentrionale), le cui navi, evitando lo stretto di Malacca controllato dai portoghesi, trovarono altre rotte per trasportare i carichi dalle isole delle spezie alla costa del Malabar in India, e di conseguenza verso il Mar Rosso.[39] Quando organizzavano le campagne contro la potenza navale portoghese, i funzionari ottomani certamente avevano in mente gli introiti doganali di Gedda e Suez; essi avrebbero potuto affermare meglio in tutto il mondo musulmano l'autorità del sultano, in qualità di califfo e signore dei Fedeli. Qualsivoglia fossero i motivi, fu la politica ottomana nel Mar Rosso e nell'Oceano Indiano a far rifiorire il commercio delle spezie attraverso Alessandria.

Il rifornimento di spezie all'Europa era sempre stato la punta di diamante del commercio col Levante. Nel 1500 il commercio aveva raggiunto un picco assoluto: in quell'anno Venezia importò ben 500.000 *libre sottili* di pepe e 800.000

38. E.P. Dursteler, *Venetians in Constantinople. Nation, Identity, and Coexistence in the Early Modern Mediterranean*, Baltimore-London 2006, cap. 1, *The Venetian Nation in Constantinople*; Braudel, *La Méditerranée*, cit., I, p. 528; İnalcık, *Economic and Social History*, cit., pp. 245-246; D. Goffman, *Izmir: from Village to Colonial Port City*, in E. Eldem, D. Goffman, B. Masters, *The Ottoman City between East and West: Aleppo, Izmir, and Istanbul*, Cambridge 1999, in particolare pp. 88-93; Sella, *Commerci e industria a Venezia*, cit., pp. 9-10.

39. Casale, *The Ottoman Age of Exploration*, cit., capp. 2 e 3.

di spezie preziose, pari a circa il 70% del consumo europeo. Le spedizioni da Alessandria fornivano l'85% delle importazioni di spezie; il resto proveniva da Beirut, che forniva anche il cotone e la seta siriana molto apprezzata dagli artigiani veneziani. La norma era che le spezie fossero trasportate esclusivamente sulle galee grosse costruite nell'arsenale di Venezia; con equipaggi di 200 o più uomini, queste grandi galee statali potevano difendersi meglio che non le navi tonde private. Tuttavia il successo iniziale del Portogallo nel controllo del commercio del pepe nell'Oceano Indiano quasi annullò la posizione di Venezia ad Alessandria: il monopolio per le spezie dei convogli di galee di stato venne interrotto nel 1514 e per un certo tempo i vascelli veneziani non fecero più scalo in Egitto con calendario programmato. Quando la navigazione di linea delle galee venne ripristinata nel 1529, le importazioni da Alessandria a fatica raggiunsero la metà circa del livello iniziale, sebbene il pepe fosse adesso solo una piccola parte del totale. Nel 1560, tuttavia, essendo calate le importazioni tramite Lisbona, il pepe riprese a passare attraverso l'Egitto; i mercanti veneziani fecero incetta della metà di quanto veniva offerto e le loro navi tonde (che avevano sostituito le galee statali) caricarono ad Alessandria una quantità di spezie mai vista prima. Secondo le stime del bailo Marino Cavalli, 220.000 ducati – circa metà degli introiti doganali dell'Impero Ottomano – erano da attribuire al traffico attraverso Alessandria. Durante la crisi della guerra di Cipro degli anni Settanta del Cinquecento Marsiglia superò Venezia nella fornitura di spezie all'Europa. Ma negli ultimi due decenni dello stesso secolo Venezia riguadagnò la posizione di preminenza. Nel 1585 Filippo II, nella sua veste di re del Portogallo, offrì a Venezia il contratto per la consegna in Europa delle spezie provenienti dall'*Estado da India*. Questa fu l'occasione per Venezia di intromettersi nel commercio nell'Oceano Indiano, ma il Senato rifiutò la proposta: non era il caso di mettere in pericolo, con questa alleanza con la Spagna, le famiglie veneziane residenti in Siria ed Egitto, valutate nel numero di quattromila.[40]

95, 98

I veneziani non furono mai gli unici italiani a effettuare importazioni da Alessandria. Nel 1578, sperando di ripristinare i contatti di Firenze con il Levante, il granduca Francesco I di Toscana mandò Bongianni Gianfigliazzi come inviato alla Porta, «su un galeone di Lucca, battente bandiera francese». Secondo l'ambasciatore di Francia, Gianfigliazzi raggiunse un accordo con la Porta perché fosse fatta una distinzione tra le prerogative del granduca quale sovrano e gli interessi dei suoi mercanti: fin quando il commercio marittimo ottomano non

40. F.C. Lane, *Venetian Shipping during the Commercial Revolution*, in *Crisis and Change*, cit., e Id., *The Mediterranean Spice Trade: Further Evidence of its Revival in the 16th Century*, ivi; per le stime di Cavalli (220.000 dei 460.000 ducati degli introiti doganali ottomani attribuibili al commercio via Alessandria), cfr. *supra*, nota 33; C.H.H. Wake, *The Changing Patterns of Europe's Pepper and Spice Imports, 1400-1700*, «Journal of European Economic History», 8 (1979); Braudel, *La Méditerranée*, cit., I, pp. 506-508.

fosse stato danneggiato da un qualsivoglia vascello fiorentino al di fuori delle quattro galee da guerra dei cavalieri di Santo Stefano, i mercanti di Firenze nel territorio del sultano non avrebbero avuto nulla da temere. Nonostante la ricostituzione di tali legami diplomatici, le navi toscane, per insistenza dei francesi, navigarono in acque ottomane battendo bandiera francese; gli italiani non veneziani residenti ad Alessandria, nel 1585 come anche in altre occasioni, chiesero formalmente l'annullamento di quest'obbligo. Infine, nonostante la decisione del granduca Francesco I nel 1575 di attrezzare Livorno come porto principale avesse avuto ripercussioni soprattutto sul traffico con l'Europa occidentale, essa valse anche ad aprire un nuovo collegamento dall'Italia verso il Levante e in primo luogo, a quanto pare, con l'Egitto. Negli anni per i quali si hanno dati, venticinque navi (spesso con base a Dubrovnik o Marsiglia) partirono da Alessandria per Livorno, contro le otto provenienti da Costantinopoli.[41]

96

La corte del pascià d'Egitto aveva meno dignitari (e meno clienti per tessuti di qualità) rispetto a quando Il Cairo era stato la capitale di un impero. I funzionari ottomani però fecero cessare il monopolio statale mamelucco per le importazioni del pepe e probabilmente danneggiarono i mercanti veneziani meno di quanto non avessero fatto i mamelucchi. Il governo ottomano tuttavia promosse anche, col tempo, la nascita di una classe di mercanti locali. Lo spostamento dei consolati europei da Alessandria al Cairo riflette la necessità di trattare con i membri della corporazione dei mercanti del Mar Rosso, il cui capo, detto *shahbandar*, era dal 1550 circa un personaggio di alto rango nella capitale. Il Cairo e Alessandria inviavano regolarmente grandi quantità di riso e legumi a Costantinopoli, per non parlare del pepe e delle spezie destinati alle cucine del sultano; dal 1571 le navi mercantili dell'Egitto navigavano in convoglio, scortate da galee. Ismail Abu Taqiyya, importante commerciante che nei suoi ultimi anni di vita fu *shahbandar* del Cairo (1613-1625), è noto per aver ordinato merci veneziane tramite agenti ebrei. Lui o i suoi pari grado si servirono forse degli stessi intermediari per mandare la loro mercanzia a Venezia o a Livorno?[42]

Per quanto non si sappia se i sudditi ottomani cercarono di inserirsi nel commercio egiziano con l'Italia, è chiaro però che il predominio veneziano subì il contraccolpo di due importanti fattori. In primo luogo, né le galee mercantili né le navi tonde avevano le possibilità tecniche di navigazione e tanto meno le capacità di difesa dei *bertoni* provenienti da oltre lo stretto di Gibilterra. Dall'ultimo decennio del XVI secolo le merci veneziane destinate al Levante viaggiaro-

41. Charrière, *Negotiations de la France*, cit., III, pp. 737, 747-748 (Juyé a Enrico III, 18 marzo, 20 luglio 1578); BNF, *MF*, 16144, cc. 49-52*v*, Berthier a Enrico III, 1 giugno 1585 (petizione da Alessandria); F. Braudel, R. Romano, *Navires et marchandises à l'entrée du porte de Livourne (1547-1611)*, Paris 1951, pp. 43-44.

42. Casale, *The Ottoman Age of Exploration*, cit., capp. 1 e 2; Hanna, *Making Big Money*, cit., pp. 8, 9-12, 19, 60-65.

no sempre più spesso su navi costruite nell'Atlantico settentrionale, o noleggiate da proprietari inglesi o olandesi. In secondo luogo, a partire dal 1620 circa il trasporto di pepe attraverso il Mar Rosso venne drasticamente ridotto, e per sempre. Dal 1611 al 1620 la Compagnia olandese delle Indie Orientali fece partire 117 vascelli, la maggior parte in direzione di quella che oggi è l'Indonesia; tra il 1619 e il 1621 il pepe rappresentò fino al 56% del valore dei carichi di ritorno. Nei decenni che seguirono gli olandesi, decisi ed efficienti, giunsero quasi a monopolizzare le forniture di pepe per l'Europa. In Egitto i mercanti del Mar Rosso dirottarono i capitali sul commercio del caffè o sulle piantagioni di zucchero. L'Europa tuttavia si stava approvvigionando di zucchero nell'America meridionale e non aveva ancora granché sviluppato il gusto del caffé. E così i veneziani, che erano ancora in collegamento con Alessandria, riempirono i carichi di ritorno con pellame bovino, tessuti locali e carbonato di sodio, usato per le imbalsamazioni fin dall'epoca dei faraoni.[43]

Per i funzionari ottomani l'interesse principale per la Siria, che si estendeva fino alle più alte sorgenti dell'Eufrate, stava nella sua vicinanza al confine militarmente più delicato dell'impero. Le guerre ricorrenti fra i sultani sunniti di Costantinopoli e gli scià sciiti dell'Iran non avevano riscosso molta attenzione nel mondo europeo, ma gli eserciti ottomani, dal 1520 fino al 1640, avevano effettuato più campagne sulla frontiera persiana che non nell'Ungheria asburgica o in Austria.[44] Nella prima metà del XVI secolo una delle conseguenze non volute degli scontri fu quella di accentuare l'importanza di Aleppo nel commercio internazionale. Al pari di Damasco, Aleppo era (a partire dagli anni Venti del Cinquecento) la capitale di una provincia ottomana, e nel 1600 contava più di 200.000 abitanti. Dato che si trovava a essere il naturale centro mercantile per le regioni dove veniva coltivato l'ottimo cotone siriano, e il punto d'arrivo preferito dai commercianti armeni residenti a Julfa sul fiume Araxes, che in quell'epoca organizzavano le carovane della seta dalla Persia, la città offriva molti motivi di interesse per i mercanti stranieri. Andrea Morosini, condannato a morte dal governo veneziano nel 1526 per aver dato asilo a un inviato dell'imperatore Carlo V nel suo viaggio

103

105

43. F. Braudel, P. Jeannin, J. Meuvret, R. Romano, *Le declin de Venise au XVIIe siècle*, in *Aspetti e cause della decadenza economica veneziana*, cit., p. 59; Tenenti, *Naufrages, corsaires et assurances*, cit., pp. 15-25; Hanna, *Making Big Money*, cit., pp. 74 80; Sella, *Commerci e industria a Venezia*, cit., pp. 16-20; N. Steensgaard, *The Growth and Composition of the Long-distance Trade of England and the Dutch Republic before 1750*, in *The Rise of Merchant Empires. Long-Distance Trade in the Early Modern World, 1350-1750*, a cura di J.D. Tracy, Cambridge 1990, in particolare pp. 109, 114; per le importazioni di zucchero dalle colonie spagnole e portoghesi delle Americhe (1566-1778) cfr. C. Rahn Phillips, *The Growth and Composition of Trade in the Iberian Empires, 1450-1750*, ivi, in particolare Tav. 2.2, pp. 58-63.

44. G. Berchet, *La Repubblica di Venezia e la Persia*, Torino 1865, p. 27; A. Allouche, *The Origins and Development of the Ottoman-Safavid Conflict (906/962-1500/1555)*, «Islamkundische Untersuchungen», XCI (1983), p. 65: le simpatie sciite e quindi iraniane delle tribù guerriere turcomanne costituivano una «grave minaccia» per l'Impero Ottomano.

in Persia, era diventato famoso per una vasta rete di traffici organizzata da Aleppo. Aleppo però divenne ancora più importante come centro commerciale quando, come già detto, le tensioni in Anatolia ostacolarono il transito sulla via della seta in direzione di Bursa, a vantaggio appunto di Aleppo. Per di più, conquistando le città di Baghdad (1534) e Bassora (1546), sino a quel momento sotto la dinastia persiana dei Safavidi, Solimano I favorì lo sviluppo di una via carovaniera ottomana lungo l'Eufrate; le spezie dall'Oceano Indiano giunsero allora ad Aleppo, a danno di Damasco. Durante i periodi di pace le autorità di ambedue i lati della frontiera promossero il traffico carovaniero.

Gli armeni ottomani, dai caratteristici turbanti bianchi decorati di azzurro e di rosso, costituirono comunità satelliti nelle città tra Julfa e Aleppo, e per tutta l'Anatolia sino all'Egeo. Nella parte persiana, dove l'itinerario attraversava una zona desertica, c'erano funzionari addetti alla repressione del banditismo. A seguito di tutto ciò Venezia nel 1548 spostò il suo consolato ad Aleppo. Negli anni Cinquanta del Cinquecento i mercanti veneziani tenevano nei loro depositi merci per circa 200.000 ducati, così da essere ben forniti quando arrivavano le carovane della seta o delle spezie.[45]

Il commercio di Venezia con la Siria fu grandemente facilitato dai suoi possedimenti nell'isola di Cipro. Famagosta vantava un bel porto naturale e fortificazioni imponenti a cui i veneziani apportarono notevoli miglioramenti; secondo il governatore della città nel 1563 i magazzini di Famagosta contenevano merci per un valore tra i 100.000 e i 500.000 ducati, in attesa di essere spedite nell'una o nell'altra direzione. Per evitare le tasse di ancoraggio e altre gabelle nei porti ottomani, i mercanti scelsero sempre più spesso di mettersi in attesa a Famagosta, lasciando che i caramussali ciprioti trasportassero le merci da e verso la terraferma. Cipro poté anche menar vanto per certe sue ottime mercanzie: il cotone cipriota era ricercato dai mercanti europei fin dal XIII secolo, mentre le saline nei pressi di Larnaka producevano sale cristallino bianco di una qualità difficilmente rinvenibile in altri domini veneziani. Il cotone e ancor più il sale avevano inoltre il pregio di mettere a disposizione un tipo di carico da zavorra di cui le navi avevano bisogno per il lungo viaggio di ritorno verso casa. Tutti questi vantaggi furono naturalmente annullati o quasi dalla conquista ottomana dell'isola nel 1570. In particolare, le autorità turche chiusero le porte di Famagosta agli stranieri, temendo che il grande porto e la sua fortezza potessero cadere nelle loro mani. Le navi veneziane attraccarono ancora a Cipro per caricare sale o cotone, ma solo alle sali-

45. B. Masters, *The Origins of Western Economic Dominance in the Middle East: Mercantilism and the Islamic Community in Aleppo, 1600-1750*, New York 1986, pp. 9-16, 38-43, e Id., *Aleppo: the Ottoman Empire's Caravan City*, in Eldem, Goffman, Masters, *The Ottoman City between East and West*, cit., pp. 21-29; I.B. McCabe, *The Shah's Silk for Europe's Silver. The Eurasian Trade of the Julfa Armenians in Savafid Iran and India (1530-1750)*, Atlanta 1999, pp. 21-33; *Lettres d'un marchand vénetien, Andrea Berengo (1553-1556)*, a cura di U. Tucci, Paris 1957, pp. 16-19.

ne nei pressi di Larnaka, dove il porto e le relative strutture erano ai minimi termini. La questione dell'ancoraggio in Siria divenne a questo punto molto importante. Tripoli offriva tutte le infrastrutture di un porto ottomano ma, con i ritmi degli animali da soma, era situata ad altri otto giorni di viaggio da Aleppo verso sud. Iskenderun (Alessandretta), una località secondaria, offriva un porto naturale a soli due o tre giorni di viaggio dal centro di smistamento all'interno; i commercianti europei incominciarono a farvi ricorso e nel 1593 ottennero che venisse designata come stazione doganale ottomana. Verso la metà del secolo seguente Iskenderun assunse l'aspetto di una cittadina europea.[46]

104

Nonostante la perdita di Cipro, il commercio veneziano con la Siria toccò il suo apice alla fine del XVI secolo. Nell'ultimo decennio del Cinquecento, sedici compagnie veneziane rappresentate ad Aleppo avevano un giro d'affari stimato tra i 100.000 e i 200.000 ducati ciascuna; le contrattazioni si svolgevano per lo più non in contanti ma a baratto: si trattava cioè del classico commercio alla levantina in cui un certo tipo di mercanzia pregiata veniva scambiato con un altro. In un anno, il 1592, la Siria assorbì tra le 10.000 e le 12.000 pezze di tessuti di vario genere, a fronte di 5000 dalla Bosnia (dove si sentivano i benefici della nuova via che passava da Split), di 4000 da Alessandria e di 3000 da Costantinopoli. Nei successivi quattro anni, secondo il console Alessandro Malipiero, Aleppo ricevette 20.000 pannilana veneziani e 200.000 braccia di drappi di seta. Alcuni tessuti venivano inoltrati ancora più a est, a Tabriz o Qazvin, come pure a Isfahan, dal 1597 nuova capitale dello scià Abbas I (1587-1629). La predilezione di Abbas per il cotone trapuntato pare abbia fatto diminuire le importazioni di tessuti, pur continuando egli stesso a fare ordinazioni particolari a Venezia, esattamente come facevano i sultani ottomani.[47] Nella direzione opposta, il commercio della seta grezza aumentò straordinariamente nel corso del XVI secolo: tra il 1590 e il 1604 Venezia importò, da varie località del Levante, una media annua di 1450 balle di seta (circa 360.000 libbre inglesi), quintuplicando i volumi del XV secolo. Questa tendenza andò di pari passo con il rapido sviluppo delle industrie seriche, non solo a Venezia ma anche a Genova, Firenze, Milano, Napoli e molte città minori italiane. Dato che gli artigiani veneziani preferivano la seta siriana (anche per questo prodotto Aleppo era il mercato più importante) alle varietà persiane, la maggior parte della seta persiana che giungeva a Venezia veniva rie-

46. B. Arbel, *Régime colonial, colonisation et peuplement: le cas de Chypre sous la domination vénitienne*, in Id., *Cyprus, the Franks and Venezia*, cit., cap. III, in particolare pp. 164-172; Hocquet, *Le sel et la fortune de Venise*, cit., pp. 130, 171-172; R.C. Jennings, *Christians and Muslims in Cyprus and the Mediterranean World, 1571-1640*, New York 1993, pp. 156, 249, 265-266, 297, 325-327.

47. Berchet, *La Repubblica di Venezia e la Persia*, cit., pp. 43, 64, 65, 74; U. Tucci, *Mercanti, navi, monete nel Cinquecento veneziano*, Bologna 1981, p. 99; Alessandro Malipiero al Senato, 16 febbraio 1596, in *Relazioni dei Consoli Veneti nella Siria*, a cura di G. Berchet, Torino 1866, pp. 79-99, in particolare p. 80.

sportata.[48] Alla fine, le esportazioni di cotone ebbero un percorso simile: Maureen Mazzaoui stima che le importazioni veneziane di cotone dal Levante ammontassero, nel 1560, a quasi 16.000 tonnellate inglesi, a fronte delle 2000 tonnellate attorno alla metà del XV secolo. È certo che la perdita di Cipro interruppe il commercio veneziano del cotone: i fabbricanti di fustagno del Sud della Germania, dopo essersi a lungo serviti di cotone cipriota, ora guardarono altrove per i rifornimenti. Ma la maggior parte degli altri clienti della Serenissima si accontentò del cotone siriano, spedito da Aleppo.[49]

Dal 1600 circa i veneziani che operavano nel mercato della seta dovettero far fronte alla concorrenza degli armeni. Lo scià Abbas I dedica molto della sua notevole energia per indirizzare i proventi che derivavano dalla produzione della seta verso le necessità dello Stato: i suoi eserciti riconquistarono regioni che producevano seta e che erano finite in mano agli ottomani nel Nord-Ovest (in particolare Shirvan), e altre che erano state conquistate dagli uzbeki nel Nord-Est; la seta greggia, dichiarata monopolio reale, ora doveva essere acquistata tramite gli agenti dello scià. Per reperire gli agenti Abbas si appropriò della rete ottomana formata da armeni: dopo una campagna militare a Shirvan nel 1603 riammise molti mercanti di Julfa alla città di Isfahan, nel quartiere detto Nuova Julfa, dando loro l'autorità di rappresentare l'interesse dello Stato nel campo della seta. Gli intermediari armeni estesero allora la loro rete fin nel Mediterraneo, con importanti basi a Venezia e Livorno e altre più modeste addirittura ad Amsterdam.[50] Il traffico di seta persiana, inoltre, non doveva più dipendere, come punto di sbocco, da Aleppo, in territorio ottomano: nel 1622 Abbas I concluse un accordo con la Compagnia inglese delle Indie Orientali in base al quale le sue navi da guerra avrebbero contribuito a scacciare i portoghesi da Hormuz, eliminando così un ostacolo al traffico internazionale nel Golfo Persico; tramite la Compagnia o la sua rivale olandese, la Vereenigde Oost-Indische Compagnie,[51] mercanti armeni operanti per conto dello Stato iniziarono a inviare via mare seta in Europa.

Nel frattempo gli europei rivali di Venezia ad Aleppo, in particolare i francesi e gli inglesi, avevano segnato un punto a loro favore nel reperimento della seta offrendo di pagare in contanti. A peggiorare la situazione, il Senato veneziano aveva appena cercato di colpire i nordici con l'emanazione di un

48. Molà, *The Silk Industry*, cit., pp. 4-18, 55-59; Sella, *Commerci e industrie a Venezia*, cit., pp. 11, 23, Appendice C (pp. 111-113).

49. Mazzaoui, *The Italian Cotton Industry*, cit., pp. 38-54; Sella, *Commerci e industrie a Venezia*, cit., pp. 11, 23.

50. McCabe, *The Shah's Silk*, cit., 33-42; R.P. Matthee, *The Politics of Trade in Safavid Iran. Silk for Silver, 1600-1730*, Cambridge 1999, pp. 69-89.

51. N. Steensgaard, *The Asian Trade Revolution of the 17th Century*, Chicago 1974; Matthee, *The Politics of Trade*, cit., pp. 79-90, 105-111. Per la missione di Louis des Hayes de Courmentin in Persia nel 1626, nella speranza di ricostituire il flusso della seta verso Aleppo, cfr. i dispacci dell'ambasciatore di Luigi XIII alla Sublime Porta, Philippe de Harlay, conte di Cessy: BNF, *MF* 16150, cc. 469-471, 477-478, 518-519, 534-536, 576-579, 619-620*v*, 623*v*.

decreto, nel 1602, veramente mal concepito, in base al quale le merci che entravano in porto dovevano essere caricate su navi veneziane ovvero su navi della stessa origine della mercanzia. Il risultato fu che i mercanti che ad Aleppo avevano fatto per la seta un'offerta più alta dei veneziani vennero incoraggiati a portarla dovunque meno che a Venezia, specie a Messina o a Livorno o al loro proprio luogo d'origine. Il colpo finale giunse quando il commercio veneziano dei tessuti verso l'Est venne drasticamente ridotto dai cambiamenti avvenuti in tutti i mercati ottomani. Probabilmente a causa di disordini dovuti agli endemici conflitti civili – le cosiddette sommosse dei Celali del 1591-1611 – i clienti preferirono cotoni imbottiti di poco prezzo ai *kerseys* o ad altri tessuti di lana leggera fino ad allora molto diffusi in Levante. Venezia aveva ancora un importante mercato di nicchia per le sue stoffe pregiate, ma non durò a lungo: dal 1620 circa i mercanti inglesi portarono grandi quantità di *broadcloths*, forse non della stessa qualità delle lane veneziane, ma più a buon mercato e di più facile smercio. A causa di questo insieme di difficoltà Venezia non ebbe modo di salvare i suoi commerci con la Siria. La Serenissima dimostrò ancora una certa propensione a contrastare la crescente superiorità dell'Inghilterra nel Mediterraneo, ma solo per il mercato dell'uva passa che proveniva dai domini veneziani nel mar Ionio; anche qui però, pur nelle vicinanze di casa, Venezia perse la battaglia.[52]

Conclusioni

Questo saggio ha voluto dimostrare che, anche se i mercanti e i capitani di mare italiani avevano un ruolo sempre meno centrale nella gestione del traffico tra Oriente e Occidente, il volume delle merci di pregio trasportate in Italia dal Levante tornò a riguadagnare o addirittura superò i livelli massimi raggiunti nei secoli precedenti. Intorno al 1600 le spezie affluivano dall'Egitto ai porti italiani in quantità mai viste dai tempi della creazione dell'*Estado da India* da parte del Portogallo.[53] Dalla Siria, in cambio di fortissime spedizioni di tessuti veneziani, giunsero quantità di seta e di cotone largamente superiori rispetto al passato, malgrado il fatto che larga parte della seta e del cotone disponibili venisse prelevata e portata direttamente nei propri paesi da mercanti di Inghilterra, Francia, penisola iberica e Paesi Bassi.[54]

52. D. Sella, *Crisis and Transformation in Venetian Trade*, in *Crisis and Change in the Venetian Economy*, cit., e Id., *The Rise and Fall of the Venetian Woollen Industry*, cit., pp. 106-126; W.J. Griswold, *The Great Anatolian Rebellion, 1000-1020/1591-1621*, Berlin 1983 (Islamkundische Untersuchungen, 83); M. Fusaro, *Uva passa. Una guerra commerciale tra Venezia e l'Inghilterra (1540-1640)*, Venezia 1996.

53. Cfr. le opere citate *supra*, nota 40.

54. Cfr. le opere citate *supra*, note 47, 48 e 49.

Nella prospettiva della storia economica del XXI secolo, attenta all'importanza dei costi di tutte le fasi operative,[55] non è affatto sorprendente scoprire che l'aumento generale del volume degli affari sembra procedere di pari passo con la trasformazione nell'organizzazione del commercio con il Levante qui descritta. Indubbiamente una delle ragioni per cui arabi, armeni, greci, ebrei e turchi assunsero ruoli di sempre maggior rilievo nella movimentazione delle merci verso l'Occidente va individuata nel fatto che le conoscenze tecniche locali e i rapporti tra mercanti *in loco* consentivano loro di ridurre i costi di transazione, facilitando in tal modo, almeno indirettamente, un aumento del volume del traffico. Di fatto, i maggiori volumi nel commercio che possiamo osservare alla fine del XVI secolo furono resi possibili dalla collaborazione di reti multietniche di mercanti, sia in Italia che nel territorio ottomano. Potrebbe essere utile allora parlare di una *age of partnership* nel Levante, come è stato suggerito per il commercio nell'Oceano Indiano nel periodo 1600-1750? Probabilmente no. Si possono naturalmente trovare casi di consapevole collaborazione a livello politico tra gli Stati, soprattutto negli sforzi congiunti delle autorità veneziane e ottomano-bosniache per rimettere in sesto il commercio nei loro territori balcanici sconvolti dalla guerra. D'altra parte, nel loro complesso i casi di collaborazione ufficiosa da parte di dignitari ottomani (per fare un esempio, quelli che dai propri possedimenti spedivano cereali alle navi italiane ancorate nell'arcipelago) furono forse ancora più importanti. Ma i rapporti diretti tra reti di mercanti appartenenti a etnie rivali il più delle volte mostrano atteggiamenti ostili. *Partnership* non è un'espressione che descrive molto bene i tesi rapporti d'affari che intercorrevano, per citare un caso, tra mercanti veneziani ed ebrei levantini a Costantinopoli. La definizione di «conflitto frenato», recentemente proposta da Sanjay Subrahmanyam per le relazioni che, pur assicurando reciproci vantaggi, rimanevano tese tra Mughals e 'franchi' nelle regioni dell'Oceano Indiano, sembrerebbe rendere meglio l'idea anche con riferimento al Levante.[56]

Quello che ha colpito l'attenzione degli osservatori italiani del tempo è stato proprio l'elemento conflittuale nelle relazioni tra Oriente e Occidente. Se gli aumenti nel volume degli scambi sembrano quasi essere sfuggiti alla loro attenzione, essi hanno percepito in maniera molto chiara che i loro connazionali stavano perdendo il controllo del movimento delle merci verso e dal Levante. Non solo Genova e Venezia non controllavano più le rotte marittime, ma gli italiani che ancora andavano in Oriente si imbarcavano su navi inglesi o olandesi e, per non tra-

55. F.C. Lane, *Profits from Power: Readings in Protection Rent and Violence-Controlling Enterprises*, Albany 1979; D.C. North, *Institutions, Transaction Costs, and the Rise of Merchant Empires*, in *The Political Economy of Merchant Empires: State Power and World Trade, 1350-1750*, a cura di J.D. Tracy, Cambridge 1991.

56. *The Age of Partnership. Europeans in Asia before Domination*, a cura di B.B. Kling e M.N. Pearson, Honolulu 1979; S. Subrahmanyam, *Mughals and Franks in an Age of Contained Conflict*, in Id., *Explorations in Connected Histories: Mughals and Franks*, Delhi 2005, pp. 1-20.

scurare alcun elemento, gli stessi mercanti che si mettevano in viaggio non appartenevano più a famiglie nobili, come nel passato. Dietro questa percezione di declino c'è un importante sviluppo storico – vale a dire l'uso della potenza marittima per promuovere il commercio – di cui sembra che le città-stato del Medioevo italiano siano state le pioniere. John Pryor colloca questo capitolo della storia mediterranea in una giusta prospettiva di lungo termine: quando le flotte delle repubbliche marinare italiane sfidarono con successo le marine dei Fatimidi e degli Ayubidi, diedero inizio a un confronto secolare tra Oriente e Occidente «il cui risultato avrebbe avuto un'importanza infinitamente maggiore ... delle guerre per le Crociate». In questa lotta secolare, la potenza marittima ottomana eclissò l'egemonia italiana e fu a sua volta eclissata dall'arrivo dei *bertoni*. Addirittura negli anni Settanta del Settecento, un autore veneziano immaginava ancora che la Repubblica avrebbe potuto ricuperare l'antica prosperità solo mettendo in atto una strategia adottata nel glorioso passato: Venezia doveva dominare una particolare rotta marittima, o una parte di essa, escludendo tutti i potenziali rivali.[57]

Di fatto, non si dovrebbe assolutamente sottovalutare il nesso tra potere e scambi commerciali. I turchi, gli ebrei, i greci, gli armeni e gli arabi godevano di una maggiore libertà d'azione non solo perché sapevano come ridurre i costi di transazione, ma anche a causa del loro stato privilegiato in quanto sudditi del potente Impero Ottomano in fase di espansione. Al contrario, per i ceti superiori delle città italiane l'esperienza degli affari in Levante non era più, come nel passato, il primo passo di un *cursus honorum* che poteva aprire le porte verso qualche alta carica. Sul piano economico, questo significava uno spostamento dei capitali verso altre iniziative, come il commercio iberico (per molti aristocratici genovesi) o lo sviluppo delle proprietà agricole in Terraferma (per molti patrizi veneziani); il settore delle assicurazioni marittime attirò nuovi investimenti da parte delle famiglie importanti di Firenze come pure di Genova e Venezia.[58] Gli aspetti che i contemporanei hanno notato, inoltre, non sono state tanto le nuove opportunità, quanto il fatto nudo e crudo che le famiglie più note stavano distogliendo i loro capitali dal commercio col Levante. Anche se questa prospettiva ha in effetti attirato l'attenzione degli storici, è un fatto che gli studiosi di oggi sono inclini a parlare di «diversificazione» piuttosto che di «declino» e di «riconversione» piuttosto che di «stagnazione».[59]

57. C. Starr, *The influence of Sea Power on Ancient History*, New York 1989, sostiene che nell'antichità soltanto i cartaginesi, e non gli ateniesi o i romani, avevano avuto l'idea di servirsi della potenza navale per ampliare le loro mire commerciali; C. Livi, D. Sella, U. Tucci, *Un problème d'histoire: la décadence économique de Venise*, in *Aspetti e cause della decadenza economica veneziana*, cit., p. 293. Pryor, *Geography, Technology and War*, cit., pp. 135 sgg.

58. Dursteler, *Venetians in Constantinople*, cit., p. 44; Tenenti, *Naufrages, corsaires et assurances*, cit., pp. 62-63.

59. Il volume su *Aspetti e cause della decadenza economica veneziana*, cit., denuncia nel suo stesso titolo un punto di vista superato, ma il saggio conclusivo solleva importanti interrogativi

Indipendentemente dalle sue implicazioni nella strategia economica, questo mutamento nell'equilibrio geopolitico del Mediterraneo può anche aver messo in luce nuove priorità per le élites tradizionali delle repubbliche italiane. Ugo Tucci avanza l'ipotesi che già dal 1500 circa i giovani patrizi veneziani fossero meno disposti a imbarcarsi per il consueto periodo di apprendistato Oltremare, in quanto il commercio non sembrava più offrire quel tipo di esperienza necessario alla carriera politica. Diceva uno della nuova generazione: «Altra cosa è l'essere mercante, altra il governare stati e flotte». In realtà, nel secolo e mezzo seguente, mentre la marina mercantile veneziana andava diminuendo di consistenza, quella militare rimase una forza pienamente efficiente, anche se i superiori responsabili non facevano caso allo scarso senso della disciplina dei comandanti delle navi da guerra, sempre giovani di estrazione patrizia.[60] Se da un lato è vero che la flotta mercantile veneziana non riuscì a strappare il commercio dell'uva passa agli inglesi, dall'altro le sue navi da guerra difesero Candia per ventiquattro anni contro le forze di un rinato Impero Ottomano. Altri Stati italiani non avevano colonie, ma non erano meno esposti di quanto non lo fosse Venezia rispetto al crescente flagello della pirateria, nell'ambito della quale, come già detto, il caso più frequente era il sequestro di un'imbarcazione cristiana da parte di corsari musulmani. In questo senso, il cambiamento d'indirizzo di Genova del 1528 (che mise in campo la flotta dei Doria per gli interventi contro gli ottomani), per quanto interpretabile come evento politico locale, può anche essere considerato come facente parte di un disegno più ampio. Firenze dal 1480 non manteneva più convogli di galee mercantili, ma le quattro galee da guerra dei cavalieri di Santo Stefano – ordine fondato nel 1547 – venivano ritenute le migliori navi da guerra di cui si potesse disporre all'epoca. Già dal XIV secolo la Sicilia aveva cessato di essere una potenza navale, ma all'inizio del XVII le galee da guerra siciliane di base a Messina facevano sentire la loro presenza nel Mediterraneo orientale.[61] Si deve concludere che i nobili italiani, di famiglie precedentemente impegnate nel commercio, avessero trovato altre alternative di carriera,

sul paradigma allora prevalente: cfr. Livi, Sella, Tucci, *Un problème d'histoire*, cit. Cfr. Dursteler, *Venetians in Constantinople*, cit., p. 45: «Diversification is not decline». Per una sintesi della letteratura recente sul più vasto argomento del declino economico in Italia cfr. S. Ciriacono, *Economie urbane e industria rurale nell'Italia del Cinque e Seicento: riconversione o stagnazione?*, «Rivista Storica Italiana», CXIII (2001).

60. U. Tucci, *La psicologia del mercante veneziano nel Cinquecento*, in Id., *Mercanti, navi, monete*, cit., in particolare pp. 43-54, cit. a p. 56; R. Romano, *Aspetti economici degli armamenti navali veneziani nel secolo XVI*, «Archivio Storico Italiano», LXVI (1954).

61. La corrispondenza degli agenti francesi e veneziani presso la Sublime Porta presenta vari resoconti delle imprese dei cavalieri di Santo Stefano, spesso in collaborazione con i cavalieri di Malta; purtroppo non si sono potuti consultare D. Ligresti, *L'organizzazione militare del Regno di Sicilia (1575-1635)*, «Rivista Storica Italiana», 105 (1993), in particolare pp. 661-665; F. Cresti, *Imprese delle galere serenissime e altri documenti Stefanini*, «Quaderni Stefanini», XIV (1995), citato in S. Bono, *Schiavi mussulmani nell'Italia moderna 1500-1830*, Napoli 1999, p. 530.

più adatte ai concetti propri della loro estrazione nobiliare?[62] Il caso di Dubrovnik, Stato che non si era mai dedicato alle battaglie sul mare, offre una piccola dimostrazione *a contrario*: i suoi mercanti patrizi rimasero fedeli ai loro commerci marittimi, senza nemmeno un accenno a spostamenti verso investimenti nell'agricoltura fino alla crisi generale degli anni Venti del Seicento.[63]

Infine, i mercanti sia ottomani che italiani vennero emarginati dai successi, nell'Oceano Indiano, di quelle stesse nazioni dell'Atlantico settentrionale le cui navi erano arrivate a dominare il Mediterraneo. Ciò che Niels Steensgaard ha definito «la rivoluzione del commercio asiatico del XVII secolo» ebbe vari aspetti. Uno di essi certamente riguardava le compagnie commerciali concessionarie dello Stato; la struttura di queste nuove entità favorì la pianificazione a lungo termine, mente l'ampia disponibilità di capitali le metteva al sicuro dagli eventi negativi di una data annata.[64] Le nuove forme di organizzazione economica, però, non implicarono necessariamente una nuova strategia per il commercio. Nel 1614, in una lettera da Giava per i direttori della Compagnia Olandese delle Indie Orientali, Jan Pieterszoon Coen, destinato a diventare entro breve il conquistatore di Banda, tracciava il suo principio guida:

> Le Loro Signorie dovrebbero sapere che in India il commercio è gestito e mantenuto dalla protezione e dall'appoggio delle vostre armi, né più né meno come le vostre armi sono acquistate con i profitti del commercio.

Questa considerazione di Coen sarebbe stata facilmente compresa dall'uomo politico-mercante genovese o veneziano del XIV, XV o XVI secolo. Come dice Chaudhuri, in un Oceano Indiano in cui, anteriormente al 1498, nessuna potenza aveva tentato di prendere il controllo delle rotte, i portoghesi, seguiti dagli olandesi e dagli inglesi, «applicarono uno stile mediterraneo per la guerra sia per terra che per mare».[65] Gli italiani erano stati sbaragliati dai concorrenti dell'Atlantico settentrionale, questo è certo, ma tali concorrenti seguirono una strategia la cui efficacia era già stata dimostrata con successo dagli italiani dei secoli precedenti.*

62. Cfr. la tesi di Benedetto Croce secondo cui la classe baronale del Regno di Napoli, sempre refrattaria alle regole, maturò, sotto il governo asburgico, un nuovo spirito di fedeltà alla dinastia: B. Croce, *La Spagna nella vita italiana*, Bari 1922, pp. 202 sgg.

63. Zlatar, *Our Kingdom Come*, cit., cap. 3, specialmente pp. 133-137. Per le iniziative di armare le navi di Dubrovnik contro gli attacchi corsari cfr. Krekić, *Ragusa (Dubrovnik) e il mare*, cit., pp. 137-149.

64. Un'osservazione fatta da Steensgaard, *The Asian Trade Revolution*, cit., per la Compagnia Olandese delle Indie Orientali e da K.N. Chaudhuri, *The Trading World of Asia and the English East India Company, 1660-1760*, Cambridge 1978, per la Compagnia Inglese delle Indie Orientali.

65. H.T. Colenbrander, *Jan Pieterszoon Coen: bescheiden omtrent zijn bedrijf in Indië*, 's-Gravenhage 1919-1953, I, pp. 97-98; K.N. Chaudhuri, *Trade and Civilization in the Indian Ocean*, New York 1985, p. 14.

* Traduzione di Giovanni Marchi

I mercanti e la circolazione delle idee religiose

RITA MAZZEI

Una religiosità condivisa

All'alba dell'Età moderna la vita dell'uomo appare tutta immersa in un clima di profonda religiosità. Scrive Lucien Febvre:

> Un tempo, nel secolo XVI ... il cristianesimo era l'aria stessa che si respirava in quella che noi chiamiamo l'Europa e che era la cristianità. Era un'atmosfera in cui l'uomo viveva la sua vita, tutta la sua vita; e non solo la sua vita intellettuale, ma la sua vita privata coi suoi gesti molteplici, la sua vita pubblica con le sue occupazioni diverse, la sua vita professionale quale che ne fosse l'ambito. Il tutto automaticamente, in qualche modo, fatalmente, indipendentemente da ogni volontà espressa di essere credente, di essere cattolico, di accettare o di praticare la propria religione.[1]

Il mercante non faceva eccezione, e non meno degli altri era partecipe di una pietà collettiva che informava ogni momento del suo vivere e del suo agire professionale.[2] Era membro di confraternite, distribuiva elemosine, affidava le sue società alla protezione divina, poneva in testa a ogni libro mastro invocazioni a Cristo, alla Vergine e ai santi. In viaggio per affari attraverso l'Europa, come l'anonimo mercante milanese del primo Cinquecento che ci ha lasciato il suo diario,[3] non trascurava alcuna reliquia che incontrasse sulla sua strada. Per quan-

1. L. Febvre, *Il problema dell'incredulità nel secolo XVI. La religione di Rabelais*, Torino 1978, p. 322.

2. Su questo cfr. A. Tenenti, *Il mercante e il banchiere*, in *L'uomo del Rinascimento*, a cura di E. Garin, Bari 2002[5], pp. 209-213.

3. *Un mercante di Milano in Europa. Diario di viaggio del primo Cinquecento*, a cura di L. Monga, Milano 1985.

to sempre indaffarato, trovava il tempo per fare pellegrinaggi. E ancor più inciderà sulla fortuna di questa forma di devozione la religiosità della Controriforma. Fra gli italiani che operavano a Norimberga nella seconda metà del Cinquecento c'era chi si recava a Roma per le celebrazioni dell'anno santo, rispettando così la ricorrenza giubilare che i tempi rivalutavano come «pratica ufficiale della Chiesa».[4] Fra gli italiani che trafficavano nella Polonia del Seicento c'era chi se ne andava comodamente in carrozza al veneratissimo santuario della Madonna di Częstochowa, e chi si spingeva, in occasione di un viaggio in Italia, fino a quella Loreto che era meta di un pellegrinaggio di grande popolarità.[5] Le loro dimore, quando i testamenti o gli inventari ce ne schiudono le porte, ci appaiono adorne di quadri con soggetti sacri.

I mercanti ci appaiono dunque tutti infervorati di una fede sincera, e ne danno infinite dimostrazioni in ogni atto della loro vita, ma a un tempo genericamente convenzionale. Nella ricca biblioteca di Francesco Sassetti (1421-1490), uomo di fiducia dei Medici e dirigente della loro filiale a Ginevra, compaiono pochi manoscritti di carattere religioso. Vi sono, è vero, opere di autori latini cristiani, ma sembrano trovarsi lì a titolo più di opere letterarie che di libri di pietà. Se poi lo stesso Sassetti fondava nella chiesa fiorentina di Santa Trinita la cappella di famiglia dedicata al suo patrono, san Francesco, e la faceva decorare dal più famoso pittore del tempo era soprattutto per attestare un successo raggiunto, sul piano materiale e sociale.[6]

Fin nell'esercizio quotidiano della scrittura essi trasferiscono le espressioni di un lessico modulato sui toni di un formalismo religioso unanimemente condiviso, e la loro corrispondenza ne offre, di simili formule, esempi a non finire. Quella che è fonte privilegiata per ricostruire la pratica degli affari in tutti i suoi aspetti, oltre che in generale l'evoluzione delle vicende economiche e politiche del tempo, porta a ogni passo testimonianze di un convinto sentire religioso. Né mancano, in essa, risvolti di una qualche singolarità, che confermano come non

4. L. Scaraffia, *Il giubileo*, Bologna 1999, p. 11. Per Camillo Colombani a Roma nel 1575 e nel 1600, in quest'ultima occasione ospite del cardinale Flaminio Piatti, e in generale per gli italiani a Norimberga nel secolo XVI, cfr. R. Mazzei, *Convivenza religiosa e mercatura nell'Europa del Cinquecento. Il caso degli italiani a Norimberga*, in *La formazione storica della alterità. Studi di storia della tolleranza nell'età moderna offerti a Antonio Rotondò*, promossi da H. Méchoulan, R.H. Popkin, G. Ricuperati e L. Simonutti, Firenze 2001.

5. Per il lucchese Bartolomeo Sardi che nel 1669 si recava «a visitar la Madonna miracolosa di Cestochova [Częstochowa]» in compagnia di altri due mercanti, e di «un religioso di S. Agostino», si veda una sua lettera dell'11 ottobre di quell'anno, da Varsavia, al fratello a Lucca, in Archivio di Stato di Lucca (d'ora in poi ASLu), *Archivio Sardi* (d'ora in poi *AS*), b. 127, n. 27, p. 115; tutta la lettera, pp. 115-120. Per il fiorentino Angelo Maria Bandinelli dalla Polonia a Firenze, e poi a Loreto (1652), cfr. Biblioteca Nazionale di Firenze, *Mss. Passerini*, 185, ins. 33, f. 2*r*.

6. Per la biblioteca cfr. J.-F. Bergier, *Humanisme et vie d'affaires. La bibliothèque du banquier Francesco Sassetti*, in AA.VV., *Mélanges en l'honneur de Fernand Braudel*, Toulouse 1973. Per la cappella, decorata dal Ghirlandaio, cfr. E. Cassarino, *La cappella Sassetti nella chiesa di Santa Trinita*, Lucca 1996.

si esitasse a servirsi delle opportunità che una estesa rete di relazioni commerciali poteva offrire per soddisfare una particolare esigenza di pietà religiosa. Così nel caso dei Martelli di Lione di cui possiamo misurare, fra le pieghe della corrispondenza d'affari, l'intensità dell'adesione a un culto destinato a crescente fortuna nel più maturo Cinquecento come quello lauretano. Quei ricchi mercanti-banchieri fiorentini, fra i più importanti sulla piazza francese sin dalla prima ascesa delle sue fiere, li sorprendiamo nel 1573 alle prese con una commissione fuori del comune, quella di «una immagine di cera di peso di lib[bre] 100 di una giovane di età di 18 o 20 anni tutta intera per farla presentare alla Nostra Donna di Loreto». Ad Ancona non vi era «il comodo» di averla, e così si rivolgevano ai Barberini di Firenze, pregandoli di «farla fare costì» e di inviarla poi ad Ancona, e da lì a Loreto.[7] La scelta non era casuale poiché i Barberini, con i soci Barbadori, erano fra i maggiori operatori toscani nella città del medio Adriatico. I Martelli avevano più corrispondenti su una piazza che era tanto importante per i rapporti commerciali con il Levante, e tale rimase fino al pieno decollo di Livorno; ma la firma dei Barberini-Barbadori era quella che poteva offrire le migliori garanzie per il buon esito di una operazione che ci pare avere tutta l'aria di rispondere allo scioglimento di un voto.

Per quanto fossero vivi l'attaccamento alla fede e la devozione dei mercanti cinquecenteschi, è concordemente riconosciuto come nessun impedimento di natura spirituale potesse arrestarli nell'espansione dei loro commerci. Sembra prevalere, come atteggiamento diffuso, la disponibilità a trattare affari con tutti: «senza rispecto alchuno», come prevede la prassi commerciale del mercante veneziano – ma potremmo dire del mercante senz'altro – tutta improntata a spregiudicato interesse. Il 'danaro' va cercato là ove si trova, e non ci sono barriere che tengano, né politiche né religiose, sul piano della 'esperientia' commerciale e umana.[8]

Così vediamo comportarsi l'oligarchia di una minuscola repubblica la cui proverbiale ricchezza, com'è noto, poggiava tutta, e da sempre, sull'esercizio della mercatura. Di fronte alla grave crisi in atto sui mercati di Lione e di Anversa, all'aprirsi degli anni Settanta del Cinquecento a Lucca si tornava con cautela a valutare la possibilità, affacciatasi in passato in maniera fugace, di uno sbocco commerciale verso il Levante. Qualche decennio prima, nel pieno della crisi religiosa di metà secolo, poteva aver contribuito a frenare il governo lucchese il timore di offrire ai tanti nemici un appiglio per rinvigorire le accuse sul terreno religioso che da più parti piovevano su di esso.[9] Ai tre quarti del secolo, piena-

7. Cfr. M. Cassandro, *Le fiere di Lione e gli uomini d'affari italiani nel Cinquecento*, Firenze 1979, p. 123.

8. A questo proposito cfr. le considerazioni di A. Olivieri, *'Esperienza' e 'civilità' a Venezia nel Cinquecento. L'intellettuale e la città*, Milano 2002, pp. 95 sgg.

9. Cfr. G. Tommasi, *Sommario della storia di Lucca*, «Archivio Storico Italiano», X (1847), p. 447.

mente inseritasi nel clima della Controriforma, la repubblica poteva sentirsi più sicura, e dunque preoccuparsi meno di quella minaccia. Fatto è che si spinse allora a compiere più di un passo in tale direzione, accreditando presso i Signori di Ragusa suoi uomini non solo perché essi potessero ottenere agevolazioni fiscali in vista dei futuri traffici, ma anche perché fossero difesi «da ogni aggravio che potesse venir lor fatto, dovendo negotiare per la più parte con genti di diversa fede» (1571).[10] Quanto si contasse sulla possibilità di aprirsi un varco commerciale in quella direzione starebbe a confermarlo il fatto che, a trattative avviate, si decidesse di spedire sin là Biagio Balbani, di una famiglia di solide fortune mercantili che aveva avuto in passato, e continuava allora ad avere, ingenti interessi ad Anversa; e la rotta Anversa-Ancona, che proseguiva attraverso l'Adriatico via Ragusa fino a Costantinopoli, era la via principale per i flussi commerciali da e per il Levante. Nella ricerca di nuovi mercati per la pregiata produzione serica cittadina in difficoltà su quelli più tradizionali, al governo lucchese non appariva dunque ostacolo insormontabile la prospettiva di trovarsi a «negotiare per la più parte con genti di diversa fede». Si mettevano subito in conto le difficoltà che ne potevano derivare, e si cercava di tutelarsi al meglio. Furono soprattutto gli ostacoli frapposti dalla ben più agguerrita concorrenza veneziana, e in secondo ordine da quella fiorentina, che scoraggiarono i rari lucchesi disposti ad avventurarsi su quella via. Tanto più che all'orizzonte si andava profilando un altro sbocco commerciale, verso quel regno di Polonia-Lituania destinato a offrire ai lucchesi le risorse di una sorta di 'Indie d'Europa'.

I mercanti e la Riforma

Come uomini del loro tempo, i mercanti non potevano sottrarsi alle tensioni religiose che attraversarono il Cinquecento. Per certi aspetti, si potrebbe dire che era quasi inevitabile che essi vi fossero più esposti di altri. Spesso in viaggio, erano soliti frequentare quei centri urbani in cui si presentavano facili i contatti e lo scambio di opinioni. Per di più, in genere la loro formazione li portava a prestare attenzione a ogni sorta di novità. Con l'avvento della Riforma furono subito fra coloro che più facilmente potevano fare opera di propaganda a favore delle nuove idee. Ricordiamo, ad esempio, che mercanti tedeschi introdussero per primi la Riforma a Ginevra, ove erano soliti recarsi per frequentare quelle fiere.[11] E furono sempre mercanti tedeschi a portare

10. ASLu, *Anziani al tempo della libertà*, vol. 553, pp. 359-360. Per questi tentativi cfr. anche R. Mazzei, Itinera mercatorum. *Circolazione di uomini e beni nell'Europa centro-orientale: 1550-1650*, Lucca 1999, pp. 117-118.

11. Cfr. H. Amman, *Oberdeutsche Kaufleute und die Anfänge der Reformation in Genf*, «Zeitschrift fur Württembergische Landesgeschichte», 13 (1954).

idee evangeliche a Stoccolma intorno al 1522.[12] In Polonia, libri protestanti arrivarono presto attraverso le vie commerciali tradizionali di Breslavia (Wrocław) e di Poznań.

Nei grandi centri dei commerci internazionali, lì ove era più florida l'industria del libro e si dispiegavano al meglio le risorse della mobilità internazionale, si affermarono con facilità le nuove idee. Così avvenne ad Anversa e a Lione.

91

Anversa fu, nell'età della Riforma, uno straordinario crocevia dei commerci internazionali.[13] Allo sguardo di Albrecht Dürer che vi giunse nel 1520, la città si presentava, in quell'inizio della sua fase ascendente, piena di potenti operatori commerciali e finanziari, dai fattori del re del Portogallo agli agenti delle famose case di Augusta e di Norimberga.[14] Affollata nelle strade e nelle piazze, nelle locande e nelle taverne, con l'eco delle tante lingue che vi risuonavano e di cui avrebbe scritto più in là Ludovico Guicciardini (1567). Vivace come mercato di cose d'arte, di libri, di ogni sorta di beni di lusso, vetrina di tutto ciò che arrivava dal Nuovo Mondo, e con un profilo cosmopolita che si sarebbe ancor di più accentuato con il crescere delle sue fortune. Intorno al 1560 pare che essa accogliesse entro le mura circa 1100 mercanti stranieri, senza contare quanti andavano e venivano ogni giorno. Rapidamente vi si erano diffuse le idee della Riforma, e già nell'estate del 1521 vi furono bruciati libri luterani. Dalle sue famose tipografie, che lavoravano senza sosta, uscivano opere di ogni genere. Tutto contribuiva da un lato a sviluppare e a diffondere valori culturali, e dall'altro a suscitare un'attitudine al pluralismo religioso, una disposizione alla tolleranza nei confronti degli stranieri ampiamente condivise, per salvaguardare un primato commerciale universalmente riconosciuto.

Lione era, alla metà del Cinquecento, l'altro centro importante della vita economica del mondo occidentale. Favorita dalla volontà della Corona di Francia di disporre di un centro finanziario, rappresentava con le sue fiere uno snodo essenziale nel sistema dei trasferimenti internazionali; grande mercato di cambi, ma altresì centro di raccolta e ridistribuzione delle spezie e delle merci di lusso, e specialmente della produzione tessile delle città italiane.[15] Tut-

12. Cfr. E.I. Kouri, *The Early Reformation in Sweden and Finland, c. 1520-1560*, in *The Scandinavian Reformation: from Evangelical Movement to Institutionalisation of Reform*, a cura di O.P. Grell, Cambridge 1995, p. 44.

13. Sulla fortuna di Anversa è ancora utile J.A. Goris, *Étude sur les colonies marchandes méridionales (Portugais, Espagnols, Italiens) à Anvers de 1488 à 1567*, Louvain 1925; ma cfr. ora anche G. Marnef, *Antwerp in the Age of Reformation. Underground Protestantism in a Commercial Metropolis, 1550-1577*, Baltimore-London 1996. Per il ruolo della città nella trasmissione di valori culturali cfr. R. Baetens, *Le rôle d'Anvers dans la transmission de valeurs culturelles au temps de son apogée (1500-1650)*, in AA.VV., *La ville et la transmission des valeurs culturelles au bas Moyen Âge et aux temps modernes*, Actes. 17ᵉ Colloque international, Spa, 16-19 maggio 1994, Bruxelles 1996.

14. Cfr. A. Dürer, *Viaggio nei Paesi Bassi*, a cura di A. Lugli, Torino 1995.

15. Rimane fondamentale il lavoro di R. Gascon, *Grand commerce et vie urbaine au XVIᵉ siècle. Lyon et ses marchands (environs de 1520-environs de 1580)*, Paris-Mouton-La Haye 1971.

to vi facilitava la diffusione delle nuove idee religiose. Le sue fiere erano frequentate da una moltitudine di mercanti stranieri; vi avevano sede le principali case della Germania meridionale, con un personale spesso di fede luterana; vi arrivavano in quantità libri da Ginevra; la fiorente industria tipografica si valeva di stampatori venuti dalla Germania, e da parte loro i mercanti lionesi andavano alle fiere di Francoforte. In tutti gli ambienti la questione religiosa finiva per essere in primo piano. Quando fu occupata dai riformati, dal maggio del 1562 al giugno del 1563, la città era piena di italiani, mercanti e altri, e in quei tredici mesi dovettero spargersi voci di grande incertezza intorno al loro sentire religioso.

In simili contesti urbani poteva facilmente capitare che anche fra i mercanti che vi soggiornavano vi fosse chi si accostava alle nuove idee, per sincera adesione, per simpatia o per semplice curiosità; e al rientro poteva portarle in patria. A Lucca, città che alla metà del Cinquecento era considerata fra le più eretiche d'Italia, si attribuiva quella responsabilità ad Agostino Balbani di cui si diceva che era tornato «di Fiandra con questa segreta macchia», e avrebbe così infettato la città. È appena il caso di ricordare che quella ricca oligarchia fu largamente influenzata da idee eterodosse, e vide non pochi dei suoi uomini di primo piano lasciare la città per andare a stabilirsi a Ginevra, portando con sé un ricco patrimonio di risorse finanziarie, di conoscenze e di competenze professionali. Fu soprattutto a partire dal 1555 che ebbe inizio un consistente esodo di nobili verso la città di Calvino: «In Ginevra ... sono tanto multiplicati che quelli della città ne cominciano a temere», scriveva a Cosimo de' Medici nell'agosto del 1558 un occhiuto informatore di cose lucchesi, raccogliendo un sentire che stava prendendo piede entro le ben guardate mura.[16] L'emigrazione confessionale che ne seguì vide in prima fila nomi illustri della finanza e dei commerci internazionali, uomini di famiglie che da generazioni investivano energie e capitali fra Lione e Anversa.[17] Affatto diversa la scelta di un lucchese di tutt'altre fortune, al cui orecchio doveva esser giunta notizia della fama di tolleranza che circondava il regno di Sigismondo Augusto. Cosa non difficile in una città tanto aperta ai traffici, anche verso la Germania. Com'è noto, la Polonia rappresentò in seguito il principale sbocco per l'industria serica lucchese, e molti sudditi della minuscola repubblica divennero *cives cracovienses*. Merita dunque segnalare che il primo a ottenere quel privilegio, nel 1571, fu un oscuro Pietro Santini di sicura fede riformata, giunto da poco a Cracovia per avviarvi un'attività mercantile con i suoi 500 scudi.[18]

16. Ugolino Grifoni a Cosimo, Archivio di Stato di Firenze (d'ora in poi ASFi), *Mediceo del Principato*, filza 472a, f. 980*r*; tutta la lettera, ff. 977*r*-980*r*.

17. Sulla fortuna della Riforma a Lucca cfr. M. Berengo, *Nobili e mercanti nella Lucca del Cinquecento*, Torino 1965; S. Adorni-Braccesi, *«Una città infetta». La repubblica di Lucca nella crisi religiosa del Cinquecento*, Firenze 1994.

18. Cfr. Mazzei, Itinera mercatorum. *Circolazione di uomini e beni*, cit., pp. 214-218.

Evidentemente la 'libertà' polacca alimentava voci che non circolavano soltanto fra i dotti.[19]

A chi studia la fortuna della Riforma in Italia capita facilmente di imbattersi nel grande mercante che rientra da Lione o da Anversa con un bagaglio di idee e di libri eretici. Singoli personaggi di cui ci sono note le vicende, come il fiorentino Bartolomeo Panciatichi o il genovese Agostino Centurione, ci suggeriscono il profilo di uomini che arrivavano a maturare sul versante religioso una sensibilità tutta loro. Che si può definire sostanzialmente 'erasmiana' non avendo a disposizione un termine migliore, per dirla con Hugh Trevor-Roper; e che portava al rifiuto di «un'impalcatura che, in quanto assorbiva energie, costituiva uno spreco di tempo e immobilizzava ricchezze, senza aver alcun rapporto necessario con la religione».[20] In questo senso ci pare si possa intendere il fastidio che si coglie in certi ambienti mercantili per il divieto di mangiare carne nei giorni di astinenza, e che traspare dai costituti di un noto processo, quello affrontato dal Centurione a Trento sul finire del concilio (1563). Nella sua deposizione, il mercante genovese ammette che a Lione la quaresima «fra gli mercanti non si faceva generalmente per l'opinione dell'aere insalubre».[21] Ma in generale chi viaggiava al di là delle Alpi, ad esempio tra Francoforte, sede delle celebri fiere, e Basilea, snodo importante sulle rotte commerciali fra l'Italia e l'Europa del Nord e città della Riforma, sapeva bene che «in molti luoghi di quelle parti bisogniava ai giorni proibiti mangiare di quello si trovava, et che piaceva a l'hosti di que' luoghi».[22]

Agostino Centurione veniva da una delle più antiche e facoltose famiglie di Genova, con ricchi traffici nelle Fiandre e in Francia.[23] Fin da giovane (era nato intorno al 1506), ebbe modo di soggiornare Oltralpe per seguire gli interessi dell'azienda di famiglia, e a Lione fu a stretto contatto con quei lucchesi di gran nome che, lì responsabili dei maggiori banchi, non si stancavano di fare la spola con Ginevra, e non pochi dei quali scelsero la città di Calvino. Nella sua vicenda la mobilità fra Lione e Ginevra appare decisiva, non meno di quanto lo fossero le opportunità offerte da tante frequentazioni. Ricordiamo infatti che fra le due città, e più che mai negli anni 1550-1562, correva un vero e proprio asse pri-

19. Bernardino Bonifacio, marchese d'Oria, nel 1561 invitava il Castellione a recarsi a Cracovia, dove era lecito vivere e scrivere a proprio arbitrio; cfr. D. Cantimori, *Eretici italiani del Cinquecento e altri scritti*, a cura di A. Prosperi, Torino 1992, pp. 265-266.

20. H.R. Trevor-Roper, *Protestantesimo e trasformazione sociale*, Bari 1972, p. 64.

21. Il processo è stato pubblicato da L. Carcereri, *Agostino Centurione, mercante genovese processato per eresia e assolto dal concilio di Trento (a. 1563)*, «Archivio Trentino», XXI (1906), p. 94.

22. A Lucca si poneva la questione nel 1574 per i mercanti della città soliti frequentare Norimberga e le fiere di Francoforte: cfr. ASLu, *Offizio sopra la religione*, 5, p. 1051 sgg.

23. Su di lui cfr. C. Jenkins Blaisdell, *Agostino Centurione*, in *Dizionario Biografico degli Italiani*, 23, *ad vocem*. Per il significato del processo celebrato a Trento cfr. A. Prosperi, *Tribunali della coscienza. Inquisitori, confessori, missionari*, Torino 1996, pp. 132-133.

vilegiato per la circolazione dei libri.[24] Ci sembra altresì significativo che il Centurione ammettesse di aver preso a Lione l'abitudine di recitare i Sette Salmi penitenziali in volgare. In latino, non solo non li aveva più detti, ma se li era scordati.[25] Dietro tale affermazione si può cogliere l'eco della fortuna prodigiosa che conobbe il libro dei Salmi, dal momento che il loro canto era uno degli elementi essenziali del culto protestante. Furono, com'è stato scritto, «de puissants convertisseurs», e sappiamo che l'editoria lionese rispose con prontezza alla grande richiesta che ve ne era.[26] Dalla deposizione dinanzi ai cardinali legati del concilio sembra che il mercante genovese – il quale ammetteva di aver attaccato più di una volta la condotta e la morale del clero cattolico, ma non la dottrina romana – non avesse aderito a una chiesa riformata, ma che piuttosto fosse stato attirato dalle nuove idee per irrequietezza intellettuale.

Come il Centurione, un altro mercante della sua generazione, il fiorentino Bartolomeo Panciatichi, entrava in contatto con ambienti ereticali a Lione, ove era nato nel 1507. Il padre, Bartolomeo *senior*, vi dirigeva una delle principali aziende fiorentine, e in quei primi decenni del secolo figura ripetutamente fra i maggiori importatori di spezie.[27] Alla soglia dei trent'anni, dopo il matrimonio con Lucrezia Pucci (1534) – effigiata, come il marito, in uno splendido ritratto del Bronzino –, il giovane Panciatichi subentrava nell'attività paterna. A partire dal 1536 si succedettero sulla piazza francese diverse compagnie a lui intitolate, in cui erano soci altri fiorentini di spicco fra i quali, in primo luogo, Giovanni Battista Carnesecchi. In seguito alla morte di quest'ultimo, nel 1548, la ragione «Panciatichi – Carnesecchi e compagni» ebbe fine, e fu creata una nuova «Bartolomeo Panciatichi [*iunior*] e compagni».[28] Un impegno notevole, dunque, che dovette far sì che il ricco mercante e banchiere fiorentino si dividesse fra la Francia e la Toscana. A Firenze divenne presto accademico, e apparve subito vicinissimo a Cosimo. Da tempo erano noti i suoi orientamenti religiosi quando, nell'ottobre del 1551, il nome comparve nel famoso elenco presentato da don Pietro Manelfi all'inquisitore di Bologna. Di lì a poco, all'inizio del 1552, il duca scriveva ai commissari dell'Inquisizione fiorentina mostrando tutta la sua preoccupazione che quella «imputatione» potesse nuocere gravemente «ai negotii» del Panciatichi «nelle bande di Francia et altrove dove lui, come sapete, fa faccende mercantili d'assai importantia».[29] Il timore non era fuori luogo, dal mo-

109, 110

24. Cfr. F.M. Higman, *Le domaine français, 1520-1562*, in *La Réforme et le livre. L'Europe de l'imprimé (1517-v. 1570)*, Dossier conçu et rassemblé par J.-F. Gilmont, Paris 1990, p. 116.

25. Carcereri, *Agostino Centurione*, cit., p. 94.

26. Cfr. E. Droz, *Antoine Vincent. La propagande protestante par le Psautier*, in *Aspects de la propagande religieuse*, Études publiées par G. Berthoud *et al.*, Genève 1957, p. 276, nota n.n.

27. Cfr. Gascon, *Grand commerce et vie urbaine*, cit., I, pp. 220, 229, 363.

28. Per queste compagnie cfr. ASFi, *Tribunale di mercanzia*, 10951.

29. Per la vicenda inquisitoriale del Panciati-

mento che, dopo la svolta di metà secolo, sulla piazza lionese si stavano profilando grosse difficoltà. Mentre si avviava alla conclusione il periodo di maggior successo di quelle fiere, spericolate operazioni cambiarie finirono con il compromettere il sistema dei pagamenti, da cui ne derivò una serie di clamorosi fallimenti. La crisi provocata dallo scompenso fra il commercio internazionale e il mercato monetario travolse anche il Panciatichi che, ancora nel 1551-1552, risulta impegnato in una grossa operazione cambiaria da Lione sulla Castiglia.[30] Poco dopo – nella scia di «lettere di cambio soscritte di mano di detto Bartolomeo le quali non furono accettate, né pagate, et tornorno col protesto»[31] – la «Panciatichi e compagni» di Lione fallì.

L'esposizione di Bartolomeo con l'Inquisizione veniva più o meno a coincidere con la sopravvenuta ristrettezza del banco di Lione, e anche questo doveva avere la sua parte nel suggerire al duca la più cauta prudenza. La protezione di Cosimo fu decisiva, sia sul versante degli interessi economici sia su quello, ben più delicato, delle traversie inquisitoriali. Per quanto riguarda il fallimento, bisognava pur dare soddisfazione ai creditori, ma lo si doveva fare «*con mancho danno che si può di esso Bartolomeo*», e i suoi beni non potevano essere alienati senza l'assenso dello stesso Cosimo.[32] L'accusa di eresia, in mancanza di prove certe, venne a cadere. La protezione ducale mise così il Panciatichi al riparo dalle più gravi conseguenze, e salvaguardandone il prestigio e la ricchezza gli permise di riprendere senza riserve il suo ruolo al servizio del potere mediceo. Ignoriamo se il Panciatichi avesse modo di tornare poi in Francia, ma sappiamo che sul finire del 1555, mentre i creditori sia del banco di Firenze sia di quello di Lione presentavano le loro istanze alla Mercanzia, egli era ancora una volta lontano dalla Toscana.[33] La cifra di 'nicodemismo' che sembra improntare l'atteggiamento di Cosimo, il quale invitava gli inquisitori fiorentini a privilegiare il significato del vivere «con le buone opere ... da buon christiano et catholicamente» lasciando in ombra, se pure ci fosse stata, la «persuasione di prava dottrina», non parrebbe estranea alla linea di difesa del Panciatichi stesso, che in modo ostinato respingeva l'accusa «di disunione dalla santa chiesa».

A un profilo del genere, espressione di un atteggiamento che apriva la via

chi, e per l'atteggiamento di Cosimo I de' Medici, cfr. S. Caponetto, *La Riforma protestante nell'Italia del Cinquecento*, Torino 1992, pp. 354 356; G. Bertoli, *Luterani e anabattisti processati a Firenze nel 1552*, «Archivio Storico Italiano», CLIV (1996); e ora soprattutto M. Firpo, *Gli affreschi di Pontormo a San Lorenzo. Eresia, politica e cultura nella Firenze di Cosimo I*, Torino 1997, pp. 191-192, 369-370.

30. Cfr. H. Lapeyre, *Une famille de marchands: les Ruiz. Contribution à l'étude du commerce entre la France et l'Espagne au temps de Philippe II*, Paris 1955, p. 357, nota 91.

31. ASFi, *Tribunale di mercanzia*, 10951, f. 8*r*. Cfr. anche ivi, 10754, f. n.n., 22 ottobre 1555.

32. Ivi, 10951, f. 2*r*. Il corsivo è sottolineato nel testo. Cfr. anche ASFi, *Mediceo del Principato*, filza 469, ff. 274, 291.

33. ASFi, *Tribunale di mercanzia*, 11517, f. n.n., 12 novembre 1555.

alla «scissione tra convinzioni segrete della coscienza e pratica rituale esteriore»,[34] ci sembra si possano accostare altre figure di mercanti che vissero a lungo all'estero. Pur nella scarsità di indizi, qualcosa possiamo dire dei due fratelli Soderini, della grande famiglia fiorentina, che trascorsero molti anni della loro vita nella Polonia di Sigismondo Augusto. Ignoriamo i motivi che intorno alla metà del Cinquecento portarono il maggiore, Bernardo, ad avviare floridi traffici a Cracovia, sfuggendo quella Lione che al tempo era la piazza più importante per l'oligarchia mercantile fiorentina. Proprio nella scia del loro successo, Cracovia vide rapidamente aumentare il numero degli italiani che vi arrivavano per esercitare la mercatura. Com'è noto, dopo il 1570 la capitale polacca divenne altresì crocevia degli esuli italiani in fuga da Ginevra e dai Grigioni. Per quanto riguarda i Soderini sappiamo molto dei loro affari, e degli ingenti guadagni che realizzarono prima di essere travolti da un disastroso fallimento; ma poco o nulla della loro formazione culturale e tanto meno dell'itinerario religioso. Che in Polonia avessero rapporti con personaggi potenti del regno che avevano aderito alla Riforma, come i fratelli Zborowski, o che mettessero i loro servizi bancari a disposizione dei Sozzini per far pervenire a Fausto le rimesse della famiglia – dalla Francia, ove essa aveva investito certe somme nel *Grand Parti* –, tutto questo potrebbe rientrare nel sistema di una mercatura praticata senza «respecto alcuno». Qualcosa ci potrebbe suggerire, a proposito degli orizzonti culturali di Bernardo, il fatto che egli ci appaia in qualche dimestichezza con il dotto segretario del re di Svezia Giovanni III Vasa, e abile negoziatore a Roma per conto del sovrano, Petrus Rosinus. Un personaggio poco noto, di cui meriterebbe sapere di più. Quando nel 1574 fu di passaggio a Firenze, il Soderini, sebbene impedito dalla gotta, non mancava di farsi portare «alchune volte» in lettiga a fargli visita.[35] Acquista un peso più concreto la stretta consuetudine di rapporti «per longum annorum spatium» che il minore dei due fratelli, Carlo, ebbe a Cracovia con l'antitrinitario piemontese Giovanni Paolo Alciati. Sappiamo che questi viveva in quegli «oscuri et freddi settentrioni» con un mal celato fastidio; e non sembra da escludere che in tale assidua frequentazione si lasciasse andare a temi come quelli di cui scriveva alla fine del 1574 a un ambasciatore estense, auspicando l'elezione del duca Alfonso II al trono di Polonia: della «christiana republica», di un regno in cui fiorissero «la ... sol pura et vera reli-

106

34. A. Prosperi, *L'Inquisizione romana. Letture e ricerche*, Roma 2003, p. 308.

35. Cfr. Mazzei, Itinera mercatorum. *Circolazione di uomini e beni*, cit., p. 77. Per il Rosinus ambasciatore del re di Svezia cfr. H. Biaudet, *Le Saint-Siège et la Suède durant la seconde moitié du XVIe siècle. Études politiques. Origines et époque des relations non officielles, 1570-1576*, Paris 1907, *passim*. Fra il 1571 e il 1573 fu in corrispondenza con Hugo Blotius, spirito irenico e cosmopolita, noto come bibliotecario di corte dell'imperatore Massimiliano II. Devo questa segnalazione a Paola Molino che ha avuto la cortesia di mettermi al corrente delle sue ricerche su Blotius, e che qui ringrazio.

gione, la giustizia, et una ragionevole, discreta et ben regolata libertà, accompagnata da una abondante et tranquillissima pace».[36]

Di mercanti-banchieri di gran nome che in un periodo della loro vita ebbero modo di accostarsi alle nuove idee religiose, se ne potrebbero dunque individuare non pochi. Se non giungevano a fare una scelta radicale – come i lucchesi che andarono a Ginevra, o il genovese *sir* Horatio Pallavicino, noto come ambasciatore speciale di Elisabetta I –, finivano con il rientrare nel solco dell'ortodossia cattolica. Vediamo il caso dei lucchesi Buonvisi. Essi erano a Lione sin dal 1504 (forse dal 1466), e vi sarebbero rimasti fino al fallimento del 1629. La loro attività commerciale e bancaria spaziava in tutti i settori e in ogni direzione, fino a coprire gran parte dell'Europa occidentale. Nella loro villa di Forci, a Lucca, alla metà degli anni Trenta del Cinquecento Ortensio Lando ambientava le *Forcianae quaestiones*. Ancora intorno alla metà del secolo essi potevano ben mostrarsi di spirito aperto e spregiudicato, ma all'indomani della strage di San Bartolomeo furono fra quelli che a Lione espressero con vigore la loro soddisfazione per quell'evento. «Se puede esperar» – commentano scrivendone a Simón Ruiz pochi 111 giorni dopo – «que quedará estinta esta pestilencia y mala religion y que en este reyno de aquí adelante se vivirá cattolicamente y en paz y que todo será siguro».[37] Nei primi anni Settanta la ragione Buonvisi a Lione operava sotto il nome di «Eredi di Lodovico, Benedetto Buonvisi e compagni», e Ludovico Buonvisi, scomparso nel 1550, era stato uno degli esponenti della cerchia erasmiana. Con una inclinazione quasi certa per la Riforma, condivisa dai fratelli Vincenzo e Antonio, quest'ultimo noto per la sua vicinanza a Tommaso Moro. Ma la reazione dei responsabili del banco al massacro sembra non discostarsi affatto da quella degli spagnoli Ruiz, di cui i lucchesi furono corrispondenti assidui fra il 1558 e il 1590. Ulteriore conferma, questa, del pieno inserimento dei Buonvisi nel blocco di potere della monarchia spagnola. I Ruiz erano noti come cattolici intransigenti, e rispondendo ai Buonvisi nell'ottobre successivo si rallegravano della rovina degli ugonotti come di una delle migliori notizie per la Cristianità.[38]

Dopo una fase di ondeggiamenti finiva per tornare alla piena ortodossia anche chi faceva la scelta di rimanere per sempre lontano dall'Italia, se si trovava a vivere in una Polonia riguadagnata alla Chiesa di Roma. Era il caso di Sebastiano Montelupi, un vecchio fattore dei Soderini divenuto organizzatore del 108

36. L'Alciati a Taddeo Bottone, 18 dicembre 1574, Archivio di Stato di Modena, *Cancelleria ducale. Ambasciatori, agenti e corrispondenti all'estero. Polonia*, b. 2, fasc. 13, VI, 25. Per i rapporti dell'Alciati con il mercante fiorentino cfr. Mazzei, Itinera mercatorum. *Circolazione di uomini e beni*, cit., p. 202.

37. Archivo Histórico Provincial de Valladolid, *Archivo Simón Ruiz*, 1 settembre 1572, cc. 17-129. Per i Buonvisi a Lucca cfr. Adorni-Braccesi, *«Una città infetta»*, cit., *passim*; e a Lione, Gascon, *Grand commerce et vie urbaine*, cit., *passim*.

38. Cfr. Lapeyre, *Une famille de marchands: les Ruiz*, cit., p. 135.

servizio postale fra l'Italia e la Polonia. In una stagione della sua vita, già nella piena maturità, il Montelupi si lasciava tentare dalle nuove idee in materia di fede accostandosi al vivace dibattito religioso in corso nell'antica capitale polacca. Una partecipata curiosità che si può supporre mediata dalla lettura di qualche libro fra i tanti che arrivavano in Polonia, e che poteva esplicarsi nell'esercizio di un vissuto quotidiano sottoposto a continue sollecitazioni. Infervorate discussioni si accendevano infatti fra quegli uomini lontani dall'Italia – gli uni per ragioni di mercatura, gli altri per motivi di fede – sulla grande piazza del Mercato, punto d'incontro per tutti, o nel chiuso delle botteghe. Quelle stesse presso cui si rifornivano di drappi personaggi vicini agli ambienti degli eretici italiani come i Provana o il legato imperiale Andrea Dudith-Sbardellati. Il Montelupi, al dire del nunzio Giovanni Andrea Caligari, si era «lasciato indurre alla comunione *sub utraque specie* da frate Ieronimo da Siena», e intervenne a favore del religioso quando questi fu sospeso *a divinis*. Il mercante toscano ebbe inoltre per breve tempo una frequentazione amichevole con l'eretico fiorentino Francesco Pucci, quando questi fu a Cracovia fra il 1583 e il 1585. Il Pucci, pur avendo per tempo ripudiato con decisione la sua lontana esperienza mercantile, in realtà rimase a contatto con quel mondo, e non sembra aver mai del tutto cancellato l'impronta di una mentalità formatasi nei fondaci di Lione ove aveva trascorso i giorni della sua prima giovinezza.[39]

Nel caso del Montelupi tutto si esaurì presto. Una vaga traccia dell'antica tensione la riconosciamo tuttavia nelle lettere che all'inizio degli anni Ottanta egli inviava alla corte medicea, ove disseminava qua e là immagini bibliche e richiami ai Salmi. Con un linguaggio che era sì dell'uomo del tempo, ma che ci sembra nel suo insieme colorirsi di un significato particolare.[40]

Appare evidente che coloro i quali si trovarono a misurarsi con un contesto di ortodossia religiosa, sia che rientrassero in Italia come il Panciatichi, il Centurione o i due Soderini, sia che trascorressero tutti i loro giorni in una Polonia riguadagnata al cattolicesimo come il Montelupi, finirono per partecipare a riti in cui non credevano, o in cui credevano solo a metà. E così, anche per questi uomini d'affari l'adesione esteriore all'osservanza delle pratiche cattoliche

39. A questo proposito, mi sia consentito rimandare alle considerazioni espresse in Mazzei, Itinera mercatorum. *Circolazione di uomini e beni*, cit., pp. 230-231. Non si può escludere che nel caso del Pucci la fortunata metafora della simmetria fra predestinazione e resa dei conti – da lui ripresa in almeno due opere (cfr. F. Pucci, *De praedestinatione*, Introduzione, testo, note e nota critica a cura di M. Biagioni, Firenze 2000, p. 84) – potesse trovare consonanza nella memoria dell'iniziale esperienza mercantile. Per l'immagine del rendiconto sulle azioni degli uomini nei libri celesti, cfr. H. Blumenberg, *La leggibilità del mondo: il libro come metafora della natura*, Bologna 1989, pp. 17-31. Ringrazio Wolfgang Kaiser che ha richiamato la mia attenzione su questo aspetto.

40. Cfr. R. Mazzei, *I mercanti e la scrittura. Alcune considerazioni a proposito degli Italiani in Polonia tra Cinque e Seicento*, in *La cultura latina, italiana, francese nell'Europa centro-orientale*, a cura di G. Platania, Viterbo 2004, pp. 105-107.

«doveva sfociare in un ossequio senza problemi alla religione dominante».[41] Le incertezze e le inquietudini di cui a loro modo si erano fatti 'portatori' scomparivano nell'alveo religioso della Controriforma già prima che si compiesse quella generazione.

Le dinamiche commerciali e la circolazione delle idee religiose: fiere internazionali e fiere locali

In generale, si può dire che la dinamica del dissenso religioso avesse uno sfondo prevalentemente cittadino. Le carte degli inquisitori sono dense di testimonianze di gente che si sposta, che dialoga, discute e intreccia relazioni nelle locande e nelle osterie, sulle piazze dei mercati, nei fondaci e nelle botteghe di artigiani. Tutti spazi in cui si impone una sociabilità immediata e di facile presa, che coinvolge chi viene da fuori e gente del posto. Non vi è dubbio che nella larga diffusione, in tutta la penisola, di dottrine ereticali negli anni Quaranta e Cinquanta del Cinquecento ebbero la loro parte le relazioni delle città italiane con i grandi centri del commercio internazionale, con la mobilità di uomini e beni che questo comportava.

Veicolo efficacissimo delle nuove idee fu la circolazione di libri e di materiale propagandistico. Che il flusso seguisse i canali segnati dai commerci – sia a livello internazionale sia a livello locale – era cosa ben nota alla Congregazione dell'Indice, e il controllo da esercitare in quell'ambito era argomento predominante nelle lettere che essa inviava ai suoi organi periferici.[42] Di casi in cui scritture compromettenti in materia di religione vennero ritrovate nelle casse di drappi, o in ballette di seta, se ne potrebbero ricordare molti. C'è da dire che i drappi viaggiavano in casse confezionate con gran cura da personale specializzato, in genere nel chiuso delle botteghe e al riparo da occhi indiscreti. Per molte vie, libri pericolosi e lettere sospette potevano sfuggire al controllo. Fece scalpore – ma è solo un episodio fra tanti – il ritrovamento di lettere dei riformati dei Grigioni, di Zurigo e di Ginevra celate insieme a libri 'lutherani', nelle merci dei Pellizzari di Vicenza bloccate a Milano nel 1563.[43] Spesso in viaggio fra Ginevra e Lione, con interessi che si allungavano fino ad Anversa e a Francoforte, i Pellizzari costituiscono un esempio significativo di mercanti che,

41. C. Ginzburg, *Il nicodemismo. Simulazione e dissimulazione religiosa nell'Europa del '500*, Torino 1970, p. 179. Cfr. anche A. Rotondò, *Atteggiamenti della vita morale italiana del Cinquecento. La pratica nicodemitica*, «Rivista Storica Italiana», LXXIX (1967).

42. Cfr. A. Rotondò, *La censura ecclesiastica e la cultura*, in *Storia d'Italia*, V, *I documenti*, Torino 1973, p. 1414.

43. Per l'importanza dei Pellizzari nella vita economica, culturale e religiosa di Vicenza, cfr. A. Olivieri, *Riforma ed eresia a Vicenza nel Cinquecento*, Roma 1992, pp. 379 sgg.

muovendosi fra l'Italia e le grandi città dei commerci e della Riforma, scoprivano il puro 'Evangelio'.

La recente apertura agli studiosi dell'Archivio della Congregazione per la Dottrina della Fede e le molte fonti inquisitoriali periferiche edite negli ultimi tempi offrono la possibilità di verificare come gli inquisitori non ignorassero le modalità di circolazione degli scritti che diffondevano le nuove idee religiose. L'inquisitore di Pisa, raccogliendo un allarme venuto da Roma, ai primi di giugno del 1580 si recava di persona a Livorno «per veder se in alcune navi inglesi venute si fusse ritrovata la balletta d'i 500 libri prohibiti del Francesco Pucci fiorentino».[44] Si può pensare che si trattasse dell'*Informazione della religione christiana*, un libriccino uscito anonimo probabilmente a Londra (e l'episodio verrebbe a confermarlo) all'inizio di quell'anno, e di sesto così minuscolo che pare studiato proprio per le esigenze della diffusione e della detenzione clandestina.[45] Si tratta di una delle prime distese formulazioni della tesi centrale della teologia pucciana, dopo le sintetiche tesi londinesi del 1575; e la notizia apre uno spiraglio interessante sulla circolazione degli scritti del Pucci. È vero che la Toscana, e non solo quella medicea, fu sempre aperta all'Europa grazie a Livorno. Nell'estate dell'anno 1700 un mercante lucchese di Danzica – al momento a Vilna, in Lituania – nello spedire libri a Livorno per i suoi di Lucca, li avvisava che l'inquisitore di Pisa era solito trattenere quelli che gli piacevano «sotto pretesto» che fossero proibiti.[46] Ma allorché l'inquisitore di Pisa cavalcava sino a Livorno nella tarda primavera del 1580, la fortuna di quel porto era appena agli inizi. Da poco gli inglesi avevano ripreso la rotta del Mediterraneo, e quella allora arrivata nel porto toscano doveva essere una delle due sole navi che pare giungessero dall'Inghilterra nel corso di quell'anno.[47] Niente fu trovato fra le balle di lana, le botti e i barili colmi di stagno, di piombo e di aringhe salate. Solo un carico di campane su cui l'inquisitore avrebbe voluto indagare, ma non poteva farlo senza il permesso del granduca.

In particolare, nell'Europa del Cinquecento esercitavano un ruolo molto importante le fiere.[48] Tutte le fiere, quelle internazionali come quelle a carattere regionale, offrivano infinite occasioni di nuove conoscenze, di incontri e di

44. Archivio della Congregazione per la Dottrina della Fede, Città del Vaticano, Sant'Offizio, Stanza Storica, HH 2 - d, f. 459.

45. Cfr. L. Firpo, *Nuove ricerche su Francesco Pucci*, «Rivista Storica Italiana», LXXIX (1967), pp. 1070-1074.

46. Per questo raccomandava di far andare quei «colli da Livorno a Viareggio», evitando la dogana di Pisa: ASLu, *AS*, b. 127, n. 93, p. 433; tutta la lettera, pp. 433-436.

47. Cfr. F. Braudel, R. Romano, *Navires et marchandises à l'entrée du port de Livourne (1547-1611)*, Paris 1951, p. 50.

48. Il tema delle fiere negli ultimi anni ha richiamato l'attenzione degli storici economici, e non solo. Ci si limita a ricordare *Fiere e mercati nella integrazione delle economie europee (secc. XIII-XVIII)*, a cura di S. Cavaciocchi, Firenze 2001 e *La pratica dello scambio. Sistemi di fiere, mercanti e città in Europa (1400-1700)*, a cura di P. Lanaro, Venezia 2003.

scambi, sia di idee sia di libri. Fra le fiere internazionali spiccano quelle di Francoforte sul Meno: le più antiche, le più famose, le più frequentate. Celebrate nel 1574 da un dotto stampatore ugonotto che le conosceva bene, Henri II Estienne (1528-1598).[49] Erano fiere soprattutto di merci, e ne offrivano una tale varietà che a volerle enumerare tutte non si sapeva da che parte cominciare. Ma Francoforte era anche 'la nuova Atene', e una città che riservava ai mercanti e all'esercizio della mercatura la più grande attenzione. Gli italiani vi erano di casa. A ogni fiera, in autunno e in primavera, vi arrivavano puntualmente quelli della vicina Norimberga. Anzi, si può dire che l'operosa Norimberga italiana – con i suoi fiorentini, i lucchesi, i milanesi, quelli di Piuro – due volte l'anno si trasferisse poco meno che al completo a Francoforte. Ma vi arrivavano in tanti da ben più lontano, affrontando viaggi lunghi, faticosi e dispendiosi. Il *Francfordiense emporium* attirava tutti: sia chi gravitava intorno al mondo degli affari, sia chi animava il dibattito sulle nuove idee religiose. Lì poteva capitare che un personaggio irrequieto e mosso da indomite velleità di riforma religiosa e politica come Francesco Pucci potesse contare – e questo ci risulta almeno per la fiera d'autunno del 1592 quando vi si recò per diffondere il suo *De Christi Servatoris efficacitate* fresco di stampa – sulla solidarietà di qualche ricco fiorentino.

Dopo le grandi fiere commerciali e dei pagamenti europee venivano le fiere a carattere regionale, e queste potevano fare da raccordo fra i circuiti del commercio internazionale e quelli del commercio locale. In tal senso ci pare significativo il caso di Lanciano, la cittadina abruzzese in cui si tenevano ogni anno due fiere di grande richiamo, di cambi e di merci. Su di esse poneva l'occhio, nel febbraio del 1565, l'arcivescovo Leonardo Marini che, ricordiamo, appena due anni prima era stato uno dei delegati che avevano affrontato il caso Centurione. Da Roma, ordinava al suo vicario di vigilare che il florido commercio librario che ne derivava non compromettesse la «purità della città». Ma non solo. Se da un lato lo allarmava il fatto che «nelle fiere concorre gran moltitudine tra la quale potrebbe il demonio avere alcuno dei suoi ministri», dall'altro non ignorava che attraverso l'articolata rete del sistema fieristico meridionale i libri proibiti si potevano spargere per tutto il Regno.[50] Fra l'altro, noi sappiamo che si spingeva fino a Lanciano e alle fiere delle Puglie l'irradiamento di una città come Norimberga, almeno a stare alla pratica degli affari del norimberghese Lorenz Meder (1558).[51]

Un'altra città che con le sue fiere fungeva da snodo fra il circuito dei traf-

49. H. Estienne, *The Frankfort Book Fair*, edited with historical introduction ... by J. W. Thompson, followed by *La foire de Francfort*, publié et traduit en français, avec le texte latin en regard ... par I. Liseux, Amsterdam 1969 (ristampa dell'ed. Chicago 1911).

50. C. Marciani, *Il commercio librario alle fiere di Lanciano nel '500*, «Rivista Storica Italiana», LXX (1958), pp. 421 sgg. Per le fiere di Lanciano cfr. Id., *Lettres de change aux foires de Lanciano au XVIe siècle*, Paris 1962.

51. Cfr. *Das Meder'sche Handelsbuch und die Welser'schen Nachträge*, a cura di H. Kellenbenz, Wiesbaden 1974.

fici internazionali e quello dei traffici regionali era Bolzano. Lì, innanzi tutto, contava la sua posizione di «porta per l'Alemagna». Fra Cinque e Seicento le fiere di Bolzano attiravano soprattutto una produzione di panni di qualità modesta che si riversava nel circuito delle fiere locali, e non avevano ancora sul piano internazionale l'importanza che acquistarono a Seicento inoltrato, insieme alle fiere di Lipsia.[52] Che gli appuntamenti bolzanini potessero offrire un canale di diffusione per libri eretici ce lo conferma un episodio. Ai primi del 1614 il cardinale Giovanni Garcia Millino scriveva all'inquisitore di Firenze:

> È stata inviata a questa Santa Inquisizione una scrittura in stampa intitolata *Lettera di N. ad un amico*, nella quale brevemente racconta le cause perché egli sia partito dalla religione romana; che contiene il ristretto di tutte le heresie de moderni tempi contra la santa fede catolica ... E tal lettera è stata distribuita a diversi da un mercante heretico del Palatinato, venuto alla fiera di Bolsano, che ne haveva un fascio, et sopra del quale vi era tale inscrittione: *Pro fratribus nostris neapolitanis*. Et si presume che per via di pieghi di lettere, e di merciari che vanno attorno per le fiere, et altrove, ne siano stati mandati molti essemplari in diverse città d'Italia. Però di ordine di Nostro Signore mando a V.R. l'inclusa copia di detta lettera, acciò invigili e facci tutte le diligentie possibili che costi non s'introducano gli essemplari di essa ... Parimenti invigili che li merciari nell'andare in volta non portino et distribuischino scritture heretiche, come ben spesso fanno, tra persone idiote et semplici.[53]

L'importanza della cosa non poteva sfuggire allo zelante segretario del Sant'Uffizio che, dopo la morte di Minuccio Minucci (1604), rimase uno dei pochi esperti in affari tedeschi della Curia romana del tempo. E fu lui più tardi ad occuparsi della questione dei mercanti italiani di Norimberga.[54]

Alla diffusione di idee eterodosse in uno spazio periferico poteva ben servire il circuito delle fiere minori; quelle, appunto, battute da tutti «li merciari» per la moltitudine dei contadini e degli artigiani che vi accorrevano. Sappiamo, ad esempio, che l'ingegnoso Vergerio, il vescovo apostata di Capodistria divenuto un infaticabile libellista protestante, per diffondere libri proibiti ricorreva anche ai servizi di un venditore ambulante, un «merciaio vagante», autorizzandolo a trattenere un terzo dei profitti.[55] A proposito di questa circolazione, le fonti inquisitoriali sono tutt'altro che povere di riscontri. Non di rado dai processi emerge quel mondo assai vivace di piccoli o piccolissimi mercanti in mezzo ai quali capitava che circolas-

52. Cfr. E. Demo, *Le fiere di Bolzano tra Basso Medioevo ed età moderna (secc. XV-XVI)*, in *Fiere e mercati nella integrazione*, cit.

53. Archivio della Curia Arcivescovile di Firenze, *Tribunale dell'Inquisizione* (d'ora in poi ACAF, *TIN*), 22, fasc. 32, n. 9.

54. Cfr. Mazzei, *Convivenza religiosa e mercatura*, cit., p. 424, nota 68; ma anche ACAF, *TIN*, 23, fasc. 4, n. 9.

55. Cfr. J. Tedeschi, *Il giudice e l'eretico. Studi sull'Inquisizione romana*, Milano 1997, p. 189.

sero libri proibiti di ogni genere. È ancora tutto da studiare il ruolo di questi operatori che appaiono espressione di un certo dinamismo sociale, e che andando di continuo in giro, per piazze e per botteghe, avevano mille occasioni di conoscere e diffondere idee e libri proibiti, di fare incontri che potevano segnare una vita. A Udine, nel 1558 fu chiamato a comparire dinanzi al sacro tribunale un piccolo mercante solito frequentare le fiere della Romagna e della Marca pontificia. Ammetteva che a Ravenna, quattordici anni prima, un altro mercante gli aveva esibito un libro che egli però si era affrettato a restituire, avendo compreso in un batter d'occhio di cosa si trattava: «Et credo ch'el era *Paschine in estasi*, ma non lo volsi lezer per haverlo conossuto per libro prohibito».[56] A mostrare al suo interlocutore la beffarda satira di Celio Secondo Curione che rilanciava con veemenza la tematica dell'Anticristo, era stato un modesto calderaro, forse un bergamasco; uno dei tanti – piccoli o grandi mercanti – che arrivavano ovunque. È appena il caso di ricordare che il *Pasquino in estasi*, nelle sue diverse redazioni, fu uno dei libri che agli inizi degli anni Quaranta del Cinquecento ebbero in Italia maggiore diffusione.

«Questa pratica non consiste che nel vendere et comprare». Le ragioni di una vocazione 'nicodemitica'

L'assimilazione dell'eresia al contagio – «Quia haeresis ... est pestis»[57] – imponeva che si attuassero le stesse misure sanitarie per impedirne la diffusione. In particolare, si pose il problema del controllo delle comunità mercantili italiane all'estero. Molto sappiamo della vigilanza che la Repubblica di Lucca esercitava nei confronti dei suoi mercanti che vivevano a Lione, ad Anversa e a Norimberga. Ancora in pieno Seicento, nel 1652, a quel governo non sfuggiva che i Ponsanpieri di Lione, firma assai nota nel settore dei trasporti internazionali, non erano andati a comunicarsi in occasione della Pasqua.[58] Ben poco invece sappiamo del controllo da parte di Ferdinando I de' Medici, che pure non dovette mancare. Quando il Sant'Uffizio alla fine del Cinquecento rivolse la sua attenzione alle comunità mercantili italiane all'estero, lo sguardo si appuntò in primo luogo su quella di Norimberga, ma da parte di tutti ci fu una fortissima resistenza alle pressioni romane. Non uno di quei fiorentini, di quei lucchesi, di quei milanesi che agli occhi di Roma apparivano troppo pigri, e soprattutto

56. A. Del Col, *L'Inquisizione nel patriarcato e diocesi di Aquileia. 1557-1559*, Trieste 1998, pp. 309-310.

57. Su questo, e sul linguaggio di derivazione medica usato dall'Inquisizione romana, cfr. P. Schmidt, Et si conservi sana ...- *Konfessionalisierung und Sprache in den Briefen der römischen Inquisition*, in *Historische Anstöße. Festschrift für Wolfgang Reinhard zum 65. Geburtstag am 10. April 2002*, a cura di P. Burschel *et al.*, Berlin 2002.

58. Cfr. ASLu, *Consiglio Generale*, vol. 131, f. 69*v*.

troppo presi dai loro affari per recarsi regolarmente a messa in una località vicina,[59] si adattò a chiudere i battenti. I più cominciarono a pensarci solo alla vigilia della guerra dei Trent'Anni, e non vi è dubbio che a pesare fossero più le profonde trasformazioni intervenute nel complesso delle dinamiche commerciali che le ragioni confessionali.

Da parte dei mercanti che operavano nei commerci internazionali, nei fatti fu rifiutata l'assimilazione dell'eresia al contagio, rivendicando che la pratica del commercio si esauriva in definitiva «nel vendere et comprare», e imponeva di tener conto della specificità del territorio su cui ci si trovava a operare. Ce ne dà conto un ricco e stimato lucchese di Londra che nel 1576 scriveva in patria, a quell'Offizio sopra la religione che da circa un trentennio esercitava compiti di polizia straordinaria in materia di fede. Acerbo Vellutelli, questo il suo nome, a Lucca aveva iniziato l'apprendistato presso una grande compagnia cittadina che aveva filiali a Lione e ad Anversa, la Cenami-Parensi-Saminiati. Quando questa nel 1552 fallì, lui che veniva da una famiglia di fresche origini artigiane ma vicina al mondo mercantile, ne era cassiere:[60] entrava allora nei trenta anni, e non aveva carico né di moglie né di figli. Presto avrebbe lasciato la città per non farvi più ritorno.[61] Passato in Inghilterra, fu punto di riferimento per suoi concittadini di gran nome come gli Arnolfini e i Micheli, protagonisti di primissimo piano della finanza internazionale. Di cultura erasmiana e vicini al Vermigli, al Paleario e al Curione, Girolamo Arnolfini, Bonaventura Micheli e suo figlio Francesco furono fra i lucchesi che aderirono alla Riforma. Fra il 1561 e il 1571 un gioco di partecipazioni incrociate vide intrecciarsi fittamente gli interessi della «Vellutelli e compagni» di Londra e della «Micheli-Arnolfini e compagni» nelle sue tre sedi di Lione, Anversa e Londra. C'è da dire comunque che rientrava nella tradizione familiare dei Vellutelli il fatto di appoggiarsi ai ricchi e potenti Arnolfini.[62] A Londra Acerbo Vellutelli divenne *Mr Asharbo*, personaggio molto in vista e influente. Tramite l'intercessione del conte di Leicester presso Elisabetta, nel 1575 ottenne un monopolio decennale per l'importazione di olio e uva

59. «Si ha certa relatione che non è possibile ottenere da Norimberghesi che tolerino a detti Italiani il culto della religione cattolica, e la chiesa più vicina a detta città ove l'Italiani possono andare a sentir messa è lontana 13 miglia italiane, dove di rado vanno ritenuti da negotii, mali tempi e pigritia»; così l'inquisitore di Firenze nel 1607, nel tornare a intimare ai Torrigiani di chiudere la loro casa nella città tedesca: ASFi, *Notarile moderno*, vol. 8465, ff. 39*v*-40*v*, Iacopo Monticelli, 14 dicembre 1607.

60. Cfr. ASLu, *Anziani al tempo della libertà*, vol. 551, p. 295.

61. Nel testamento chiedeva di essere sepolto «ubi Deo ... videbitur et placebit», e nominava eredi i cinque nipoti, figli del fratello Guglielmo; ASLu, *Notarile*, vol. 82, ff. 72*r*-73*v*, Bernardino Parpaglioni, 14 ottobre 1555. Testando due anni più tardi, quest'ultimo lo nominava tutore dei figli, «cum c[lauso]la quod dictus Acerbus, manendo extra civitatem et territorium, dictam tutelam et curam exercere non possit»; ivi, vol. 87, ff. 370*r*-372*v*, Antonio Santini, 10 dicembre 1557.

62. Cfr. R. Sabbatini, *Per la storia di Lucca*, Lucca 2005, pp. 35-36.

passa. Era insomma uomo di grande abilità ed esperienza, oltre che di sicuro successo negli affari, allorché ai primi di aprile del 1576 scriveva a Lucca:

> Circa poi al vietarci di non havere pratica et commercio con li suspetti di heresia, le Signorie Vostre Illustrissime in questo haveranno qualche considerassione al luoco ove ci troviamo, che volendo negociare non si puol mancare di havere alle volte a praticare con quelli che sappiamo non sono di effetto cattolici. Ma però si fa con quel debito rispetto si conviene, che questa pratica non consiste che nel vendere et comprare, et quanto al mio particolare credo di havere dato tal saggio di me che sia a tutti assai ben noto quanto le nuovi religioni siano da me abborite.[63]

Dunque, ammetteva di non ritrovarsi in nessuna delle nuove confessioni; ma questo non esclude che potesse spingersi su un terreno più radicale, e spogliando la Riforma della sua concretezza religiosa ed ecclesiastica finisse per ridurla, inconsapevolmente, a un fenomeno di vita morale e intellettuale soggettiva. Certo è che una pratica del commercio ricondotta alla sua dimensione essenziale, del «vendere et comprare», finiva con l'escludere necessariamente ogni sorta di intolleranza confessionale. Ignoriamo a quale specifico episodio – «a tutti assai ben noto» – intendesse riferirsi. Quello che sappiamo, invece, è che qualche anno prima, nel 1570, aveva ospitato presso di sé a Londra un suo concittadino esule, ormai molto anziano e malato. Si trattava di un uomo d'arme, Nicolao Franciotti, che nel 1573 a Parigi avrebbe pronunciato un'appassionata orazione a favore della tolleranza religiosa.[64] Le due posizioni, quella del vecchio capitano che non esiterà a difendere la causa di alcuni sopravvissuti alla strage di San Bartolomeo che desideravano fare ritorno in patria, e quella dell'uomo d'affari che prendeva le distanze dalle «nuovi religioni» potevano incontrarsi sulla base di un'aspirazione comune.

A ben conoscere l'Europa degli affari e i suoi protagonisti, di indizi rivelatori di un clima improntato a questo spirito, segnato – si potrebbe dire – da tensioni aconciane, se ne trovano senza troppa fatica. A Londra, agli inizi del Seicento, sorprendiamo alla stessa tavola, a banchettare tutti insieme, un Calandrini e un Burlamacchi, famosi mercanti e banchieri di origine lucchese passati alla Riforma, e un convinto portatore di speranze ireniche come l'arcivescovo Marcantonio De Dominis, fuggito in Inghilterra nel 1616 per scrivere trattati contro il potere temporale del papa.[65]

Almeno a un livello di mobilità internazionale si imponeva la necessità di

63. ASLu, *Offizio sopra la religione*, 5, p. 1117.

64. Su di lui, cfr. S. Adorni-Braccesi, *Nicolao Franciotti*, in *Dizionario Biografico degli Italiani*, 50, Roma 1998, *ad vocem*. Per l'ospitalità offertagli dal Vellutelli cfr. ASLu, *Consiglio Generale*, vol. 57, f. 66*r*.

65. E. Belligni, Auctoritas *e* potestas. *Marcantonio De Dominis fra l'Inquisizione e Giacomo I*, Milano 2003, p. 58, nota 104.

prendere atto delle specifiche realtà territoriali, accantonando di conseguenza l'idea che il contatto con chi era di fede diversa fosse di per sé pericoloso. «Siando ove siamo, bisogna contentarsi», affermava il Vellutelli nel 1576. E appena l'anno prima, nel 1575, i Torrigiani di Firenze, che da poco meno di un secolo – quindi assai prima della Riforma – tenevano casa e banco a Norimberga, rispondevano al granduca di Toscana che si era fatto portavoce delle istanze di Scipione Rebiba, noto come cardinal di Pisa: «Et se si ha da guardare di trafficare con luterani, sarebbe necessario levarsi di Germania».[66] Il Vellutelli e i Torrigiani operavano in ambiti commerciali e finanziari assai diversi e lontani fra loro; ma nel comune profilo di uomini d'affari al più alto livello appaiono accomunati dalla stessa esigenza di sottrarsi ai condizionamenti di natura confessionale che potevano ostacolare le loro faccende. Quale invece fosse la posizione della Chiesa di Roma lo ribadiva nel 1614 il nunzio a Colonia al cardinal Borghese: le difficoltà causate ai commerci veneziani dai successi degli olandesi altro non erano che il «giusto giuditio d'Iddio» per aver Venezia intrattenuto relazioni d'affari con quegli eretici.[67]

In particolare, dalle ragioni addotte dagli italiani di Norimberga sembra emergere la netta coscienza del valore di un'attività che era fonte di ricchezza, non solo privata, e che consentiva di attraversare le frontiere religiose senza alcun timore di compromettere la salute dell'anima. Come ci conferma Camillo Colombani, un mercante milanese di media levatura – per quel poco che sappiamo di lui – che commerciava in seterie e faceva operazioni di intermediazione finanziaria ad ampio raggio; per il cui ritiro dalla città luterana si adoperò anche l'inquisizione di Siena in considerazione delle origini senesi della madre. Arrivato a Norimberga poco più che fanciullo nel 1570, era carico di anni e di esperienza allorché nel 1624, scrivendo al nunzio a Vienna, ricordava che era sempre stato solito andare «per tutto drieto a neghotii», ma attraversando in lungo e in largo l'Europa era rimasto saldo nella sua fede cattolica: «... sì che certamente l'anima mia non ha corso pericolo nessuno, sendo sempre vissuto ... in la cattolica religione».[68]

Non vi è dubbio che la mentalità di quanti si trovavano ad attraversare le

66. Cit. in Mazzei, Itinera mercatorum. *Circolazione di uomini e beni*, cit., p. 193.

67. *Nuntiaturberichte aus Deutschland. Die Kölner Nuntiatur*, V/1, Ergänzungsband, *Nuntius Antonio Albergati (1610-1614)*, in Verbindung mit W. Reinhard, bearb. von P. Burschel, in *Auftrag der Görres-Gesellschaft*, a cura di E. Gatz, E. Iserloh, K. Repgen, Paderborn-München-Wien-Zürich 1997, p. 196.

68. Cit. in Mazzei, *Convivenza religiosa e mercatura*, cit., p. 399. Il cardinal Millino scriveva all'Inquisitore di Siena a proposito del Colombani nel 1623-1624: cfr. *Le lettere della Congregazione del Sant'Ufficio all'Inquisizione di Siena (1581-1721)*, a cura di O. Di Simplicio, in corso di stampa. Per il Colombani socio del finanziere milanese Carlo Capitani d'Arconate cfr. G. Tonelli, *Percorsi di integrazione commerciale e finanziaria fra Milano e i Paesi d'Oltralpe nel primo Seicento*, in *Tra identità e integrazione: la Lombardia nella macroregione alpina dello sviluppo economico europeo (secoli XVII-XX)*, a cura di L. Mocarelli, Milano 2002, pp. 174, 193.

frontiere religiose per motivi d'affari potesse apparire ambigua. Tanto più se i loro interessi li portavano nella penisola. A Bologna, fra Cinque e Seicento vivevano alcuni mercanti tedeschi che avevano abiurato, ma tutti mantenevano stretti rapporti con la città e le famiglie di origine. Vivevano «catolicamente», ma proprio la loro ostentata partecipazione alle pratiche di devozione non convinceva del tutto l'arcivescovo che, insieme all'inquisitore, li teneva costantemente d'occhio: «Né ci dà fastidio altro, se non che alcuni di essi ch'hanno abiurato, vanno in Germania per occasione di mercantie, e pratticano fra heretici, poi tornano a Bologna».[69] Dello stesso segno era quanto scriveva il nunzio in Svizzera nel 1622:

> In questa città di Lindo, ove si vive conforme a la confessione augustana, mi son maravigliato di trovar molti vecchi e giovani che parlano così ben italiano come se fosser[o] nati et allevati tutta la lor vita in Italia, e tanto più me ne son meravigliato quanto che havendo procurato di saper com'habbin così ben imparato la lingua, ho inteso, che son stati di molti e molt'anni in Italia ... nel qual tempo per non scoprirsi quali erano, afferman d'haver in apparenza vissuti a la cattolica anche col confessarsi e communicarsi publicamente.[70]

La più intensa devozione poteva significare tutto il contrario.[71] Da qui a percepire il fatto religioso come qualcosa di intimo, che rimaneva intatto nell'interiorità del credente anche nel caso in cui egli avesse partecipato a un culto diverso da quello confessato, il passo era breve. Con una svalutazione, di fatto, degli atteggiamenti esteriori rispetto a quegli interiori. In un'Europa sempre più cristallizzata nelle sue divisioni confessionali anche questo esile filo ci può ricondurre al fermento sotterraneo del nicodemismo, che «appare come un sintomo di ostinata, anche se sterile, resistenza all'intolleranza delle chiese costituite».[72]

Se mercanti cattolici poterono vivere tanto a lungo a Norimberga con la coscienza che la loro anima non corresse «pericolo nessuno», un non diverso *modus sentiendi* doveva animare quasi un secolo dopo un mercante lucchese che si sentiva pienamente a suo agio ad Amsterdam, ove aveva scelto di vivere. In quella Amsterdam che a un suo fratello, religioso a Genova, appariva «infame», capace di far divenire il congiunto «mezzo eretico» dopo appena un anno che vi era.[73]

69. Cit. in Mazzei, *Convivenza religiosa e mercatura*, cit., pp. 396-397.

70. Cit. in P. Schmidt, *L'inquisizione e gli stranieri*, in AA.VV., *L'inquisizione e gli storici: un cantiere aperto*, Roma 2000, p. 371. Per un «mercatante ... heretico ... che in Roma si finge catholico» (1610) cfr. *Nuntiaturberichte aus Deutschland. Die Kölner Nuntiatur*, cit., p. 12.

71. Cfr. Prosperi, *Tribunali della coscienza*, cit., pp. 252-253.

72. Ginzburg, *Il nicodemismo. Simulazione e dissimulazione*, cit., p. 183.

73. Padre Giovanni Lorenzo Sardi alla madre a Lucca, da Genova, 29 luglio 1679: «L'altro fratello [Cesare] lo suppongo già mezzo eretico in quell'infame Amsterdam. Vostra Signoria gli scriva un poco da parte mia, se si ricordi lì più del Credo. Temo che s'accomo-

Nella grande metropoli Cesare Sardi era approdato ventiquattrenne, nel 1678, dopo un primo apprendistato polacco, e vi si era subito ambientato bene. Anni dopo, costretto a un prolungato soggiorno a Bydgoszcz (a settanta leghe da Varsavia) per seguire l'attività di quella zecca, si mostrava impaziente di rientrare in Olanda, collocando lì la sua vera dimora. E da Varsavia, sulla via del ritorno, nell'ottobre del 1684 scriveva: «Dopo esser stato quasi sei mesi fuori di casa (posso dir così, giacché la mia casa è in Amsterdam) sono in procinto di ritornarvi».[74] Ad Amsterdam sarebbe rimasto fino alla morte nel 1731, e nel testamento, steso nella sua bella casa con vista sul fiume Amstel, affidava l'anima unicamente a Dio, «son createur», e il corpo alla terra «pour y attendre le grand jour de la Resurection».[75] Come si conveniva a chi, forse, non era lontano dal nutrire una qualche inclinazione a porre i «fundamentalia fidei» alla base della 'vera religione'.

«Certo è che la guerra non fa per i mercanti». Le ragioni di una vocazione 'irenica'

Nel febbraio del 1689 Cesare Sardi si lamentava del pessimo andamento dei suoi affari a causa degli sviluppi della guerra della Lega d'Augusta (1688-1697), e prevedeva che l'anno appena iniziato sarebbe stato «l'ultimo al peggio» per i conti della sua azienda. Le pessimistiche considerazioni facevano seguito a una perentoria affermazione iniziale: «Certo è che la guerra non fa per i mercanti».[76] Nella corrispondenza di questo lucchese che visse ad Amsterdam fra Sei e Settecento, esercitando un'attività mercantile di buon successo destinata a consolidare le recenti fortune della famiglia in patria, abbondano le riflessioni sulla difficoltà di conciliare lo svolgimento dell'attività mercantile con le vicende belliche. «È vero che la congiuntura presente degli affari publici è poco favorevole ai privati, e lascia poca speranza, se affatto non la toglie, agli avantaggi della mercatura, essendo oziosa la penna» – scriveva già cinque anni prima, nel 1684, innalzando la scrittura a simbolo per eccellenza della pratica mercantile – «dove la spada opra tutto. Non di meno riluce anche fra le tenebre della confusione presente qualche barlume di aggiustamento, e si spera che alle comete che minaccian la guerra sia per succeder ben presto un'iride nunzia di pace».[77]

di troppo a quella vita libera d'Olanda, ove la sua buona indole puol essere fatta cattiva dall'istessa aria»: ASLu, *AS*, b. 130, n. 87, pp. 337-338. Sui Sardi cfr. R. Mazzei, *Fra vecchio e nuovo nelle dinamiche dei commerci internazionali. I Sardi di Lucca dalla Polonia sobieskiana ad Amsterdam*, in *L'Europa di Giovanni Sobieski. Cultura, politica, mercatura e società*, a cura di G. Platania, Viterbo 2005.

74. ASLu, *AS*, b. 129, n. 50, p. 161; tutta la lettera, pp. 161-164.

75. ASLu, *AS*, b. 2, n. 9, p. 25; tutto il testamento, pp. 25-32.

76. ASLu, *AS*, b. 129, n. 66, p. 229; tutta la lettera, pp. 229-232.

77. ASLu, *AS*, b. 129, n. 47, pp. 149-150; tutta la lettera, pp. 149-152.

È vero che, nonostante le crescenti conoscenze sulle loro caratteristiche fisiche e i loro movimenti, le comete rimanevano pur sempre segni delle intenzioni divine, e quelle del 1680-1681 e del 1682 generarono «la solita ondata di speculazioni».[78] Per il fatto di essere uscito dalla penna di un amante dei libri quale ci appare il Sardi, il riferimento a esse potrebbe tuttavia colorirsi di un sentore di novità, e comunque vale la pena non passarlo sotto silenzio per la poca distanza che correva dalla prima edizione (1682) del famoso libro di Pierre Bayle. Ma al di là di ogni possibile suggestione filosofica – cui con qualche ragione si potrebbe essere tentati di cedere per il fatto di avere a che fare con una città «in qua jam mercatoribus philosophari, & philosophis mercari concessum»[79] – quello del nostro lucchese è un sentire che si rifà a un filo che attraversa a ritroso la più varia corrispondenza mercantile.

Appare innegabile che i mercanti, nella loro scrittura, si trovino ad auspicare la pace come fattore di prosperità economica. Ad esempio, nel tardo Cinquecento sembrano far proprio, riconducendolo a un principio di utilità pratica, quello spirito irenico che a un livello più elevato di elaborazione culturale corrisponde a una aspirazione diffusa nell'Europa dei dotti. Basterebbe a confermarlo una delle fonti più note, la corrispondenza dei Ruiz, i famosi mercanti castigliani di Medina del Campo. «Plega a Dios encaminarnos una paz, que sin ella, por acá, no ay negocios de mercaderías».[80] Così scriveva da Anversa a Cosimo Ruiz, due settimane dopo la pace di Vervins (maggio 1598), Martín Pérez de Varrón. Per lui, fedele suddito di Filippo II, la pace era quella spagnola.

Che la pace si concili con gli affari meglio della guerra sembra valere sotto ogni cielo, e di esempi se ne potrebbero portare a non finire. Di fronte alla piega che prendevano gli eventi in occasione dell'elezione al trono di Polonia di Sigismondo III, nel 1587, con l'arciduca Massimiliano che non si rassegnava alla sconfitta e minacciava Cracovia, il mercante italiano più ricco e più famoso di tutta la Polonia esprimeva preoccupato il suo rammarico, poiché temeva l'inevitabile conflitto. Già i soldati posti a guardia dei confini intralciavano il transito degli uomini e delle merci, e la sua speranza era di «qualche perpetua pace».[81] A lasciarsi andare al fascino delle suggestioni si potrebbe cogliere nelle parole di Sebastiano Montelupi l'eco di «quella abondante e tranquillissima pace» di cui scriveva l'Alciati. In fondo *tout se tient* in quella Cracovia che intorno ai tre quarti del Cinquecento accoglie sia il mercante sia l'eretico, e che vede i loro passi in-

78. C. Webster, *Magia e scienza da Paracelso a Newton*, Bologna 1984, pp. 66 sgg.

79. C. Secretan, *Le «marchand philosophe» de Caspar Barlaeus. Un éloge du commerce dans la Hollande du Siècle d'Or*, Paris 2002, p. 164.

80. Cit. in V. Vázquez De Prada, *Lettres marchandes d'Anvers*, Paris 1960, I, p. 33 nota 78. Anche p. 21.

81. ASFi, *Notarile moderno*, vol. 1994, f. 78, Lorenzo Muzzi, 7 aprile 1588. Copia di lettera del Montelupi ai Capponi di Firenze.

crociarsi nei ristretti spazi urbani, fra la grande piazza del Mercato e le strade che da essa si dipartono a raggiera.

Non possiamo qui spingerci oltre. Certamente siamo di fronte a un sentire che non si traduceva nella consapevolezza di una adesione intellettuale, e tanto meno nella coscienza di un pensiero elaborato. La formazione culturale e professionale del mercante, di solito non da poco, appare indiscutibilmente «strutturata in modo da non ricercare, e di fatto da evitare, le prese di posizione teoriche e lo scontro intellettuale».[82] Aspetti della pratica corrente – quasi luoghi comuni – potranno trovare posto in un'elaborazione teorica come quella del *Mercator sapiens* di Caspar Barlaeus, pubblicato ad Amsterdam nel 1632, e divenuto subito una sorta di modello per chi avesse voluto rivendicare la dignità del commercio.[83] Ma per una piena coscienza delle virtù di un esercizio che, favorendo la prosperità, rende irrilevanti le divisioni religiose, bisogna giungere all'approdo settecentesco. Rifacendosi ai secoli precedenti si può parlare, per così dire, di una vocazione 'irenica' ricondotta sul terreno dell'agire quotidiano, di un primato della prassi che privilegia comunque le ragioni della mercatura e mal si concilia con la violenza. Pur senza esplicarsi in una precisa formulazione, non vi è dubbio che nel lungo periodo questo *modus sentiendi* finisse per operare come un lievito nelle pieghe del tessuto connettivo della società e della cultura europea.

82. Tenenti, *Il mercante e il banchiere*, cit., p. 215.

83. Cfr. *supra*, nota 79.

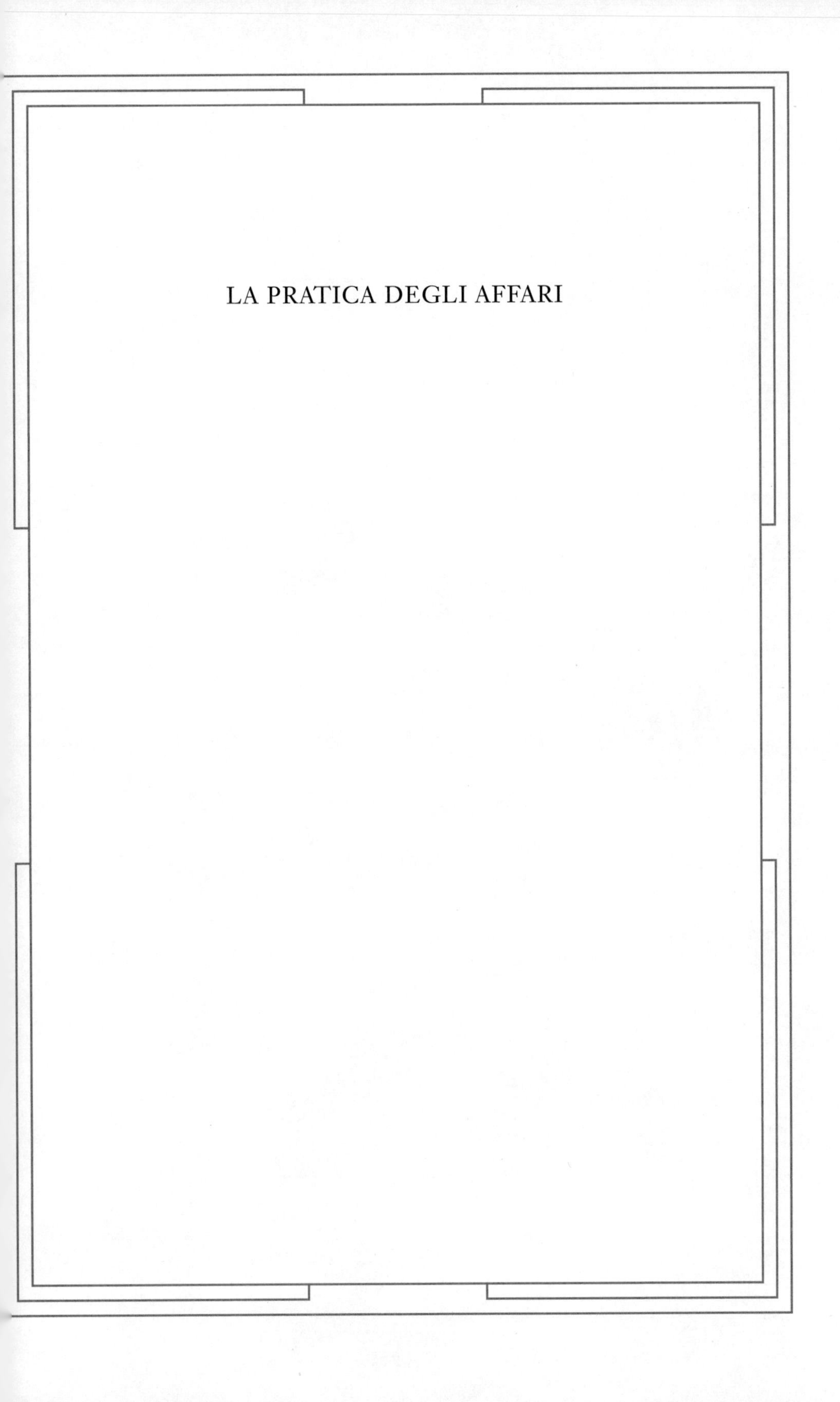

LA PRATICA DEGLI AFFARI

La formazione dell'uomo d'affari

UGO TUCCI

La scuola d'abaco

Nel Quattro e Cinquecento, come nei secoli precedenti, la preparazione del mercante, nello stesso modo di quella di ogni altro ragazzo, s'iniziava in famiglia ed era la famiglia che presiedeva all'istruzione di base, anche se normalmente la si affidava a un maestro o a una scuola. Il giovane imparava a leggere e scrivere e a far di conto. Franco Borlandi, che ne ha illustrato le testimonianze a Genova, dà rilievo al carattere formativo di questa prima esperienza scolastica, intesa più all'esercizio delle facoltà della mente che non a cognizioni da immagazzinare.[1]

A Firenze il percorso scolastico cominciava di regola verso i sette anni, segnando il passaggio da un'educazione gestita dalle donne in famiglia a una maschile generalmente esterna.[2] Leggere, scrivere e far di conto, i primi elementi, senza trascurare il latino. Nel 1594 un mercante veneziano, Ottavio Fabri, informa il fratello a Costantinopoli dei progressi che fa il figlio: «Dell'imparare fa buon frutto, legge assai bene le regole, et il Donato si può dire che lo legge a mente, et si destra la mano nel scrivere».[3]

Leggere, scrivere e far di conto, soprattutto scrivere, per essere in grado di seguire la raccomandazione dei trattatisti di «sempre scrivere ogni cosa, ogni contratto, ogni entrata e uscita fuori di bottega, e così spesso tutto rive-

1. F. Borlandi, *La formazione culturale del mercante genovese nel Medioevo*, «Atti della Società Ligure di Storia Patria», LXXVII (1963), II, p. 226.

2. C. Klapisch Zuber, *Le chiavi fiorentine di Barbablù: l'apprendimento della lettura a Firenze nel XV secolo*, «Quaderni Storici», 57 (1984), p. 770.

3. Archivio di Stato di Venezia (d'ora in poi ASVe), *Miscellanea Gregolin*, b. 12 *ter*, 1594, 1 giugno.

dendo quasi sempre avere la penna in mano»,[4] espressione di avvedutezza e di diligenza, qualità indispensabili per chi voleva far bene. In una lettera commerciale veneziana del 1597 si biasima un mercante che per mesi non aveva tenuto in ordine le sue registrazioni, non aveva scritto: eppure doveva sapere «quanto importa la scrittura lesta, che questo solo fa perder e aquistar l'honor alle case».[5] Virtù essenziale per l'esercizio della professione, la diligenza nello scrivere è inseparabile dal ritratto del buon mercante: la sua celebrazione è ricorrente nella trattatistica.

Il ragazzo destinato alla mercatura passava poi alla scuola d'abaco, un insegnamento di secondo grado che verteva su un'aritmetica applicata alla mercatura, e dopo averla frequentata fino all'età di dodici-tredici anni, entrava in azienda per condurre un periodo d'apprendistato che gli permetteva di acquistare le tecniche del mestiere con una partecipazione diretta al suo esercizio, sotto la guida di esperti di età maggiore. Certo non erano i pochi anni d'istruzione scolastica che avrebbero potuto farne un buon mercante.

Nel tardo Medioevo l'istruzione scolastica s'era andata specializzando e alla partizione tra insegnamento elementare e insegnamento secondario s'era aggiunta quella tra due indirizzi degli studi, da un lato l'abaco e il volgare, dall'altro le lettere e il latino del Donato e degli autori,[6] ma nell'atmosfera nuova del tempo l'opposizione non era netta come potrebbe apparire. Il veneziano Troilo de Cancellariis, autore nella prima parte del Quattrocento di un fortunato trattatello sulla partita doppia, aveva passato la sua gioventù in un ambiente di cultura letteraria.[7]

Un esempio di questo percorso educativo è fornito dalla vicenda di Giannozzo Manetti, nota per la descrizione nelle *Vite* di Vespasiano da Bisticci. Nato nel 1396, suo padre,

> essendo di pochi anni lo mandò, secondo la consuetudine della città, a imparare a leggere e scrivere; e conseguito in breve tempo di sapere quanto s'apartiene a uno che abbia essere mercatante, levatolo di quivi lo pose all'abaco, e in pochi mesi venne a quella scienza dotto tanto quanto s'apparteneva a un simile esercizio.[8]

Un altro esempio lo troviamo in una lettera di Giovanni Lanfredini, che dà notizie al fratello a Padova del figlio rimasto a Firenze: «Sta a l'abaco ed è parecchi

4. Leon Battista Alberti, *I libri della famiglia*, a cura di R. Romano e A. Tenenti, Torino 1969, p. 251.

5. ASVe, *Miscellanea Gregolin*, b. 12 *ter*, Marino a Zuan Maria Ventura, Venezia, 12 luglio 1597.

6. R. Black, *Humanism and Education in Medieval and Renaissance Italy. Tradition and Innovation in Latin Schools from the Twelfth to the Fifteenth Century*, Cambridge 2001, cap. I.

7. F. Besta, *La Ragioneria*, Milano 1932, III, p. 377.

8. Vespasiano da Bisticci, *Le Vite*, a cura di A. Greco, II, Firenze 1976, pp. 519-520.

mesi fu de la magiore e ora a giennaio lo leveròne e poròlo al banco, ch'è assai buono ragioniere».[9]

«Lo pose all'abaco»: lo affidò a un maestro che ne teneva l'insegnamento in una scuola privata. A Venezia quella di Girolamo Ciprio, della fine del Cinquecento, nella quale s'insegnava a leggere e scrivere, «abbacho e quaderno», era frequentata da 120 scolari, altre scuole da 80 ciascuna.[10] Qui, a Firenze e in altri centri, non occorrevano particolari licenze o registrazioni, né un accertamento dell'idoneità. Programmi e durata dei corsi erano variabili. Su una di queste scuole fiorentine ci fornisce qualche notizia il contratto di assunzione di un maestro, illustrato da Richard A. Goldthwaite.[11] Il suo programma d'insegnamento doveva articolarsi in sette unità didattiche col nome di *mute*. La prima verteva sulle operazioni aritmetiche, esclusa la divisione, alla quale venivano riservate le tre successive secondo il numero delle cifre del divisore, una, due, tre; la quinta *muta* aveva per tema le frazioni, la sesta la regola del tre, l'ultima il sistema monetario di Firenze. Appare evidente che ciò che i giovani erano chiamati ad apprendere non era solo la tecnica delle quattro operazioni, certo non tanto ardua per richiedere simile progressione, ma la sua applicazione a casi concreti.

Riflesso di tali scuole, i libri d'abaco del tardo Medioevo e del Cinquecento che ci sono pervenuti in buon numero mostrano infatti che nella trattazione della materia alla parte teorica veniva concesso minor spazio che non alle nozioni di tecnica commerciale, coi calcoli su pesi, misure, monete, sulla ripartizione degli utili nelle società e con lunghe serie di esercizi in stretto rapporto con l'attualità mercantile. Un'aritmetica pratica nella tradizione del libro del Fibonacci, che si distingueva da quella speculativa di tipo boeziano. Era una prima istruzione dell'aritmetica che s'accompagnava con un'introduzione all'attività commerciale. Perciò non deve apparire singolare che una delle sette *mute* dell'insegnamento del maestro d'abaco citato riguardi espressamente il sistema monetario di una città, e che si tenga a precisare che l'argomento toccava tutto ciò che era di pertinenza delle monete fiorentine, d'oro o d'argento, coniato o non coniato, quindi anche le operazioni sulle paste e le rifusioni. E già nella prima *muta* si poteva accennare alla divisione, ma limitatamente alla trasformazione di denari in soldi e di soldi in lire.

116

Con i suoi maestri e i suoi libri l'insegnamento dell'abaco non si esauriva dunque nelle tecniche del calcolo. Con la loro applicazione ai problemi della vita economica contribuiva efficacemente alla formazione di una mentalità mer-

9. Ch. Bec, *Les marchands écrivains. Affaires et Humanisme à Florence, 1375-1434*, Paris-La Haye 1967, p. 391.

10. G.P. Brizzi, *Le marchand italien à l'école entre Renaissance et Lumières*, in *Cultures et formations négociantes dans l'Europe moderne*, a cura di F. Angiolini e D. Roche, Paris 1995, pp. 204-205.

11. R.A. Goldthwaite, *Schools and Teachers of Commercial Arithmetic in Renaissance Florence*, «Journal of European Economic History», I (1972).

cantile, fornendo numerosi modelli di comportamento. Gli elementi del calcolo non venivano concepiti in astratto ma associati a determinazioni quantitative di tempo, di spazio, di valore e a quantità e grandezze concrete, come pesi, misure e monete, e gli esercizi e i problemi nei quali venivano impostati definivano con chiarezza nel guadagno la finalità della mercatura e la legittimavano con le logiche della matematica.[12] Questa istruzione apriva il giovane al senso della misura e del guadagno al quale doveva orientarsi nella pratica effettiva, dando contenuto alle prime nozioni di terminologia commerciale e alla rappresentazione di gente che compra, che vende, che guadagna, che prende in affitto case e terreni, che presta denaro.

115, 131

Giannozzo Manetti portò a termine anche questa fase scolastica della sua preparazione in un tempo brevissimo. All'età di dieci anni fu mandato al banco, presumibilmente quello paterno, dove dopo pochi mesi gli fu affidato il conto della cassa,[13] compito peraltro che doveva richiedere soltanto un po' di diligenza, perché si trattava semplicemente di notare il nome di chi versava o riscuoteva e la somma relativa, accanto al cassiere che eseguiva materialmente l'operazione assumendone la responsabilità. Svolse per un certo tempo questa mansione, come secondo il biografo si faceva normalmente, finché non passò alla tenuta dei libri contabili. Un altro giovane, Guerrieri di Tribaldo de Rossi, a quattordici anni fu anch'egli messo al banco, ma il padre fu costretto a rinviarlo all'abaco, perché mostrava di averlo «mezzo dimenticato», benché sostenesse che «quasi tutto lo sapeva».[14]

Giannozzo invece attese per molti anni al suo compito. La contabilità era sicuramente in partita doppia, perciò egli aveva già dovuto apprenderne le tecniche in azienda, del resto come ad avviso di Federigo Melis fu la regola fino al Quattrocento inoltrato, quando il suo insegnamento scolastico cominciò a prendere consistenza.[15] In questa materia divenne «intendentissimo, quanto uomo che avesse Firenze, e non era conto sì difficile che solo a guatarlo di subito non lo avesse sommato».[16]

12. U. Tucci, *Manuali d'aritmetica e mentalità mercantile tra Medioevo e Rinascimento*, in *Leonardo Fibonacci. Il tempo, le opere, l'eredità scientifica*, a cura di M. Morelli e M. Tangheroni, Ospedaletto 1994, pp. 51-65.

13. Vespasiano da Bisticci, *Le Vite*, cit., pp. 519-520.

14. Klapisch Zuber, *Le chiavi fiorentine*, cit., pp. 767-768.

15. F. Melis, *Storia della Ragioneria*, Bologna 1950, pp. 609-611. Ma Bartolomeo di Niccolò Valori racconta: «Mi puosi a imparare albacho per sapere fare di ragione con 'l maestro Tomaso di Davizzo de' Corbizzi e stettivi infino a febraio anno 1367 e detto dì mi puosi a la tavola di Bernardo di Cino Bartolini banchiere in merchato nuovo»: R. Black, *École et société à Florence au XIVe et XVe siècle. La témoignage des* ricordanze, «Annales HSS», 59 (2004), p. 833.

16. F. Trivellato, *La missione diplomatica a Venezia del fiorentino Giannozzo Manetti a metà Quattrocento*, «Studi Veneziani», n.s., 28 (1994), p. 207.

Ma non tardò ad accorgersi che non era questa la strada per acquistare fama e gloria per sé e per la famiglia, mentre si sentiva attirato dallo studio delle lettere, al quale finì col dedicarsi all'età di venticinque anni. Non si potrà imputare al padre Bernardo di non aver saputo assecondare fin dall'inizio le sue inclinazioni. Mercante e banchiere, desiderava introdurre il figlio nel mondo delle attività commerciali e finanziarie con le quali aveva costruito la sua fortuna, diventando uno dei più ricchi della città, il decimo dei contribuenti secondo il catasto del 1427, dove solamente l'1% dei suoi beni figura investito in immobili.[17] A Firenze i mercanti occupavano un alto grado di dignità sociale e la loro attività era una delle più generose fonti di ricchezza. Come lui, anche il padre di Niccolò Niccoli, che s'era arricchito con la produzione di panni, avviò fin dalla puerizia il figlio alla mercatura. Così il giovane «non poté vacare alle lettere come avrebbe fatto. Morto il padre si divise da frategli per poter adempiere la sua volontà d'attendere agli studi». Avuta la quota che gli toccava, s'affrettò ad abbandonare la mercatura e si dette alle lettere latine, nelle quali diventò dottissimo.[18] Non c'è da meravigliarsi che un corso di studi con finalità pratiche così circoscritte lasciasse insoddisfatti dei giovani che vivevano in un clima intellettuale come quello della Firenze degli umanisti, ma era il modello tradizionale secondo il quale si riproducevano le famiglie mercantili.

Le vicende di Giannozzo Manetti e di Niccolò Niccoli, suggestivamente proposte da Vespasiano da Bisticci e più volte riprese negli scritti di educazione e di cultura rinascimentali, hanno gettato cattiva luce sull'itinerario scolastico riservato a chi era per intraprendere la professione del mercante. I due giovani ripudiavano un corso di studi non tanto di vecchia impostazione quanto angustamente chiuso nei suoi programmi d'addestramento in una determinata tecnica, un'istruzione alla quale premeva la formazione professionale senza guardare molto a quella culturale. Questo era forse il costo dell'alto tasso di alfabetizzazione della città mercantile. Eugenio Garin presenta l'avventura del Manetti come caso «quasi esemplare» di quegli uomini nuovi, scontenti delle forme usate d'insegnamento, che presi d'amore delle «lettere», cioè del nuovo sapere, tornavano a scuola dei grandi maestri.[19] Giannozzo impiegò tutto il tempo libero dai suoi impegni lavorativi nello studio delle lettere, applicandosi intensamente per rifarsi del tempo perduto, e cominciando dal latino di Virgilio e di Terenzio passò poi al greco e all'ebraico, percorrendo brillantemente tutte e sette le arti liberali. La fama che cercava la trovò nei numerosi uffici pubblici che gli furono affidati e negli incarichi diplomatici presso le maggiori corti italiane, ma non trascurò le imprese commerciali. Nel 1441 fu socio di Giovanni Rucellai in una

17. L. Martines, *The Social World of the Florentine Humanists*, Princeton 1963, pp. 131-132.

18. Vespasiano da Bisticci, *Le Vite*, cit., p. 225.

19. E. Garin, *L'educazione in Europa, 1400-1600*, Bari 1966, pp. 111-113.

compagnia per il commercio della seta e nel 1450 investì in una compagnia per il commercio della lana del figlio Bernardo, fondandone poi una a Napoli nel 1457.[20] Evidentemente la frequenza della scuola d'abaco e il periodo d'apprendistato mercantile non erano stati inutili, tanto più che non voglio credere che il suo tirocinio in azienda si fosse esaurito nella tenuta dei libri contabili. Non si può dire altrettanto del Niccoli, che dopo essersi fatto liquidare la sua quota ereditaria non esercitò mai la mercatura, a parte qualche guadagno in acquisto e vendita di manoscritti classici, dei quali era appassionato raccoglitore. Collezionista di oggetti d'arte antichi e possessore di una delle migliori biblioteche classiche d'Europa, cercò di sottrarsi al pagamento dell'imposta dichiarando agli ufficiali del catasto (1430) di trovarsi in grande miseria e pieno di debiti. Alla regola che ufficio del mercante è quello di «congregare le divitie»,[21] egli non si sentiva tenuto: preferiva spenderle, perciò vestiva con grande eleganza e la casa che abitava a Firenze era rinomata per la sua bellezza.[22]

Non fu avviato agli studi delle lettere neppure Giannozzo Alberti, il grande interlocutore dei *Libri della famiglia*, subendo così la stessa sorte del Manetti e del Niccoli. I genitori, spiega, «missono me ad altri essercizii, quanto a quelli tempi loro parse necessario, forse desiderando prima da me utile che laude».[23]

A Venezia è un medico (1420) che sceglie la mercatura per i figli, forse poco appagato da una professione meno remunerativa di quello che avrebbe meritato: «Mictantur ad abachum et discant facere mercantias», detta nel testamento. Ispirato ai valori educativi di stampo umanistico, gli piaceva che imparassero gli autori, la logica, la filosofia ma non voleva che diventassero medici o giuristi «sed solum mercatores».[24] Era la mercatura secondo un nobile genovese la «scienza senza la quale qui non si guadagnano denari».[25]

Un curriculum formativo analogo a quello del Manetti è sperimentato, sempre a Firenze, da Giovanni da Uzzano, ma con minor successo. Un libro di conti da lui redatto rivelerebbe una sua scarsa preparazione professionale e il lavoro che compilò durante la permanenza nell'azienda del suocero, la pratica della mercatura per la quale è notissimo, meritò per la forma il giudizio severo di Giovan Francesco Pagnini, che lo pubblicò nel 1766: «La lingua e l'ortografia di questo scrittore è l'istessa che quella si userebbe in oggi da un ordinario mani-

20. Trivellato, *La missione diplomatica a Venezia*, cit., pp. 203-235; R.C. Mueller, *The Venetian Money Market. Banks, Panics and the Public Debt, 1200-1500*, Baltimore-London 1997, pp. 274, 284, 313.

21. Benedetto Cotrugli, *Il libro dell'Arte di mercatura*, a cura di U. Tucci, Venezia 1992, p. 221.

22. Martines, *The Social World*, cit., pp. 112-116, 257-258.

23. Alberti, *I libri della famiglia*, cit., p. 207.

24. E. Bertanza, G. Dalla Santa, *Maestri, scuole e scolari a Venezia fino al 1500*, Venezia 1907, p. 299.

25. L'espressione è di Andrea Spinola, cit. da G. Petti Balbi, *Tra scuola e bottega: la trasmissione delle pratiche mercantili*, in AA.VV., *La trasmissione dei saperi nel Medioevo (secoli XII-XV)*, Pistoia 2005, p. 96.

fattore che s'ingerisse a scrivere alcuna cosa del suo mestiere».[26] Egli stesso, a vent'anni, tracciò un suo bilancio personale negativo, qualificandosi «male intendente delle chose del mondo».[27]

Gli era stato affidato, o aveva scelto, l'incarico di compilare una raccolta di notizie sulle merci e gli usi commerciali dello spazio di relazione dei mercanti fiorentini, e col materiale che aveva a disposizione si trovava nelle condizioni migliori per assolverlo. Invece il *Libro di mercantie per più paesi*, che portò a termine alla fine del 1440, lo costruisce in modo così maldestro da dare l'impressione che fosse inesperto e soprattutto poco interessato alla materia. La parte iniziale, 70 carte delle 203 del manoscritto originale, è praticamente un esercizio di copiato delle gabelle di Firenze, di Pisa, di Siena, e quella centrale si vale largamente di altri manuali, con un modesto grado d'elaborazione del materiale raccolto. Forse aveva poca disposizione per la materia e preferiva godere della lettura dei libri che possedeva e scambiava con amici, libri *gramatichali*, dunque in latino, Dante, Petrarca, Fazio degli Uberti.[28] Ma anche Giovanni di Pagolo Morelli raccomanda al mercante di dedicare almeno un'ora al giorno a «studiare» Virgilio, Boezio, Seneca o altri autori, per conseguirne «gran virtù» nell'intelletto,[29] una lettura dunque senza finalità pratiche ma concepita come formazione intellettuale.

Per Benedetto Cotrugli il mercante perfetto doveva essere «buono scriptore, abachista et quaderniere, cioè tenere et menare bene uno libro»: dunque non bastava che sapesse far di conto ma doveva anche conoscere la partita doppia (tenere il libro mastro, che ne era il cardine). Ed essere «etiamdio buono rectorico, il che gli è necessarissimo, perché la grammatica», cioè il latino, gli permette di comprendere un contratto, un comandamento, un privilegio; inoltre lo mette in condizione di farsi capire in molti Paesi perché è una lingua comune a molte genti.[30] Infatti un mercante veneziano, Alessandro Magno, tornando a casa nel 1564 per via terrestre dall'Inghilterra, quando attraversa la Germania è in grado di comunicare esprimendosi in latino.[31] Questo latino non era certo quello degli *studia humanitatis*, il suo insegnamento non aveva intenzione formativa, né la lettura dei classici era fatta per ispirare una lezione morale: la sua era un'utilità pratica come lingua viva, il latino dell'uso giuridico e di quello ecclesiastico.

26. L. Pagnini, *Della Decima e delle altre gravezze, delle monete, e della mercatura de' fiorentini fino al secolo* XVI. *Parte terza. Della mercatura de' fiorentini. Tomo secondo*, Lisbona-Lucca 1765-1766, II, p. 63.

27. B. Dini, *Nuovi documenti su Giovanni di Bernardo di Antonio da Uzzano*, in *Studi dedicati a Carmelo Trasselli*, a cura di G. Motta, Soveria Mannelli 1983, p. 319.

28. Ivi, p. 318.

29. Giovanni di Pagolo Morelli, *Ricordi*, a cura di V. Branca, Firenze 1956, p. 271.

30. Cotrugli, *Il libro dell'Arte di mercatura*, cit., p. 210.

31. H. Zug Tucci, *La Germania dei viaggiatori italiani*, in *Europa e Mediterraneo tra Medioevo e prima Età moderna: l'osservatorio italiano*, a cura di S. Gensini, Ospedaletto 1992, p. 205.

Anche il Morelli raccomandava che il ragazzo imparasse a leggere e scrivere e tanto latino «ch'egli intenda secondo la lettera i dottori e carte di notaio o altro scritto; e simile sappi parlare per lettera e scrivere una lettera in grammatica e bene composta».[32] A Firenze, a Venezia e un po' ovunque in Italia le loro lettere i mercanti le scrivevano in volgare. Solo a Genova ancora nella seconda parte del Cinquecento si continuava a usare la lingua di Cicerone, pur ben lontana dalle sue eleganze e frammista con parole e costrutti del volgare; nel Quattrocento si tenevano in latino anche i libri di conti. Per questo il latino che s'insegnava a scuola aveva carattere pratico: saper leggere «unum instrumentum, facere raciones suas», scrivere una «literam mercantilem». Era il latino dei mercanti, «gramatica secundum mercatores».[33]

La scuola d'abaco certamente non soddisfaceva gli ideali educativi degli umanisti, anche se a Firenze era all'abaco che Giovanni Rucellai riconosceva carattere formativo, l'abaco «che fa l'animo alto e pronto a esaminare le cose sottili».[34] I suoi intenti erano meno ambiziosi di quelli degli studi liberali ma più definiti, nel senso che intendeva servire da base e partecipare all'addestramento in una ben determinata professione. Per il suo carattere specialistico l'istruzione che impartiva non aveva l'ambizione di una formazione culturale, di una formazione di portata più ampia di quella richiesta dalla professione. Per questo, il confronto con la scuola umanistica è improprio.

Ma anche la scuola d'abaco si mostra in qualche misura sensibile al rinnovamento. I trattati d'abaco cominciano ad accogliere l'algebra e sono molti quelli in cui i problemi di tipo pratico s'alternano con questioni d'aritmetica teorica. Sono stati catalogati circa trecento manoscritti contenenti trattati d'abaco dei secoli XIV-XVI, di vario impegno e di vario valore; molti videro con successo la stampa.[35]

Erano stati i maestri d'abaco, in gran parte toscani, a diffondere questo modello d'insegnamento nelle maggiori città mercantili, dove la loro opera era più apprezzata, ma anche in numerosi centri minori. Per merito loro e della loro mobilità s'era costituita nell'Italia centrale e settentrionale una rete di scuole private specializzate a integrazione dell'insegnamento istituzionalizzato laico o ecclesiastico. Il Cinquecento ne segnò la crisi e la progressiva scomparsa. In una città di grande tradizione mercantile come Lucca l'attività della scuola d'abaco s'era conclusa già a metà del Quattrocento, e a Venezia nel 1587 quelli che frequentavano scuole dove le lezioni erano tenute in volgare e s'insegnava l'abaco rappresentavano ormai meno della metà della popolazione scolastica mentre era

32. Giovanni di Pagolo Morelli, *Ricordi*, cit., p. 270.

33. Petti Balbi, *Tra scuola e bottega*, cit., p. 91.

34. Cit. da Bec, *Les marchands écrivains*, cit., pp. 298-299.

35. W. van Egmond, *Practical mathematics in Italian Renaissance: a Catalog of Italian Abbacus Manuscripts and Printed Books to 1600*, Firenze 1980.

in grande progresso la scuola latina disciplinata nello spirito della Controriforma. Era ad essa che venivano avviati anche giovani di famiglie di mercanti.[36] Tuttavia non saranno da far passare sotto silenzio le ventisei edizioni, dal 1515 al 1579, del *Libro de abacho che insegnia a fare ogni raxon marcadantale* del veneziano Girolamo Tagliente, che testimoniano della vitalità di questo indirizzo di studi.[37]

Anche altrove le scuole in volgare con l'insegnamento dell'abaco cedono il posto alle scuole latine. È Genova che si tiene a lungo fedele alla sua tradizione. Nel Quattro e Cinquecento i corsi diventano notevolmente più lunghi e restano orientati verso una specializzazione professionale, con programmi intensivi d'abaco e di contabilità applicata che durano molti anni.[38]

Per Venezia parrebbe ovvia una correlazione tra la più ridotta affluenza alla scuola d'abaco e le difficoltà del commercio e della navigazione. Ci si dovrebbe chiedere quali potessero essere le aspettative di chi sceglieva questo ordine di studi in una congiuntura nella quale trovava scarsa applicazione pratica e non era incoraggiato dai cambiamenti di mentalità, una scuola professionale superata, oltre che dai nuovi ideali educativi, dalle mutate realtà della vita economica. Ma è vero che a Genova un insegnamento moderno delle matematiche, quindi anche della matematica finanziaria, s'afferma verso la metà del Seicento, proprio nel momento in cui l'impero dell'alta banca genovese sta volgendo alla fine.[39]

Il tirocinio in azienda

Portata a termine la preparazione scolastica, il giovane era pronto per il periodo di tirocinio. Questa era una fase importante dell'addestramento del mercante, come in ogni società nella quale l'oralità prevaleva sulla scrittura. Depositari delle conoscenze tecniche e dei 'segreti' della professione erano i mercanti già maturi che li trasmettevano ai giovani praticanti, nello stesso modo in cui li avevano a loro volta ricevuti. Quello che si trasmetteva non era tanto un complesso rigidamente strutturato di nozioni e di regole quanto una somma di conoscenze ereditate di generazione in generazione, aggiornate e arricchite da esperienze d'impronta occasionale, individuali o d'azienda, senza ricorso a libri o a manuali se non a carattere pratico e limitato; i 'segreti' consistevano in nozioni e ritrovati personali, dei quali si faceva dono al praticante. Orale era anche l'insegnamento della contabilità, secondo l'opinione autorevole di Federigo Me-

36. Su queste scuole, Brizzi, *Le marchand italien à l'école*, cit., pp. 199-214.

37. J. Hoock, P. Jeannin, *Ars Mercatoria. Eine analytische Bibliographie*, Paderborn 1991, I, pp. 245-250.

38. G. Doria, *Comptoirs, foires de changes et places étrangères: les lieux d'apprentissage des nobles négociants de Gênes entre Moyen Âge et âge baroque*, in *Cultures et formations négociantes*, cit., p. 330.

39. Ivi, p. 332.

lis, il quale propende a ritenere scarso il numero e scarso il contenuto dei relativi manuali.[40] Un sapere mercantile di grande vitalità, basato ma non irrigidito sull'esperienza, e la partita doppia non un semplice ritrovato contabile ma «una tecnica intellettuale», per riprendere l'espressione di Raymond de Roover, riconducibile alla stessa mentalità della prospettiva nella pittura.

C'è il rischio di sopravvalutare l'importanza del tirocinio in azienda, ma la preparazione scolastica aveva un campo di utilizzazione pratica relativamente ridotto, e in una fase di grandi trasformazioni e di apertura di nuovi orizzonti commerciali i sussidi che forniva la stampa si rivelavano spesso in ritardo. Le numerose edizioni di un manuale di larga diffusione come la *Tariffa de pexi e mesure* di Bartolomeo Paxi, dal 1503 al 1557, presentano sempre lo stesso testo, solo con qualche ritocco formale.

Il tirocinio aveva una durata indeterminata e spesso s'integrava con soggiorni in altri paesi. S'esauriva nel giro di qualche anno, quando il mercante assumeva una funzione di rilievo nell'azienda, non più in posizione subordinata ma sullo stesso piano dei colleghi più anziani che ormai non avevano più nulla da insegnargli, o quando decideva di mettersi in proprio, che era il naturale punto d'arrivo. Il ciclo si concludeva tacitamente, senza esami o cerimonie d'iniziazione.

Nella gran parte dei casi il luogo del tirocinio era l'azienda di famiglia, dove erano il padre e i fratelli che ne seguivano i progressi, fin quando il praticante non avesse la preparazione e l'età che gli permettevano di essere associato alla gestione. Invece alcuni trovavano più proficuo che venisse prestato in un'azienda diversa, una scelta che talvolta non guardava alla bontà della preparazione ma s'inseriva nelle problematiche dei conflitti intergenerazionali.

Nella sua apologia del mercante medievale italiano Armando Sapori descrive il fondaco,[41] cioè il luogo nel quale il giovane apprendista conduceva il suo tirocinio, come un ambiente operoso, animato da un andare e venire di corrieri e dalla presenza di un gruppo di uomini d'affari che commentavano eventi politici in rapporto ai loro traffici, mentre più lontano si ricevevano i clienti e in un altro lato era il desco tranquillo dello scrivano. È qui che troviamo il praticante, accanto all'esperto al quale era stato affidato l'incarico della sua istruzione.

Non abbiamo molti ragguagli sul trattamento economico connesso col tirocinio. Pagolo Morelli nel fondaco fiorentino dei fratelli era tenuto a salario, che era però un espediente perché non partecipasse della proprietà comune.[42] Luca di Matteo Firidolfi (1405) nel banco al quale era stato mandato non percepiva salario.[43] Forse il salario veniva corrisposto soltanto in piccole aziende ai confini con la bottega artigiana, dove l'apprendistato poteva risolversi almeno in

40. Melis, *Storia della Ragioneria*, cit., p. 609.

41. A. Sapori, *Studi di Storia Economica (secoli XIII-XIV-XV)*, Firenze 1955, I, pp. 70-71.

42. Giovanni di Pagolo Morelli, *Ricordi*, cit., pp. 147-148.

43. Black, *École et société à Florence*, cit., p. 836.

parte in un periodo di garzonato che peraltro gli ordinamenti corporativi tendevano a prolungare più del necessario.

In mancanza di testimonianze più precise si è immaginato che le tappe del cammino sulla strada del tirocinio fossero da vedersi nella progressione nell'apprendimento delle tecniche contabili, dall'annotazione di dati senza ordine sistematico a scritture preparatorie, alla tenuta del giornale, a quella del mastro e infine alla responsabilità di tutta la gestione contabile dell'azienda. Così, Lamberto Velluti, dopo aver servito alla cassa nella bottega dell'arte della lana del padre, sui vent'anni era diventato capace di tenere «il libro del dare e dell'avere» come se ne avesse avuti quaranta.[44] A Genova il ciclo della «buona educazione» seguiva quest'ordine: «Compiuti 12 anni non tralasci il latino e si faccia venire a casa il maestro d'abbaco ... finito l'abbaco s'impari subito il modo di tener scrittura».[45]

In quest'epoca nei maggiori centri commerciali italiani stava ormai acquistando larga diffusione la contabilità in partita doppia, una tecnica a carattere sistematico di una certa complessità, che richiedeva gradualità nell'ammaestramento e un impegno continuato. La capacità di tenere i conti con questo metodo aveva una parte importante nella preparazione del mercante ma la professione non si poteva riassumere in essa. Nel libro del Cotrugli troviamo la raccomandazione al mercante di imparare a tener in ordine le scritture o di affidarle a un giovane quaderniere esperto,[46] e qui 'giovane' non si riferisce all'età ma alla posizione subordinata che gli era riconosciuta nell'azienda. Va detto incidentalmente che non è vero che il mercante dovesse riservarsi la tenuta dei conti per proteggerne il segreto. Certamente si cercava di coprirli da occhi indiscreti ma senza farne un problema.

Dalla seconda metà del Quattrocento tecnica contabile e tecnica mercantile, che nella scuola d'abaco erano strette da legami profondi, andarono sempre più dissociandosi.[47] La separazione comincia nelle aziende maggiori quando, con l'affidamento di mansioni specifiche ai vari dipendenti, la contabilità tende inevitabilmente ad assumere carattere ausiliario rispetto alla gestione degli affari. Così, l'arte dei conti acquista la sua indipendenza, con essa diventa più autonoma la professione del contabile, e la relativa trattatistica che nel Cinquecento continuava a vertere sull'azienda mercantile comincia a estendere la sua applicazione alle altre classi di aziende. Ma fino ai primi anni del Settecento una percentuale consistente degli ammessi al collegio veneziano dei ragionati, al quale si attingeva per il reclutamento degli ufficiali destinati a coprire le maggiori cari-

44. Sapori, *Studi di Storia Economica*, cit., I, pp. 71-72.

45. Andrea Spinola, cit. da Petti Balbi, *Tra scuola e bottega*, cit., pp. 96-97.

46. Cotrugli, *Il libro dell'Arte di mercatura*, cit., p. 175.

47. Questi sviluppi si possono seguire in Melis, *Storia della Ragioneria*, cit., pp. 613-670.

che contabili pubbliche, proveniva da famiglie dedite alla mercatura, al commercio al minuto e anche all'artigianato.[48]

Sul tirocinio, questo passaggio obbligato nella preparazione del mercante, le fonti forniscono informazioni molto generiche per una grande varietà di esperienze. Un quadro sommario di ciò che importava che si apprendesse possiamo cercarlo scorrendo il *Libro di mercatantie* compilato da Giovanni da Uzzano, un compendio di utili ragguagli dei quali era da far tesoro nell'esercizio della professione. In primo luogo i pesi e le misure di numerosi centri commerciali con la loro corrispondenza con quelli di Firenze, di Venezia e di altri centri. Integrati per quanto possibile dai relativi usi di piazza, costituiscono il corpo della raccolta. Il giovane mercante ne traeva una visione concreta del mondo economico nelle sue articolazioni e nelle sue diversità, la visione che era quella dello spazio di relazione che gli era proprio, affrancato dall'immaginazione allegorica. Altre pagine riguardano prodotti di varia provenienza o destinazione, molte volte con l'illustrazione di qualità e caratteristiche, ma un'attenzione particolare è qui riservata alle monete e ai cambi, riflesso della specializzazione dell'azienda nella quale l'Uzzano prestava la sua opera.

Questa parte non si limita alle informazioni su peso e lega delle monete in circolazione, sulle modalità dei cambi e sui termini di pagamento delle lettere sulle varie piazze, sulle stagioni nelle quali l'operazione è più favorevole, ma fornisce anche consigli a «chi vuole essere buono chanbiatore», con la raccomandazione di «essere sollecito e fermo et asercitarssi dì e notte et massime chollo scrivere per stare bene avisato». Per Venezia il discorso si estende ai banchi di scritta e all'opportunità che dalle loro casse il denaro non venga ritirato subito. I paragrafi sui cambi, di una ricchezza che non ha riscontro in testi analoghi, sono la parte più apprezzata dal lettore moderno. Il mercante ai primi passi della professione trovava anche esempi dei calcoli sui quali ci si doveva basare per la demonetizzazione di grossi, ongari e altri pezzi d'argento o d'oro. Avrebbe invece cercato invano le indicazioni sulla *conoscenza delle merci*, cioè sulle caratteristiche organolettiche di alcuni dei principali prodotti commerciati, odore, colore, sapore, leggerezza, per esempio delle spezie. Sono assenti nel libro dell'Uzzano ma non mancano in compilazioni dello stesso tipo, perché facevano parte della cultura tecnica del mercante.

Molte di queste informazioni sembrano appunti presi per tenerne memoria e certe incoerenze nell'ordine in cui vengono esposte confermano l'impressione. Non dobbiamo credere che, pure in un semplice apprendistato da parte di anziani, la trasmissione di nozioni di una certa complessità non sia stata fissata in sussidi scritti. Sono i testi come questo dell'Uzzano che danno un'idea

48. A. Zannini, *Il sistema di revisione contabile della Serenissima*, Venezia 1994, p. 85.

del patrimonio tecnico che bisognava accumulare per farsi buon mercante, senza trascurare le massime di comportamento sulle quali era bene orientarsi: «Al dì d'oggi non ti ingrossare troppo in niuna terra a un tratto, chosì nel rimettere chome nel trarre».

Per il suo carattere di pratica guidata del mestiere il tirocinio, come è ovvio, mutava di contenuto in relazione all'azienda nella quale veniva condotto. Certamente il tirocinio in un'azienda bancaria rappresentava un'esperienza diversa da quella in una che trattava merci all'ingrosso, tuttavia la specializzazione dava la sua impronta a un sapere comune ai vari settori d'attività, un complesso di conoscenze, di regole, di segreti, che non si compendiava, come in epoca più tarda osserverà il Savary, nel comprare una cosa a dieci lire per rivenderla a dodici.

Sugli ideali educativi che presiedevano alla formazione del mercante c'è da chiedersi quale riflesso abbiano avuto le idee nuove sulla sua professione che s'accompagnarono con i cambiamenti mentali diffusi in tutta la società. Della mercatura ora non si esitava a riconoscere l'utile funzione e i meriti. Come essa facesse ricche le città e come i mercanti, con l'esperienza dei viaggi in tanti paesi lontani diventassero «idonei a ben governar il publico et il privato» lo mostra il veneziano Tommaso Contarini in un suo intervento al Senato nel 1584, con la visione del mondo che, diviso in tanti Paesi lontanissimi tra loro, diventa una sola città per merito del «commercio che mediante la mercantia li unisce tutti».[49] È una visione che si ricollega all'idea che con Libanio e altri traversa i secoli fino a Jean Bodin e anche oltre, quella che Dio abbia distribuito variamente i prodotti nella Terra in modo che gli uomini potessero scambiarli e attraverso gli scambi conoscersi e familiarizzare. Ma questa concezione del carattere provvidenziale delle differenze regionali non soddisfa Bernardo Davanzati, che interprete dello spirito nuovo del suo tempo attribuisce alla mercatura una funzione che muove dall'interno, come «arte trovata dagli uomini per sopperire a quello che non ha potuto far la natura, di produrre in ogni paese ogni cosa necessaria, o comoda al viver umano».[50] Un'affermazione orgogliosa del valore dell'uomo anche nei confronti della natura, una natura imperfetta, incapace di provvedere del necessario ogni parte della Terra.

L'atteggiamento della collettività verso il mercante era diventato più favorevole, per quanto il rapido arricchimento al quale molte volte si perveniva più facilmente che percorrendo altre strade venisse guardato con sospetto. In ogni caso bersaglio di sanzione morale non era l'attività stessa ma certi suoi eccessi coi quali finiva per confondersi, in primo luogo l'usura, operazioni colpevoli condannate a metà del Cinquecento dal veneziano Giovan Maria

49. E. Lattes, *La libertà delle banche a Venezia dal secolo XIII al XVII*, Milano 1869, doc. XLII, pp. 119-120.

50. B. Davanzati, *Notizia de' cambj*, in Id., *Scisma d'Inghilterra, con altre operette*, Padova, Comino, 1754, p. 105.

Memmo, al quale «all'incontro i mercanti reali et giusti paiono molto utili et necessari nella città».[51]

Pure se esercitava una professione volta al guadagno e alle speculazioni economiche in un'Europa nella quale la civiltà cristiana ispirava altri modelli di vita, sarebbe distorta e fuorviante un'immagine del mercante costruita come modello negativo di quella del buon cristiano, che è l'immagine che vorrebbero consegnarcene gli scritti teologici: nulla di ciò che caratterizzava la sua professione gli impediva di comportarsi da buon cristiano, del resto con la stessa disposizione degli altri fedeli. Il dissidio con la morale della Chiesa gli era estraneo non solo per le posizioni nuove alle quali era pervenuta la logica sottile dei pensatori ecclesiastici in materia di prestito con l'interesse e altro ma anche perché attraverso l'esercizio della professione s'era ormai venuto maturando un complesso di massime e di comportamenti con la dignità di un'etica della professione e di una deontologia propria che senza opporsi a tale morale ne avevano di fatto preso il posto. Nel 1370 a Venezia si proibiva l'usura «secundum Deum et honestatem», dunque non soltanto per il divieto canonico ma anche in nome di una morale, quella dell'onestà, che non s'identificava necessariamente con la religione. Le questioni sull'interesse, così come quelle sullo sconto e sulla liceità di certe forme di cambio continuarono ad essere dibattute ancora per secoli, senza che il mondo degli affari ne abbia risentito in modo determinante.

Il consenso sociale non modificò i contenuti della formazione scolastica e pratica del mercante e difficilmente avrebbe potuto farlo in una preparazione professionale, dove i ritmi sono segnati soprattutto dalle innovazioni tecniche mentre i cambiamenti mentali sembrano incidere meno. Ma anche se non lasciò una sua impronta, il consenso sociale determinò certamente un clima positivo. Molto più cospicuo, per l'educazione del mercante del Rinascimento, fu il contributo del tirocinio condotto in Paese straniero.

La conoscenza del mondo

Si lodava che l'istruzione si completasse con un periodo trascorso in un altro ambiente geografico. Tre o quattro anni, per Giovanni di Pagolo Morelli: «Cercare un poco del mondo e vedere e le città e' modi e' regimenti e le condizioni de' luoghi». Il giovane sarebbe diventato «più isperto e più pratico d'ogni cosa e più intendente», avrebbe imparato a ragionare tra gli altri uomini e avrebbe acquistato reputazione e migliore condizione.[52] Anche in una novella del *Decamerone* (IV, 8) un giovane che conduceva il suo apprendistato in fondaco viene

51. G.M. Memmo, *Dialogo*, Venezia, Giolito, 1564, p. 119.

52. Morelli, *Ricordi*, cit, p. 264. Il curatore, Vittore Branca, rinvia alla novella del *Decamerone* e ad altre.

inviato a Parigi, dove avrebbe veduto «come si traffica» e conoscendo la gente e i suoi costumi sarebbe diventato «più costumato e più da bene» che non nella sua Firenze. «Più da bene», e nell'esserlo c'era più l'immagine dell'ottimo cittadino che quella del mercante perfetto.

La conoscenza del mondo non era soltanto conoscenza dei luoghi, e l'esperienza in un paese straniero non era dunque volta limitatamente a un perfezionamento della preparazione tecnica ma assolveva anche un compito formativo oltre l'orizzonte professionale, un'educazione umana da far valere in ogni manifestazione della vita civile, forse non dissimile da quella alla quale s'ispiravano gli *studia humanitatis*. Comunque con la stessa finalità.

Il giovane Francesco Spinola viene mandato da Genova a far pratica a Bruges, dove resta dal 1420 al 1425. Più tardi opera per molti anni a Malaga, dove la famiglia ha il monopolio del commercio della frutta secca ed esporta zucchero, olio, seta. Dopo il rientro in patria assume una posizione principale nell'azienda familiare, alla quale fa capo uno scambio di prodotti mediterranei con lana e panni fiamminghi.[53] Quasi negli stessi anni Andrea Barbarigo completò il suo tirocinio imbarcandosi come balestriere sulle galere da mercato di Alessandria e in altri viaggi. Era un'occasione che Venezia offriva ai giovani nobili poveri, un apprendistato al commercio e alla vita marittima in condizioni privilegiate. Essi ricevevano un salario, il mantenimento a bordo e il diritto di portare con sé un certo carico senza pagare il nolo. Così avevano la possibilità di conoscere il mondo e di condurre affari commerciali sul modello di mercanti di maggiore esperienza. Andrea – e come lui farà il fratello minore Giovanni – alternava questo tirocinio con la pratica legale davanti a un tribunale commerciale, ciò che gli fu molto utile nell'esercizio dell'attività mercantile che condusse con successo specialmente nell'importazione di tessuti dall'Inghilterra e la loro rivendita in Italia e in Levante.[54] Un altro giovane veneziano, di famiglia cittadina, viene mandato a fare la sua esperienza commerciale in Siria e nel 1590 il padre lo richiama a Venezia per affidargli il commercio con Costantinopoli.[55] «Voi siete andato fora di casa vostra e in paesi lontani per farvi un nome» scrive Marino Ventura al cugino Zuan Maria, che si trova a Costantinopoli (1596). «Se voi darette satisfacione ai vostri principali ognuno vi favorirà» – gli scrivono altri parenti – «che vi conquisterete fama e facoltà e col tempo verrete alla patria vostra onorato».[56]

La scelta si volgeva d'ordinario verso paesi coi quali si avevano più intensi rapporti commerciali e questo era un efficace strumento per rinsaldarli. I ve-

53. Petti Balbi, *Tra scuola e bottega*, cit., pp. 101-102.

54. F.C. Lane, *I mercanti di Venezia*, Torino 1982, pp. 13-17.

55. ASVe, *Miscellanea Gregolin*, b. 12 *ter*, De Freschi-Paruta, 1590, 8 luglio.

56. Ivi, Marino a Zuan Maria Ventura, Venezia 1595 *m.v.*, 14 gennaio; Antonio e Girolamo Cabianca a Zuan Maria Ventura, Venezia 1597, 16 agosto.

neziani andavano a Costantinopoli, ad Alessandria, ad Aleppo, a Londra, per una specializzazione geografica o settoriale. Il viaggio faceva parte dell'iter formativo ma uno dei modi correnti di tirocinio si realizzava con l'attività di agente locale, di commissionario di uno o più mercanti residenti in patria. Così il giovane poteva maturare la sua pratica senza grossi rischi, perché la sua opera veniva ad essere coordinata, guidata dai mandanti e controllata a conclusione dei singoli affari o di rese di conti periodiche. Viveva in comunità autonome, con istituzioni proprie, con pochi contatti con i locali che non fossero rapporti commerciali. Non aveva bisogno d'imparare la lingua, perché gli bastava la propria, conosciuta da tutti. Di regola agiva nel quadro dei medesimi interessi di altri colleghi concittadini, alcuni dei quali certamente più esperti, che commerciavano con le stesse merci, dallo stesso lato della contrattazione. Bastava fare come loro. La condizione dei 'fattori' appariva invidiabile a chi osservava polemicamente che negoziavano senza capitale proprio, senza rischi e con la sicurezza della provvigione. Alcuni lavoravano associati a vario livello nella gestione di aziende già installate sul luogo, altri più ambiziosi non si limitavano alla rappresentanza ma cercavano di trarre profitto dalla condizione favorevole per agire da soli, facendo fruttare un capitale proprio. Ma non ne vediamo nessuno far pratica presso un mercante di nazionalità diversa dalla propria, neppure ad Anversa, a Lione o a Londra, perché l'attrezzatura tecnica degli italiani era di qualità superiore.

Così, è notevole il numero dei praticanti che conducevano il loro tirocinio in Italia quando erano ancora giovanissimi, mandati ad apprendere la lingua e il mestiere. Il caso notissimo del tedesco Lucas Rem non è isolato, anche se non può dirsi molto comune. A quattordici anni da Augusta va a Venezia per istruirsi nella tenuta dei conti, dopo esser rimasto diciotto mesi presso due maestri veneziani per imparare la lingua; più tardi impara il francese a Lione, dove trascorre un anno prima di diventare, a diciotto, agente dei Welser.[57]

Venezia era una delle mete tradizionali dei giovani tedeschi per il loro viaggio di istruzione. Già in un documento del 1306 troviamo la notizia di un maestro e altri che tenevano in casa, a Venezia, certi «pueros Theothonicos filios bonorum hominum mercatorum de illis partibus», alcuni dei quali frequentavano la scuola latina, altri erano stati messi «ad labacum». Qui i mercanti tedeschi costituivano una delle maggiori comunità, insediati dentro e fuori del loro fondaco e i giovani vi trovavano le condizioni più favorevoli per il loro tirocinio. Jakob Fugger lo condusse quando aveva vent'anni, e Marx Christoph Welser ne aveva soltanto quindici quando partì da Ulma per vivere a Venezia un'esperienza che si prolungò per cinque anni; più tardi passò a Lione. Nel Cinquecento si andava ad apprendere l'arte anche a Norimberga e ad Anversa, che però

57. P. Jeannin, *Les marchands au XVIe siècle*, Paris 1957, p. 103.

non avevano la fama di Venezia. S'istruiscono a Venezia anche due fiamminghi, Wilhelm e Jan Santwoort, allievi del maestro Alvise Casanova.

Furono molti i giovani d'ogni Paese che vissero questa esperienza. Vi trascorre quattro o cinque mesi Claude Ranarie, figlio di un mercante di spezie di Lione, dopo essere stato un anno a Marsiglia a casa di un mercante, un anno a Parigi, due o tre mesi ad Anversa, «véritables stages commerciaux».[58] A Venezia si andava per l'italiano, che era la lingua degli affari, per le tecniche commerciali e bancarie, per la tenuta dei conti. Nel Seicento sarà la Spagna delle navigazioni atlantiche ad attirare molti giovani settentrionali, ma nel Quattro e Cinquecento la superiorità dei metodi italiani è incontestabile e universalmente riconosciuta dai contemporanei.

Le tecniche italiane, in particolare quelle finanziarie e la contabilità in partita doppia, venivano sempre più adottate in Europa, anche nella parte più settentrionale, dove nel Quattrocento le forme del credito erano ancora primitive.[59] Nella prima metà del secolo Ginevra con le sue fiere era il centro dell'irradiarsi dell'economia italiana in un Occidente dominato dagli uomini d'affari fiorentini, lombardi, veneziani. Nella seconda metà il suo posto è preso da Lione.[60] Nel Cinquecento nell'Europa degli affari l'egemonia italiana è incontrastata, soprattutto coi genovesi. Le istituzioni bancarie italiane e il loro linguaggio si diffondono in tutto il continente, conquistandolo con la loro opera di razionalizzazione e di semplificazione, e la lettera di cambio da mezzo di trasferimento di valori monetari assume la funzione moderna di strumento di credito. Nella Lione dei Buonvisi, dei Guinigi e dei molti altri mercanti lucchesi il modello italiano si estende anche alle strutture delle compagnie di negozio, società a carattere familiare costituite per periodi brevi rinnovabili, con indipendenza giuridica ed economica ma aperta alle solidarietà familiari e nazionali, nelle quali cercavano un più vasto raggio d'azione.[61] Sempre a Lione nel Cinquecento i mercanti lucchesi, fiorentini, genovesi con la loro superiorità tecnica e finanziaria hanno praticamente il monopolio delle assicurazioni marittime.[62]

Sulla fortuna della partita doppia una prima cronologia si potrebbe cercare nella divulgazione a mezzo della stampa, a partire dal trattato di Luca Pacioli pubblicato a Venezia nel 1494, che per più di tre secoli ispirò la letteratura contabile. Nell'esposizione del metodo l'aveva preceduto Benedetto Cotrugli, ma il suo *Arte della mercatura*, scritto nel 1458, fu stampato solo nel 1573, perciò non può essergli attribuito un contributo veramente sostanziale alla sua diffusione.

114

58. R. Gascon, *Grand commerce et vie urbaine au XVIe siècle. Lyon et ses marchands*, Paris 1971, p. 379.

59. H. van der Wee, *Anvers et les innovations de la technique financière au XVIe et XVIIe siècles*, «Annales ESC», 22 (1967), pp. 1071-1074.

60. J.-F. Bergier, *Genève et l'économie européenne de la Renaissance*, Paris 1963, pp. 431-436.

61. Gascon, *Grand commerce*, cit., pp. 280-283.

62. Ivi, pp. 303-305.

Molto del merito di averlo perfezionato e divulgato tocca alla pratica aziendale. La partita doppia si era sviluppata gradualmente e quasi contemporaneamente in diversi centri, Venezia, Firenze, Siena, Genova, a opera di numerose generazioni di oscuri contabili, che prestando la loro attività nel quadro dell'impresa mercantile contribuirono a coordinare e razionalizzare le registrazioni, e aveva trovato larga diffusione attraverso gli ordinari rapporti tra le varie aziende, con un mutuo scambio di scritture e di modelli, o anche col concorso di addetti che circolavano in qualche giro di aziende collegate. Già prima dell'avvento della stampa, e anche dopo, il metodo si diffuse normalmente attraverso questo canale.[63]

Notevole fu la trattatistica italiana nel Cinquecento, sul modello del Pacioli. In essa, come rileva Federigo Melis, al quale appartengono gli studi più pregevoli sul tema, le parti esemplificative prevalgono su quella teorica, ridotta a qualche pagina non molto significativa anche nelle opere degli autori più noti. Certo, per la trasmissione di una tecnica della complessità della partita doppia testi come questi potevano servire soltanto quale sussidio. L'illustrazione del metodo era puramente descrittiva e la loro efficacia didattica era riposta nei modelli che proponevano, che del resto appartenevano al vecchio apprendistato per veder fare.

118, 119

Alle varie edizioni del *Libro doppio* e del *Libro mercantile per tener conti doppi al modo di Venetia* di Domenico Manzoni, e ai trattati di Giovanni Antonio Tagliente e di Alvise Casanova va aggiunta una vasta produzione minore di brevi compilazioni, di compendi, di modelli, molti dei quali anch'essi a stampa. Alla stampa il mercante era inoltre debitore di prontuari di conti fatti per varie quantità di merci a determinati prezzi, per interessi a dati tassi, per conversioni di monete e di misure, per modelli di corrispondenza, ed erano destinate a lui anche le raccolte di tariffe doganali o di notizie di varia utilità per la sua istruzione e consultazione professionale.

121

Sono molti i trattati sulla partita doppia, di chiara derivazione italiana, che vedono la luce Oltralpe, a cominciare da quello del tedesco Matthäus Schwarz, capo contabile di Jakob Fugger, che aveva studiato a Venezia alla scuola di Antonio Maria Fior. Ne vengono pubblicati ad Anversa, in Inghilterra, in Spagna, in Francia, «à la guise et manière italienne, nae die italiaensche maniere, nach Art und Weise der Italiener»: il centro d'irradiazione di questa letteratura è l'Italia, ed è la rete di aziende e di uomini d'affari italiani che contribuisce alla diffusione del metodo. Col tempo esso cessa d'esser chiamato italiano, perché diventa patrimonio comune dell'Occidente europeo. Comunque, bisogna aspettare la prima parte del Seicento perché nel suo insegnamento la scuola, la privata in largo anticipo sulla pubblica, prenda il posto dell'azienda.

63. Melis, *Storia della Ragioneria*, cit., pp. 609-611; U. Tucci, *Tra Venezia e Firenze: le scritture contabili*, «Studi Veneziani», n.s., 27 (1994), pp. 27-29.

La circolazione dell'informazione commerciale

MARIO INFELISE

Agli inizi del Seicento in alcune città dell'Europa centro-settentrionale iniziarono a comparire con qualche forma di periodicità fogli a stampa contenenti avvisi di fatti prevalentemente politici e militari. Questi notiziari, che avrebbero presto assunto la denominazione di gazzetta, presero a caratterizzare l'informazione corrente continentale. Senza soluzione di continuità da quegli avvisi trassero origine i moderni giornali di informazione che ebbero modo di svilupparsi dal XVIII secolo in poi.

Nel momento in cui uscirono, quei fogli non vennero tuttavia percepiti come una novità significativa. Quanto, a prima vista, potrebbe sembrare il punto di partenza di uno dei prodotti culturali che ha maggiormente segnato la crescita della società moderna, non era altro che la versione a stampa di analoghi fogli manoscritti che avevano buona circolazione per lo meno da duecento anni. Risale infatti al XV secolo l'uso di compilare a mano in più esemplari brevi resoconti scritti delle principali novità. Concepiti in origine in alcune metropoli italiane situate in luoghi di confluenza di reti politiche e commerciali, simili fogli si diffusero in seguito per l'Europa e il Mediterraneo. L'avvio della stampa non interruppe neppure l'uso di riprodurre le copie a mano. Ancora per molto tempo, sino alla fine del Settecento, l'informazione europea di maggior prestigio proseguì a servirsi di fogli manoscritti riprodotti settimanalmente in decine di esemplari in botteghe di copisti e inviati attraverso i servizi postali. Rispetto alla stampa, la riproduzione manuale garantì a lungo una maggiore rapidità e la sicurezza di restare al riparo da quei controlli censori a cui tutta la produzione delle tipografie era sottoposta.[1]

1. Sui caratteri generali dell'informazione europea al momento della comparsa delle gazzette cfr. *The Politics of Information in Early Modern Europe*, a cura di B. Dooley e S. Baron,

Nelle pagine che seguono si tenterà di rivolgere lo sguardo alle vicende che hanno interessato lo sviluppo di tali strumenti, sulla base dell'idea che soprattutto la periodicità, o comunque una certa frequenza, costituisca l'elemento imprescindibile di un'informazione in grado di servire alle esigenze del presente, vuoi nel campo della politica, che in quello dell'economia. Resteranno invece sullo sfondo tutti quegli altri strumenti, di formazione più che di informazione, come i libri, i manuali di pratica della mercatura o i modelli educativi, i cui tempi erano molto più lenti e che non avevano la capacità e la funzione di registrare con prontezza e tempestività i fatti e il loro divenire. Lo scopo principale è di tracciare un sintetico profilo in grado di evidenziare, all'interno del quadro complessivo del sistema di trasmissione delle notizie della prima Età moderna, i caratteri dell'informazione economica, con due prospettive di massima: definire i mezzi correnti di informazione al servizio dei mercanti e comprendere la presenza delle notizie economico-finanziarie all'interno dei fogli ordinari. Per quanto negli ultimi tempi gli storici abbiano spesso affrontato il tema della circolazione delle notizie economiche, tale aspetto è spesso rimasto isolato dal contesto generale dello sviluppo dei sistemi di comunicazione. Si è così trascurato di destinare attenzione a come le fonti di informazione politica si integravano con quelle economiche e alle modalità tecniche della trasmissione delle notizie.[2] Tende quindi a rimanere in ombra il contributo specifico fornito dai mercanti alla costruzione di flussi informativi regolari, come pure, viceversa, l'importanza che per gli operatori economici poteva avere una conoscenza dei fatti del mondo. Tutto questo in decenni – tra la seconda metà del Quattrocento e la prima del Cinquecento – di profonde trasformazioni. Da una parte i mercanti, divenuti ormai stanziali, avevano acquisito la capacità di gestire da lontano la rete dei propri affari; dall'altra gli Stati, in procinto di rafforzarsi su base regionale e nazionale sotto il controllo di prìncipi assoluti, si trovavano nella necessità di allestire efficienti reti informative, come strumento preliminare di analisi e di controllo.

London-New York 2001; M. Infelise, *Prima dei giornali. Alle origini della pubblica informazione (secoli XVI e XVII)*, Roma-Bari 2002.

2. Su tali questioni limito in questa sede le citazioni ai saggi più recenti e innovativi: P. Jeannin, *La diffusion de l'information*, in *Fiere e mercati nella integrazione delle economie europee secc. XIII-XVIII*, a cura di S. Cavaciocchi, Firenze 2001; F. Trivellato, *Merchant Letters across Geographical and Social Boundaries*, in *Cultural Exchange in Early Modern Europe*, Cambridge 2006-2007, III. Rimane inoltre sempre da tenere presente attorno al tema del rapporto tra circolazione delle notizie e andamento dei mercati il classico studio di P. Sardella, *Nouvelles et spéculations a Venise au début du XVIe siècle*, Paris 1949, da cui dipendono molto, per le osservazioni di carattere più generale, le pagine dedicate al tema da F. Braudel, *Civiltà e imperi del Mediterraneo nell'età di Filippo II*, Torino 1976², pp. 387-395 (*La notizia, merce di lusso*).

Le origini dell'avviso

Di strumenti espressamente adibiti a informare con regolarità circa le vicende politiche e militari in corso si inizia ad avere qualche consistente notizia nella seconda metà del XV secolo, quando venne ad abbozzarsi un sistema di informazione pubblica, alimentato dalle nuove esigenze della diplomazia. Risale a quegli anni l'istituzione di una rete stabile di ambasciatori presso le corti italiane ed europee, il cui compito principale era quello di riferire con sistematicità ogni fatto potenzialmente utile al proprio principe. Secondo un inviato del duca Ercole I d'Este, dovere dell'ambasciatore era di stare «sempre in motu e com la pena in mano in avisare il suo Signore».[3] Fu allora che i servizi pubblici di informazione tesero a istituzionalizzarsi, superando in efficienza le preesistenti reti più informali a cui da tempo si affidavano i grandi mercanti.

Gli ambasciatori, dunque, che in un primo momento riferivano preferibilmente quanto constatavano di persona, iniziarono ad allargare lo sguardo e a prendere in considerazione anche altre fonti di informazioni, meno dirette, ma comunque utili per una valutazione complessiva della situazione del momento. I loro dispacci non si soffermano mai troppo su queste fonti. Si parla genericamente di «nuove», diffuse da lettere e da avvisi, senza che a prima vista appaia del tutto chiaro quale possa essere la differenza tra le prime e i secondi. Vincenzo della Scalona, ad esempio, oratore di Mantova presso la corte sforzesca nel 1463, comunicava a Ludovico Gonzaga quanto aveva appreso di persona, di voci sentite dai «cavallari» e di notizie esposte in «lettere» di cui piuttosto regolarmente riferiva data e provenienza:

> Per littere de dì 22 da Roma se ha che le gente del Papa sono entrate in Sora, et ch'el duca ha depositato tre fortezze delle sue in mano de sua santità, per volere lo accordo, che se ha per bona nova. Gli sono etiam littere de dì xvii da Napoli, non ho ancora inteso de che effecto siano.[4]

Nei dispacci diplomatici capita però di trovare accenni anche a generici «advisi», che se talvolta paiono avere il senso di sinonimo di nuova o notizia («da Roma per littere del 28 se ha per adviso del datario»),[5] in altre circostanze stanno a sottintendere materiali di minore affidabilità, che potevano derivare da «let-

3. L'espressione è del vescovo di Modena Giovanni Andrea Boccaccio per rifiutare la nomina a oratore a Roma nel 1490. M. Folin, *Rinascimento estense. Politica, cultura, istituzioni di un antico stato italiano*, Roma-Bari 2001, p. 152; Id., *Gli oratori estensi nel sistema politico italiano (1440-1505)*, in *Girolamo Savonarola tra Ferrara e l'Europa*, Atti del convegno di Ferrara, marzo-aprile 1998, a cura di G. Fragnito e M. Miegge, Firenze 2001.

4. *Carteggio degli oratori mantovani alla corte sforzesca (1450-1500)*, V, *1463*, a cura di M. Folin, Roma 2003, p. 296, dispaccio del 28 giugno 1463.

5. Ivi, pp. 306, 327.

tere de' merchadanti», o da più generiche corrispondenze. Copie di scritti di tal genere, che assemblavano in un unico foglio succinti estratti di notizie di varia provenienza, erano talora allegati ai dispacci.[6]

La funzione di queste riproduzioni è importante. Sotto titolazioni quali «Copia de più capitoli di novele», «Summario de lettere da Roma», «Sumario de avisi de Franza» circolavano stringati resoconti di notizie raccolte da fonti diverse, talvolta esplicitate, in altri casi no.[7] Pare che Lodovico il Moro fornisse agli ambasciatori accreditati presso di lui «li sommari de ogni aviso» ricevuti dai suoi corrispondenti dall'estero e che, sulla base di questo precedente, nel 1502 l'oratore di Ercole I d'Este avesse proposto al papa l'istituzione dello stesso servizio.[8] La medesima pratica era allora in uso anche presso la cancelleria veneziana con lo scopo di informare con sistematicità i propri inviati presso le corti estere.[9]

126

A Venezia è possibile seguire l'assestarsi di queste forme di comunicazione anche attraverso gli straordinari diari di Girolamo Priuli e di Marin Sanudo, che danno quotidianamente conto dell'incessante sopraggiungere da ogni parte d'Europa e del Mediterraneo di notizie di tutti i generi, quando – agli inizi del Cinquecento – la città era il principale centro europeo di confluenza di informazioni da Ponente e da Levante.[10] Basta sfogliare qualche pagina di Sanudo per avere un'idea del frenetico succedersi di dispacci diplomatici, lettere private e commerciali e avvisi. Solo nei primi dieci giorni del gennaio 1501 Sanudo riferisce di informazioni tratte da 64 lettere. Si tratta in buona parte di dispacci di rappresentanti ufficiali della repubblica, ambasciatori presso le corti, cariche militari in terraferma e della flotta nel Mediterraneo. Nessun angolo dell'Europa o del Mediterraneo rimane in ombra, anche se il Levante, estesamente inteso per tutto il territorio ad est di Venezia, Balcani e Vicino Oriente compresi, costituiva l'area più documentata. In molti casi i dispacci pervenuti facevano riferimento ad altre corrispondenze ancora, ampliando dunque il campo di osservazione. Da Cattaro giungevano altre notizie dai Balcani, da Trento notizie da Innsbruck e dall'Impero, da Curzola notizie di Ragusa. Il capitano della flotta in transito a Trapani riferiva di lettere dal Magreb, i messaggi da Costantinopoli a loro volta

6. Per abbondanti esempi cfr. Z. Barbaro, *Dispacci*, a cura di G. Corazzol, Roma 1994.

7. L'Archivio di Stato di Modena conserva nei carteggi del duca di Ferrara fogli della seconda metà del Quattrocento recanti intestazioni del genere.

8. Folin, *Gli oratori estensi*, cit., pp. 67-68; Id., *Les ambassadeurs des Este à la cour des Valois (1470-1505)*, in *Regards croisés. Musique, musiciens, artistes et voyageurs entre France et Italie au 15ᵉ siècle*, a cura di N. Guidobaldi, Paris-Tours 2002.

9. Il 19 settembre 1499 Antonio Loredan, ambasciatore presso il re di Francia, notificava al Senato di aver ricevuto «nostre lettere con li sommari di nove»: Marin Sanudo, *I Diarii*, a cura di R. Fulin, F. Stefani, N. Barozzi, G. Berchet e M. Allegri, Venezia 1879-1902, II, col. 1334.

10. P. Burke, *Early Modern Venice as a Centre of Information and Communication*, in *Venice Reconsidered. The History and Civilization of an Italian City-State 1297-1797*, a cura di J. Martin e D. Romano, Baltimore-London 2000.

raccontavano di altre lettere dalla Siria. Vi erano poi le corrispondenze private, soprattutto quelle che giungevano a Rialto ai mercanti, in grado spesso di offrire prospettive nuove e informazioni che i rappresentanti ufficiali non erano in grado di percepire rapidamente. Una notizia da Damasco– si legge l'8 gennaio 1501 – «si have in Rialto per letere de galie».[11]

Anche in Sanudo torna con una certa insistenza il termine «adviso» per definire uno scritto di «incerto autore» probabilmente redatto in più copie e destinato a una fruizione comunque più ampia del solo destinatario della lettera. Una serialità anche minima e la perdita dell'autore segnarono una tappa importante del processo di crescita dell'informazione regolare. Stavano a indicare che una lettera tra due corrispondenti ben individuati andava trasformandosi in una comunicazione anonima, appositamente concepita per essere rivolta a un pubblico generico che, se in origine poteva essere costituito da un piccolo gruppo di funzionari di corte o da qualche ambasciatore, stava rapidamente allargandosi. Schematicamente Thomas Schröder ha definito in tre tappe il passaggio dalla corrispondenza privata alla notizia pubblica. In un primo momento la notizia di un evento è aggiunta alla fine di una lettera privata. Quindi si passa ad un supplemento di notizie allegato separatamente alla lettera. Infine il notiziario diviene il fine principale dello scritto.[12] Tale trasformazione fu ovviamente graduale. Per decenni, sino a metà del Cinquecento, ebbero identiche funzioni copie di lettere, fogli con sottoscrizione e bollettini anonimi.

Altro elemento che contribuì a scandire la periodicità fu l'assestarsi dei sistemi di trasmissione delle corrispondenze. Dagli ultimi decenni del Trecento si segnalano servizi postali a largo raggio e a costi contenuti al punto da poter essere utilizzati da una clientela ampia e composita «senza esclusive dettate da privilegi di casta», come ha scritto Luciana Frangioni. Lungo alcuni itinerari partenze e transiti erano ormai regolari e pubblici.[13] Nel 1395 un agente della compagnia Datini a Milano comunicava che

> lettere di qui a Vinega fate chonto che ongni domenicha mattina ci va per regholа 1 fante e di qui a Bruga, chome le scarselle da Lucha là passano per qui e chosì per Parigi e alchuna volta rado ci va fante di qui e chosi alcuno amicho. Se vostre lettere mandate le daremo recapito come mè e prima si potrà.[14]

11. Sanudo, *I Diarii*, cit., 8 gennaio 1501.

12. T. Schröder *The Origins of the German Press*, in *The Politics of Information*, cit., p. 127.

13. Le considerazioni sui servizi postali sono fondate in primo luogo sui rilievi di L. Frangioni, *Milano fine Trecento. Il Carteggio milanese dell'Archivio Datini di Prato*, Firenze 1994, I, pp. 84-112, la quale anticipa alla seconda metà del Trecento un'organizzazione dei sistemi postale secondo criteri 'moderni' che, invece, molti studi precedenti fanno in genere risalire agli inizi del Cinquecento.

14. La lettera di Tommaso di ser Giovanni del 26 settembre 1395 è citata ivi, p. 87.

Già da allora le poste potevano essere organizzate da imprenditori privati o da principi interessati a offrire un servizio efficiente e affidabile costruito sulle esigenze diversificate degli stati e dei privati. Documenti della fine del Trecento e del secolo successivo attestano organizzazioni evolute di corrieri e di mastri di posta in grado di gestire la corrispondenza in tempi rapidi lungo itinerari che stavano progressivamente estendendosi: da Milano occorrevano 26 giorni per Londra, 16 per Parigi, 18 per Barcellona, 11 per Roma, 4 per Venezia.[15] Nel corso del Quattrocento il sistema andò perfezionandosi, sicché, quando agli inizi del Cinquecento la famiglia d'origine bergamasca dei Tasso riuscì ad assicurarsi l'appalto dei servizi postali dell'Impero, poteva contare su modelli sperimentati e sicuri a cui fare riferimento. Nel frattempo anche altri importanti imprenditori italiani investivano in questo ambito, mettendo a frutto capacità organizzative e reti di rapporti consolidate, come nel caso di Sebastiano Montelupi che nel 1568 ebbe l'incarico dal re di Polonia di allestire i servizi di posta tra Venezia e Cracovia.[16] All'epoca il sistema era perfettamente collaudato e funzionante. Uffici postali dislocati nelle principali città d'Europa raccoglievano le corrispondenze e fungevano da punti di scambio. I corrieri, inoltre, potevano far conto su stazioni di posta per il cambio dei cavalli, regolarmente disposte lungo tutti gli itinerari principali. Si ebbe così una maggiore regolarizzazione dei tempi di percorrenza e una più efficace definizione dei tragitti e dei punti di interscambio. Fu allora che venne a stabilirsi quel legame tra i servizi di posta e le notizie, il cui ricordo permane tuttora nei titoli di molte testate giornalistiche.[17] I fogli d'avviso vennero quindi redatti in funzione delle spedizioni e acquisirono frequenza periodica e regolarità d'uscita e la notizia cessò di essere un complemento più o meno occasionale di corrispondenze che avevano prevalentemente altri scopi.

125

A metà Cinquecento il sistema era definito nelle sue linee essenziali. Non è un caso se da allora le collezioni di avvisi conservate in archivi e biblioteche si moltiplicano,[18] come pure le testimonianze circa la loro utilizzazione negli ambienti

15. F. Melis, *Intensità e regolarità nella diffusione dell'informazione economica generale nel Mediterraneo e in Occidente alla fine del Medioevo*, in *Histoire économique du monde méditerranéen 1450-1650. Mélanges en l'honneur de Fernand Braudel*, I, Paris 1973; L. Frangioni, *Organizzazione e costi del servizio postale alla fine del Trecento*, Prato 1984 (Quaderni di Storia Postale, 3).

16. R. Mazzei, Itinera mercatorum. *Circolazione di uomini e beni nell'Europa centro-orientale*, Lucca 1999, p. 124.

17. Sulle vicende dei servizi postali nel Cinquecento, oltre alle osservazioni citate di Luciana Frangioni, cfr. J. Delumeau, *Vie économique et sociale de Rome dans la seconde moitié du XVIe siècle*, Paris 1957, pp. 37-53; C. Fedele, *Le antiche poste. Nascita e crescita di un servizio (secoli XIV-XVIII)*, in C. Fedele, M. Gallenga, *«Per servizio di Nostro Signore». Strade, corrieri e poste dei papi dal medioevo al 1870*, Prato 1988 (Quaderni di Storia Postale, 10); B. Caizzi, *Dalla posta del re alla posta di tutti. Territorio e comunicazioni in Italia dal XVI secolo all'Unità*, Milano 1993. In particolare sulle esigenze dei mercanti e i corrieri ordinari nel Cinquecento cfr. Fedele, *Le antiche poste*, cit., pp. 58-59.

18. Per le collezioni italiane e tedesche cfr. R. Pieper, Z. Barbarics, *Handwritten Newsletters*

più disparati; certamente nei luoghi del potere, ma anche in ambiti più popolari. In questi stessi anni si percepì un netto salto di qualità. Una bolla di Pio V del 1568, emessa allo scopo di porre qualche forma di controllo sulla compilazione dei fogli, definiva «arte nuova» l'uso di redigere avvisi, mentre stava stabilizzandosi il linguaggio che definiva oggetti e operatori. Il termine gazzetta iniziò a essere usato attorno al 1560 per indicare appunto i fogli destinati a una più ampia diffusione, meno affidabili sul piano della qualità dell'informazione, mentre gazzettieri, menanti, novellisti e reportisti erano indifferentemente coloro che li scrivevano.

Professionisti della notizia

La redazione di questo genere di fogli determinò presto la nascita di un nuovo mestiere. Già nella seconda metà del Quattrocento si segnalano veri e propri professionisti impegnati nella raccolta delle notizie, nella redazione e nella ricopiatura di fogli, nonché nella loro spedizione a un numero più o meno ampio di corrispondenti. Sono ad esempio note le attività di Benedetto Dei (1418-1492), un fiorentino proveniente da una famiglia di orefici, che tra 1470 e 1480 intrattenne una fitta trama di rapporti con personalità di rilievo della sua epoca, a cui inviava succinti resoconti, non troppo diversi nello stile dai fogli già citati conservati nell'archivio di Modena.[19] Dei era stato avviato alla mercatura in giovane età e aveva svolto incarichi politici di modesto rilievo che comportavano comunque la raccolta di informazioni segrete a favore di Firenze e contro Venezia. Negli anni centrali della sua esistenza aveva viaggiato a lungo. Aveva percorso tutto il Mediterraneo da ovest a est; si era addentrato sulle piste sahariane sino a Timbuctu; aveva soggiornato a Costantinopoli, acquisendo una grande esperienza delle colonie italiane del Levante. Ritornato in Italia aveva tratto beneficio dalla straordinaria rete di rapporti che aveva costruito e mantenuto nel corso della sua movimentata esistenza, offrendosi come sistematico informatore circa quanto stava avvenendo. Per via epistolare quindi raccoglieva notizie suscettibili di interesse generale che stendeva in fogli riprodotti a mano in più copie da inviare ai propri corrispondenti. Un elenco di lettere dai lui spedite a destinatari di Firenze e Milano dalla fine del 1476 all'ottobre del 1477 dà l'idea, anche se limitatamente a queste due città, della rete che intratteneva: 28 corrispondenti a Firenze e 17 a Milano.[20]

as Means of Communication in Europe, in *Cultural Exchange*, cit., per quelle francesi F. Moureau, *Répertoire des nouvelles à la main. Dictionnaire de la presse manuscrite clandestine XVIe-XVIIIe siècle*, Oxford 1999.

19. Su Benedetto Dei cfr. la voce di R. Barducci in *Dizionario Biografico degli Italiani*, 36, Roma 1988, pp. 252-253.

20. P. Orvieto, *Un esperto orientalista del '400: Benedetto Dei*, «Rinascimento», XX (1969), pp. 218-219.

È interessante notare le caratteristiche di questi notiziari che, come si diceva, erano periodici e che, in un volgare toscano elementare quanto efficace, fornivano con una certa sistematicità rapidi ragguagli dei principali avvenimenti, ordinati in brevi capitoli separati gli uni dagli altri.[21] Sotto l'intestazione «Ho nuove aute in Pistoia da 15 di dicembre 1478 insino a' dì 9 di gennaio 1478» erano esposti una cinquantina di paragrafi, con avvenimenti dalle principali città d'Italia e d'Europa, sulla base del seguente modello:

Ho nuove di Genova: el doge fatto messer Batistino à cacciato via di certo gli Adorni e Raonesi e 'l signor Ruberto
Ho nuove di Genova, come 'l doge vuole l'amicizia de la lega nostra e à fornito Castelletto di tutto e altre
Ho nuove di Genova: el doge aver messo Nicodemo nel Castelletto e tiene tutto colle spalle de la Duchessa.

Il sistema andò perfezionandosi nel corso del XVI secolo, quando nelle città italiane capitali di stato e sedi di corti si sviluppò un florido mercato dell'informazione. Scrittori professionisti, al centro di ramificate reti di corrispondenze, redigevano fogli che erano il risultato di assemblaggi di ritagli estratti da altri avvisi e di parti di propria composizione. Qualcuno teneva a precisare alla propria clientela, costituita in genere da diplomatici, nobili, altri prelati e facoltosi mercanti, che si trattava di una selezione tratta dagli avvisi più 'freschi' e fidati in circolazione in quel momento:

> Io vi scrivo [avvertiva il gazzettiere dei Fugger a Venezia nel 1554] quanto io trovo di verità per gli avvisi che qui si veggono et, per non esser io in sul fatto, m'è forza a quelli dar fede come fanno gli altri ... et potrete tener per certo che gli avvisi ch'io mando vengono da quelli che scrivono la verità et alla giornata ve ne potete assicurare ch'io non vi scrivo se non la verità.[22]

Le nuove compilazioni ottenute venivano quindi riprodotte in decine di copie all'interno di copisterie che divennero anche luoghi di smercio dei fogli e punto di incontro e di animate discussioni. A Venezia attorno alla chiesa di San Moisè vi erano diverse piccole botteghe del genere frequentate da patrizi, pubblici funzionari e curiosi di ogni genere. A Roma attorno al 1550 il poeta Mattio Franzesi racconta della circolazione di «lettere di chiasso» grazie alle quali tutti

21. Gli esempi sono tratti da C. Marzi, *Degli antecessori dei giornali*, «Rivista delle Biblioteche e degli Archivi», XXIV (1913); Orvieto, *Un esperto orientalista*, cit., pp. 216-217, che dedica particolare attenzione alle corrispondenze di Dei.

22. Biblioteca Apostolica Vaticana (d'ora in poi BAV), *Urb. Lat.*1038 a, c. 7.

i romani acquisivano familiarità con i potenti e piena dimestichezza con le loro azioni.[23] A Bologna nel 1596 venne addirittura aperto un servizio pubblico di lettura di fogli di avvisi «di tutte le parti del mondo» acquistati a Roma e Venezia, per chi fosse disposto a pagare un bolognino a persona.[24]

130

Lettere di mercadanti

Il cuore di questo genere di informazione era, come si è detto, di carattere politico e militare. Notizie di spostamenti di truppe, comparse di galere armate in qualche porto, voci di scontri militari o navali, incursioni di pirati, movimenti e intenzioni di sovrani. Non vi era tuttavia una regola e tutto ciò che, secondo il *reportista*, poteva essere di qualche interesse finiva col trovarvi spazio, ivi comprese, non infrequentemente, informazioni di carattere economico: «Ho nuove da Lyone: la fiera d'ora è stata buonissima, averassi ispaciato assai drappi e presi assay di denari», scriveva, ad esempio, Benedetto Dei nel 1478.[25] Un secolo dopo un normale foglio d'avviso riportava piuttosto regolarmente notizie di politica fiscale e daziaria, investimenti pubblici, fallimenti di banchi e difficoltà dei mercanti nelle fiere dei cambi, grandi appalti, arrivi di navi, vendite di grandi proprietà. Se quantitativamente la maggior parte delle notizie era relativa ad azioni pubbliche, non mancava l'attenzione nei riguardi di vicende private.[26] Non si trattava in ogni caso di informazioni destinate specificatamente agli operatori mercantili, ma di notizie che potevano influire sull'andamento politico generale o che potevano suscitare la curiosità anche dei non addetti ai lavori. Del resto qualsiasi mercante che operava su larga scala aveva necessità di un grande ventaglio di informazioni, da quelle spiccatamente finanziarie e commerciali a quelle politiche e militari. Solo così poteva decidere di impegnarsi in una determinata area o valutare l'opportunità di spedire le proprie merci via mare o via terra. Le celebri *Fuggerzeitungen* altro non erano che dei normali e classici avvisi, identici in tutto e per tutto a quelli che dalla metà del Cinquecento giravano correntemente tra le corti e nelle città. Attorno al 1550 Ulderico Fugger ad Augusta riceveva con regolarità fogli che mettevano assieme, come di consueto, ogni genere di informazione. Un gazzettiere veneziano gli inviava «reporti de diverse nuove così de Levante come d'Italia» che consistevano in

23. Mattio Franzesi, *Capitolo sopra le nuove a M. Benedetto Busini*, in Francesco Berni, *Il secondo libro dell'opere burlesche*, Firenze, Giunti, 1555, pp. 58-59.

24. P. Bellettini, *Pietro Vecchi e il suo progetto di lettura pubblica, con ascolto a pagamento delle notizie periodiche di attualità (Bologna 1596)*, in *Una città in Piazza. Comunicazione e vita quotidiana a Bologna tra Cinque e Seicento*, a cura di P. Bellettini, R. Campioni e Z. Zanardi, Bologna 2000, pp. 68-76.

25. Marzi, *Degli antecessori dei giornali*, cit.

26. Cfr. ad esempio l'antologia di avvisi del 1588: *La gazzetta de l'anno 1588*, a cura di E. Stumpo, Firenze 1988.

densi fogli di informazioni ricavate a Venezia, soprattutto ricchi di notizie sul Levante e sulla corte di Roma.[27]

In questo caso, come in altri citati in precedenza, le fonti erano, oltre a quanto trapelava dalla lettura in Senato dei dispacci degli ambasciatori o da altre corrispondenze ufficiali, anche le lettere dei mercanti la cui eco si avvertiva a Venezia a Rialto o a Roma nel quartiere dei Banchi. Si trattava di notizie meno rinomate sul piano della qualità, ma non per questo meno ricercate. A Venezia le notizie di Rialto servivano sistematicamente da riscontro alle fonti destinate al palazzo ducale. Erano le «news on the Rialto» rese celebri dal *Mercante di Venezia* (1596-1597) di Shakespeare, che spesso costituivano la base più comune del mercato dell'informazione di quel tempo, anche se talvolta erano trattate con sprezzo. Stesso destino avevano a Roma gli «avvisi dei banchi», ricercatissimi, ma chiamati con qualche supponenza «le scioccarie de' Banchi» da chi peraltro era abituato a farne ampio consumo.[28]

I mercanti disponevano di reti proprie per la trasmissione delle notizie, anche se non nella forma rielaborata dell'avviso di cui si è sinora scritto. Da secoli potevano contare su un sistema capillare di appoggi in Europa e nel Mediterraneo costituito da filiali, agenti, colonie mercantili, corrispondenti, consolati, capace di trasmettere con tempestività quelle notizie indispensabili per l'agire commerciale: evoluzione dei prezzi, arrivi di navi da carico e di carovane dall'Oriente, iniziative e accordi commerciali, fallimenti.[29] Occorre poi tener presente il ruolo e l'importanza delle fiere, come luogo di scambio e di incontro tra mercanti di origine diversa.[30] Prima ancora, quindi, che le necessità della politica a metà Quattrocento determinassero l'allestimento del sistema informativo al servizio delle corti di cui si è detto, dal Medioevo sino al cuore dell'Età moderna era proprio l'informazione di carattere economico a caratterizzare i movi-

27. BAV, *Urb. Lat.* 1038 A, c. 7. *Ibid.* e in *Urb. Lat* 1039 vari avvisi diretti a Ulderico Fugger ad Augusta dal 1553 al 1563. Sulle collezioni di avvisi dei Fugger conservate a Vienna cfr. J. Kleinpaul, *Die Fuggerzeitungen 1568-1605*, Leipzig 1921 e Pieper, Barbarics, *Handwritten Newsletters* cit. Sulla collezione vaticana cfr. R. Ancel, *Etude critique sur quelques recueils d'*Avvisi. *Contribution à l'histoire du journalisme en Italie*, «Mélanges d'archéologie et d'histoire», XXVIII (1908).

28. BAV, *Urb. Lat.* 1041, c. 511*v*, a tergo di un foglio datato 28 ottobre 1570.

29. Sulle presenze di comunità mercantili organizzate per nazioni nel tardo Medioevo la bibliografia è molto ricca. Indicativamente, oltre a quanto verrà citato in seguito, sui genovesi cfr. G. Petti Balbi, *Mercanti e* nationes *nelle Fiandre: i genovesi in età bassomedievale*, Pisa 1996; sui fiorentini e i lucchesi a Venezia R.C. Mueller, *Mercanti e imprenditori fiorentini a Venezia nel tardo medioevo*, «Società e Storia», LV (1992); L. Molà, *La comunità dei lucchesi a Venezia: immigrazione e industria della seta nel tardo Medioevo*, Venezia 1994. Più in generale sulle *nationes* straniere nelle città europee tardomedievali la raccolta di saggi *Comunità forestiere e «nationes» nell'Europa dei secoli XIII-XVI*, a cura di G. Petti Balbi, Napoli 2001.

30. Cfr. in particolare i saggi di P. Stabel, K. Weissen, E. Demo e J. Bottin in *La pratica dello scambio. Sistemi di fiere, mercanti e città in Europa (1400-1700)*, a cura di P. Lanaro, Venezia 2003.

menti di lettere dell'Occidente. Ed erano soprattutto le comunità di mercanti italiani ad animarle, tanto che l'italiano – o meglio i volgari italiani nelle differenti sfumature regionali – resta per tutto il periodo la lingua più diffusa degli scambi, da Anversa ad Alessandria d'Egitto.

Questi materiali, che sono da tempo al centro delle attenzioni degli storici dell'economia, per ricostruire le tecniche commerciali, la psicologia del mercante, le reti di solidarietà tra gruppi etnici e religiosi, sono anche documenti di grande interesse per il ruolo avuto nella trasmissione dell'informazione.[31] Proprio una lettura della corrispondenza mercantile in tale prospettiva ha consentito di recente di ipotizzare l'esistenza di fogli di avvisi politici ad uso dei mercanti già agli inizi del XV secolo. Nel 1419 Antonio Morosini informava da Venezia il console veneziano ad Alessandria Biagio Dolfin circa vicende politiche in corso in Europa in quel momento in una forma non troppo diversa da quella che avrebbero assunto più tardi gli avvisi veri e propri. Un confronto attento tra quelle scritture e la cronaca stesa dallo stesso Morosini e altre lettere dirette al Dolfin ha indotto con qualche fondamento Georg Christ a ritenere che alla base di quelle informazioni potessero esservi copie scritte di notizie che avevano un largo giro. Sembra inoltre che già all'epoca fosse corrente l'uso di leggere pubblicamente simili fogli, garantendo quindi alle notizie una diffusione ancora più ampia. In quello stesso 1419 Albano Morosini, nipote di Antonio, pregava Dolfin di non leggere pubblicamente quelle lettere: «Perhò vi prego quelle tal lettere, in quelo vi par, et che sia da taxier; non la voie mostrar né lezer in pubblicho». È evidente peraltro l'importanza delle reti di rapporti intrattenuti tra Europa e Mediterraneo da mercanti accomunati dalle medesime origini. Sempre nel 1419 il console Dolfin, grazie ad altri connazionali, riceveva ulteriori nuove da Candia.[32] Difficile pensare che all'interno dell'impero veneziano, che poteva contare su basi territoriali di particolare rilevanza nel Mediterraneo, come Cipro e Candia,[33] e su una presenza plurisecolare tali abitudini non fossero piuttosto normali e che lo stesso non avvenisse ad altre importanti comunità sparse tra Mediterraneo ed Europa. Giorgio Doria ha, ad esempio, accuratamente ricostruito una mappa dei luoghi frequentati dai genovesi tra i secoli XV e XVII proprio per tentare di comprendere le relazioni tra i movimenti dell'informazione e l'agire economico.[34] Nazioni genovesi erano presenti dal XIV secolo nell'Egeo, in

93

31. Trivellato, *Merchant Letters*, cit.

32. G. Christ, *A Newsletter in 1419? Antonio Morosini's Chronicle in the Light of Commercial Correspondence between Venice and Alexandria*, «Mediterranean Historical Review», 20 (2005). Ringrazio Georg Christ, che mi ha consentito di leggere il saggio prima della pubblicazione, e Benny Arbel che mi ha fornito la segnalazione.

33. B. Arbel, *Colonie d'Oltremare*, in *Storia di Venezia. Dalle origini alla caduta della Serenissima*, V, *Il Rinascimento. Società ed economia*, a cura di A. Tenenti e U. Tucci, Roma 1996.

34. G. Doria, *Conoscenza del mercato e sistema informativo: il know-how dei mercanti-finanzieri genovesi nei secoli XVI e XVII*, in *La repubblica internazionale del denaro tra XV e XVII secolo*, a cura di A. De Maddalena e H. Kellenbenz, Bologna

tutto il Mediterraneo orientale e sulle coste del Mar Nero: Negroponte, Candia, Tripoli, Tiro, Beirut, Aleppo, Cerchio, la Tana, da cui era possibile venire a conoscenza di quanto avveniva nel mondo islamico, in Asia, nelle steppe della Russia, nel Caucaso. Fondaci genovesi erano inoltre attivi sulle coste africane del Mediterraneo, da Alessandria a Tunisi e a Orano. Presenze capillari erano nei regni di Napoli e di Sicilia, anche nei centri minori, con feudatari, banchieri e uomini occupati in funzioni pubbliche: a Palermo nel 1556-1559 erano segnalati 43 mercanti nobili e a Napoli si contavano a decine i feudi acquistati dalle grandi famiglie genovesi. Colonie erano anche in Sardegna a Sassari, Alghero, Castellaragonese e a Cagliari, come a Roma e a Milano. Minore era la presenza a Venezia, dove tuttavia esisteva una comunità di nobili impegnati in attività mercantili, fornita di una propria compagnia di corrieri, una cappella e un servizio di assistenza ai «poveri genovesi ch'ogni giorno capitano».

Molti erano i liguri segnalati verso Ponente e nell'Europa del Nord. Attivissime erano in Francia le comunità di Lione, di Marsiglia e di altri centri minori. Lo stesso valeva per le Fiandre. A Bruges i mercanti genovesi erano attivi dal XIV secolo con un proprio fondaco e nel 1522 vi prosperavano ancora significative imprese commerciali. Dalla fine del Quattrocento e soprattutto nel Cinquecento i genovesi assunsero importanza ad Anversa dove erano segnalati 70 imprenditori tra 1488 e 1514, 124 tra 1528 e 1555 e 147 tra 1551 e 1640. Banchieri genovesi si muovevano nel mondo tedesco tra Francoforte, Norimberga, Spira, Ratisbona, Augusta, sia per seguire gli spostamenti dell'imperatore Carlo V che per svolgere le loro ordinarie attività. Non ne mancavano a Ginevra, Danzica, Colonia, in Inghilterra.[35] Molti di più se ne segnalavano nella penisola iberica. Agli inizi del Cinquecento si parlava di 10.000 genovesi nel regno di Castiglia e di un numero ancora superiore in Aragona. Nel 1503 secondo l'ambasciatore veneziano Marco Dandolo «un terzo di Genova» era in Spagna. Lo stesso avveniva in Portogallo. Per molti la penisola iberica aveva costituito il trampolino di lancio per il successivo passaggio in America: altri liguri erano in Cile, Brasile e Messico.

89

L'Europa, il Mediterraneo e quindi anche l'Atlantico erano legati sistematicamente da corrispondenze che mantenevano stretti i rapporti tra la madrepatria e chi era inviato a operare all'estero. I copialettere e le corrispondenze rimaste danno del resto un'idea di come la lettera mercantile fosse un fondamentale strumento quotidiano di lavoro e di come nell'attività imprenditoriale non si potesse prescindere dall'intrattenere una sistematica operazione di scrittura. È am-

1986. Sull'attiva presenza dei mercanti italiani nelle città europee del Cinquecento e Seicento e sul loro ruolo nell'alimentare flussi informativi cfr. anche R. Mazzei, *Il mercante italiano nella città europea fra Cinque e Seicento*, in *Le ideologie della città europea dall'Umanesimo al Romanticismo*, a cura di V. Conti, Firenze 1993.

35. Oltre a Doria, *Conoscenza del mercato*, cit., sulle attività e movimenti dei mercanti italiani nell'Europa centro-orientale cfr. anche Mazzei, Itinera mercatorum. *Circolazione di uomini*, cit.

piamente noto l'imponente archivio di Francesco Datini (1335-1410) di Prato con le sue 140.000 lettere da 285 diverse città e altri 15.000 scritti costituiti da lettere di cambio, liste di prezzi, polizze assicurative.[36] Una massa documentaria che dà la dimensione quotidiana dello strettissimo rapporto tra il grande imprenditore e l'attività di scrivere materiali di natura e funzioni diverse. Francesco Datini, pur non essendo un 'mercante scrittore', viveva scrivendo e leggendo all'interno di spazi domestici e di lavoro concepiti per tali funzioni. Amava ripetere di non fare altro che «scrivere e dì e notte» per giornate intere, sognando magari di riuscire a ritagliare un po' di tempo per dedicarsi alla lettura di libri di religione e di filosofia.[37] Ma anche senza ricorrere a figure così rilevanti e spostandoci nel tempo verso il XVI secolo, non vi era mercante piccolo o grande che non avesse una cospicua rete di corrispondenti da cui riceveva e a cui inviava messaggi. Andrea Berengo, un piccolo mercante veneziano residente ad Aleppo, scrisse tra l'ottobre 1555 e giugno 1556 285 lettere a 70 corrispondenti di Venezia, Tripoli di Siria, Cipro, Famagosta, Nicosia, Costantinopoli. In un sol giorno poteva scrivere oltre 20 lettere diverse.[38] Giorgio Doria riferisce tra le altre delle corrispondenze del ricco mercante genovese Teramo Brignole che tra il novembre 1583 e il marzo 1584 scrive 545 lettere a 86 corrispondenti italiani, spagnoli e francesi o di Giambattista Fornari che ne scrive 745 in 24 mesi a corrispondenti di tutta Europa, da Madrid a Barcellona, da Anversa a Londra.[39]

Come si è visto, sin dal Trecento nella spedizione delle lettere si poteva contare su sistemi di recapito caratterizzati da una buona efficienza, tenendo conto inoltre del fatto che nella trasmissione delle corrispondenze ogni mezzo poteva andare bene, dai mercanti o dai pellegrini in transito, a qualsiasi nave in partenza. Già allora lungo gli itinerari principali del continente non vi era giorno che non partisse un procaccio, mentre le durate dei viaggi stavano assestandosi. Da Bruges ad Avignone occorrevano dieci giorni e 26 sino a Venezia. I tempi di percorrenza tendono a divenire più regolari lungo gli itinerari terrestri, rispetto a quelli marittimi, più soggetti agli inconvenienti e alle incertezze della

36. Sull'archivio Datini e, più in generale, sull'attività di scrittura e le pratiche culturali di un grande mercante toscano del Trecento è ricco di informazioni lo studio di J. Hayez, *L'archivio Datini. De l'invention de 1870 à l'exploration d'un système d'écrits privés*, «Mélanges de l'école française de Rome. Moyen Âge», CXVII/1 (2005).

37. Hayez, *L'archivio*, cit., pp. 151-152. Di grande interesse è la dimensione delle passioni culturali e religiose di Datini, comunque legate alla lettura di scritture in volgare. Scrive nel 1395: «Chonpero molti libri in volghare per leggergli quando mi rincrescierà i fatti della merchatanzia e per fare quello devo inverso Idio. Sono tutti libri che parlano di chose vertudiose, cioè sono tutti Vangeli, Epistole ..., apreso quello disono molti valenti filosofi e altri valenti uomeni che lodarono le vertù e biasimarono vizi, chome Salamone, Aristotile, Platone, Vergilio e Tito Livio e Boezio».

38. *Lettres d'un marchand vénitien Andrea Berengo (1553-1556)*, a cura di U. Tucci, Paris 1957.

39. Doria, *Conoscenza del mercato*, cit., pp. 108-109.

navigazione. Venezia non appare però distante dalle coste del Vicino Oriente e certamente non lo era nella psicologia del mercante dell'epoca. Nel 1386 un convoglio di galere diretto a Beirut partì il 26 agosto per ritornare il 21 novembre, dopo aver sostato a Beirut dal 1° al 18 ottobre.[40]

Diversamente dagli avvisi cinquecenteschi le lettere mercantili erano sempre tra un mittente e un destinatario ben individuati, anche se non sono da escludere forme di diffusione dei contenuti, all'interno di una concezione mercantile di impianto umanistico che tendeva a divulgare le cognizioni.[41] Il nucleo centrale dello scritto era ovviamente destinato alla parte commerciale. Arrivi e partenze di navi, carichi, condizioni del mercato, prezzi, cambi, condizioni della concorrenza, qualità delle merci, fiere, prospettive commerciali. Da tale punto di vista dalla fine del Trecento al Seicento il contenuto della lettera commerciale non sembra cambiare molto, benché nel corso del Cinquecento l'affermarsi di modelli epistolari più codificati e, più tardi, di manuali 'per negozianti' tenda a formalizzare maggiormente questo genere di corrispondenza.[42] La concretezza dell'informazione è l'elemento centrale. Poco spazio rimaneva per altre considerazioni. La lettera – come del resto l'avviso – non era mai un esercizio retorico. Bando quindi ai convenevoli e anche i saluti erano inesistenti o ridotti al minimo essenziale. Persino notizie familiari gravi erano liquidate rapidamente per non «buttar via el tempo in scriver»: «Mastro Zuan Maria, poverin» – scrive Andrea Berengo – «è mortto, el barbier, per el manzar di fongi et li alttri, gratia Dei, sttano bene. Né altro».[43] Era invece importante che la redazione avvenisse nel minor tempo possibile e che il senso fosse immediatamente comprensibile al destinatario. Anche per questo la lingua era di solito molto vicina a quella parlata, le frasi brevi e concise con frequenti capoversi che servivano a segnare ogni nuovo argomento. In qualche caso si riferivano ed eventualmente si correggevano precedenti notizie. Si tende tuttavia sempre a qualificare l'affidabilità delle fonti. Quanto concerneva gli affari tra i due corrispondenti era spesso affiancato da questioni suscettibili di interesse più generale sempre comunque in ambito mercantile. Il 31 maggio 1396 la compagnia Francesco de' Bardi e Andrea Falconi, dopo aver trattato degli affari reciproci, scriveva da Genova alla compagnia Datini:

40. Melis, *Intensità e regolarità*, cit.

41. F. Melis, *Documenti per la storia economica dei secoli XIII-XVI*, Firenze 1972, pp. 15-16; Ch. Bec, *Les marchands écrivains: affaires et humanisme à Florence: 1375-1434*, Paris-La Haye 1967.

42. I primi manuali che fornivano indicazione per la scrittura di lettere commerciali compaiono nella seconda metà del Cinquecento. In italiano fu *Il negoziante* di Giovanni Domenico Peri (Genova, Calenzano, 1638) una delle prime opere a fornire indicazioni a riguardo. R Chartier, *Des secrétaires pour le peuple? Les modèles épistolaires de l'Ancien Régime entre littérature de cour et livre de colportage*, in *La correspondance. Les usages de la lettre au XIXe siècle*, a cura di R. Chartier, Paris 1991; Trivellato, *Merchant Letters*, cit.

43. *Lettres d'un marchand*, cit., p. 75.

Le 2 navi di chatelani vanno a Baruti – ci è nuove da Vinegia – sono sute a Modone: siate avisati.

E per lettere di là, fate a dì 13 ci è nuove v'era gunte più navi di Soria, con chotoni, sachi 4800 di sodi e balle 500 di filati.

Eravi lettere fate a dì 15 di marzo in Domascho: michini, daremi 2650 in 2700; pepe 1950 in 2000; beledi, 5200; gherofani, 95; fusti, 33. E a' pregi le regieano, però erano avisati di navili di chatelani erano per andarvi; ma atendevavisi più charovane, che baseranno.

In tuto Levante non era naviglio per qui, se no' le 2 di viniziani, che partirebono a l'agosto e saranno riche di f. 150.000. Dicesi kant. 2000 di pepe arannone. Che altro sentiremo, saprete.[44]

Di tanto in tanto capitavano anche notizie che andavano al di là del piano commerciale, con brevi relazioni di eventi politici e militari suscettibili comunque di conseguenze sulla sfera economica. Possono così comparire resoconti – sempre comunque in forma molto sintetica – di spostamenti di flotte, di movimenti dell'esercito turco, di vicende di carattere sanitario e delle eventuali misure di prevenzione, accompagnati da qualche impressione circa gli sviluppi e le conseguenze sul piano degli affari di eventi politici mediorientali che potevano ritardare e compromettere l'arrivo delle carovane. E non mancavano i timori e le preoccupazioni di chi risiedeva in zone a rischio, destinati per questo a rimbalzare e ad allarmare chi stava nelle città europee. Nel 1401 la notizia che Tamerlano aveva messo a ferro e fuoco Aleppo giunse a Pisa alla compagnia Datini, tramite una lettera allarmata da Venezia che aveva raccolto una voce proveniente da una nave di pellegrini giunta in Istria da Beirut.[45] Negli anni Sessanta del Cinquecento, alla vigilia di Lepanto e della caduta di Famagosta, Andrea Berengo scriveva da Aleppo di cristiani costretti a «farsi turchi» e dei timori diffusi a Cipro che si ripetesse qualcosa di analogo a quanto era avvenuto a Rodi nel 1523, auspicando un intervento della flotta veneziana.[46] Sono appunto notizie di questo genere quelle che trovavano facile accoglimento anche nei dispacci diplomatici e che si diffondevano nelle grandi piazze commerciali europee completando e arricchendo il quadro informativo generale. Si tratta comunque sempre di accenni fugaci inadatti, se isolati, a fornire un panorama intelligibile delle vicende politiche in corso.

Il sistema di informazione che venne a costruirsi in quei primi secoli si ba-

44. Melis, *Documenti*, cit., pp. 154-155.

45. Archivio Datini, Prato, b. 550, commissaria di Zanobi Gaddi a Venezia alla compagnia Datini di Pisa, 8 gennaio 1401. Devo questa segnalazione e le successive tratte dall'archivio Datini, oltre a vari altri consigli, alla cortesia di Reiny Mueller.

46. *Lettres d'un marchand*, cit., lettere a Fabrizio da Lignago a Saline, 7 maggio 1556, p. 231 e a Marco Antonio Angussolla a Famagosta, 3 giugno 1556, p. 273.

sava dunque su operatori occidentali dislocati direttamente nei luoghi da cui riferivano. Occupava quindi l'Europa e tutto il Mediterraneo sino alle coste levantine, Tripoli, Damasco e Aleppo comprese. Con la scoperta delle Americhe si estese al di là dell'Atlantico. I limiti rimasero però sempre quelli della diretta penetrazione europea. Poco o nulla giungeva dunque dall'Asia e dall'entroterra mediorientale che non fosse mediato dalle popolazioni locali. Tutto quel mondo subì il controllo pressoché esclusivo dei mercanti arabi che controllavano le carovane dall'Oriente, senza che agli europei fossero possibili altri riscontri in grado di avvalorare voci che spesso inducevano dubbi. Tanto dettagliate appaiono quindi le descrizioni delle merci in vendita nei mercati di Damasco o di Aleppo, quanto vaghe sono le notizie circa i percorsi di quelle merci e sulle carovane che le avevano trasportate. L'informazione si limitava a segnalare se la quantità era poca o tanta. Ma anche su questo aspetto le voci contraddittorie non mancavano. Ugo Tucci ricorda quanto scriveva da Aleppo Giovanni Alessandro Tagliapietra a proposito di una carovana da Bassora con un carico di spezie: il 21 gennaio 1551 erano almeno 400 some, il 3 marzo 350, l'11 si erano drasticamente ridotte a 200, il 18 a 180. Il 2 aprile al momento dell'arrivo erano solo 70.[47] Le carovane restavano affare degli arabi, dei persiani, dei tartari e sui loro itinerari poco era dato sapere se non i rumori spesso interessati che circolavano per i bazar e che i mercanti europei non erano mai in grado di verificare. Come nota ancora Tucci, mentre le rivalità tra gli occidentali non conoscevano sosta neppure in Medioriente, «les levantins, en revanche, forment un front commun cimenté par les sentiments religieux qui justifie toute spéculation au détriments des chrétiens: on ne sais rien jamais d'eux que ce qui tourne à leur davantage».[48]

Le false notizie erano dunque sempre in agguato. Chi scriveva ne era di solito al corrente e cercava di stare in guardia. Nei resoconti da Oriente è sempre presente un dubbio. La drammatica lettera già citata del gennaio 1402 con cui Francesco Datini riceveva il messaggio della presa di Aleppo da parte di Tamerlano conteneva anche l'annuncio dell'affondamento a Negroponte di una nave proveniente dalla Tana, con la perdita di tutto il carico. Ma – commentava il corrispondente – niente è sicuro, «trope bugie e frasche ci si levano».[49] Qualche anno dopo con l'espressione «per mori fi' ditto» il 16 marzo 1424 Niccolò Bernardo da Alessandria esordiva nel racconto a Lorenzo Dolfin delle vicende di carovane provenienti da Bassora che sarebbero state assalite e depredate, ma concludeva la narrazione avvertendo che «costor dicono asa' buxie», e che non aveva altri riscontri.[50] Così quando nel 1503 l'oratore veneto proveniente dal Cairo portò

47. U. Tucci, *Preface*, in *Lettres d'un marchand*, cit., p. 12.

48. Ivi, p. 13.

49. Archivio Datini, Prato, b. 550, commissaria di Zanobi Gaddi a Venezia alla commissaria Datini di Pisa, 8 gennaio 1401.

50. Melis, *Documenti*, cit., p. 190.

a Venezia la falsa notizia che le caravelle portoghesi erano state affondate nel Mar Rosso dalle imbarcazioni dei mori la soddisfazione generale durò poco, finché da Lisbona non giunse la notizia ben più attendibile del loro felice rientro in Portogallo. «Tamen» – commentava desolato Girolamo Priuli – «non fu la veritade ... et etiam loro mori levavanno simel nove per far bone le rasom sue».[51]

Giusto quelle vicende ci consentono di stabilire un nesso tra notizie e prezzi in un momento in cui le condizioni del mercato tendevano a diventare globali e a dipendere anche sensibilmente dai flussi dell'informazione. Nel settembre del 1502 l'arrivo a Venezia di un dispaccio da Lisbona che esprimeva scetticismo circa il buon esito del viaggio delle caravelle portoghesi in India determinò immediatamente la crescita dei prezzi delle spezie sulla piazza di Rialto. Al contrario, nell'ottobre dell'anno successivo, la notizia dell'arrivo del convoglio da Cuzin spinse i prezzi al ribasso. Secondo le parole di Priuli «le spetie a Venetia et altre marchadantie calorono grandemente, dil che li poveri merchadantti stevanno de malissima voglia et non sapevanno che partito prendere in questa cossa».[52] Ma l'oscillazione dei prezzi è un elemento costante delle lettere. Di conseguenza, anche al di fuori della svolta epocale determinata dalla scoperta della rotta del Capo di Buona Speranza, gli effetti sul valore delle merci determinati dall'arrivo delle notizie furono regolari e costanti.[53] Basta ripercorrere la corrispondenza a Francesco Datini per trovare con frequenza notizie di questo genere: «Dicesi che il Turcho avea schonfitto il Tamburlano, di che per questo il pevere è montato in boce a lire 146; no' c'è però chonpratori; chome c'escie chompratore tireno la chordelina».[54] Anche le notizie di peste potevano contenere qualche riflessione su possibili ripercussioni sui mercati e su occasioni di guadagno: «Qui» – scriveva Zanobi Gaddi a Francesco Datini da Venezia in tempo di peste nel giugno 1400 – «si vende bene ciera e zucharo e chose medicinali; ogni altra cosa dorme, bontà questa moria ch'è per tuto, e anche a Milano tocha ora».[55]

I listini dei prezzi e dei cambi

Le lettere mercantili erano dunque in primo luogo costituite da informazioni connesse con le attività economiche degli operatori che se le scambiavano. Gli esempi pubblicati da Federigo Melis ne offrono un interessante cam-

51. Girolamo Priuli, *I Diari*, II, a cura di R. Cessi, Bologna 1933-1937, p. 306, ottobre 1503.

52. Ivi, pp. 227 e 306.

53. Sardella, *Nouvelles et spéculations*, cit.

54. Archivio Datini, Prato, Carteggio di Venezia b. 714, Bindo Piaciti in Venezia a Francesco Datini in Firenze, 9 settembre 1402.

55. R.C. Mueller, *Aspetti sociali ed economici della peste a Venezia nel Medioevo*, in AA.VV., *Venezia e la peste*, Venezia 1979.

pionario tratto prevalentemente dagli archivi di Prato e di Venezia.[56] Ma, fin dal XIV secolo, all'interno di questo genere di corrispondenze compaiono informazioni più seriali e periodiche relative ai valori delle merci in determinate piazze commerciali e alla fluttuazione dei cambi. Sotto la titolazione di «valuta di mercanzia» o «corso di mercanzie» giravano infatti per l'Europa, in fogli separati dalla lettera a cui erano allegati, listini spesso anche molto lunghi ed elaborati che informavano sull'offerta di merci praticata nella piazza commerciale di emissione e i relativi valori. Gli esempi che Melis propone, tutti relativi alla fine del XIV secolo e agli inizi del XV, vanno da Londra a Damasco, da Genova ad Alessandria, da Venezia a Bruges e non segnalano particolari differenze. La presenza di un listino da Fez privo dei corrispondenti valori numerici per ogni voce lascia pensare anche per questi materiali a una preliminare compilazione in bianco, magari seriale, che sarebbe stata completata in un secondo momento, dopo la chiusura dei mercati.[57]

Tali listini rimasero a lungo manoscritti, finché nel corso del Cinquecento i mercanti italiani non ricorsero alla tipografia per evitare le operazioni di scrittura più ripetitive, alleggerendo il lavoro di riproduzione, mentre i poteri pubblici già iniziavano a servirsi della stampa per favorire la diffusione di notizie che dovevano divenire di uso pubblico circa i valori e le caratteristiche delle monete in circolazione, come è documentato a Venezia per lo meno dal 1517.[58] Fonti d'archivio lasciano intendere che ad Anversa già nell'agosto del 1540 venissero predisposti bollettini del genere, ma si suppone che a Venezia l'uso potesse essere anche precedente. Sulla base degli esemplari superstiti, la stampa è attestata con certezza a Francoforte nel 1581, ad Amsterdam e Venezia nel 1585. Al 14 marzo di quell'anno risale un «corso di più sorte mercantie quello che vagliono qui al presente», un modulo a stampa in tre colonne che elencava una serie di merci e di valute e lasciava in bianco lo spazio per la compilazione a mano del valore al momento in cui veniva fissato.[59]

Con qualche forzatura tali listini sono stati considerati all'origine del

56. Melis, *Documenti*, cit., pp. 298-320. Liste di merci non ordinate in colonne compaiono tuttavia in tutta la corrispondenza commerciale, sin dalla più antica che si conservi, come quella inviata al mercante veneziano Pignol Zucchello da Candia, Alessandria e dalla Tana tra 1336 e 1350. *Lettere di mercanti a Pignol Zucchello (1336-1350)*, a cura di R. Morozzo della Rocca, Venezia 1957.

57. Melis, *Documenti*, cit., p. 310, databile presumibilmente attorno al 1395-1396.

58. Fin dal 1517 è nota la circolazione a Venezia di bandi a stampa del Consiglio dei Dieci che informavano circa il valore di determinate monete e ne fornivano la raffigurazione: N. Papadopoli Aldobrandini, *Le monete di Venezia*, II, Venezia 1907, pp. 92-96. A tali stampe, alcune delle quali riprodotte nel volume citato, si riferisce anche Marin Sanudo (*I Diari*, cit., XXV, coll. 159-160) che notava che «per tutto si vedeva ditta stampa con monete dipente ... qual si vendeva soldi uno l'una con gran furia».

59. J.J. McCusker, C. Gravensteijn, *The Beginnings of Commercial and Financial Journalism. The Commodity Price Currents, Exchange Rate Currents, and Money Currents of Early Modern Europe*, Amsterdam 1991.

giornalismo commerciale e finanziario.[60] Di fatto, anche se certamente uscivano con rigorosa periodicità, rimasero a lungo – sino al XVIII secolo – confinati all'interno della corrispondenza commerciale, di cui continuarono a costituire un'importante appendice. L'affermazione di Max Weber, secondo cui la stampa economica iniziò a giocare un ruolo effettivo «solo straordinariamente tardi», tra fine Settecento e Ottocento, continua ad avere fondamento.[61] Come nel caso della stampa degli avvisi agli inizi del XVII secolo, il passaggio in tipografia non modificò un uso che esisteva tale e quale anche in precedenza. Panfilo Brancaccio, un sensale di cambi di origine umbra residente a Venezia, legato a Jacopo di Bernardo Giunta e Bonifacio Ciera, due tra i principali imprenditori veneziani del libro del tempo, che si definì «inventore» della stampa di tali fogli nella supplica con cui nel 1593 richiese il privilegio, dichiarò che «il stampar certe cartelle con li cambi et prezzi delle mercantie che occorreranno ogni sabato, sarà per nostra opinione di molta comodità et sodisfatione de' mercanti et altri che attendono a questo negotio et si venirà anco ad abbreviare per tal causa molta scrittura».[62] Scopo di Brancaccio era dunque quello di fornire un servizio ai mercanti che già avevano l'abitudine di compilare a mano tali liste e non di offrire una nuova fonte di informazione. Ma, al di là delle intenzioni del promotore, il servizio produsse delle conseguenze pubbliche che più avanti le autorità veneziane tentarono di regolamentare. Benché la stampa delle *stolette* non fosse assimilata alla stampa di qualsiasi altro foglio di informazione, l'ampia circolazione – se ne segnala una tiratura di 288 copie settimanali nel 1647[63] – e le conseguenze commerciali di un'errata informazione dovettero suggerire qualche forma di controllo. Nel 1708 fu infatti disposto che la definizione settimanale dei valori da pubblicare fosse affidata a tre cambisti destinati a rimanere in carica per un solo anno. I bollettini inoltre sarebbero dovuti essere depositati «per le occorrenze della piazza».[64] L'uso di stampare i bollettini si diffuse rapidamente in Europa. Nel 1598 Paolo Antonio Gigli, che era stato sensale di cambi a Venezia, chiese un analogo privilegio per la Toscana al granduca.[65] A quell'epoca tale pratica era ormai corrente ad Amsterdam, Anversa, Augusta, Francoforte, Amburgo. La diffusione fu ancora maggiore nel corso del Seicento prima di comparire come rubrica nelle

127, 128

60. *Ibid.*

61. M. Weber, *Storia economica. Linee di una storia universale dell'economia e della società*, Roma 1993, p. 259; Trivellato, *Merchant Letters*, cit.

62. Archivio di Stato di Venezia (d'ora in poi ASVe), *V Savi alla Mercanzia*, n.s., b. 13, 26 marzo 1593. Si vedano inoltre le puntualizzazioni allo studio di McCusker e Gravensteijn di U. Tucci, *I listini a stampa dei prezzi e dei cambi a Venezia*, «Studi veneziani», XXV (1993) e di Jeannin, *La diffusion*, cit., pp. 251-253.

63. Tucci, *I listini a stampa*, cit., p. 29.

64. ASVe, *Compilazione leggi*, b. 105.

65. M.A. Morelli, *Gli inizi della stampa periodica a Firenze nella prima metà del XVII secolo*, «Critica storica», VII (1968), pp. 289-292.

normali gazzette del Settecento.[66] È significativo che sino ad allora rimase prevalente l'uso di compilare in lingua italiana tali bollettini, in virtù di un'antica e consolidata tradizione e segnale della perdurante vitalità degli imprenditori italiani sui mercati europei.

L'eco delle notizie

Lettere e avvisi erano indirizzati al palazzo, alle principali famiglie aristocratiche, ai fondaci dei grandi mercanti, ma i loro contenuti, magari alterati quando non del tutto stravolti, invariabilmente finivano in piazza. Benché sia prematuro parlare di pubblica opinione nel senso moderno per i decenni a cavallo tra Quattrocento e Cinquecento, almeno nei centri più importanti le notizie, politiche, militari o di qualsiasi altro genere, erano destinate alla divulgazione producendo effetti non previsti e non graditi. Fatalmente le vicende trattate nei dispacci ufficiali finivano col confondersi con quelle d'altra origine, meno verificabili e meno suscettibili di controllo, che aggiungevano particolari contraddittori e apparentemente inediti, creando così versioni diverse dei medesimi fatti. Ogni arrivo di nave in porto o di corriere era accompagnato dalle comunicazioni orali di chi era a bordo o dello stesso messo. Ciascuno, poi, riferendo ciò che aveva visto personalmente o appreso da altri, tendeva a metterci del proprio arricchendo spesso il racconto con ciò che era frutto solo della propria immaginazione. Il resto lo facevano la discussione e la ripetizione in piazza, che ovviamente si curavano poco dello scrupolo di rimanere aderenti alle fonti. In momenti di tensione politica o di apprensione per l'evoluzione di qualche situazione bastava il solo arrivo di un corriere con lettere destinate al palazzo per alimentare animati scambi di vedute o vivaci e indesiderate manifestazioni, anche perché spesso era il corriere a diffondere voci prive di fondamento. Nel 1499, in piena guerra contro i turchi, un corriere appena giunto a Venezia da Trani con lettere per il Senato aveva raccontato che l'armata veneziana aveva annientato la flotta ottomana. Al grido di «Marco, Marco» la folla si era riversata in piazza San Marco scatenandosi in manifestazioni di entusiasmo. L'apertura a palazzo ducale delle lettere smentì l'episodio, «donde» – commentava Priuli – «tutti rimasenno cum la testa taiata et delussi, siché quod miseri volunt facile credunt». Concludeva che «corieri portanno la bussia in bocha et la verità in tascha», manifestando qualche perplessità circa la diffusione popolare

130

66. McCusker, Gravensteijn, *The Beginnings of Commercial and Financial Journalism*, cit.; su Amsterdam qualche cenno, all'interno di una generica esposizione dell'informazione economica che vi arrivava tra Cinquecento e Seicento, cfr. J. de Vries, A. van der Woude, *The First Modern Economy. Success, Failure, and Perseverance of the Dutch Economy, 1500-1815*, Cambridge 1997, pp. 147-150.

di fatti e notizie poco controllate.[67] In quegli anni, d'altra parte, era ancora impensabile controllare i flussi dell'informazione. Era quindi naturale che notizie gravide di conseguenze sulle sorti della ricchezza veneziana potessero alimentare a lungo le preoccupazioni e le incertezze della piazza. È il caso della scoperta della rotta delle Indie per il capo di Buona Speranza, percorsa per la prima volta dalle navi portoghesi di Vasco da Gama nel 1498. Secondo quanto riferisce Girolamo Priuli la notizia era giunta a Venezia nell'agosto 1499 tramite una lettera da Alessandria, che riferiva a sua volta di un'altra lettera dal Cairo, secondo la quale «homeni venutti de India» avevano visto nei porti di Calicut e di Aden tre caravelle al servizio del re del Portogallo al comando di Cristoforo Colombo. La notizia era per la verità piuttosto confusa, al punto che l'impresa di Colombo in America pareva confondersi con quella di Vasco da Gama. Aveva però colpito le fantasie e prodotto un «grandissimo effecto», malgrado le diffuse perplessità sulla fattibilità di un viaggio del genere che, se reale, poteva destabilizzare le ragioni della ricchezza veneziana, in tempi peraltro molto critici di guerra contro i turchi e di fallimenti di importanti banchi.[68] Due anni dopo, il 28 luglio 1501, l'impresa portoghese venne confermata da un dispaccio da Lisbona del 27 giugno di un nunzio inviato giusto allo scopo di verificare i fatti. Lo scritto, a causa della sua importanza, fu immediatamente posto a stampa. Sempre Priuli racconta che

> cadauno rimaxe stupefatto ... et fo tenuto questa nova per li sapienti che la fusse la peggior nova che mai la Repubblica veneta potesse avere abuto dal perdere la libertà in fuori.[69]

La vicenda continuò ad essere seguita con vivissima apprensione negli anni successivi attraverso tutte le forme di informazione possibile. Dalle grandi capitali dell'Occidente grazie ai dispacci scritti dagli ambasciatori e dal Levante – soprattutto dal Cairo e da Alessandria – dalle corrispondenze mercantili.[70] I primi fornivano ragguagli sui viaggi e dettagli sui carichi di spezie che giungevano in Portogallo, le seconde sul venir meno delle merci sui mercati locali, sugli effetti sui prezzi e sui propositi del sultano d'Egitto di inviare nel mar Rosso contro i portoghesi una propria flotta. L'eco in città di quelle notizie era immediata.

67. G. Priuli, *I Diari*, I, a cura di A. Segre, Città di Castello-Bologna 1912-1921, p. 180, 5 settembre 1499. L'episodio è narrato, senza commenti, anche da Marin Sanudo: Sanudo, *I Diari*, cit., II, col. 1215.

68. Priuli, *I Diari*, I, cit., p. 153.

69. Priuli, *I Diari*, II, cit., p. 156. G. Lucchetta, *L'Oriente mediterraneo nella cultura di Venezia tra Quattro e Cinquecento*, in *Storia della Cultura Veneta*, 3/II, Vicenza 1980, pp. 411-412; S. Castro, *L'immagine del Brasile nella Venezia del primo Cinquecento*, in *L'impatto della scoperta dell'America nella cultura veneziana*, a cura di A. Caracciolo Aricò, Roma 1994; P. Mildonian, *La conquista dello spazio americano nelle prime raccolte venete*, ivi.

70. Priuli, *I diari*, cit., II, pp. 352-353, 423-424.

L'arrivo nell'ottobre del 1503 di *nove* contenute in una lettera dal Portogallo dell'oratore veneziano che annunciava il ritorno dall'India di due caravelle determinò «grandissima malenchonia et fastidio, et molti volevanno che la citade veneta per il trovar de questo viazo, fosse ruinata, perché mancherà il trafego dele spetie et li viazi, quali heranno lo nutrimento et sustinimento dela Republica Veneta».[71] Qualche tempo dopo un'ulteriore notizia, per la via di Spagna, circa l'arrivo di un intero convoglio con ogni genere di spezie «fece rimanir morti tuta la citade venetta, zoè li marchadanti et altri veramente, che consideravanno il futuro et de quanto damno fusse questo ala citade aver perduto la navichatione, essendo questo viazo de Cholochut in Portogallo facto molto facile». Ne derivarono discussioni sul futuro dell'economia veneziana. Vi era chi sosteneva la necessità di abbandonare la navigazione «alimento grande dela citade» e chi invece era meno pessimista, confidando che «questo viazo non potesse durare, et che 'l signor soldam dovesse farne qualche provixione».[72]

Siamo ancora all'alba del Cinquecento, la discussione pubblica sui grandi eventi era destinata a crescere nel corso del secolo, anche se, più che i fatti economici, sarebbero state le vicende politiche e religiose ad alimentare le maggiori curiosità. Circa i rischi che ciò comportava è sempre Priuli a dimostrare una precoce sensibilità, quando, nel 1509, dopo la rotta di Agnadello, evidenziò gli effetti negativi per Venezia della circolazione per le piazze d'Europa di scritti di ogni genere, anche a stampa, che ponevano in risalto le difficoltà della Repubblica, con la conseguenza che «li zaratani et li homeni adornati de bona lengua cantavanno per tute le piaze dela Ittallia, sopra le banche, la ruina veneta ad varij et diverssi modi, segondo le fantasie loro, et beato quelo che pegio poteva dire di questi poveri Signori Venettiani».[73] Mancavano solo pochi anni all'inizio della predicazione di Lutero che pose l'Europa intera di fronte alle possibili conseguenze della facilità con cui ormai le scritture potevano muoversi.

La nuova del mercante e l'avviso del principe

È noto che nell'autunno del Medioevo le cognizioni geografiche dei mercanti, per quanto empiriche fossero, superavano di gran lunga quelle degli studiosi.[74] Il mercante italiano aveva una straordinaria esperienza del mondo e di quanto poteva avvenire in realtà culturali profondamente diverse da quella sua d'origine. Si trattava di un'esperienza spesso diretta, desunta da viaggi e da con-

71. Ivi, p. 306.

72. Ivi, p. 607.

73. G. Priuli, *I Diari*, III, a cura di R. Cessi, Bologna 1938-1941, p. 424, ottobre 1509.

74. L. Febvre, *Le problème de l'incroyance au XVIe siècle. La religion de Rabelais*, Paris 2003, pp. 356-357.

tatti reali che rendevano nella sostanza familiare al veneziano e al fiorentino quanto avveniva in Persia o in India.[75]

I decenni a cavallo tra Quattrocento e Cinquecento videro un cambiamento radicale di questo mondo. Si è detto che la vittoria della cultura scritta su quella orale segnò anche il trionfo dell'astrazione sull'empirìa. Non solo la diffusione della scrittura tese a costruire la realtà sociale e culturale, più di quanto mai fosse avvenuto in precedenza, stimolando la comunicazione e favorendo un'operazione di sistematica registrazione di dati, qualunque essi fossero. Il mercante a cui si accennava prima si avventurava al di là dei confini del mondo che gli era abituale con merci da scambiare, ma senza carte geografiche che poco gli dicevano e che a poco gli sarebbero servite. Viveva in una realtà estranea alle nostre misurazioni, ai nostri concetti di spazio e di misura, priva di una rappresentazione grafica dei territori in grado di lasciar percepire distanze e vicinanze. Luoghi che ora ci suonano esotici come Bassora, Gedda, la Tana non dovevano parere tanto più remoti o inaccessibili di Anversa o Siviglia. Al tempo stesso quel medesimo mercante non pareva nutrire particolari curiosità culturali per i luoghi che pure frequentava, tanto diversi dall'Europa cristiana. Non esistono nelle sue corrispondenze sguardi di questo genere. Contavano gli scambi, le dinamiche economiche e null'altro. Gli scontri politici e religiosi erano semmai accidenti che impedivano l'approfondimento dei rapporti economici.

Nella prima metà del Cinquecento mappe, atlanti e relazioni di viaggio tesero a situare con precisione nello spazio i luoghi e a fornire immediatamente una percezione grafica della geografia che le cognizioni precedenti non consentivano di avere, allestendo, com'è stato scritto, un «progetto di unificazione del mondo».[76] Negli stessi decenni la diffusione di strumenti d'informazione regolari non dovette produrre effetti meno forti. Come gli atlanti, anche gli avvisi dei «successi del mondo» contribuirono a fornire una misura al mondo. Oltre che notizie essi fornivano con sistematicità ossessiva parametri di tempo e di spazio. Non vi era più notizia che non fosse datata e collocata in un luogo ben preciso. E la faccenda si ripeteva di settimana in settimana, consentendo un aggiornamento costante degli elementi sulla base dei quali si poteva valutare la realtà e di conseguenza agire. La stessa realtà iniziava a essere percepita come un perenne divenire comprensibile solo nella sua fluidità e globalità. Si afferma, anzi, una diversa concezione del presente, raccontabile come sino ad allora era stato solo il passato, ma ben distinto da esso; un presente in cui molte cose potevano accadere simultaneamente in luoghi differenti di un universo che stava

75. U. Tucci, *Mercanti, viaggiatori, pellegrini nel Quattrocento*, in *Storia della cultura veneta. Dal primo Quattrocento al Concilio di Trento*, 3/II, Vicenza 1980; F.C. Lane, *I mercanti di Venezia*, Torino 1982.

76. M. Milanesi, *Introduzione* a Giovanni Battista Ramusio, *Navigazioni e viaggi*, a cura di M. Milanesi, I, Torino 1978, p. XXXV.

allargandosi a vista d'occhio.[77] È forse anche conseguenza di questa attenzione nuova alla contemporaneità se la politica venne ad assumere una più forte centralità. Si è visto che nelle lettere dei mercanti, l'informazione politica era del tutto occasionale e legata a contingenze particolari. Attraverso di esse era difficile percepire il senso delle «vicende del mondo», ammesso che potesse avere qualche utilità; contava solo quanto poteva interferire con gli affari del momento o a breve scadenza. Così proseguì a lungo, sino alla fine del Settecento. L'informazione specifica destinata al mondo mercantile continuò a fondarsi sulle corrispondenze manoscritte tra i singoli operatori, senza che i sensibili progressi della comunicazione a stampa nel frattempo riuscissero a immaginare qualcosa di diverso per soddisfare quelle esigenze, anche se, com'è stato accennato a proposito dei Fugger, il bisogno di disporre di strumenti di informazione generale divenne irrinunciabile dopo la metà del Cinquecento.[78] Ma, proprio mentre la stagione eroica del mercante volgeva al termine, prendeva avvio quella del rafforzamento del principe, dello stato, dell'elemento in qualche maniera pubblico. La politica – sempre più intesa come ragion di Stato – tendeva a comprendere tutto e a ridurre al proprio servizio anche le ragioni dell'economia. È la politica a richiedere appunto strumenti di comprensione globale, in grado di seguire costantemente gli eventi, di mettere assieme fatti e questioni lontane, ma destinati a interferire reciprocamente. Avvisi e gazzette fornirono appunto questo: informazione continua e tempestiva, ma rozza, da consegnare a chi si sarebbe incaricato dell'analisi: il principe e la sua corte, ma anche la piazza e il popolo, all'interno di una concezione della politica che tendeva a contenere tutto il resto, vicende economiche comprese.

77. D. Woolf, *News, History and the Construction of the Present in Early Modern England*, in *The Politics of Information*, cit.

78. Trivellato, *Merchant Letters*, cit.

Lo spionaggio economico

PAOLO PRETO

Lo spionaggio economico in età medievale

A differenza di 'spionaggio industriale', espressione comunemente usata dagli storici di oggi (più raramente da quelli del passato) in riferimento alla proto-industria europea, il termine più generale spionaggio 'economico' non gode di grande fortuna nella storiografia; del resto, come ho sottolineato qualche anno fa, la stessa storia dello spionaggio in generale ha poco interessato gli storici, almeno per quanto si riferisce all'età antica, medievale e moderna:[1] ben diverso invece, com'è noto, il discorso per l'età contemporanea, dove lo spionaggio, in tutte le sue accezioni e grazie all'influenza invasiva dei mass-media, è argomento rilevante e criticamente controverso anche all'interno della storiografia. Eppure le fonti, opportunamente sollecitate, offrono spesso materiale ricco e stimolante; non solo documenti privilegiati, come carteggi di mercanti, uomini d'affari, consoli, ma anche carte più propriamente 'politiche', come dispacci diplomatici e militari e delibere di organi politici, propongono spesso notizie suggestive su attività di spionaggio con specifico riferimento alla sfera economica.

Lo spionaggio economico, strettamente connesso con quello militare-politico, è già documentato nel mondo classico greco-romano e in quello medievale, europeo e asiatico; naturalmente, come rileva Sheldon, nel mondo antico «è assai difficile distinguere fra l'attività di spionaggio nel senso che si dà a questo termine nel mondo moderno, e la ricerca e trasmissione di informazioni»;[2] la figura del mercante-spia, che alterna affari e captazione di notizie militari, politiche ed economiche (andamento dei raccolti, sviluppo di attività produttive, se-

1. P. Preto, *I servizi segreti di Venezia*, Milano 2004[2], pp. 11-15.

2. R.S. Sheldon, *Lo spionaggio nel mondo romano*, «Storia e Dossier», 25 (1989).

greti di produzioni pregiate) ricorre più volte nel mondo antico: si pensi, per fare due esempi, ai mercanti nomadi inviati come spie in territorio nemico da Sargon, fondatore circa nel 2350 a.C. della dinastia Akkadù e del primo impero semitico in Mesopotamia, e alle ripetute, efficaci missioni spionistiche in terra egiziana degli abilissimi mercanti fenici.[3]

L'età medievale, pur nella complessiva povertà delle fonti, offre qualche significativo episodio di spionaggio economico che, per le sue modalità, vedremo riproposto più volte negli stati europei e italiani dell'Età moderna: al-Mansur (m.1002), ministro e maestro di palazzo dei califfi omayyadi di Cordova, e i suoi successori fanno un uso sistematico dei mercanti-spie.[4] Il cosiddetto fuoco greco (un composto di petrolio, zolfo, resina di pino), probabilmente inventato a Costantinopoli tra il VII e il XII secolo, è oggetto di complicate e controverse vicende di spionaggio incrociato tra arabi e cristiani; è protagonista di un oscuro episodio ancora nel Seicento: Girolamo Grimani, un veneziano esule a Napoli perché accusato di spionaggio a favore della Spagna e inseguito dai sicari degli Inquisitori di stato, tenta di riconciliarsi con la Repubblica: oltre a un nuovo modello di galeone e a sensazionali rivelazioni su un «negozio pregiudicialissimo» a Venezia offre proprio il segreto del fuoco greco, ma senza esito.[5] Durante le crociate alcune spie cristiane avrebbero sottratto agli arabi il segreto per conferire alle lame dell'acciaio di Damasco finezza e flessibilità, ma la vicenda è un po' incerta e confusa, sospesa tra realtà e leggenda;[6] ancor oggi dato come vero da molti è uno dei colpi più magistrali dello spionaggio medievale, la sottrazione ai cinesi del segreto dell'allevamento del baco da seta le cui uova, secondo il racconto di Procopio di Cesarea (500-565), sono introdotte dalla Cina a Bisanzio, nel 563 d.C., nascoste nel bastone di bambù di due astuti monaci di san Basilio;[7] ancora una volta sospese tra leggenda e realtà storica sono invece le tradizioni medievali che vogliono frutto di abili azioni spionistiche a danno di arabi e cinesi la diffusione in Europa dei segreti di fabbricazione degli acidi nitrico e solforico e della polvere da sparo, introdotta in Europa, si disse, dal monaco benedettino tedesco Berthold Schwartz (1318-1384).[8]

3. Bibbia, *Numeri*, 13; J. Piekałkiewicz, *Weltgeschichte der Spionage*, München 1988, pp. 15-22; F. Dvornik, *Origins of Intelligence Services. The Ancient Near East, Persia, Greece, Rome, Byzantium, the Arab Muslim Empires, the Mongol Empire, China, Muscovy*, New Brunswick 1973, pp. 3-15; Preto, *I servizi*, cit., p. 17.

4. Dvornik, *Origins*, cit., p. 222; M. Canard, *L'impérialisme des Fatimides et leur propagande*, «Annales de l'institut d'études orientales», VI (1942-1947).

5. J.-F. Bergier, *Spionaggio industriale*, Milano 1970, pp. 25-26; Preto, *I servizi*, cit., p. 83.

6. Bergier, *Spionaggio*, cit., p. 41.

7. H. Silbermann, *Die Seide*, Leipzig 1897; Ko Lu Li, *Die Seideindustrie in China*, Berlin 1927; J.P. Drege, *Die Seidenstrasse*, Köln 1986; Piekałkiewicz, *Weltgeschichte*, cit., p. 70. Secondo fonti cinesi già nel secolo IV le preziose uova sarebbero finite nel Kothan (Turchestan cinese) e di lì poi in India e Giappone, nascoste nei capelli di una principessa che non voleva rinunciare al suo abbigliamento tradizionale nel nuovo stato in cui andava sposa.

8. Bergier, *Spionaggio*, cit., pp. 37-38.

Venezia e Spagna: il nuovo mondo e il Mediterraneo

L'Europa di fine Quattrocento e inizi Cinquecento è affamata di «nove»: sui turchi e le loro minacciose offensive, sui grandi disegni dei re di Spagna e Francia in duello per l'egemonia in Italia e nel continente, sui grandi viaggi in Africa e nelle Indie, sulle scoperte e conquiste degli spagnoli in America, sulle flotte che solcano i mari, sulle merci che trasportano, sui pirati che le insidiano, sulle fiere e i mercati, sui prezzi delle spezie e delle altre merci strategiche di un'economia in rapida evoluzione.[9] Gli stati più importanti, Spagna, Francia, Inghilterra, Venezia organizzano, in modo più o meno sistematico, una rete informativa, mirata al campo politico-militare, ma attenta anche al commercio, alla produzione agricola e a quella proto-industriale. Lo spionaggio economico si esplica in due campi: la ricerca di informazioni sui raccolti (soprattutto di grano) per fini di speculazione commerciale o di progettazione o difesa da attacchi nemici; la sottrazione di segreti di produzione, direttamente o, più di frequente, tramite l'emigrazione clandestina di tecnici e operai specializzati. Una tradizione storiografica ormai comunemente accettata in Europa individua nelle grandi scoperte geografiche (e in particolare in quella dell'America) il momento di passaggio dall'età medievale a quella moderna; proprio in questi anni, e precisamente nel 1504, si colloca una delle più clamorose azioni di spionaggio economico della Repubblica di Venezia. Nell'agosto del 1499, dopo quasi due anni di periigliosa navigazione, Vasco da Gama sbarca a Lisbona con una nave (l'unica delle tre con cui è salpato l'8 luglio 1497) carica di spezie; la nuova via delle spezie, con la circumnavigazione dell'Africa, è tracciata e per l'appunto quelle spezie che Colombo, approdato il 12 ottobre 1492 in un'isola creduta nelle Indie orientali, non ha per ora trovato, fluiscono ora in Europa in quantità inusitata, sconvolgendo (almeno così si ritiene in quel momento) il mercato europeo dei veneziani. La notizia arriva a Rialto, dove hanno la loro sede i principali mercanti di spezie, alla fine del 1501 e getta nel panico i veneziani tra i quali, a sentire Marin Sanudo, circolano addirittura apocalittiche previsioni sull'imminente catastrofe economico-politica della città. I portoghesi, per parte loro, si studiano di tenere il più possibile nascoste, o per lo meno avvolte nel mistero e nel vago, le notizie relative al viaggio e alle terre e mercati indiani da poco raggiunti; ancora nel 1572, quando Luíz Vaz de Camôes pubblica *Os Lusíades*, celebrazione epica del viaggio di Vasco da Gama, quasi tutte le cronache, descrizioni, itinerari di viaggio sono ancora inediti, per una sorta di «cospirazione del silenzio» imposta dai re del Portogallo.[10] Il 5 dicembre 1502 Venezia delibera l'elezione di una Giunta delle spezie,

9. Preto, *I servizi*, cit., p. 87.

10. J. Barradas de Carvalho, *Notes sur la littérature portugaise des voyages à l'époque des grandes découvertes*, in AA.VV., *Colloques «Vasco de Gama»*, Tilas 1972, p. 65; N. Broc, *La geografia del Rinascimento*, Modena 1986, p. 20.

che mette in cantiere «secretissima rimedia»: azioni segrete in Egitto per indurre il sultano a diminuire il prezzo delle spezie e creare difficoltà al commercio dei portoghesi, progetti avveniristici, poi accantonati, per il taglio dell'istmo di Suez e soprattutto una missione segreta a Lisbona per conoscere in dettaglio il viaggio di Vasco da Gama, gli insediamenti e il commercio portoghese delle spezie nelle Indie orientali.[11] La missione spionistica è affidata il 9 marzo 1504 a Lunardo da Ca' Masser, che partirà «privatamente come semplice merchadante, non demonstrando cum alchuno esser mandato per la Signoria Nostra»; appena arrivato a Lisbona il mercante-spia, denunciato da un concorrente fiorentino, finisce «in preggione orribile» ma supera eroicamente i ripetuti interrogatori; liberato, riesce brillantemente a condurre in porto l'operazione di spionaggio: in vari dispacci inviati segretamente nel corso di 27 mesi tramite l'ambasciatore veneziano in Spagna trasmette notizie preziose sulla nuova flotta in partenza per le Indie, i mercanti, la qualità delle spezie, le conquiste territoriali e le fortezze portoghesi nelle Indie, di cui riesce persino a procurarsi un disegno.[12]

C'è da dire che anche i portoghesi ricorrono, quando possono, allo spionaggio per meglio fronteggiare la concorrenza veneziana: nel 1559, quando ormai lo shock per il viaggio di Vasco da Gama è ormai lontano e in ogni caso il commercio delle spezie segna nel Mediterraneo una forte ripresa, il nuovo ambasciatore portoghese a Roma Lourenço Pires de Távora arruola ad Aleppo e al Cairo due mercanti ebrei che inviano dispacci segreti al console a Venezia: altre notizie ricava da informatori a Venezia, Ragusa, Genova.[13]

In un'Europa afflitta periodicamente da carestie devastanti è naturale il grande interesse dei governi e dei privati imprenditori a conoscere l'andamento dei raccolti nei paesi nemici, ma anche in quelli amici, se sono potenziali fornitori di cereali; la conoscenza di un buono o cattivo raccolto può offrire indicazioni sulle probabili azioni offensive di uno stato nemico o suggerire il momento propizio per un attacco; il mercante privato da tempestive notizie sul raccolto di cereali in uno stato importatore o esportatore può trarre occasioni di fortunate speculazioni: e poiché ovviamente tutti gli stati cercano di non far trapelare notizie certe su questi fatti le azioni di spionaggio economico mirano a catturare in modo segreto queste preziose informazioni. Venezia e Spagna sono i

11. Archivio di Stato di Venezia (d'ora in poi ASVe), *Consiglio dei dieci* (d'ora in poi *CD*), *parti miste* (d'ora in poi *pm*), reg. 30, c. 3; reg. 31, c. 76; reg. 32, c. 6; R. Fulin, *Il canale di Suez e la Repubblica di Venezia* (MDIV), «Archivio Veneto», II/I (1871).

12. ASVe, *CD*, *pm*, reg. 30, c. 214, filza 19, c. 151; ASVe, *Capi del consiglio dei dieci* (d'ora in poi *CCD*), *lettere di ambasciatori*, *Spagna*, b. 29, 1504, *Portogallo*, b. 19, 16 aprile 1506; Fulin, *Il canale*, cit., pp. 203-210; *Relazione de Lunardo de Cha' Masser alla Serenissima Repubblica di Venezia sopra il commercio dei Portoghesi nell'India dopo la scoperta del Capo di Buona Speranza (1497-1506)*, a cura di G. Scopoli, «Archivio Storico Italiano», 1845-1846, appendice, note 10-12; Preto, *I servizi*, cit., pp. 199, 217-218, 382, 471.

13. F.C. Lane, *I mercanti di Venezia*, Torino 1982, pp. 198-199.

due esempi meglio documentati di questa forma di spionaggio economico. I baili veneziani a Costantinopoli, direttamente o tramite i loro numerosi *confidenti*, i consoli e soprattutto i mercanti che operano nell'Impero Ottomano, raccolgono e trasmettono a Venezia notizie sul raccolto di grano, utili in duplice funzione, speculazione commerciale, tenendo presente che Venezia importa cereali per il mercato cittadino, e preveggenza politico-militare: l'abbondanza o penuria di grano in Anatolia o in altre aree della penisola balcanica è infatti determinante per le iniziative belliche dell'impero ottomano nell'anno successivo; del resto lo spionaggio veneziano in Oriente è anche attento ai movimenti di altre merci strategiche, come lana, cera, canapa, pece, ferro, utensili, polvere da sparo, cavalli: alcune di queste sono, oltre alle spezie, tra le tradizionali merci importate a Venezia, tutte poi sono di vitale importanza per l'esercito e la marina e quindi i segnali di una loro requisizione a favore dei reparti militari e/o dell'arsenale di Costantinopoli sono sicuro indizio di imminenti campagne turche, terrestri nei Balcani o navali nel Mediterraneo.[14]

Anche i consoli si impegnano talvolta in prima persona in operazioni segrete in materia di cereali; nel 1538 Gaspare Basalù avvisa da Napoli il Consiglio dei Dieci che solo pagando una tangente si può ottenere l'agognata licenza di estrazione di grani: «Non si po varar bene una nave se non se ogne bene et per via de la mogliera [del viceré] ongiendo bene si obtenirà qual si voglia cosa».[15]

Anche i servizi segreti spagnoli tra Quattrocento e Seicento mostrano un interesse particolare per tutte le notizie che riguardano i *cereales* e soprattutto il *trigo* (grano); la Spagna stessa, ma anche i suoi domini siciliani e pugliesi, sono forti produttori e spesso esportatori di grano e quindi le autorità governative sono molto interessate a conoscere la situazione degli altri mercati, vedi Impero Ottomano e Venezia, tanto più che in non poche occasioni le licenze di esportazione di cereali diventano una pesante arma politica; inoltre anche per la Spagna, impegnata in un secolare conflitto politico-religioso con l'Impero Ottomano, la conoscenza dell'andamento dei raccolti di grano in Anatolia risulta spesso di vitale importanza nella previsione delle mosse della flotta turca nel Mediterraneo.

Basta una scorsa alla voci *confidentes* e *espías*, incrociate con quelle *cereales* e *trigo*, dei vari fondi *Papeles de estado* dell'archivio generale di Simancas per rendersi conto che lo spionaggio economico gioca un ruolo di primo piano nella complessa macchina informativa messa in piedi negli anni dei regni di Carlo V, Filippo II, Filippo III, Filippo IV.[16]

14. Preto, *I servizi*, cit., pp. 247-260.

15. ASVe, *CCD*, *lettere di ambasciatori*, *Napoli*, b. 255, 9 giugno 1538.

16. Particolarmente ricchi di notizie i fondi Archivo General de Simancas (d'ora in poi AGS), *Papeles de estado*, *Venecia*; *Papeles de estado*, *Genova*; *Estatos pequeños de Italia*; *Guerra y marina*; *Papeles de estado*, *Milan y Saboya*; *Documentos de las negociaciones de Flandes*; *Holanda y Bruselas y papeles genealógicas 1506-1795*, facilmente consultabili grazie ai dettagliati

Il contrabbando

Varie forme di spionaggio e controspionaggio economico sono messe in campo dagli stati italiani ed europei per fronteggiare il dilagante contrabbando che perfora, incurante delle innumerevoli norme repressive, le frontiere esterne e interne: contrabbando di inglesi e olandesi da e per le colonie spagnole d'America, di cristiani di ogni nazionalità da e per i territori dell'Impero Ottomano, di innumerevoli privati che in tutta Europa, mossi dall'umana insopprimibile aspirazione al guadagno e forse anche dal sottile compiacimento di frodare lo stato nemico delle libertà commerciali, violano in ogni modo e in ogni tempo, per terra e per mare, le innumerevoli barriere doganali, esterne e interne, erette dagli stati europei.[17] Di solito le autorità di governo cercano di infiltrare qualche agente doppio tra le bande per poi sorprendere i rei in azione; abbiamo notizia di qualche spia dislocata in alcune località-chiave per il contrabbando, per tenere sotto controllo i movimenti sospetti di uomini e merci: esemplare il caso dell'isola di Tabarca, posta di fronte all'insenatura di Tunisi, dal 1540 al 1741 feudo della famiglia genovese dei Lomellini, alla quale pesca del corallo, scambio di schiavi, contrabbando e per l'appunto spionaggio economico in ambedue le direzioni, spesso operato da rinnegati, assicurano per oltre due secoli una grande prosperità.[18] Ancora una volta sono i numerosi e dettagliati dispacci inviati da ogni parte dei domini spagnoli al Consiglio di stato a documentarci l'imponente ramificazione del contrabbando, per terra e soprattutto per mare, nel Mediterraneo e la segreta attività informativa con cui le autorità periferiche cercano di prevenire o sorprendere gli audaci contrabbandieri.[19]

«Aperta con le sue frontiere verso molteplici realtà economiche e commerciali Venezia convive, per amore o per forza, col contrabbando, di ogni genere e qualità, esterno, interno, per mare, fiume, terra, lago ... Per fronteggiare questo sfuggente esercito di contrabbandieri le spie sono uno dei mezzi più fre-

cataloghi redatti dall'archivio stesso. Sui servizi segreti spagnoli cfr. C.H. Carter, *The Secret Diplomacy of the Habsburgs, 1598-1623*, New York-London 1964; M.A. Echevarría Bacigalupe, *La diplomacia secreta en Flandes 1598-1648*, Bilbao 1984; Id., *Los gastos secretos en Flandes (1598-1648). Aproximación a su estudio*, in AA.VV., *Ensayos de economía*, Bilbao 1981; Id., *Los gastos secretos en Flandes (Segunda mitad del siglo XVII)*, «Letras de deustos» XVI, 34 (1986), e Preto, *I servizi*, cit., pp. 28-30, 35, 117-146 (con ulteriore bibliografia specifica).

17. P. Preto, *Il contrabbando e la frontiera: un progetto di ricerca*, in *La frontiera da stato a nazione. Il caso Piemonte*, a cura di C. Ossola, C. Raffestin e M. Ricciardi, Roma 1987.

18. L. Scaraffia, *Rinnegati. Per una storia dell'identità occidentale*, Roma-Bari 1993, pp. 19-23.

19. AGS, *Guerra y marina*, *Epoca de Carlos I de España y V de Alemania*, leg. XXXVI, a. 1549; *Papeles de estado, Genova*, leg. 3599, a. 1644; 3600, a. 1645, cc. 46, 180, 189; 3605, a. 1650, cc. 108-112; 3609, a. 1657-60, cc. 83, 87, 89; 3628, a. 1695, cc. 143, 144; 3643, a. 1690-92, cc. 98, 116, 117, 130, 132, 138; *Papeles de estado, Milan y Saboya*, leg. 3394, a. 1678; 3425, a. 1697; *Papeles de estado, Venecia*, leg. 3566, a. 1675-76, nn. 108, 109; 1316, a. 1540, nn. 105, 106; 1518, a. 1576, n. 56.

quentemente messi in campo dalle autorità».[20] Due casi esemplari: nel 1619, nel pieno della repressione della presunta congiura di Bedmar, gli Inquisitori di stato incaricano fra Angelo Romano di tener d'occhio sospette relazioni dei frati dei Frari con alcuni nobili e con l'ambasciatore di Spagna: egli però non scopre biechi tradimenti ai danni della Repubblica, ma ben più prosaici contrabbandi;[21] nel 1696 l'abate Marco Marchetti, incaricato di spiare giochi d'azzardo, scandali, risse e soprattutto i banditi rifugiati nelle *liste* delle ambasciate di Francia e Spagna, si imbatte in agguerriti contrabbandieri di sale e di carne di manzo.[22] Nel 1657 Venezia istituisce la ferma generale del tabacco e autorizza l'appaltatore e i suoi rappresentanti provinciali ad arruolare «quel numero di ministri che crederà necessari per la custodia dell'impresa», ovvero gli *spadaccini*, e ad allestire barche armate per pattugliare le acque della laguna; ma lo *sbirro*, ritenuto dal popolino «un personaggio abietto, un malandrino, una canaglia della peggior specie»[23] non sorprenderà molti contrabbandieri: ben più efficaci si riveleranno i *confidenti* infiltrati nelle bande, capaci di dare, al momento giusto, la provvida soffiata al capo degli *spadaccini*.[24]

Il contrabbando nella Repubblica di Venezia è il frutto di una politica commerciale e industriale fondata sul vincolismo economico e il monopolio della Dominante sulla terraferma e dunque l'"estrazione dei grani' è spesso regolamentata, limitata o addirittura vietata anche all'interno dello stato, tra un *reggimento* e l'altro:[25] non sorprende dunque questo singolare caso di spionaggio economico, promosso da un'autorità di governo: il 20 febbraio 1537 il podestà di Brescia invia un *esploratore* (una spia) su vari mercati della provincia sua e di quella di Bergamo per sondare la possibilità di comperare segretamente frumento a basso prezzo.[26]

Strettamente connesso alla sfera economica è anche lo spionaggio relativo alla pirateria e alla guerra di corsa, che imperversano nel Mediterraneo e nell'Atlantico; pirati e corsari hanno spesso spie nei principali porti che li informano su date, rotte, carico dei navigli da attaccare; viceversa armatori privati e autorità governative cercano di infiltrare confidenti tra le bande di pirati e corsari (so-

20. Preto, *I servizi*, cit., p. 423. Sul contrabbando a Venezia e vari casi di spionaggio per reprimerlo: P. Molmenti, *Il contrabbando sotto la Repubblica veneta*, «Atti del R. Istituto Veneto di Scienze, Lettere ed Arti», LXXVI/II (1916-1917); P. Preto, *Il contrabbando sul lago di Garda in età veneziana*, in *Un lago, una civiltà: il Garda*, a cura di G. Borelli, Verona 1983; F. Bianco, *Contadini, sbirri e contrabbandieri nel Friuli del Settecento. Le comunità di villaggio tra conservazione e rivolta (Valcellina e Valcovera)*, Pordenone 1990.

21. ASVe, *Inquisitori di stato* (d'ora in poi *IS*), b. 609, fra Angelo Romano, 11 luglio, 22 agosto 1619.

22. Ivi, b. 615, 5, 23 novembre 1696, 20 febbraio 1697.

23. Bianco, *Contadini*, cit., p. 124; ASVe, *IS*, b. 350, b. 539, 22 luglio 1779.

24. Preto, *I servizi*, cit., pp. 423-431.

25. Preto, *Il contrabbando*, cit., p. 377.

26. ASVe, *CCD*, *Lettere di rettori e altre cariche*, *Brescia*, b. 20, 20 febbraio 1537.

prattutto nei porti dove sbarcano gli uomini e le merci catturate) per poterli sorprendere durante una delle numerose azioni di pattugliamento navale organizzate tra Cinquecento e Seicento. I numerosi studi dedicati alla guerra di corsa nel Cinquecento e Seicento forniscono parecchi casi del genere;[27] particolarmente ricche di notizie, al solito, sono le fonti di Simancas:[28] del resto la Spagna è, com'è noto, sia nel Mediterraneo sia sulle rotte per le colonie americane, la vittima predestinata della guerra di corsa (inglese, olandese, barbaresca). Efficace, e come al solito ben documentata dalle fonti pubbliche, è anche l'azione spionistica di Venezia per individuare e eliminare gli *uscocchi* (= profughi), pirati slavi-cristiani che, protetti dagli Asburgo d'Austria e annidati nella quasi imprendibile base di Segna, negli ultimi anni del Cinquecento e nei primi decenni del Seicento conducono in Adriatico, teoricamente contro gli *infedeli* turchi, in pratica contro i veneziani, una spietata guerra di corsa, accompagnata da efferate crudeltà;[29] armatori e autorità veneziane sono convinti (e ben presto ne ottengono prove) che i viaggi di galee e barche siano vigilati da «fedelissime e diligentissime spie» uscocche nei porti della Dalmazia e nella stessa Venezia,[30] così il Consiglio dei Dieci affianca alle iniziative politico-militari ufficiali (guerra agli arciducali nel 1615-1617, raids navali, spietate rappresaglie, denuncie segrete e taglie) una efficace azione segreta di controspionaggio che ha come punto centrale l'individuazione degli intermediari che avvisano dei movimenti navali e provvedono al riciclaggio (talvolta addirittura proprio nella stessa Venezia!) delle merci predate: nel 1577 cinque cittadini di Zara e Sebenico, spie per gli uscocchi, sono impiccati;[31] nel 1586 viene individuato come basista addirittura il cancelliere dell'isola di Lesina, Francesco da Brazza;[32] nel 1596 spie veneziane fanno cadere nelle mani dei Dieci il cavaliere Carlo Celio, i cui frequenti viaggi da Traù ad Ancona danno fondati sospetti sia «mezzano o fautore degli Uscocchi

27. F. Braudel, *Civiltà e imperi del Mediterraneo nell'età di Filippo II*, Torino 1986, pp. 939-971; S. Bono, *I corsari barbareschi*, Torino 1964; Id., *Corsari nel Mediterraneo. Cristiani e musulmani fra guerra, schiavitù e commercio*, Milano 1993; M. Lenci, *Lucca, il mare e i corsari barbareschi nel XVI secolo*, Lucca 1987; M. Mafrici, *Mezzogiorno e pirateria nell'età moderna (secoli XVI-XVIII)*, Napoli 1995; A. Tenenti, *Venezia e i corsari*, Bari 1961; P. Preto, *Il Mediterrano irregolare: pirati, corsari, razzie, schiavi, rinnegati e contrabbando*, «Archivio Storico per le Provincie Napoletane», CXIX (2001); Id., *La guerra di corsa nell'Adriatico*, in *Banditismi mediterranei (secoli XVI-XVII)*, a cura di F. Manconi, Roma 2003, pp. 369-377.

28. Cfr. i fondi documentari citati nelle note 15 e 18.

29. Preto, *I servizi*, cit., pp. 109-110; Id., *La guerra di corsa*, pp. 371-375.

30. *Commissiones et relationes venetae, 1591-1600*, in *Monumenta spectantia historiam slavorum meridionalium*, a cura di G. Novak, Zagreb 1966, XLVIII, rel. Benedetto Moro, gennaio 1595, VI, *1588-1620*; ivi, XLIX, Zagreb 1970, rel. Lorenzo Venier, 1616.

31. ASVe, *Collegio, secreta, relazioni*, b. 62; *Commissiones et relationes*, cit. IV, *1572-1590*, in *Monumenta*, cit., XLII, p. 202.

32. Archivio di Stato di Firenze, *Mediceo del Principato*, filza 3084, cc. 37 e 48, 20 settembre 1586, avvisi da Venezia di Isidoro Manfredi, cit. in Tenenti, *Venezia*, cit., pp. 15-16.

per qualche notabil trama o intelligentia»: finito in carcere «vivo sepolto» e a pane e acqua, offre spontaneamente (?!) consigli su come combattere i pirati;[33] nel 1597 un informatore veneziano a Fiume, Ettore Caberlotto, segnala l'invio di spie uscocche in Istria e a Venezia.[34] Grazie alle soffiate di spie ed *esploratori* veneziani molti pirati sono catturati e prontamente eliminati in vari modi (annegati, strangolati, impiccati, decapitati);[35] il 12 marzo 1599 Niccolò Donà, provveditore generale in Dalmazia, propone al Consiglio dei Dieci un'operazione segreta davvero risolutiva: una buona dose di veleno infilata in una partita di vino fatta capitare a Segna farà sicuramente «quelli effetti che non si può far con la spada»:[36] non se ne fa niente, non per difetto di volontà politica, ma per le insormontabili difficoltà di esecuzione.

Lo spionaggio sanitario

Una forma di spionaggio economico, o per lo meno con strette connessioni con la vita economica degli stati, è quello che io ho chiamato lo spionaggio sanitario. Nel suo trattato *Del governo della peste*, scritto nel 1714 quando ormai la peste sembra scomparsa dall'Europa (ci sarà ancora una epidemia parziale nel 1720-1721) ma che riflette problemi sanitari, economici e politici del Cinquecento e Seicento, Ludovico Antonio Muratori, ricorda che «le savie città, udito qualche sospetto o rumor d'infezione nelle circonvicine, non fidandosi (e con troppa ragione) de gli avvisi delle medesime, spediscono segretamente colà qualche medico non conosciuto, o altra persona accorta che s'informi bene, e ponderi ogni successo; e sulla relazione prendono poi le loro misure e cautele»;[37] quando in una città o stato scoppia la peste tutti gli altri stati o città *bandiscono* il territorio infetto; ne segue, ovviamente, il divieto di qualsiasi traffico di uomini e merci, con la conseguente rovinosa paralisi economica; ecco perché i governi alle prime notizie di una epidemia imminente inviano all'estero delle spie per essere tempestivamente informati sulla reale situazione sanitaria degli altri stati nel timore, spesso fondato, che questi, per rinviare, attenuare o evitare l'ineluttabile blocco sanitario-economico neghino o minimizzino la diffusione della malattia. È ancora una volta Venezia, lo stato che per

33. ASVe, *Comunicate del Consiglio dei dieci al Senato*, filza 1, 10 aprile e giugno 1596; J.H. Tomić, *Građja za istoriju pokreta na Balkanu protiv Turaka krajem XVI i početkom XVII veka, 1595-1608*, Beograd 1933, pp. 31-33, 178-179.

34. ASVe, *Miscellanea Gregolin*, b. 1, 14 aprile 1597.

35. Tenenti, *Venezia*, cit., pp. 7-28; Preto, *I servizi*, cit., pp. 109-110, 318-333; Id., *La guerra di corsa*, cit.

36. ASVe, *CCD, lettere di rettori e altre cariche*, b. 306, 12 marzo 1599; Preto, *La guerra di corsa*, cit.

37. Ludovico Antonio Muratori, *Del governo della peste e delle maniere di guardarsene*, Modena, Bartolomeo Soliani, 1714, p. 44.

primo e con maggior efficienza (sino a diventare il modello per molti stati europei) si dota di una solida organizzazione sanitaria, a fornirci la testimonianza di numerosi *esploratori di peste* inviati un po' ovunque, prima e durante le ricorrenti pandemie di peste dell'Età moderna; talvolta spie già operanti per altri fini (politici, militari) aggiungono al loro paniere informativo notizie sull'evoluzione dell'epidemia.[38]

I mercanti-spie

Chi sono gli agenti di queste varie forme di spionaggio economico-industriale? «Il mercante è il prototipo ideale della spia sin dall'antichità: una tradizione trasmessa dalla fonti greco-romane accredita i Fenici di una diabolica astuzia nel commerciare e insieme nel carpire informazioni utili al loro governo»;[39] anche in Italia ed Europa nell'età del Rinascimento il mercante è di norma considerato la spia ideale per ottenere in terra straniera informazioni politiche, militari, oltre che, ovviamente, economico-commerciali. Nel suo trattato sulla diplomazia nell'età di Machiavelli Maulde de la Clavière sottolinea l'attività informativa dei banchieri Medici da Lione e altre città e lo spirito di solidarietà nazionale che trasforma i mercanti di Venezia in altrettanti aiutanti ufficiosi della loro diplomazia;[40] per parte sua lo spagnolo Cristóbal Benavente y Benavides, diplomatico spagnolo a Venezia e trattatista, raccomanda l'uso di commercianti e uomini d'affari per transazioni diplomatiche e missioni segrete.[41] In effetti le testimonianze su questo punto sono concordi in tutta Italia ed Europa: sono i mercanti le spie per eccellenza.

Benedetto Dei (1418-1492) commerciante fiorentino, ma anche avventuriero e cronista, tesoriere al servizio di Girolamo Michiel ricchissimo appaltatore veneziano di miniere di allume, è dal 1463 a Costantinopoli, dove pratica a lungo un fruttuoso spionaggio economico-politico anti-veneziano, a favore contemporaneamente di Firenze e di Maometto II;[42] tra il 1580 e il 1590 la Spagna riceve preziose informazioni dalla Turchia dal mercante Bartolomeo Pusterla, che scrive sotto il nome di Marco Antonio Stanga e, di tanto in tanto, rende

38. P. Preto, *Lo spionaggio sanitario*, in *Rotte mediterranee e baluardi di sanità. Venezia e i lazzaretti mediterranei*, a cura di N.-E. Vanzan Marchini, Milano 2004, pp. 69-73; Id., *Peste e società a Venezia nel 1576*, Vicenza 1978, pp. 35-43; Id., *Le grandi pesti dell'età moderna: 1575-77 e 1630-31*, in AA.VV., *Venezia e la peste. 1348-1797*, Venezia 1997, pp. 99-102; Id., *I servizi*, cit., pp. 447-449.

39. Preto, *I servizi*, cit., p. 470.

40. R. Maulde de la Clavière, *La diplomatie au temps de Machiavel*, Paris 1892-1899, I, p. 451.

41. Cristóbal Benavente y Benavides, *Advertencias para reyes, príncipes y embaxadores*, Madrid, por Francisco Martínez, 1643, p. 495.

42. F. Barbinger, *Maometto il Conquistatore e il suo tempo*, Torino 1957, pp. 274-276, 371; Benedetto Dei, *La cronica dell'anno 1400 all'anno 1500*, a cura di R. Barducci, Firenze 1985, pp. 114-115; Preto, *I servizi*, cit., pp. 26, 33.

qualche buon servizio anche a Venezia;[43] agli inizi del Seicento mercanti inglesi interessati al commercio nel nord della Russia convincono Thomas Phelippes, che ha impiantato un'agenzia di spionaggio commerciale dai Paesi Bassi alla Svezia e alla Russia, a far pressioni sul re Giacomo I perché accetti un'eventuale offerta della corona russa alla morte dello zar: questo oscuro e complicato affare di spionaggio economico-politico naufraga con l'avvento al trono moscovita di Michele Romanov, nel 1613.[44]

Moltissime le missioni di spionaggio, politico ed economico, dei mercanti veneziani in terra turca; talora il mercante invia notizie riservate di natura economica (andamento dei raccolti, prezzi dei grani e di altre materie prime) solo ai suoi *partners* commerciali, in altre occasioni, per spontanea iniziativa o per diretta sollecitazione del Consiglio dei Dieci, ne fa partecipe il governo; in molti casi il mercante viene direttamente assunto, e retribuito a parte (cioè indipendentemente dagli eventuali profitti economici delle sue operazioni commerciali), dai Dieci; infine in taluni casi la figura di mercante è solo di copertura per una missione di spionaggio esclusivamente politico-militare. Qualche esempio, tra i moltissimi che spuntano tra le carte segrete del Consiglio dei Dieci e degli Inquisitori di stato: dal 1496 il giovane Andrea Gritti, mercante a Costantinopoli e futuro doge, manda a Venezia, oltre a notizie economiche, informazioni politico-militari, spesso mascherate da un allusivo codice in gergo commerciale e continua la sua attività anche dopo l'interruzione delle lettere e l'impiccagione di un corriere;[45] agli inizi del Cinquecento il mercante fiorentino Giacomo Giuliani cura da Ragusa lo smistamento della corrispondenza diretta a Costantinopoli;[46] nel 1504 Francesco Teldi compie una missione segretissima al sultano di Babilonia fingendo, come altre volte, di «andar privatamente per ... facende de comprar zoie»;[47] nel pieno della guerra veneto-turca del 1499-1503 Tommaso Franzi, mercante di Valona e «fidatissima e vera spia» del capitano di Dulcigno, «sotto velame di mercadantia» si infiltra sino a Scutari e Skoplje e si offre di andare sino a Costantinopoli;[48] nel novembre del 1509, quando Venezia ricorre all'aiu-

100

43. AGS, *Papeles de estado*, *Venecia*, leg. 1337, nn. 161-67, 169, 171-174; leg. 1341, n. 45; leg. 1345, nn. 5, 9, 25, 28, 34, 42, 79, 81, 215; leg. 1517, nn. 1, 3, 4, 7-11, 14, 17-21, 23-24, 26, 28, 30, 32-38, 40, 43-44, 48-50; leg. 1537, nn. 262, 263; leg. 1540, nn. 133, 139; leg. 1541, n. 222; ASVe, *Senato, dispacci Costantinopoli*, filza 32, 5 gennaio 1591.

44. I. Lubimenko, *A Project for the Acquisition of Russia by James I*, «English Historical Review», XXIX (1914); R. Deacon, *A History of British Secret Service*, Glasgow 1980, pp. 56-57.

45. Marin Sanudo, *I diarii*, a cura di R. Fulin, F. Stefani, N. Barozzi, G. Berchet, M. Allegri, F. Visentini, Venezia 1879-1902, II, pp. 136-137, 208, 234-235, 292, 372, 379, 506-507, 542, 544, 559, 712, 740, 772, 828-829, 838, 870, 1013, 1073, 1128; III, pp. 166, 596, 1555-1558; J.C. Davis, *Shipping and Spying in the Early Career of a Venetian Doge, 1496-1502*, «Studi Veneziani», XVI (1974).

46. Preto, *I servizi*, cit., p. 240.

47. ASVe, *CD*, *pm*, reg. 30, c. 49*r*, 22 maggio 1504.

48. ASVe, *CCD*, *lettere di rettori e altre cariche*, *Dulcigno*, b. 278, 1 febbraio 1502.

to dei turchi dopo la sconfitta di Agnadello, l'inviato in Bosnia, che deve negoziare il trasferimento in Veneto di 10.000 cavalli, si traveste da mercante;[49] il mercante ebreo David Passi, che opera a Ragusa, trasmette a Venezia preziose notizie segrete economiche e politiche, tra le quali l'avviso dell'imminente attacco a Cipro (1570);[50] anche le spie inviate presso il voivoda di Transilvania Giovanni Zapolya si travestono o da medico o da mercante.[51]

Lo spionaggio industriale nell'Europa pre-rivoluzione industriale

Nel 1624 Francis Bacon (1561-1626), politico inglese, filosofo e teorico della dimensione pratico-operativa della scienza moderna, scrive la favola utopistica *New Atlantis*; nella 'Casa di Salomone', o 'Collegio delle opere dei sei giorni', istituita per interpretare la natura, si decide quali invenzioni ed esperimenti rendere pubblici e quali invece tenere segreti sotto vincolo di giuramento: inoltre dodici spie, chiamate *merchants of light*, sono inviate in segreto nelle nazioni estere per ricavarne «bookes and abstracts and patterns of experiments of all other parts». Il grande filosofo inglese, che è anche consigliere e ministro di Elisabetta I e Giacomo I, prospetta in modo esemplare uno degli aspetti centrali dello spionaggio economico in Età moderna, ovvero la sottrazione all'estero dei segreti delle tecniche di produzione nei vari rami delle manifatture. «La creazione e lo sviluppo delle patenti per invenzioni», ricorda Luca Molà, «è una delle molte eredità lasciate dal periodo rinascimentale all'epoca contemporanea»;[52] la storia della legislazione dei vari paesi europei in materia di brevetti industriali, nella quale Venezia ha un ruolo precoce e di assoluto rilievo, va di pari passo con quella dello spionaggio industriale;[53] il francese Jacques Bergier ritiene addirit-

49. Sanudo, *I diari*, cit., X, pp. 139, 198-199, 342; ASVe, *Senato, secreta*, reg. 42, cc. 90*r*, 94.

50. Preto, *I servizi*, cit., pp. 100, 104-105, 120, 240, 250, 295, 484.

51. J. Žontar, *Obveščevalna služba in diplomacija avstrijsckih habsburžanov v boju proti Turkom v 16 stoletiju (Der Kundschafter-dienst im Kampf gegen die Türken im 16. Jahrhundert)*, Ljubliana 1973, pp. 38, 46, 195-196.

52. L. Molà, *Il mercato delle innovazioni nell'Italia del Rinascimento*, in *Le technicien dans la cité en Europe occidentale 1250-1650*, a cura di M. Arnoux e P. Monnet, Rome 2004, p. 215.

53. G. Mandich, *Le privative industriali veneziane (1450-1550)*, «Rivista di Diritto Commerciale e del Diritto Generale delle Obbligazioni», 34 (1936); Id., *I primi riconoscimenti veneziani di un diritto di privativa degli inventori*, «Rivista di Diritto Industriale», 7 (1958); L. Sordelli, *Interêt social et progrès technique dans la «parte» vénitienne du 19 mars 1474 sur les privilèges aux inventeurs*, in AA.VV., *La legge veneziana sulle invenzioni. Scritti di diritto industriale per il suo 500° anniversario*, Milano 1974; H. Schippel, *La storia delle privative industriali nella Venezia del '400*, Venezia 1989 («Centro tedesco di studi veneziani. Quaderni», 38); P.O. Long, *Invention, Authorship, «Intellectual Property» and the Origin of Patents: notes toward a Conceptual History*, «Technology and Culture», 32 (1991); R. Berveglieri, *Inventori stranieri a Venezia (1474-1788). Importazione di tecnologia e circolazione di tecnici artigiani inventori. Repertorio,*

tura che la spia di segreti produttivi abbia assunto, in età medievale e moderna, «eccezion fatta per l'aspetto morale, lo stesso atteggiamento dello scienziato e del tecnico moderni: un esperimento, una volta che sia stato chiaramente descritto, deve poter esser riprodotto da un altro sperimentatore. Non bisogna dimenticare che sono state le spie industriali a propagare quest'idea fondamentale. La nascita della scienza, la nascita dell'industria devono quindi molto allo spionaggio industriale» che «ha perciò avuto, nel periodo precedente la nascita del brevetto d'invenzione, una funzione nettamente positiva».[54]

Nell'Inghilterra di fine Cinquecento e del Seicento, prima della grande rivoluzione industriale, parecchie lavorazioni industriali sono introdotte dall'estero, grazie a fortunate azioni di spionaggio sul continente;[55] nel 1590 Thomas Chaloner sottrae segreti di produzione dell'allume in Italia, poi erige una fabbrica a Whitby, nello Yorkshire, con l'aiuto di operai specializzati fatti venire clandestinamente, forse nascosti in barili, da La Rochelle.[56] Sospesa tra realtà e leggenda è l'avventura di spionaggio industriale di Richard Foley (1582-1657); violinista di villaggio viaggia, travestito da giullare, in Belgio, Germania, Italia, Spagna, per raccogliere informazioni tecnologiche in campo metallurgico; la sua ferriera, eretta a Stourbridge, subisce però in quegli anni, come le altre inglesi, la concorrenza di quelle svedesi, ormai dotate del nuovo processo produttivo dello *slitting*, così Foley si reca in Svezia travestito da violinista (secondo un'altra versione, più plausibile, da operaio; una terza versione parla di Olanda, anziché Svezia), scopre il segreto, torna in patria e cerca, con alcuni soci, di costruire il macchinario per la nuova produzione, ma invano: nuovo viaggio in Svezia, nuove informazioni sul segreto produttivo e infine il successo e il fortunato decollo della ferriera.[57]

Nel suo diario *England's Improvement by Sea and Land, part I*, (1677), Andrew Yarranton ricorda un lungo viaggio in varie città della Germania, pagato da

Venezia 1995; Id., *Le vie di Venezia. Canali lagunari e rii a Venezia: inventori, brevetti, tecnologia e legislazione nei secoli XIII-XVIII*, Sommacampagna (Verona) 1999; C. May, *The Venetian Moment: new Technologies, Legal Innovation and the Institutional Origins of Intellectual Property*, «Prometheus», 20 (2002); M. Frumkin, *Early History of Patents for Invention*, «Transactions of the Newcomen Society», 26 (1947-1949); M. Popplow, *Protection and Promotion Privileges for Inventions and Books of Machines in the Early Modern Period*, «History of Technology», 20 (1998); L. Molà, *The Silk Industry of Renaissance Venice*, Baltimore-London 2000, pp. 186-214; Id., *Il mercato delle innovazioni*, cit., con ulteriore bibliografia specifica; M. Belfanti, *Guilds Patents and the Circulation of Technological Knowledge: Northern Italy During the Early Modern Age*, «Technology and Culture», 45, 3 (2004).

54. Bergier, *Spionaggio*, cit., p. 45.

55. A.P. Woolrich, *Mechanical Arts and Merchandise. Industrial Espionage and Traveller's Accounts as a Source for Techincal Historians*, Eindhoven 1986.

56. Ivi, p. 66.

57. R. Jenkis, *The Slitting Mill*, «The Engineer», 24 May, 7 June 1918 (rist. in *The Collected Papers of Rhys Jenkins*, 1936), cit. in Woolrich, *Mechanical Arts*, cit., pp. 66-67, 108; Deacon, *A History*, cit., pp. 57-58.

alcuni imprenditori per scoprire il segreto di fabbricazione della latta e indurre all'emigrazione in Inghilterra operai specializzati tedeschi.[58]

Inutile dire che nel secolo successivo, quello della grande rivoluzione industriale inglese, i viaggi di spionaggio industriale sono innumerevoli; del resto «un po' ovunque nell'Europa dei 'lumi' ministri riformatori e società di promozione scientifica inviano negli stati ritenuti più progrediti nelle singole branche produttive spie tecnologiche, sotto le vesti di colti viaggiatori in viaggio d'istruzione».[59]

Un bell'esempio di innovazioni tecnologiche legate a fortunate azioni di spionaggio ci viene dall'industria fiorentina della carta a fine Seicento: ad Amsterdam, Marsiglia e Genova abili mercanti carpiscono segreti produttivi, tra cui informazioni sul celebre cilindro all'olandese e su un nuovo tipo di colla, e le inviano al nuovo provveditore al Monte di pietà, Francesco Cerretani, molto attento a importare le novità utili al miglioramento della qualità della carta toscana.[60]

«Attraverso i secoli e fino ad epoca recentissima», osserva Carlo Cipolla, «le tecniche non si diffusero praticamente mai mediante l'informazione scritta. Il mezzo prevalente di diffusione fu la migrazione dei tecnici ... Nell'Europa preindustriale la propagazione delle innovazioni tecnologiche avvenne soprattutto con la migrazione di individui che per un verso o per l'altro decidevano di emigrare».[61] Città e stati italiani ed europei ribadiscono in innumerevoli decreti il divieto di emigrazione di mano d'opera specializzata: nel 1575 il governo di Firenze arriva ad autorizzare l'uccisione impunemente di ogni lavoratore d'oro e seta allontanatosi illegalmente e offre 200 scudi d'oro a chi consegna il fuggitivo «vivo o morto».[62] C'è un'emigrazione forzata di artigiani e operai specializzati, come nel caso dei *moriscos*, marrani e ugonotti espulsi dalla Spagna e dalla Francia;[63]

58. Woolrich, *Mechanical*, cit., p. 67.

59. Sullo spionaggio industriale nel Settecento cfr., tra gli altri: W. Weber, *Industriespionage als tecnologischer Transfer in der Frühindustrialisierung Deutschlands*, «Technikgeschichte», 42 (1975); P.W. Roth, *Industriespionage im Zeitalter der Industriellen Revolution*, «Blätter für Technikgeschichte», 38 (1976); D. Jeremy, *Damming the Flood: British Government Efforts to Check the Outflow of Technicians and Machinery, 1780-1847*, «Business History Review», 51 (1977); J.R. Harris, *Industrial Espionage in the Eighteenth century*, «Industrial Archaeology Review», 7 (1985); Piekałkiewicz, *Weltgeschichte*, cit., pp. 180-197; Woolrich, *Mechanical Arts*, cit.; Preto, *I servizi*, cit., pp. 381-402.

60. R. Sabbatini, *Di bianco lin candida prole. La manifattura della carta in età moderna e il caso toscano*, Milano 1990, pp. 174-175, 178-179, 181-193.

61. C.M. Cipolla, *The Diffusion of Innovations in Early Modern Europe*, «Comparative Studies in Society and History», 14 (1972); ristampa *La diffusione delle tecniche*, in Id., *Le tre rivoluzioni e altri saggi di storia economica e sociale*, Bologna 1989.

62. Ivi, pp. 228-229; A. Fanfani, *Storia del lavoro in Italia dalla fine del secolo XV agli inizi del XVIII*, Milano 1943, pp. 147-148.

63. H. Scoville, *Spread of Techniques: Minority Migrations and the Diffusion of Technology*, «The Journal of Economic History», 11 (1952), p. 4; Id., *The Persecution of Huguenots*, Berkeley 1960; H. Schilling, *Innovation through Migration: the Settlements of Calvinistic Netherlanders in Sixteenth and Seventeenth Century Central and Western Europe*, «Histoire sociale - Social History», 16, 31 (1983); T. Glick, *Moriscos and Marranos as Agents of Technological Diffusion*, «History of Technology»,

c'è un'emigrazione spontanea, indotta da molteplici cause economiche, sociali, politiche, ma c'è anche un'emigrazione favorita e procurata in segreto, con abili azioni di spionaggio, da privati imprenditori e da governi europei, desiderosi di avviare nuove attività produttive o di migliorare con nuovi segreti tecnologici la qualità dei prodotti. Il viaggiatore-spia Andrew Yarranton ricorda che i minatori tedeschi da lui incontrati affermano di aver appreso le tecniche di lavoro da un operaio della Cornovaglia fuggito dall'Inghilterra *religionis causa* al tempo delle persecuzioni anti-protestanti di Maria Tudor (1553-1558).[64]

Spionaggio e controspionaggio economico-industriale a Venezia

Allo spionaggio economico mirante a *sedurre* o *sviare* all'estero gli operai specializzati si contrappone un controspionaggio da parte degli stati vittime dell'emorragia di manodopera qualificata. L'esempio più illuminante viene dalla Repubblica di Venezia, che sviluppa in Età moderna un ramificato ed efficiente sistema di servizi segreti, attivi in tutti i campi, politico, militare, sanitario e, per l'appunto, economico-industriale; anche limitando l'indagine all'età rinascimentale (Quattro-Cinque-Seicento) i casi sono numerosi e ben documentati dalle carte del Consiglio dei Dieci e degli Inquisitori di stato. Cominciamo dalle azioni di spionaggio economico-industriale condotte da Venezia per acquisire all'estero segreti e tecniche produttive mediante il reclutamento clandestino di operai specializzati: dopo un primo tentativo, probabilmente andato a vuoto (nel 1317) con alcuni specchieri lorenesi, mercanti della Serenissima riescono nel 1400 a sottrarre alla Francia segreti e operai e ad avviare una profittevole produzione:[65] nel 1664-1667 Colbert, come vedremo, rende la pariglia, sviando con successo abili specchieri muranesi; tra la fine del Quattrocento e gli inizi del Cinquecento, quando la neonata arte della stampa è in piena fioritura a Venezia, spesso agenti disonesti, subodorata l'imminente stampa di una nuova opera, corrompono qualche operaio malcontento e, assicuratisi una copia del libro, producono rapidamente con torchi segreti gran numero di esemplari del testo rubato;[66] nel 1601 il capitano di Bergamo tenta, peraltro vanamente, tramite un amico confidente, di indurre alcuni salnitrari milanesi a trasferirsi nella sua città.[67] Esemplare il caso della diffu-

17 (1995); S. Ciriacono, *Migration, Minorities and Technology Transfer in Early Modern Europe*, «The Journal of European Economic History», 34, 1 (2005).

64. Woolrich, *Mechanical*, cit., p. 67.

65. E. Frémy, *Historie de la manufacture royale des glaces de France au XVII et au XVIII siècle*, Paris 1909.

66. M. Lowry, *Il mondo di Aldo Manuzio. Affari e cultura nella Venezia del Rinascimento*, Roma 1984, p. 23.

67. *Relazioni dei rettori veneti in terraferma*, XII, *Podestaria e capitanato di Bergamo*, a cura di B. Polese, Milano 1978, rel. Stefano Trevisan, 8 febbraio 1601, p. 264.

sione, tra il 1604 e il 1670, dei mulini da seta 'alla bolognese', frutto di una fortunata azione di spionaggio industriale, studiata qualche anno fa da Carlo Poni: nel 1602 il tribunale del Torrone di Bologna condanna a morte in contumacia (e fa appendere, in effigie, per un piede dalla forca) il mugnaio Ugolino di Pellegrino Monzoni per aver introdotto a Modena, dov'è emigrato, il mulino 'alla bolognese'; due anni dopo Ottavio Malpighi, modenese, offre al Senato veneziano, che accetta prontamente, il privilegio per la costruzione del nuovo mulino e si offre di far emigrare operai capaci di farlo funzionare e di istruire la manodopera indigena; privilegio prontamente accordato e mulini 'alla bolognese' lentamente ma con successo introdotti nello stato veneziano.[68] Nel 1668 gli Inquisitori di stato mandano segretamente a Monaco di Baviera Francesco Giavarina per indagare su una progettata nuova fabbrica di pannine d'oro e di seta;[69] nel 1669 l'ambasciatore in Inghilterra è invitato a contattare in segreto operai abili nella produzione di pannina, calze e cordellami per indurli a emigrare a Venezia;[70] singolare la vicenda dei 13 arsenalotti inviati nel 1696 dal Senato alla corte di Pietro il Grande di Russia, desideroso di acquisire tecnologie occidentali: ricevono in segreto la commissione «di fare ogni sorta di bastimento sottile e da remi fuorché Galleazze» ma poi, pressati dallo zar (disse che o era stato burlato dal Senato, che garantiva che sapevano fare ogni lavoro, o veniva burlato da loro) costruirono una galeazza «ma di ciò il Senato neppure al ritorno seppe nulla»;[71] il 16 marzo 1697 Iseppo de Roy, mercante di Anversa, ottiene il privilegio di produrre nuove manifatture di seta, azze e stami d'Angora, ma il segreto non è ben custodito e ne segue un'interminabile lite.[72] Da segnalare anche un caso di spionaggio economico interno alla Repubblica: Vicenza nel Quattrocento fa notevole guadagni con la produzione della seta, ma gli alberi dei *mori* (gelsi), benché gelosamente custoditi, «venivano rubati, e altrove trasportati» tanto che nel 1495 sono comminate gravissime pene ai rei di «tali rubamenti».[73]

Ancora meglio documentate sono le azioni di controspionaggio economico-industriale con cui i Dieci e gli Inquisitori di stato prevengono e reprimono i reiterati tentativi degli stranieri per «sviare» gli operai specializzati delle sue più rinomate produzioni industriali. Qualche caso tra i molti, per lo meno nei secoli XVI e XVII: nel 1521 Alvise Fantini Gombo, un capitano pontificio sorpreso a sedurre all'emigrazione alcuni arsenalotti, viene strangolato; nel 1539 viene accusato di tentata emigrazione in Francia l'architetto navale Vettor Fausto, nel

68. C. Poni, *Archéologie de la fabrique: la diffusion des moulins à soie «alla bolognese» dans les États vénitiens du XVIe au XVIIIe siècle*, «Annales ESC», 27, 4-5 (1972).

69. ASVe, *IS*, b. 459, 15 giugno, 28 agosto 1668, b. 495, reg. III, pt. I, 29 maggio 1669.

70. Ivi, b. 156, 18 gennaio 1668.

71. T. Temanza, *Zibaldon*, a cura di N. Ivanoff, Venezia-Roma 1963, pp. 94-95.

72. ASVe, *I savi alla mercanzia*, n.s., b. 157, n. 53.

73. G. Maccà, *Storia del territorio vicentino*, Caldogno 1815, I, pp. XXVII-XXX.

1621 si scopre, sia pure troppo tardi, che un proto dell'arsenale ha spedito a Genova un modello di galera grossa;[74] nel maggio 1571 una denuncia *orba* (anonima), mezzo consueto con cui la Repubblica si assicura in segreto la collaborazione dei cittadini nella repressione penale e nelle più delicate azioni di spionaggio,[75] rivela un «monopolio et conventicola» che svia tipografi in Savoia;[76] nel 1572 viene sorpreso lo sviamento di tessitori verso un lanificio di Marsiglia;[77] nel 1614 ad alcuni saponari emigrati, e prontamente scoperti, viene offerta l'impunità in caso di ritorno; nel 1620 la spia Gaspare Giovanelli (un bandito che collabora con gli Inquisitori di stato) da Vienna propone un ardito piano per catturare a Fiume l'ex corsaro inglese Roberto Aliatti, detentore di un privilegio trentennale per produrre saponi alla veneziana, nel 1657 la solita denuncia *orba* svela il progetto di Zuanne Raffaelli di erigere un saponificio in Toscana.[78]

Ancora i tessitori sono più volte protagonisti di emigrazioni clandestine e di ripetute azioni segrete dei *confidenti* e degli Inquisitori di stato per individuarli, indurli al ritorno e, in qualche caso, minacciarli di morte in caso di rifiuto; a Genova tra il 1663 e il 1679 emigrano clandestinamente a più riprese tintori, tessitori bergamaschi, un abile costruttore di macchine tessili, un frate-tessitore: il console veneziano e varie spie maneggiano in segreto per indurli al ritorno, alternando promesse a minacce di far passare «ad altra vita» i più riottosi, in un susseguirsi di colpi di scena dalla tinte ora romanzesche ora drammatiche;[79] altre migrazioni di tessitori, di lana e di seta, cimadori e vellutai, col consueto corollario di azioni segrete delle spie inquisitoriali per indurli al ritorno, si registrano in Baviera, nel 1669, a Milano nel 1672, 1677, 1680, a Sora e a Vienna nel 1676 e 1678, in Piemonte nel 1677, a Parigi nel 1686.[80] Minacce di morte e, in qualche caso effettivi assassini di emigrati, ad ammonimento degli altri, sono prassi costante dell'azione segreta degli Inquisitori di stato[81] e, bisogna dire, non senza efficacia: il

74. Sanudo, *I diarii*, cit., XXXII, 210; ASVe, *CD, parti criminali*, reg. 5, cc. 98*v*-99*v*, 29 ottobre-29 novembre 1539; E. Concina, Navis. *L'umanesimo sul mare (1470-1740)*, Torino 1990, pp. 134-135.

75. P. Preto, *Persona per hora secreta. Accusa e delazione nella Repubblica di Venezia*, Milano 2003.

76. ASVe, *CCD, Ricordi o raccordi*, 1480-1739, maggio 1571.

77. ASVe, *CCD, lettere di ambasciatori, Francia*, b. 11, 20 ottobre 1572.

78. ASVe, *Senato, terra*, filza 208, 29 gennaio 1613 (1614); *IS*, b. 605, Gaspare Giovanelli, 8, 25, 29 agosto 1620; b. 527, c. 14*v*, 10 dicembre 1657; b. 815, 10 dicembre 1657.

79. Ivi, b. 179, 11 febbraio 1667, 2 giugno 1668, 27 agosto, 27 settembre, 12 novembre 1672; b. 449, Mantova, 20 febbraio 1674; b. 451, 26 aprile, 7 novembre 1663, 4 novembre, 19 dicembre 1668; b. 506, 17, 31 marzo, 7, 21, 28 aprile, 12, 19, 26 maggio 1668, 2, 23 ottobre 1672, più molti altri dispacci sullo stesso argomento; b. 527, c.48*r*; Preto, *I servizi*, cit., pp. 390-391.

80. ASVe, *IS*, b. 452, 7, 14 settembre 1672, 16 giugno 1677, 26 novembre, 18 dicembre 1680; b. 465, 13 dicembre 1678, 25 novembre 1687; b. 495, III, cc. 73-74, 52-54, 2 febbraio 1676, 26 giugno 1678; b. 528, c. 11*v*, 9 marzo 1678; b. 153, 23 novembre 1686; b. 527, c. 33*r*, 27 giugno 1669.

81. Preto, *I servizi*, cit., pp. 329-366, 381-432.

tessitore Ambrogio Martire, più volte emigrato illegalmente e perdonato, nel gennaio 1675 lavora a Firenze nella fabbrica del barone de Taxis ma, confidenzialmente esortato dal residente veneziano (che si definisce «il suo angelo custode»!) a considerare che, se rifiuta il bene (il ritorno), il male (il veleno) «gli verrà per via che non sarà né men a me partecipe», riconsidera la sua ostinazione e rientra.[82] Nel 1667 le spie inquisitoriali vengono a sapere, e ne informano immediatamente l'ambasciatore a Parigi, del progetto di Colbert di trapiantare in Francia il lavoro del *punt-in-aria* (merletti lavorati a fuselli) «con il mezo di aletamenti e promesse alli orfanij[83] et massime a Pietro dissegnador»;[84] nel 1673 l'intraprendente console veneziano a Genova progetta una spregiudicata azione di sabotaggio commerciale-industriale: Andrea Palisco, un greco console genovese a Durazzo e in Morea, si dimetterà dalla carica e andrà a Costantinopoli a convincere il sultano che i genovesi inviano panni falsi e di cattiva qualità, così screditandoli sul mercato turco.[85] «Giacomo Chiappini, detto Bressan, manda pettini per una fabbrica di lane eretta a Firenze dal veneziano Giovanni Celati e finisce in prigione (1674), poi, liberato, fugge a Firenze ma in realtà fa la spia e tiene informati gli Inquisitori sull'andamento della fabbrica: da buon suddito (dice lui!), non insegna agli apprendisti i segreti dell'arte e nel gennaio 1675 convince gran parte degli operai a ritornare in patria».[86] Poco dopo il 1670 le spie inquisitoriali allertano sulla possibile deviazione in Carinzia di operai di una fabbrica di cinabro e nel 1672 su un tentativo di portare a Genova operai esperti nella lavorazione del sublimato di mercurio;[87] nel 1677 il veronese Antonio Muttoni, già studente universitario a Padova e ora bandito a Parigi, offre a Colbert, che accetta prontamente, nuove macchine per l'arsenale di sua invenzione, e di erigere una nuova fabbrica di sublimato, *cerussa* (biacca di piombo) e cinabro: solo dopo una lunga trattativa con l'ambasciatore a Parigi, incalzato dagli Inquisitori di stato, accetta nel 1685 di rientrare a Venezia con un salvacondotto.[88] Fughe spontanee o, più spesso, 'seduzioni' dei preziosi e famosi armaioli della val Trompia si succedono incessanti, verso Domodossola (1505), Milano (1612 e 1676), Piemonte (1665);[89] proseguono poi senza sosta, verso varie destinazioni, per tutto il

82. ASVe, *IS*, b. 435, 19, 26 gennaio, 2, 16, 23 febbraio 1675.

83. Il *punt-in-aria* era prodotto dalla «povertà della città, Monasteri e Luoghi Pii», spesso orfanotrofi (ASVe, *IS*, b. 807, c. 29).

84. Ivi, b. 153, c. 61, 26 agosto 1667; M. Gambier, *Testimonianze sulla lavorazione del merletto nella Repubblica di Venezia*, in AA.VV., *La scuola dei Merletti di Burano*, Burano 1981, pp. 25, 29; viene fatto arrestare tale Ranieri che ha *sviato* a Torino due donne capo-maestre del lavoro (ASVe, *IS*, b. 807).

85. Ivi, b. 506, 27 agosto 1673.

86. Preto, *I servizi*, cit., p. 391.

87. ASVe, *IS*, b. 785, senza data, ma qualche tempo dopo il 1670; b. 179, 13 agosto 1672; b. 506, 7 agosto 1672.

88. Ivi, b. 437, 14 aprile 1677; b. 438, 10, 28 febbraio, 27 giugno 1684, 30 gennaio 1685.

89. ASVe, *CCD*, *lettere di rettori ed altre cariche, Brescia*, b. 19, 13 aprile 1505; *lettere secrete*, filza 13, 28 aprile 1612; *IS*, b. 452, 21 giugno 1676; *CD*, *parti secrete*, filza 46, 29 gennaio 1669.

Settecento.[90] Il capitolo più interessante, certamente il più noto, del controspionaggio economico di Venezia è senza dubbio quello che, qualche tempo fa, ho chiamato «la lunga guerra contro i vetrai di Murano»;[91] disoccupazione, malcontento per i salari o per la mancata ammissione alla qualifica di maestro e per la definizione del *comparto* (divisione annuale del lavoro tra i vetrai), guai con la giustizia (e relativo bando), alimentano per tutta l'età del Rinascimento (e poi anche nel Settecento) un ininterrotto flusso migratorio di vetrai muranesi verso città italiane e straniere: lì, per impulso di privati capitalisti e, talvolta, di autorità di governo, aprono nuove fornaci che minacciano con la loro attività produttiva il quasi monopolio detenuto dai vetri e specchi muranesi in Europa; a questa diaspora spontanea dei maestri vetrai si aggiunge, a più riprese, la *seduzione* segreta organizzata da imprenditori privati e stati esteri, desiderosi di attivare anche loro questa remunerativa industria. La reazione degli Inquisitori di stato contro questa emorragia di manodopera qualificata è affidata a una intensa e capillare azione di controspionaggio, a Venezia e all'estero, per prevenire o stroncare la fuga: *confidenti* attivi in città e all'estero, in appoggio all'azione di consoli e ambasciatori, contattano i fuggitivi, cercano di indurli al ritorno, con allettamenti, promesse (revoca di bandi, pressioni sui proprietari delle fornaci per miglioramenti economici o il conseguimento dell'ambita qualifica di maestro, aiuti vari) minacce di ritorsioni sui familiari rimasti a Venezia o addirittura di eliminazione fisica: in alcuni casi estremi si arriva al sabotaggio delle fornaci e all'uccisione (di solito col provvido, silenzioso veleno, tanto prediletto dai servizi segreti veneziani) di alcuni riottosi, per lo più come sinistro ammonimento per gli altri fuggiaschi;[92] celebre è la cosiddetta 'guerra degli specchi' del 1664-1667: ne sono protagonisti da un lato Colbert, che vuole attrarre a Versailles abili maestri muranesi per impiantare questa manifattura pregiata, un gruppo di vetrai veneziani che accettano l'ambiziosa avventura e il governo di Venezia deciso a stroncare con tutti i mezzi, compreso l'assassinio, questo audace attacco alla sua preziosa industria.[93]

Finalità, mezzi e metodi dello spionaggio economico-industriale dell'età del Rinascimento continuano in tutta Europa, pressoché inalterati, nel corso del Settecento, sia là dove decolla la rivoluzione industriale sia dove ancora si può parlare, secondo una terminologia ormai accettata dalla storiografia economica, di proto-industria.

90. Preto, *I servizi*, cit., p. 394.

91. Ivi, pp. 403-421.

92. *Ibid.*

93. Preto, *I servizi*, cit., pp. 408-409 (ivi tutte le referenze archivistiche e ulteriore bibliografia).

Le tecniche bancarie

FRANCESCO GUIDI BRUSCOLI

Quando il giovane Matthäus Schwarz, tra il 1514 e il 1516, fu in Italia e sentì parlare di contabilità in partita doppia, solo con fatica riuscì a trovare qualcuno che gliela insegnasse. Alla fine, dopo aver tentato prima a Milano e poi a Genova, ne venne istruito da Antonio Mirafior a Venezia, fondamentale piazza di affari per tutti i mercanti-banchieri tedeschi e principale centro per l'insegnamento della contabilità. Tornato in Germania, ad Augusta, venne subito assunto dalla grande casa bancaria dei Fugger, i quali lo consideravano un grande esperto («da vermainet jederman ich were das magnificat»).[1]

Due elementi emergono chiaramente da questa storia, narrata dallo stesso Schwarz: da un lato il fatto che ancora a inizio Cinquecento gli italiani venivano considerati dei maestri nell'arte di tenere i libri di conto; dall'altro che essi avevano una scarsa tendenza a insegnare ciò che sapevano, considerato al tempo stesso simbolo e strumento della loro superiorità sui mercanti-banchieri stranieri. Proprio questo sarà il filo conduttore del presente saggio: ovvero il valutare i vari aspetti dell'attività bancaria alla luce di quello che potremmo chiamare il 'mito della banca italiana'. Infatti, data la coincidenza del ciclo di preminenza dei grandi mercanti-banchieri italiani (che, partendo dalla penisola, dominarono per una significativa parte del basso Medioevo il panorama economico europeo) con il possesso e l'utilizzo di tecniche sconosciute o non utilizzate in altri paesi, si è teso spesso a considerare tali strumenti proprio come la chiave del loro successo: in

1. A. Weitnauer, *Venezianischer Handel der Fugger nach der Musterbuchhaltung des Matthäus Schwarz*, München-Leipzig 1931, pp. 5-8, 183-184. Qualche anno dopo, nel 1518, Schwarz scrisse un manuale pratico di contabilità, il *Dreierlay Buchhaltung*, peraltro rimasto a lungo inedito forse per la paura da parte dei Fugger di divulgare informazioni sul proprio operato, dato che gli esempi di Schwarz erano presi direttamente dai registri della compagnia (il manuale è stato pubblicato ivi, pp. 174-306). Da notare che, mentre il testo è in tedesco, le parole tecniche sono in italiano (o, meglio, in veneziano).

altre parole una *conditio sine qua non*, una discriminante, per un'efficace azione nel campo degli affari. Fermo restando il dato di fatto del primato degli operatori italiani, discuteremo se esso fu veramente favorito dall'uso di tali strumenti.

Prima di approfondire l'argomento, definiamo però i limiti di questo breve contributo: non si vuole certo, in questa sede, scrivere un trattato di storia della contabilità, anche se ricorderemo alcune date di comparsa dei manuali di tenuta dei conti nelle varie zone del continente, in quanto possono fornire indicazioni sulla diffusione delle tecniche contabili in quelle stesse aree; né scopo di questo lavoro è indulgere in descrizioni eccessivamente particolareggiate di strumenti tecnici in ambito bancario. Si cercherà invece di utilizzare un approccio problematico, lasciando forse più questioni aperte che fornendo risposte definitive a tematiche che per la loro vastità e complessità richiederebbero ben più lunghe trattazioni. Innanzitutto, è vero che gli italiani mantennero sempre il predominio, non solo in campo economico-finanziario, ma anche in quello delle tecniche? Fino a quando? Sconfineremo quindi al di fuori dei limiti geografici della penisola per cercare di mostrare se e come queste tecniche si diffusero dall'Italia alle zone più sviluppate del continente europeo.

Accenneremo alla prima comparsa di certe tecniche (da considerare come termine *ante quem*, sempre passibile di uno spostamento indietro nel tempo, nell'eventualità di nuove scoperte archivistiche), ma ancor di più ci premerà sottolineare la loro reale diffusione. È questa, infatti, che assume rilievo in senso economico, come d'altronde hanno evidenziato anche de Roover e Melis nelle loro ricerche sulle pratiche bancarie fiorentine del Tre e del Quattrocento.

Già di per sé la parola 'tecnica' si presta a precisazioni; nel seguito, la utilizzeremo in senso ampio, includendo nella voce non solo gli artifici contabili o i vari strumenti creditizi utilizzati dagli operatori rinascimentali, ma anche le forme organizzative e contrattuali che distinguevano i più progrediti fra di essi dagli altri. D'altronde, «lo sviluppo dei contratti commerciali ha, nella storia del commercio, la stessa decisiva importanza che ebbe lo sviluppo delle tecniche e degli strumenti nella storia dell'agricoltura».[2]

Gli italiani e gli albori della banca

«Les banquiers italiens du XIIIe siècle ont été mieux que des initiateurs: ils ont été les fondateurs des méthodes de la banque moderne»: così si esprimeva settant'anni fa André Sayous, evidenziando una supremazia italiana nelle tecniche degli affari.[3] Un giudizio analogo, più recentemente, ha formulato Jean-François Bergier,

2. R.S. Lopez, *La rivoluzione commerciale del Medioevo*, Torino 1975, p. 94.

3. A.S. Sayous, *Les opérations des banquiers italiens en Italie et aux foires de Champagne pen-*

secondo il quale «la banca fu italiana per nascita e tale rimase sino alla fine del XV secolo».[4] E così molti altri studiosi, i quali hanno attestato un primato che non viene messo in discussione. D'altronde, la terminologia affaristica è stata, e in alcuni casi è ancora oggi, di chiara derivazione italiana, sia nelle parole che nei concetti.

Nel Medioevo l'attività bancaria rimase comunque un derivato di quella mercantile («la banca nacque non come impresa economica, ma *nella* impresa economica», come ha efficacemente segnalato De Rosa, riassumendo le idee di Melis),[5] e di conseguenza, fra gli strumenti che elencheremo nel seguito, ve ne saranno alcuni non esclusivamente caratterizzanti un'attività bancaria in senso stretto, ma piuttosto un'attività mercantile-bancaria. I grandi protagonisti del periodo rinascimentale, d'altronde, furono i mercanti-banchieri italiani, i quali, con le loro reti di filiali e corrispondenti internazionali, abbinavano attività creditizie e mercantili, arrivando a dare un'impronta decisiva al periodo che accompagnò e seguì la rivoluzione commerciale. A loro fianco, tuttavia, vi erano altre due tipologie di banche, almeno a Firenze: i banchi locali (o 'al minuto', come li definì de Roover) e i 'banchi grossi'. I primi operavano in città, accogliendo presso quello che materialmente era un banco (o tavola) una variegata clientela locale: svolgevano l'attività di prestatori su pegno o cambiatori, con finalità più limitate (ad esempio il prestito al consumo) rispetto a quelle dei mercanti-banchieri internazionali, ed erano oggetto, da parte della società, di una considerazione decisamente peggiore.[6] I cosiddetti 'banchi grossi', invece, univano l'attività di banca internazionale a quella di banca locale: i Medici, ad esempio, ebbero sempre una 'tavola' locale a fianco della rete di compagnie che agivano a livello internazionale; e anche lo stesso Francesco Datini ne aprì, pur brevemente, una; i Cambini ugualmente offrirono numerosi servizi alla loro clientela fiorentina.[7] Diversa era la si-

dant le XIIIe siècle, «Revue historique», CLXX (1932), p. 31, ristampato in Id., *Commerce et finance en Méditerranée au Moyen Âge*, a cura di M. Steele, London 1988, cap. X.

4. J.F. Bergier, *Dall'Italia del XV secolo alla Germania del XVI: una nuova concezione della banca?*, in AA.VV., *L'alba della banca. Le origini del sistema bancario tra Medioevo ed età moderna*, Bari 1982, p. 123.

5. L. De Rosa, *Introduzione*, in F. Melis, *La banca pisana e le origini della banca moderna*, Firenze 1987, p. XXII.

6. Per un esempio di banco locale fiorentino (oltre che per considerazioni generali) cfr. R.A. Goldthwaite, *Local Banking in Renaissance Florence*, «The Journal of European Economic History», 14 (1985); per Venezia cfr. invece le considerazioni di R.C. Mueller, *The Role of Bank Money in Venice*, «Studi Veneziani», n.s., III (1979). Cfr. anche, in F. Melis, *Aspetti della vita economica medievale*, Siena 1962, p. 213, le lettere di alcuni collaboratori del Datini che scoraggiavano il grande mercante pratese dal dedicarsi a un'attività di cambiatore, la quale gli avrebbe procurato la cattiva reputazione di 'usuraio'.

7. Per i Medici, R. de Roover, *Il banco Medici dalle origini al declino (1397-1494)*, Firenze 1970, pp. 19-29; per il Datini, Melis, *Aspetti della vita economica medievale*, cit., pp. 212-216; per i Cambini, S. Tognetti, *L'attività di banca locale di una grande compagnia fiorentina del XV secolo*, «Archivio Storico Italiano», CLV (1997). Per ognuno di questi grandi operatori la modalità di inserimento del banco locale all'interno del sistema aziendale era differente; tuttavia, in questa sede, non approfondiremo tale discussione.

tuazione veneziana, visto che a Rialto vi era un numero ridotto di banchi (detti 'di scritta') specializzati in operazioni di deposito e giroconto.[8]

Peraltro, volendo in questa sede valutare anche la diffusione delle tecniche in altri paesi, è proprio ai mercanti-banchieri internazionali che bisogna riferirsi, in quanto erano loro ad avere una posizione di rilievo e legami nelle più importanti piazze finanziarie europee, dove agivano a stretto contatto con i principali uomini d'affari del luogo (oltre che con sovrani e con il pontefice). Specialmente in quegli ambiti territoriali in cui l'élite mercantile ricopriva anche ruoli politici, la cultura del mondo degli affari, anche nei suoi aspetti gestionali e organizzativi, impregnava anche l'amministrazione pubblica. Quindi, se pure nel seguito ci concentreremo in particolare sugli operatori privati, non si può negare che anche l'amministrazione della finanza pubblica, a partire dal Banco di San Giorgio genovese (fondato nel 1408), abbia offerto il suo contributo per lo sviluppo di tecniche, in particolare contabili, atte alla gestione di capitali così consistenti e suddivisi tra un gran numero di operatori.

Comunque, solo una parte dei grandi mercanti svolgeva anche un'attività di banca, dato che molti di essi si limitavano a reinvestire nella propria attività imprenditoriale i profitti derivanti dal commercio.[9] Inoltre può risultare difficile, all'interno delle varie operazioni creditizie, distinguere quali fossero orientate a un'attività di 'banca', quali a una transazione mercantile e quali a un'azione puramente speculativa. Ed effettivamente anche la stessa azienda medicea è stata definita come «not a bank in the modern sense of the term», in quanto principalmente dedita al cambio internazionale (attività quindi legata al grande commercio) più che a operazioni di deposito e di prestito.[10] Lo stesso termine *bancherius*, nelle fonti medievali, non indentificava necessariamente un uomo d'affari diverso dal *mercator*, dato che entrambi erano dediti comunque ad attività sia di cambio o prestito di denaro che commerciale.

Ma quali sono le funzioni di una banca?

Innanzitutto, come si è appena accennato, una prima funzione fondamentale è quella dell'erogazione del credito. In questo senso è bene distinguere fra il lato passivo dell'operazione, ovvero quello del soggetto che ha bisogno di fon-

8. Per maggiori approfondimenti si rimanda a F.C. Lane, *I banchieri veneziani, 1496-1533*, in Id., *I mercanti di Venezia*, Torino 1996, pp. 219-236 e a R.C. Mueller, *The Venetian Money Market: Banks, Panics, and the Public Debt, 1200-1500*, Baltimore 1997, pp. 1-118. Se ora e nel seguito molti esempi saranno riferiti alla realtà fiorentina, ciò è una conseguenza del fatto che essa è di gran lunga la più documentata, grazie a una quantità di materiale archivistico che non trova paragoni neppure in centri importantissimi come Genova o Venezia.

9. Secondo M. Del Treppo l'azienda Strozzi fu una vera e propria azienda di credito, molto più di altre (*Aspetti dell'attività bancaria a Napoli nel '400*, in AA.VV., *Aspetti della vita economica medievale*, Atti del convegno di studi nel X anniversario della morte di Federigo Melis, Firenze-Pisa-Prato, 10-14 marzo 1984, Firenze 1984, p. 578).

10. R.A. Goldthwaite, *The Medici Bank and the World of Florentine Capitalism*, «Past and Present», CXIV (1987), p. 6.

di e che quindi è il motore dell'operazione, e il lato attivo, cioè quello del soggetto erogatore, che svolge funzione bancaria. La carenza di liquidità che è all'origine di tale meccanismo può riguardare sia i privati che il settore pubblico. Quello del legame tra la finanza pubblica e l'attività bancaria privata è un aspetto nient'affatto secondario, in quanto generatore di un circolo vizioso da cui i privati difficilmente riuscivano a uscire, poiché la concessione di finanziamenti si concludeva raramente con la restituzione, ma più spesso con l'erogazione di ulteriori prestiti. Al fine di affermarsi in mercati lontani ma proficui, i grandi mercanti internazionali erano infatti spesso costretti a concedere a sovrani (o al pontefice) prestiti di notevole entità; in cambio essi ricevevano vantaggi fiscali oltre, appunto, alla concessione di privilegi commerciali. Per ottenere il rimborso delle somme prestate ricevevano in appalto la riscossione delle varie entrate dello Stato (un'attività quindi complementare alla prima), ma rischiavano di cadere in esposizioni eccessive nei confronti dei governi: si pensi alla parabola dei Bardi e Peruzzi nell'Inghilterra di Edoardo III, conclusa con un fallimento del quale gli enormi prestiti concessi al sovrano furono una causa determinante, anche se non la sola (a questi si aggiunsero il dissesto della finanza pubblica fiorentina – con il conseguente crollo del corso dei titoli – e il prelievo che baroni e alti prelati napoletani fecero dei consistenti capitali da loro depositati presso le compagnie fiorentine).[11] Tuttavia, proprio per il suo essere funzionale alla penetrazione mercantile, tale attività di prestito non è da sola sufficiente a identificare un'attività bancaria. In altre parole, perché si configuri la funzione di banca, non basta una singola operazione di mutuo, ma è necessaria una continuità nell'apertura di credito ad altri.[12]

Strettamente legata a questo aspetto vi è un'altra delle funzioni primarie della banca: la raccolta del risparmio e la sua canalizzazione verso varie forme di investimento.

Un altro servizio offerto era quello della sicurezza: un servizio implicito nella parola stessa di 'deposito', che prevedeva quindi come fine la tutela e la salvaguardia di una somma di denaro, la quale era comunque a disposizione del depositante nel momento in cui egli desiderava prelevarla o si attivava perché venisse effettuato un trasferimento. Ovviamente, infatti, la banca serviva anche

11. C.M. Cipolla, *Il fiorino e il quattrino. La politica monetaria a Firenze nel 1300*, Bologna 1982, pp. 10-16. Due secoli più tardi un rapporto strettissimo tra potere pubblico e operatori privati si sarebbe venuto a creare con gli *asientos* dei banchieri genovesi legati alla Corona spagnola: anche in questo caso i sovrani iberici furono costretti a dichiarare ripetutamente bancarotta e a rendere quindi a lungo termine o addirittura irredimibili prestiti che invece erano nati con scadenze a breve (e in tal modo misero in enorme difficoltà i genovesi, che si trovarono con ingenti capitali immobilizzati). Per questo tipo di operazione cfr. i numerosi esempi in E. Grendi, *I Balbi: una famiglia genovese fra Spagna e Impero*, Torino 1997.

12. T. Fanfani, *Sulle tracce della banca. Dai «magazzini» al «banco» nel percorso dello sviluppo economico*, in *Alle origini della banca. Mercanti-banchieri e sviluppo economico*, a cura di T. Fanfani, Roma 2003, pp. 25-26, 34.

da intermediaria per l'effettuazione o la facilitazione di pagamenti per conto dei propri clienti.

Un ulteriore compito che la banca assolveva era quello di 'creare denaro'. Un problema fondamentale che afflisse l'Europa medievale, infatti, fu quello della carenza di metalli preziosi, che a sua volta determinava la scarsità di moneta contante. Operazioni di accreditamento e addebitamento contabile (la cosiddetta 'moneta d'inchiostro'), quando per la loro estensione superavano le riserve in contante tenute dalla banca, avevano di fatto la funzione di determinare un aumento della disponibilità di denaro per il sistema. In questo caso le riserve detenute in contanti o metalli preziosi dalle banche non garantivano più i depositi registrati nei libri, e quindi la solvibilità dei banchieri era attestata solo dalla fiducia che in loro veniva riposta.

Last but not least, l'attività bancaria era caratterizzata dal trasferimento internazionale di denaro: questo scopo, come vedremo nel seguito, fu nel Medioevo efficacemente raggiunto grazie alla lettera di cambio.

Tutte queste funzioni, come si è detto, potevano favorire, dal lato passivo, una serie di soggetti bisognosi di credito o non in grado di espletare autonomamente certi servizi: quindi privati, enti pubblici o aziende manifatturiere o commerciali. Per queste ultime il ricorso al credito era – come d'altronde lo è ancor oggi – un elemento fondamentale al fine di garantire i mezzi necessari a nuovi investimenti. Un primo modo mediante il quale una compagnia poteva procurarsi dei fondi era il 'sovraccorpo', ovvero l'apporto, da parte dei soci, di ulteriori capitali (sui quali si riceveva un interesse come forma di remunerazione) rispetto al 'corpo' (capitale sociale) iniziale della compagnia. Era, questa, una forma di mutuo volta all'incremento dei mezzi finanziari, quindi un credito diretto a lungo termine. Successivamente anche persone estranee all'azienda, e all'ambito della famiglia, cominciarono a conferire depositi (detti 'a discrezione', come vedremo fra poco), favorendo l'aumento delle disponibilità finanziarie e quindi anche delle potenzialità di sviluppo delle compagnie stesse.

Con il XIV secolo le tecniche si affinarono. I mercanti, in particolare, miravano a ridurre il più possibile la giacenza inoperosa della ricchezza: si giunse così a quella che Melis ha definito «la grande conquista trecentesca» del credito di esercizio, che si diffuse in Toscana a partire dalla seconda metà del Trecento. Gli operatori economici, utilizzando credito di ridotta entità e a breve termine, rendevano produttiva anche la ricchezza di altri e allo stesso tempo aumentavano il proprio giro di affari. Il credito di esercizio, di ambito strettamente aziendale, era innanzitutto finalizzato alla fornitura di merci e si esplicitava in pratiche quali lo scoperto di conto, il giroconto, l'assegno e la girata.[13]

13. Per tutti questi strumenti, su cui in questa sede ci soffermeremo solo brevemente, cfr. i numerosi studi di Melis ora ripubblicati in Melis, *La banca pisana*, cit.: in particolare

Si diffuse notevolmente tra gli italiani, per poi essere ripresa anche da operatori fiamminghi e catalani, la pratica dell'apertura di conto corrente, grazie alla quale il cliente, avendo creato un deposito a proprio nome, poteva prelevare fondi «a suo piacere» o ordinare che venissero effettuati pagamenti a favore di terzi (giroconti): si esplicitavano insomma due delle suddette funzioni della banca, quella della 'sicurezza' e quella dell'effettuazione dei pagamenti (alcuni conti avevano una durata limitata nel tempo, e venivano chiusi proprio dopo aver assolto la finalità per cui erano stati aperti). Ovviamente poi, disponendo di un conto corrente, un cliente poteva anche vedersi lì accreditate somme di cui era creditore nei confronti di terzi.

Ma poteva manifestarsi anche un'ulteriore funzione, quella dell'erogazione del credito a favore del correntista, nel momento in cui si permetteva al saldo del conto di diventare passivo, ovvero si arrivava allo scoperto: e questa forma di credito poteva favorire sia privati, sia istituzioni, sia aziende mercantili-bancarie o manifatturiere.[14] Il conto corrente, simile a quello in uso attualmente, aveva però la caratteristica di non essere latore di interessi, né attivi (a favore del cliente), né passivi (a favore della banca, qualora il saldo del conto fosse negativo). Gli unici conti che prevedevano una remunerazione per il depositante erano i cosiddetti 'depositi a discrezione', i quali garantivano a chi versava dei fondi presso l'azienda un compenso in teoria legato alla discrezione del banchiere (quindi un donativo, non un interesse: un trucco per ovviare alle disposizioni anti-usurarie). Si trattava di depositi a lungo termine – dei quali dunque l'intestatario non poteva disporre – che iniziarono ad apparire nei conti a partire dalla fine del XIII secolo.[15]

Strumenti come i precedenti presupponevano l'esistenza di un elemento che non può essere definito 'tecnico', ma che era certamente necessario affinché essi potessero trovare applicazione e diffusione: la fiducia. Essa infatti sostituì le garanzie reali dei pegni, permise di evitare l'utilizzo dell'atto pubblico e quindi favorì la rapidità e la snellezza delle operazioni di mutuo; infine, gradualmente, spinse alla prevalenza dell'ordine scritto su quello orale (che presupponeva la contemporanea presenza, presso il banco, di debitore e creditore).[16] Secondo

La grande conquista trecentesca del «credito di esercizio» e la tipologia dei suoi strumenti fino al XVI secolo (pp. 307-324), *Motivi di storia bancaria senese: dai banchieri privati alla banca pubblica* (pp. 325-342) e *Sulla non-astrattezza dei titoli di credito nel Basso Medioevo* (pp. 343-356). Dello stesso autore cfr. anche *Documenti per la storia economica dei secoli XIII-XVI*, Firenze 1972, in particolare pp. 75-103, 463-495.

14. G. Mandich, *Per una ricostruzione delle operazioni mercantili e bancarie della compagnia dei Covoni*, introduzione a A. Sapori, *Libro giallo della compagnia dei Covoni*, Milano 1970, pp. CXXIV-CXLI. A cavallo del 1400 lo scoperto di conto era praticato non solo a Firenze, ma anche a Genova e Venezia.

15. Per considerazioni sul conto corrente e sugli interessi cfr. Tognetti, *L'attività di banca locale*, cit., pp. 635-640. Per i 'depositi a discrezione' si rimanda a de Roover, *Il banco Medici*, cit., pp. 145-155.

16. Luciano Palermo segnala come proprio la fiducia fosse un elemento che divideva i fiorentini dai romani. Fiducia che i primi non avevano nei confronti dei secondi quando a

Melis l'ordine scritto fu una peculiarità fiorentina, dato che in molte altre piazze – quali Barcellona, Venezia e Genova – l'ordine orale prevalse fino al XV secolo inoltrato; gli studi di Spallanzani, che ha segnalato l'utilizzo diffuso di 'polizze', e di Goldthwaite hanno corroborato questa impressione.[17]

L'assegno bancario venne dunque utilizzato in Toscana almeno dal 1368, e deve essere segnalato anche per la diffusione che ebbe in tale area pure fra gli strati più bassi della popolazione, tra i quali evidentemente era accettabile una strisciolina di carta da portare all'incasso presso uno dei banchi della città (quello trassato, in cui chi aveva scritto l'assegno vantava disponibilità o quantomeno un'apertura di credito). Esemplare è il caso del pagamento dei lavori per la costruzione dell'abside della chiesa di San Martino a Gangalandi, presso Firenze, negli anni Settanta del Quattrocento. Il responsabile della gestione dei fondi, Niccolò Corbizzi, ricevette 100 fiorini d'oro larghi da Roma, dalla compagnia del fiorentino Guglielmo Rucellai, mediante una lettera di cambio spiccata sulla consorella in Firenze. Via via che l'edificazione andava avanti, Corbizzi provvedeva ai pagamenti, quasi sempre mediante 'polizze', ovvero assegni, che i manovali (muratori, scalpellini ecc.) erano pronti ad accettare per poi incassarne il relativo importo presso la compagnia Rucellai in Firenze. Intanto si poteva seguire la disponibilità dei fondi, grazie alle registrazioni che puntualmente venivano effettuate nel conto corrente intestato al Corbizzi.[18] Tuttavia, per questo strumento, che veniva usato solo a livello locale e non per pagamenti internazionali, bisogna notare come a un'affermazione quattrocentesca di ambito fiorentino non corrispose un'analoga e contemporanea diffusione in altre città della penisola. Per esempio, non se ne riscontrano casi a Genova o a Venezia; e nella stessa Firenze, in assenza di studi specifici sull'argomento, è tutta da verificare una continuità di utilizzo per quanto riguarda il Cinquecento o i secoli successivi. Ciò genera quindi dubbi sullo sviluppo di tale strumento e anche sul suo peso reale.

fine Trecento, in coincidenza con l'affinamento e lo snellimento delle tecniche di gestione della ricchezza, i fiorentini ebbero un crescente successo nel mercato romano e videro aumentare il *gap* con i cittadini dell'Urbe. Anche se va detto che essi derogavano a tale principio quando si trattava di ingraziarsi le più alte sfere della gerarchia curiale: L. Palermo, *Un aspetto della presenza dei fiorentini in Roma nel '400: le tecniche economiche*, in AA.VV., *Forestieri e stranieri nelle città bassomedievali*, Atti del seminario internazionale di studio, Bagno a Ripoli (Firenze), 4-8 giugno 1984, Firenze 1988, pp. 90-91.

17. Melis, *La grande conquista trecentesca*, cit., pp. 314-315, 318-319; a Genova, «l'ordine scritto aveva preso piede con effetto solutorio; ma per far leva sul 'giro-conto' e non per pagamenti *de numeratis*» (Id., *Sulla nonastrattezza dei titoli di credito*, cit., pp. 351-352); M. Spallanzani, *A Note on Florentine Banking in the Renaissance: Orders of Payment and Cheques*, «The Journal of European Economic History», VII (1978); R.A. Goldthwaite, *La costruzione della Firenze rinascimentale. Una storia economica e sociale*, Bologna 1984, pp. 429-434.

18. M. Spallanzani, *L'abside dell'Alberti a San Martino a Gangalandi. Nota di storia economica*, «Mitteilungen des Kunsthistorisches Institutes in Florenz», XIX (1975). Per altri esempi quattrocenteschi si vedano Id., *A Note on Florentine Banking*, cit., pp. 156-157 e Tognetti, *L'attività di banca locale*, cit., pp. 640-641.

L'ordine orale permaneva invece in città con una più spiccata tendenza 'fieristica' come poteva essere Venezia, nella quale si creavano occasioni d'incontro – e quindi la contestuale presenza delle due parti coinvolte presso la sede del banchiere – in genere assenti per le piazze toscane, dove quindi l'ordine scritto era una necessità per favorire clienti che magari erano stanziati in sedi lontane. Ancora nel 1663 il regolamento del Banco del giro veneziano proibiva ai contabili di effettuare giroconti se non per istruzioni che fossero «sentite a dire».[19] Anche Napoli, secondo Del Treppo, costituiva una sorta di fiera permanente, e non a caso, nella ben documentata vicenda del banco napoletano degli Strozzi, l'ordine orale sembra aver mantenuto la preponderanza, con l'ordine scritto limitato a operazioni con clienti fuori piazza.[20]

Un altro strumento che prese campo nel corso del Trecento fu la girata (ovvero la cessione del titolo a terzi) che, inizialmente 'fuori dal titolo', fu in esso inserita a partire dal 1410.[21] Sui titoli di credito poteva attuarsi anche lo sconto, ovvero una loro liquidazione prima del termine, a un prezzo ovviamente minore rispetto al valore nominale: tale pratica, di cui si hanno esempi primo-trecenteschi, poteva essere attuata su titoli cambiari e non.

Allo stesso tempo nelle fiere di Champagne avevano preso campo, sempre grazie agli italiani, strumenti quali la lettera di cambio, su cui torneremo in seguito; inoltre si poterono utilizzare questi raduni periodici (vi erano sei fiere l'anno) come stanze di compensazione fra crediti e debiti, proprio grazie alla raffinatezza degli strumenti poc'anzi citati.

Entro la fine del XIV secolo, dunque, le principali 'conquiste' tecniche in campo bancario-mercantile erano state ottenute dagli operatori dell'Italia centro-settentrionale: dall'apertura di credito per forniture di merci allo scoperto di conto corrente, dallo sconto (con o senza un'operazione di cambio) alla girata, dal giroconto all'assegno. Successivamente, con il Quattrocento, non si rilevano invece grandi progressi tecnici; i due aspetti più rilevanti, forse, furono nuove forme organizzative e poi il perfezionamento e la più ampia diffusione di strumenti che erano già stati messi a punto nel corso del Trecento.

Avendo fin qui parlato di innovazione tecnica, abbiamo trascurato un aspet-

19. R. de Roover, *Le rôle des Italiens dans la formation de la banque moderne*, «Revue de la Banque», 9-10 (1952), p. 6 dell'estratto.

20. Del Treppo, *Aspetti dell'attività bancaria a Napoli*, cit., pp. 561-562, 571. Non concorda con questa visione di 'fiera permanente' A. Grohmann, *Le fiere del Regno di Napoli in età aragonese*, Napoli 1969, pp. 299-300. Per quanto riguarda l'ordine orale, Del Treppo presenta un'interessante digressione a proposito della parola 'dire', spesso associata a ordini scritti: «per sua lettera ... ci disse» (Del Treppo, *Aspetti dell'attività bancaria a Napoli*, cit., pp. 563-565).

21. Anche per la girata, tuttavia, la diffusione non fu affatto uniforme: ad esempio a Genova le lettere di cambio venivano trasferite per via notarile, almeno nel periodo aureo delle fiere di cambio (G. Felloni, *Strumenti tecnici ed istituzioni bancarie a Genova nei secc. XV-XVIII*, in Id., *Scritti di Storia Economica*, Genova 1998, I, pp. 639-640).

to cui peraltro non è possibile fornire una risposta univoca: da dove veniva lo stimolo a tale innovazione? In alcuni casi costituirono un fattore importante le disposizioni anti-usurarie, che favorirono l'affinamento di strumenti quali la lettera di cambio, su cui ci soffermeremo in seguito e che fu forse lo strumento simbolo dell'attività bancaria medievale. In altre occasioni, al contrario, le regolamentazioni potevano costituire un limite allo sviluppo di certe funzioni creditizie o finanziarie. Un ulteriore stimolo all'innovazione arrivò dalla scarsità di moneta pregiata, che costrinse l'Europa del tardo Medioevo da un lato alla ricerca di nuovi giacimenti, dall'altro allo sviluppo di tecniche contabili più avanzate per permettere lo svolgersi di una crescente attività economica nonostante la carenza di numerario. Inoltre, la nascita di organismi sempre più complessi e il conseguente desiderio di valutare i rischi e di limitarli costituirono un motore fondamentale per perseguire il miglioramento delle tecniche, fossero esse contabili o gestionali. Non certo irrilevante fu anche l'allargamento della provenienza dei soci a persone esterne all'ambito della famiglia, che comportò – pur all'interno di un rapporto di fiducia – l'affinamento di strumenti contabili che dessero una maggior garanzia di controllo.[22]

L'organizzazione

Abbiamo già sottolineato come un'analisi della forma societaria non possa essere considerata come distaccata da quelli che erano gli strumenti utilizzati dalla società stessa, i quali, anzi, proprio in virtù di una determinata cornice organizzativa, potevano espletarsi o meno. La compagnia fu la forma societaria che meglio si adattò allo sviluppo dell'attività mercantile-bancaria: rispetto ai contratti precedenti, essa dava stabilità e permanenza nel tempo al legame fra soci, il cui apporto di capitale era finalizzato non più a una singola operazione commerciale, ma a una serie di investimenti (commerciali, bancari, assicurativi ecc.) che venivano effettuati nel corso del tempo. Inizialmente a carattere strettamente famigliare, la compagnia si aprì poi al contributo di soci esterni e costituì quindi la cornice organizzativa grazie alla quale si poté superare il limite che derivava dalla carenza di liquidità e all'interno del quale «si formano consistenti patrimoni mobiliari necessari sia per lo sviluppo delle attività della compagnia stessa che per la sua operatività nell'esercizio del credito».[23] L'allargamento degli orizzonti economici determinò la genesi di strutture sempre più complesse, come ad esempio quelle dei già citati Bardi e Peruzzi; questo tipo di organizzazione, tuttavia, alla metà del Trecento trovò il suo limite nel legame troppo stretto tra fi-

22. Tuttavia non si può dire che il legame tra le dimensioni aziendali e il progresso tecnico nel campo della contabilità abbia suscitato un grande interesse storiografico (come rilevato anche da Felloni: ivi, p. 640).

23. Fanfani, *Sulle tracce della banca*, cit., p. 34.

liali, che portò il sistema a collassare con un clamoroso effetto domino, innestato da una serie di fattori, fra cui le difficoltà delle sedi londinesi, le quali si erano esposte troppo nei confronti di re Edoardo III. Mezzo secolo dopo, quindi, la struttura del sistema delle aziende datiniane era diversa: ciascuna di esse aveva capitali propri, ma in ognuna Francesco di Marco Datini era socio di maggioranza. Sfumature ancora diverse presentarono, in pieno Quattrocento, la *holding* dei Medici (in cui la casa-madre fiorentina aveva la maggioranza delle quote di società che essa creava in altre sedi con il 'manager' delle filiali stesse) o le compagnie dei vari rami della famiglia Borromei, ognuna con le proprie peculiarità organizzative, ma ciascuna con filiali giuridicamente indipendenti l'una dall'altra.[24]

13

Fuori dall'Italia le forme organizzative delle prime società mercantili-bancarie italiane ebbero una profonda influenza anche nei secoli successivi. Per tutto il Quattrocento e il Cinquecento si affermarono in pratica i modelli già presenti nell'Italia due-trecentesca; modelli che peraltro, come si è appena visto, gli italiani avevano ormai superato.[25] La forte impronta famigliare del modello italiano si rispecchiò anche nell'organizzazione tedesca (nelle compagnie dei Fugger, per esempio, i soci non furono mai estranei all'orbita dei consanguinei), così come la durata dei contratti di compagnia. Quindi, mentre ormai nel Quattrocento gli italiani (memori dei fallimenti trecenteschi) costituivano reti di filiali autonome, i tedeschi avevano invece un'organizzazione molto più accentrata e ricorrevano a cartelli e monopoli con frequenza molto maggiore.[26] E ancora nel 1710 il francese Ricard, che nella sua descrizione dell'Olanda sottolineava i grandi progressi di quel paese per molti aspetti dell'economia (commercio, assicurazioni, trasporti ecc.), non rivelava però novità profonde per quanto riguarda le tipologie organizzative delle società.[27]

Ovviamente, più complessi diventavano gli affari, maggiore era la necessità di controllo, tanto che si tende anche a legare lo sviluppo della partita doppia all'ingresso nelle compagnie mercantili di soci esterni alla famiglia. Nella stessa epoca in cui dominavano le grandi compagnie italiane, in altri paesi dell'Europa occidentale, dove la partita doppia non era conosciuta o almeno non era utilizzata, gran parte dei mercanti costituivano aziende individuali o si riunivano in compagnie piccole e dalla vita breve.[28] Forse una consequenzialità si può stabilire, anche se resta da chiarire in quale direzione.

24. Sulle aziende datiniane cfr. Melis, *Aspetti della vita economica medievale*, cit.; sui Medici de Roover, *Il banco Medici*, cit.; sui Borromei, in particolare sull'attività delle sedi di Bruges e Londra nella prima metà del Quattrocento, chi scrive ha in corso, assieme a Jim Bolton, un progetto di ricerca (*Borromei Bank Research Project*) con base a Queen Mary College, University of London.

25. A. Sapori, *La mercatura medievale*, Firenze 1972, p. 47.

26. Bergier, *Dall'Italia del XV secolo alla Germania del XVI*, cit., pp. 140-144.

27. G. Luzzatto, *Storia economica dell'età moderna e contemporanea*, 1, *L'età moderna*, Padova 1954, p. 250.

28. J. Bernard, *Commercio e finanza nel Me-*

Volendo scegliere dei simboli caratterizzanti la tecnica bancaria italiana, potremmo selezionare proprio la contabilità in partita doppia e la lettera di cambio. Furono, questi, due strumenti di cui gli italiani furono padroni e che incontrarono tuttavia due destini diversi: la prima rimase almeno fino al XVI secolo un'esclusiva prerogativa degli operatori della penisola e non trovò un utilizzo diffuso all'estero se non dal XVIII secolo; la seconda, invece, venne presto acquisita anche da operatori stranieri, ma venne utilizzata con finalità a volte diverse. Per questo motivo, le analizzeremo ora in maggiore dettaglio.

La partita doppia

«Commerce and banking went hand in hand. Merchants in the very nature of their activity with one another performed several banking functions, and the instrument fundamental to their business through which they did this was accounting».[29] In pratica la contabilità, che pure non è per sua natura uno strumento specificatamente bancario, serviva ai mercanti per mantenere un efficiente controllo su tutte le operazioni commerciali, assicurative, ma anche bancarie: dall'apertura dei conti correnti al giroconto, dallo scoperto di conto al cambio, ai trasferimenti internazionali di denaro. Era, insomma, il modo grazie al quale gli strumenti di cui si è poc'anzi parlato potevano essere gestiti e grazie al quale si potevano vedere i risultati delle operazioni intraprese. Una contabilità efficiente era tanto più necessaria quanto più si complicavano le operazioni: anche in caso di giroconti, ad esempio, i soggetti coinvolti potevano essere più di due, oltre al banchiere, e questo determinava la necessità, da parte di tutti, di registrare con grande attenzione gli accreditamenti e gli addebitamenti (e ciò a maggior ragione in quelle realtà in cui i libri di conto avevano valore giuridico).

La contabilità in partita doppia, che trovò il suo più famoso teorizzatore in Luca Pacioli, il quale ne delineò i principi dottrinari nella ben nota *Summa de Arithmetica, Geometria, Proportioni et Proportionalità* e in particolare nella sezione dedicata a *De computis et scripturis* (1494), nacque alla fine del XIII secolo.[30] D'altronde, il primo passo per essere considerato un buon 'mercante' – ce lo dice Cotrugli, autore del primo testo scritto che parla di partita doppia – era proprio quello di conoscere bene l'arte di tenere le scritture, da cui poi tutte le altre derivavano: «Lo sapere be-

114

dioevo (500-1500), in *Storia economica d'Europa* diretta da C.M. Cipolla, I, *Il Medioevo*, Torino 1979, p. 265.

29. R.A. Goldthwaite, *An Economic History of Renaissance Florence*, in corso di stampa, cap. 3.

30. L'origine della partita doppia viene fatta risalire alle fiere di Champagne e in particolare a un libro di conti di Ranieri Fini, 1297-1303. Il primo conto in partita doppia, tuttavia, pare essere la copia notarile di una carta dei Peruzzi, del 1292 (F. Melis, *Storia della ragioneria*, Bologna 1950, pp. 401-539, in particolare pp. 480-485). Alla teoria della nascita toscana si contrappone tuttavia quella di chi ritiene la partita doppia di origine veneziana.

ne et hordinatamente tenere le scripture insegna lo sapere contractare, mercatare et guadagnare ... et così per ordine governandoti bene nelle scripture, ti puoi chiamare mercante. Se pure non lo farai, non se' degno d'essere nominato mercante».[31]

In questo ambito gli italiani, si è detto, erano padroni. Ma, considerando il fatto che essi avevano fitte reti di aziende e filiali all'estero, e che quindi grande era la loro consuetudine a fare affari con mercanti di altri paesi, sorge spontanea la domanda sull'eventuale scambio di tecniche. Quale era la situazione all'estero? Quali furono i tempi e le modalità di diffusione delle tecniche contabili? Come mai l'evidenza documentaria mostra un utilizzo molto limitato di tale strumento al di fuori della penisola?[32] Lo *staff* che gestiva le sedi estere delle compagnie italiane era composto da italiani che spesso avevano ricevuto la loro istruzione in patria, prima di affrontare l'esperienza fuori dai confini della città di origine, e che all'estero certamente utilizzavano quegli strumenti contabili che avevano appreso (come mostrano i tanti libri di conti di filiali estere conservati presso gli archivi italiani, in particolare fiorentini).[33] Tuttavia, nonostante i frequenti contatti con i maggiori operatori locali, questi ultimi sembrano non aver assorbito quelle che erano le più avanzate tecniche gestionali e contabili italiane. D'altronde, anche limitando l'attenzione alla penisola italiana, si può notare come i principali mercanti-banchieri che operavano a Roma fra Tre e Quattrocento – i fiorentini – 'esportassero' sì tutti i loro strumenti e tecniche contabili nella città eterna, ma fossero in realtà poi gli unici a utilizzarli.[34]

Lo storico inglese della ragioneria Basil S. Yamey ha preso in considerazione l'opera pacioliana, evidenziando come essa fosse, per varie ragioni, strumento inadatto alla diffusione diretta della partita doppia tra i mercanti-banchieri, essendo rivolta essenzialmente a matematici e umanisti; secondo lui, per la diffusione fu essenziale il contatto diretto, grazie al movimento continuo di mercanti, contabili ecc. In questo egli contrasta con Besta e più recentemente con Favier, anche se ammette che, dagli anni Quaranta del Cinquecento, il *Tractatus de computis et scripturis* generò una sorta di febbre di imitazione, con un effetto diretto sulla pubblicazione di tre manuali mercantili (Domenico Manzoni, *Quaderno doppio,* 118, 119

31. Benedetto Cotrugli, *Il libro dell'arte di mercatura*, a cura di U. Tucci, Venezia 1990, pp. 172, 174. La parte relativa alla partita doppia è contenuta nel libro I, cap. 13 (pp. 171-175 della citata edizione). L'opera del mercante raguseo è del 1458, ma venne pubblicata solo nel 1573.

32. Peraltro, come ha sottolineato L. Palermo, la «presenza, o assenza [degli elementi tecnici], non è mai ... neutrale e rinvia sempre alla ricostruzione del ruolo economico di chi li usa o, al contrario, li rigetta» (Palermo, *Un aspetto della presenza dei fiorentini*, cit., p. 82).

33. Non ci soffermeremo qui sull'istruzione che ricevevano in patria i giovani mercanti italiani. Per approfondimenti sull'argomento rimandiamo al classico A. Sapori, *La cultura del mercante medievale italiano*, «Rivista di Storia Economica», II (1937), rist. in Id., *Studi di storia economica. (Secoli XIII-XIV-XV)*, III ed. accresciuta, I, Firenze 1955^{3}.

34. Palermo, *Un aspetto della presenza dei fiorentini*, cit.

1540, in Italia; Jan Ympyn, *Nieuwe instructie*, 1543, nelle Fiandre; Hugh Oldcastle, *A profitable treatyce*, 1543, in Inghilterra), questi sì maggiormente adatti alla diffusione.[35] Non è forse una coincidenza che proprio attorno alla metà del XVI secolo, quando ormai il dominio dei mercanti-banchieri italiani si era indebolito e i centri nordeuropei avevano preso il sopravvento come principali piazze finanziarie, in varie aree del continente si assistette contemporaneamente a un fiorire di manuali di contabilità; inoltre, risalgono proprio a questo periodo i primi libri di conti tenuti in partita doppia ad Anversa e in Inghilterra.[36] Tuttavia, fuori dall'Italia, il reale successo della partita doppia si sarebbe registrato solo nel XVII secolo, mentre in precedenza erano più le persone che avevano acquisito «some knowledge of the system than actually used the system in practice».[37]

In ogni caso il ruolo e la reale importanza della partita doppia andrebbero investigate più a fondo, per valutare se la mancata adozione di tale strumento non fosse il risultato di una scelta, più che un sintomo di arretratezza. Molti esempi mostrano infatti che essa non era affatto una *conditio sine qua non* per il successo. Se prendiamo come spartiacque proprio quella metà del XVI secolo in cui la manualistica sulla contabilità cominciò a diffondersi in tutta Europa, noteremo come nel periodo precedente gruppi di mercanti di successo ne avessero fatto tranquillamente a meno (ad esempio gli anseatici, che usavano la partita singola, ma con tecniche che via via si raffinavano).[38] Nel periodo successivo, invece, chi avesse voluto avrebbe potuto procurasi un contabile o almeno un maestro, e quindi il mancato uso di tale sistema di contabilità potrebbe semplicemente essere il sintomo di una mancanza di bisogno.[39] Anche nel periodo d'oro delle case mercantili-

35. B.S. Yamey, *Pacioli's* De Scripturis *in the Context of the Spread of Double Entry Bookkeeping*, «Revista Española de Historia de la Contabilidad», 1 (2004); F. Besta, *La ragioneria*, Milano 1929, III, p. 340; J. Favier, *L'oro e le spezie. L'uomo d'affari dal Medioevo al Rinascimento*, Milano 1990, p. 297. In Francia l'influenza italiana si esercitò certo attraverso le fiere di Lione: è del 1567 il manuale di Pierre Savonne (*Instruction et manière de tenir livres*).

36. Alcuni studiosi mettono tuttavia in dubbio una reale diffusione della partita doppia ad Anversa: cfr. E. Coornaert, *Les Français et le commerce international à Anvers: fin du XVe-XVIe siècle*, Paris 1961, II, pp. 173-174 e J.A. van Houtte, *An Economic History of the Low Countries, 800-1800*, London 1977, p. 207. Per un panorama completo sui manuali mercantili pubblicati in Europa a partire dal 1470 si veda *Ars Mercatoria. Handbücher und Traktate für den Gebrauch des Kaufmanns. Manuels et traités à l'usage des marchands. 1470-1820. Eine analytische Bibliographie*, a cura di J. Hoock, P. Jeannin e W. Kaiser, Paderborn 1991-2006, in particolare vol. I (*1470-1600*).

37. Yamey, *Pacioli's* De Scripturis, cit., p. 150.

38. H. Samsonowicz, *Remarques sur la comptabilité commerciale dans les villes hanseátiques au XVe siècle*, in AA.VV., *Finances et comptabilité urbaine du XIIIe au XVIe siècle*, Actes du colloque international, Blankenberge, 6-9 settembre 1962, Bruxelles 1964, pp. 207-215.

39. La discussione, che prende spunto dall'esaltazione fattane da Sombart, ha trovato molti studiosi pronti a decantare le virtù della partita doppia e altri che invece ne hanno negato la reale importanza ai fini di una buona pratica degli affari: in questa seconda ottica cfr. ad esempio i contributi di B.S. Yamey, *Bookkeeping and Accounts, 1200-1800* e di P.H. Ramsey, *The Unimportance of Double-Entry Bookkeeping: did Luca Pacioli really Matter?*, entrambi in *L'impresa. Industria Commercio Banca. Secc. XIII-XVIII*,

bancarie della Germania meridionale la partita doppia venne da esse utilizzata con ritardo e solo parzialmente (è il caso dei Fugger, ad esempio, con Jacob e anche il suo contabile Matthäus Schwarz che avevano avuto esperienze veneziane).[40] Per quanto riguarda un'altra delle zone più sviluppate del continente europeo, l'area barcellonese-valenzana, l'evidenza documentaria mostra alcuni esempi di utilizzo di partita doppia; ma certamente non si trattava di un fenomeno diffuso.[41]

121

La lettera di cambio

L'altro strumento che, come si è detto, ha caratterizzato in maniera inequivocabile l'attività dei mercanti-banchieri italiani nel corso del Medioveo è la lettera di cambio. Il ruolo fondamentale dell'attività cambiaria venne sottolineato, ancora, da Cotrugli, secondo il quale «cambio è gientile trovato ed è quasi uno elemento et condimento di tucte le cose mercantili, senza lo quale, come l'humana conpositione senza li elementi essere non può, così la mercantia sanza il cambio».[42] L'attività di cambio costituiva in effetti un elemento basilare dell'attività bancaria, ed era ad essa intrinsecamente legata.

La precisa data di origine della lettera di cambio è ignota, ma la sua documentata presenza sul finire del Duecento fa di questo momento il *terminus ante quem.*[43] In sintesi, nella piazza A il 'datore' conferiva una somma di denaro al 'prenditore' affinché, dopo un certo periodo di tempo, una somma equivalente fosse pagata nella piazza B dal 'trattario' al 'beneficiario'. Se inizial-

Atti della Ventiduesima Settimana di Studi dell'Istituto Datini, Prato, 30 aprile-4 maggio 1990, a cura di S. Cavaciocchi, Firenze 1991, pp. 163-187, 189-196.

40. Il ritardo tedesco è sottolineato anche dal fatto che i primi conti correnti apparvero nei registri tedeschi solo nel XV secolo, epoca nella quale si cominciarono anche a utilizzare più registri al posto di un unico memoriale: R. de Roover, *Aux origines d'une technique intellectuelle: la formation et l'expansion de la comptabilité à partie double*, «Annales d'Histoire Economique et Sociale», IX (1937), p. 185. Cfr. anche Bergier, *Dall'Italia del XV secolo alla Germania del XVI*, cit., pp. 141-145.

41. E. Cruselles Gómez *Los mercaderes de Valencia en la Edad Media (1380-1450)*, Lleida 2001, pp. 216-233. Dello stesso autore si veda anche *Los comerciantes valencianos del siglo XV y sus libros de cuentas*, Castelló de la Plana 2007, pp. 14-61 per un panorama sulla situazione in varie zone europee fra Tre e Quattrocento.

42. Cotrugli, *Il libro dell'arte di mercatura*, cit., p. 165.

43. B. Dini segnala una lettera del 24 marzo 1291 inviata dai Cerchi in Firenze ai loro agenti in Inghilterra (*Lo sviluppo delle tecniche amministrative e bancarie*, in *Storia della società italiana*, 7, *La crisi del sistema comunale*, Milano 1982, p. 104). Contratti di cambio sono tuttavia presenti nei registri notarili genovesi a partire dal tardo XII secolo (R. de Roover, *L'évolution de la lettre de change, XIVe-XVIIIe siècles*, Paris 1953, pp. 25-29). Un altro strumento cambiario, il *cambium nauticum*, veniva usato nel corso del XIII secolo in sostituzione del prestito marittimo, sul quale gravavano i sospetti di usura. A fine Duecento prese campo anche un contratto assicurativo che prevedeva l'emissione di una lettera di cambio: per maggiori dettagli cfr. F. Edler de Roover, *Early Examples of Marine Insurance*, «The Journal of Economic History», V (1945), pp. 175-180.

mente l'istruzione del pagamento, inviata dal prenditore al trattario, era inserita all'interno di una normale lettera commerciale, con il Trecento si arrivò a una formula molto precisa, scritta su una strisciolina di carta, che veniva accettata senza ricorrere a obblighi notarili. Su questo strumento e sulle sue molteplici funzioni (trasferimento di denaro su piazza estera, pagamento internazionale, concessione di credito ecc.) molto è stato scritto: di conseguenza ci limitiamo qui a rimandare ad alcuni studi, di Raymond de Roover e di Giulio Mandich, che ne hanno sviscerato con grande puntualità e acutezza tutte le sottigliezze tecniche.[44]

Una delle ragioni fondamentali del successo della lettera di cambio, su cui si è soffermato con grande enfasi de Roover, sta nella possibilità che essa dette di aggirare le disposizioni anti-usurarie, le quali miravano a impedire che il denaro generasse denaro (ovvero che un prestito fosse gravato da interesse). Come sottolineava anche Bernardo Davanzati sul finire del XVI secolo, «l'ingordigia di questo guadagno [l'interesse] ha convertito il cambio in arte; e dànnosi danari a cambio, non per bisogno d'averli altrove, ma per riaverli con utile; e pigliansi non per trarre i danari suoi d'alcun luogo, ma per servirsi di quei d'altri alcun tempo con interesse».[45] In pratica, si ricorreva al meccanismo del cambio e del ricambio, mediante la scrittura di due lettere: la prima dalla piazza A alla piazza B, la seconda, compilata dopo la scadenza (*usanza*) della prima, dalla piazza B alla piazza A. Colui che aveva prestato il denaro nella piazza A si vedeva restituita, al ritorno della seconda lettera, una somma che di norma era superiore a quella inizialmente versata, grazie a un abile gioco sui tassi di cambio. Tale somma aggiuntiva si configurava come remunerazione sul prestito, anche se a un tasso variabile, perché determinato dal mutevole andamento dei rapporti di cambio tra le valute.[46] La lettera di cambio divenne insomma un lubrificante essenziale per il mercato del denaro e venne ampiamente utilizzata anche per effettuare prestiti a livello locale. I vantaggi che essa presentava erano infatti notevoli: era completa in sé, era rinnovabile e la sua remunerazione, per quanto oscillante, era abbastanza prevedibile.[47] Anche nella sua forma 'pura', la lettera di cambio aveva

44. Cfr., per tutti, R. de Roover, *Business, Banking, and Economic Thought in Late Medieval and Early Modern Europe*, a cura di J. Kirshner, Chicago-London 1974 e la bibliografia ivi citata, e Mandich, *Per una ricostruzione delle operazioni mercantili e bancarie*, cit., pp. CLXXVIII-CXCIII.

45. Bernardo Davanzati, *Notizia de' Cambj*, in Id., *Lezione delle Monete e Notizia de' Cambj*, con prefazione di S. Ricossa, Torino 1988, p. 70.

46. Nei casi più estremi, la lettera di cambio poteva essere fittizia o comunque non inviata, mentre il rapporto tra gli operatori coinvolti veniva limitato a registrazioni contabili. Si noti, peraltro, una differenza nello svolgimento dell'attività cambiaria a Firenze e a Venezia nel corso del Medioevo: mentre nella prima città vi era un rapporto diretto tra le parti coinvolte nell'operazione, nella città lagunare erano i banchieri di Rialto ad agire come intermediari tra gli operatori coinvolti (Mueller, *The Venetian Money Market*, cit., p. 322).

47. Ivi, pp. 353-354.

comunque già insita un'azione creditizia, che si esplicitava nel periodo di tempo intercorrente tra il versamento dal datore al prenditore nella piazza A e la corrispondente liquidazione dal trattario al beneficiario nella piazza B.

In opposizione a quanto detto da de Roover, altri studiosi mettono in discussione una consequenzialità diretta tra il divieto di usura e il successo della lettera di cambio, sostenendo che per celare l'interesse si potevano utilizzare forme contrattuali più semplici: ad esempio dichiarare nel contratto una somma più alta di quella realmente prestata (in modo da includervi l'interesse), o concordare in anticipo una penale per il 'ritardato' pagamento. A Genova, ma anche altrove, era comune trovare contratti che prevedevano per la restituzione dei prestiti una data di scadenza precisa, dopo la quale sarebbe scattata una multa di ammontare prefissato: in realtà questa multa diventava la remunerazione del prestito, al limite della liceità, sulla quale ci si accordava.[48] Oppure si potrebbe sostenere che in realtà, molto più delle proibizioni anti-usurarie, sia stato il divieto di esportazione di metalli preziosi a determinare il successo della lettera di cambio, quando veniva utilizzata nella sua primaria funzione di mezzo per il trasferimento internazionale di denaro. Casomai, se il divieto di usura, nella pratica mercantile-bancaria, fu inefficace nel prevenire la stipula di mutui onerosi, esso impedì comunque che lo sconto si trasformasse in una pratica aperta, facendo sì che le cambiali non diventassero, fino ad epoca molto più recente, dei titoli di credito negoziabili. E se da un lato i profitti derivanti dalla lettera di cambio erano realmente incerti, e questo scoraggiava gli investitori meno propensi al rischio, dall'altro lato la limitazione della responsabilità alla sola somma indicata nella lettera stessa faceva sì che tale investimento fosse a volte preferibile a un impegno in compagnie in cui la responsabilità era magari illimitata.[49]

Ad ogni modo, quale che sia la ragione principale del suo successo, la lettera di cambio fu – lo si è sottolineato – uno strumento essenziale nel mondo finanziario europeo medievale. Il suo utilizzo trovò poi il suo punto più alto nelle fiere di cambio, organizzate dai banchieri genovesi (ormai sostituitisi ai fiorentini in un ruolo guida della finanza internazionale) a Besançon, Novi Ligure e Piacenza, e che raggiunsero il loro apice tra XVI e XVII secolo. Oltre ai genovesi, anche altri operatori italiani erano attivi in tali fiere, che caratterizzarono l'ultimo periodo di dinamismo dei banchieri dell'Italia centro-settentrionale. Durante quegli eventi, che possono essere considerati «o quali perfezionate stanze di compensazione, o quali artificiosi asili per l'usura, o quali effettivi mercati del

48. J. Munro, *Il bullionismo e la cambiale in Inghilterra, 1272-1663: politica monetaria e pregiudizio popolare*, in *L'alba della banca*, cit., p. 195; D. Abulafia, *The Impact of Italian Banking in the Late Middle Ages and the Renaissance, 1300-1500*, in *Banking, Trade and Industry. Europe, America and Asia from the Thirteenth to the Twentieth century*, a cura di A. Teichiva, G. Kurgan-Van Hentenryk e D. Ziegler, Cambridge 1997, pp. 18-19.

49. Munro, *Il bullionismo e la cambiale in Inghilterra*, cit., pp. 195-198.

credito», emersero nuovi metodi di contabilità finanziaria. Tra gli strumenti da segnalare vi è certamente il patto di ricorsa, ovvero la continua ripetizione dei cambi fra due piazze diverse (una delle quali era sempre la sede della fiera), senza alcun intervento del denaro contante, che durava fino all'estinzione totale del debito. Di notevole portata, inoltre, fu anche l'utilizzo di una moneta puramente bancaria, e di grande stabilità, come lo scudo di marco.[50]

Peraltro anche le fiere 'di merci' avevano dato una spinta importante all'innovazione dei sistemi di pagamento poiché, in virtù dell'elevato valore globale delle transazioni, diventava là possibile dare attuazione a meccanismi di compensazione per cui i conti di una fiera venivano riportati alla successiva mediante impegni di pagamento: le lettere di fiera.[51]

In Francia, ancora per tutto il Cinquecento, la stragrande maggioranza delle lettere di cambio (anche quelle che coinvolgevano le fiere lionesi) vedeva tra gli attori i mercanti-banchieri italiani (e in particolare lucchesi, fiorentini e genovesi), mentre ai francesi era riservato un ruolo del tutto marginale, sebbene crescente a partire dall'inizio del Seicento.[52] Tuttavia, se dalle fiere di Champagne a quelle di Lione, passando per quelle di Ginevra, i banchieri italiani erano stati gli animatori principali dei movimenti finanziari, ideando e poi perfezionando strumenti molto avanzati, dalla seconda metà del Cinquecento, quando il fulcro delle attività commerciali che collegavano il Mediterraneo con i mari del Nord e il continente europeo con i paesi extraeuropei si trasferì nei Paesi Bassi, anche la funzione di promozione e sviluppo delle attività finanziarie e creditizie si spostò.

L'Italia perde il primato

In realtà la perdita di posizione degli operatori italiani fu lenta e più in termini relativi che assoluti. Infatti essi, pur vedendosi sfuggire di mano le redini della finanza internazionale, riuscirono comunque a resistere per qualche decen-

50. G. Mandich, *Delle fiere genovesi dei cambi, particolarmente studiate come mercati periodici del credito*, «Rivista di Storia Economica», IV (1939), rist. in *Alle origini della banca*, citazione a p. 229. Tuttavia, come sottolinea de Roover, questi perfezionamenti tecnici non erano che la naturale prosecuzione di tutto ciò (moneta di conto, cambio con ricorsa ecc.) che già nei secoli precedenti aveva caratterizzato l'attività dei mercanti-banchieri italiani (*Le rôle des Italiens*, cit., p. 23 dell'estratto). Cfr. anche F. Braudel, *Le pacte de ricorsa au service du roi d'Espagne et de ses prêteurs à la fin du XVIe siècle*, in AA.VV., *Studi in onore di Armando Sapori*, Milano 1957, II; A. De Maddalena, *Affaires et gens d'affaires lombards sur le foires de Bisanzone. L'exemple des Lucini (1579-1619)*, «Annales ESC», XXII (1967); F. Ruiz Martín, *Lettres marchandes échangées entre Florence et Medina del Campo*, Paris 1965.

51. Fanfani, *Sulle tracce della banca*, cit., p. 23.

52. R. Gascon, *Pour une psychologie des affaires: les marchands français et la lettre de change au XVIe siècle*, in *Credito, banche e investimenti. Secoli XIII-XX*, Atti della Quarta Settimana di Studio dell'Istituto Datini, Prato, 14-21 aprile 1972, a cura di A. Vannini Marx, Firenze 1985, pp. 53-57.

nio; e non mancano le felici eccezioni (ad esempio quelle già ricordate dei genovesi in Spagna, o dei fiorentini a Lione). Un ruolo centrale venne assunto dalle banche tedesche, i cui rappresentanti principali furono i ben noti Fugger e Welser, affiancati da altri mercanti-banchieri della Germania meridionale. Ma, per ricollegarci alla citazione iniziale e per tornare nel centro del tema di questo contributo, viene spontaneo chiedersi quale fosse la loro preparazione tecnica; e poi se questa ascesa, oltre che a fattori politici ed economici, sia riconducibile anche a ragioni tecniche.

Dal punto di vista organizzativo, si è visto, le compagnie tedesche erano caratterizzate da una forte impronta famigliare ispirata ai modelli due-trecenteschi dell'Italia centro-settentrionale, con una gestione delle filiali molto accentrata. Le lettere di cambio furono scarsamente utilizzate, e semmai nella loro funzione primaria di strumento per trasferire denaro alle e dalle filiali estere, o al limite per differire il pagamento, piuttosto che con intenti puramente speculativi, alla maniera degli italiani.[53] Non sembra, insomma, che nel loro periodo di dominio, sull'asse Germania meridionale-Anversa, i tedeschi abbiano sviluppato tecniche nuove, limitandosi semmai ad affinare, o a utilizzare secondo le proprie necessità, quelle già esistenti, e che certo avevano appreso anche grazie al contatto con gli italiani.[54] Tuttavia, se a metà XVI secolo i banchieri tedeschi lasciarono ai genovesi le redini finanziarie dell'Impero per dedicarsi quasi esclusivamente ad attività commerciali, manifatturiere e di estrazione mineraria, forse non fu un caso, ma fu nuovamente il segno di una maggiore capacità degli italiani nel gestire gli strumenti finanziari più avanzati: in altre parole vi erano interessi divergenti, che presupponevano azioni diverse. Vari studi hanno ad esempio mostrato come non solo i tedeschi, ma anche molti altri grandi mercanti europei fossero in realtà capaci di utilizzare le tecniche finanziarie italiane, anche se poi nella pratica non necessariamente se ne servivano.[55]

È insomma indubbio che l'influenza italiana abbia avuto un peso fondamentale nello sviluppo dei centri finanziari del Nord Europa. Ma la trasmissione delle tecniche non fu certo rapida né omogenea: ad esempio, ancora all'inizio del

53. P. Jeannin, *Change, crédit et circulation monétaire à Augsbourg au milieu du XVIe siècle*, Paris 2001, pp. 27-62.

54. Bergier, *Dall'Italia del XV secolo alla Germania del XVI*, cit., pp. 144-146. Lo stesso R. Ehrenberg, nel suo 'classico' *Le siècle des Fugger*, Paris 1955, non aveva mancato di sottolineare che nel loro periodo d'oro i finanzieri della Germania meridionale avevano assorbito le tecniche finanziarie italiane. Resta però tutto da investigare il modo in cui tali tecniche venivano trasmesse, anche se in qualche modo la consuetudine di fare affari insieme dovette far sì che mercanti locali acquisissero alcuni elementi di sofisticazione delle pratiche affaristiche. Inoltre abbiamo esempi di mercanti del Nord (come ad esempio il già citato Schwarz) che scendevano in Italia per perfezionarsi, ma forse non si può dire che in termini assoluti questa fosse l'unica modalità di trasmissione (cfr. R. Romano, *Una tipologia economica*, in *Storia d'Italia. I caratteri originali*, a cura di R. Romano e C. Vivanti, Torino 1972, I, p. 286).

55. Jeannin, *Change, crédit et circulation monétaire*, cit., pp. 140-144.

XVI secolo, nei porti francesi dell'Atlantico erano quasi sconosciute assicurazione, partita doppia e cambiale.[56] Fanno semmai eccezione le Fiandre, dove, già alla fine del XIV secolo, cambiatori locali utilizzavano nei libri di conto il metodo 'alla veneziana'.[57] Soprattutto a partire dal Cinquecento, poi, questi centri si svilupparono in maniera autonoma, contribuendo notevolmente al passaggio verso la banca moderna. Van der Wee si è a più riprese concentrato su Anversa e sulle innovazioni finanziarie che la caratterizzarono nel corso del suo periodo d'oro. Per ciò che concerne il Cinque e il Seicento, egli sottolinea come permanessero due 'strade' nel rinnovamento delle tecniche bancarie: una, ispirata alla tradizione italiana, che dalle fiere di Ginevra-Lione-Genova passò ad Amsterdam; l'altra, più propensa a tendenze innovatrici, che si sviluppò sull'asse Anversa-Londra.

La prima seguì essenzialmente il percorso delineato dalle fiere medievali, nelle quali i mercanti-banchieri esercitavano un controllo sui tassi di cambio, i cui andamenti erano legati al commercio internazionale; agli italiani si aggiunsero anche operatori di altri paesi, che però seguirono la tendenza dei primi a utilizzare la lettera di cambio come maggiore strumento creditizio. Certamente di origine italiana era anche l'idea di tenere tutti i conti in una moneta fittizia, di conto, così come la consuetudine al giroconto.[58]

L'altra 'strada' fu invece quella che trasse origine dalle fiere brabantine, dove svolgevano un grande ruolo mercanti inglesi, olandesi e tedeschi; essi, tuttavia, ancora nel XV secolo usavano tecniche creditizie abbastanza primitive, anche se nel corso del XVI secolo furono sempre più numerosi i manuali di aritmetica disponibili ad Anversa. Così partita doppia e lettere di cambio iniziarono a essere utilizzate con più frequenza (anche se il loro uso comune fu comunque successivo); tuttavia le seconde – come si è già osservato – non assunsero il ruolo di strumento di credito ma mantennero in grande prevalenza quello di mezzo di trasferimento di denaro. La crescente importanza di Anversa anche come emporio di redistribuzione di prodotti extraeuropei rese però sempre più urgente lo sviluppo di strumenti finanziari adatti alle aumentate esigenze; in particolare si studiarono da un lato semplificazioni nei meccanismi di cessione dei titoli di credito a terzi, dall'altro – e contemporaneamente – forme di tutela per i creditori e un più facile accesso ad azioni legali contro debitori insolventi.[59]

88, 91

Probabilmente «le renouveau du commerce du Levant par l'Italie, la péné-

56. Bernard, *Commercio e finanza nel Medioevo*, cit., p. 265.

57. De Roover, *Aux origines d'une technique intellectuelle*, cit., p. 193.

58. H. van der Wee, *Anvers et les innovations de la technique financière aux XVIe et XVIIe siècles*, «Annales ESC», XXII (1967). Secondo lo studioso belga questo processo culminò con la fondazione della banca di Amsterdam nel 1609: con il *bank-gulden* essa utilizzava la moneta di conto unitaria, inoltre seguiva l'esempio della compensazione multilaterale delle fiere di Castiglia e infine 'accentrava' nella banca una percentuale elevatissima dei pagamenti internazionali.

59. Ivi, pp. 1073-1082.

tration de marchands du nord en Méditerranée, et peut-être plus encore l'essor financier de Gênes et des foires de Plaisance avaient ressuscité le rayonnement de la technique financière italienne, particulièrement de la lettre de change. Mais il est indubitable aussi que l'influence stimulante d'Anvers dans cette généralisation irrésistible des techniques italiennes dès la fin du XVIe siècle a été décisive». E in effetti proprio Anversa, punto di incontro principale di tutti i mercanti del Nord, era il luogo dove essi avevano potuto osservare più da vicino le tecniche italiane, per cui è innegabile che in tale ambito gli sviluppi che là avvenivano ebbero un legame con i più raffinati strumenti che venivano utilizzati in Italia; ma è altrettanto vero che tali sviluppi seguirono poi percorsi propri.[60]

Un caso esemplare è rappresentato dalla trasferibilità della lettera di cambio, elemento fondamentale per arrivare a considerare quest'ultima un vero sostituto del denaro: esistono, per fine Quattro-inizio Cinquecento, alcuni rari esemplari di lettere con girata relativi a Italia e Spagna. Tuttavia, mentre nel corso del secolo successivo l'opposizione legislativa ebbe in quelle zone un peso crescente e ne limitò grandemente la diffusione, ad Anversa la trasferibilità poté svilupparsi proprio grazie a un quadro giuridico favorevole. E un impiego diffuso della girata in Italia non pare essersi verificato se non in seguito a una sua affermazione ad Anversa, dove tale strumento trovò più ampia utilizzazione dopo il 1600 e da dove si diffuse anche negli altri principali centri del Nord Europa. La ragione può forse rinvenirsi nel fatto che in Italia la girata riguardava soprattutto assegnazioni 'in banco' (ovvero dove il beneficiario aveva un conto corrente), coerentemente con una forte tradizione di attività bancaria di deposito e di giro, mentre nel Nord Europa le lettere di cambio circolavano di mano in mano molto più comunemente che in Italia e venivano liquidate in contanti solo dopo molti passaggi. Sempre alla consuetudine di Anversa può essere fatto risalire il ricorso sempre maggiore allo sconto (ovvero la cessione del titolo a terzi prima della scadenza, ma per una cifra minore di quella nominale), che garantiva la pronta convertibilità dei titoli cambiari in moneta contante. Se i primi esempi noti sono del 1536, la pratica iniziò ad essere consueta a partire dagli anni Sessanta del XVI secolo, per trovare poi una vera diffusione solo a partire dal 1600.[61]

In ogni caso, anche se non entreremo qui in ulteriori dettagli, dato che questo breve contributo mira a dare conto delle reciproche influenze fra tecniche bancarie italiane ed europee, e non a ripercorrere una storia dell'attività bancaria nel Sud o nel Nord Europa, è da sottolineare come le innovazioni di Anversa «can be regarded as providing the essential bridge between the financial re-

60. Ivi, pp. 1084-1089, cit. a p. 1084.

61. De Roover, *L'évolution de la lettre de change*, cit., pp. 99-106; H. van der Wee, *European Banking in the Middle Ages and Early Modern Times (476-1789)*, in *A History of European Banking*, a cura di H. van der Wee e G. Kurgan-Van Hentenryk, Antwerp 2000, pp. 186-195.

volutions of Italy and England» e molti aspetti che avevano caratterizzato il successo italiano nei secoli precedenti si trasmisero in Europa proprio attraverso tale città.[62] Molti strumenti, in un modo o nell'altro, erano di origine italiana. Certamente si può escludere il biglietto di banca, introdotto in Inghilterra e poi diffuso in tutto il continente.[63]

Nella penisola italiana, nel frattempo, si stava assistendo a un cambiamento: a fianco dei banchi privati avevano fatto la loro comparsa banchi pubblici e monti di pietà, nati per limitare le speculazioni dei privati, grazie a norme statutarie assai precise, volte alla tutela della collettività, messa in pericolo a causa dei ripetuti fallimenti.[64] I Monti di pietà, nati per il prestito al consumo, avevano assunto via via funzioni più ampie, anche di erogatori di prestiti per scopi produttivi, acquisendo in tal modo quella che prima era stata una funzione peculiare delle grandi compagnie mercantili-bancarie. I banchi pubblici erano invece soprattutto volti alla regolamentazione, ad agevolazioni dei pagamenti e alla costituzione di riserve per lo Stato, e in generale non potevano fare aperture di credito a privati. Essi, però, rimasero pur sempre diretti eredi dei banchi privati di giro e di deposito, e non esercitavano una funzione fondamentale della banca moderna: quella di emettere moneta. Diversa fu la situazione nel Nord Europa, dove invece banche con questo ruolo specifico furono istituite a partire dalla seconda metà del Seicento.

Verso una conclusione

Nella trattazione che ha preceduto ci siamo soffermati sulle tecniche (pur in senso ampio, come si è detto). Abbiamo tuttavia solo accennato a un problema che non è invece di poco conto: ovvero se la 'modernità' delle tecniche bancarie corrispondesse a una 'modernità' della struttura economica che ruotava attorno agli operatori che utilizzavano quelle tecniche. Prendiamo l'esempio di Firenze: i mercanti-banchieri di tale città ricoprirono un ruolo di avanguardia che non viene certo messo in discussione, e che viene ben evidenziato dallo studio della ricchissima documentazione che si è conservata fino ai giorni nostri. Nel XV

62. Ivi, p. 196; H. Van der Wee, *The Growth of the Antwerp Market and the European Economy (fourteenth-sixteenth Centuries)*, The Hague 1963, II, pp. 433-434.

63. De Roover, *Le rôle des Italiens*, cit., p. 24 dell'estratto.

64. A metà Trecento era stata prevista a Barcellona la pena capitale per chi avesse fatto fallimento, e comunque erano generalizzate in ambito europeo politiche ostili nei confronti dei mercanti-banchieri privati, ad esempio da parte del duca di Borgogna (ivi, p. 19 dell'estratto). Mueller presenta un'approfondita analisi dei fattori che generarono i fallimenti di banche di deposito veneziane fra Tre e Quattrocento, e delle implicazioni che ne derivarono (*The Venetian Money Market*, cit., pp. 121-251).

secolo era diffuso anche fra gli strati sociali meno elevati l'utilizzo di strumenti 'avanzati' quali conti correnti, depositi ecc., che in molte aree del continente sarebbero apparsi solo secoli dopo. Tuttavia, ciò non significa automaticamente che era presente un sistema bancario moderno: se il fatto che mercanti-banchieri finanziavano altri mercanti-banchieri può essere considerato un elemento di modernità, dall'altro lato bisogna rilevare che i grandi operatori internazionali non avevano tra i loro scopi principali l'accettazione di depositi e la concessione di prestiti, quanto invece il cambio di denaro, come attività complementare al commercio; non era presente, inoltre, l'idea stessa di 'sistema', data la presenza di molti operatori privati la cui attività non era regolata, se non molto blandamente, dalle istituzioni (lo Stato o le arti); poi – lo si è visto – mancava il vero e proprio 'denaro di carta', che avrebbe preso campo solo laddove negoziabilità, trasferibilità e sconto diventarono prassi comune. Lo stesso assegno, citato in precedenza, fu certo uno strumento molto avanzato, ma ebbe una diffusione limitata nel tempo. Peraltro, anche in un ambiente fecondo come quello toscano, e in particolare nella Prato datiniana, mercanti locali contemporanei di Francesco di Marco non utilizzavano la partita doppia.[65] In altre aree della penisola la situazione era ben diversa. Né per quanto riguarda il concetto di modernità, né per quanto concerne la stessa valutazione della reale diffusione delle tecniche si possono, insomma, fare considerazioni generali sulla situazione dell'Italia, e neppure di quella dell'Italia centro-settentrionale, dato che nella maggior parte dei casi la grande maggioranza della popolazione viveva senza alcun legame con il mondo dei grandi mercanti-banchieri.[66]

Inoltre, non necessariamente tutto ciò che poteva essere considerato avanzato dal punto di vista tecnico era una *conditio sine qua non* per il successo nel campo degli affari: basti pensare all'irresistibile ascesa dei Fugger nei decenni a cavallo del Cinquecento, avvenuto con un utilizzo soltanto parziale della partita doppia. Se, insomma, è vero che «in un sistema 'aperto' il vantaggio dell'innovatore è di breve periodo in quanto, configurandosi nella pratica come una rendita, viene ben presto imitato», è doveroso anche valutare quali siano nella realtà le innovazioni vantaggiose.[67]

65. Cfr. Goldthwaite, *Local Banking*, cit., pp. 26-27 e i molti esempi citati nell'articolo; R.K. Marshall, *The Local Merchants of Prato*, Baltimore-London 1999, pp. 63-69.

66. Romano, *Una tipologia economica*, cit., I, pp. 288-289. Il dibattito è ben riassunto in M. Luzzati, *Firenze e le origini della banca moderna*, «Studi Storici», 28 (1987), in particolare pp. 430-434.

67. M. Cattini, *Credito e finanza in Italia: innovazioni e durate*, in AA.VV., *Innovazione e sviluppo. Tecnologia e organizzazione fra teoria economica e ricerca storica (secoli XVI-XX)*, Atti del secondo convegno nazionale della Sise, 4-6 marzo 1993, Bologna 1996, p. 370. L'autore sottolinea anche come «nel settore creditizio e finanziario ... raramente il mutamento venne ricercato per se stesso e, allorché si profilò, assunse piuttosto la forma di risposta adattativa a condizionamenti esterni, a vere e proprie sfide provenienti dalle istituzioni o dal mutare degli assetti economici complessivi».

Torniamo per un attimo all'uso della lettera di cambio come strumento creditizio. Si è detto che gli italiani ne erano padroni e che, anche nel corso del Cinquecento, molti operatori stranieri non ne utilizzavano le caratteristiche più 'raffinate' di strumento speculativo/creditizio. Alcuni studi recenti hanno però mostrato quanto diffuso fosse il prestito a interesse ad Augusta attorno alla metà del XVI secolo.[68] D'altronde, nei paesi protestanti già Calvino affermò la liceità dell'usura, purché non derogasse ai principi di equità e di carità. E se nell'area germanica la fine del divieto avvenne lentamente, ma comunque entro metà Seicento, in Inghilterra già nel 1517 il Parlamento abrogò le disposizioni anti-usurarie. Nei paesi cattolici, invece, un moderato interesse venne permesso solo nel 1745 dalla *Vix pervenit* di Benedetto XIV, mentre fino ad allora un piccolo interesse era stato concesso solo ai Monti di pietà dalla bolla di Leone X del 1515.[69] Il parziale utilizzo che facevano nel Nord della lettera di cambio come strumento di mutuo volto a celare l'interesse, allora, era dovuto a limiti tecnici o piuttosto a una mancanza di necessità?

Come preannunciato nelle prime pagine, terminiamo questo contributo ponendo dei quesiti, più che fornendo risposte certe. Bisogna necessariamente legare le tecniche all'importanza del ruolo di chi le utilizzava? O piuttosto ognuno le usava, modificava e adattava alle proprie esigenze? D'altronde, possiamo dire che essenzialmente due sono le ragioni che stimolano lo sviluppo di nuove tecniche nell'ambito dell'attività economica: da un lato una più efficace tutela della propria ricchezza, dall'altro la ricerca di nuovi e più remunerativi impieghi. Quando questi due obiettivi potevano essere perseguiti comunque, non vi era stimolo all'innovazione.

Per concludere, sembra appropriato rifarsi all'aneddoto narrato all'inizio. Rientrato ad Augusta dopo l'esperienza italiana, Schwarz divenne dunque il capo-contabile di quei Fugger che, strettamente legati alla famiglia degli Asburgo, giocarono un ruolo fondamentale nelle vicende finanziarie dell'Impero. L'attività di tale casa bancaria spaziava in molti settori, da quello commerciale a quello bancario, a quello estrattivo; eppure, come ammise lo stesso Schwarz pensando a quegli strumenti che aveva appreso nell'avanzata Venezia, «quando venni alla prova dei fatti realizzai che sapevo poco o nulla».[70]

68. *Zwei Augsburger Unterkaufbücher aus den Jahren 1551 bis 1558*, a cura di F. Blendiger, Stuttgart 1994.

69. B. Nelson, *Usura e cristianesimo. Per una storia della genesi dell'etica moderna*, Firenze 1967, pp. 21-22, 118-131; G. Felloni, *Moneta, credito e banche in Europa: un millennio di storia*, Genova 1997, p. 83.

70. «Da es aber zu der prob kam und in das thon, da empfand ich, das ich ein wenig mer kundt, weder gar nichts» (Weitnauer, *Venezianischer Handel der Fugger*, cit., p. 184).

Il credito al consumo in Italia: dai banchi ebraici ai Monti di pietà

MARIA GIUSEPPINA MUZZARELLI

Prestito di consumo: che cos'è

Scriveva Gino Luzzatto, ormai più di cinquant'anni fa, che il campo di attività specialmente riservato agli ebrei, almeno in Italia, era il piccolo prestito di consumo, per lo più su pegno. Per questa funzione essi erano chiamati da principi e Comuni soprattutto là dove c'era maggiore scarsità di capitali circolanti. In tale maniera si assicurava alla popolazione il piccolo credito a condizioni ben determinate e controllate.[1]

Mezzo secolo dopo non si può che consentire con Luzzatto che metteva giustamente in luce come il credito fornito dagli ebrei fosse concordato con le autorità e quindi garantito quanto a forme e quanto a interessi. La garanzia, ben inteso, era biunivoca e da una tale pattuizione ricavavano elementi di soddisfazione e sicurezza sia i fornitori del servizio sia i clienti: i Comuni, i signori oppure i semplici cittadini. Negli ultimi tempi si è stati forse un po' meno perentori nell'asserire che il credito degli ebrei riguardava solo il piccolo prestito di consumo e oggi in particolare pare sia opportuno riflettere sul concetto di prestito di consumo per capirne meglio carattere, portata e conseguenze.

La formula 'prestito di consumo' viene usualmente impiegata in combinazione/opposizione con un altro tipo di prestito definito di impresa e sembra ripartire il campo del credito in due distinte aree: l'una volta ad anticipare somme modeste da utilizzare per la mera sopravvivenza e l'altra a fornire denaro a chi intenda *mercatare*, per ricorrere a un'espressione usata dagli estensori degli statuti tardo-medievali dei Monti di pietà quando proibivano questo impiego dei

1. G. Luzzatto, *Storia economica d'Italia. Il Medioevo*, Firenze 1963 (I ediz. Roma 1948), pp. 294-295.

denari anticipati dai Monti. *Mercatare* significava investire il denaro in merci da commerciare o comunque usarlo per affari e non per superare difficoltà personali o famigliari. La conseguenza era che il prestito di consumo non era destinato a produrre ricchezza ma assicurava solo il sostentamento, mentre quello di impresa mirava per definizione a procurare, con rischio, dei guadagni. Fornire denaro a chi chiedeva prestito di impresa era rischioso e complicato anche se certamente vantaggioso. Tutto considerato era più sicuro – stante la consegna del pegno – e meno indaginoso, vista la trasparenza dell'operazione, il prestito su pegno inteso come piccolo credito di consumo. Ma quanto era piccolo e che cosa significa 'di consumo'?

La questione non risulta molto approfondita dalla storiografia. Il piccolo credito è ritenuto un settore marginale e relativo a fenomeni – la sopravvivenza dei singoli o delle famiglie – di scarso interesse per la storia economica essendo contiguo al campo dell'assistenza. Da questa concezione è derivata anche l'idea che i Monti di pietà, attivi nel campo del piccolo prestito, fossero istituti di carattere prevalentemente se non esclusivamente benefico. Si tratta di posizioni che non danno luogo a procedere in quanto derivate da un approccio rigido e scarsamente rispettoso della specificità storica dell'economia preindustriale, spesso considerata in funzione di ciò che sarebbe accaduto in seguito.

Sta di fatto che chi si occupa di questo tema deve fare i conti con la ricorrente sottovalutazione, da parte degli storici dell'economia, del ruolo del consumo, «prevalentemente trattato in termini descrittivi e talvolta persino avulso dal ragionamento economico e collocato tra gli studi sul costume».[2]

Dagli anni Ottanta del XX secolo si è sviluppata, in un'area subdisciplinare specialistica della sociologia, una certa attenzione per i consumi grazie a riflessioni compiute in ambiente francese da studiosi quali Bataille, Baudrillard o Bourdieu.[3] Prima di allora i consumi erano oggetto di interesse sociologico ed economico solo se cospicui e in questo caso venivano considerati negativamente in quanto giudicati sprechi. Di recente si è preso a considerare il consumatore, anche il piccolo consumatore, come un agente attivo che crea ricchezza e comunica messaggi.

La crescente attenzione per i consumi e i consumatori da parte di sociologi ed economisti non ha però sfiorato l'ambito del cosiddetto prestito di consumo al quale è rimasta, senza meritare ulteriori approfondimenti, l'etichetta di attività creditizia minore. In realtà era la maggioranza, anzi la stragrande maggioranza della popolazione di una qualsiasi città degli ultimi secoli del Medioevo a

2. L. Palermo, *Sviluppo economico e società preindustriali. Cicli, strutture e congiunture in Europa dal Medioevo alla prima Età moderna*, Roma 1997, p. 109.

3. Cfr. G. Fabris, *Il consumo tra sociologia e altre discipline*, in *Consumi e organizzazioni*, a cura di G. Fabris e V. Codeluppi, Milano 2001, pp. 7-10; R. Sassatelli, *Consumer Culture. History, Theory and Politics*, Los Angeles 2007.

essere coinvolta da questo tipo di prestito e quindi, almeno dal punto di vista della clientela, si trattava di un'attività di primaria importanza. Va poi osservato che piccolo, come è noto, non è aggettivo capace di precisare una dimensione e inoltre che l'insieme di tanti prestiti di piccola, ancorché imprecisata, entità poteva determinare un giro di denaro di ragguardevole importanza. Il piccolo e anche piccolissimo prestito, prestito di consumo come si è detto, si traduceva in consumi, appunto, e quindi comportava acquisti e implicava attività economiche e relativi guadagni.

Ne scaturisce che anche il prestito di consumo era ed è produttivo: produce un miglioramento della condizione del singolo ma anche dell'economia cittadina. Esso sosteneva e sostiene i consumi, piccoli sì ma, come si diceva, numerosi piccoli prestiti di consumo potevano e possono avere effetti importanti sull'economia cittadina specie se si considerano città di modeste proporzioni.

La specificazione di consumo si contrappone non solo a quella di impresa ma anche alla formula che allude alla inconsuntibilità di beni definiti durevoli. In via teorica il prestito di consumo avrebbe dovuto prevedere l'impiego del denaro solo per beni consumabili e non durevoli rendendo possibile al povero procurarsi quanto necessario alla sopravvivenza e cioè cibo e generi altrettanto essenziali. Il presupposto era che beni durevoli e costosi non sarebbero stati alla portata dei meno abbienti nemmeno qualora questi ultimi fossero riusciti a ottenere un prestito. Una specie di rivoluzione al riguardo ha avuto luogo, in tempi assai prossimi ai nostri, con la formula delle vendite a rate che, tramite una sorta di ipoteca del futuro, hanno consentito anche ai meno abbienti di accedere a beni durevoli di alto costo. Solo con la rateizzazione del costo di un bene di alto valore il piccolo prestito poteva rendere accessibile beni del genere anche ai meno abbienti.[4]

Tutto ciò valeva anche per il Medioevo e per la prima Età moderna, epoche connotate da una strutturale debolezza della domanda. Per espandere o anche solo per mantenere a livelli accettabili i consumi occorreva sostenerli, vuoi con la dilazione dei pagamenti, analoga alla più recente rateizzazione, vuoi con la vendita a credito. Sta di fatto che quasi tutti i contratti di compra-vendita implicavano elementi creditizi. In una società nella quale senza ricorrere al credito sarebbe stato difficile soddisfare qualsiasi domanda, l'ambito del cosiddetto piccolo prestito di consumo doveva essere molto ampio e frequentato da individui socialmente diversificati. Altrettanto diversificati erano i fornitori di questo servizio che certamente non era praticato solo nei banchi degli ebrei. In questi ultimi non si svolgevano solo modeste anticipazioni di denaro in un giro di affari scarsamente rilevante sul piano economico complessivo. Anziché bollare come di

4. Cfr. G. Caravale, *Il credito al consumo*, Torino 1960.

scarso rilievo il prestito di consumo gestito dagli ebrei in quanto attività minore, è tempo di applicarsi all'analisi della sua effettiva consistenza e delle implicazioni sociali prodotte.

La rivalutazione del piccolo prestito

Negli ultimi tempi si è scoperta la funzione emancipatoria del piccolo prestito che mette in grado molti, anche di modesta condizione, di accedere ai consumi con vantaggi sia per i singoli individui sia per la collettività. La pratica del microcredito rientra nelle strategie mondiali per sconfiggere la povertà e l'idea che ispira tale pratica è che i poveri meno poveri vadano trattati da potenziali consumatori e non da oggetto di beneficenza. Attivando, con il ricorso a un credito a condizioni particolari, le scarse ma pur esistenti energie dei molti individui che costituiscono la base della piramide sociale si realizza un doppio obiettivo: migliorare le condizioni dei poveri meno poveri e nel contempo sostenere il mercato.[5]

I poveri meno poveri erano per definizione, anzi per statuto, i clienti dei Monti di pietà inventati nel tardo Medioevo ed erano una delle componenti del variegato corpo dei clienti dei banchi di prestito privati, ebraici e non. I veri e propri poveri non potevano accedere a nessuna forma di prestito non avendo niente da offrire a garanzia della restituzione. Per i più poveri valeva il precetto cristiano dell'elemosina mentre per i meno poveri funzionava il prestito su pegno. Il pegno era il segno della solvibilità e il marchio della differenza che correva fra i *pauperes* e i *pauperes pinguiores*.[6] Questi ultimi, se si rivolgevano ai banchi privati di prestito, dovevano pagare tassi di interesse che andavano dal 30 al 50% quando non erano anche più elevati. È evidente che simili tassi mal si conciliavano con un prestito richiesto per la sussistenza. Dalla sussistenza si sarebbe automaticamente o quasi passati alla necessità di assistenza. Proprio per evitare ciò, e per consentire un eventuale superamento di uno stato di bisogno evitando un ulteriore peggioramento della condizione del singolo, vennero ideati intorno alla metà del XV secolo i Monti di pietà. Il cardine dell'azione di questi ultimi era costituito dal bassissimo quando non inesistente costo del denaro anticipato a una tipologia ben precisa – almeno teoricamente – di clienti.[7]

Tanto i presupposti teorici quanto le scarse ma non inesistenti attestazio-

5. C.K. Prahalad, *The Fortune at the Bottom of the Pyramid*, Upper Saddle River 2005.

6. La definizione è del domenicano Annio da Viterbo: cfr. M.G. Muzzarelli, *Un "deposito apostolico" per i poveri meno poveri, ovvero l'invenzione del Monte di pietà*, in *Povertà e innovazioni istituzionali in Italia. Dal medioevo ad oggi*, a cura di V. Zamagni, Bologna 2000, p. 85.

7. M.G. Muzzarelli, *Il denaro e la salvezza. L'invenzione del Monte di pietà*, Bologna 2001, pp. 198-204.

ni documentate dell'azione del Monte consentono di capire che la clientela era composta da uomini e donne che accedevano al piccolo prestito non solo per sopravvivere. Se il prestito di consumo lo si intende come finalizzato all'acquisizione di beni non durevoli quali il cibo o la legna per il fuoco, già i clienti dei Monti, poveri ma non poverissimi e comunque in grado di presentare un pegno che valesse almeno un terzo di più di quanto chiesto in prestito, non paiono limitarsi a chiedere denaro solo per sopravvivere. Eppure i Monti scelsero di operare solo a favore di una fascia ben definita di clienti: cittadini di buona fama e disposti a giurare sul buon uso del denaro ricevuto e in qualche caso anche a impegnarsi a non usarlo per *mercatare*. Se dai pegni presentati è possibile ricostruire un profilo di cliente un po' diverso dal povero alle prese con problemi di sussistenza,[8] ciò induce a ripensare alla consistenza e al significato del prestito di consumo nel suo complesso.

Indipendentemente dai Monti di pietà, il prestito su pegno non può essere liquidato come poco significativo e riservato a frange di marginali. Esso ebbe molte facce e coinvolse fasce diverse di popolazione. Il cosiddetto piccolo prestito dei banchi privati spesso non era che una parte dell'attività creditizia che aveva luogo in quei banchi. Lo stesso cliente poteva chiedere ora piccolissimi prestiti per la sopravvivenza, ora prestiti meno esigui per sostenere modeste attività economiche. Lo stesso banchiere che prestava poche lire a fronte della consegna di un mantello *uso*, anticipava cifre di tutt'altra entità a personaggi importanti che offrivano come garanzia gioielli di valore. Eppure tutta questa attività va sotto l'unica definizione di piccolo prestito di consumo che suona pertanto un po' liquidatoria.

Il piccolo prestito non è stato e non è un piccolo fenomeno economico e sociale ma un importante campo d'azione per la sopravvivenza e lo sviluppo sociale. Lo è stato e lo è ancora. Agire istituzionalmente in questo campo inventando, come si è fatto nel basso Medioevo, il prestito convenzionato con gli ebrei o ideando, tra Medioevo ed Età moderna, i Monti di pietà ha comportato attivare forze che si rischiava di vedere compromesse dall'alto costo del denaro e innescare importanti fenomeni sociali. La calmierazione del piccolo prestito di consumo e l'accesso al prestito di chi era povero ma non poverissimo sono state iniziative, dotate di valenze economiche, sociali e morali, che hanno sperimentato politiche ridistributive della ricchezza, che hanno incentivato modeste iniziativa economiche, che hanno prodotto risparmi nell'ambito assistenziale, che hanno dato fiducia ai singoli. Nel caso dei banchi ebraici l'esperienza ha dimostrato quali benefici effetti possano derivare da una politica collaborativa nei riguardi di chi appartiene a una diversa comunità mentre il caso dei Monti pii ha

8. M. Fornasari, *Economia e credito a Bologna nel Quattrocento: la fondazione del Monte di pietà*, «Società e Storia», 61 (1993) e Id., *Il "Thesoro" della città. Il Monte di pietà e l'economia bolognese nei secoli XV e XVI*, Bologna 1993, in particolare Appendice, pp. 279-306.

dimostrato l'efficacia della risposta collettiva ai bisogni cittadini e il vantaggio anche economico della solidarietà. Tanto i banchi ebraici quanto i Monti di pietà hanno consentito anche ai meno ricchi l'accesso al credito che, seppur piccolo e di consumo, ha favorito l'economia cittadina.

Commistione/confusione

La distinzione fra prestito di consumo e prestito di impresa allude a una differenza che non sempre fu netta e a una separazione, quanto ai luoghi dell'offerta di credito, che non pertiene all'epoca di nostro interesse o quanto meno non è usuale in quei secoli e tanto meno ineludibile.

Chi anticipava somme consistenti a mercanti o a imprese spesso praticava anche il piccolo prestito così come chi prestava su pegno anticipava somme tanto di modesta come di elevata consistenza. Spesso chi cambiava valuta apriva e chiudeva conti correnti, compiva addebiti e accrediti sui medesimi e prestava denaro anche su pegno. Non di rado, come dimostrato nel caso dell'attività bancaria svolta dal padovano Giovanni di Reprandino Orsato, la commistione/confusione riguardava non solo le funzioni ma anche i capitali privati del banchiere e quelli del banco.[9] Le stesse persone negli stessi luoghi svolgevano dunque più d'una attività legata al credito.

Esistevano ovviamente livelli diversificati di impegno bancario: le grandi compagnie mercantili svolgevano anche attività bancaria, come insegna il caso del banco Medici assai ben studiato ormai diversi decenni fa da de Roover.[10] Non solo le grandi compagnie ma anche i banchi di cambio di proporzioni più modeste e dal giro d'affari locale e niente affatto internazionale, come quello che caratterizzava invece le più importanti compagnie, agivano da banchieri, da cambiavalute e da prestatori su pegno in una molteplicità di servizi non ben rappresentata dalla distinzione fra prestito di consumo e prestito di impresa. È il caso, ad esempio, del banco fiorentino di Bindaccio de' Cerchi la cui attività è in parte ricostruibile grazie ad alcuni libri di conti giunti fino a noi:[11] quando si può disporre della testimonianza di libri del genere ci si rende ragione della varietà di affari gestiti da un banchiere.[12]

1, 136, 148, 153

9. E. Demo, *"Date per mio nome al portatore de questa". L'operato di un banchiere padovano del primo Quattrocento*, in *Politiche del credito. Investimento, consumo, solidarietà*, Atti del congresso internazionale Cassa di Risparmio di Asti, 20-22 marzo 2003, a cura di G. Boschiero e B. Molina, Asti 2004, pp. 276-296.

10. R. de Roover, *Il banco Medici dalle origini al declino (1397-1494)*, Firenze 1970 (ediz. orig. Cambridge, Mass., 1963).

11. R. Goldthwaite, *Local Banking in Renaissance Florence*, «The Journal of European Economic History», 14 (1985).

12. S. Tognetti, *L'attività di banca locale di una grande compagnia fiorentina del XV secolo*, «Archivio Storico Italiano», CLV (1997).

Dal memoriale redatto negli anni Trenta del Quattrocento dal già citato Giovanni Orsato si ricava l'esercizio di una multiforme attività bancaria unita alla compravendita di cereali, vino, tessuti e altri beni.[13] Sempre da un memoriale, tenuto questa volta dal maestro dello Studio bolognese Giovanni Gaspare da Sala, si evince che un privato cittadino, noto per lo svolgimento di tutt'altra attività, praticava usualmente il prestito su pegno. Dalle registrazioni riportate si rileva che si trattava di anticipazioni di somme modeste che raramente superavano le 10 lire e che frequentemente riguardavano cifre inferiori. Tra i prestiti più elevati se ne segnala uno di 210 lire per l'acquisto di una serva, tra i meno elevati uno di 3 lire per riscattare un libro dato in pegno.[14] L'analisi di queste registrazioni ci introduce a una pratica che doveva essere alquanto diffusa all'epoca e che consisteva in una sorta di triangolazione fra un privato cittadino con qualche risorsa, il gestore di un banco di prestito su pegno e chi necessitava di un piccolo prestito e non aveva nemmeno un oggetto da offrire come pegno oppure chi aveva impegnato un oggetto che gli era necessario e non aveva il denaro per riscattarlo. In questi casi fra cliente del banco e prestatore su pegno si inseriva una terza figura che svolgeva una parte, seppure in maniera non ufficiale, nella relazione creditizia. La parte consisteva in sostanza nel rendere disponibile un oggetto da impegnare.

In più occasioni Giovanni Gaspare da Sala consegna infatti oggetti, che dichiara di offrire in comodato e cioè in prestito gratuito, a persone che li avrebbero poi impegnati al banco di prestito su pegno. Ciò evidentemente aveva luogo in una fase nella quale Giovanni Gaspare non disponeva di denaro liquido da prestare direttamente. In altre occasioni, invece, egli stesso prestava denaro per riscattare, come nel caso ricordato, un libro dato in pegno o per altri usi. Dalle notazioni si evince anche l'esercizio diretto da parte sua di prestito su pegno. Nella fluidità delle sue funzioni rientrava anche la possibilità concessa ai clienti di scambiare un pegno con l'altro, il rinnovo di pegni scaduti e la restituzione rateale dei mutui. Il memoriale registra rapporti diretti con il banco ebraico in una interscambiabilità di ruoli che lo vedevano ora cliente degli ebrei ora anticipatore del pegno che altri avrebbe portato al banco ebraico. In tutti questi casi attorno all'attività di prestito di denaro ruotava una circolazione di oggetti che spesso erano capi d'abbigliamento.

Intorno a un uomo come Giovanni Gaspare da Sala – e a quanti altri operavano come lui in questo modo – e intorno agli ebrei che gestivano i banchi convenzionati gravitava una fiorente attività di prestito su pegno che vantava

13. Demo, *"Date per mio nome al portatore de questa"*, cit., p. 285.

14. A. Tugnoli Aprile, *Il patrimonio e il lignaggio. Attività finanziarie, impegno politico e memoria familiare di un nobile bolognese alla fine del XV secolo*, Bologna 1996, p. 163 e *I libri di famiglia dei Da Sala*, a cura di A. Tugnoli Aprile, Spoleto 1997.

dunque molte varianti e numerosi erogatori del servizio. A segnare la differenza era l'ufficialità o meno dell'attività. Vi erano infatti prestatori ufficiali cristiani, prestatori ufficiali ebrei e un numero incalcolabile di prestatori 'sommersi' come il nostro maestro dello Studio bolognese. Tutte o quasi le persone che avevano un po' di denaro lo facevano circolare e lo prestavano senza posa, così come prestavano vesti o gioielli anche solo per poche ore.

I comodati ai quali si è fatto riferimento consistevano in prestiti teoricamente ad uso gratuito ma che in realtà erano raramente tali.[15] Essi appaiono assai prossimi ai noleggi frequentemente praticati in epoca medievale come nella prima Età moderna. Gioielli e abiti venivano noleggiati e altrettanto frequentemente usati come malleveria quando impegnati come cauzione per prendere denaro in prestito o quando venivano accettati come garanzia di restituzione di un debito.[16] La strutturale debolezza della domanda richiedeva il sostegno dei consumi anche più modesti attraverso il credito. Quest'ultimo spesso si fondava sul pegno e cioè sul riutilizzo, non a fini d'uso ma di garanzia, di un oggetto costituito frequentemente da un abito. Si può dire che i consumi si finanziavano attraverso altri beni o in uno scambio diretto o attraverso la pratica del prestito su pegno.

Banchieri cristiani e banchieri ebraici

Nelle città del basso Medioevo cambiatori e banchieri assicuravano il denaro che era tanto più richiesto quanto più era scarsa la circolazione di liquido. Le grandi città, Firenze o Bologna per esemplificare, erano in grado di far fronte alla richiesta di credito, sia di piccolo sia di grande credito, con maggiore facilità. Là dove i traffici erano sviluppati da tempo o, come a Bologna, là dove la presenza di forestieri richiamati in città dall'università aveva richiesto un servizio di cambio, questo aveva potuto svilupparsi assicurando oltre al cambio il credito.[17] Accanto a operatori locali agivano spesso specialisti del credito provenienti dalla Toscana – da Firenze, da Pistoia, da Lucca[18] – oppure da alcune zone del Piemonte e in particolare da Asti e da Chieri.[19]

15. Forse qualche volta il mutuo era gratuito, specie se era coinvolto un parente stretto, ma nella maggioranza dei casi il concedente percepiva un interesse che, stando a una dichiarazione esplicita resa nel caso di un prestito di discreta entità – 150 lire –, ammontava al 28% annuo: Tugnoli Aprile, *Il patrimonio e il lignaggio*, cit., p. 167.

16. P. Allerston, *L'abito come articolo di scambio nella società dell'Età moderna: alcune implicazioni*, in *Le trame della moda*, a cura di A.G. Cavagna e G. Butazzi, Roma 1995.

17. A.I. Pini, *L'arte del cambio a Bologna nel XIII secolo*, «L'Archiginnasio», LVII (1962).

18. Th.W. Blomquist, *Le origini della banca in un Comune italiano: Lucca nel XIII secolo*, in R.S. Lopez, J. Le Goff, Th.W. Blomquist, M. Preswich, J.-F. Bergier, M. Riu, J.H. Munro, B. Krekić, A.L. Udovitch, H.A. Miskimin, *L'alba della banca. Le origini del sistema bancario tra Medioevo ed Età moderna*, Bari 1982.

19. Cfr. *L'uomo del banco dei pegni. "Lombardi" e mercato del denaro nell'Europa medievale*, a

Tra il secondo e il quarto decennio del Duecento nascono dall'esercizio saltuario del credito in occasione di fiere e mercati vere e proprie specializzazioni che portano all'impianto di casane o banchi. Fra quanti si specializzano si distinguono i prestatori italiani conosciuti come caorsini o lombardi. Fra gli italiani più attivi in questo settore sono gli astigiani e i chieresi che esercitano tanto il piccolo prestito come il grande credito. Fra Due e Trecento si profila, pur nella interscambiabilità delle funzioni, la distinzione fra i grandi mercanti-prestatori e i prestatori veri e propri e soprattutto fuori d'Italia sono gli astigiani e i chieresi, come si è detto, a dedicarsi specificamente al mercato del denaro.[20]

Le posizioni ecclesiastiche contrarie alla richiesta di interesse in caso di mutuo non hanno certamente impedito all'attività creditizia di aver luogo e di svilupparsi, ma hanno altrettanto sicuramente reso più complicata la risposta alla domanda di credito non agevolando soprattutto la soddisfazione del piccolo credito. Da ciò la difficoltà a riconoscere esplicitamente l'esercizio dell'attività creditizia spesso celata da altre attività, quella del cambio ad esempio, o più in generale da imprese mercantili.

La presenza in alcuni statuti, in quello di Bologna del 1250[21] o nello statuto di Pistoia del 1339-1340 e del 1344,[22] di norme a disciplinamento dei contratti di tipo creditizio attesta l'esercizio del credito e anche il suo riconoscimento. A Lucca fin dagli anni Trenta del Trecento era riconosciuta la pubblica attività dei prestatori su pegno tenuti a versare ogni anno una tassa di esercizio.[23]

Il caso di Pistoia presenta elementi di particolare interesse. È noto che i pistoiesi diedero, a partire dalla fine del XII secolo, un forte sviluppo alle attività bancarie svolte non solo da compagnie specializzate ma anche da prestatori occasionali. Ben presto i pistoiesi esportarono fuori città la loro specializzazione e alla fine del Duecento alcuni mercanti e prestatori provenienti da Pistoia compaiono ad esempio nell'estimo bolognese con formule inequivoche circa l'esercizio da parte loro di attività feneratizia con conseguente acquisizione di «terre, vigne e casamenti» per insolvenza dei loro clienti.[24] In quello stesso periodo

cura di R. Bordone, Torino 1994; L. Castellani, *Gli uomini d'affari astigiani. Politica e denaro tra il Piemonte e l'Europa (1270-1312)*, Torino 1998; R. Bordone, *Lombardi come "usurai manifesti": un mito storiografico*, «Società e Storia», 100-101 (2003).

20. *L'uomo del banco dei pegni*, cit.; R. Bordone, *I Lombardi in Europa: uno sguardo d'insieme*, in *Lombardi in Europa nel Medioevo*, a cura di R. Bordone e F. Spinelli, Milano 2005.

21. Cfr. M.G. Muzzarelli, *I banchi ebraici, il Monte Pio e i mercati del denaro a Bologna tra XIII e XVI secolo*, in *Storia di Bologna*, Bologna 2007. Il capitolo XIV degli Statuti cittadini del 1250 consentiva di percepire come interesse 4 denari per lira al mese (il 20% all'anno).

22. M.E. Garruto, *Il credito al consumo. Prestatori cristiani a Lucca fra Tre e Quattrocento*, Atti del convegno «Paolo Guinigi e il suo tempo», Lucca, 24-25 maggio 2001, «Quaderni Lucchesi di studi sul Medioevo e sul Rinascimento», IV, 1-2 (gennaio-dicembre 2003), in particolare p. 161.

23. Garruto, *Il credito al consumo*, cit., p. 164.

24. G. Francesconi, *Qualche considerazione sull'attività creditizia a Pistoia in età comunale*, in

su 64 prestatori forestieri registrati sul mercato bolognese, ben 12, corrispondenti circa al 20% del totale, erano pistoiesi. Stante un così significativo sviluppo di questa attività ci si potrebbe aspettare una politica concessiva da parte delle autorità comunali nei confronti dei prestatori, ma la normativa statutaria delude le aspettative confermando una linea di rigore nei confronti delle usure in armonia con le posizioni della legislazione canonica. Gli statuti del 1344 stabiliscono che nessun pubblico usuraio può abitare in città mentre è nota la folta presenza di prestatori. Accanto a questa dichiarazione compaiono norme che regolamentano l'attività dei feneratori ai quali viene concesso di esercitare di domenica, di iniziare il lavoro prima della campana del mattino e di proseguirlo anche dopo gli ultimi rintocchi di quella della sera.[25] Ciò ben rappresenta l'instancabile attività dei prestatori che facevano girare senza sosta il denaro accumulando ingenti ricchezze, come lamentato da buoni conoscitori della loro attività quali erano i predicatori trecenteschi e quattrocenteschi che tuonavano nelle piazze contro le usure. Bernardino da Feltre diceva dell'usuraio: «Non est peccatum che aliquando non cesset. Sed iste indiavolato mai non dorme, semper lavora, non custodit festum ... sempre ciza el sangue, die noctuque, sive dormiat, sive comedet, sempre el suo dinar lavora; similis diabolo qui nunquam dormit, sed sempre malum operatur».[26]

Dunque divieti e concessioni coesistevano in una contraddittorietà ed ambiguità che caratterizza questa vicenda.

Sta di fatto che praticamente in ogni città operavano banchieri cristiani che avevano i loro banchi in aree nelle quali era noto che si svolgeva questo tipo di attività. Ai loro banchi si affiancarono quelli degli ebrei che copiarono pratiche e tecniche dai banchieri cristiani.[27] I Monti di pietà a loro volta si valsero dell'esperienza operativa dei banchieri ebrei. La storiografia oggi concorda nel sostenere la coesistenza, non priva però di eccezioni, del prestito cristiano con quello ebraico prima e dopo la creazione dei Monti pii.[28]

Non sempre l'offerta dei Comuni di stipulare una condotta trovò subitanea accoglienza da parte degli ebrei ma alla fine del XIV secolo non v'era in Italia una regione priva di postazioni ebraiche di credito: nelle Marche tra Quattro e Cinquecento si contavano più di sessanta insediamenti ebraici[29] e nelle grandi

L'attività creditizia nella Toscana comunale, Atti del convegno di studi, Pistoia-Colle Val d'Elsa, 26-27 settembre 1998, a cura di A. Duccini e G. Francesconi, Pistoia 2000, pp. 165-166.

25. Ivi, pp. 185-186.

26. *Sermoni del b. Bernardino Tomitano da Feltre*, a cura di p. C. Varischi da Milano, Milano 1964, I, sermone 33 *De usura*, p. 426.

27. M. Luzzati, *Banchi e insediamenti ebraici nell'Italia centro-settentrionale fra tardo Medioevo e inizi dell'Età moderna*, in *Gli ebrei in Italia*, *Storia d'Italia*, *Annali*, 11, I, Torino 1996.

28. D. Montanari, *Banchi feneratizi e Monti di pietà in Lombardia*, in *Monti di pietà e presenza ebraica in Italia (secoli XV-XVIII)*, a cura di D. Montanari, Roma 1999, p. 77.

29. Luzzati, *Banchi e insediamenti ebraici*, cit., p. 191.

città ne funzionavano più d'uno: a Bologna, ad esempio, alla fine del Trecento si contavano nove banchi ebraici.[30]

A Lucca l'area ove si esercitava il credito era la piazza della cattedrale,[31] mentre a Bologna era il cosiddetto Trebbo del Cambio, situato nei pressi del mercato di mezzo. Alcuni banchieri operavano probabilmente all'aperto, seduti dietro a un banco portativo coperto da un tettuccio. Sembra che una tenda colorata rendesse distinguibili i banchi dei cristiani, tenda rossa, da quelli degli ebrei segnalati secondo Poliakov da una tenda blu.[32] Nel corso del XIV secolo i banchieri ebrei operavano praticamente dovunque in sedi stabili nelle quali esercitarono credito su pegno più generazioni di prestatori. A Bologna fino a cinque generazioni di appartenenti alla famiglia Sforno svolsero la loro attività nella medesima sede.[33] Ovviamente la lunga permanenza nello stesso banco rendeva nota a tutti la sua localizzazione e riferirsi a un banco era un modo per indicare con sicurezza un'area della città.

Necessari e stabili, i banchi degli ebrei erano una delle istituzioni cittadine, uno degli strumenti di governo dei bisogni della città ma anche un luogo di scambio culturale e un'occasione di esercizio dell'arte della relazione fra diversi. Soprattutto, oltre ad arricchire chi li gestiva, i banchi rafforzavano l'economia cittadina sostenendo il Comune, sostenendo imprese ma soprattutto sostenendo i consumi dei meno abbienti.

I banchieri ebrei cominciarono ad affiancarsi a quelli cristiani, cittadini e anche forestieri, a partire dal secondo Duecento. Fu allora che moltissime città, grandi e piccole dell'Italia centrale e settentrionale, vennero raggiunte da piccoli gruppi di ebrei disposti ad aprire un banco in città.

Come ha osservato Michele Luzzati, grazie ai numerosi studi dedicati agli ebrei nell'Italia centro-settentrionale, il quadro delle località in cui essi si insediarono e risiedettero stabilmente è ormai definito.[34] Nelle Marche si segnalano insediamenti importanti già dall'ultimo quarto del Duecento e tra Quattro e Cinquecento furono sessanta le località in cui gli ebrei risiedettero e operarono. In alcune città della Toscana si installarono già alla fine del Duecento: così a Pisa, ad esempio, mentre a Siena si insediarono oltre mezzo secolo dopo. A Lucca i prestatori ebrei furono attivi solo nell'ultimo decennio del Trecento. A Firenze si praticarono politiche ora di accoglienza e ora di chiusura nei riguardi degli ebrei, favoriti in particolare dai Medici. In Emilia-Romagna – si fa ricorso solo

30. M.G. Muzzarelli, *I banchieri ebrei e la città*, in *Banchi ebraici a Bologna nel XV secolo*, a cura di M.G. Muzzarelli, Bologna 1994, p. 155.

31. Blomquist, *Le origini della banca in un Comune italiano*, cit., pp. 65-66.

32. L. Poliakov, *I banchieri ebrei e la Santa Sede dal XIII al XVII secolo*, Roma 1974 (ediz. orig. Paris 1965), p. 103.

33. M.G. Muzzarelli, *Ebrei, famiglie e città. Gli Sforno "di Bologna"*, «Zakhor. Rivista di Storia degli Ebrei d'Italia», III (1999).

34. Luzzati, *Banchi e insediamenti ebraici*, cit., pp. 188 sgg.

per comodità alle distrettuazioni regionali che ovviamente non corrispondono ad alcuna realtà medievale – sembra che il primo stanziamento sia stato quello di Bologna intorno alla metà del XIV secolo, ben presto seguito da molti altri. In Lombardia la prima autorizzazione ad aprire un banco risale al 1386 e a partire da quella data gli insediamenti si moltiplicarono. In Piemonte gli ebrei cominciarono a fissarsi verso la fine del XIV secolo mentre in Liguria ebbero luogo resistenze agli insediamenti ebraici.[35] Dunque vi furono aree in cui vennero accolti prima e più favorevolmente rispetto ad aree o città in cui aprirono banchi tardivamente o non li aprirono che per brevi periodi. Venezia costituisce un interessante caso di resistenza all'accoglienza e di precoce espulsione con accettazione però degli ebrei nella vicina Mestre.[36] A Roma la presenza ebraica è ininterrotta e da Roma alla fine dell'esilio avignonese prese avvio un esodo di ebrei approvato, se non pianificato dai pontefici, verso i comuni dello Stato della Chiesa dove vennero attivati banchi per il prestito autorizzato e convenzionato.[37]

I banchieri venivano sollecitati dalle autorità cittadine a insediarsi in città e ad aprire un banco secondo modalità previste e regolamentate nelle 'condotte'. La loro venuta non comportò la sparizione dei banchieri cristiani ai quali gli ebrei semplicemente si affiancarono. A Bologna, nel libro delle entrate del Comune del 1388, sono registrati fra i feneratori undici ebrei e sei cristiani ma dopo qualche anno i cristiani o abbandonarono il campo o continuarono a impegnarvisi in forme diverse.[38] I grandi banchi dei cristiani non cessarono di operare e anzi, come è dimostrato per Bologna, non esitavano a collaborare con i banchieri ebrei.[39] Fu soprattutto l'attività del piccolo prestito, quello definito di consumo, che divenne appannaggio pressoché esclusivo degli ebrei. Era un'attività feneratizia esplicita che, benché esercitata a condizioni concordate, non mancava di esporre chi l'esercitava all'aggressività di chi non riusciva a recuperare il proprio credito e ciò soprattutto in particolari circostanze, quando le difficoltà economiche si facevano più pressanti del solito o quando i predicatori soffiavano sul fuoco. Questo è quanto accadde in più di un caso quando, nella seconda metà del XV secolo, venne avanzata dai Minori Osservanti la proposta di fondare un Monte di pietà.

A Bologna, come in tutte le città in cui si insediarono, i banchieri ebrei tesero a moltiplicare le loro postazioni. Pagavano una tassa annua alle autorità cit-

35. Ivi, pp. 187-211 per indicazioni regione per regione nell'Italia centro-settentrionale.

36. R.C. Mueller, *Le prêteurs juifs de Venise au Moyen Âge*, «Annales ESC», 30 (1975); B. Pullan, *Rich and Poor in Renaissance Venice. The Social Institution of a Catholic State*, Oxford 1971, pp. 431-621 (cfr. l'ediz. it. *La politica sociale della repubblica di Venezia 1500-1620*, Roma 1982, in particolare vol. II, *Gli ebrei veneziani e il Monte di pietà*).

37. A. Toaff, *Gli ebrei a Roma*, in *Gli ebrei in Italia*, cit., p. 140.

38. Muzzarelli, *I banchieri ebrei e la città*, cit., p. 96.

39. Fornasari, *Il "Thesoro" della città*, cit., pp. 154-167.

tadine ed essa costituiva una sorta di licenza d'esercizio del prestito. A Firenze nel 1471 pagavano 1200 fiorini, a Siena 1500 lire, nel milanese 3000 lire.[40] Oltre a questa tassa, erano tenuti a prestare al Comune o ai signori denaro a condizioni di favore. A tutti gli altri prestavano al tasso fissato nella convenzione. Si trattava di percentuali che oscillavano fra il 20 e il 40% annuo, tassi analoghi a quelli che risulta applicassero i banchieri cristiani.

Una delle probabili ragioni del grande favore accordato dalle autorità cittadine agli ebrei disposti a svolgere attività feneratizia stringendo una convenzione era probabilmente costituita dalla difficoltà di disciplinare l'esercizio diffuso di prestito da parte di tutti quei cristiani che avevano un po' di denaro. Il rischio era quello di assistere al dilagare a macchia d'olio di questa lucrosa attività senza nessuna possibilità di controllo da parte delle autorità. Queste ultime riconoscevano infatti i prestatori di professione, cittadini o forestieri, e regolamentavano la loro attività ma avevano le mani legate nei confronti di chi prestava occasionalmente o in maniera sommersa. Impiantare un banco ebraico voleva dire convogliare i cittadini bisognosi di credito verso un'istituzione riconosciuta e controllabile sottraendo clientela ai prestatori occasionali, ma voleva anche dire, da parte dei Comuni e dei signori, dotarsi di una sorta di cassaforte dalla quale prelevare denaro in caso di necessità.

La storia del credito ebraico è di lunga quando non di lunghissima durata e ha conosciuto fasi diverse in epoca medievale e moderna. Una prima fase è caratterizzata dalla nascita della relazione fra XIII e XIV secolo. Nella maggioranza delle città dell'Italia centro-settentrionale troviamo i primi banchieri ebrei a partire dal secondo Duecento ma vi sono città raggiunte relativamente tardi e cioè nel secondo Trecento. In questa prima fase i banchi si moltiplicano in città. Uno stesso banchiere partecipava con il proprio capitale all'apertura di più banchi in centri non sempre vicini tra loro. Ciò permetteva di suddividere i rischi di eventuali mancati rinnovi delle convenzioni o di assalti che rientravano fra i pericoli possibili. Le convenzioni duravano diversi anni, anche dieci, a dimostrazione della prevista e voluta stabilità della relazione, che era quindi tutt'altro che occasionale. All'arrivo dei banchieri e dei loro aiutanti faceva seguito quello di altri correligionari, fino alla costituzione di comunità anche numerose all'interno delle quali i banchieri erano riconosciuti come membri molto influenti. Alle loro dipendenze lavoravano domestici, dipendenti e membri delle famiglie meno agiate. È ovvio ma va ripetuto: non tutti gli ebrei erano ricchi e anche la società ebraica, come quella cristiana, produceva emarginati.[41]

Come si è detto, nella prima fase del loro insediamento gli ebrei spesso operavano accanto ai prestatori cristiani preesistenti che in gran parte cedettero

40. Poliakov, *I banchieri ebrei e la Santa Sede*, cit., p. 113.

41. A. Toaff, *La vita materiale*, in *Gli ebrei in Italia*, cit., p. 249.

loro il campo in una seconda fase. Quest'ultima, che corre indicativamente dalla prima metà del Trecento fino alla metà del secolo successivo, è nota come l'epoca d'oro della relazione cristiano-ebraica in Italia dove, in controtendenza rispetto a Francia, Germania o Inghilterra,[42] gli ebrei non solo erano accolti favorevolmente ma sollecitati a insediarsi e ad aprire banchi. In questi decenni gli ebrei crebbero di numero nelle città ed estesero il campo delle loro attività fino alla fondazione dei primi Monti, vale a dire fino agli anni Sessanta-Settanta del XV secolo. Fu allora che entrò sabbia nell'ingranaggio e vi furono casi di rinuncia cittadina alla presenza degli ebrei. In Umbria i governanti di Spoleto proposero contestualmente alla fondazione del Monte l'annullamento dei capitoli con gli ebrei.[43] A Ravenna l'attivazione del Monte coincise con il mancato rinnovo della convenzione con gli ebrei[44] ma in molte altre città i servizi del Monte e degli ebrei si affiancarono.

Tra la seconda metà del Quattrocento e la fine del Cinquecento si registra una fase di cambiamento della relazione in senso peggiorativo che porta nel 1593 all'espulsione definitiva degli ebrei dai territori direttamente governati dal pontefice dopo una prima espulsione, che ebbe luogo nel 1569, seguita dalla riammissione nel 1586. L'espulsione definitiva venne decretata con la bolla *Caeca et obdurata* emanata a quasi 40 anni di distanza dalla bolla *Cum nimis absurdum* voluta da Paolo IV Carafa nel 1555 che prevedeva, tra l'altro, la ghettizzazione degli ebrei. La prima ghettizzazione degli ebrei ha preceduto però la nota bolla del 1555 e fu sperimentata a Venezia all'inizio del XVI secolo. In un'arringa tenuta in Collegio all'inizio della primavera del 1516 Zaccaria Dolfin, influente politico veneziano, riferì l'opinione non si sa quanto diffusa «di mandarli tutti a stare in Geto nuovo», e in effetti agli ebrei fu imposto di vivere tutti nella stessa area, quella del «Geto de rame del nostro Comun», vale a dire nella zona della fonderia pubblica del rame.[45] Il luogo scelto a Venezia ha lasciato un segno imperituro nella definizione del fenomeno: dal «Geto de rame» alla ghettizzazione.

A parte il noto caso di Venezia, l'obbligo di abitare tutti nella stessa strada o in strade contigue perfettamente separate dai luoghi di abitazione dei cristiani era stato preceduto in qualche caso da politiche cittadine volte alla segregazione degli ebrei – così a Cesena, ad esempio[46] – ma non alla cessazione dei loro servizi creditizi. Peraltro nemmeno la bolla del 1555 prevedeva l'abolizione

42. Per questi paesi cfr. A. Foa, *Ebrei in Europa. Dalla peste nera all'emancipazione*, Roma-Bari 1992.

43. A. Toaff, *Il vino e la carne. Una comunità ebraica nel Medioevo*, Bologna 1989, p. 229.

44. R. Segre, *Gli ebrei a Ravenna in età veneziana*, in *Ravenna in età veneziana*, a cura di D. Bolognesi, Ravenna 1986.

45. D. Calabi, U. Camerino, E. Concina, *La città degli ebrei. Il ghetto di Venezia: architettura e urbanistica*, Venezia 1991, pp. 9-10.

46. M.G. Muzzarelli, *Ebrei e città d'Italia in età di transizione: il caso di Cesena dal XIV al XVI secolo*, Bologna 1984, pp. 211-212.

del prestito ebraico ma imponeva ai banchieri di non calcolare, al fine del computo degli interessi, gli spezzoni di mese come mese intero, di tenere le scritture contabili in latino o in volgare e di non vendere i pegni ricevuti se non dopo 18 mesi dalla consegna.[47] In pieno Cinquecento il loro prestito era ritenuto evidentemente utile, se non indispensabile, ma ormai si era avviata una fase di declino del prestito ebraico[48] nonostante la persistenza dell'impegno dei banchieri ebrei per tutta l'Età moderna nelle aree non direttamente soggette al papa.

Dopo il 1593 chi necessitava di piccolo credito e abitava nei territori della Santa Sede non poteva far riferimento altro che al Monte pio o a prestatori che esercitavano attività creditizia in maniera non ufficiale e quindi a condizioni poco controllabili.

Dai pegni ai clienti

Ai banchi degli ebrei si rivolgeva una vasta clientela, il signore come l'artigiano, il giovane attratto dal gioco d'azzardo come la vedova con scarsissime risorse. Nessuna preclusione e nessun limite alla cifra ottenibile: tutto dipendeva dal pegno presentato. Non così, come vedremo, per il Monte di pietà.

Per conoscere la qualità dei pegni offerti dai clienti a garanzia del prestito occorrerebbe disporre delle scritture dei banchi, ma si tratta di fonti rarissime. Un inventario bolognese del primo Cinquecento consente di immaginare dai pegni i probabili clienti di un banco ebraico.[49] Abramo di Rubino Sforno apparteneva a una famiglia che per più generazioni e nel corso di 150 anni abitò a Bologna, o meglio anche a Bologna. Uno dei banchi gestiti in città dalla famiglia era situato in piazza Santo Stefano. Abramo di Rubino morì nel 1503 e alla sua morte venne stilato un inventario dei beni che si trovavano nella sua casa: centinaia di oggetti che costituivano per la maggior parte, se non per la totalità, l'insieme dei pegni consegnati al banco e non riscossi o non ancora riscossi. Banco e abitazione erano un tutt'uno, come spesso accadeva, e nelle stanze della casa trovarono collocazione vesti e lenzuoli, coperte, candelieri, libri e gioielli consegnati a garanzia della restituzione di prestiti ora di modesta ora di elevata entità. Fra i gioielli un'agata legata in oro, un anello d'oro «cum la sega» che era il simbolo dei Bentivoglio, «una torchina trista ligata in oro cum dui diamantini ne li cantoni», medaglie in argento, un sigillo d'oro, uno d'argento, due anelli d'oro con sigillo in oro, un diamante legato in oro, un rubino sempre

47. Vale ancora il riferimento a A. Milano, *Storia degli ebrei in Italia*, Torino 1963 (*Le bolle infami*, pp. 244-261).

48. R. Bonfil, *Gli ebrei in Italia nell'epoca del Rinascimento*, Firenze 1991, pp. 83-84.

49. R. Rinaldi, *Un inventario di beni dell'anno 1503: Abramo Sforno e la sua attività di prestatore*, «Il Carrobbio», IX (1983).

montato in oro. Fra casse, forzieri e scrigni si contavano una quarantina di contenitori. Di pezzi di libri, «fra boni e tristi» ce n'erano più di 170. Decisamente numerosi i capi di abbigliamento che erano quasi una sessantina. Pochi ma non inesistenti gli oggetti di valore.

I debitori del banco sono ordinatamente elencati: si tratta di 143 persone più alcune istituzioni quali la Camera di Bologna e il Collegio degli ebrei. In alcuni casi si trattava di debiti di piccolissima entità, una lira o poco più, o anche meno di una lira, ma in qualche caso la cifra anticipata era ragguardevole. Abramo Sforno risulta aver prestato a ser Bartolomeo di Rossi 276 lire, a uno *strazarolo*, Luca della Maddalena, 308 lire, a un certo mastro Stefano di Nicola da Genova 229 ducati, 125 lire invece a Bernardino Gozzadini e ben 494 al correligionario Salomone Finzi da Mantova. In più di un caso risultano debitori di Abramo suoi correligionari fra i quali il fratello dello stesso Abramo, Jacob, che gli doveva 51 ducati e Isacco da Pisa, indicato come debitore in due distinti casi, per 9 lire la prima volta e per 8 la seconda. Fra i debitori, ma di un solo ducato, anche il banco ebraico di prestito detto dell'Abaco. I prestiti al di sotto delle 10 lire sono più di 100 (106 per l'esattezza) e costituiscono quindi più di due terzi delle operazioni indicate. Complessivamente i denari prestati a fronte della consegna di un pegno ammontano a 5972 lire. Di qualche cliente del banco conosciamo il mestiere: uno era *strazzarolo* (debito di 308 lire), uno notaio (3 ducati), uno muratore (14 lire), un altro barbiere, debitore per meno di una lira. Un maestro di legname risulta in debito per meno di una lira mentre un fornaio per poco più di una lira e un cartolaio per 11 lire. Le donne debitrici sono sette in tutto: la illustrissima madonna Isabella da Rimini (debito di 8 ducati), madonna Violante di Bianchi (meno di una lira), madonna Patientia (10 ducati), la balia Lorenza (poco più di una lira), madonna Prudentia Bolognini (meno di una lira), madonna Dolietta (23 ducati) e madonna Colombina debitrice una volta per 2 ducati e una seconda per poco più di 3. I prestiti di più di 100 lire sono in tutto 7.[50]

Dunque tra i clienti del banco sono identificabili, oltre al signore cittadino, mercanti, artigiani di bottega, lavoratori salariati ed ebrei di diversa condizione. Una parte degli oggetti, quelli più preziosi, era conservata in due stanze adibite a studio. In un locale che ospitava la cappella per le orazioni e i riti quotidiani della famiglia erano invece custoditi ricchi drappi intessuti d'oro e vari oggetti liturgici. Numerose cassepanche, seggiole, tavole, letti e materassi erano stati probabilmente offerti in pegno e forse erano pegni anche le ricche riserve alimentari: oltre 6200 litri di vino, 470 litri di farina di frumento, 79 litri d'olio d'oliva. Gli oggetti di gran lunga più numerosi sono comunque gli abiti: semplici camicie, vesti da camera, vesti importanti, grembiuli, mantelli, pellicce.

50. Ivi, Appendice, pp. 323-327.

Vesti e denaro

La storia del credito, soprattutto quella del piccolo credito, mescola frequentemente monete e vesti. Non si può parlare di abiti e gioielli come succedanei del denaro ma, questo sì, si può vedere in oggetti del genere elementi in grado di procurare denaro o di assicurarne la restituzione. È noto il nesso fra banchieri e *strazzaroli*, fondato proprio sul fatto che molti pegni erano costituiti da capi d'abbigliamento che, quando non riscossi, richiedevano l'inserimento nel mercato, peraltro fiorente, degli abiti usati. Anche a questo riguardo è a lungo invalsa l'idea che si trattasse di un modesto circuito che faceva circolare misere cose usate e riusate fino allo sfibramento. In realtà la situazione appare molto diversa. Nei banchi di pegno finivano anche gioielli di valore e abiti di gran pregio e prezzo destinati a una seconda e non di rado a una terza vita.[51] Molte doti, non necessariamente di fanciulle poco abbienti, erano spesso costituite da capi di seconda mano venduti così come erano stati confezionati oppure immessi sul mercato dopo aver subito modifiche.[52] I pegni non riscossi finivano all'asta e ad aste o a incanti gli stracciaioli facevano regolarmente acquisti di oggetti che poi introducevano in un altro mercato. Da quando cominciarono a operare, anche i Monti di pietà presero a vendere all'incanto i pegni non riscossi offerti regolarmente nella stessa città, mentre i banchieri ebrei spesso preferivano venderli altrove. Le ragioni erano più d'una: per non suscitare scontento da parte degli ex proprietari che vedevano passare il loro pegno in mani altrui, ma forse anche per sentirsi più liberi di tenere alto il prezzo base d'asta. In effetti, in questa maniera una certa quota di beni cittadini prendeva una strada che li allontanava dalla città e di ciò le autorità ebbero occasione di lamentarsi accusando gli ebrei di depauperare l'economia locale.

Sta di fatto che la pratica di impegnare abiti per ottenere denaro era diffusa e giustificò un impegno ebraico nel campo della *strazzaria* dai confini alquanto elastici. Vi erano capi di preziosità tale che, anche se usati, mantenevano un alto valore economico e gli stracciaioli trattavano anche oggetti del genere che modificavano, noleggiavano, scambiavano, vendevano. Nel corso del XVI secolo a Venezia non si esitava a descrivere gli stracciaioli del ghetto come «Tuti mercanti di gran negozio»,[53] frequentati da nobili e ricchi, oltre che da persone di umili condizioni.

Tra la fine del Medioevo e la prima Età moderna gli abiti erano gli oggetti in circolazione più numerosi e importanti[54] e tale circolazione era infatti fre-

51. Cfr. *The Social Life of Things. Commodities in Cultural Perspective*, a cura di A. Appadurai, Cambridge-New York 1986, in particolare pp. 3-63 (*Introduction: Commodities and the Politics of Value*).

52. M.G. Muzzarelli, *Guardaroba medievale. Vesti e società dal XIII al XVI secolo*, Bologna 1999.

53. Allerston, *L'abito come articolo di scambio*, cit., p. 118.

54. R. Ago, *Il linguaggio del corpo*, in *La moda*, *Storia d'Italia*, *Annali*, 19, a cura di C.M.

quentemente connessa a quella del denaro.[55] Erano offerti in pegno al banco dell'ebreo come al Monte di pietà. Se analizziamo il *Quaderno della vendita dei pegni del Monte di pietà di Pistoia* (19 giugno-23 settembre 1491)[56] ponendo attenzione ai pegni venduti in un giorno, il 5 di luglio del 1491, possiamo vedere come su 25 vendite poco meno della metà, e cioè 11 di esse, riguardassero modesti gioielli o capi d'abbigliamento: gamurre, cioppe, cinture. Altrettanto numerose le vendite di tovaglie e di asciugamani. Si trattava di oggetti che valevano perlopiù poche lire con qualche eccezione: il Monte incassò 53 lire vendendo un lucco di paonazzo con taffettà unitamente a due cinture, una verde e una rossa, e a una giacchetta da donna di raso nero.[57] La percentuale varia di poco se si analizzano le vendite di altre giornate. D'altronde nelle case dell'epoca non c'erano molte altre cose da offrire in pegno: qualche coltellino, magari un paio di cucchiai d'argento, un bacile, coperte, guanciali, raramente un libro. Anche in Età moderna ed anche fuori d'Italia i capi di vestiario soprattutto femminile hanno costituito la maggior parte dei pegni presentati al Monte e in molti casi le donne sono state le clienti più frequenti. Questo almeno è quanto è stato dimostrato per il Monte d'Avignone in Età moderna.[58] Chi ha esaminato la clientela del Monte di Bologna nel periodo che va dal luglio al settembre del 1473, clientela composta da 595 individui responsabili di 690 operazioni di prestito, ha invece notato una prevalenza maschile (l'86%). Tale clientela maschile appare composta da una folla di individui dei quali si conosce solo il nome ma anche da 178 figure più precisate: artigiani e fornitori di servizi che lavoravano prevalentemente nel settore tessile. Meno frequenti gli uomini impegnati nel settore edilizio, fabbri o muratori. I prestiti accordati alla clientela maschile, 368, risultano richiesti da un buon numero di esponenti del ceto artigianale, 210, ai quali risultano concessi in un trimestre mutui per 562 lire, pari a poco più di un terzo delle somme prestate. Su questa base è stato ipotizzato che il credito concesso dal Monte non fosse solo piccolo credito di consumo ma anche finalizzato a esigenze di produzione. Dunque nella casa del prestito solidaristico volto a sostenere i più bisognosi in città si concedeva probabilmente, accanto al piccolissimo prestito di sussistenza, anche prestito di impresa anticipando somme che erano comunque di modesta entità. L'importo medio del prestito concesso a impegnanti artigiani era pari a 2 lire e 13 soldi.[59] Se ne ricava la difficoltà di andare oltre una definizione del Mon-

Belfanti e F. Giusberti, Torino 2003, in particolare p. 119.

55. E. Welch, *Shopping in the Renaissance. Consumer cultures in Italy 1400-1600*, New Haven-London 2005, pp. 196-202.

56. I. Capecchi, L. Gai, *Il Monte della pietà a Pistoia e le sue origini*, Firenze 1976, pp. 233-247.

57. Ivi, pp. 225-228.

58. M. Ferrières, *Le bien des pauvres. La consommation populaire en Avignon (1600-1800)*, Champ Vallon 2004, pp. 75-89.

59. Fornasari, *Il "Thesoro" della città*, cit., pp. 44-56, in particolare p. 51. Cfr. *Il Giornale del Monte della Pietà di Bologna. Studi e edizioni del più antico registro contabile del Monte di pietà di*

te come istituto assistenziale, seppure *sui generis*, un istituto però che non mancava di sostenere anche piccolissime imprese economiche.

I Monti di pietà

Per molto tempo si è dibattuta la questione relativa al carattere benefico o bancario dei Monti di pietà.[60] Si tratta in sostanza di un falso problema: i Monti sono nati con il preciso scopo di aiutare i singoli e le città ad affrontare le necessità di credito in maniera solidaristica ma hanno realizzato il loro compito con modalità razionali di tipo bancario, agendo sulla falsariga del modello ebraico che a sua volta si era forgiato sul modello operativo dei banchieri cristiani.

Per definizione e a norma di statuti, i Monti dovevano prestare solamente agli abitanti della città e unicamente a chi giurava di fare buon uso del denaro preso a prestito. Ciò indubbiamente rendeva più limitato e indaginoso il prestito del Monte che, considerati genesi e obiettivi dell'istituto, non poteva né voleva assicurare il prestito a chiunque. L'ammontare delle somme anticipate era limitato e indicato negli Statuti nei quali si leggono le intenzioni dei fondatori e le peculiarità della realtà nella quale il Monte andava a operare. I Monti che si cominciarono a fondare nelle città dell'Italia centro-settentrionale a partire dal 1463, data di fondazione a Perugia del primo istituto del genere,[61] appaiono tutti simili tra loro ma raramente uno uguale all'altro. Ogni Monte infatti aderiva alla specificità locale e risentiva dell'influenza di quanti stilarono le regole dell'istituto e dei fondatori.

Vi furono città che, come Verona, si convinsero immediatamente, una volta sentita la proposta del predicatore francescano che si era prefisso lo scopo di dar vita a un Monte, e altre come Firenze dove la proposta non attecchì subito. A Verona in un sol giorno si riuscirono a raccogliere oltre 2000 ducati per la fondazione del Monte e per facilitare l'opera si costituì un'apposita confraternita. Nacque un Monte uno e trino: un Monte piccolo che prestava somme di modesta entità, uno mezzano che prestava sempre senza interesse fino a 3 lire e 12 soldi e uno maggiore o grande che prestava somme più consistenti al 6%.[62] A Firenze la fondazione del Monte fu una faccenda tribolata e sebbene la proposta risalisse al 1473 la città ebbe un Monte solo nel 1496.[63] Spesso ebbero luogo false partenze e reali

Bologna (1473-1519), a cura di A. Antonelli, Bologna 2003.

60. G. Garrani, *Il carattere bancario e l'evoluzione strutturale dei primigeni Monti di pietà*, Milano 1957.

61. S. Majarelli, U. Nicolini, *Il Monte dei Poveri di Perugia. Periodo delle origini (1462-1474)*, Perugia 1962.

62. Cfr. G. Ferri Piccaluga, *Economia, devozione e politica: immagini di francescani, amedeiti ed ebrei nel secolo XV*, in AA.VV., *Il francescanesimo in Lombardia. Storia e arte*, Milano 1983; V. Meneghin, *Bernardino da Feltre e i Monti di pietà*, Vicenza 1974, pp. 438-443.

63. Cfr. R. Fubini, *Prestito ebraico e Monti di Pietà a Firenze (1471-73)*, in Id., *Quattrocento*

avvii successivi ma anche fondazioni seguite da fallimenti e quindi rifondazioni: insomma un panorama composito nel quale si rispecchia la varietà delle situazioni sociali, politiche ed economiche delle diverse città d'Italia. Molti aspetti operativi appaiono sostanzialmente omogenei analizzando gli statuti dei diversi Monti. Nei capitoli del Monte di L'Aquila del 1466 si legge che la cifra massima concedibile era di 5 ducati, a Perugia di 6 fiorini e a Terni di 5 mentre a Spoleto e a Gubbio era di 4. Piccole differenze che dimostrano tuttavia la volontà di ogni città di costruirsi il Monte a propria misura. In alcuni statuti si legge che con il denaro del Monte non si poteva *mercatare*: così a Conegliano come a Trevi o a Cortona. Se non tutti i Monti vietavano l'uso del denaro prestato per piccole imprese economiche, quasi tutti proibivano di impiegarlo per scopi non leciti e superflui.[64]

Una tribolata questione è stata quella della richiesta di rimborso delle spese. Un denaro per lira al mese, interesse pari al 5% annuo, era l'importo più comunemente richiesto dai Monti a copertura delle spese di esercizio. Queste ultime consistevano nel salario dei dipendenti, nell'affitto della sede, nell'acquisto dei libri necessari per registrare le operazioni compiute e così via. Non tutti i Monti pretesero fin dalle origini il rimborso delle spese ma lo richiesero tutti quelli fondati dal minore osservante Bernardino da Feltre[65] che dedicò gli ultimi dieci anni della sua vita (morì nel 1494) alla diffusione e al sostegno di questi istituti. Secondo questo piccolo frate – era alto poco più di un metro e mezzo – davvero instancabile (percorse sempre a piedi quasi 6000 chilometri negli ultimi cinque anni di vita),[66] finiva con l'essere ambiguo e in fin dei conti più oneroso, se non altro perché mal certo, il prestito senza rimborso delle spese rispetto a quello con rimborso a carico del cliente. Il servizio, nella sua visione, doveva essere continuo, efficiente e razionale, doveva essere gestito da professionisti che in quanto tali andavano salariati, e soprattutto non doveva intaccare il capitale del Monte. Da qui la necessità di far pagare al cliente il costo della gestione. La questione divise fra di loro gli ordini e diede vita a infinite discussioni ma il modello operativo di Bernardino da Feltre finì con il prevalere. Quando anche si richiese più del 5%, si trattava pur sempre di entità di gran lunga inferiori agli interessi praticati dai banchieri, cristiani o ebrei che fossero.

A Parma si operò una distinzione fra i clienti dei Monti. I poveri più poveri non pagavano alcun interesse mentre i meno poveri erano tenuti a corrispondere il 5%. Questi ultimi erano la maggioranza: nel 1537 i pegni riscossi con un interesse furono 13.957, senza interesse circa la metà (6715).[67] Un'analoga di-

fiorentino: politica, diplomazia, cultura, Pisa 1996; Muzzarelli, *Il denaro e la salvezza*, cit., pp. 29-37.

64. Ivi, pp. 189-244.

65. Meneghin, *Bernardino da Feltre*, cit.

66. M.G. Muzzarelli, *Pescatori di uomini. Predicatori e piazze alla fine del Medioevo*, Bologna 2005, in particolare p. 202.

67. Muzzarelli, *Il denaro e la salvezza*, cit., p. 206.

stinzione appare praticata anche dagli ebrei almeno in un caso: Leone da Fossombrone, prestatore ebreo di Fano, si dichiarò disposto a combinare l'usuale servizio di banco con un ulteriore servizio di prestito per gli indigenti a condizioni di particolare favore.[68] Come i banchieri ebrei erano disponibili ad una sorta di servizio creditizio calibrato, se non proprio su misura, anche il Monte, a ben vedere, diede prova di duttilità. Nato per sostenere i *pauperes pinguiores*, vale a dire i meno poveri fra i poveri – per i quali ultimi valeva l'obbligo all'elemosina –, il Monte non esitò a soccorrere il Comune e a estendere le proprie funzioni. Nel giro di alcuni decenni i Monti ampliarono le loro funzione e quello di Bologna, ad esempio, divenne depositario della mensa arcivescovile e del seminario funzionando in definitiva come una sorta di cassa comune del complesso sistema assistenziale cittadino.[69] L'estensione delle funzioni originarie fu un fenomeno che riguardò i Monti dei centri urbani di maggior consistenza, come attesta il caso del Monte di Firenze. Quest'ultimo, proposto già nel 1473, incontrò ostacoli nella sua realizzazione che ebbe luogo solo una ventina d'anni dopo, nel 1495,[70] per poi prendere rapidamente quota. Agli inizi del XV secolo, infatti, operava in tre diverse sedi – nel Canto de' Pazzi, nel borgo Santi Apostoli e in piazza San Felice – disponendo di un largo capitale costituito attraverso i depositi. In breve tempo il Monte di Firenze prese a svolgere più funzioni nell'economia locale, strutturandosi come una banca di pubblico deposito. Limitando il discorso alla sola pratica di prestito su pegno, il notevole incremento dell'attività del Monte, anzi dei Monti fiorentini, è dimostrato dal fatto che nel giro di un ventennio, dal 1545 al 1565 circa, il numero dei pegni depositati nelle tre sedi triplicò passando da 48.000 a 170.000.[71]

L'ampliamento delle funzioni ha caratterizzato la vita di più di un Monte d'Età moderna, così come più di un istituto ha registrato con una certa frequenza episodi di corruzione e di malversazione. Nonostante le trasformazioni subite e il mantenimento all'interno dell'istituto di posizioni di potere da parte di appartenenti al ceto nobiliare cittadino, che in più occasioni attinse alle risorse del Monte, l'istituto continuò a svolgere anche in Età moderna l'originaria funzione di sostegno dei meno abbienti e di presidio cittadino anti-congiunturale.

Nel giro di un secolo, dal 1462 al 1562 vennero fondati 214 Monti di pietà: fra le regioni che ne realizzarono in più alto numero vi furono il Veneto

68. V. Bonazzoli, *Monti di Pietà e politica economica delle città nelle Marche alla fine del '400*, in AA.VV., *Banchi pubblici, banchi privati e Monti di Pietà nell'Europa preindustriale*, Atti del convegno, Genova, 1-6 ottobre 1990, Genova 1991, in particolare p. 584.

69. Fornasari, *Il "Thesoro" della città*, cit., pp. 175-185.

70. C. Bresnahan Menning, *The Monte di pietà of Florence. Charity and State in late Renaissance Italy*, Ithaca-London 1993.

71. R.A. Goldthwaite, *Banking in Florence at the End of the Sixteenth Century*, «The Journal of European Economic History», 27 (1998), in particolare pp. 510, 512.

(23) la Lombardia (23), la Toscana (13). In Romagna se ne fondarono 12, mentre la Calabria e la Sardegna non ne ebbero affatto. Vi furono veri e propri specialisti in fondazioni, tanto che Fortunato Coppoli ne promosse 11 e Bernardino da Feltre 18:[72] fu un fenomeno importante e coinvolgente.

L'importanza primaria assunta da questi istituti nel corso del tempo si rispecchia anche nell'imponenza e nella collocazione delle loro sedi, spesso sistemate nella piazza cittadina in locali del Comune adattati per l'occasione e in alcuni casi anche in sedi architettonicamente pregiate costruite appositamente per questa funzione. Quasi paradossalmente, quanto più la città era bisognosa di assistenza, tanto più al Monte serviva una sede ampia e centrale che sottolinea la rilevanza del Monte stesso nel panorama istituzionale cittadino.[73] A Treviso la 'fabbrica' del Monte si espanse per parti successive dopo essersi inserita sin dagli esordi tra le architetture civili che organizzavano il centro urbano politico e commerciale. Fra aggiustamenti e dilatazioni si arrivò alla fine del XVIII secolo a costruire un manufatto autonomo.[74] Dapprima ospitato in ospedali, o per motivi di sicurezza dei pegni e dei denari in locali attigui alla prigione cittadina, quando arrivò a una sede autonoma e duratura 'segnò' la città determinando la denominazione di strade o piazzette attigue, come può ben rendersi conto oggi chi a Bologna o a Palermo si aggiri negli immediati dintorni dell'istituto percorrendo via del Monte a Bologna o attraversando piazza del Monte a Palermo.[75]

Apposite insegne e segnacoli, volti a rappresentare il principio della doverosa cura cristiana per chi ha bisogno («Habe illius curam», *Luca* X, 35), rendevano noto a tutti il servizio prezioso dell'istituto che soccorreva chi aveva necessità di credito. Insegna del Monte era Cristo in pietà e commoventi immagini di Cristo che usciva dal sepolcro campeggiavano sugli stendardi che sventolavano alla testa delle processioni organizzate per raccogliere fondi. Quadri che raffiguravano lo stesso soggetto comparivano all'interno delle sedi mentre sull'ingresso non di rado una lunetta raffigurava la Pietà. L'intento era quello di indurre, nel nome di questo sentimento, a sostenere, devolvendo danaro all'istituto, quanti si rivolgevano fiduciosi al Monte. Alcuni stendardi sono giunti fino a noi, così come raffigurazioni della Pietà collocate su statuti e nei libri del Monte.[76] Quest'ultimo era spesso rappresentato da un cumulo di terra frammista a monete retto amorosamente sulla mano dal france-

72. V. Meneghin, *I Monti di Pietà in Italia. Dal 1462 al 1562*, Vicenza 1986, in particolare pp. 33-34.

73. *Sacri recinti del credito. Sedi e storie dei Monti di pietà in Emilia-Romagna*, a cura di M. Carboni, M.G. Muzzarelli e V. Zamagni, Venezia 2005.

74. E. Svalduz, *Una fabbrica "fatta a pezzi in vari tempi": il Monte di pietà di Treviso*, «Studi Trevisani. Bollettino degli Istituti di Cultura del Comune di Treviso», 8 (1997).

75. M.G. Muzzarelli, *Le sedi dei Monti di Pietà: caratteristiche e significati delle loro localizzazioni urbane tra Medioevo ed Età moderna*, in *L'eredità culturale di Gina Fasoli*, a cura di F. Bocchi, in corso di stampa.

76. *Uomini, denaro, istituzioni. L'invenzione del Monte di pietà*, a cura di M.G. Muzzarelli, Bologna 2000.

scano fondatore di questo o quell'istituto. La rappresentazione di Bernardino da Feltre con il monte in mano è frequente e ricca di varianti.[77] 139

I clienti del Monte dovevano essere bisognosi e virtuosi ma erano anche tenuti a presentare un pegno che valesse il doppio o almeno un terzo in più di quanto ottenevano in prestito. I *Capitoli del presto dell'ebreo* concordati a Pistoia nel 1455 dicevano che il prestatore doveva «prestare sopra il pegno almanco i duo terzi»,[78] esattamente come la maggior parte dei Monti. La bassa entità delle somme mutuate rendeva difficile quando addirittura non impediva un uso commerciale della somma ottenuta in prestito, sempre che il Monte non richiedesse sotto giuramento di non utilizzare il denaro per *mercatare*. In ciò si è visto un limite importante nell'attività del Monte e un elemento capace di caratterizzarlo come istituto meramente benefico. Quand'anche l'azione del Monte fu limitata – e non lo fu sempre, e comunque lo fu nel periodo delle origini e non successivamente – resta il grande valore di questo istituto per molte ragioni: perché segnò il passaggio dalla teoresi etica-economica alla pratica, con ciò dimostrando che era possibile misurarsi concretamente e cristianamente con i problemi del credito, e perché dotò le città di uno strumento in più per affrontare questi problemi. Fu importante anche perché cercò di collegare i destini dei più ricchi, sollecitati a donare o anche solo a depositare denaro al monte, con quelli dei poveri meno poveri che potevano risollevarsi dallo stato di bisogno utilizzando quel denaro disponibile a basso costo.

I Monti spesso convissero con i banchi degli ebrei spartendosi il mercato del credito di consumo e non mancarono collaborazioni, sia coatte sia volontarie, fra i due istituti. Fra le collaborazioni coatte rientra il caso del primo Monte fondato in Italia, quello di Perugia, dove gli ebrei furono costretti a contribuire alla formazione del capitale iniziale,[79] e questo segna con una contraddizione gli esordi della storia di questa istituzione esplicitamente voluta, in questo caso almeno, per fare a meno degli ebrei prestatori, ma che poté nascere solo grazie al loro denaro. In definitiva la situazione era più complessa di quanto non appaia a prima vista e il mercato del denaro era molto più articolato ed embricato di quanto non si sia a lungo creduto. Era fatto di complementarità e intrecci e prevedeva livelli diversi e diffusissimi di partecipazione. Chiarezza e distinzione non sono propriamente i dati connotanti questa vicenda che da quote di indeterminatezza e di vischiosità ha invece ricavato la possibilità di assicurare una risposta al bisogno generalizzato di credito, soprattutto di piccolo credito, e al bisogno di consumare in una lunga età, tra Medioevo ed Età moderna, dotata di tratti caratteristici difficilmente comprensibili se non ci si applica ad essa con buona conoscenza del contesto storico coevo e con la duttilità che la materia richiede.

77. V. Meneghin, *Iconografia del b. Bernardino Tomitano da Feltre*, Venezia 1967.

78. Capecchi, Gai, *Il Monte della pietà*, cit., pp. 137-141, in particolare p. 141.

79. Majarelli, Nicolini, *Il Monte dei poveri di Perugia*, cit., pp. 231-234.

Il credito al consumo in Europa: dai lombardi *ai Monti di pietà*

MYRIAM GREILSAMMER

I *lombardi* nell'Europa del Nord: «il caso e la necessità»

Uno dei fenomeni medievali più interessanti è il monopolio quasi assoluto del prestito a interesse acquisito, nell'Europa transalpina, dagli uomini d'affari dell'Italia del Nord, definiti con il termine generico di 'lombardi'. Il loro ruolo capitale nello sviluppo economico europeo, a lungo sottovalutato,[1] non dà più adito a dubbi,[2] sebbene sussistano alcuni interrogativi fondamentali in proposito.

Come si spiega che le operazioni di credito al consumo nell'Europa transalpina siano finite nelle mani di questi mercanti originari in massima parte del Piemonte (per esempio, Asti,[3] Chieri e Alba) e della Lombardia (Piacenza), mentre in Italia le loro funzioni saranno svolte da banchieri ebrei?[4] Le numerose 'vie dei lombardi' nella maggior parte delle grandi città dell'Europa occidentale e in molte località dei Paesi Bassi rappresentano una testimonianza toponimica non trascurabile della loro preponderanza nell'Occidente medievale.[5] Non esiste una

1. J. Favier, *De l'or et des épices. Naissance de l'homme d'affaires au Moyen-Âge*, Paris 1987, p. 256.

2. «La loro diffusione in tutta Europa e il loro successo ... rimangono un fenomeno di grande rilievo storico»: R. Bordone, *I lombardi in Europa: un sguardo d'insieme*, in *Lombardi in Europa nel Medioevo*, a cura di R. Bordone e F. Spinelli, Milano 2005, pp. 28-29; L. Castellani, *Sviluppi. L'espansione del Duecento*, ivi, pp. 71-74.

3. L. Castellani, *Gli uomini d'affari astigiani. Politica e denaro tra il Piemonte e l'Europa (1270-1312)*, Torino 1998, cap. IV.

4. Cfr. il contributo di Maria Giuseppina Muzzarelli in questo volume.

5. Si può citare rapidamente a titolo di esempio la Lombard street a Londra, che va dalla Bank of England a Gracechurch Street, e la rue des Lombards a Parigi, nelle vicinanze delle Halles, in origine rue de la Buffeterie e ribattezzata nel 1323; cfr. P. Racine, *Les Lombards et le commerce de l'argent au Moyen Âge*, *www.clio.fr/BIBLIOTHEQUE/les lombards et le commerce de l'argent au moyen Âge.asp*. Cfr. anche *infra*, nota 10.

spiegazione esaustiva del fatto che proprio le famiglie lombarde si siano impossessate delle attività di prestito Oltralpe. Altro enigma: come si giustifica che i cristiani abbiano potuto esercitare ufficialmente il prestito a interesse quando la Chiesa aveva proibito quest'attività immorale a tutti i suoi fedeli senza eccezione? E infine, a che cosa si deve attribuire l'interruzione spesso brusca delle loro attività, vitali per secoli per la prosperità europea?

Lo storico può solo tentare di riscontrare i fatti che sembrano aver formato la trama di queste realtà storiche. Tuttavia è fondamentale tener presente che questo predominio dei lombardi sembra innanzitutto la conseguenza del «caso e della necessità», per parafrasare il duplice concetto elaborato da Jacques Monod.[6] Professionisti del commercio e specialisti del prestito di denaro nel loro paese d'origine, i lombardi si sono trovati al momento giusto nella posizione strategica migliore per rispondere alla domanda decuplicata di credito al consumo dell'Occidente transalpino, in piena espansione economica dal secondo quarto del XII secolo. Una serie di dati oggettivi ha permesso loro di accaparrarsi un po' alla volta queste funzioni: dalla contiguità geografica, alla mobilità, all'esperienza nel settore del denaro, alla disponibilità fisica, mentale e numerica, fino ai legami privilegiati con le autorità locali religiose e laiche dei territori dove si sono stabiliti.

Dopo aver fornito un conciso inquadramento storico alle condizioni di sviluppo delle loro attività nel Nord dell'Europa, cercherò di individuare le circostanze della loro espansione e del loro declino. Farò riferimento soprattutto al caso dei Paesi Bassi meridionali, centro economico predominante in Europa, perché qui il successo dei lombardi è stato eccezionale, sia per ampiezza che per durata,[7] finché non saranno progressivamente sostituiti, loro malgrado, dai Monti di pietà nel corso del Seicento. La toponimia di certi agglomerati dei Paesi Bassi ci ha lasciato la testimonianza del predominio dei lombardi e al tempo stesso della loro decadenza, come pure delle persecuzioni di cui sono stati oggetto. Non è certo casuale che nelle città dei Paesi Bassi il Monte di pietà locale sia spesso costruito nella 'via dei lombardi', come accade a Bruxelles, a Namur o a Lille. In questa circostanza si può scorgere un ulteriore atto simbolico nella volontà di soppiantarli, non solo privandoli dello spazio vitale per le loro attività, e quindi cancellando il loro passato monopolio, ma anche innalzando un ostacolo fisico a un loro eventuale futuro ritorno.[8]

Il mio studio, a causa della sua cronologia (dall' ultimo quarto del XIII se-

6. J. Monod, *Le hasard et la nécessité. Essai sur la philosophie naturelle de la biologie moderne*, Paris 1970 (trad. it. *Il Caso e la Necessità. Saggio sulla filosofia naturale della biologia contemporanea*, Milano 1996).

7. «Le Fiandre e i Paesi Bassi costituiscono certo le terre in cui più diffusamente e più a lungo si radicarono i lombardi»: Bordone, *I lombardi in Europa*, cit., pp. 23, 28.

8. A. Henne, A. Wauters, *Histoire de la ville de Bruxelles*, Bruxelles 1969, III, pp. 204-209; F. Courtoy, *L'architecture civile dans le Namurois aux XVIIe et XVIIIe siècle*, Bruxelles 1936; P. Parent, *L'architecture religieuse à Lille au XVIIe siècle*, Lille 1925, pp. 87-93, in P. Soetaert, *De Bergen van Barmhartigheid in de Spaanse, de Oostenrijkse en de Franse Nederlanden (1618-1795)*, Brussel 1986, pp. 99-101.

colo al principio del XVII), verte naturalmente sui Paesi Bassi cattolici. Nel corso del XVII secolo anche nei Paesi Bassi settentrionali saranno create banche municipali di credito su pegno: la prima è la Bank van Leening fondata ad Amsterdam nel 1614.[9] Per le problematiche che solleva, lo studio sul lungo termine del ruolo dei lombardi nei Paesi Bassi richiede ulteriori ricerche.

Nell'ambito delle fiere della Champagne che si sviluppano dall'ultimo quarto del XII secolo sono documentate le prime attività dei prestatori professionisti,[10] mercanti provenienti in prevalenza da città dell'Italia centrale e settentrionale che trattano il commercio del denaro senza peraltro aver rinunciato al commercio dei beni. I loro servizi saranno orientati sempre più verso le esigenze di credito delle popolazioni locali a corto di denaro liquido dal principio del XIII secolo. La crisi delle fiere della Champagne nel XIII secolo, seguita dal loro declino dal 1320, finisce per accelerare la specializzazione dei mercanti lombardi nell'attività del credito. Fino a quel momento le attività di prestito non professionali erano svolte da diversi gruppi, dai monasteri ai ricchi borghesi delle città (mercanti, pubblici ufficiali), come i finanzieri di Arras.

Gli studi sull'Italia settentrionale mostrano il rapido sviluppo economico di città come Asti o Chieri, situate sull'asse della via francigena, le strade alpine che portano in Francia e verso i Paesi Bassi, e l'arricchimento delle loro élites dalla fine del XII secolo. Le città lombarde e piemontesi interessate sono caratterizzate da un'elevata percentuale di famiglie di commercianti che si sono riconvertite alla finanza: per esempio, per la città di Asti, il centinaio di *casane* distribuite sul territorio europeo rappresenta quasi un terzo della sua popolazione nel XIII e XIV secolo.[11]

Secondo uno schema analogo nelle loro diverse città d'origine, i lombardi provengono da élites composite,[12] che si tratti di famiglie della vecchia aristocrazia contadina legate alla vita comunale, di uomini d'affari di statura interna-

9. Seguiranno le banche a Hoorn e Rotterdam (1635), Middelburg (1636), Oudewater (1642), Vlissingen (1645), Gouda (1654), Haarlem (1659), L'Aia (1673), Leida (1675), Delft (1676) e Goes (1771). È importante sottolineare che nel Nord, fin dall'inizio, si tratta di istituti commerciali e non di istituzioni caritative, perché accordano sia crediti al consumo che alla produzione, che nel secondo caso necessitano del deposito di mercanzie o di effetti commerciali in pegno. Inoltre, nel Nord queste banche di credito su pegno esigono sempre una remunerazione. L'importanza economica e sociale di queste istituzioni è stata fondamentale nella Nuova Repubblica: Soetaert, *De Bergen*, cit., pp. 76-77. Sullo sviluppo delle banche in generale in Occidente cfr. H. van der Wee, *La banque européenne au Moyen-Âge et pendant les Temps Modernes (476-1789)*, in *La Banque en Occident*, a cura di H. van der Wee, R. Bogaert e G. Kurgan-Van Hentenryk, Anvers 1991.

10. Bordone, *I lombardi in Europa*, cit., pp. 9-11; R. Greci, *Nuovi orizzonti di scambio e nuove attività produttive*, in R. Greci, G. Todeschini, G. Pinto, *Economie urbane ed etica economica nell'Italia medievale*, Roma-Bari 2005, pp. 113-114.

11. R. Bordone, L. Castellani, *'Migrazioni' di uomini d'affari nella seconda metà del Duecento. Il caso dei Lombardi di Asti*, in *Demografia e società nell'Italia medievale (sec. IX-XIV)*, Atti del convegno a cura di R. Comba e I. Naso, Cuneo 1994, pp. 496-497.

12. M. Montanari, *Cittadini e prestatori*, in *Lombardi in Europa nel Medioevo*, cit., pp. 46-48; Castellani, *Sviluppi*, cit., p. 74.

zionale appartenenti a famiglie borghesi arricchitesi di recente nel commercio tradizionale (pellicce e stoffe) o, in seguito, di membri di famiglie cittadine più o meno facoltose, spesso uomini di legge del Comune, che alla fine del XIII secolo trovano nell'attività di prestito un efficace strumento di ascesa sociale.

Nei Paesi Bassi del XV secolo si assiste a una certa ridistribuzione delle famiglie che gestiscono i banchi di prestito:[13] la sostituzione 'orizzontale' dei prestatori di origine astigiana da parte di un'oligarchia di Chieri e un cambiamento 'verticale' che riguarda la qualità socio-economica dei lombardi. Secondo Gnetti, ex impiegati arricchitisi o ex soci dei banchi acquisiscono a loro volta delle concessioni. Un'analisi analoga per il XVI secolo è ormai possibile con l'ausilio del *Récollement des Lombards*,[14] l'inchiesta ufficiale disposta da Maria d'Ungheria (1531-1555) per l'anno 1549-1550 sull'attività dei lombardi nei principati da lei amministrati in nome dell'imperatore Carlo V. A sua volta, il *Récollement* è costituito da una breve lista ufficiale e incompleta, redatta dalle autorità, dei nomi di una cinquantina di prestatori in attività dalle richieste e dichiarazioni inviate alle autorità da circa 24 lombardi riguardanti le loro concessioni di banchi di prestito nei Paesi Bassi e dal sommario ufficiale, anch'esso incompleto, di queste richieste e dichiarazioni stilato dalle autorità. Questo documento consente di smentire le affermazioni che vorrebbero una scomparsa pressoché totale dell'attività dei lombardi nel XVI secolo nei Paesi Bassi.[15] L'origine piemontese o in generale italiana dei lombardi a metà del XVI secolo è provata senza ombra di dubbio da questa breve lista ufficiale che contiene sia i loro nomi (spesso francesizzati) sia il loro luogo d'origine. Vi sono, fra gli altri, «Anthoine Succa», «Jehan Evangelista de Alladio» o «Loys Porquin», qualificati tutti e tre come piemontesi, accanto a «Bartholemy Banelli Lucquois», «Bernardin de Gabrielly de Pise», o ancora «Laurent Chamaiory» definito più genericamente italiano.[16]

13. G. Scarcia, *Struttura, organizzazione e tecniche del banco di prestito*, in *Lombardi in Europa nel Medioevo*, cit., p. 93.

14. Un breve elenco dei lombardi in attività nei Paesi Bassi nel 1549-1550, redatto su richiesta delle autorità sulla base delle dichiarazioni scritte degli stessi, si può leggere in Bruxelles, Archives Générales du Royaume, *Audience* [d'ora in poi AGR, *A*], *Recollement des Lombards*, 1401 [18] 1, f. 131-131*v*). I nomi dei lombardi sono elencati secondo l'ordine alfabetico del nome personale; si legge chiaramente il nome di «Bernardin Porquin - piedmontois», primo tra i nomi che iniziano con la lettera B. Questa fonte inedita verrà pubblicata in M. Greilsammer, *Les lombards ont-ils vraiment disparu des Pays-Bas au seizième siècle? La preuve par les sources*, «Revue Belge de Philologie et d'Histoire», 88 (2008), in corso di stampa.

15. «In the Burgundian Netherlands they ceased to function around the beginning of the sixteenth century, but in other areas of the Netherlands much earlier»: R. Van Schaïk, *On the Social Position of Jews and Lombards in the Towns of the Low Countries and Neighboring German Territories During the Late Middle-Ages*, in *Core and Periphery in Late Medieval Urban Society*, a cura di M. Carlier *et al.*, Gand 1996, p. 167; D. Gnetti, *L'autunno dei Lombardi astigiani e chieresi in patria e nelle Fiandre nel XV secolo*, in *Lombardi in Europa nel Medioevo*, cit., pp. 87-97.

16. Cfr. qui a p. 598 la mappa dei banchi di prestito nei Paesi Bassi e nel Principato di Liegi nel XVI secolo relativa all'attività di

La situazione nei Paesi Bassi permette di rettificare il modello classico del lombardo che «faceva ritorno di frequente in patria per investire i guadagni in terre, in case e in rendite signorili»[17] e di dare risalto alla diversità dei destini sociali delle loro famiglie. La ricerca rivela che nel corso dei secoli una parte non trascurabile di questi lombardi si sarebbe stabilita nelle città del Nord, pur mantenendo legami sociali, culturali e commerciali più o meno stretti con le città d'origine.

In primo luogo si è testimoni di alcuni successi fuori del comune, come quello della celebre famiglia dei Mirabello[18] legata alla città di Asti. Giovanni *de Mirabello*, che nel 1291 possiede alcuni banchi di prestito nel Brabante in associazione con altri astigiani, dal 1321 diventa esattore generale e in seguito consigliere del duca. La prodigiosa integrazione sociale di suo figlio Simone si misura dall'unione con Elisabetta di Lierde, sorella naturale di Luigi di Nevers conte di Fiandra. Nel 1329, nobilitato ed elevato al rango di cavaliere, Simone ottiene le cariche di esattore generale e di tesoriere del conte. Non trattandosi di un esempio unico nel suo genere,[19] consente di relativizzare le tesi tuttora favorevoli alla marginalità dei lombardi.

Il caso della famiglia Porchini di Chieri, detta Porquin, giunta nei Paesi Bassi in cerca di fortuna al principio del XVI secolo, illustra diversi temi particolari riguardanti i legami con la madrepatria e l'integrazione sociale dei lombardi.[20] I rapporti dei fratelli con la loro città sono mantenuti dopo l'emi-

circa 130 lombardi che operarono in quelle regioni nel XVI secolo e all'inizio del XVII secolo. Per ulteriori informazioni cfr. l'edizione di questo documento e di altre parti del *Récollement des Lombards* e i censimenti effettuati da chi scrive principalmente sulla base di questa fonte in Greilsammer, *Les lombards*, cit.

17. Castellani, *Sviluppi*, cit., p. 75.

18. D. Kusman, *Jean de Mirabello dit van Haelen (ca 1280-1333). Haute finance et Lombards en Brabant dans le premier tiers du XIVe siecle*, «Revue Belge de Philologie e d'Historie», 77 (1999); G. Scarcia, D. Gnetti, *Dalla finanza alla politica: Giovanni e Simone di Mirabello, Ruwaert di Fiandra*, in *Lombardi in Europa nel Medioevo*, cit.

19. G. Bigwood, *Le régime juridique et économique du commerce de l'argent dans la Belgique du Moyen-Âge*, Bruxelles 1921-1922, II, pp. 307-310; J. Laenen, *Usuriers et Lombards dans le Brabant au XVe siècle*, «Bulletin de l'Académie Royale d'Archéologie de Belgique», IV (1904), pp. 141-142.

20. Per il libro di ricordi di Lowijs Porquin cfr. il suo *Een lieflick memorie boeck ...*, Anvers, Ameet Tavernier, 1563; per il testamento spirituale cfr. il suo *Den UUtersten wille van Lovvys Porquin...*, Anvers, Ameet Tavernier, 1563. Su Porquin cfr. M. Greilsammer, *Een pand voor het paradijs*, Tielt 1989; Ead., *Les 'Juifs Baptisés'. Les usuriers lombards dans les Pays-Bas du Moyen-Âge à l'aube des Temps Modernes*, Paris 2008. Colpisce il fisico tipicamente mediterraneo dell'autore di quest'opera, Lowijs Porquin, «lombard» originario di Chieri, messo in risalto dalla colorazione dell'incisione su legno. In quest'illustrazione delle sue *Memorie* è rappresentato a tavola con la famiglia mentre troneggia su una magnifica sedia, con la mano sinistra posata su un teschio umano. Nella destra tiene un testo arrotolato, di fronte a lui è aperto un libro. La moglie Maddalena lo guarda con ammirazione e gli indica gli undici figli in ordine d'età decrescente: cinque maschi e sei femmine. I maschi si sono tolti il copricapo in segno di rispetto. I più giovani hanno le mani giunte in segno di devozione. È una famiglia di ricchi patrizi: l'interno della dimora, gli abiti sono lussuosi (la veste ornata di pelliccia del padre, berretti e camicie con raffinati merlet-

143, 144

grazione: i loro andirivieni continuano senza interruzione almeno per tre generazioni, dalla partenza del secondo fratello, Bernardino (Bernardin, prima generazione), nel 1520, all'anno 1608, quando Francesco (François) Porquin (terza generazione) è condannato per usura dal Consiglio di Fiandra. Il maggiore, Francesco (François, prima generazione), che probabilmente è stato il tramite per i fratelli, illustra bene il modello classico del lombardo. È l'erede dei beni familiari e per tutta la vita conserva intense relazioni socio-economiche con Chieri, dove torna regolarmente per reinvestire i suoi guadagni e dove conosce una notevole ascesa sociale che è frutto del suo successo nel Nord. I suoi due figli saranno come lui dei lombardi attivi nei Paesi Bassi. Invece il fratello minore Bernardin, titolare di numerosi banchi di prestito disseminati dai Paesi Bassi al Pays de Liège, si stabilisce definitivamente a Liegi, dove sarà uno dei notabili cittadini. Lodovico (Lowijs), il terzo fratello, incarna l'integrazione senza riserve: al contrario dei fratelli, sposati con compatriote, si unisce in matrimonio con una fiamminga, è lo strumento attivo della nobilitazione della famiglia da parte di Carlo V, il 4 maggio 1553, e dedica nel 1563 il *Libro di memorie* (*Een lieflick memorie boeck*), e il *Testamento spirituale* (*Den UUtersten wille van Lovvys Porquin*), scritti in fiammingo, al figlio maggiore Cesare. La nobilitazione imperiale dei Porquin ha permesso l'ascesa dei Porchini a Chieri, dopo la sua interinazione da parte del duca di Savoia Carlo Emanuele I (1580-1630).[21]

Nei Paesi Bassi il 'tradimento' di una parte delle famiglie di lombardi nobilitate nel corso dei secoli non ha impedito la prosecuzione delle loro attività. Le antiche famiglie sono sostituite da compatrioti ambiziosi, come i Porchini del XVI secolo, che non appartengono alle élites di Chieri ma dispongono dei mezzi per tentare l'avventura al di là delle Alpi. Ma se Bernardin e Lowijs Porquin, divenuti entrambi notabili di rango a Liegi e a Bergen op Zoom, continuano a esercitare il prestito e ad approfittare dei due mondi, i loro discendenti si integrano completamente alla nobiltà grazie alle strategie matrimoniali parentali. Ancora dev'essere condotta una ricerca sistematica sul legame fra il processo di nobilitazione dei lombardi e il loro disimpegno dall'attività di prestito nell'Europa transalpina a partire dal XV secolo.[22]

L'elemento geografico ha avuto un'importanza capitale nell'evoluzione del

ti, gioielli e cinture d'oro, abiti preziosi per la madre e i figli). Sul muro a sinistra è appesa una pendola a bilanciere. I muri sono tappezzati di drappi, una tovaglia ricamata a fili d'oro orna la tavola. L'emblema araldico segnala il possesso di titoli nobiliari. L'affermazione sociale dei Porquins è altrettanto evidente nell'illustrazione delle loro armi (*De Wapen van Tporquinsche gheslachte* [Le armi del casato Porquin]), accompagnate dal motto di famiglia «Leeft vromelick» (Vivete piamente) al f. c II*v*.

21. Inserita nella lista dei nobili di Chieri, la linea si estinse nel 1687: A. Manno, *Il Patriziato subalpino*, Firenze 1895-1906, 2, p. 658.

22. Cfr. Bordone, *I lombardi in Europa*, cit., p. 30.

Tavola 1. Il Piemonte alla fine del XIV secolo

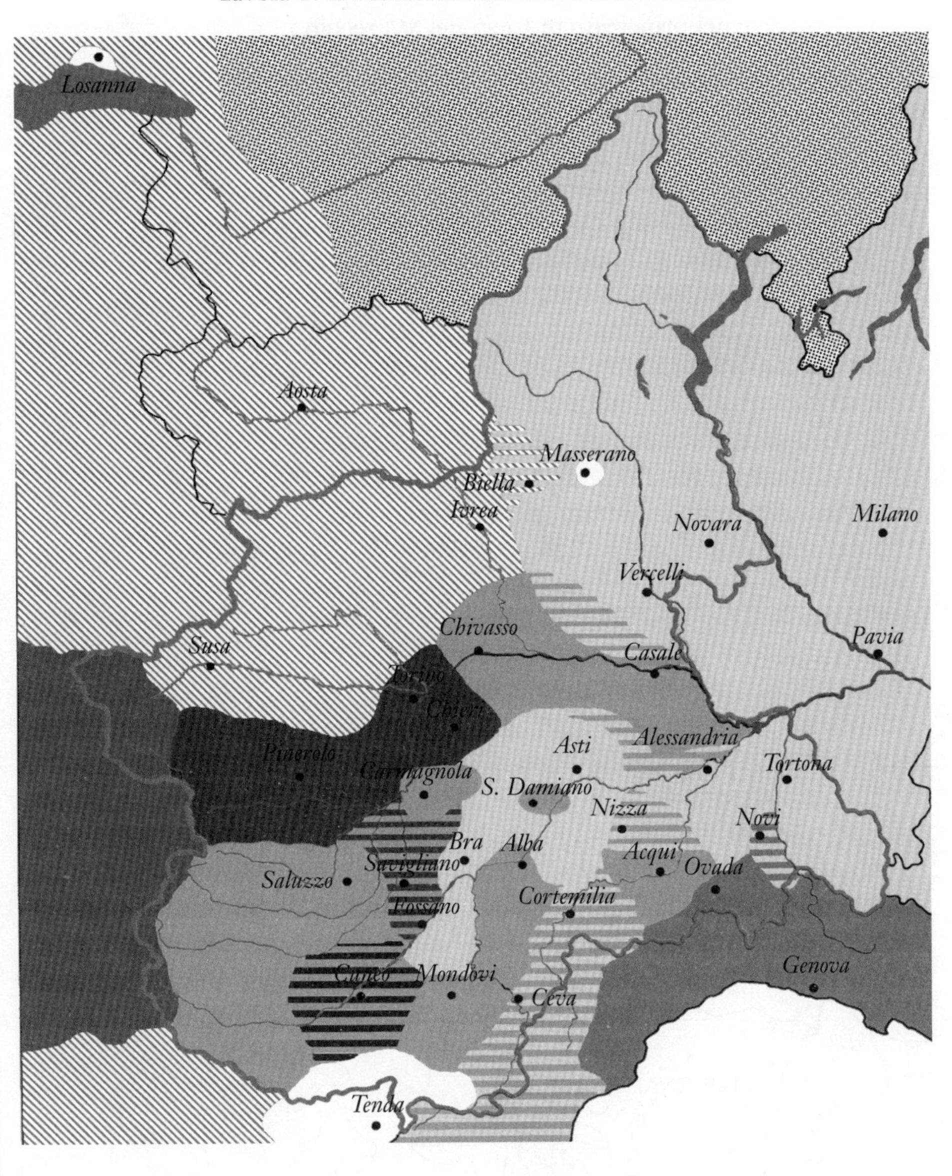

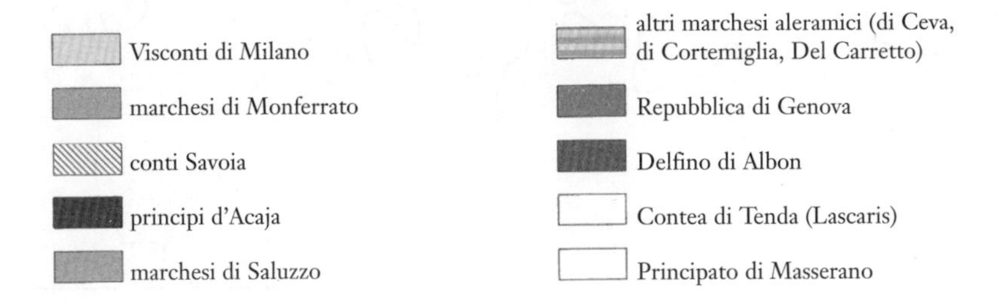

Tavola 2. Siti dei banchi di prestito lombardi nei Paesi Bassi e nel principato di Liegi nel XVI secolo

ruolo economico svolto dai lombardi Oltralpe.[23] Dalla metà del XII secolo i mercanti dell'Italia settentrionale e centrale battono sempre più assiduamente il passaggio delle catene alpine in direzione del centro e del Nord dell'Europa. Una serie di trattati conclusi da casa Savoia garantisce la sicurezza e la tutela delle merci, permettendo l'espansione dei prestatori lombardi nell'Europa occidentale dal primo quarto del XIII secolo.[24] Nella seconda metà del secolo si impongono nei grandi centri urbani, ma esercitando al tempo stesso un forte influsso sulle campagne: oltre la Savoia e la Francia, la loro espansione verso Est e Nord è attestata soprattutto nelle due Borgogne, nelle Fiandre, nel Brabante, in diverse località dei territori imperiali, fra la Mosa e il Reno, dove li troviamo in Lorena, nelle città renane (come Colonia e Magonza), nelle città svizzere (Friburgo, Zurigo, Ginevra, Losanna, ecc.) e, dalla fine del secolo, in Inghilterra.[25] In seguito l'intensificarsi della loro presenza nelle regioni situate a nord della Francia è dovuto alla ripetute persecuzioni nel Regno di Francia a partire da Filippo il Bello, fino all'abbandono totale del territorio francese dopo il 1347.[26] Per la stessa ragione alla fine del secolo lasceranno la Borgogna, dopo la sua annessione alla Francia.

In Fiandra, al contrario dei mercanti-banchieri italiani che operano unicamente a Bruges, principale centro bancario e commerciale al di fuori dell'Italia dalla fine del XIII secolo,[27] gli usurai sono attivi anche nei centri di medie e piccole dimensioni. La loro presenza è attestata dal 1230 a Ypres e a Gand. Dal 1260 lombardi quasi esclusivamente originari di Asti e di Chieri si sono stabiliti nell'Hainaut,[28] nel Brabante e in Fiandra,[29] poi nelle province del nord dei Paesi Bassi.[30] Pri-

23. R. Greci, *Le vie del commercio*, in Greci, Todeschini, Pinto, *Economie urbane*, cit., pp. 100-103; Castellani, *Sviluppi*, cit., pp. 66-70; Bordone, *I lombardi in Europa*, cit., pp. 9-19. Cfr. le carte del Piemonte medievale e dei Paesi Bassi nel XVI secolo alle pagine precedenti.

24. Castellani, *Gli uomini d'affari astigiani*, cit., pp. 156-157; Greci, *Le vie del commercio*, cit., pp. 120-121; J. Somers, *Het laatmiddelleuws pandbedrijf in de Nederlanden*, «Handelingen der Koninklijke Zuidnederlandse Maatschappij voor Taal- en Letterkunde en Geschiedenis», XXXVI (1982), p. 180; F. Irsigler, W. Reichert, *Lombardi nell'occidente dell'Impero*, in *Sistema di rapporti ed élites economiche in Europa (secoli XII-XVII)*, a cura di M. Del Treppo, Napoli 1994, p. 329.

25. Castellani, *Gli uomini d'affari astigiani*, cit., p. 154.

26. Castellani, *Sviluppi*, cit., pp. 68, 71; Bordone, *I lombardi in Europa*, cit., p. 18.

27. Sembrano risiedere a Bruges dal 1250: W. Reichert, *Lombardi tra il Reno e la Mosa. Tentativo di un bilancio provvisorio*, in *L'uomo del banco dei pegni. Lombardi e mercato del denaro nell'Europa medievale*, a cura di R. Bordone, Torino 1994, p. 58 (trad. it. di *Lombarden Zwischen Rhein Und Maas. Versuch Einer Zwischenbilanz*, «Rheinische Vierteljahresblätter», 51, 1987).

28. J.-H. Darings, *Over de Lombaerden en Bergen van Barmhartigheid in Belgie*, «Belgisch Museum», XV (1842), p. 9; P. De Decker, *Études historiques et critiques sur les Monts de Piété en Belgique*, Bruxelles 1844, pp. XVIII-XX.

29. R. Van Uytven, *De Lombaerden in Brabant in de Middeleeuwen*, in *Bankieren in Brabant in de loop der eeuwen. Bijdrage tot de geschiedenis van het Zuiden van Nederland*, a cura di H.F.J.M. van den Eerenbeemt, Tilburg 1987.

30. J. Melles, *Het huis van Leeninge. Geschiedenis van de oude lombarden en de stedelijke bank van leening te Rotterdam 1325-1950*, 's-Gravenhage 1950, pp. 5-11.

ma del 1278 compaiono nella contea di Namur, poco dopo nel vescovado di Liegi e dal principio del XIV secolo in numerose città del Pays de Liège.[31] Nel 1309, fra Mosa ed Escaut, i loro banchi sono attestati in settantasette fra villaggi e città.[32] Queste regioni saranno il principale teatro delle loro attività nell'Europa transalpina. Un elemento gioca a favore della loro supremazia nei Paesi Bassi: mentre le attività dei prestatori ebrei sono sempre state assai più circoscritte di quelle dei confratelli mediterranei, e quasi inesistenti nei grandi centri urbani, dalla metà del XIV secolo qualsiasi concorrenza da parte degli ebrei sarà sbaragliata definitivamente in seguito ai pogrom legati alla peste nera (1348) e ai loro strascichi.[33] Nella seconda metà del XV secolo i lombardi sono presenti in tredici dei quattordici centri economici principali del ducato di Brabante, dove i banchi di prestito sono concentrati nelle mani di un numero ridotto di lombardi. A questo periodo di prosperità fa seguito una temporanea recessione al principio del XVI secolo, le cui circostanze attendono ancora di essere chiarite: dei trentotto banchi attivi nel 1490 nei Paesi Bassi, non ne rimangono che una decina nel 1510.[34]

Al contrario di quanto pretende la storiografia tradizionale, i lombardi hanno beneficiato nei Paesi Bassi di un ultimo periodo di slancio intorno alla metà del XVI secolo.[35] Il carattere alterato dell'economia e l'inasprirsi dei problemi sociali, come dirette conseguenze di una congiuntura climatica negativa e di circostanze politiche e religiose conflittuali, sono di fondamentale importanza per comprendere la loro rinnovata prosperità.[36] Il ritmo rapido delle perturbazioni e la sorprendente capacità di adattamento dell'economia dei Paesi Bassi, avendo contemporaneamente provocato un'acuta esigenza di credito di sussistenza e di incessanti investimenti, ha determinato un'espansione dei banchi che raggiunge il culmine intorno al 1550. Come si vedrà, lo studio del XVI secolo rivela alcune sorprese in merito ai lombardi nei Paesi Bassi.

La maggior parte degli storici[37] oggi concorda sul fatto che i lombardi nei Paesi Bassi non si sono mai limitati al credito al consumo e al prestito su pegno, malgrado si tratti probabilmente della loro occupazione principale. Fin dal principio le loro attività sono eterogenee e anche in seguito conserveranno questo

31. Th. Gobert, *Liège à travers les âges. Les rues de Liège*, Liège 1924-1930, t. 6, p. 445.

32. F. Vercauteren, *Document pour servir à l'histoire des financiers lombards en Belgique (1309)*, «Bulletin de l'Institut historique belge de Rome», 26 (1950-1951).

33. S. Stengers, *Les Juifs dans les Pays-Bas au Moyen-Âge*, Bruxelles 1950, p. 12; Reichert, *Lombardi tra il Reno e la Mosa*, cit., pp. 91-92; Van Schaïk, *On the Social Position of Jews and Lombards*, cit., pp. 167-168, 172-173.

34. Somers, *Het laatmiddelleuws pandbedrijf*, cit., pp. 178-181.

35. Greilsammer, *Les 'Juifs Baptisés'*, cit., *passim*.

36. H. van der Wee, *The Growth of the Antwerp Market and the European Economy (Fourteenth-Sixteenth Centuries)*, The Hague 1963, II, pp. 150-153, 161-162, 192-198, 210, 212, 245-250.

37. Scarcia, *Struttura, organizzazione e tecniche*, cit., p. 97; R. Bordone, F. Spinelli, *Conclusioni*, in *Lombardi in Europa nel Medioevo*, cit., pp. 217-218.

carattere pluridisciplinare di commercio (vendita e acquisto) e di banca (prestito e cambio), una circostanza che rende effimera la rigida nomenclatura di de Roover.[38] Questa «pluralità delle attività economiche»[39] dei lombardi è attestata da innumerevoli testimonianze fino alla loro scomparsa. Le funzioni commerciali del lombardo, talvolta connesse alle sue operazioni creditizie, non sono sempre regolari.[40] Rivende i pegni in suo possesso, di qualunque natura siano, secondo modalità regolamentate sempre più severamente nei secoli XVI e XVII.

Nei Paesi Bassi i lombardi prestano «a tutti»,[41] privati e istituzioni pubbliche. Come i banchieri ebrei in Italia,[42] provvedono alla forte domanda di credito al consumo dei più poveri. La gran parte dei prestiti accordati è garantita con pegni di beni mobili che hanno un valore commerciale,[43] la cui vendita è consentita se la somma totale del prestito non viene rimborsata alla data convenuta. I comuni e i principi ricorrono spesso a loro per somme elevate, su pegno, semplici obbligazioni, ipoteca, cauzione e garanzia personale.[44]

I lombardi si sono messi immediatamente sotto la protezione diretta delle autorità dei Paesi Bassi. Le licenze ottenute nell'ultimo quarto del XIII secolo sono le prime di una lunga serie che verrà loro accordata fino al XVII secolo.[45] Le lievi discrepanze esistenti fra gli statuti regionali spariscono con l'unificazione dei Paesi Bassi sotto la casa di Borgogna nel XV secolo. Ne deriva un corpo piuttosto uniforme di leggi sull'argomento.[46]

Gli obblighi basilari del lombardo restano inalterati. Verso il XIV secolo si definisce una politica di regolamentazione dei tassi d'interesse rimasti stabili *de facto* fino al XVII secolo (due denari per lira a settimana, ossia 43⅓% all'anno).[47] Per esercitare la sua attività, deve ottenere una licenza o una concessione accordata dalle autorità statali per un numero variabile di anni.[48] Dopo

38. Castellani, *Gli uomini d'affari astigiani*, cit., pp. 146-147; R. de Roover, *Denaro, operazioni finanziarie e credito a Bruges nel Medioevo*, in *L'uomo del banco dei pegni*, cit., pp. 142-143 (trad. it. di *Money, Banking and Credit in Mediaeval Bruges*, Cambridge (Mass.) 1948, Part Two).

39. L'espressione è di D. Kusman, *Entre noblesse, ville et clergé. Les financiers lombards dans les anciens Pays-Bas aux XIVe-XVe siècles. Un état de la question*, in AA.VV., *Credito e società: le fonti, le tecniche e gli uomini, secc. XIV-XVI*, Asti 2000, p. 130.

40. Irsigler, Reichert, *Lombardi nell'occidente dell'Impero*, cit., pp. 333-334.

41. Scarcia, *Struttura, organizzazione e tecniche*, cit., pp. 119-120.

42. Cfr. il contributo di Maria Giuseppina Muzzarelli in questo volume.

43. P. Morel, *Les Lombards dans la Flandre française et le Hainaut*, Lille 1908, pp. 57-60.

44. Bigwood, *Le régime juridique*, cit., pp. 462-463, 463-506; Ph. Godding, *Le droit privé dans les Pays-Bas méridionaux du 12e au 18e siècle*, Bruxelles 1987 (Académie Royale de Belgique. Mémoires de la classe des lettres, 2e série, t. XIV, fasc. 1 [*Le prêt*]), pp. 472-495, §§ 815-825.

45. De Roover, *Denaro, operazioni finanziarie*, cit., p. 113; Morel, *Les Lombards*, cit., p. 20.

46. Ivi, pp. 18-19; Bigwood, *Le régime juridique*, cit., pp. 328-335.

47. Ivi, pp. 451-452.

48. R. Bordone, *Introduzione*, in *L'uomo del banco dei pegni*, cit., p. 13; Soetaert, *De Bergen*,

diversi pagamenti preliminari (*droit d'entrage* o *erkentenisse* in fiammingo), versa un canone annuale elevato (*censive*, *faille* o *amende*) proporzionale all'importanza del banco di prestito e dei diritti acquisiti e offre spesso dei «doni».[49] Le concessioni sono accordate da «lettere» con sigillo, generalmente a più individui organizzati in compagnie o società molto flessibili e mobili, che comprendono associati in possesso di parti proporzionali all'investimento iniziale.[50] Dal principio del XIV secolo i concessionari possono cedere i loro diritti a terzi o rinunciare a essi.[51] A metà del XVI secolo questo diritto di trasferimento subisce restrizioni e dipende dal consenso delle autorità.[52] Le vendite fittizie o parziali che permettono al vecchio titolare di riservarsi dei benefici sono vietate. La maggior parte dei lombardi possiede partecipazioni in diverse regioni, talvolta lontane dalla loro residenza. Unite reciprocamente da stretti legami (membri di una stessa famiglia, associati di altri banchi), queste succursali a volte sono dirette da un agente o lombardo o indigeno (*famiglia*, *servi*)[53] retribuito con un salario o con una percentuale dei guadagni. Una delle funzioni di questi impiegati consiste nel percorrere le città e i villaggi per procacciarsi potenziali clienti.

Come controparte dei suoi doveri il lombardo beneficia di alcuni diritti, quali un monopolio per la durata accordata (a condizione di non superare il tasso d'interesse fissato dalle autorità) e l'opzione di rinunciare alle sue quote o di cederle.[54] La protezione delle autorità gli concede contemporaneamente uno statuto giuridico particolare, spesso più esteso di quello di altri mercanti stranieri: esentato da tutte le imposte, dalle tasse locali e da obblighi di vario genere (guardie ecc.), gode di privilegi in materia penale e civile e di privilegi di giurisdizione.[55]

cit., pp. 59-60; Laenen, *Usuriers et Lombards*, cit., pp. 138-139.

49. Bigwood, *Le régime juridique*, cit., pp. 337-338.

50. Castellani, *Gli uomini d'affari astigiani*, cit., p. 168; Scarcia, *Struttura, organizzazione e tecniche*, cit., pp. 97-98, 100; Bigwood, *Le régime juridique*, cit., pp. 342-344; Reichert, *Lombardi tra il Reno e la Mosa*, cit., p. 89. Una concessione dell'8 agosto 1538 parla di «contractz de societé»: AGR, *A*, *1401* (18) 1, f. 105. Si tratta di un documento che illustra la mobilità delle compagnie che si costituiscono e si sciolgono e che è sottoscritto da Bernardin Pourquin e dagli associati Jacques Squaron, Parente de Pogio, Anthoine Succa (ivi, f. 13, 8 giugno 1547).

51. Bigwood, *Le régime juridique*, cit., p. 356.

52. Irsigler, Reichert, *Lombardi nell'occidente dell'Impero*, cit., p. 333.

53. Reichert, *Lombardi tra il Reno e la Mosa*, cit., p. 89; Scarcia, *Struttura, organizzazione e tecniche*, cit., pp. 100-101; Morel, *Les Lombards*, cit., p. 38.

54. Ivi, pp. 40-41; Bigwood, *Le régime juridique*, cit., pp. 339-342.

55. Morel, *Les Lombards*, cit., p. 28; De Decker, *Études historiques et critiques*, cit., p. XXVI; Godding, *Le droit privé* cit., p. 66, §36 e p. 474, § 816.

I lombardi alle prese con il doppio gioco della Chiesa e dello Stato: intolleranza strutturale e tolleranza congiunturale

La condanna assoluta dell'usura, cioè del prestito a interesse, da parte della Chiesa fin dal XII secolo ha avuto come principale conseguenza di rendere teoricamente illegale l'attività dei lombardi, al contrario delle attività dei mercanti-banchieri o dei cambiavalute che non prestano apertamente il denaro a interesse ma operano con diversi sotterfugi leciti.[56] Si può definire la situazione dei lombardi nei Paesi Bassi alla luce di tre costanti principali che sarebbe interessante poter esaminare in altre regioni dell'Europa del Nord.

In primo luogo, per quanto riguarda l'applicazione della dottrina ecclesiastica sull'usura attraverso le decisioni sinodali locali dal XIII al XVII secolo, la condanna del prestatore di mestiere è rimasta assoluta e si fonda sul fatto che tutti i prestatori sono assimilati indistintamente allo statuto dell'«usuraio manifesto». Gli stessi principi sono ribaditi nel corso dei secoli, fin dalle decisioni degli statuti sinodali più antichi del principe-vescovo di Liegi Giovanni di Fiandra riguardanti i prestatori di professione (1288).[57] Tutti gli usurai manifesti (definiti come i manipolatori di denaro condannati in quanto usurai, o riconosciuti come tali sulla base delle loro ammissioni o delle loro attività notorie) sono scomunicati, vengono privati dei sacramenti. Inoltre, poiché la salvezza teoricamente è possibile solo dopo l'interruzione delle attività di usura e la restituzione dell'usura, le autorità locali sono costrette a perseguirli fintantoché non si sono assoggettati alle richieste della Chiesa. Malgrado non sia stata ancora condotta una ricerca sulle restituzioni nei Paesi Bassi, è evidente che quest'opzione si è rapidamente generalizzata.[58] Nel XVI secolo Bernardin Porquin, che secondo l'espressione di Jacques Le Goff vorrebbe «la borsa e la vi-

56. Ivi, pp. 472-480, §§ 815-825 e *passim*.

57. Laenen, *Usuriers et Lombards*, cit., p. 35.

58. Greilsammer, *Les 'Juifs Baptisés'*, cit. e Bigwood, *Le régime juridique*, cit., pp. 312-313. Nell'arte medievale il peccato capitale dell'avarizia è personificato nell'usuraio. Ancora nel XVI secolo un quadro di Hieronymus Bosch (morto nel 1516) mostra un prestatore agonizzante mentre il diavolo e gli angeli si contendono la sua anima, senza che sia determinato l'esito della loro battaglia. Sulla sinistra del dipinto la morte, avvolta in un sudario, tiene nella mano destra una freccia destinata al moribondo. Penetra nella stanza da letto. Un angelo custode sostiene il morente e si sforza di ricondurlo a Dio indicandogli un crocifisso illuminato appeso a un'alta finestra. Malgrado l'inferno attenda l'usuraio che non si penta in punto di morte, quest'avaro stenta a sacrificare alla salvezza i beni terreni accumulati durante tutta la propria vita. Davanti al letto, lo si vede nel pieno della sua attività professionale, a fianco del forziere in cui dispone i suoi registri e i suoi tesori. Con la mano destra fa scivolare delle monete d'oro in una borsa tenuta da una creatura diabolica, mentre con la mano sinistra tiene piuttosto distrattamente un rosario. Sotto il forziere, simbolo del peccato di avarizia, si distinguono diverse creature diaboliche. Una di esse, un piccolo diavolo in miniatura dai piedi cornuti, porge all'usuraio quella che parrebbe una lettera di riconoscimento di debiti: W. Bosing, *Jérôme Bosch (vers 1450-1516), entre le ciel et l'enfer*, Köln-London-Madrid-New York-Paris-Tokyo 2000, p. 32.

ta»,[59] come tutti gli usurai, concretizza la sua ricerca di assoluzione con le opere buone, in linea con l'etica dei mercanti che dal XIV secolo preferiscono essere onorati per le loro opere di generosità spontanea piuttosto che essere costretti a fare ammenda onorevole per i loro peccati.[60] Si rivolge alla Penitenzieria romana di papa Giulio II per ottenere la remissione delle sue colpe. Questo 'lombardo pentito' crea un ospedale al servizio degli appestati per la somma equivalente alla stima delle usure da rimborsare calcolata dal principe-vescovo di Liegi (5000 fiorini del Brabante). Non si può notare senza sorridere che l'anno seguente all'assoluzione ufficiale dai suoi peccati il 16 giugno 1571 egli fa 'dono' di 6000 fiorini al principe-vescovo.[61]

Saranno le misure repressive del sinodo di Cambrai del 1323,[62] più severe delle precedenti, che assimilano tutti i prestatori senza distinzione agli usurai manifesti, a servire da prototipo per quasi trecento anni. Il testo concerne sia gli usurai ufficiali («tutti gli usurari che sono tali avendo queste insegne o esercitando banchi di prestito pubblico devono essere giudicati come usurai manifesti») che i prestatori non ufficiali («gli usurai pur non essendo del tutto manifesti, ma che esercitano in segreto e indistintamente transazioni usurarie che la pubblica opinione designa come usurai»). Il ricorso all'estrema severità delle origini sussiste nella legislazione sinodale fino alla trasformazione definitiva della posizione della Chiesa verso il 1750.

Al principio dell'Età moderna ancora molte decisioni mettono in risalto la contraddizione apparente fra l'evoluzione della dottrina economica ecclesiastica[63] e le decisioni locali. Sulla base delle condanne canoniche del 1323, anch'esse legate alle decisioni draconiane dei secoli XII e XIII (Laterano III, 1179, decretale *Quamquam usurari* di Gregorio X,[64] 1274, ecc.), i sinodi[65] ribadiscono

59. J. le Goff, *La bourse et la vie. Économie et religion au Moyen Âge*, Paris 1986.

60. L.K. Little, *Religious Poverty and the Profit Economy in Medieval Europe*, London 1978, p. 213.

61. Greilsammer, *Les lombards*, cit.

62. «Praesenti synodali statuto decernimus et declaramus omnes tales usurarios hujusmodi signa tenentes aut mensam foenebrem exercentes, manifestos usurarios judicantos, et fore contra ipsos tanquam contra manifestos usurarios procedendum, ipsosque et omnes alios usurarios manifestos in civitate et diocesi Cameracensibus praedictis nostris manentes excommunicamus... Item, quia sunt quidam alii usurarii, qui non sint omnino manifesti, usuras tamen, licet occulte, et usurarios contracctus indifferenter exercent, quos publica fama usurarios esse demonstrat, eos ad ecclesiasticam sepulturam praecipimus non admitti»: Th. Gousset, *Les actes de la Province ecclésiastique de Reims ou anciens décrets des conseils, constitutions, statuts et lettres des évêques qui dépendent ou dépendaient autrefois de la métropole de Reims*, Reims 1842-1844, II, Reims 1843, pp. 515-516. Cfr. anche *Analectes pour servir à l'histoire ecclésiastique de la Belgique*, I^e^ section, 6e fascicule, Louvain 1903, pp. 83-84 e Laenen, *Usuriers et Lombards*, cit., pp. 125-127.

63. Cfr. la sintesi di G. Ceccarelli, *L'atteggiamento della chiesa*, in *Lombardi in Europa nel Medioevo*, cit.

64. P.F.X. De Ram, *Nova et Absoluta Collectio Synodorum Episcopatus Antwerpiensis*, Louvain 1858, p. 230: «Usurarium manifestum, etsi per testamentum usuras restitui mandevarit, nemo tamen ad Ecclesiasticam sepulturam admittat, nisi actualiter etiam, prout facultates tulerint, usuras restituerit, vel de iis restituendis idoneè caverit, juxta Constitutionem Gregorii X, sub poena Canonum».

65. Per esempio il sinodo di Cambrai (1550),

lungo tutto il XVI e XVII secolo la dottrina tradizionale riguardante l'usura. I provvedimenti adottati continuano regolarmente a condannare le attività di prestito in quanto pratica usuraria e a ostracizzare i prestatori come usurai pubblici o manifesti, termini che designano inequivocabilmente i lombardi, come dimostra chiaramente il fatto che nel 1570 e in seguito viene loro proibito di assistere al servizio divino, con la minaccia di perdere la concessione. Altrettanto vitali per i lombardi sono le misure che annullano la validità dei testamenti di usurai notori o ritenuti tali[66] se non hanno previsto la restituzione.[67] Ciò era importante non tanto per la salvezza dell'anima (ai sacerdoti viene ingiunto di avvertirli del pericolo della dannazione) quanto per l'avvenire dei loro beni. La battaglia è a tal punto accanita che viene dato l'ordine, almeno teoricamente, di esumare i corpi dei prestatori come quelli dei criminali più abietti agli occhi della Chiesa, se non si sono pentiti prima di morire.[68] Queste decisioni minacciose, come il divieto alle famiglie 'oneste' di avere rapporti con loro, rivelano una realtà incompatibile con le norme.[69]

che riprende le misure del 1323: «Manifestos usurarios, qui tenent *signa et habent ante domos et fenestras per quae quod sint usurarii divulgantur*», Gousset, *Les actes de la Province ecclésiastique de Reims*, cit., III, p. 84; 1570, Provincia ecclesiastica di Malines, De Ram, *Nova et Absoluta Collectio*, cit., I, p. 133; 1576, ivi, III, p. 89; 1586, sinodo di Cambrai: Gousset, *Les actes de la Province ecclésiastique de Reims*, cit., III, pp. 605 e 580-581, 583.

66. Secondo sinodo, provincia ecclesiastica di Malines, 1576, in De Ram, *Nova et Absoluta Collectio*, cit., III, p. 104.

67. Nel 1604 si nota un ulteriore irrigidimento della Chiesa che pretende dagli usurai una penitenza pubblica e la prova che hanno emendato pubblicamente (*publice*) la loro vita; sinodo di Cambrai, in Gousset, *Les actes de la Province ecclésiastique de Reims*, cit., III, p. 677. Le decisioni di Gregorio X sono ancora citate nel 1631 nel capitolo dedicato alla sepoltura, in cui si negano le esequie religiose agli usurai manifesti che non abbiano dato interamente soddisfazione alla Chiesa: Gousset, *Les actes de la Province ecclésiastique de Reims*, cit., IV, p. 26.

68. «Haeretici autem et schismatici, publice excommunicati et interdicti, usurarii manifesti ..., nullo resipiscentiae signo ante mortem edito, in sacris locis non sepeliantur; imo per ignorantiam aut alias sepulti exhumentur»: sinodo di Tournai, 1574, in Gousset, *Les actes de la Province ecclésiastique de Reims*, cit., III, p. 421. La problematica del pentimento e della restituzione è ben illustrata da una pittura enigmatica che mostra un grasso usuraio nella sua banca. Non si tratta, come si potrebbe credere di primo acchito, di un'istantanea del rimborso anodino di un debito. Per il prestatore sembra giunta l'ora di rendere conto di fronte a Dio: il debitore che sta estinguendo il suo debito non è altri che la morte sorridente, elegantemente drappeggiata in un sudario, certa del fatto suo. Provoost vuole mostrarci un usuraio che persiste nel peccato nell'ora della morte, perché non esita a far pagare i suoi debiti alla Morte stessa, senza timore della punizione che lo attende? Seduto al suo banco di prestito l'usuraio è pallido, ha lo sguardo vuoto e sembra fissare il nulla: è paralizzato dalla paura o, al contrario, personifica quei peccatori recalcitranti che persistono nel loro errore fino al momento della morte, senza recedere? Solo il cappello posato di traverso sulla testa del prestatore testimonia il 'disordine' spirituale che regna.

69. «Quoniam non obstante excommunicatione contra manifestos usurarios lata, illi a popula non vitantur, atque adeo non tantum a plebeis, verum etiam a ditioribus et honoratioribus ad convivia invituntur, et ad familiaritem admittuntur, ... non sine magna Dei offensione et censurarum ecclesiasticarum contemptu»: 1586, in Gousset, *Les actes de la Province ecclésiastique de Reims*, cit., III, pp. 629-630.

Il secondo vettore di continuità è quello della compiacenza nei fatti – addirittura una tolleranza interessata – da parte delle autorità ecclesiastiche locali. Per le regioni del Nord transalpino manca ancora uno studio sistematico del confronto sul campo tra le autorità religiose e le attività di prestito. In primo luogo gli ecclesiastici rappresentano dal XIII secolo una parte importante dei clienti dei banchi, secondo i numerosi dati di prestiti concessi a istituzioni ecclesiastiche dai lombardi. Malgrado il divieto formale, danno in pegno oggetti destinati al culto e ornamenti delle chiese: per esempio, nel 1453 gli scabini di Gand obbligano un lombardo a restituire alla chiesa di San Giovanni un messale che era stato dato in pegno.[70] Inoltre, i prelati e il clero non solo proteggono le attività dei lombardi, ma spesso fruiscono dei guadagni dei banchi di prestito.[71] De Roover ha sottolineato che a Bruges i lombardi esercitano le loro attività con licenza ecclesiastica, come quella del prevosto di San Donato, quartiere situato all'interno della città di Bruges, ma giuridicamente indipendente da essa.[72] Il principe-vescovo del principato di Liegi incarna in modo perfetto la schizofrenia della Chiesa nei confronti dei lombardi. Negli statuti del 29 maggio 1454 Giovanni di Heinsberg, in qualità di vescovo di Liegi, ordina una serie di provvedimenti contro i proprietari dei banchi di prestito. Non si può non sorridere leggendo del monopolio accordato simultaneamente – questa volta in veste di principe della città – a Matteo, Antonio e Pietro Buscheti, fratelli lombardi, per esercitare il prestito nel principato di Liegi. Ma c'è di più: questa concessione rinnovata dal suo successore Luigi di Borbone sarà poi annullata il 23 gennaio 1458 proprio da quest'ultimo, non allo scopo di vietare le attività degli usurai nel suo principato ma per percepire un'entrata più elevata da un'altra compagnia di lombardi, Bartolomeo di *Canderus* e Odino *de Levetis*.[73] Nel XVI secolo, malgrado la recrudescenza di rigore della legislazione sinodale della Chiesa contro le attività di prestito, l'alta gerarchia ecclesiastica continua a esonerare i suoi lombardi. Nel 1506 il vescovo di Cambrai Jacques de Croij ordina ai preti delle parrocchie di trattare per dieci anni i tre lombardi delle città di Anversa, di Malines e di Bruxelles come tutti gli altri parrocchiani.[74] Eccezioni e favoritismi di questo tipo sono largamente documentati fino all'abolizione delle attività dei lombardi nel XVII secolo.[75] In genere questo atteggiamento conciliante delle autorità religiose locali viene spie-

70. Bigwood, *Le régime juridique*, cit., I, p. 151; esempi, II, pp. 465, 485-486.

71. Melles, *Het huis van Leeninge*, cit., pp. 5-11.

72. Bigwood, *Le régime juridique*, cit., pp. 323, 341; de Roover, *Denaro, operazioni finanziarie*, cit., p. 166; L. Gilliodts-Van Severen, *Coutumes du quartier de Bruges*, Bruxelles 1874-1893, I, Bruxelles 1887, pp. 68-69.

73. Kusman, *Entre noblesse, ville et clergé*, cit., pp. 145-146; Bigwood, *Le régime juridique*, cit., pp. 332; Gobert, *Liège*, cit., t. 3, p. 447.

74. Laenen, *Usuriers et Lombards*, cit., pp. 135-136.

75. Morel, *Les Lombards*, cit., p. 303.

gato con l'esigenza insopprimibile di credito al consumo, vale a dire con argomenti economici esogeni legati alla società laica.[76] Jack Goody invece ha rivelato quanto l'argomento economico abbia fortemente influenzato la politica della Chiesa, per esempio nella legislazione relativa al matrimonio, alle donazioni e all'eredità.[77] In modo analogo questa politica 'doppiogiochista' nei confronti dei lombardi (divieti inapplicabili e dispense a pagamento) ha consentito alla Chiesa di rafforzare la sua influenza sulla società cristiana, conservando al tempo stesso gelosamente la propria purezza spirituale e il proprio monopolio della salvezza, e di beneficiare della vivacità del capitalismo mercantile, vendendo in ogni caso i propri servizi. A giudicare da un primo scenario, il prestatore pentito poteva guadagnarsi il paradiso abbandonando il suo mestiere. Nel caso avesse perseverato nel peccato rinviando la scadenza al limite estremo, la seconda opzione gli avrebbe permesso di salvarsi l'anima.

La terza costante della storia dei lombardi nei Paesi Bassi è la continuità delle strategie principesche dalla seconda metà del XIII secolo[78] fino all'abolizione del loro monopolio nel 1618. La politica laica nei confronti dei prestatori nei Paesi Bassi, a lungo studiata anch'essa a livello evenemenziale o tutt'al più congiunturale, è considerata, in gran parte dei lavori, capricciosa o addirittura è spiegata con argomenti erronei. Le interdizioni momentanee sono attribuite a un ritorno passeggero dell'influenza della dottrina ecclesiastica primitiva, o agli 'abusi' dei lombardi che avrebbero indotto dei principi a ritirare il monopolio dei lombardi al fine di 'proteggere' i propri sudditi. Il reinserimento dei lombardi è spiegato con la rinuncia delle autorità, costrette a sacrificare la propria salvezza per il bene comune.[79]

Invece sembra che le fluttuazioni nell'atteggiamento statale verso i lombardi siano il risultato di una politica secolare. Il prestito a interesse, protetto dalle autorità laiche consapevoli della sua necessità economica e allettate dai significativi introiti legati alle sue attività, è proibito a intermittenza per meglio essere ripristinato in cambio di retribuzione.[80] Questa politica, motivata dall'attrattiva del guadagno, si va ampliando dal XIII secolo in proporzione alle esigenze di denaro dei sovrani. Questa circostanza spiega sia le congiunture di relativo miglioramento della situazione dei lombardi, sia la precarietà di questi momenti di distensione. I lombardi vivono sotto la minaccia permanente dell'espulsione o della confisca dei loro beni, nel caso le autorità abbiano bisogno

76. Soetaert, *De Bergen*, cit., pp. 64-67.

77. J. Goody, *L'évolution de la famille et du mariage en Europe*, Paris 1985, pp. 149-157.

78. Nel 1311, al concilio di Vienne, il vescovo di Cambrai lamenta il fatto che alcuni *nobiles* e *potentes* proteggano i lombardi impedendo di perseguirli: Godding, *Le droit privé*, cit., p. 472, § 815.

79. «Il Principe, tuttavia, non agiva in tal modo per uno scopo egoistico. In generale, aveva in mente soprattutto il bene pubblico»: Gobert, *Liège*, cit., t. 3, pp. 445-446.

80. Bigwood, *Le régime juridique*, cit., pp. 602-604, 672.

di risanare le loro finanze. In ogni caso, nel corso dei secoli, le autorità restano i campioni della continuità dei banchi di prestito. Anche l'influenza della Chiesa sulla politica delle autorità laiche nei confronti degli usurai svolge un ruolo solo nella misura in cui queste ultime decidono di servirsene per coprire le loro concussioni. Se pure le ragioni economiche ne sono l'autentico motore, la censura ecclesiastica accorda loro una legittimità e una giustificazione immediate. Così, il duca di Brabante Giovanni II, poco dopo aver sancito le attività dei lombardi in Brabante (1306),[81] annulla quasi immediatamente l'impegno chiedendo a papa Clemente V (1305-1314) di abolirle. Il fine perseguito è quello di permettere al duca di sbarazzarsi dei debiti con i suoi creditori lombardi per accordare loro, una volta annullati, nuove concessioni in cambio di denaro contante.[82]

Le esigenze finanziarie delle autorità sono evocate troppo di rado come uno dei moventi essenziali della loro politica, quando invece si tratta di un argomento capitale. Ogni espulsione è sinonimo di considerevoli guadagni supplementari per le autorità stesse, in aggiunta alle entrate regolari legate alle attività dei lombardi. Costoro non soltanto pagano somme elevate per 'incoraggiare' i governanti a reintegrarli, ma spesso acconsentono anche ad annullarne i debiti.[83] Tuttavia le contraddizioni nell'atteggiamento dei principi sono solo illusorie se si tiene bene a mente che è l'argomento economico quello determinante, e non il loro rifiuto dell'usuraio legato alla loro mentalità o alla condanna ecclesiastica dell'usura. I principi, preoccupati di assicurarsi il massimo guadagno ma al tempo stesso di salvaguardare una facciata virtuosa, hanno adottato una soluzione che garantiva loro la borsa e insieme la vita.[84]

È nel XV secolo che il *modus vivendi* tra le autorità laiche, con le loro pressanti esigenze di denaro liquido, e i lombardi, pronti a qualsiasi compromesso in cambio delle concessioni, raggiunge livelli parossistici.[85] I provvedimenti adottati da Carlo il Temerario rappresentano un esempio efficace di quest'intesa di *quid pro quo*. Nel 1473[86] revoca (sulla scia di suo padre Filippo il Buono)[87] tutte le con-

81. Ordinanza del 6 dicembre 1306, abolizione papale il 1° giugno 1307: *Mengelingen van historisch-vaderlandschen inhoud*, a cura di J.F. Willems, Antwerpen 1836, p. 461; Darings, *Over de Lombaerden en Bergen*, cit., p. 7.

82. Al più tardi cinque anni dopo li riprende sotto la sua protezione. Carta del maggio 1312, § 17. *Placcarts de Brabant*, Anvers, 1648, pp. 120-121.

83. Soetaert ha dimostrato che lo scopo di questa politica oscillante nei confronti dei lombardi dal XIII al XV secolo era quello di riempire le casse dello Stato: Soetaert, *De Bergen*, cit., pp. 63, 80-81.

84. Secondo l'espressione di Le Goff, *La bourse et la vie*, cit., p. 16.

85. Somers, *Het laatmiddelleuws pandbedrijf*, cit., pp. 181-184. Dal 1446 i prestiti accordati dai lombardi al duca superano il valore del pagamento delle loro concessioni: nel 1449 dipende da loro per il 40,54% dei suoi prestiti.

86. Ivi, p. 184; Soetaert, *De Bergen*, cit., p. 63; Laenen, *Usuriers et Lombards*, cit., p. 134.

87. Bigwood, *Le régime juridique*, cit., p. 270.

cessioni accordate ai lombardi del Brabante e di Fiandra e mette sotto sequestro i loro banchi. Il sotterfugio non inganna nessuno: con un nuovo privilegio, qualche mese più tardi, il duca ripristina i vecchi privilegi prolungandoli per dieci anni. Si comprende meglio il ricorso ripetuto a questo tipo di manovre sapendo che oltre alla somma significativa pagata dai lombardi per il rinnovo della concessione collettiva (9600 lire di 40 gros di Fiandra), hanno pagato un supplemento di 60.000 lire di ammenda. In cambio del rinnovo dei privilegi[88] il duca non ha esitato a 'prendere in prestito' da loro, tre anni dopo, la somma di 14.000 scudi (o 16.800 lire) ma a fondo perduto. Così Carlo ottiene sia un 'dono' vantaggioso che l'impegno di un pagamento unificato delle tasse.[89]

Durante gran parte del XVI secolo si ritrova lo stesso *modus vivendi* con un ritmo più irregolare: la crisi provoca un'inflazione di misure discriminatorie contro i prestatori lombardi. Anche gli Asburgo nei loro editti tentano invano di limitare il tasso di interesse lecito.[90] Se il ruolo della dottrina religiosa continua a essere secondario come in passato, i sovrani si sforzano di preservare la loro reputazione di buoni cristiani.

Un'analisi dettagliata evidenzia la continuità della politica, che consiste nel restituire in cambio di moneta sonante quel che è stato confiscato poco prima, come nel caso delle decisioni di Massimiliano d'Austria (1506-1519), tutore dell'arciduca Carlo, severe in teoria ma prive d'impatto nella realtà. Il 12 aprile 1511[91] tutte le licenze dei lombardi sono annullate da un decreto che legittima questa decisione in quanto l'usura è contraria alla legge divina, canonica e civile. Carlo restituisce ai «mercanti della nazione del Piemonte che tengono banchi di prestito nel ... paese di Brabante, Fiandra, Olanda, Zelanda, Hainaut, Malines, Namur e altri» tutti i loro privilegi l'11 luglio 1512, ossia poco più di un anno dopo. Queste decisioni testimoniano il calcolo dei sovrani che si trincerano dietro l'impagabile scusa del «sostegno e della convenienza del povero popolo», mentre si tratta di una manovra finanziaria riuscita.[92] Una volta divenuto sovra-

88. Scarti di datazione: Laenen, *Usuriers et Lombards*, cit., pp. 139-140 (13 novembre); Bigwood, *Le régime juridique*, cit., pp. 386-387 (30 novembre 1473). Soetaert ritiene che il prestito risalga al 1476: Soetaert, *De Bergen*, cit., p. 63.

89. Mentre fino a quel momento ogni concessione era assegnata a ciascuna associazione di lombardi in cambio del pagamento di una determinata somma, ormai le concessioni sono emanate simultaneamente per tutte le compagnie, per un'identica durata di tempo: Morel, *Les Lombards*, cit., n. 41, pp. 230-237; Soetaert, *De Bergen*, cit., p. 189.

90. In teoria dal 43% nel 1549, al 32,5% nel 1574, 21% nel 1593, poi 15,5% nel XVII secolo. Morel, *Les Lombards*, cit., p. 57.

91. Ivi, p. 92.

92. Le frasi testuali sono queste: «Marchands de la nation du Piémont qui tiennent les tables dans nos pays de Brabant, Flandre, Hollande, Zélande, Hainaut, Malines, Namur et autres» per «support et commodité du pauvre peuple»: *Recueils des Ordonnances des Pays-Bas* (d'ora in poi *ROP-B*), *Règne de Charles Quint (1506-1555)*, I, *Actes du 7 oct. 1506 au 16 déc. 1519*, a cura di Ch. Laurent, J. Lameere e H. Simont, Bruxelles 1893, p. 164.

no dei Paesi Bassi (1515-1555), Carlo V[93] adotta nei confronti dei lombardi lo stesso atteggiamento calcolato. Quindi la sua ordinanza del 30 gennaio 1546, conseguente a diversi editti in loro favore, vieta ai lombardi di mescolarsi alle persone «oneste», di frequentare le chiese durante i servizi divini e di beneficiare dei sacramenti, all'infuori del battesimo, e torna alla condanna più severa degli usurai («i detti usurai sono apertamente e di diritto scomunicati»).[94]

Questo testo fornisce un'eccezionale testimonianza della continuità dei doppi standard che hanno determinato la politica delle autorità laiche verso gli usurai e della loro ricerca di profitti. Innanzitutto questa ordinanza sancisce il fatto che i poteri sono consapevoli che secondo il diritto canonico tutti i prestatori di professione sono passibili di scomunica. Inoltre è innovativa, in quanto adotta per la prima volta i criteri ecclesiastici, pur optando per una sanzione civile (perdita della concessione) che sarà integrata a sua volta nelle sanzioni sinodali del 1570, indizio di una collusione fra autorità religiose e laiche. Quest'usurpazione del foro ecclesiastico permette all'imperatore sia di beneficiare delle entrate provenienti dalla sua nuova ordinanza, sia di mantenere nei fatti il suo atteggiamento lassista nei confronti dei lombardi, come testimoniano gli editti e le concessioni ulteriori[95] e soprattutto l'indagine condotta nel 1549-1550 sui banchi di prestito con l'obiettivo di tassarli meglio. Queste liste, insieme alle lettere e alle concessioni che costituiscono il dossier, confermano la continuità dei rapporti fra le autorità imperiali e i prestatori italiani[96] dopo il 1546. In seguito, malgrado l'inasprimento delle decisioni sinodali,[97] Filippo II non si limita a tollerare i lombardi ma fa di meglio: perfeziona la sorveglianza, sempre con l'inten-

93. Nel 1538 Carlo V abolisce la tassa annuale, sostituendola con «doni e liberalità» offerti «volontariamente» dagli interessati.

94. «Ces dits usuriers sont ouvertement et de droit excomuniés»: Soetaert, *De Bergen*, cit., p. 81.

95. *ROP-B*, *Règne de Charles Quint (1506-1555)*, VI, *Actes du 9 janvier 1549 (1550 n.st.) au 25 octobre 1555*, a cura di J. Lameere, Bruxelles 1922, pp. 208-210. Concessioni di Arras (1553): Soetaert, *De Bergen*, cit., p. 81; Tournai (1555): Morel, *Les Lombards*, cit., p. 251, n. 46.

96. Cfr. l'edizione in Greilsammer, *Les Lombards*, cit. In una di queste lettere Lowijs Porquin chiede a Carlo V un'esenzione da questo divieto. Il documento conferma la continuità della politica dei sovrani: gli editti consentono di negoziare future esenzioni. Questa lettera 'standard' inviata dallo stesso Lowys Porquin a Carlo V il 14 dicembre 1549, contiene due richieste. Innanzitutto, Lowijs chiede per sé e per i suoi compagni, «con profonda riverenza e umiltà», dichiarandosi «umile servitore, ... piemontese» residente nella città di Middelburg, di poter acquistare la concessione della città di Lille; chiede inoltre a Carlo V di concedergli l'autorizzazione a partecipare alla messa e agli atti di culto in tutti i luoghi in cui si recherà: «Et en considération de se il plaira a votre dicte maiesté luy permettre et souffri qui puisse aler a la messe et a tous cervises divin luy et toute sa famille tant au lieu de Lille que a tous aultres lieux que long souloir faire pour si devant et il sera de templus obliger et tenu prié dieu pour la bonne prosperité de votre dicte maiesté» (AGR, *A*, 1401 (18), 1, f. 7 (supplica del 14 dicembre 1549).

97. Cfr. F. Donnet, *Les Lombards à Termonde et dans quelques villes des Pays-Bas*, «Annales du Cercle archéologique de la ville et de l'ancien pays de Termonde», 8 (1900), p. 149.

to di assicurare al tesoro introiti il più possibile elevati. La duchessa di Parma istituisce a questo scopo nel 1565 la carica di sovrintendente dei banchi di prestito concessa in appalto per una somma fissa, lasciando al responsabile la facoltà di rinnovare per dieci anni le concessioni dei suoi colleghi e di incassare al tempo stesso le loro tasse.[98]

Alla fine del XVI secolo la situazione dei lombardi si degrada rapidamente: le autorità adottano una tattica di energica repressione, con indagini incessanti e un'applicazione molto più rigida delle ordinanze. La crisi economica rivela la fragilità del *modus vivendi* dei sovrani con i lombardi. Le autorità sono rassegnate a consentire loro temporaneamente di proseguire le attività a condizione di massimizzare i propri benefici. Questa perpetua ricerca di benefici materiali, all'origine della loro tolleranza, sarà anche uno dei motivi della sconfitta dei lombardi. Infatti innesca una dinamica che porterà gli arciduchi (1598-1621) a rafforzare le misure coercitive contro di loro, circostanza che accrescerà sempre più l'incapacità dei prestatori di assolvere la loro parte di contratto. Nella difficile congiuntura del XVII secolo le condizioni del mestiere si fanno impraticabili per la maggior parte di loro.[99] Il trattamento brutale riservato ai lombardi, vittime della politica economica centralista degli arciduchi, ha senz'altro contribuito al loro declino finale e alla creazione dei Monti. L'assottigliarsi dei benefici risultanti dalle attività dei lombardi e la loro inadattabilità alle esigenze economiche decuplicate al principio dell'Età moderna, hanno permesso all'ideologia ecclesiastica e ai pregiudizi ostili alle attività di prestito di venire prepotentemente alla ribalta e di imporre alle autorità l'abolizione definitiva del loro monopolio nel 1618 e la loro sostituzione graduale con i Monti di pietà nel corso del XVII secolo.

Il rovescio della medaglia. Ambiguità dell'eredità italiana: i lombardi vittime dell'ideologia francescana

Fino al XVII secolo le velleità di sbarazzarsi dei lombardi sono naufragate nei Paesi Bassi in mancanza di una soluzione di ricambio.[100] Una volta cacciati, venivano sostituiti da prestatori 'non ufficiali' che facevano rimpiangere alle autorità e ai potenziali clienti la loro assenza. I servizi dei lombardi continuano a essere indispensabili nella lotta contro la crisi economica che raggiunge l'apice

98. Rinnova le concessioni accordate da suo padre e ne aggiunge altre. Banco di prestito di Tournai (1559): Morel, *Les Lombards*, cit., n. 46, pp. 250-257; Anversa (1575), ivi, n. 48, pp. 260-262.

99. Innumerevoli provvedimenti riguardano i pegni: cfr. Morel, *Les Lombards*, cit., n. 46-57, pp. 250-286; *ROP-B*, *Règne d'Albert et d'Isabelle (1597-1621)*, I, *Actes du 10 septembre 1597 au 30 avril 1609*, a cura di V. Brants, Bruxelles 1909, p. 284.

100. Bigwood, *Le régime juridique*, cit., p. 672.

intorno al 1590 sotto il regno di Filippo II (1555-1598).[101] Tuttavia, dal 1560 circa, la volontà di risolvere i problemi secolari di credito dei bisognosi si associa alla determinazione delle autorità di adottare soluzioni innovative. La loro tolleranza nei confronti dei lombardi viene gradualmente scossa dalla lenta interiorizzazione dell'etica economica cristiana e della sua applicazione in Italia.

È noto, grazie alle ricerche di Giacomo Todeschini, che in origine il dibattito teologico che ha cercato di definire le pratiche economiche legittime e di estendere l'ambito della liceità del profitto è stato determinato innanzitutto dalla volontà di opporsi alle attività economiche degli 'infedeli'. L'ideologia cristiana ha istituito un legame fra le cattive pratiche connesse al denaro e gli ebrei e susseguentemente, dal XII secolo, fra i prestatori ebrei e lombardi. Per esempio, Bernardo di Chiaravalle, che non può accettare il fatto che dei cristiani esercitino il mestiere di prestatori, li chiama «giudei battezzati» che «giudaizzano».[102] Da allora la loro sorte è stata irrimediabilmente legata. Questo modello economico cristiano poteva trasmettersi solo con l'aiuto di un rapporto dialettico antagonistico con la sua indispensabile antitesi. In altre parole, per la Chiesa il lombardo è stato prezioso quanto l'ebreo, testimone e prova della prima alleanza ma ribelle alla nuova, e con lui, nel corso dei secoli, ha ricoperto il ruolo ingrato di nemico indispensabile e perpetuo. Il lombardo, prototipo del cattivo rapporto con il denaro, doveva essere mantenuto in quanto «usuraio manifesto». Todeschini spiega bene come l'invenzione del Monte di pietà in Italia non sia frutto della realtà socio-economica. Si tratta di una nozione etica integralmente teorica, scaturita dalla volontà dei Francescani di creare un modello che non solo stabilisca una solidarietà economica fra cristiani, ma che abbia come scopo primario il totale sradicamento delle attività bancarie ebraiche, definite a priori usurarie e infedeli, e la marginalizzazione degli ebrei all'interno delle città.[103] Nei Paesi Bassi l'influenza di questa definizione degli usi 'cristiani' del denaro, che ha condotto alla creazione dei Monti di pietà in Italia alla fine del XV secolo e alla soppressione – per quanto graduale e non sempre definitiva – delle attività bancarie ebraiche,[104] suggellerà inesorabilmente la sorte dei lombardi.

I sovrani dei Paesi Bassi hanno ripetutamente espresso l'intenzione di creare Monti di pietà statali sul modello italiano, senza però riuscire a metterla in atto prima del XVII secolo. Nel 1565 si trova una testimonianza di queste vel-

101. C. Verlinden, *En Flandre sous Philippe II: durée de la crise économique*, «Annales ESC», VII (1952); H. van der Wee, *Typology of Crises and Structural Changes in the Netherlands, 15th to 16th Century*, in Id., *The Low Countries in the Early Modern World, Variorum*, Brookfield 1993, pp. 259-261.

102. «Taceo quod sic ubi desunt, pejus judaizare dolemus Christianos feneratores, si tamen Christianos, et non magis baptisatos Judaeos convenit appellari»: Little, *Religious Poverty*, cit., pp. 56-57.

103. Todeschini, *La riflessione etica sulle attività economiche*, in *Economie urbane*, cit., p. 218.

104. Cfr. il contributo di Maria Giuseppina Muzzarelli in questo volume.

leità, quando la carica di sovrintendente dei banchi di prestito dei Paesi Bassi è assegnata con la riserva di «erigere alcuni monti di pietà per servire senza interesse o meno di quanto fanno i sudditi che hanno un banco».[105] Da allora le concessioni accordate ai lombardi in genere contengono una clausola che prevede la possibilità che siano sostituiti.[106] Malgrado diversi tentativi effimeri, è necessario attendere il governo centralizzatore degli arciduchi per assistere alla soppressione del monopolio dei lombardi e alla creazione di un sistema di prestito statalizzato e uniforme nei Paesi Bassi.

Le autorità, contemporaneamente, sono sempre più prese di mira dagli attivisti anti-usura ispirati dal modello italiano. L'influenza della predicazione francescana che si oppone alle attività bancarie 'ebraiche' e della campagna per l'istituzione dei Monti di pietà in Italia si rinsalda e genera una quantità di conflitti con l'*establishment* ecclesiastico e laico. Una lettera in cui si evocano «i sermoni che hanno tenuto e tengono i predicatori e religiosi a Gand biasimando le usure e i banchi di prestito», provocando l'opposizione della città all'assegnazione di una concessione a un lombardo da parte di Maria di Ungheria, testimonia l'infiltrazione tacita dell'etica francescana dal 1538.[107] L'argomento più interessante dei nemici dei lombardi è senz'altro quello della contaminazione della 'società dei fedeli', frutto del contatto tra i lombardi e gli onesti cristiani autoctoni.[108] In esso si può riconoscere un elemento fondamentale della riflessione di Bernardino da Siena nel XV secolo: l'idea del pericolo rappresentato dai cattivi mercanti per la società cristiana identificata con il mercato.[109]

Nel 1534 la *Bursa Cambium*, *Leenberg*, *Ghemeene* o *Leen-Buerze* o *Berg van Charitate* o *Mont de Charité* viene fondata a Ypres, primo istituto pubblico di prestito su pegno al di fuori del bacino mediterraneo.[110] Si tratta di una cassa municipale che presta su pegno a titolo gratuito, grazie al prestito di una somma di 100 lire di gros ricevuta da un prete che poi lo trasforma definitivamente in dono. Dopo la consegna di un pegno, è consentito al massimo un prestito di tre lire di gros di Fiandra senza interesse ai soli abitanti della città.

L'idea della creazione di banche municipali di credito su pegno continua a

105. Dovrebbe trattarsi della prima allusione alla creazione di Monti di pietà nei Paesi Bassi: Soetaert, *De Bergen*, cit., p. 84.

106. Morel, *Les Lombards*, cit., pp. 261-262, n. 48.

107. 10 ottobre e 17 dicembre 1538: De Decker, *Études historiques et critiques*, cit., pp. XXX-XXXI.

108. «De zelve goeden insetenen daerby ghecontamineert ende gheinfecteert werden, cryghende secret verstant metten zelven wouckereers» (Gli stessi buoni cittadini sono contaminati e infettati da questo, e fra loro e gli stessi usurai si crea un legame segreto): De Decker, *Études historiques et critiques*, cit., p. XXXII.

109. G. Todeschini, *Ricchezza francescana. Dalla povertà volontaria alla società di mercato*, Bologna 2004, pp. 167-169.

110. De Decker, *Études historiques et critiques*, cit., p. 24. Creato ancor prima del *Leihhaus* di Norimberga: Soetaert, *De Bergen*, cit., pp. 75-77, 327.

guadagnare terreno. Così nel 1555 l'italiano Bartolomeo Richelmo fa due proposte alla municipalità di Anversa per la creazione di un Monte di pietà (*Banco del refugio*) finanziato da una grande lotteria, con l'offerta di prestiti a un interesse del 20%. In base alla proposta i vincitori avrebbero ricevuto un certo numero di azioni (mentre la città ne avrebbe posseduto un'altra parte), con la possibilità di ottenere dividendi sui guadagni realizzati dalla banca. Il progetto non fu mai attuato malgrado l'interesse dimostrato dalla reggente Margherita di Parma[111] (1559-1567) e dalla città di Anversa. In seguito vengono prese altre iniziative pubbliche, come a Bruges dove il 15 gennaio 1573 viene creata la seconda banca municipale di credito su pegno, il *Mons perfectae caritatis*, *Berg van Charitate* o *Mont-de-Charité*.[112] I numerosi doni fatti all'istituto gli consentono di prestare gratuitamente piccole somme. Le sue modalità di procedura che avvantaggiano i poveri e la gratuità dei prestiti conferirono a questa istituzione un carattere caritativo che mantenne fino alla sua chiusura nel 1795.

147

Questi istituti pubblici di prestito creati a livello cittadino proponevano una soluzione incapace di risolvere la grave crisi sociale ed economica causata invece dalla mancanza su scala nazionale di mezzi finanziari. Verso il 1570 un consulto redatto da eminenti professori dell'università di Lovanio su richiesta del governo consiglia la creazione di Monti di pietà sul modello italiano. I fautori di una soluzione pubblica acquistano peso nell'ultimo quarto del XVI secolo, senza che le loro diverse teorie riescano a materializzarsi in modo duraturo. Così Pierre d'Oudegherst, nobile fiammingo,[113] nel 1571 spera di essere incaricato da Filippo II di abolire i banchi di prestito e di sostituirli con i Monti di pietà come in Italia. Il suo *Discours sur l'establissement des tresoryes publiques*, che rivela l'interiorizzazione dell'argomento etico cristiano, trascura l'aspetto economico e sociale riproducendo anch'egli il modello francescano.[114] Il suo progetto di creare casse pubbliche che propongano prestiti al 6% di interesse non sarà mai realizzato, al pari del tentativo fallito dell'italiano Silvestro Scarini (o Scharmi), che nel 1585 propone di divulgare l'istituzione dei Monti di pietà italiani nei Paesi Bassi[115] ottenendo l'appoggio del governatore Alessandro Farnese, duca di Parma (1578-1592).[116]

111. Ivi, pp. 81-82.

112. P. Soetaert, *De «Berg van Charitate» te Brugge, een stedelijke leenbank (1573-1795)*, Bruxelles 1974 (Crédit communal de Belgique, Collection histoire, 40), pp. 3-4; Id., *De Bergen*, cit., pp. 75-77.

113. Soetaert, *De «Berg van Charitate» te Brugge*, cit., p. 9.

114. De Decker, *Études historiques et critiques*, cit., pp. 41-43, 50-51.

115. Il *Discours sur l'érection des Monts-de-Piété avec déclaration des oeuvres charitables qui en proviendront*, ivi, p. 5. Sul suo progetto cfr. ivi, pp. 36-41; Soetaert, *De Bergen*, cit., pp. 85-86. Poco prima, nel 1582, Gian Giacomo Scaramuchio aveva proposto il suo progetto alla città di Anversa: ivi, p. 84.

116. Morel, *Les Lombards*, cit., pp. 96-97, 274-275; Soetaert, *De Bergen*, cit., pp. 85-86, che menziona ancora il progetto di Hendrik A. Wissel nel 1594 per un Monte di pietà con l'8% di interesse.

Alla svolta del secolo, la politica arciducale guarda ancora al passato: i servizi dei lombardi sono sempre considerati una necessità economica assoluta e una fonte di entrate. Il decreto del 6 maggio 1600 abolisce definitivamente la carica di sovrintendente dei banchi di prestito allo scopo di ridurre le spese dei lombardi, per far abbassare i loro tassi di interesse e di conseguenza mantenere la politica secolare di massimo profitto derivante dalle loro attività. Quest'editto sostiene l'interesse dello Stato piuttosto che l'ideologia religiosa, giustificando pienamente sia i guadagni dei lombardi (definiti in modo esplicito con il termine usura) sia il riconoscimento accordato loro dai sovrani.[117] Paradossalmente, solo diciotto anni dopo questa legittimazione formale dell'interesse e delle attività dei lombardi questi ultimi saranno banditi.

Con l'inasprirsi della crisi economica negli anni fra il 1600 e il 1620 si rinsaldano la volontà di cambiamento e le condizioni necessarie per metterlo in atto. Come in Italia, l'indottrinamento della Chiesa svolge un ruolo capitale. La macchina della propaganda viene messa in moto: «che i curati, predicatori e altre persone da bene inducano e incitino seriamente il popolo nei loro sermoni». Nel 1607 viene ordinata la creazione del Monte di pietà nella città e nella regione di Tournai, «santa intenzione» dell'arciduca Alberto.[118] Il prestito è gratuito anche nel Monte di pietà fondato a Lille nel 1610, dopo che un mercante ha disposto a questo scopo un lascito di 80.000 gulden alla città.[119] Nello stesso anno Alberto d'Austria invia ordinanze analoghe alle città di Courtrai, Douai e Malines. Queste prime fondazioni, che rappresentano ancora iniziative urbane isola-

117. «Combien que de droit divin et canonicque touttes espèces d'usures soient bien estroittement interdictes et déffendues, conséquament ne soit loisible à aulcuns prester argent pour en avoir gaing et prouffit, toutefoiz l'expérience quotidianne de la nécessité publicque a démonstré et démonstre que pour éviter plus grandz maulx et la ruyne des bonnes gens ... il convient tolérer aucunes personnes à faire quelque gaing du prest de leur argent, d'autant que telz prest pour la pettite charité quy est entre les homes ne se peult faire du tout gratuitement, par où sont esté par deça admis et receuz les lombardz aucthorisez pour donner argent aux nécessiteulx et d'en recepvoir quelque prouffict et usure, dont la pratique a depuis continué en aultres personnes receuz à faire semblables pretz par congié et permission des princes souverains ... au moindre sien interest que faire se pourra»: Morel, *Les Lombards*, cit., pp. 286-290. (Quantunque tutte le specie di usura siano severamente vietate e proibite dal diritto divino e canonico, e di conseguenza a nessuno sia permesso prestare denaro per ricavarne guadagno e profitto, tuttavia l'esperienza quotidiana della necessità pubblica ha dimostrato e dimostra che per evitare mali maggiori e la rovina delle persone dabbene ... conviene tollerare che vi sia chi ricava un qualche guadagno dal prestito del proprio denaro, tanto più che questo prestito per la piccola carità fra gli uomini non si può fare del tutto gratuitamente; per questa ragione sono stati ammessi e legittimati i lombardi autorizzati a dare denaro ai bisognosi e a riceverne qualche profitto e usura, pratica continuata poi da altre persone, legittimate a fare prestiti simili per concessione e permesso dei principi sovrani ... con il più basso interesse praticabile»).

118. Morel, *Les Lombards*, cit., pp. 290-293, per le citazioni precedente e successive.

119. Soetaert, *De Bergen*, cit., pp. 75, 88-89; Id., *De «Berg van Charitate» te Brugge*, cit., pp. 9-10.

te e non uniformi,[120] segnano la cessazione più o meno a lungo termine delle attività dei lombardi.

La situazione si trasforma qualche anno più tardi, quando i fautori del Monte di pietà si procurano due appoggi indispensabili alla loro causa: il supporto dottrinario e finanziario della Chiesa e la ferma determinazione di un uomo, Wenceslas Cobergher, che riuscirà a convincere gli arciduchi a passare all'azione.

La posizione del gesuita Leonardo Lessio (1554-1623), professore di teologia a Lovanio, segna l'avvio di una nuova era del pensiero legato all'usura e della difesa dei Monti di pietà nei Paesi Bassi. Lessio, ispirandosi come i suoi predecessori alla realtà italiana, nel suo trattato *De justitia et iure* (1612) suggerisce di espellere i prestatori «che dominano dovunque e opprimono il popolo» e di fondare i Monti di pietà. Concepisce i Monti come una banca moderna finanziata da capitali privati. Lessio enumera quattro vantaggi. Due sono puramente economici: offrirebbero ai ricchi una buona opportunità di investimento (la loro rendita è la migliore e la più sicura) e darebbero agli uomini d'affari un'istituzione creditizia che applicherebbe loro solo il 6%. Gli altri due vantaggi dimostrano la piena interiorizzazione del pensiero economico francescano da parte del gesuita: i Monti non solo estinguerebbero il peccato di usura (preconizza un tasso di interesse del 15%),[121] ma «impedirebbero anche la fuga dei capitali in mano agli stranieri trattenendoli nei Paesi Bassi».[122] Una volta di più si può riconoscere in queste parole una delle accuse centrali dei Francescani fondatori dei Monti di pietà in Italia contro l'economia «ebraica», incolpata di «impadronirsi delle ricchezze cittadine in forma di pegni, per poi esportarle impoverendo così le comunità civiche».[123] È Wenceslas Cobergher (ca. 1560-1634), laico di Anversa, consigliere degli arciduchi dai molteplici talenti (architetto, costruirà gli edifici dei Monti), a realizzare questo progetto. L'ascendente del modello italiano è indiscutibile: non solo Cobergher è vissuto una ventina d'anni in Italia, ma è stato influenzato da un nobile lucchese, Mattia Micheli, che in un suo scritto aveva esposto il progetto di creazione di una casa madre di prestito nella città di Bruxelles, collegata a filiali installate nelle principali città dei Paesi Bassi.[124] Nel 1615 gli arciduchi l'avevano au-

120. *ROP-B*, *Règne d'Albert et d'Isabelle (1597-1621)*, II, *Actes du 8 mai 1609 au 14 juillet 1621*, a cura di V. Brants, Bruxelles 1912, pp. 281-282. Ultimo tentativo fallito nel 1616: Soetaert, *De Bergen*, cit., pp. 90-92.

121. «Nos solum affermimus, mutuatarios ita posse taxari, ut Mons se praestet omnino indemnem, ac proinde etiam posse exigi 15 in 100 si tantum requiratur ratione oneris necesarij, quod subire cogitur»: Leonardus Lessius, *De iustitia et iure ceterisque virtutibus cardinalibus libri quatuor ... Editio septima, auctior et castigatior cum appendice De monte pietatis*, Antwerpiae ex Officina Plantiniana, Balthassaris Moreti, MDCXXII, pp. 824-825, in Soetaert, *De Bergen*, cit., pp. 107-109 e citazioni a p. 109.

122. J.T. Noonan, *The Scholastic Analysis of Usury*, Cambridge (Mass.) 1957, pp. 304-305.

123. Todeschini, *Ricchezza francescana*, cit., pp. 168-169.

124. *Banca o loteria general que se instituye en la villa de Brusselas para el establicimento del monte de piedad par todas las villas de las Altezas Se-*

torizzato a organizzare una lotteria per raccogliere i fondi necessari alla creazione di un Monte di pietà a Bruxelles e un anno dopo in altre città dei Paesi Bassi. Il suo fallito progetto viene ripreso da Cobergher, che giustifica il pagamento del tasso di interesse con le spese di allestimento dei locali per i Monti e la raccolta dei capitali. Dopo aver proposto di ridurre l'interesse al 15%, addirittura di abbassarlo in seguito, si conquista l'adesione indispensabile delle più alte autorità ecclesiastiche, campioni della Controriforma,[125] che trovano le sue proposte più conformi alla dottrina religiosa.[126]

Gli arciduchi sono formalmente responsabili dei decreti riguardanti la soppressione del monopolio dei lombardi. Nell'ordinanza del 9 gennaio 1618, intitolata *Establissement et commission de Super-Intendant Général des Monts de Piété*,[127] si intima la chiusura di tutti i banchi di prestito privati, si dichiarano gli usurai fuorilegge e si revoca loro l'autorizzazione di prestare su pegno. Questo monopolio è trasferito al sistema dei Monti di pietà che si prevede di creare in tutte le città dei Paesi Bassi che abbiano già un banco di prestito, sotto la direzione di Wenceslas Cobergher, nominato sovrintendente generale degli istituti da costruire. L'editto che segna la fine di una cooperazione tanto lunga quanto controversa evoca paradossalmente la continuità piuttosto che il cambiamento, tanto più che si tratta dell'adozione di un'istituzione esportata tardivamente dall'Italia, paese d'origine dei lombardi. La stessa constatazione vale per le modalità di funzionamento dei Monti, visto che la principale differenza con i banchi di prestito consiste nel fatto che i Monti si accontentano di un tasso di interesse del 15%.[128]

Il primo Monte è aperto il 28 settembre 1618 a Bruxelles. A eccezione delle città di Ypres (1665) e di Lovanio (1782), fra il 1618 e il 1633 vengono creati Monti di pietà in tutte le maggiori città dei Paesi Bassi meridionali. I poteri ecclesiastici e laici sono direttamente coinvolti in queste fondazioni: l'arcivescovo di Malines e il cancelliere di Brabante sono investiti della carica di protettori dei Monti.[129] Questi diciassette Monti di pietà, che secondo Paul Soetaert, «malgra-

141

146

renissimas (Anversa 1618), in Soetaert, *De «Berg van Charitate» te Brugge*, cit., p. 12.

125. L'arcivescovo di Malines e diversi vescovi approvano questo progetto il 16 novembre 1619: Darings, *Over de Lombaerden en Bergen*, cit., pp. 24-25; De Decker, *Études historiques et critiques*, cit., pp. 75-77, 380-338.

126. «Professional lending becomes accepted»: Noonan, *The Scholastic Analysis*, cit., p. 307.

127. *ROP-B*, *Règne de Charles Quint (1506-1555)*, V, *Actes du Ier janvier 1543 (1544 n.st.) au 28 décembre 1549*, a cura di M.J. Lameere e H. Simont, Bruxelles 1910, pp. 365-366. Tutti i privilegi dei lombardi sono trasferiti ai Monti e a Cobergher, alla sua famiglia e ai suoi impiegati: De Decker, *Études historiques et critiques*, cit., p. 62.

128. Cobergher ha spiato i lombardi per copiare il funzionamento dei loro banchi. I fondi dei Monti sono ottenuti tramite prestiti a lungo termine al 6¼%; De Decker, *Études historiques et critiques*, cit., p. 58; Noonan, *The Scholastic Analysis*, cit., p. 305.

129. I Monti di pietà di Bruxelles, Anversa e Malines, costruiti da Wenceslas Cobergher. De Decker, *Études historiques et critiques*, cit., pp. 61, 65-70; Soetaert, *De «Berg van Charitate» te Brugge*, cit., pp. 13-14; *ROP-B*, *Règne d'Albert et Isabelle*, II, cit., pp. 433-435.

do l'apparenza caritativa non hanno mai funzionato come istituzioni di beneficenza nei Paesi Bassi»,[130] devono essere considerati come una sola e unica istituzione. Nella città di Liegi, dove il tasso d'interesse percepito dai lombardi (come in tutto il Pays de Liège) è ancora del 44%, il Monte è approvato definitivamente nel 1626 con il consenso dei Gesuiti locali. I Monti del Pays de Liège saranno creati negli anni seguenti.

L'abolizione del monopolio dei lombardi non equivale alla sparizione simultanea di tutti i loro banchi, perché solo l'apertura di un Monte di pietà in una città comportava *ipso facto* l'obbligo di chiusura del banco di prestito locale. Fino a quel momento le autorità continuano ad assegnare concessioni a titolo individuale: nelle città di secondaria importanza dei Paesi Bassi meridionali funzionano ancora cinque banchi nel 1625. Le condizioni per queste concessioni sono diventate drastiche: si ingiunge loro di abbassare il tasso d'interesse dal 21 al 16¼%. Un numero ridotto di lombardi si divide i banchi,[131] di cui non si conoscono bene le modalità di funzionamento. Certo è che da quando l'attività economica dei lombardi non era più vitale e di conseguenza erano privati della loro influenza sulla vita economica, le condizioni di esistenza erano diventate intollerabili. L'ultimo banco di prestito è quello di Lovanio, città che ricade sotto il dominio ecclesiastico, che chiuderà le porte poco prima dell'apertura del Monte in città nel settembre 1782.[132]

Come si spiega un'attesa di centocinquant'anni dopo la creazione dei Monti di pietà in Italia perché siano istituiti anche nei Paesi Bassi?

Questo temporeggiamento dev'essere attribuito non tanto alla resistenza attiva dei lombardi, come ritengono alcuni[133] quanto al fatto che le due parti in causa hanno perpetuato, ognuna sul proprio fronte, il loro ruolo secolare senza percepire la trasformazione radicale del mondo circostante. Né le autorità, che hanno creduto di poter approfittare in eterno di questi introiti, né i lombardi, convinti fino all'ultimo di continuare a essere indispensabili, hanno saputo confrontarsi con le nuove condizioni economiche e culturali successive al 1550.

È opportuno sottolineare il peso delle contingenze nei Paesi Bassi, molto diverse dal contesto italiano, dove i primi Monti di pietà sono costituiti in seguito all'intervento dei Francescani. Un'economia in crisi, la guerra sotterranea con le province del Nord e i conflitti con diverse potenze europee, la costruzione dello Stato moderno e centralizzato – tutti fattori che abbisognano di mezzi decuplicati – poi la reazione cattolica e il ritorno della Controriforma, e soprattutto il fatto che i sovrani capiscono che le fonti di entrate di cui avevano approfittato

130. Soetaert, *De Bergen*, cit., pp. 328, 331.

131. Ivi, pp. 111-112.

132. De Decker, *Études historiques et critiques*, cit., pp. 102-103; Soetaert, *De Bergen*, cit., pp. 113-114.

133. Per esempio ivi, p. 86.

si erano esaurite e che i lombardi non erano più in grado di provvedere alle loro esigenze finanziarie: sono tutti elementi che hanno contribuito di concerto alla decisione finale di creare i Monti di pietà.

Questa nuova soluzione al problema del credito era tanto più allettante in quanto non comportava alcuna spesa per lo Stato, mentre gli assicurava notevoli vantaggi. Non c'è dubbio che gli arciduchi volessero strumentalizzare i Monti, come avevano fatto con i lombardi. Non è l'infanta Isabella quella che con le sue richieste di prestiti contribuisce a provocare la rovina del Monte di pietà di Bruxelles, obbligandolo nel 1625 a prestarle la somma di 566.000 gulden dando in pegno i suoi gioielli sovrastimati?[134]

Inoltre, adottando questa soluzione innovatrice per risolvere le esigenze caritative moltiplicate in una situazione di crisi, i sovrani ultracattolici rinsaldano la loro alleanza con la Chiesa della Controriforma, complice del loro ampio programma di centralizzazione dei poteri, di indottrinamento e di repressione delle masse (è anche un periodo di rinnovata e intensificata persecuzione delle 'streghe'). La preoccupazione per la salvezza ha svolto un ruolo non meno fondamentale, perché Alberto e Isabella in questo modo si assicurano anche la loro parte di paradiso. L'appoggio morale, dottrinario, finanziario e politico della Chiesa ottenuto per questa via ha contribuito a rafforzare il potere e la notorietà del sovrani, patroni della 'Restaurazione cattolica'.

D'altra parte, i lombardi non hanno colto l'urgenza di cambiare le loro modalità di pensiero e di azione. Anzi, essendo abituati a superare le avversità, hanno contribuito in larga misura alla propria rovina. Sono stati incapaci di comprendere che, da un lato, non erano più in grado di conservare come in passato l'esercizio del loro monopolio grazie a un semplice ricatto fondato sulla necessità assoluta dei loro servizi, e che, dall'altro, una volta vanificata qualsiasi possibilità di guadagno derivante dalle loro attività, non esistevano più ragioni sufficienti perché le autorità continuassero a ricorrere ai loro servizi. Stretta fra il martello dei severi provvedimenti promulgati contro di loro e l'incudine della necessità di guadagnare a sufficienza per fronteggiarli, in una congiuntura economica sempre più difficile, la posizione dei lombardi non poteva che inasprirsi. Lottando per la sopravvivenza (nel 1600 rifiutano di ridurre gli interessi dal 33 al 21%) provocano un rigurgito di risentimento nei loro confronti, che agevolerà la vittoria dei loro detrattori. Il loro torto maggiore è stato quello di non capire che la relativa tolleranza da cui erano stati garantiti era definitivamente tramontata, una volta svaniti i moventi economici, aprendo così la strada all'impatto della nuova intransigenza etica e dell'ideale economico cristiano.

134. Sono rivenduti in perdita il 25 settembre 1643 per 290.000 gulden: De Decker, *Études historiques et critiques*, cit., p. 136.

Resta aperta un'ultima questione: perché le autorità non hanno permesso ai lombardi, professionisti del prestito, di dirigere i Monti di pietà o, perlomeno, di continuare le loro attività? È noto che alla vigilia della creazione dei Monti i lombardi, che avevano rifiutato fino a quel momento di applicare tassi del 21%, proposero di essere reintegrati da allora al 15%.[135]

Solo l'analisi di Todeschini dell'etica francescana permette di capire perché la costituzione dei Monti nei Paesi Bassi abbia comportato forzatamente la soppressione dei banchi di prestito dei lombardi. Non è tanto la forma delle loro attività economiche quanto piuttosto la loro sostanza che ha determinato l'atteggiamento delle autorità laiche, con l'obiettivo di sottrarre questo territorio dell'economia al dominio di mercanti 'infedeli'. Poco importa che nella realtà, e malgrado le intenzioni dichiarate dei suoi creatori, i Monti si siano rivelati spietati nei confronti delle persone a corto di denaro, per la cattiva amministrazione, la disumanità delle autorità che li dirigevano, la disonestà degli impiegati che valutavano al ribasso gli oggetti impegnati, l'estrema difficoltà di riscattare il deposito e le malversazioni di Cobergher che attinse dalla cassa di queste istituzioni, attribuendosi personalmente oltre 300.000 fiorini.[136] Allo stesso modo, conta poco il carattere non certo disinteressato ma professionale delle attività di prestito dei lombardi e la grande utilità dei loro servizi. Questi argomenti non potevano influenzare le decisioni prese contro di loro dalle autorità, perché l'equazione fra gli ebrei, l'usura e i lombardi,[137] uno dei punti fondamentali dell'ideologia francescana, esigeva che fossero totalmente sradicati. Nel pezzo teatrale *Spelen Van Sinne* (ossia Moralità) pubblicato ad Anversa nel 1562, in cui si raccomanda al mercante virtuoso una condotta retta, «non come coloro che sono raggiunti dal contagio dell'avidità, o che caracollano con le lance degli ebrei (Joden spiesse)»,[138] si trova un'eloquente testimonianza dell'interiorizzazione di quest'assimilazione, dove l'espressione «lancia degli Ebrei» designa proprio l'usura cristiana.[139]

135. Noonan scrive con parzialità: «The envious, disposessed lombards, who had been unwilling to take 22 per cent, now offered to reenter the business at 15 per cent»: Noonan, *The Scholastic Analysis*, cit., p. 305; De Decker, *Études historiques et critiques*, cit., pp. 56-76, 115-117.

136. «Venceslao Cobergher ... fu un pessimo amministratore e alla sua morte i Monti di pietà erano disastrati»: de Roover, *Denaro, operazioni finanziarie e credito*, cit., pp. 136-137. Soetaert constata il relativo fallimento di alcuni dei suoi istituti: Soetaert, *De Bergen*, cit., pp. 152-183, 329; De Decker, *Études historiques et critiques*, cit., pp. 117, 135-153, 166-167, 182, 278-279.

137. «The money trade, the crucial activity of the Commercial Revolution, was thus now considered to be exclusively the work of the Jews. Christian moneylenders were really Jews»: Little, *Religious Poverty*, cit., p. 56; J. Trachtenberg, *The Devil and the Jews*, New York 1961, p. 191.

138. «Niet als de sulcke die met ghiericheyt besmet syn oft metter Joden spiesse rennen voort»: *Spelen van Sinne*, Antwerpen, Willem Silvius, 1562, p. 163; O. Frankl, *Der Jude in den Deutschen Dichtungen des 15., 16. und 17. Jahrhunderts*, Mährisch-Ostrau 1905, pp. 88-93.

139. Il termine è usato sia nei Paesi Bassi che in Germania. Nella sua opera *Das Narrenschiff*

Se la politica statale diretta all'abolizione dei banchi di prestito dei lombardi si è concretizzata definitivamente nei Paesi Bassi nel secondo quarto del XVII secolo, questo dipende dal fatto che tutte le condizioni materiali, ma anche ideologiche e mentali, erano finalmente presenti per consentire agli arciduchi di statalizzare i Monti di pietà, abbattendo il monopolio degli usurai lombardi percepiti come ebrei battezzati. A causa del loro rapporto sia con il denaro (accusa di ordine economico) che con Dio (accusa di ordine spirituale) i lombardi non solo sono accusati, come gli ebrei, di contaminare la società cristiana, addirittura di provocarne la disgregazione, ma di concorrere a farlo dall'interno, in quanto cristiani. Questa rappresentazione immaginaria della comunità cristiana ha contribuito al fatto che nei Paesi Bassi la società cattolica della Controriforma, in via di 'purificazione', non poteva in definitiva che escludere i lombardi e le loro attività di prestito, perché erano percepite come incompatibili con gli ideali cristiani e la loro panoplia di valori condivisi. Una volta assimiliate mentalmente le attività dei lombardi ai valori e alle pratiche 'ebraiche', il rifiuto definitivo da parte cristiana dei lombardi e dei loro servizi creditizi diventava ineluttabile e non era più che una questione di circostanze: si tratta di un risvolto poco glorioso dell'eredità culturale del Rinascimento italiano.*

(1494), Sebastian Brant scrive nel capitolo dedicato all'usura e al commercio disonesto (*Wucher und Aufkauf*): «Von Wucherzins will ich nichts schreiben, Den sie mit Geld und Gült eintreiben, mit Leihen, Ramschkauf und mit Borgen. Manchem gewinnt an einem Morgen/ Ein Pfund mehr, als im Jahr es sollt. Man leiht jetzt Münze aus für Gold; Für Zehn schreibt man dann Elf ins Buch. Der Juden Zins war leidlich genug, Aber sie können nicht mehr bleiben, Die Christen juden si vertreiben, Die mit dem Judenspiess selbst rennen. Ich kenne viel und könnt sie nennen, Die Treiben Handel wild und schelcht, Und dazu schweigt Gesetz und Recht». Si noti l'uso dell'espressione *Christen juden* (cristiani ebrei) per designare i lombardi e *Judenspiess* (lancia degli ebrei) per indicare l'usura: *Das Narrenschiff*, 93, 15-25, in Sebastian Brant, *Das Narrenschiff*, a cura di H.A. Junghans, Stuttgart 1966, p. 346. Cfr. anche, nella stessa opera, il capitolo *Von Grosem Rühmen*: «Mancher will edel sein genannt, Des Vater doch machte bumblebum / Und mit dem Küferwerk ging um, Oder hat sich so durchgebracht, Das er mit stählernen Stangen focht, Oder rannte mit einem Judenspiess, Das er gar viele zu Boden stiess»: *Das Narrenschiff*, 76, 6-12, cit., p. 278. In *Der Judenspiess* di Hans Obenaus (Nuremberg, 1541) un'incisione mostra un lombardo nel suo banco di prestito che dice «Der Jüdenspiess bin ich genant / Ich fahr daher durch alle Landt / Von grossen Jüden ich sagen wil / Die schad dem land thun in der still / Der Geilstlich fellt und würd zu nicht / Der weltich mechtig hoch auffgericht / Vnd wandern umbher in dem Land / Unser wahr ist laster, sünd und schand» (Mi chiamano usura [lancia degli ebrei] / sono ovunque nel Paese / Dei grassi ebrei voglio dire questo: / che distruggono impunemente / senza reazione del potere ecclesiastico / e con la connivenza di quello temporale / Girano impunemente nella nostra terra / La nostra verità è onere, peccato, vergogna). A questo proposito cfr. Trachtenberg, *The Devil and the Jews*, cit., pp. 190-192 e Frankl, *Der Jude in den Deutschen Dichtungen*, cit., p. 93.

* Traduzione di Maria Paola Arena

Il mercante innovatore

LUCA MOLÀ

Uomini d'affari del Rinascimento e innovazione industriale

I classici studi sui mercanti italiani ed europei tra il Duecento e la fine del Cinquecento hanno analizzato quasi tutti gli aspetti della loro attività. Nel descriverne le conoscenze pratiche e l'universo mentale sono giunti a delineare figure a tutto tondo, partecipi del clima spiriturale, culturale e sociale dell'epoca ma nel contempo portatrici di nuovi valori, quali razionalità, calcolo, ricerca del profitto. Tuttavia in questi lavori di sintesi è stato dedicato poco o nessuno spazio all'impegno profuso dai mercanti per favorire l'evoluzione tecnica e industriale dell'Europa in epoca rinascimentale.[1] Anche gli storici dell'economia che si sono occupati di delineare la biografia di singoli mercanti italiani hanno tralasciato di discutere l'interesse che questi uomini potevano nutrire per l'innovazione tecnologica, forse perché i soggetti di tali indagini si dedicavano quasi esclusivamente all'aspetto commerciale e finanziario delle loro aziende. Sappiamo infatti che Francesco di Marco Datini aveva una bottega di arte della lana e due tintorie a Prato, mentre i Medici erano i soci di maggioranza in due botteghe di pannilana e una di drappi serici a Firenze, ma in entrambi i casi l'amministrazione pratica della produzione di stoffe era lasciata a specialisti, lanaioli o setaioli, apparentemente senza che i finanziatori se ne in-

1. Cfr. A. Sapori, *Le marchand italienne au Moyen Âge*, Paris 1952 (trad. it. *Il mercante italiano nel Medioevo. Quattro conferenze tenute all'École Pratique des Hautes-Études*, Milano 1983); Id., *La cultura del mercante medievale italiano*, in Id., *Studi di storia economica. Secoli XIII-XIV-XV*, Firenze 1955; J. Le Goff, *Marchands et banquiers du Moyen Âge*, Paris 1952; P. Jeannin, *Les marchands au XVIe siècle*, Paris 1962 (trad. it. *I mercanti del '500*, Milano 1962); Y. Renouard, *Les hommes d'affaires italiens du Moyen Âge*, Paris 1968 (trad. it. *Gli uomini d'affari italiani del Medioevo*, Milano 1973); A. Tenenti, *Il mercante e il banchiere*, in *L'uomo del Rinascimento*, a cura di E. Garin, Roma-Bari 1992.

teressassero troppo.[2] E il senese Agostino Chigi, tra i banchieri più ricchi della Cristianità, che fondava gran parte delle sue fortune sull'appalto delle miniere di allume di Tolfa concessogli dal papa a partire dal 1500, secondo testimoni contemporanei «s'impaciava poco» della parte tecnica dell'operazione, lasciata completamente nelle mani di un socio che dirigeva invece personalmente i lavori alle allumiere.[3]

Proprio lo sfruttamento dell'allume di Tolfa, tuttavia, aveva visto sin dall'inizio l'intervento di uomini d'affari attivi in prima persona sul fronte dell'innovazione. Come narrato da Pio II nei *Commentarii*, a scoprire i giacimenti era stato il padovano Giovanni de Castro, arricchitosi con il commercio dei panni a Costantinopoli, città da cui era dovuto fuggire al momento della conquista turca nel 1453 per riparare alla corte papale, dove fu nominato Commissario generale sopra le rendite della Camera Apostolica nella città e nel Patrimonio di San Pietro. Mentre perlustrava i colli vicino Roma, attorno al 1462, forse su suggerimento di un astrologo, notò che la zona di Tolfa possedeva una vegetazione simile a quella delle montagne da cui si estraeva l'allume in Levante, scoprendo così le miniere. Dei campioni del minerale vennero subito inviati a Venezia e a Firenze per certificarne la bontà, e Biagio di Centurione Spinola, appartenente a un illustre casato mercantile di Genova e grande esperto della materia, lo saggiò alla presenza del papa garantendone l'ottima qualità. Lo Spinola venne nominato direttore delle miniere, mentre il primo appalto per il loro sfruttamento fu concesso a de Castro e al mercante pisano Carlo Gaetani.[4] Lo stesso interesse a testare un prodotto sul quale non solo si era incerti ma di cui non si sapeva praticamente ancora nulla lo ritroviamo tra i mercanti fiorentini a quasi un secolo di distanza, negli anni Quaranta del Cinquecento, quando giunse per la prima volta in Italia la cocciniglia del Messico, una tintura ottenuta dai parassiti di una particolare specie di cactus che, essiccati, fornivano un colorante rosso che prometteva di poter sostituire le tradizionali tinture di origine mediterranea e orientale. I primi a smerciare la cocciniglia nella penisola furono dei commercianti di Burgos residenti in Toscana, e ben presto il capo dell'azienda della famiglia Botti di Firenze, che tramite le sue filiali di Cadice, Siviglia e Valladolid aveva il polso dei traffici americani, ne inviò 10 libbre alle società dei Bernardini e degli Spada di Lucca, mercanti in-

2. F. Melis, *Aspetti della vita economica medievale. Studi nell'Archivio Datini di Prato*, Siena 1962; I. Origo, *The Merchant of Prato*, London 1957 (trad. it. *Il mercante di Prato*, Milano 1979); R. de Roover, *The Rise and Decline of the Medici Bank, 1397-1494*, Cambridge, (Mass.), 1963 (trad. it. *Il Banco Medici dalle origini al declino [1397-1494]*, Firenze 1970).

3. O. Montenovesi, *Agostino Chigi banchiere e appaltatore dell'allume di Tolfa*, «Archivio della Società Romana di Storia Patria», 60 (1937); V. Franchini, *Note sull'attività finanziaria di Agostino Chigi nel Cinquecento*, in *Studi in onore di Gino Luzzatto*, II, Milano 1950.

4. G. Zippel, *L'allume di Tolfa e il suo commercio*, «Archivio della Società Romana di Storia Patria», 30 (1907), pp. 14-22.

ternazionali e produttori di seterie, per farla sperimentare su dei filati di seta e conoscerne la resa.[5]

Spesso i mercanti italiani vantavano una conoscenza approfondita dei complessi procedimenti necessari alla manifattura delle merci che trattavano. Alcuni di essi, inoltre, erano in grado di avviare, anche in regioni lontane, imprese impegnate contemporaneamente nel settore primario, secondario e terziario, dalla coltivazione della materia prima alla sua trasformazione e distribuzione sui mercati internazionali. Nel XIV e XV secolo i mercanti delle città marittime, secondo le linee di quello che è stato definito da taluni storici come un 'capitalismo coloniale' *ante litteram*, furono all'avanguardia nel finanziamento e nella gestione delle piantagioni di zucchero, che necessitavano di notevoli investimenti per l'irrigazione delle piante, per la costruzione e il mantenimento dei mulini idraulici che frantumavano la canna e per le caldaie impiegate nella raffinazione del prodotto. Tra i primi a cimentarsi in questo settore, nella seconda metà del Trecento, troviamo il veneziano Federico Corner, legato al re di Cipro Pietro I di Lusignano, per cui svolgeva il compito di banchiere. Ottenuto in concessione dal monarca il casale di Piscopi, sulla punta meridionale dell'isola cipriota, in cui la canna da zucchero era già coltivata da tempo, il Corner vi avviò un'impresa ad alta intensità di capitale, che gli rendeva attorno ai 10.000 ducati l'anno e che fu attentamente protetta dallo Stato veneziano contro le mire imperialistiche dei mercanti genovesi su Cipro.[6] Spettò proprio ai genovesi, invece, esportare la tecnologia dello zucchero nei possedimenti coloniali atlantici di Spagna e Portogallo, entrambe regioni in cui la presenza degli uomini d'affari di Genova era stata massiccia sin dal XIV secolo. Già impegnati nell'utilizzo della canna a Cipro e in Sicilia, i mercanti liguri ne introdussero la coltivazione e avviarono la produzione di zucchero a Madera nel 1455, nelle Canarie negli ultimi due decenni del XV secolo, quindi alle Azzorre e in seguito nei Caraibi, in Brasile, a Sao Tomè e alle isole di Capo Verde. Tra Quattro e Cinquecento ben 16 casate mercantili genovesi possedevano *engenhos de azucar* e trafficavano in zucchero a Madera, 21 alle Canarie, 5 alle Azzorre: si trattava dei grandi nomi del commercio internazionale di Genova, quali Adorno, Cattaneo, Centurione, Cibo, Doria, Gentile, Giustiniani, Grillo, Imperiale, Lomellini, Negrone, Salvago, Sopranis, Spinola.[7]

5. A. Orlandi, *Zucchero e cocciniglia dal Nuovo Mondo, due esempi di precoce diffusione*, in *Prodotti e tecniche d'Oltremare nelle economie europee, secc. XIII-XVIII*, a cura di S. Cavaciocchi, Firenze 1998, pp. 485-487. Sulla fortuna della cocciniglia in Europa cfr. il recente A. Butler Greenfield, *A Perfect Red. Empire, Espionage and the Quest for the Colour of Desire*, London 2005.

6. G. Luzzatto, *Capitalismo coloniale nel Trecento*, in Id., *Studi di storia economica veneziana*, Padova 1954.

7. Sul ruolo dei genovesi nella penisola iberica e nelle colonie di Spagna e Portogallo cfr., tra i moltissimi saggi pubblicati, C. Verlinden, *Italian Influence in Iberian Colonization*, «The Hispanic American Historical Review», 33 (1953); Id., *La colonie italienne de Li-*

I mercanti stranieri operanti in Italia non mostrarono minor interesse nel profittare delle innovazioni tecniche, sin dal Quattrocento. Basterà ricordare la compagnia degli stampatori francesi Nicolas Jenson e Jacques le Rouge, che tra il 1474 e il 1480 dominò il mercato editoriale veneziano grazie ai capitali forniti da Johannes Rauchfass, agente della società Chraft Stalberg di Francoforte, e dall'imprenditore Peter Ugelheimer.[8] Un altro uomo d'affari residente nel Fondaco dei Tedeschi di Venezia, Anton Kolb, originario di Norimberga, ideò e finanziò la sorprendente opera di rilevazione topografica della città lagunare – sulla natura delle tecniche impiegate per compierla gli storici sono ancor oggi divisi – che, sintetizzata dalla penna di Jacopo de' Barbari, si trasformò nel 1500 in una gigantesca xilografia (135×282 cm) ricavata da sei stampi diversi. Kolb sottolineò l'audacia e la novità della sua impresa nel presentarla al governo veneziano, e dichiarò che l'investimento di tempo, energie e denaro profusovi meritava un prezzo di vendita di almeno tre ducati a copia, riuscendo infine a vedersi garantito il *copyright* sulla produzione e distribuzione della mappa in tutto lo Stato per quattro anni.[9] In alcuni casi, inoltre, i mercanti d'Oltralpe si avvantaggiarono dei legami tecnici e delle conoscenze manifatturiere acquisiti in Italia per trasferirli nel loro paese d'origine. Il maggiore uomo d'affari francese del Quattrocento, Jacques Coeur, mercante, banchiere, armatore, *Argentier du Roi* e consigliere di Carlo VII, si fece immatricolare nell'Arte di Por Santa Maria, la corporazione fiorentina della seta, e assieme al suo agente Guillaume de Varye dal 1444 al momento della sua morte, avvenuta nel 1456, partecipò a imprese per la produzione di tessuti serici e di filati d'oro e d'argento con sede a Firenze in società con Niccolò Bonaccorsi e Tommaso Spinelli, quest'ultimo depositario generale della Chiesa. Vi sono sufficienti indizi per credere che fu proprio de Varye, consigliere reale, a insistere presso la corte per l'introduzione dell'industria della seta in

94

sbonne et le developpement de l'economie metropolitaine et coloniale portugaise, in AA.VV., *Studi in onore di Armando Sapori*, I, Milano 1957; R.S. Lopez, *Market Expansions: The Case of Genoa*, «The Journal of Economic History», 24 (1964); R. Pike, *Enterprise and Adventure. The Genoese in Seville and the Opening of the New World*, Ithaca, N.Y., 1966; E. Otte, *Il ruolo dei Genovesi nella Spagna del XV e XVI secolo*, in *La repubblica internazionale del denaro tra XV e XVII secolo*, a cura di A. De Maddalena e H. Kellenbenz, Bologna 1986; G. Doria, *Conoscenza del mercato e sistema informativo: il know-how dei mercanti-finanzieri genovesi nei secoli XVI e XVII*, in Id., *Nobiltà e investimenti a Genova in Età moderna*, Genova 1995.

8. L.V. Gerulaitis, *Printing and Publishing in Fifteenth-Century Venice*, Chicago-London 1976, p. 25; M. Zorzi, *Stampatori tedeschi a Venezia*, in *Venezia e la Germania*, a cura di G. Cozzi, Milano 1985; M. Lowry, *Nicolas Jenson e le origini dell'editoria veneziana nell'Europa del Rinascimento*, Roma 2002, pp. 171-215 (ed. or. *Nicholas Jenson and the Rise of Publishing in Renaissance Europe*, Oxford 1991).

9. J. Schultz, *Jacopo de' Barbari's View of Venice: Map Making, City Views, and Moralized Geography Before the Year 1500*, «The Art Bulletin», 60 (1978), (vedi l'appendice per il testo della concessione statale a Kolb); Id., *La grande veduta "a volo d'uccello" di Jacopo de' Barbari*, in AA.VV., *A volo d'uccello. Jacopo de' Barbari e le rappresentazioni di città nell'Europa del Rinascimento*, Venezia 1999, pp. 58-66.

Francia, fortemente voluta da Luigi XI nel 1466 per limitare le importazioni di beni di lusso dall'Italia.[10]

Esistono quindi prove abbondanti che testimoniano di un impegno diffuso tra i mercanti rinascimentali nel sostenere e favorire l'innovazione tecnica. Per Firenze è stata studiata l'introduzione da parte degli imprenditori dei 'panni alla francesca' e di quelli che imitavano le stoffe fiamminghe nel Trecento, o l'avvio della tessitura dei 'perpignani' e della battitura dell'oro nel Quattrocento.[11] A nord delle Alpi si è descritto il ruolo degli uomini d'affari di Ulma nello sviluppo della manifattura dei fustagni, alimentata da cotone del Levante acquistato principalmente sul mercato veneziano, di quelli di Norimberga nelle tecniche di lavorazione degli strumenti metallici di precisione, o ancora degli imprenditori francesi e tedeschi nel settore metallurgico e minerario.[12] E con lo sviluppo di un sistema di brevetti garantiti dalle autorità statali ed esteso a tutta l'Europa, nel Cinquecento schiere di mercanti investirono parte dei loro patrimoni nel perfezionamento e nell'utilizzo di macchinari industriali e di tecniche produttive, finanziando le operazioni di specialisti e inventori. Eppure, nonostante alcuni studiosi abbiano parlato di un'«hégémonie marchande» che dominò lo sviluppo del mondo industriale sin dal XIV e XV secolo,[13] quando è stato affrontato il tema della creatività e della dinamicità tecnica in ambito mercantile ci si è limitati molto spesso a enunciazioni generiche o solo di principio.[14] Inoltre nelle ricerche di storia economica dell'epoca rinascimentale l'innovazione, cioè l'applicazione di nuove tecnologie e la loro propagazione in ambienti che ne erano privi, è legata principalmente alla attività di artigiani e tecnici, mentre nel caso degli uomini d'affari si è studiata soprattutto la gestione della produzione industriale secondo modalità consolidate, in un contesto manifatturiero già ben svi-

10. M. Mollat, *Les affaires de Jacques Coeur à Florence*, in AA.VV., *Studi in onore di Armando Sapori*, II, Milano 1957. Sul grande mercante francese cfr. la biografia dello stesso Mollat, *Jacques Coeur et l'esprit d'entreprise au XVe siècle*, Paris 1988, e quella di impronta più 'statalista' di J. Heers, *Jacques Coeurs 1400-1456*, Paris 1997. Sulla carriera di Tommaso Spinelli nell'ambito del setificio cfr. W. Caferro, *The Silk Business of Tommaso Spinelli, Fifteenth-century Florentine Merchant and Papal Banker*, «Renaissance Studies», 10 (1996).

11. F. Franceschi, *I forestieri e l'industria della seta fiorentina fra Medioevo e Rinascimento*, in *La seta in Italia tra Medioevo e Seicento. Dal baco al drappo*, a cura di L. Molà, R.C. Mueller e C. Zanier, Venezia 2000, pp. 410-412; Id., *La grande manifattura tessile*, in *La trasmissione dei saperi nel Medioevo (secoli XII-XV)*, Pistoia 2005, pp. 380-389.

12. Ph. Braunstein, *L'industrie à la fin du Moyen Âge: un object historique nouveau?*, in Id., *Travail et entreprise au Moyen Âge*, Bruxelles 2003, e la bibliografia ivi citata. Cfr. anche le informazioni contenute in P. Spufford, *Power and Profit. The Merchant in Medieval Europe*, London 2002, pp. 228-285.

13. J. Favier, *De l'or et des epices. Naissance de l'homme d'affaires au Moyen Âge*, Paris 1987, pp. 227-237.

14. Brevissime, ridotte addirittura a meno di una paginetta, le notazioni riguardanti il ruolo di imprenditori e mercanti in E. Ashtor, *The Factors of Technological and Industrial Progress in the Later Middle Ages*, «The Journal of European Economic History», 1 (1989).

luppato, e a questo riguardo la nota figura del mercante-imprenditore ha ricevuto la dose di attenzione che meritava.[15] Il classico studio di Florence Edler de Roover sul setaiolo fiorentino Andrea Banchi illustra con grande precisione e ricchezza di dettagli il funzionamento della sua azienda, ma presenta anche un quadro statico, di un operatore che si affidava a tecnologie e tipologie di prodotto oramai affermate a Firenze nel Quattrocento e fondamentalmente alla portata di qualsiasi imprenditore dotato di capitali, anche se con inclinazioni conservatrici e poca propensione al rischio.[16]

Scopo delle pagine che seguono sarà allora quello di apportare alcuni elementi di conoscenza e stimolare degli spunti di riflessione su una tematica ancora non sufficientemente indagata, affrontando il problema del contributo dato dai mercanti del Rinascimento all'innovazione industriale sia attraverso le iniziative tese a trasferire determinate conoscenze in zone in cui erano ancora ignote, fungendo quindi da diffusori delle tecniche, sia tramite il finanziamento e la messa in pratica di vere e proprie invenzioni mai apparse prima.[17] Nel farlo concentreremo l'attenzione su tre aspetti della produzione, due dei quali poco o per nulla conosciuti, in cui l'operato degli uomini d'affari italiani fu particolarmente importante: la manifattura del sapone, il riciclaggio degli scarti industriali e l'industria tessile.

Il sapone: egemonia veneziana e crescita della competizione internazionale

Durante il Rinascimento Venezia detenne il predominio nella produzione di sapone di alta qualità. Forti dei regolari rifornimenti di olio d'oliva dalla Puglia e di ceneri alcaline dal Levante, le due principali materie prime che componevano il sapone, i veneziani imposero i loro manufatti nel bacino del Mediterraneo e nell'Europa centrale. Già alla fine del XIV secolo sono ricordate compagnie di mercanti pronte a investire fino a 20.000 ducati in questa industria, che a inizio Seicento contava ben 17 opifici con un totale di 40 caldaie in attività.[18] Per secoli la fama del sapone veneziano fu tenuta alta soprattutto dai prodotti delle botte-

15. Per l'Italia si pensi ai numerosi studi di Federigo Melis, come ad esempio i saggi sulla manifattura laniera contenuti nel suo *Industria e commercio nella Toscana medievale*, a cura di B. Dini, Firenze 1989, pp. 201-316. Per l'Europa settentrionale cfr. la sintesi di J.-P. Sosson, *L'entrepreneur médiéval*, in *L'impresa. Industria commercio banca, secoli XIII-XVIII*, a cura di S. Cavaciocchi, Firenze 1991.

16. F. Edler de Roover, *Andrea Banchi, Florentine Silk Manufacturer and Merchant in the Fifteenth Century*, «Studies in Medieval and Renaissance History», 3 (1966).

17. Cfr. a questo proposito L. Molà, *Stato e impresa: privilegi per l'introduzione di nuove arti e brevetti*, in *Il Rinascimento italiano e l'Europa*, III, *Produzione e tecniche*, a cura di Ph. Braunstein e L. Molà, Treviso-Costabissara (Vicenza) 2007.

18. G. Luzzatto, *Storia economica di Venezia dall'XI al XVI secolo*, Venezia 1995, p. 179; D. Sella, *Commerci e industrie a Venezia nel secolo XVII*, Venezia-Roma 1961, pp. 132-134; S. Ci-

ghe appartenenti alla famiglia dei Vendramin, la cui azienda, avviata alla metà del Trecento, era ancora attiva nella seconda parte del XVII secolo. Il raguseo Benedetto Cotrugli, nel suo *Libro dell'arte di mercatura*, scritto attorno al 1458, citava proprio i Vendramin come esempio di affidabilità industriale, poiché si potevano acquistare i saponi che portavano impresso il simbolo della ditta a occhi chiusi, certi della loro bontà.[19] Essi erano infatti immediatamente riconoscibili su qualsiasi mercato grazie ai disegni della 'mezza luna', della 'stella' e della 'testa di moro', marchi di fabbrica apposti sui prodotti destinati a diversi mercati e gelosamente custoditi per centinaia di anni all'interno del nucleo familiare.[20]

I mercanti che nel corso del Cinquecento diffusero i segreti del saponificio si avvalsero nella maggior parte dei casi delle tecnologie sviluppate a Venezia. Gli Este a Ferrara, città attraverso la quale transitavano grossi quantitativi di sapone veneziano, furono particolarmente interessati a impiantare una fabbrica di sapone. Nel 1542 il duca Ercole II creò una compagnia con il bolognese Domenico Mario di Ercole dalle Balle, alla quale partecipò con un capitale di 4000 ducati, mentre il suo socio d'opera ne investiva altri 2000. L'imprenditore emiliano si impegnava a produrre 300.000 libbre di sapone bianco il primo anno e 350.000 a partire da quello successivo, per un totale di almeno cinque anni, occupandosi di trovare i lavoratori necessari. In cambio il duca gli affidava una *saponaria* con le caldaie e le attrezzature necessarie alla lavorazione, segnale che a Ferrara questa produzione era già stata avviata in precedenza con il sostegno dello Stato. Tra i compiti principali di dalle Balle c'era quello di importare le materie prime dalla Puglia e dalla Siria, stipendiando a tal fine anche agenti o fattori e avendo la libertà di viaggiare per ragioni di commercio. Di grande importanza era lo *status* garantito a questa impresa, che godeva di privilegi daziari pari a quelli elargiti dal duca ai mercanti ebrei levantini (soggetti all'Impero Ottomano) e ponentini (marrani fuggiti dal Portogallo e dalla Spagna e residenti soprattutto ad Anversa) a partire dal 1538, quando a Ferrara si era avviata una politica di attrazione di tecnici e operatori economici dall'estero per svilupparne l'economia.[21]

L'impresa di dalle Balle fu portata avanti negli anni seguenti da un nucleo di mercanti genovesi appartenenti a famiglie di primaria importanza, che appaltarono il saponificio di proprietà della Camera Ducale gestendo la produzione di sapo-

riacono, *Industria e artigianato*, in *Storia di Venezia dalle origini alla caduta della Serenissima. V. Il Rinascimento. Società ed economia*, a cura di A. Tenenti e U. Tucci, Roma 1996, p. 567.

19. Benedetto Cotrugli, *Il libro dell'arte di mercatura*, a cura di U. Tucci, Venezia 1990, p. 178.

20. Chi scrive ha in corso una ricerca sull'azienda dei Vendramin e sulla tutela dei loro *trademarks*.

21. Archivio di Stato di Modena (d'ora in poi ASMo), *Archivio per Materie, Arti e Mestieri*, b. 30, *Sapone*, cc. n.n., 1542. Per la politica di sviluppo economico inaugurata da Ercole II cfr. A. Di Leone Leoni, *La diplomazia estense e l'immigrazione dei cristiani nuovi a Ferrara al tempo di Ercole II*, «Nuova Rivista Storica», 78 (1994).

ne pregiato in regime di monopolio. Al centro di questa operazione era Teodoro Spinola, uomo d'affari che tra il 1542 e il 1547 aveva fatto transitare da Ferrara centinaia di migliaia di libbre di sapone proveniente dalle Marche, probabilmente da Ancona, città che poteva contare su una discreta produzione locale di olio e di cui i veneziani avevano lamentato la concorrenza nell'ambito del saponificio sin dalla metà del XIV secolo.[22] Nel 1548 Spinola, in società col concittadino Domenico Doria, sottoscrisse un accordo con il duca di Ferrara per la produzione di sapone bianco «de la bontà et perfectione a parangone de quello si fabrica in Venetia». La piazza veneziana era un punto di riferimento talmente forte che nel contratto si obbligavano i mercanti genovesi a vendere il loro prodotto a sette lire e dieci soldi ogni cento libbre, per renderlo appetibile alla popolazione ferrarese che normalmente all'epoca pagava lo stesso quantitativo di sapone nove lire, ammettendo però che se il costo fosse aumentato a Venezia poteva crescere in proporzione anche a Ferrara; e pure il prestito di 6000 lire accordato agli innovatori da Ercole II andava garantito da una fideiussione da prestarsi nel mercato di Rialto. Oltre alla fabbricazione di sapone a Ferrara in quantità sufficiente per le esigenze della città e del distretto, attività che avrebbe garantito lavoro e introiti alla popolazione della capitale del ducato, Spinola e Doria, contando sulle connessioni commerciali del primo, promettevano di far transitare per Ferrara più di un milione di libbre di sapone marchigiano durante il quinquennio di durata dell'appalto.

Nel 1553 lo stesso Teodoro Spinola, questa volta assieme a un altro mercante di Genova, Marcantonio Pallavicino, siglava un nuovo contratto di appalto per la produzione di «saponi bianchi de archimia a la Genovese» e saponi verdi da esportare nelle regioni di lingua tedesca attraverso la via di Trento. I soci ricevevano dal duca un secondo prestito pari a 6000 ducati, dei quali 1500 in contanti, 500 come detrazione dal futuro pagamento dei dazi e 4000 sotto forma di ferro della Garfagnana ferrarese da consegnarsi nel porto di Pietrasanta. Le operazioni della società continuarono per anni, poiché ancora nel 1562 si rivedevano i conti arretrati dei dazi che i due genovesi dovevano alla Camera Ducale a partire dal 1548. Durante questo lungo periodo Spinola si era interessato non solo all'aspetto imprenditoriale e commerciale della produzione del sapone ma anche ai suoi risvolti pratici, ideando nuove soluzioni tecniche. Nel corso della pignola inchiesta sul difettoso funzionamento di una caldaia fatta fabbricare per la «saponaria» e sull'eventuale necessità di ripararla o di fonderne una nuova, che nel 1551 coinvolse fattori ducali, maestri saponai e muratori, intervenne anche Spinola – «il mercante che fa lavorare», come viene definito nel memoriale – raccomandando la sostituzione della caldaia di bronzo con una di

22. Per la fabbricazione di sapone ad Ancona e per la concorrenza con Venezia cfr. E. Ashtor, *Il commercio levantino di Ancona nel basso Medioevo*, «Rivista Storica Italiana», 88 (1976), pp. 216-219, rist. in Id., *Studies on the Levantine Trade in the Middle Ages*, Aldershot 1978, cap. VIII.

rame, del tipo di quella che aveva fatto costruire lui stesso a Codigoro (cittadina in cui evidentemente a quel tempo si svolgeva parte della lavorazione); rispondendo a quanti gli chiedevano dove ne avesse trovato il modello, il genovese disse con un certo orgoglio che non ne aveva mai viste prima «et che lui se l'haveva cavata della fantasia».[23] La stessa 'fantasia' che, forse, nel 1566 lo spinse a proporre al governo veneziano l'introduzione della lavorazione di un nuovo tipo di sapone fabbricato in altre regioni, di cui si smerciavano grossi quantitativi «a Genoa, in Cicillia, Roma, Napoli, Provenza, Franza, la Savogia, il Piamonte et la più parte di Lombardia».[24]

Questa offerta dimostra la crescente minaccia portata alla produzione veneziana dai saponi di altre regioni: Genova in primo luogo, ma anche Gaeta e Gallipoli, ricordate sin dal 1489 in un decreto del Senato per la loro concorrenza,[25] e infine Marsiglia, fonte forse dell'innovazione proposta da Spinola, a giudicare dall'area di diffusione del prodotto. Tuttavia rimaneva intatta la convinzione generale che fosse proprio Venezia il centro dei segreti di produzione del sapone e che a lei i mercanti interessati a questo materiale dovessero fare riferimento. Questa 'mitizzazione' della superiorità veneziana aveva d'altra parte un riscontro con la realtà, poiché era il sapone «al modo di Venezia» che più spesso di altri veniva imitato. Nel 1588 fu Bologna a tentare di importare la tecnologia veneziana tramite l'imprenditore vicentino Bartolomeo Robustelli, che ottenne di introdurre «artem saponariae conficiendi, scilicet sapones albos ad instar saponorum Venetorum» in regime di monopolio per dieci anni. La condizione posta dal governo bolognese, però, era che Robustelli compisse un esperimento per verificare se il suo sapone era di qualità pari a quello veneziano.[26] È certamente collegata a questo privilegio la domanda fatta pervenire alla corporazione dei saponai di Venezia tramite un avvocato dal governo di Bologna a distanza di meno di un anno, nel 1589, per conoscere il metodo corretto di preparazione del sapone. A prima vista sembra una richiesta molto singolare, soprattutto considerando la gelosia con cui ogni città serbava allora i propri segreti tecnici. E tuttavia un nutrito gruppo di «magnifici mercanti veneti della mercantia di saponi», capitanati da Donato Rubino, non dimostrò alcun timore nel produrre una testimonianza giurata, registrata presso un notaio, nella quale si descrivevano – seppur con una certa sommarietà – i procedimenti necessari per ottenere

23. I dati sulle società dello Spinola e sull'inchiesta sono tutti tratti da ASMo, *Archivio per Materie, Arti e Mestieri*, b. 30, *Sapone*, carte non numerate.

24. Archivio di Stato di Venezia (d'ora in poi ASVe), *Collegio, Risposte di dentro*, filza 2, n. 59, 6 agosto 1566.

25. ASVe, *Senato Terra*, reg. 10, c. 170*r*, 9 ottobre 1489. Per questo decreto cfr. anche A. Bassani, *Il controllo di qualità del sapone nella Repubblica di Venezia*, «Rendiconti della Accademia Nazionale delle Scienze detta dei XL. Memorie di Scienze Fisiche e Naturali», s. V, 12, tomo II, parte II (1988), p. 81.

26. Archivio di Stato di Bologna, *Senato, Partiti*, reg. 12, c. 30*r*-*v*, 1 ottobre 1588.

il sapone veneziano e il modo di fare l'"assaggio' di un altro tipo di sapone per paragonarlo a quello di Venezia. D'altronde buona parte del procedimento consisteva principalmente nella purezza e qualità dei materiali impiegati (ceneri di Siria o di Ponente mescolate con un quantitativo minore di cenere di Alessandria, olio, calce viva), che nel caso delle ceneri erano sottoposti a una severa regolamentazione, in virtù della quale se ne proibiva assolutamente l'esportazione. Ancor più sorprendente però è venire a sapere che anche in passato altri Stati o principi avevano inviato uno o due pezzi di sapone, dentro una scatola o cassetta bollata, agli uffici pubblici di Venezia per verificarne la somiglianza con il prodotto originario. Di conseguenza è chiaro che il trasferimento di segreti industriali da parte dei mercanti non può essere equiparato sempre ed esclusivamente alla trafugazione di *know-how* tecnico, ma che esso innescò anche dei meccanismi virtuosi di circolazione delle conoscenze a livello ufficiale.[27]

Nella seconda metà del Cinquecento il sapone veneziano entrò anche nelle mire del governo di Firenze, che però diede spazio pure ai mercanti che intendevano avviare la lavorazione di prodotti concorrenziali, facendo quindi dello Stato toscano un buon esempio per osservare l'evoluzione di questo settore industriale in Italia. La prima richiesta di impiantare un'industria di «sapone sodo al modo et uso di Venetia» fu approvata dal granduca di Toscana nel 1570. La compagnia responsabile dell'innovazione, guidata dai mercanti Filippo di Neri della Tosa e Vincenzo Manovelli, si impegnò a far immigrare esperti maestri saponai veneziani e in un primo momento era intenzionata a creare le infrastrutture manifatturiere nel contado di Pisa o di Livorno, ma in seguito ritenne più conveniente indirizzarsi sul contado di Firenze, creandovi due opifici, uno a Empoli e l'altro a Pontedera, ancora ben attivi nel 1588.[28] All'inizio degli anni Novanta del Cinquecento giunse invece a Pisa una coppia di mercanti liguri, Gaspare e Francesco Chiaveri, che avviarono la lavorazione di sapone rosso alla genovese. In pochi anni i due furono in grado di rifornire tutta la città e iniziarono a esportare la loro produzione, che si aggirava attorno alle 80.000 libbre l'anno. Questa bottega, tuttavia, funzionava senza alcun monopolio, che fu richiesto e ottenuto dal governo solo nel settembre 1596, dopo che un altro uomo d'affari genovese, Niccoloso Giraldo, giunto a Pisa dalle Riviere Liguri con la famiglia alla fine del luglio precedente, aveva stipulato una società con due

27. ASVe, *Notarile Atti*, b. 3360, notaio G.A. Catti, cc. 238*r*-239*v*, 23 agosto 1589.

28. Archivio di Stato di Firenze (d'ora in poi ASFi), *Auditore delle Riformagioni*, filza 10, c. 456*r*, 2 maggio 1570; ivi, c. 459*r*-*v*, 18 maggio 1570; ivi, filza 12, n. 226, 15 maggio 1577; ivi, *Pratica Segreta*, reg. 188, cc. 2*v*-3*r*, 5 maggio 1570; ivi, reg. 188, c. 96*r*-*v*, 1 settembre 1577. La notizia che le manifatture di Empoli e Pontedera erano ancora in attività alla fine del penultimo decennio del Cinquecento proviene dalla richiesta presentata da due imprenditori genovesi per la produzione di sapone rosso: cfr. ASFi, *Auditore delle Riformagioni*, filza 17, fasc. 31, 23 dicembre 1588.

mercanti sardi, fatto arrivare maestranze da Genova e iniziato a produrre sapone rosso della stessa qualità, facendo loro concorrenza.[29] Nel 1591, infine, fu il marsigliese Marcantonio Bianchi, di antiche origini pisane, a proporre l'introduzione a Livorno del sapone *madrato* da smerciare in Occidente, specialmente in Francia e nelle Fiandre. Bianchi siglò un contratto con il granduca di Toscana promettendo di far condurre un capomastro da Marsiglia, col cui aiuto avrebbe approntato disegni dettagliati della «fabrica con sue loggie, con caldare tre di rame e con tutti gl'altri instrumenti che per fare e distendere e condurre a perfectione li saponi suddetti li bisogneranno, con magazini di più e bottini grandi da olio, e altre stanze per tenere al coperto la soda, le legna e altre masseritie necessarie». Gli edifici sarebbero stati costruiti quanto più celermente possibile dal governo, poiché lo scopo principale dell'operazione consisteva nel far trovare pronto il sapone all'arrivo delle navi inglesi che l'inverno successivo avrebbero fatto scalo a Livorno, dove si voleva che i mercanti provenienti dall'Inghilterra trovassero merce disponibile per i loro traffici e fossero così incentivati a costituirvi una base permanente.[30]

Saponate e *ogliazzi*: il riciclaggio degli scarti industriali

La produzione del sapone non rispondeva solo alle necessità di igiene personale e lavaggio del bucato,[31] ma era in buona parte destinata all'industria tessile, che richiedeva ingenti quantitativi di lisciva. Nella manifattura della seta il sapone duro era impiegato nella *cocitura*, con la quale i filati venivano privati della sericina (sostanza che funge da collante per tenere unito il bozzolo del baco) prima della tintura per renderne più brillanti i colori e semplificare il procedimento di tessitura.[32] Il lanificio invece impiegava il sapone, mischiato a terre, nella fase di purgatura, per eliminare i grassi e le impurità residue dei panni dopo che erano stati tessuti e prima che passassero alla tintura. Questa operazione serviva soprattutto a pulire la lana dall'olio di oliva con cui era stata unta all'inizio del processo di lavorazione per renderne più agevole la manipolazione, una pratica che, dopo aver suscitato le vive resistenze delle corporazioni laniere, si diffuse e fu generalmente accettata in tutta Italia e nel resto d'Europa

29. ASFi, *Auditore delle Riformagioni*, filza 21, n. 90, c. 452*r*, 1° settembre 1596; ivi, n. 129, cc. 653*r-v*, 660*r*, 30 dicembre 1596; ASFi, *Pratica Segreta*, reg. 190, n. 35, cc. 25*v*-26*r*, 3 settembre 1596.

30. ASFi, *Auditore delle Riformagioni*, filza 18, fasc. 108, cc. 617*r*-619*v*, 28 giugno e 27 luglio 1591; ASFi, *Pratica Segreta*, reg. 189, n. 176, c. 115*r-v*, 27 luglio 1591. Per la presenza inglese a Livorno cfr. G. Pagano de Divitiis, *Mercanti inglesi nell'Italia del Seicento. Navi, traffici, egemonie*, Venezia 1990, pp. 131-143.

31. Su questo tema cfr. D. Biow, *The Culture of Cleanliness in Renaissance Italy*, Ithaca-London 2006.

32. G. Gargiolli, *L'industria della seta in Firenze: trattato del secolo XV*, Firenze 1868, pp. 12-16.

a partire dalla seconda metà del Trecento.[33] Le acque sporche rimaste alla fine della purgatura, dette *saponate*, erano quindi gettate via in fiumi e canali come inutile scarto della lavorazione.

Un sistema per riciclare questi rifiuti industriali fu escogitato in Veneto nella prima metà del XV secolo, basandosi probabilmente su un procedimento chimico con cui le saponate venivano trattate per separare le acque sporche dai residui oleosi, detti generalmente *oliazi* o *ogliazzi*, che così si potevano raffinare e reimpiegare nella produzione di sapone da panni, da usare a sua volta nuovamente nel ciclo di produzione della lana. Negli anni Cinquanta del Quattrocento fonti vicentine menzionano la presenza di *oliazi* nelle botteghe dei purgatori e un contratto di società ne prevede l'importazione da Mantova, anche se non sappiamo con precisione quale ne fosse la destinazione finale.[34] Un impulso ufficiale per scoprire nuove tecniche di reimpiego dell'olio di scarto venne invece dal Purgo di Venezia, un'istituzione gestita dalla corporazione dei lanaioli con l'intento di centralizzaze la fase della purgatura in un unico, grande edificio attrezzato nel quale tutti gli imprenditori erano tenuti a far lavare i loro tessuti. La direzione del Purgo era affidata a una commissione corporativa che ne sovrintendeva l'amministrazione e il funzionamento, acquistando le materie prime e pagando gli addetti al trattamento dei panni. All'inizio del Cinquecento, proprio per abbassare i costi di gestione dell'impianto, i Soprastanti e Provveditori al Purgo finanziarono con successo alcuni esperimenti tesi a trovare un sistema efficace di riciclaggio degli ogliazzi, grazie ai quali si scoprì una tecnica che permetteva di produrre sapone nero per la purgatura e sapone bianco per la follatura, entrambi di buona qualità, tramite il miscelamento degli ogliazzi purificati con olio chiaro.[35] Se allora la corporazione della lana di Venezia decise di sfruttare direttamente le innovazioni, assumendo un maestro artigiano incaricato di fabbricare saponi con le nuove ricette, alla metà del secolo si era passati a vendere gli ogliazzi anche al dettaglio a imprenditori privati, tra i quali un Zuane di Comin che ne acquistò sette botti per il suo saponificio.[36]

Nella seconda metà del Cinquecento il riciclaggio degli ogliazzi vide

33. D. Cardon, *La draperie au Moyen Âge. Essor d'une grande industrie européenne*, Paris 1999, pp. 164-168.

34. E. Demo, *L'"anima della città". L'industria tessile a Verona e Vicenza (1400-1550)*, Milano 2001, p. 99 e nota 56.

35. *La Mariegola dell'Arte della Lana di Venezia (1244-1595)*, a cura di A. Mozzato, I, Venezia 2002, pp. 352-353.

36. Parlando degli ogliazzi, di Comin sosteneva che «non essendo più ogli ma colladure et carogne non bone da cosa alcuna, per esser pieni de aqua morchie et altri mille sporchezzi che si cavano delli ditti panni et alle volte si buttano via, io li ho tolti dal Purgo, che è officio publico, et de quelli cum mia industria li cavo el sporchezo meglio che si po' et vengo a cavar qualche puoco de ogliazzo sporco et non bon da altro se non d'accompagnarlo cum altro oglio bon et far savoni negri, et del tratto delli qual ogliazzi si paga per li Signori del Purgo li opperaii di esso Purgo, i quali cavano ditti ogliazzi fuora delli panni che si purganno»: *La Mariegola*, cit., II, pp. 508-510.

coinvolti alcuni dei principali mercanti internazionali attivi sulla piazza veneziana, pronti a strapparsi l'un l'altro di mano l'appalto del suo sfruttamento e a trovare soluzioni tecniche per migliorarne la resa. Nel 1559 una società costituita da alcuni uomini d'affari genovesi, comprendente Stefano Sauli, Marcantonio Pallavicino, Tommaso e Niccolò Vivaldi, capeggiata dal nostro Teodoro Spinola (siamo nel periodo, ricordiamo, del suo appalto ferrarese), si accordò con il Purgo e acquistò per cinque anni tutte le saponate prodotte dalla purgatura dei panni della città, impiegando un opificio situato nell'isola della Giudecca, preso in affitto per confezionare il sapone. Il monopolio genovese sulle saponate fu ricontrattato e rinnovato per un altro quinquennio nel 1564, e seppure alcuni dissapori divisero i soci e in particolare amareggiarono Spinola, che si ritenne danneggiato dai compagni, fino al 1569 centinaia di migliaia di libbre di ogliazzi furono trasportate in botti con le barche dal Purgo alla Giudecca e vennero trasformate in sapone.[37] Si trattava, d'altra parte, di un affare di tutto rispetto. In quel periodo, infatti, l'industria della lana veneziana aveva conosciuto una crescita costante, raggiungendo l'impressionante produzione annua di oltre 20.000 pezze, che la rendevano una delle principali manifatture tessili europee.[38] Stando a un calcolo di poco più tardo, per ogni pezza di tessuto si consumava olio d'oliva per un valore di 5 ducati,[39] che moltiplicato per il numero delle pezze prodotte ammontava a una spesa di circa 100.000 ducati ogni anno, un capitale notevole che si poteva recuperare almeno in parte attraverso il riciclaggio, degno quindi di attirare la bramosia di operatori di altissimo livello. Non per nulla ad acquistare l'appalto degli ogliazzi negli anni successivi, fino al 1574, fu Giacomo Ragazzoni, forse il mercante di maggior successo nella storia economica veneziana del secondo Cinquecento.[40] Imbarcatosi giovanissimo per trafficare a Londra, dove restò molti anni, il Ragazzoni tornò a Venezia nel 1558 e assieme ai fratelli commerciò soprattutto in grano, di cui riforniva lo Stato, inviando le sue navi da Lisbona a Costantinopoli, assicurando i carichi di altri mercanti, investendo in prestiti, lettere di cambio e sul mercato immobiliare. A lui fu dedicata dal curatore Francesco Patrizi l'*editio princeps* del *Libro dell'arte di mercatura* di Benedetto Cotrugli, stampata a Venezia nel 1573,

37. ASVe, *Cancelleria Inferiore, Miscellanea Notai Diversi*, b. 40, n. 64, inventario della casa e della bottega di Alessandro di Gelo, 17 agosto 1560; ASVe, *Notarile Atti*, b. 437, notaio R. de Benedetti, cc. 223*r*-224*v*, 22 giugno 1570, memoriale prodotto da Teodoro Spinola negli atti di Giovan Battista Negroni, console dei genovesi a Venezia; ASVe, *Provveditori di Comun*, b. 15, reg. 26, *Atti*, cc. 4*r*-5*r*, 28 luglio-11 agosto 1571.

38. D. Sella, *The Rise and Fall of the Venetian Woollen Industry*, in *Crisis and Change in the Venetian Economy in the Sixteenth and Seventeenth Centuries*, a cura di B. Pullan, London 1968, p. 109.

39. ASVe, *Collegio, Risposte di dentro*, filza 7, n. 161, 16 dicembre 1582.

40. ASVe, *Provveditori di Comun*, b. 15, reg. 26, *Atti*, c. 120*v*, 19 febbraio 1574; ASVe, *Notarile Atti*, b. 8294, notaio P.G. Mamoli, c. 391*r-v*, 24 luglio 1574; ivi, c. 591*v*, 22 dicembre 1574.

e per ricompensarlo della sua attività diplomatica a Costantinopoli e del finanziamento della flotta durante la guerra di Cipro contro gli Ottomani la Repubblica lo investì del feudo di Sant'Odorico in Friuli. Per le nozze delle sue nove figlie, tutte sposate con membri della nobiltà, spese fra doti e festeggiamenti l'astronomica cifra di 130.000 ducati, almeno in parte accumulati anche grazie alle saponate e agli ogliazzi.[41]

Non sappiamo se Ragazzoni e la società guidata da Spinola apportassero innovazioni ai metodi impiegati fino ad allora per il trattamento delle acque di risulta della purgatura. Ma di certo fu la scoperta e l'applicazione di un nuovo procedimento tecnico a caratterizzare l'evoluzione di questa peculiare attività industriale nel penultimo decennio del Cinquecento, grazie principalmente a due uomini, l'inventore modenese Francesco dalle Arme e il mercante veneziano Giulio d'Alessandro. Dalle Arme, un gentiluomo, aveva dedicato buona parte della sua vita a sperimentare ricette chimiche che potessero rendere più convenienti ed efficaci vari tipi di manifatture. Fin dal 1560 era stato a contatto con l'ambiente tecnologico di Venezia, dove un brevetto gli concedeva la licenza di impiegare un inedito sistema per la confezione dei vetrioli, e con quello di Milano, città da cui nel 1568 informava il duca di Ferrara di aver scoperto un metodo per produrre indaco di bontà pari a quello che giungeva allora dall'America. Nel 1572, assieme a un tintore milanese residente a Venezia, aveva svelato a Ottavio Farnese, duca di Parma e Piacenza, un segreto per tingere con il guado risparmiando notevolmente sui costi di produzione, entrando poi in società con lui nello sfruttamento dell'invenzione.[42] All'inizio degli anni Ottanta Giulio d'Alessandro aveva finanziato gli esperimenti di dalle Arme, ospitandolo nella sua casa veneziana assieme a un giovane assistente.[43] La spesa era certamente alla portata di Giulio, un ricco e affermato mercante attivo in particolare nell'industria tessile. Partito come imprenditore nel settore del cotone (*bombaser*, secondo la dizione veneziana), con una bottega all'insegna della Pigna, dal 1573 aveva spostato i suoi interessi principalmente sul lanificio, aprendo una società che produceva in media ben 675 pezze l'anno. Contemporaneamente investiva qua-

41. Cfr. G. Gallucci, *La vita del Clarissimo Signor Iacomo Ragazzoni Conte di S. Odorico*, Venezia 1610. Per una nota biografica recente su Ragazzoni cfr. L. Pezzolo, *Sistema di valori e attività economica a Venezia, 1530-1630*, in *L'impresa. Industria commercio banca* cit., pp. 986-987. Altre notizie in A. Tenenti, *Naufrages, corsaires et assurances maritimes à Venise, 1592-1609*, Paris 1959, *ad vocem*; A. Bellavitis, *Identité, mariage, mobilité sociale. Citoyennes et citoyens à Venise au* XVI*e siècle*, Roma 2001, pp. 162-163; U. Tucci, *Introduzione* a Cotrugli, *Il libro*, cit., pp. 4, 14-15.

42. ASVe, *Senato Terra*, reg. 42, cc. 178*v*-179*r*, 14 agosto 1560; ASMo, *Archivio per Materie, Arti e mestieri*, b. 30, *Sapone*, cc. n.n., 13 febbraio 1568; Archivio di Stato di Parma, *Notai Camerali di Parma*, filza 203, rogiti B. Acquila 1572-1584, 24 maggio e 12-13 novembre 1572; ivi, *Patenti*, reg. 3, c. 223r, 13 novembre 1572. Nello stesso anno 1572 il dalle Arme aveva proposto il segreto sul guado al governo veneziano: cfr. ASVe, *Collegio, Risposte di dentro*, filza 5, n. 52, 28 giugno 1572.

43. ASVe, *Notarile Atti*, b. 3355, notaio G.A. Catti, cc. 305*r*-307*r*, 22 settembre 1584.

si 1300 ducati in una tintoria, noleggiava una nave mercantile di sua proprietà, sottoscriveva assicurazioni marittime, inviava agenti in Siria a smerciare i suoi pannilana, acquistava ciambellotti da ebrei levantini operanti ad Ancona per barattarli a Venezia con grana e lane spagnole fornitegli da aziende fiorentine, e importava grandi quantità di materie prime dal Levante per rivenderle (una singola partita di cotone ceduta a una ditta tedesca ammontava a 175 sacchi, per un peso totale di 70.000 libbre, pari a 5445 ducati).[44]

A partire dal 1583 Francesco dalle Arme e Giulio d'Alessandro diedero inizio a una frenetica attività per accaparrarsi i diritti di sfruttamento delle saponate su un'ampia area geografica. A febbraio Francesco presentò una supplica al governo veneziano nella quale affermava di possedere una ricetta per migliorare il procedimento di raffinazione degli ogliazzi, ricevendo un brevetto valido in tutto il territorio dello Stato veneto per la durata di dieci anni. In giugno ottenne l'esclusiva sulle saponate prodotte dal lanificio di Venezia, per un ventennio, con la clausola che, una volta estratti, gli ogliazzi sarebbero andati per metà a lui e per metà alla Camera del Purgo. Quindi a luglio stese un formale contratto di società con Giulio, in cui cedeva al mercante il 50% degli utili spettantigli per il trattamento delle saponate e degli ogliazzi con il suo «modo et secretto», che gli avrebbe prontamente svelato, in cambio del finanziamento integrale di tutta l'operazione.[45] Si trattava, comunque, solo della prima fase di un ben più ambizioso progetto ideato dai due soci. Nei mesi seguenti nominarono diversi agenti con l'incarico di trattare l'acquisto delle saponate gettate via dai purghi di varie altre città e borghi italiani, cointeressandoli all'impresa attraverso la cessione di una percentuale sui profitti o nominandoli fattori della compagnia nelle località dove avrebbero operato. Tra il settembre e l'ottobre del 1583 l'agente a cui era stato affidato il compito di coprire il territorio del Veneto si mosse con efficienza, acquisendo i diritti sulle acque sporche del Purgo gestito dalla corporazione dei lanaioli di Padova e di Vicenza, rispettivamente per 50 e 70 ducati, nonché le saponate del purgo di un privato vicentino, che gli affittò inoltre una tintoria contigua da usare come deposito per i materiali e le attrezzature.[46] A novembre giunse anche «dal

44. ASVe, *Notarile Atti*, b. 3, notaio C. Bianco, 11 dicembre 1572; ivi, b. 3352, notaio G.A. Catti, c. 18*r*-*v*, 18 gennaio 1581; ivi, b. 3353, notaio G.A. Catti, cc. 165*r*-166*r*, 12 luglio 1582; ivi, b. 3354, notaio G.A. Catti, cc. 285*r*-286*v*, 11 agosto 1583; ivi, b. 3357, notaio G.A. Catti, cc. 257*v*-259*r*, 1 agosto 1586; ivi, b. 8291, notaio P.G. Mamoli, cc. 13*v*-14*r*, 7 gennaio 1573; ivi, b. 8294, notaio P.G. Mamoli, c. 389*r*-*v*, 23 luglio 1574; ivi, b. 8297, notaio P.G. Mamoli, cc. 230*v*-234*r*, 28 giugno 1576; ivi, b. 8301, notaio P.G. Mamoli, cc. 321*v*-323*r*, 18 luglio 1579; ivi, b. 8313, notaio F. Mondo, c. 348*r*-*v*, 7 novembre 1576.

45. ASVe, *Provveditori di Comun*, b. 15, reg. 29, cc. 8*v*-10*r*, 11 febbraio 1583; ASVe, *Notarile Atti*, b. 3354, notaio G.A. Catti, cc. 151*r*-153*r*, 28 luglio 1583.

46. ASVe, *Notarile Atti*, b. 3354, notaio G.A. Catti, c. 185*r*, 7 settembre 1583; ivi, cc. 198*v*-200*r*, 10 ottobre 1583; Archivio di Stato di Padova (d'ora in poi ASPd), *Università dell'Arte della Lana*, reg. 95, c. 146*r*-*v*, 14 settembre 1583; Archivio di Stato di Vicenza, *Notai Vicenza*, 723, notaio Giuseppe Zugian, minute sciolte, 20 settembre 1583 (due atti separati).

Serenissimo Gran Duca di Toscana gratia et privilegio di poter ragunar in perpetuo tutte le acque et saponate delli purghi de panni della città di Fiorenza per poter poi ... con il secretto cavar oglio da esse acque», con l'obbligo di pagare 80 scudi l'anno; altri inviati furono spediti poco dopo in Emilia e in Lombardia.[47]

A distanza di nemmeno due anni dall'inizio dell'attività la società per il riciclaggio degli scarti industriali aveva raggiunto dimensioni di tutto rispetto. Giulio e Francesco, infatti, erano riusciti a garantirsi il monopolio sulle acque dei purghi di Venezia, Padova, Treviso, Verona, Vicenza, Bassano, Brescia, Bergamo, Mantova, Bologna, Modena, Parma e Firenze, in molti casi inserendosi anche nei distretti di queste città, che sfruttavano la loro disponibilità di acque correnti per svolgere alcuni segmenti nella lavorazione dei tessuti. Questa espansione territoriale aveva richiesto un discreto capitale, di circa 1000 ducati, per ottenere le concessioni, e naturalmente comportava anche la gestione di numerosi agenti e fattori, la ristrutturazione parziale degli impianti per incanalare le saponate, nonché l'affitto di magazzini e botteghe dove tenere le caldaie, le botti e gli altri strumenti necessari alla lavorazione. In alcune città gli ogliazzi raffinati erano inoltre trasformati in sapone – a Venezia, per esempio, da Zuan Maria d'Alessandro, fratello di Giulio – e quindi richiedevano ulteriori investimenti in capitale fisso e in merci, senza contare la necessità di trasportare gli oli raffinati da un centro all'altro per alimentare i saponifici. Ma nonostante il successo raggiunto dall'operazione, o forse proprio grazie a una crescita che forniva guadagni superiori alle aspettative, permettendo a Francesco una maggiore autonomia, nel maggio 1585 i soci decisero di separarsi dividendosi le sfere di influenza conquistate fino a quel momento e tutti i documenti ufficiali che ne facevano testo. A Giulio restarono le saponate di Venezia, quelle di quasi tutto il resto del Veneto e di Firenze. Francesco manteneva per sé gli investimenti in Emilia e in Lombardia, oltre a conservare Verona e il resto del territorio veneto a est dell'Adige. A lui solo sarebbe spettato, in futuro, avanzare con l'impresa nei territori del Regno di Spagna, mentre in qualsiasi altra regione gli ex soci erano liberi di agire a piacimento.[48]

La clausola riguardante i domini della corona spagnola era motivata molto probabilmente dalle attività che Francesco aveva avviato indipendentemente nella penisola iberica, poiché già all'inizio del 1584, assieme a un mercante milanese, aveva ottenuto un privilegio da Filippo II circa un nuovo metodo per purgare i panni di lana.[49] Fu questa, infatti, l'attività su cui diresse principalmente l'attenzione dopo la separazione da Giulio. La tecnica sviluppata da Francesco – stando

47. ASVe, *Notarile Atti*, b. 3354, notaio G.A. Catti, cc. 234*v*-235*r*, 9 dicembre 1583; ivi, b. 3355, notaio G.A. Catti, c. 3*v*, 30 dicembre 1583; ivi, cc. 132*v*-133*r*, 2 maggio 1584.

48. ASPd, *Notarile*, reg. 1142, notaio V. de Toschi, cc. 212*v*-217*v*, 13 maggio 1585.

49. Ne abbiamo notizia da un atto più tardo, in cui Francesco nomina un procuratore per contestare la concessione di un brevetto nel Regno di Napoli che entrava in contrasto con il suo privilegio spagnolo del 1584: ASVe, *Notarile Atti*, b. 10527, notaio O. Novello, cc. 119*v*-120*r*, 2 marzo 1588.

a un brevetto ricevuto a Venezia per dieci anni e in seguito ampliato a venticinque anni dal Senato – permetteva un consistente risparmio del sapone nero impiegato per purgare i panni e del sapone bianco usato nella follatura, oltre a evitare l'uso della *cagna*, uno strettoio metallico utilizzato per strizzare i tessuti onde estrarne la materia oleosa, dal funzionamento non proprio eccellente, visto che spesso causava danni alle stoffe e risultava addirittura pericoloso per gli uomini incaricati di maneggiarlo.[50] In area veneta Francesco riuscì a farsi nominare amministratore unico del Purgo di Padova dal locale Collegio dell'Arte della Lana, promettendo di svelare la tecnica segreta che avrebbe impiegato per trattare i tessuti non appena avesse ricevuto la stessa grazia dal Purgo di Venezia, mentre non tralasciava di trattare anche con il Purgo di Verona.[51] Tuttavia fin dall'inizio era stato intenzionato a sfruttare l'invenzione nel più vasto scenario italiano ed europeo. Così nel novembre 1586 aveva inviato un agente a presentare suppliche ai duchi di Ferrara, Mantova, Parma, Pesaro e al granduca di Toscana per riceverne una patente.[52] Nel contempo un uomo d'affari, Andrea Stini, era stato mandato in Inghilterra con l'incarico di rendere operativo il brevetto concesso nel marzo dello stesso anno dalla regina Elisabetta a «Francis dal Arme, alien», e al «mercator Londinensis» Robert Clarke (quest'ultimo intermediario con la corte inglese), e di amministrare le operazioni di purgatura dei panni e raccolta degli ogliazzi.[53] Nel settembre 1587 lo stesso Stini fu indirizzato a Parigi per svelare il segreto della purgatura e ottenere così la registrazione della patente concessa dal re di Francia grazie ai buoni uffici di André Hurault, signore di Maisse, ambasciatore francese a Venezia, cointeressato all'impresa con una quota del 10%.[54]

Socio principale di Francesco in tutte queste operazioni, sia in Italia che all'estero, loro finanziatore e incaricato della contabilità, era stato sin dall'inizio

50. Per questi brevetti cfr. ASVe, *Provveditori di Comun*, b. 16, reg. 31, c. 21*v*, 23 ottobre 1586; ASVe, *Senato Terra*, filza 102 (rif. 13 agosto 1587), 28 luglio 1587; ivi, reg. 57, c. 190*v*, 13 agosto 1587; ASVe, *Cinque Savi Mercanzia*, serie 1, b. 138, c. 7*v*, 29 luglio 1587.

51. ASPd, *Università dell'Arte della Lana*, reg. 95, c. 188*r-v*, 21 dicembre 1587; ivi, c. 198*r*, 26 agosto 1588; ivi, reg. 2, cc. 197-202, 16 luglio 1588; ASPd, *Notarile*, b. 4857, notaio Z. Villano, cc. 149*r*-152*v*, 16 luglio 1588; ivi, cc. 155*r*-156*v*, 29 ottobre 1588; ASVe, *Notarile Atti*, b. 3162, notaio G. Chiodo, c. 44*r-v*, 7 aprile 1588; ivi, b. 10528, notaio O. Novello, c. 463*r-v*, 28 luglio 1588.

52. ASVe, *Notarile Atti*, b. 10524, notaio O. Novello, cc. 485*r*-486*v*, 8 novembre 1586.

53. Ivi, c. 488*r-v*, 10 novembre 1586. Per il brevetto inglese cfr. E. Wyndham Hulme, *The History of the Patent System Under the Prerogative and at Common Law. A Sequel*, «Law Quarterly Review», 16 (1900), p. 48, n. XLI. Conosciamo la professione di Robert Clarke grazie alle donazioni di terre in Suffolk fattegli da Thomas Baxter, uno dei principali mercanti inglesi residenti a Venezia: ASVe, *Notarile Atti*, b. 11895, notaio G. Savina, cc. 272*r*-273*v*, 8 agosto 1584; ivi, b. 11896, notaio G. Savina, cc. 454*r*-456*r*, 28 febbraio 1584.

54. L'incarico di Stini verteva «super publicatione cuiuscumque secreti sine terra pannos purgandi, follandi, lavandi, olea ab eis exauriendi, saponosque componendi et construendi». ASVe, *Notarile Atti*, b. 10526, notaio O. Novello, c. 454*r-v*, 4 settembre 1587; ivi, cc. 472*v*-473*v*, 11 settembre 1587.

il patrizio Antonio di Girolamo Priuli. Costui apparteneva a una delle maggiori famiglie nobili veneziane del Cinquecento, che in quel secolo era riuscita a far eleggere due suoi membri al dogado consecutivamente. Antonio aveva molteplici interessi commerciali, forti specialmente nel traffico del legname. Nel 1587 si diede da fare per convincere il re di Francia e la regina d'Inghilterra a concedergli il monopolio su un nuovo tipo di merce, e nel contempo entrò in una società che pretendeva di brevettare una particolare qualità di concime in tutta Europa.[55] In quello stesso anno legò il suo nome a un'altra impresa tecnologica facente capo sempre a Francesco dalle Arme, per la quale nominarono un agente che doveva recarsi a Madrid e chiedere al re di Spagna una patente che gli desse l'esclusiva sulla tintura con il legno campeggio, una materia colorante estratta da un albero (*Hematoxylon campechianum*) diffuso sulla costa atlantica dell'America centrale e meridionale, scoperto dagli spagnoli e che andava allora diffondendosi rapidamente nel continente europeo.[56]

Antonio Priuli ebbe in quegli anni un ruolo fondamentale anche nella vita di Giulio d'Alessandro, il quale dopo la rescissione del contratto di società con Francesco dalle Arme aveva iniziato a muoversi come lui su uno scenario internazionale. Pur rimanendo legato alla sola lavorazione delle saponate e degli ogliazzi, sin dal maggio 1585 Giulio fondò una compagnia con un altro uomo d'affari, incaricandolo di trasferirsi a Firenze per raffinare le acque sporche e di spingersi inoltre nelle altre città del granducato di Toscana, in Romagna e nelle Marche per acquistare diritti su nuovi purghi. Tramite questo socio si accordava anche con alcuni mercanti francesi nel tentativo di ottenere il monopolio sul riciclaggio delle acque in Sicilia, nel nord della Francia, in Provenza e in Linguadoca.[57] A Venezia, invece, in compagnia con il fratello Zuan Maria e con un pagamento annuale di 650 ducati, riuscì a mettere le mani sulla raffinazione di tutti gli ogliazzi, che, come si ricorderà, nel vecchio accordo con dalle Arme spettavano per metà alla Camera del Purgo. Forse fu proprio la poca affidabilità del fratello, che già in passato gli aveva causato «molti disgusti» usando illegalmente il suo nome per ritirare contanti da un banco veneziano, e che gli era ancora debitore per una cifra enorme, la causa dei problemi che Giulio dovette affrontare negli anni seguenti.[58] Di certo non gli fu d'aiuto la morte della moglie nel 1588 con il conseguente obbligo di riconsegnare la do-

55. ASVe, *Notarile Atti*, b. 10525, notaio O. Novello, cc. 285*v*-286*r*, 10 giugno 1587; ivi, b. 7842, notaio C. Lio, c. 581*r*, 2 ottobre 1587.

56. ASVe, *Notarile Atti*, b. 10526, notaio O. Novello, cc. 471*v*-472*v*, 11 settembre 1587. Sul campeggio e sul suo impiego cfr. P. Massa Piergiovanni, *I coloranti del nuovo mondo e l'industria tessile europea: tra economia e tecnica*, in *1492-1992. Animali e piante dalle Americhe all'Europa*, a cura di L. Capocaccia Orsini, Giorgio Doria e Giuliano Doria, Genova 1991, pp. 236, 246.

57. ASVe, *Notarile Atti*, b. 3356, notaio G.A. Catti, cc. 170*r*-172*r*, 26 maggio 1585; ivi, b. 7856, notaio G. Luran, cc. 490*v*-493*v*, 23 agosto 1585; ivi, cc. 503*r*-505*r*, 27 agosto 1585.

58. ASVe, *Notarile Atti*, b. 3335, notaio G. Carlotti, 4 febbraio 1580; ivi, b. 3357, notaio G.A. Catti, cc. 38*v*-43*r*, 26 gennaio 1586.

te ai dodici figli minorenni (quattro maschi e otto femmine), quale garanzia del loro mantenimento. Momentaneamente a corto di liquidi e non potendo saldare la dote su due piedi, Giulio aveva garantito i diritti dei figli assegnando loro i profitti che sarebbero arrivati dalla raffinazione delle *saponate* di Venezia, ma essendo in difficoltà finanziarie aveva dovuto sospendere la lavorazione. Su istigazione proprio di Antonio Priuli, ansioso di sostituirlo nell'accordo con il Purgo, fu allora incarcerato per debiti nelle prigioni di Palazzo Ducale e nel 1589 dovette accordarsi con il nobile veneziano suo avversario, cedendogli il monopolio sulle saponate e le attrezzature per trattarle in cambio di 2500 ducati in contanti, che gli permisero di uscire di galera e sopravvivere.[59] Da allora fino alla fine del secolo Priuli restò l'imprenditore con i maggiori interessi nelle saponate veneziane,[60] affiancato da Ambrogio Arrigoni, ricchissimo mercante d'olio e saponi che con i fratelli gestiva una compagnia dotata di decine di migliaia di ducati,[61] e da Sebastiano Balbiani, proprietario di varie navi, assicuratore e grande mercante internazionale con interessi concentrati specialmente ad Aleppo.[62] Degli ogliazzi Priuli cominciò a disinteressarsi solo a partire dall'inizio del Seicento, quando prese a salire i maggiori gradini della politica veneziana fino a essere eletto doge nel 1618.[63]

Il principale rappresentante di una classe politica e sociale che nel XVII secolo voltò le spalle alla mercatura per la sicurezza delle rendite fondiarie si era quindi per molti anni dedicato, con pervicacia e senza risparmiare colpi bassi, a imprese industriali e commerciali che, pur nella loro apparente modestia, erano all'avanguardia nell'innovazione tecnologica rinascimentale. A Venezia aveva appreso come sfruttare gli ogliazzi, ma non era stato l'unico. I mercanti genovesi che avevano avuto l'appalto prima di lui trasmisero le tecniche di riciclaggio in patria e da qui dei loro concittadini tentarono in seguito di esportarle, poiché provenivano da Genova i mercanti che si interessarono alla raffinazione degli ogliazzi a Firenze a partire dal 1588, probabilmente a seguito del declino nelle fortune della società capeggiata da Giulio d'Alessandro.[64] Il primo a provarci fu

59. ASVe, *Notarile Atti*, b. 8213, notaio V. de Maffei, cc. 37*r*-39*v*, 26 gennaio 1589; ivi, cc. 450*v*-451*v*, 21 aprile 1589; ivi, cc. 456*v*-457*r*, 29 aprile 1589.

60. ASVe, *Provveditori di Comun*, b. 17, reg. 32, cc. 166*v*-167*v*, 16 marzo 1591; ivi, b. 18, reg. 35, c. 36*r*-*v*, 10 luglio 1598.

61. ASVe, *Notarile Atti*, b. 518, notaio G. De Beni, cc. 363*v*-364*v*, 22 ottobre 1592. Per i suoi interessi cfr. il bilancio del patrimonio suo e dei fratelli, ivi, b. 516, notaio G. De Beni, cc. 94*r*-96*r*, 11 maggio 1591.

62. ASVe, *Provveditori di Comun*, b. 18, reg. 35, cc. 87*v*-88*v*, 8 marzo 1599. Su di lui cfr. U. Tucci, *Balbiani Giovanni*, in *Dizionario Biografico degli Italiani*, 5, Roma 1963, *ad vocem*.

63. La sua identità non è in dubbio, poiché il *Libro d'Oro* della nobiltà veneziana, le cui voci trascritte in schede sono consultabili nell'Archivio di Stato di Venezia, riporta un solo Antonio di Girolamo Priuli vivente nella seconda metà del Cinquecento. Per la sua carriera di doge cfr. A. Da Mosto, *I Dogi di Venezia nella vita pubblica e privata*, Firenze 1977, pp. 348-354.

64. Un breve accenno ai brevetti conseguiti in questo settore a Firenze si trova in P. Malanima, *La decadenza di un'economia cittadina. L'industria di Firenze nei secoli XVI-XVIII*, Bologna 1982, pp. 240-241.

Francesco Rosso, il quale chiese di poter raccogliere le saponate del Purgo fiorentino, che solitamente venivano gettate in Arno, incanalandole in vasche poste nella fogna grande sotto il Lungarno, per poi cavarne la bratta (così erano definiti gli ogliazzi a Firenze) e spedirla a Genova, dove l'avrebbe impiegata per produrre sapone rosso. Il governo, dopo aver incaricato l'architetto granducale Bernardo Buontalenti di controllare i disegni e sovrintendere ai lavori, concesse quanto richiesto, a patto che la bratta fosse trasformata in sapone all'interno dello Stato stesso, clausola che fece recedere Rosso dall'operazione. La stessa impresa fu però ritentata dieci anni dopo, nel 1598, dal mercante genovese Gaspare Chiaveri, che potendo contare – come abbiamo visto – su un impianto per la fabbricazione di sapone rosso già ben avviato a Pisa, sarebbe stato in grado di sfruttare l'ogliazzo nella manifattura di sua proprietà, accoppiando così due innovazioni e i relativi brevetti.[65] Nel farlo avrebbe comunque dovuto dividere la piazza con un altro innovatore, Ariodante Gargani da Norcia, che con l'approvazione governativa per oltre un decennio, dal 1597 al 1608, purgò i panni di numerose botteghe di lanaioli fiorentini per mezzo di un suo procedimento segreto e con le bratte ricavate fabbricò saponi che poi impiegava nella purgatura. Si trattava di un tecnico esperto e affidabile, poiché a partire dal 1577 aveva applicato il suo segreto a Narni per sei anni, lasciandovi un socio e trasferendosi poi a Camerino nel 1583, su richiesta dei mercanti del luogo, centro in cui era rimasto per lo stesso lasso di tempo con uno stipendio annuo di 1000 ducati, che era salito a 2000 scudi dal 1590 grazie allo spostamento a Matelica, cittadina che produceva 4000 panni l'anno. Basandosi sulla rete di società per la purgatura costituita in oltre un ventennio in Umbria e nelle Marche, inoltre, Gargani fabbricava abbastanza ogliazzi raffinati da poterli distribuire anche ai saponai di Roma e di altre aree dello Stato Pontificio.[66]

Telai, mercanti e principi

L'organizzazione della produzione nell'industria tessile presentava maggiori complessità rispetto alla manifattura del sapone o alla raffinazione degli oli di riciclo, attività accentrate in uno o due stabili e che necessitavano di un limi-

65. ASFi, *Arte della Lana*, 61, *Ordini dei Riformatori*, cc. 18*r*-19*r*, 8 gennaio 1588; ivi, c. 67*v*, 3 dicembre 1588; ASFi, *Auditori delle Riformagioni*, filza 17, fasc. 52, dicembre 1588-febbraio 1589; ivi, filza 23, cc. 45*r-v*, 48*r*, 19 agosto 1598; ASFi, *Pratica Segreta*, reg. 189, n. 119, c. 75*r-v*, 25 febbraio 1589; ivi, reg. 190, n. 61, c. 38*r-v*, 5 dicembre 1598.

66. ASFi, *Auditore delle Riformagioni*, filza 27, cc. 81*r*-82*r*, 13 agosto 1597; ivi, c. 79*r-v*, 9 giugno 1598; ivi, c. 78*r-v*, 19 novembre 1608. La prima petizione del Gargani è citata anche in M. de Mullenheim, *Les privilèges pour invention à Florence à la fin du XVIe siècle et au début du XVIIe siècle*, in *Les archives de l'invention. Écrits, objects et images de l'activité inventive*, a cura di M.-S. Corcy, C. Douyère-Demeulenaere e L. Hilaire-Pérez, Toulouse 2006, p. 333.

tato numero di lavoratori. La manifattura delle stoffe, divisa in numerose fasi concatenate l'una con l'altra, obbligava invece gli imprenditori a reperire un'abbondante manodopera e numerosi artigiani dotati di specializzazioni diverse, oltre a necessitare di attrezzature complesse e di materie prime che per la maggior parte non erano prodotte *in loco*, ma dovevano essere importate anche da lunghe distanze. Per questo motivo le città decise ad avviare le due industrie tessili di maggior successo nell'Italia rinascimentale, quelle della lana e della seta, si vedevano spesso costrette ad avvalersi dell'opera di un mercante internazionale, l'unico operatore in possesso dei capitali, delle relazioni commerciali e delle tecniche gestionali indispensabili per il successo della giovane manifattura in un nuovo ambiente.[67]

In questo settore furono soprattutto i mercanti provenienti dalla Toscana che esportarono le tecniche di lavorazione, o fornirono consigli cittadini e principi con nuove strutture industriali 'chiavi in mano', e al loro interno un ruolo dominante fu ricoperto dai fiorentini. Famose sono rimaste le imprese quattrocentesche di Piero di Bartolo a Milano e Francesco di Nerone a Napoli, responsabili della fondazione di due tra le più floride manifatture seriche italiane del Rinascimento. Il primo fu invitato, dietro suggerimento di una commissione, da Filippo Maria Visconti nel 1442 al fine di istituire «universum laborerium totamque artem sirici» a Milano, incentivandolo con la concessione di importanti privilegi e di una sovvenzione mensile di 70 fiorini per dieci anni. Piero, entrato in società nel 1443 con alcuni ricchi mercanti milanesi e genovesi (Giovanni Borlasca, Giovanni Rottole, Filippo Spinola) e con il maestro delle entrate ducali, si occupò di tutti gli aspetti della produzione industriale, compreso l'acquisto degli strumenti di lavoro – possedeva telai, caldaie per la tintura e torcitoi – e il loro affitto alla decina di artigiani che aveva portato con sé da Firenze, a quelli che in seguito aveva attratto da Genova o convinto a spostarsi da Venezia con l'allettante promessa di assicurare loro un lavoro stabile per anni. Essenziali nella sua impresa furono gli stretti legami che Piero aveva stretto con l'ambiente politico milanese, poiché apparteneva al partito filo-visconteo e in seguito sposò Angela Lampugnano, figlia di uno dei principali consiglieri del duca.[68] La stessa commistione di politica e affari determinò le operazioni di Francesco di Nerone a Napoli nel 1474, quando il re Ferrante I d'Aragona stipulò con lui un contratto per la produzione di broccati e drappi auroserici con una ricca gamma di esenzioni e

67. Numerosi esempi della creazione di manifatture della seta sono citati in L. Molà, *The Silk Industry of Renaissance Venice*, Baltimore-London 2000.

68. E. Verga, *Il Comune di Milano e l'Arte della Seta dal secolo decimoquinto al decimottavo*, Milano 1917, pp. IX-X; G. Barbieri, *Origini del capitalismo lombardo*, Milano 1961, pp. 220-222 (con il testo della concessione); P. Grillo, *Le origini della manifattura serica in Milano (1400-1450)*, «Studi Storici», 35 (1994); L. Molà, *Oltre i confini della città. Artigiani e imprenditori della seta fiorentini all'estero*, in *Arti fiorentine. La grande storia dell'artigianato*, II, *Il Quattrocento*, a cura di F. Franceschi e G. Fossi, Firenze 1999, pp. 90-93.

privilegi, sia fiscali che giuridici. L'esperienza di Francesco nel commercio internazionale e nella gestione di imprese tessili era profonda. Negli anni Quaranta e Cinquanta del XV secolo aveva guidato una delle più rispettate compagnie mercantili fiorentine (in cui aveva investito forti somme anche Cosimo de' Medici), attiva in tutto il bacino del Mediterraneo, dalla Spagna ad Alessandria d'Egitto, importando grosse partite di seta e gestendo una delle principali botteghe di drappi serici di Firenze all'inizio degli anni Sessanta. Legato al circolo dell'oligarchia fiorentina apertamente filo-napoletana, nel 1466 era stato coinvolto nel tentativo di abbattere il potere di Piero de' Medici e quindi bandito dalla città per vent'anni; si era diretto probabilmente a Napoli, dove poteva contare sull'amicizia del suo ex socio in affari Benedetto Cotrugli, divenuto «regius consiliarius et commissarius», nonché maestro di zecca.[69]

L'accordo tra il sovrano aragonese e il mercante fiorentino rientrava in una scelta di politica economica tesa ad ampliare il commercio internazionale e le potenzialità industriali di Napoli, avviata proprio in quegli anni. Nel determinare questo indirizzo aveva giocato un ruolo fondamentale Diomede Carafa, consigliere reale e autore, attorno al 1470, del *De regis et boni principis officio*, in cui suggeriva al principe di sostenere le attività economiche dei sudditi tramite facilitazioni e finanziamenti alle imprese mercantili e manifatturiere, così da ampliare le ricchezze del regno e legare la popolazione al monarca.[70] Seguendone i dettami Ferrante I si diede da fare, infatti, anche per creare una solida manifattura della lana, sostenendo economicamente una grossa azienda di produzione dei panni che vide coinvolti i due maggiori uomini d'affari attivi a Napoli, il fiorentino Filippo Strozzi e il napoletano Francesco Coppola. Strozzi, esiliato in giovane età dai Medici, gestì per anni un'azienda prevalentemente commerciale, aprendo in seguito una banca che annoverava tra la sua clientela i principali feudatari, funzionari statali e operatori economici del Regno e dominava il sistema finanziario della Corona, con un ruolo paragonabile a quello dei depositari generali della Camera Apostolica; Coppola, in società con il padre Loise, possedeva un vero e proprio impero mercantile e imprenditoriale che includeva una piccola flotta di navi da trasporto, saponifici, cartiere, miniere di allume, oro e piombo, l'appalto di numerose dogane e addirittura una compagnia in compartecipazione con Ferrante I.[71] Grazie al *giornale* del banco Strozzi, giunto fino a noi per i primi sette mesi del 1473, possia-

69. Per uno schizzo biografico su Francesco di Nerone cfr. Molà, *Oltre i confini*, cit., pp. 95-98. Per il suo contratto con Ferrante cfr. R. Pescione, *Gli statuti dell'arte della seta in Napoli in rapporto al privilegio di giurisdizione*, «Archivio Storico per le Provincie Napoletane», n.s., 5 (1919), pp. 177-180; Id., *Il Tribunale dell'Arte della seta in Napoli (da documenti inediti)*, Napoli 1923, pp. 95-105.

70. Cfr. D. Abulafia, *The Crown and the Economy under Ferrante I of Naples (1458-94)*, in *City and Countryside in Late Medieval Italy. Essays Presented to Philip Jones*, a cura di T. Dean e C. Wickham, London 1990, pp. 133-138.

71. Per le attività di Filippo Strozzi cfr. M.

mo seguire in dettaglio, giorno per giorno, gli investimenti e le operazioni di Coppola che, aiutato da una sovvenzione della corte, poneva le basi di una vera e propria 'fabbrica' della lana nel villaggio di Sarno, a poche miglia da Napoli. Nelle 338 operazioni di cassa registrate nel suo conto corrente presso lo Strozzi, spesso allo scoperto e quindi grazie al credito praticatogli dal banchiere fiorentino, per una spesa totale di 7586 ducati, in seguito in buona parte pagati dal re, lo vediamo acquistare terreni per i tiratoi, materiali edilizi per le gualchiere e gli edifici, strumenti di produzione quali caldaie, pettini, scardassi e bacchette per la battitura della lana, sapone e materie tintorie, come anche anticipare i salari dei vari artigiani già alle sue dipendenze e reclutare i lavoratori mancanti, accordandosi con intermediari per reperire tessitori a Norcia o far arrivare gualchierai da Gaeta. Ad aiutare il mercante napoletano in questa impresa vi era un gruppo di ben dieci collaboratori, tra i quali un fiorentino appartenente alla compagnia degli Strozzi. E sempre da Firenze provenivano i tecnici e gli amministratori che nello stesso 1473 operarono per conto del grande ufficiale e camerlengo del Regno Innigo d'Avalos alla creazione di una manifattura della lana nel suo feudo di Giffoni presso Salerno, in cui impiegava la materia prima prodotta dalle sue greggi.[72]

Possiamo cogliere con altrettanta precisione il grosso impegno organizzativo indispensabile per creare imprese di tale portata analizzando il piano per fondare un'industria statale della lana a Ferrara sotto l'egida del duca Ercole II d'Este nel 1548, lo stesso anno in cui Teodoro Spinola apriva la sua manifattura di saponi. Ancora una volta l'operazione venne affidata a un mercante fiorentino con un raggio d'azione internazionale, Bartolomeo Tolomei, che presentò agli ufficiali ducali un preciso piano di sviluppo industriale del costo complessivo di 30.000 ducati. In realtà il compito di Tolomei era facilitato dal fatto che una manifattura statale era già esistita in un passato recente a Ferrara, per cui potevano essere reimpiegate non solo buona parte delle strutture fisse e degli attrezzi di lavorazione, ma anche un certo numero di manodopera specializzata. Il primo elemento nella lista di priorità del mercante fiorentino era costituito dall'opificio centrale di lavorazione e dal fondaco per i materiali, entrambi da situare in un'area del castello estense che andava sgomberata. Seguiva un elenco dei 1224 artigiani e lavoratori necessari a completare tutte le fasi della lavorazione, dal trattamento iniziale della fibra alla rifinitura del panno, alcuni dei quali dovevano essere fatti immigra-

Del Treppo, *Il re e il banchiere. Strumenti e processi di razionalizzazione dello stato aragonese di Napoli*, in *Spazio, società, potere nell'Italia dei Comuni*, a cura di G. Rossetti, Napoli 1986. Per quelle del Coppola cfr. I. Schiappoli, *Il Conte di Sarno (contributo alla storia della Congiura dei Baroni)*, «Archivio Storico per le Province Napoletane», n.s., 61 (1936); F. Petrucci, *Coppola Francesco*, in *Dizionario Biografico degli Italiani*, 28, Roma 1983, *ad vocem*.

72. M. Del Treppo, *Il Regno aragonese*, in *Storia del Mezzogiorno*, IV, *tomo* I. *Il Regno dagli Angioini ai Borboni*, a cura di G. Galasso e R. Romeo, Roma 1986, pp. 158-162.

re da altre città, come i tintori che si prevedeva di trovare a Verona. Questa armata di uomini e donne andava poi coordinata da un nucleo amministrativo composto da sette persone, per ognuna delle quali si specificava il salario mensile: un fattore generale che sovrintendesse all'insieme della produzione; due *caporali* per controllare l'operato dei tintori, dei tessitori e degli altri maestri artigiani, uno con residenza fissa in castello a seguire la bottega centrale e l'altro con l'incarico di girare per le botteghe sparse in città; un fattore per le filatrici a rocca, che preparavano la lana da ordito, e un altro per le filatrici a mulinello, che approntavano la lana da trama; un tesoriere responsabile della cassa; e infine un *ragionato*, cioè un perito contabile, che avrebbe tenuto il libro mastro dell'azienda in cui sarebbero confluiti i singoli registri redatti dagli altri amministratori.

Tolomei si impegnava invece a seguire in prima persona l'aspetto commerciale della manifattura ducale, facendo innanzitutto arrivare in città le materie prime necessarie (lane spagnole da Firenze e greche da Venezia, olio dalla Puglia, guado e robbia per tingere i tessuti, allume di rocca per dar loro il mordente), per le quali forniva le tariffe da corrispondere agli agenti che le avrebbero acquistate in varie piazze commerciali, il compenso da dare ai trasportatori e i dazi da pagare per l'importazione a Ferrara. Obiettivo del suo progetto era la produzione annua di 1500 pezze con caratteristiche e mercati di sbocco diversi: panni 'alla veneziana' da 60, 70 e 80 portate (quindi con un ordito progressivamente più fitto, che dava al tessuto una maggiore consistenza) per il Levante, rascie 'alla fiorentina' e saie 'alla ferrarese' per Roma, la Puglia e la Romagna, impiegabili per la confezione di vesti, cappe e calze. In poco tempo la manifattura riuscì a decollare – anche se con solo 692 lavoratori e producendo un numero di pezze inferiore al *target* iniziale – e così nella contabilità degli anni successivi ritroviamo le diverse qualità di panno vendute a un'ampia rete di aziende mercantili, per la maggior parte fiorentine, attive in vari centri della penisola italiana o all'estero: nella stessa Ferrara i Gomez, Fernandez, Abravanel e numerosi altri ebrei della 'Nazione Portoghese'; ad Ancona i Corbinelli e i Baroncini; a Ravenna i Ginori; a Venezia i Bonaccorsi e i Giunti; a Roma gli Altoviti, i Cavalcanti e i Frescobaldi; a Napoli i lucchesi Arnolfini e Micheli; a Bari i Tanagli; a Costantinopoli i genovesi Franchi e Pallavicino; a Lione i Gondi.[73]

Gli uomini d'affari di Lucca furono attivi quasi quanto i fiorentini nel campo dell'innovazione tecnica, anche in settori produttivi quali il lanificio in cui, al contrario di altri loro colleghi toscani, non potevano vantare conoscenze profonde. Nel corso del Cinquecento ci furono due tentativi di introdurre la lavorazione della lana a Palermo, città che già nel Trecento si era cimentata nell'impresa,[74] entrambi affidati a mercanti lucchesi, che sebbene sul breve periodo

73. ASMo, *Archivio per Materie, Arti e Mestieri*, b. 27, *Lana*, cc. n.n., 1548-1552.

74. Per l'esperimento trecentesco cfr. G. Pipitone Federico, *Di un lanificio palermitano*

avessero successo non si dimostrarono in grado di radicare la manifattura localmente. Nel 1548 Vincenzo Nobili (o Lo Nobile, come viene indicato nelle fonti siciliane) siglò un accordo con il viceré di Sicilia, impegnandosi a far produrre 50 pezze di tessuto con lana spagnola e inglese il primo anno, 100 il secondo e così via in progressione fino a raggiungere una media stabile di 200 pezze annue, in cambio della costruzione a spese del comune delle principali strutture fisse (tiratoi, gualchiere, purghi, tintoria) e finanziamenti per le materie prime e gli ingaggi della manodopera. Il Nobili era probabilmente riuscito a ottenere questo appalto grazie alle sue entrature presso la corte viceregale, alla quale nel 1549 fece un prestito di 15.000 scudi. Alla morte del mercante, nel 1555, l'impresa era in attivo di circa 5000 scudi, ma la sua scomparsa determinò ben presto anche la cessazione dell'attività laniera a Palermo, dal momento che nel 1569 il Consiglio cittadino stipulava un contratto molto simile al precedente con altri tre operatori lucchesi.[75]

Le complicazioni da affrontare per avviare un'attività produttiva in un ambiente tagliato fuori dai grandi circuiti commerciali o comunque poco ricettivo per la mancanza di una consolidata tradizione manifatturiera alle spalle furono sperimentate da molti uomini d'affari italiani nel corso del XV e XVI secolo, proprio perché il diffondersi di una mentalità che incentivava la diffusione delle tecniche spingeva a moltiplicare gli esperimenti portandoli in aree geografiche economicamente marginali, con rendimenti ovviamente decrescenti. Non era infatti facile far crescere tali imprese in zone periferiche, neppure quando i mercanti innovatori disponevano di grande esperienza o ricoprivano elevate cariche governative. Lo sapeva bene il lucchese Vincenzo Malpigli, tesoriere alla corte degli estensi, che presentando al duca di Ferrara un progetto per lo stabilimento dell'industria laniera a Comacchio nel 1581 chiedeva, assieme al concittadino Ludovico Buonvisi, una sovvenzione di 10.000 scudi e suggeriva l'opportunità che il duca stesso entrasse nella compagnia, perché «sì come è impossibile a immaginarsi quanto sia difficile il mettere un'arte nuova in una terra, tanto più si può credere che si troveranno molte difficultà in Comacchio, non essendo quelle genti avvezze a fare altro che pescare».[76] E tuttavia a fine Cinquecento la pratica di avviare nuove industrie era diventata così comune e normale tra i mercan-

della prima metà del XIV secolo (Documenti inediti), «Archivio Storico Siciliano», n.s., 37 (1912); A. Costa, *Alafranco Gallo laniere genovese in Palermo nel secolo XIV*, «Archivio Storico per la Sicilia Orientale», 77 (1981).

75. Sull'impresa del Nobili cfr. C. Trasselli, *Un episodio lucchese nella storia bancaria siciliana*, «Annali dell'Istituto di Storia Economica e Sociale dell'Università di Napoli», 6 (1964) e le riflessioni di M. Aymard in *Les Lucquois en Sicile*, in *Lucca e l'Europa degli affari. Secoli XV-XVIII*, a cura di R. Mazzei e T. Fanfani, Lucca 1990, pp. 233-235. Per il contratto del 1569, siglato con Avanzino Avanzini, Gherardo Spada e Silvestro Baldassarri, cfr. A. Baviera Albanese, *In Sicilia nel sec. XVI: verso una rivoluzione industriale?*, Caltanissetta-Roma 1974, pp. 74-77.

76. ASMo, *Archivio per Materie*, *Arti e Mestieri*, b. 27, *Lana*, 25 febbraio 1581.

ti italiani da non richiedere neppure più lunghi patteggiamenti e discussioni con le autorità politiche beneficiarie delle loro iniziative, potendo richiamarsi a una tradizione oramai consolidata e fissata secondo linee certe per entrambe le parti in gioco. Così quando negli stessi giorni del 1581 un altro uomo d'affari, Emilio Sereni, propose ad Alfonso II d'Este un piano per trasferire a Ferrara la manifattura di *carisee* (i rinomati *kerseys* inglesi, tessuti di lana molto richiesti in Levante) dallo Stato Pontificio, dove negli anni precedenti aveva prodotto 6000 pezze grazie a un privilegio di Pio V, poteva aggiungere in calce alla sua lettera: «Altri particolari Vostra Eccellenza Ill.ma li potrà vedere dalli acclusi capitoli, quali si sogliano usare in simel negotii».[77]

La 'sprezzatura' con cui il Sereni aveva fatto cenno alle clausole dei contratti tra mercanti e principi per riuscire a far battere i telai o impiantare una qualsiasi altra attività industriale in una città avrebbe potuto adattarsi altrettanto bene all'usanza, in crescita anch'essa in quel periodo, di stringere accordi tra un operatore e le autorità pubbliche per la manifattura di un singolo prodotto. Infatti, oltre a trasportare l'intero sistema di lavorazione delle stoffe da una città all'altra, nella seconda metà del Cinquecento uomini d'affari di vario livello svolsero il ruolo di promotori nella fabbricazione di nuove tipologie di tessuti, stimolando la circolazione delle tecniche nella penisola italiana. L'elenco delle innovazioni di prodotto presentate da mercanti, relativo solamente all'industria della lana e limitato unicamente ad alcune città del Veneto e della Toscana, seppure certamente incompleto, è già lungo: a Venezia si brevettarono sargie spinate e panni *meschi* (1566), cordelle di lana (1567), rascie alla fiorentina (1584), panni da muro (1590), panni da 60 portate con lane italiane (1591), *poste* di lana di vari colori (1593), *carisee* al modo di Ponente (1594), mezzelane (1598);[78] a Padova le spalliere a brocca del tipo fiammingo con lana grossa padovana (1582);[79] a Vicenza le rascie alte alla fiorentina e le rascie basse alla bolognese, le mezzelane alla milanese e alla cremonese, le ferandine miste a seta (1595);[80] a Firenze le saie al modo fiammingo di Hondschoote (1552);[81] a Pisa i buratti e le saie alla fiamminga (1580), i burattini lisci e saiati di Fiandra (1588), i mocaiari e grogrami fiamminghi (1590), le sargette, saiette e mezzelane alla cremonese (1594);[82]

77. ASMo, *Archivio per Materie, Arti e Mestieri*, b. 27, *Lana*, lettere di Emilio Sereni da Ancona, 3 e 25 febbraio 1581, con acclusa la proposta di convenzione.

78. ASVe, *Provveditori di Comun*, b. 14, reg. 23, cc. 254*v*-255*r*, 11 dicembre 1566; ivi, c. 262*r*, 14 gennaio 1567; ivi, b. 17, reg. 33, cc. 110*v*-111*r*, 23 marzo 1593; ivi, reg. 33, c. 202*r*, 22 giugno 1594; ASVe, *Senato Terra*, reg. 55, cc. 82*r*-83*r*, 28 giugno 1584; ASVe, *Collegio, Risposte di dentro*, filza 9, n. 185, 20 luglio 1590; ASVe, *Cinque Savi alla Mercanzia*, serie 1, b. 139, c. 178*v*, 2 gennaio 1598.

79. ASPd, *Università dell'Arte della Lana*, reg. 95, cc. 129*v*-130*v*, 9 agosto 1582.

80. Biblioteca Bertoliana di Vicenza, *Archivio Torre, Parti (4)*, 866, cc. 154*r*-155*v*, 8 gennaio 1595.

81. ASFi, *Pratica Segreta*, reg. 186, c. 105*r*-*v*, 15 giugno 1552.

82. ASFi, *Auditore delle Riformagioni*, filza 13,

a Siena i panni da letto alla romanesca e i rascioni alla schiavona (1586).[83] Alle stoffe di lana si potrebbero facilmente aggiungere altrettanti esempi dei tessuti di seta e di cotone che vennero protetti da un privilegio perché non erano mai stati fabbricati prima in un determinato centro o che furono brevettati perché ideati espressamente al fine di alimentare la domanda di prodotti tessili. In molti casi, certamente, chi proponeva la manifattura di un nuovo panno o drappo era un artigiano, ma nel corso del XVI secolo il loro ruolo andò costantemente diminuendo, per lasciare il campo a un tipo di operatore in grado di garantire maggiori possibilità di successo all'impresa: il mercante innovatore.

Profitto, onore e gloria

Forse un inglese di fine Seicento avrebbe definito molti degli uomini di cui siamo andati parlando come *projectors*, termine che all'epoca aveva assunto una connotazione negativa, divenendo sinonimo di avventuriero e imbroglione. In Inghilterra si cominciava allora a diffidare di chiunque si presentasse a un governo con arditi progetti di sviluppo tecnico, industriale o commerciale per averne un brevetto o un monopolio, resi cauti dal fatto che molti di questi uomini si erano ben presto rivelati dei ciarlatani. In *An Essay Upon Projects*, scritto tra il 1692 e il 1697, Daniel Defoe così ironizzava sui mercanti inventori:

> A meer projector then is a contemptible thing, driven by his own desperate fortune to such a streight, that he must be deliver'd by a miracle or starve; and when he has beat his brains for some such miracle in vain, he finds no remedy but to paint up some bauble or other, as players make puppets talk big, to show like a strange thing, and then cry it up for a new invention, gets a patent for it, divides it into shares, and they must be sold; ways and means are not wanting to swell the new whim to a vast magnitude; thousands, and hundreds of thousands are the least of his discourse, and sometimes millions; ... till funds are rais'd to carry it on, by men who have more money than brains, and then *good night patent and invention*; the projector has done his business and is gone.[84]

Con Defoe certamente concordava Luigi Pagnini, che nel suo *Della Decima e delle altre gravezze*, pubblicato nel 1765, affermava:

n. 79, 4 marzo 1580; ASFi, *Pratica Segreta*, reg. 189, n. 99, c. 61*v*, 30 aprile 1588; ivi, n. 141, c. 96*r-v*, 2 marzo 1590; ivi, n. 224, c. 208*r-v*, 20 maggio 1594.

83. Archivio di Stato di Siena, *Balia*, 184, *Decreti*, cc. 174*v*-175*r*, 1 luglio 1586.

84. D. Defoe, *An Essay upon Projects*, a cura di J.D. Kennedy, M. Seidel e M.E. Novak, New York 1999, pp. 8, 17-18.

> È pieno il mondo d'una specie di venturieri che dandosi per intendenti corrono da una città e da una corte all'altra a proporre stabilimenti di nuove manifatture, finchè abbian trovato qualche buon uomo che gli accordi de' privilegj e delle anticipazioni. Fan sempre costoro una pessima riescita, son ciarloni, ignoranti, da poco e di una condotta irregolare, che non essendo stati al caso di saper tirare innanzi la fabbrica che avevano in un luogo dove era già stabilita, dove altre pure andavano innanzi felicemente, dove non mancavano operanti avvezzi e tutto vi era in ordine e preparato, pretendono far miracoli in un altro paese, dove han da superare tutte quelle difficoltà che soglion andare unite a' nuovi stabilimenti. Non si può mai tenere abbastanza aperti gli occhi contro costoro.[85]

Di certo sia gli inglesi che gli italiani del Cinquecento sarebbero rimasti sorpresi da giudizi così severi. Attorno alla metà di quel secolo un gruppo di cortigiani e ministri della Corona inglese che si definivano *Commonwealthmen* sosteneva a spada tratta la necessità di dotare l'Inghilterra delle industrie diffuse sul continente europeo attraverso la concessione di monopoli ad esperti forestieri. Uno di essi, Sir Thomas Smith, nel suo famoso trattato *Discourse of the Common Weal of this Realm of England*, scritto in forma di dialogo nel 1549, lodava il governo di Venezia per la sua capacità di attrarre tecnologie da tutta Europa e suggeriva al governo inglese di fare altrettanto. Un altro membro del gruppo, il Lord Cancelliere William Cecil, aveva informatori sparsi in molti paesi, che lo tenevano costantemente aggiornato sui progetti di sviluppo manifatturiero in corso; informato da Thomas Gresham nel 1551 sull'impiego dei brevetti ad Anversa, ne importò l'uso di lì a poco in Inghilterra, dando il via al decollo industriale della nazione.[86] Per gli uomini d'affari di Firenze, Genova, Lucca e Venezia, che sin dall'inizio del secolo frequentavano l'emporio fiammingo, il trasferimento di conoscenze tecniche attraverso monopoli e patenti era pratica nota da tempo e degna del massimo rispetto, da cui, anzi, molti di loro avevano tratto grandi ricchezze. I mercanti innovatori che vi si impegnavano, a dispetto dei tardi commenti del malevolo Pagnini, appartenevano spesso all'aristocrazia del mondo degli affari cinquecentesco e davano garanzie di piena affidabilità.

Gli italiani stessi, infatti, si erano mossi con grande impegno proprio ad Anversa, trasferendovi numerose tecniche industriali già sviluppate in Italia.[87]

85. L. Pagnini, *Della Decima e delle altre gravezze, della moneta, e della mercatura de' fiorentini fino al secolo* XVI*. Parte terza. Della mercatura de' fiorentini. Tomo secondo*, Lisbona-Lucca 1765, p. 86.

86. J. Thirsk, *Economic Policy and Projects. The Development of a Consumer Society in Early Modern England*, Oxford 1978.

87. J.A. Goris, *Étude sur les cololies marchandes méridionales (Portugais, Espagnols, Italiens) à Anvers de 1488 à 1567. Contribution a l'histoire des débuts de capitalisme moderne*, New York 1971, pp. 429-442; A.K.L. Thijs, *Antwerp's Luxury Industries: The Pursuit of Profit and Artistic Sensitivity*, in AA.VV., *Antwerp: Story of a Metropolis, 16th-17th Century*, Antwerpen 1993, pp. 105-113.

Anche senza richiedere alcun privilegio avevano avviato manifatture che apportarono conoscenze nuove e indispensabili per un centro mercantile divenuto il cuore del commercio e della finanza europea, in cui giungevano da tutto il mondo le merci di un'economia sempre più globale. La raffineria di zucchero aperta in rue du Fagot nel 1545 da Giovanni Balbani, in società con Girolamo Diodati, entrambi lucchesi, sarà chiamata la *Balbani Suikerhuis* (la Casa dello zucchero dei Balbani) fino a quando non verrà distrutta da un incendio alla fine dell'Ottocento, nonostante la sua proprietà fosse passata sin dal 1551 nelle mani dei fratelli cremonesi Giovan Battista e Giancarlo Affaitati, tra i più rinomati uomini d'affari italiani di Anversa, specializzati nel commercio con il Portogallo e Madera.[88] Ma già nel secolo precedente i mercanti genovesi avevano trasferito tecnici e segreti dell'industria della seta nelle principali città della Spagna,[89] e ancor prima 'lombardi' e toscani – specialmente i fiorentini – con la nomina a maestri di zecca di re, principi e consigli cittadini, avevano in gran parte dominato gli appalti per il conio delle monete in tutta Europa: nel XIV secolo e all'inizio del XV, ad esempio, la famiglia lucchese degli Sbarra giunse a creare una vera propria dinastia di *monnayeurs royaux* in Francia e nelle Fiandre. D'altra parte anche per questa particolare industria di Stato erano indispensabili le conoscenze contabili e matematiche degli uomini d'affari, e quindi era a loro che i governi si affidavano.[90]

Fu proprio il rapporto stretto, inevitabile, tra capitale e potere politico a connotare la maggior parte dei progetti di sviluppo industriale del Rinascimento. Dai governi gli innovatori potevano aspettarsi protezione giuridica, privilegi, disponibilità di strutture fisiche all'interno o all'esterno del perimetro urbano e, non ultimo, prestiti in contanti, che li avrebbero aiutati, e invogliati, a farsi carico di quelle che, nonostante tutto, erano imprese piene di incognite e rischi. Dal canto loro i mercanti erano legati a principi e comuni da una ragnatela di interessi, in un rapporto di dipendenza circolare, poiché spesso ottenevano i monopoli per le loro imprese manifatturiere anche in virtù dell'attività bancaria e commerciale, che svolgevano in qualità di erogatori di prestiti o fornitori di articoli di lusso e strategici. L'intreccio di rapporti tra Ferrante I, Filippo Strozzi e Francesco Coppola, ad esempio, dimostra come finanza, grande commercio e politica potessero unirsi con uno stesso scopo innovativo, sostenuti dalle teorie di un ufficiale e intellettuale di corte, Diomede Carafa. Nell'Italia del XVI secolo, inoltre, i mercanti innovatori fecero i migliori affari con le corti principesche, che necessitavano di nuove fonti di entrate al di là delle condot-

88. R. Sabbatini, *'Cercar esca'. Mercanti lucchesi ad Anversa nel Cinquecento*, Firenze 1985, p. 59.

89. M.A. Ladero Quesada, *La producción de seda en la España medieval. Siglos XIII-XVI*, in *La seta in Europa, secc. XIII-XX*, a cura di S. Cavaciocchi, Firenze 1993; Molà, *The Silk Industry*, cit., pp. 20-22 e bibliografia citata.

90. L. Travaini, *Zecche e monete*, in *Il Rinascimento italiano e l'Europa*, III, cit., p. 502; L. Mirot, *Études lucquoises*, Paris 1930, pp. 39-78.

te militari con cui avevano sostenuto l'economia dei propri Stati nei secoli precedenti. L'interesse degli Este a Ferrara per attivare una manifattura ducale della lana e del sapone, allora, andrebbe paragonato ai contemporanei investimenti dei Gonzaga a Mantova per avviare un'industria negli stessi settori produttivi e in quelli del vetro, della carta e della cera,[91] che attendono ancora di essere studiati, al pari delle imprese di molti altri principi piccoli e grandi dell'Italia rinascimentale.

Le poche realtà 'repubblicane' rimaste, invece, godevano già di una classe mercantile e imprenditoriale per cui l'innovazione tecnologica, certamente incentivata dai brevetti, faceva comunque parte dell'orizzonte quotidiano, costituiva la norma e una necessità per la sopravvivenza economica in un contesto internazionale sempre più competitivo. Da Venezia e da Genova, non per nulla, giunsero molte delle novità tecniche che si diffusero poi nel resto della penisola e in Europa. In tali contesti il supporto di denaro, attrezzature, conoscenze e idee fornito ai tecnici da parte dei mercanti diveniva essenziale, dando vita anch'essi a un dialogo, a un interscambio di informazioni e pratiche su cui si dovrebbe investigare più a fondo. La scoperta di nuove ricette per la raffinazione delle saponate e degli ogliazzi, ad esempio, pur nella sua modestia se paragonata ai grandi affari dell'alta finanza e ai profitti garantiti dal commercio internazionale, stimolò gli appetiti di ricchissimi imprenditori, che, partecipando di una cultura dell'innovazione via via sempre più diffusa e vincente nel mondo rinascimentale, si gettarono senza remore per il loro *status* nel riciclaggio degli scarti industriali. Nel contempo, lo stesso clima intellettuale e la stessa fiducia nelle 'novità' permise a questo genere di impresa di trasformare dei tecnici – si pensi a Francesco dalle Arme e Ariodante Gargani – in uomini d'affari, in grado di far fruttare e vendere su un vasto mercato i prodotti del loro ingegno e delle loro fatiche.

Il mercante potrebbe essere visto, quindi, come il perno su cui ruotava il meccanismo rinascimentale dell'innovazione: la sua intraprendenza fungeva da stimolo, i suoi capitali ne oliavano gli ingranaggi, le sue doti gestionali ne regolavano il buon funzionamento, le sue connessioni con il potere ne garantivano la redditività. Che tutte queste qualità siano state così a lungo trascurate dagli storici sorprende. Come ha giustamente sottolineato Philippe Braunstein, anche solo riferendosi al periodo tardo medievale,

> les entrepreneurs de tout niveau demeurent des acteurs aussi méconnus que l'industrie qui les anime; leur figure sort à peine de l'ombre des idées reçues, parce que les produits de l'innovation, diffusés par le canal du commerce, perdent rapidement la marque de l'*ingenium* qui les a fait naître: on s'est intéressé aux normes

91. Una ricca documentazione è conservata in Archivio di Stato di Mantova, *Archivio Gonzaga*, *Finanze*, bb. 3188, 3234, 3237.

plus qu'au savoir faire, aux résultats plus qu'à la mise en oeuvre, au grand commerce plus qu'à l'industrie. Et pourtant, y aurait-il eu un grand commerce au Moyen Âge, si l'on n'avait diffusé que les produits de l'artisanat?[92]

La risposta, naturalmente, è negativa. E lo sapeva bene anche lo storico seicentesco Pompeo Pellini, che, descrivendo nella sua *Historia di Perugia* gli avvenimenti occorsi nella città umbra nel 1459, narrava come Bartolomeo di Gregorio Gregori, «mosso dall'amore che alla patria portar si suole», chiese ai Priori

> che poi che gli antecessori suoi haveano rimesso in piede l'arte della lana, piacesse anco loro di rimettervi l'arte della Seta, che da un Guasparrino di Porta Sole hebbe molti anni a dietro un'altra volta principio, ma poscia, et per impotenza di lui et per la poca cura degli Officialia della Città, trascurata et abbandonata, et persuadendo al Magistrato con gli essempij di Venetia, di Fiorenza, di Lucca, di Siena et ultimamente d'Alfonso d'Aragona Re di Napoli, che quasi tutti in quei tempi, o non molto a dietro, havevano quest'arte con molti migliara di scudi nella Città loro con danari publici mirabilmente cresciuta et rinovata, s'oprò di maniera (perciocch'egli si offerse di volerla mettere in opra, et accrescerla) che i Magistrati convennero di dargli in prestanza, per diece anni, mille dugento fiorini d'oro, da annoverarlesi in tre anni, et egli all'incontro s'obligò di fare almeno ogn'anno dugento braccia di diversi drappi, la quale arte cominciata di nuovo nell'istesso anno da alcuni Ministri mandateli da Fiorenza da Cosmo de' Medici, o da altri di quella famiglia, co' quali egli haveva molta domestichezza per li traffichi di mercantia et del banco che Bartolomeo et Gregorio suo padre facevano in Perugia, corrispondenti a gli affari loro, essendosi in tutto quella che da Guasparrino hebbe origine perduta, seguitò poi talmente in Perugia che vi sono hora infiniti artefici et botteghe che ne lavorano, non senza lode della antica famiglia de' Gregorij, che come *autori* d'essa in questa Città ne sono insino al dì d'hoggi molto pregiati et honorati.[93]

In questa succinta ricostruzione dell'introduzione dell'arte della seta a Perugia ritroviamo diversi elementi essenziali che caratterizzarono l'esperienza degli imprenditori del Rinascimento: la volontà di un uomo d'affari di dotare la sua città natale di una manifattura utile e prestigiosa; la familiarità con le autorità pubbliche; i legami d'affari con altre aziende mercantili, che gli permetteva di reperire le maestranze esperte; il mantenimento della promessa di lanciare la nuova industria, con la conseguente fama derivata nei secoli alla propria casata. Tutte testimonianze di come i mercanti innovatori ambissero, oltre che al profitto, anche a onore e gloria.

92. Braunstein, *L'industrie*, cit., pp. 110-111.

93. Pompeo Pellini, *Historia di Perugia*, II, Venezia, Gio. Giacomo Hertz, 1664, pp. 653-654.

«Saperssi governar». Pratica mercantile e arte di vivere

PHILIPPE BRAUNSTEIN E FRANCO FRANCESCHI

Queste pagine si propongono di prendere in esame un aspetto essenziale del legame tra il mercante e l'ambiente in cui opera, ovvero la sua formazione rispetto all'insieme delle regole di comportamento che orientano la pratica dello scambio e più in generale i rapporti sociali.[1]

Il mercante è un personaggio che fa discutere. Dalla sua relazione con il mondo egli trae o spera di trarre un vantaggio materiale, in una società che resterà a lungo impregnata da una morale dominante, quella del dono gratuito. Questa peculiare collocazione suscita atteggiamenti divergenti, gli uni gravati da un pregiudizio negativo, legato all'idea che il guadagno non possa essere disgiunto dal peccato originale,[2] gli altri fondati sull'opinione che l'attività commerciale sia indispensabile per il soddisfacimento dei bisogni degli individui e dell'economia pubblica.[3]

Una vasta produzione scientifica sul tema, dalla quale è possibile trarre

1. Non ci occuperemo, invece, dell'apprendistato mercantile in senso più strettamente tecnico, per il quale cfr., in questo stesso volume, il saggio di Ugo Tucci *La formazione dell'uomo d'affari*. Per un approccio storiografico cfr. A. Zanini, *Saperi mercantili e formazione degli operatori economici preindustriali nella recente storiografia*, «Storia Economica», IX (2006), 2-3.

2. Cfr. R.C. Mueller, *Eva a dyabolo peccatum mutuavit*, in *Credito e usura fra teologia, diritto e amministrazione. Linguaggi a confronto (secc. XII-XVI)*, a cura di D. Quaglioni, G. Todeschini e G.M. Varanini, Roma 2005.

3. Fra i molti esempi possibili ricordiamo il cinquecentesco *Discorso* sulla mercanzia di Antonio Maria Venusti, e in particolare la pagina finale: «Qual'arte sia giamai più comendata della Mercantia antichissima? Qual più pregiata della Mercantia utilissima? Qual più lodevole della Mercantia assolutamente necessaria? Ella è arte nobilissima; essendo stata detta lodevole da' sacri Teologi, et havendo nostro signor chiamato i suoi profesori, huomini nobili; et assomigliato il regno de' cieli a un mercante, e negociatore, di che qual maggior lode si può in terra desiderare? Ella è potentissima ... Ella è molto gloriosa et immortale ... Questa è quella arte, per la quale gli huomini diventano esperti, prudenti e savi. Questa è quell'arte, appresso i cui profes-

molte testimonianze, affronta questioni ricorrenti fin dall'Antichità con la colorazione cristiana di cui la letteratura di edificazione ammanta la definizione di un mercante 'ideale' posta a confronto con la realtà delle manchevolezze umane, ma anche con le necessità del commercio: Benedetto Cotrugli – il «mercante-umanista» raguseo autore di quel *Libro dell'arte di mercatura* (1458) cui ci rivolgeremo come riferimento principale nel nostro percorso – non è l'ultimo a dichiarare che coloro i quali si permettono di giudicare le azioni degli uomini d'affari esprimono pareri su argomenti che non conoscono: nel capitolo che dedica al cambio, infatti, egli si stupisce del gran numero di teologi antichi e moderni che condannano tale contratto come illecito, e afferma «che gli è quodadmodo impossibile a uno religioso intenderlo per informazione et per consequens non può giudicare *tamquam cecus de coloribus*».[4]

La figura del mercante nella società del tardo Medioevo e della prima Età moderna è oggetto di giudizi taglienti espressi in prediche e sermoni che tendono ad assecondare un uditorio prevalentemente sospettoso od ostile, di difese e celebrazioni contenute in numerosi trattati pubblicati, alcuni dei quali destinati a un successo duraturo, di riflessioni e osservazioni tratte dalla pratica e scritte per circolare esclusivamente nell'ambito della famiglia o all'interno dell'azienda. Queste ultime fonti, a differenza delle definizioni teologiche e degli scritti didascalici, accordano maggiore spazio alle circostanze concrete dell'agire economico e raccomandano comportamenti che, se non possono dirsi ispirati dall'etica, sono almeno giustificabili alla luce dei suoi principi: più delle altre, dunque, permettono di comprendere come l'individuo, posto dinanzi alla propria condizione, tenti a tempo debito di armonizzare la sua condotta con un codice che lo limita. Chi, nell'imminenza della morte, accetterebbe di oltrepassare i confini definiti dalla morale cristiana?

sori pare, che si trovi massimamente la copia delle ricchezze, la saldezza della fede, e la finezza del giudicio. Questa finalmente è quell'arte; che sopra l'altre tutte, in tutti i tempi, cotanto giova a' parenti, a gli amici, a' cittadini, alle patrie, a' signori, et al mondo tutto. O adunque nobile, degna, gloriosa, e divina Mercantia: poiché sola ci apporti tanti commodi, tanti honori, et tanta gloria» (*Discorso di M. Antonio Maria Venusti, d'intorno alla Mercantia*, in Antonio Maria Venusti, *Compendio utilissimo di quelle cose, le quali a nobili e christiani mercanti appartengono*, Milano, Antoni, 1561, pp. 13-14).

4. Benedetto Cotrugli, *Il libro dell'arte di mercatura*, a cura di U. Tucci, Venezia 1990, lib. I, cap. 11, p. 168. L'opera, stampata a Venezia da Francesco Patrizi nel 1573, centoquindici anni dopo la sua composizione, ebbe una traduzione francese nel 1582 e una nuova edizione nel 1602 (U. Tucci, *Introduzione*, ivi, pp. 3 e 6. Per la bibliografia su Cotrugli e il suo trattato successiva all'edizione di Ugo Tucci cfr. L. Boschetto, *Tra Firenze e Napoli. Nuove testimonianze sul mercante-umanista Benedetto Cotrugli e sul suo Libro dell'arte di mercatura*, «Archivio Storico Italiano», CLXIII (2005), in particolare le note 1 e 2 a p. 688.

I «veri mercanti»

Cominciamo ricordando alcune definizioni di Cotrugli, che, di passaggio in passaggio, delinea i tratti di quel «mercante perfetto» cui *Il Libro dell'arte di mercatura* dà vita e spessore. Definire è spesso distinguere, e la prima distinzione da operare è quella tra «mercantia» e «mercatura»: così la «mercantia» è costituita da «tute le cose che si vendono et comperano, baractansi et in qualcunque modo si contractano», mentre la «mercatura» è «arte o vero disciplina intra persone ligiptime giustamente ordinata in cose mercantili, per conservatione del'humana generation, con isperanza niente di meno di guadagno».[5]

Più insidiosa, nella sua apparente semplicità, è la definizione di 'mercante'. In realtà «pochi sono veri mercanti»,[6] ed è questa un'affermazione sulla quale, qualche decennio più tardi, concorderà anche Matthäus Schwarz, che nel suo trattato di contabilità pratica redatto al ritorno dall'Italia condanna quanti non sono in grado di acquisire i mezzi intellettuali per esercitare la loro professione.[7] Non sono certo i «mercanti plebei et vulgari»[8] a ottenere la considerazione di Cotrugli: «quando diciamo di mercanti, intendi non quelli mercantuoli di pelli d'anguille»[9] e neppure i «drappieri et merciari», operatori economici di «uno grado più inferiore» perché «usano del mecchanico».[10] Meno che mai sono i nuovi ricchi: «quelli che vogliono presto inricchire sono pericolosissimi».[11] Tra gli uni e gli altri, «volendo constituire lo mercante perfecto et conpiuto, mi bisognerebbe fare uno homo universalissimo»,[12] un personaggio «glorioso», la cui «industria» è «gloriosa» perché non solo «acresce et augumenta la facultà sua», ma è indirizzata al «commodo et salute della repubblica».[13] Il mercante, infatti, rifornisce il mercato dei prodotti necessari e di quelli di lusso, alimenta l'economia urbana attraverso le tasse che paga, dà lavoro alla massa della popolazione: senza di lui, in sostanza, non vi sarebbero che poveri.[14] Egli svolge una funzione

121

5. Cotrugli, *Il libro dell'arte di mercatura*, cit., lib. I, cap. 2, p. 139.

6. Ivi, lib. III, cap. 3, p. 214.

7. M. Schwarz, *Musterbuchhaltung*, in A. Weitnauer, *Venezianischer Handel der Fugger nach der Musterbuchhaltung des Matthäus Schwarz*, München-Leipzig 1931, pp. 13-14: «I mercanti sono così pigri e indolenti ... Vogliono avere tutto in testa e fanno troppo affidamento sulla loro memoria, motivo per cui non sanno dove sbagliano e perché falliscono: insomma, non capiscono quello che gli accade».

8. Cotrugli, *Il libro dell'arte di mercatura*, cit., lib. III, cap. 1, p. 206.

9. Ivi, lib. I, cap. 11, p. 167.

10. Ivi, lib. I, cap. 16, p. 177.

11. Ivi, lib. I, cap. 10, p. 163.

12. Ivi, lib. III, cap. 3, p. 210.

13. Ivi, lib. III, cap. 1, pp. 206-207.

14. Ivi, lib. I, cap. 1, p. 207: «Acomodanxi etiamdio diverse cose facciendo venire de luoghi onde habunda ne luoghi dove mancano le mercie, fanno etiamdio abundare di pecunie, gioie, oro, argento et ogni sorta di metallo, fanno habundare arti di diversi mestieri, inde le ciptà et patrie, fanno cultivare le terre, habundare li armenti, valere l'intrate et rendite, fanno campare li poveri mediante i loro exercitii, fanno excitare li massari mediante l'industria di loro arrendamenti, fanno

civica e viene esaltato come un patriota in virtù di una sorta di sillogismo: gli uomini magnifici non esitano a morire per il bene comune; il mercante, alla stregua dei grandi capitani, è un uomo magnifico; il mercante, dunque, non esita a morire per il bene comune.[15]

La «dignità del mercante» è illustrata dai risultati delle sue imprese. Lo Stato si governa come un patrimonio personale e i mercanti «gloriosi» amministrano abilmente i propri beni, muovendosi tra gli estremi dell'*avaritia*, tipica della campagna (*avarus rusticus*), e della *prodigalitas*, vizio nobile per eccellenza: i principi, infatti, non sanno maneggiare il denaro, ma solamente sperperarlo distribuendolo ai parassiti. Il mercante, invece, ha una condotta economica e spirituale conforme alla giustizia divina e se si comporta con misura (l'*aurea mediocritas* di Orazio) otterrà il resto in sovrappiù. Tutte le categorie sociali gli si stringono intorno, poiché nessuno meglio di lui conosce il «governo delle pecunie», pecunie da cui dipendono tutti gli stati del mondo e che egli è l'unico a saper fare fruttare:[16] è questo ad assicurare al mercante il credito di cui gode, ponendolo sullo stesso piano dell'uomo d'armi.[17]

Se è vero, come ha scritto Ugo Tucci nella sua magistrale introduzione all'edizione critica del *Libro dell'arte di mercatura*, che il Quattrocento rappresenta l'epoca in cui «l'attività del mercante consegue un sempre più pieno riconoscimento sociale»,[18] il testo di Cotrugli riflette nitidamente questo processo perché contiene una legittimazione della mercatura e del ceto mercantile addirittura più piena di quella contenuta in opere che – come il *Libro di buoni costumi* di Paolo da Certaldo, i *Libri della Famiglia* di Leon Battista Alberti o la *Vita civile* di Matteo Palmieri – sono state spesso avvicinate allo spirito del trattato dell'autore raguseo. Qui, infatti, i mercanti appaiono capaci «non solo di trafficare e guadagnare e investire, ma anche di comportarsi, pensare, vivere secondo un'aristocrazia tutta interiore, dell'animo e non del sangue».[19]

Il mercante, quello «vero», è in grado di gestire un'attività che a differenza delle altre arti e scienze, che hanno «li suoi canoni et regule», è «irregulare» a

valere li vettigali et gabelle de signori et republiche mediante le extrationi et immissioni delle loro mercantie, et per consequens acrescono l'erario publico et commune».

15. Ivi, lib. III, p. 1, p. 206. Sul tema cfr. H.E. Kantorowicz, *Pro patria mori in Medieval Political Thought*, «American Historical Review», 56 (1951).

16. Cotrugli, *Il libro dell'arte di mercatura*, cit., lib. III, cap. 1, p. 208: «Tucti concorrono al mercante, sempre bisognando di loro, perché non solamente sono acti a succurrerli a loro bisogni, quanto etiamdio a consigliarli, perché nullo stato intese né intende circa la mondana monarchia et governo delle pecunie, circa la quale dipendono tucti li stati mondani, come lo sa intendere, consiglare et rimediare lo bono et docto mercante».

17. *Ibid.*: «Et comunemente si dice che la fede è rimasa ne mercanti e homini d'arme».

18. Tucci, *Introduzione*, cit., in Cotrugli, *Il libro dell'arte di mercatura*, cit., p. 115.

19. T. Zanato, *Sul testo della «Mercatura» di Benedetto Cotrugli (A proposito di una recente edizione)*, «Studi Veneziani», XXVI (1993), p. 16.

causa della «multiforme mutabilità che ha e de' avere in se»;[20] un'attività che «si governa per albitrio»,[21] ovvero «consiste nella investigation del proprio intellecto naturale da essere per di et per ora arbitrato».[22] Questo vocabolario, con l'insistenza sullo spirito di iniziativa e la capacità intellettuale di decidere, evoca il «senno» che il trecentesco autore anonimo dei *Consigli sulla mercatura* richiede – insieme a «praticha e danari» – a chi desidera «sapersi reggiere e ghovernare in ogni atto» della vita mercantile,[23] e si può accostare alle parole con cui Georges Chastellain, cronista borgognone dell'epoca di Carlo VII, descrive Jacques Cœur: «un uomo pieno di industria e di alto ingegno (*ingenium*), sottile nel discernimento».[24] Ma è anche quanto già dichiarava Pietro di Giovanni Olivi nel suo *Tractatus de emptione et venditione*, molto studiato da san Bernardino per la preparazione delle sue prediche: i mercanti non riuscirebbero ad arricchirsi «se non fossero industriosi nel valutare accuratamente il valore, i prezzi e gli utili».[25]

In questa «professione accorta, scaltrita, sottile, ingegnevole, laboriosa» – come la definisce il canonico Tommaso Garzoni nella *Piazza universale di tutte le professioni del mondo* (1585)[26] – la disposizione naturale resta il requisito basilare. «Perché attendendo l'huomo a quell'arte, alla quale dalla natura è inclinato, egli in quella diventa perfetto», sentenzia poco oltre la metà del Cinquecento Giovanni Maria Memmo[27] sulla scia di molti scritti del secolo precedente; e sulla stessa linea si collocano i trattati di due autori seicenteschi che, pur con importanti distinguo, vengono solitamente accomunati all'opera di Cotrugli sotto l'etichetta di «manuali del perfetto mercante»:[28] *Il negotiante* di Giovanni Domenico Peri (1638-1672)[29] e *Le parfait Négociant* di Jacques Savary

20. Cotrugli, *Il libro dell'arte di mercatura*, cit., *Prohemio*, p. 135.

21. Ivi, lib. III, cap. 2, p. 209.

22. Ivi, *Prohemio*, p. 135.

23. G. Corti, *Consigli sulla mercatura di un anonimo trecentista*, «Archivio Storico Italiano», CX (1952), p. 117.

24. «Un homme plein d'industrie et hault engin, subtil d'entendement et hault emprendre et toutes choses saschant conduire par labeur», cit. in P. Clément, *Jacques Cœur et Charles VII*, I, Paris 1853, p. XXI.

25. Pietro di Giovanni Olivi, *Trattato sulle compere e sulle vendite*, trad. di A. Spicciani, in Pietro di Giovanni Olivi, *Usure, compere e vendite. La scienza economica del XIII secolo*, a cura di A. Spicciani, P. Vian e G. Andenna, Milano 1990, p. 91.

26. T. Garzoni, *La piazza universale di tutte le professioni del mondo*, a cura di G.B. Bronzini, con la collaborazione di P. De Meo e L. Carcereri, Firenze 1996, *Discorso LXV: de' Mercanti, Banchieri, Usurari, Fondaghieri, et Merciari*, p. 661.

27. G.M. Memmo, *Dialogo del magn. cavaliere M. Gio. Maria Memmo, nel quale dopo alcune filosofiche dispute, si forma un perfetto Prencipe, & una perfetta Republica, e parimente un Senatore, un Cittadino, un Soldato, & un Mercatante, diviso in tre libri*, Venezia, Ferrari, 1564, lib. II, p. 121.

28. M. Cassandro, *Istruzione tecnica e cultura umanistica. Per una psicologia del mercante tra Medioevo e prima età moderna*, «Studi Storici Luigi Simeoni», LVI (2006), p. 96; Tucci, *Introduzione*, cit., pp. 43-44.

29. L'edizione che abbiamo consultato è quella del 1672: G.D. Peri, *Il negotiante*, Venezia, Hertz, 1672, parte IV, p. 2. Sul trattato e il suo autore cfr. M. Maira, *Gio. Domenico Peri scrittore, tipografo, uomo d'affari nella Ge-*

(1675),[30] per i quali, del resto, il *Libro dell'arte di mercatura* ha forse rappresentato una fonte.[31] Ma mentre il primo si limita a un'enunciazione fugace del concetto, preferendo poi soffermarsi su altre qualità indispensabili nella condotta del «Negotiante Christiano» (rettitudine, osservanza dei precetti religiosi, diligenza, amore per la giustizia, onestà),[32] il secondo ne sviluppa le implicazioni: per chi vuole riuscire bene nell'attività commerciale inclinazione significa soprattutto «buona immaginazione», ovvero la multiforme capacità di «inventare nuove stoffe, di essere amabili nell'acquisto e nella vendita, di trattare gli affari, di essere sottili e pronti a rispondere con naturalezza quando qualcuno vi trova dei difetti».[33]

La stessa prontezza è necessaria per adattarsi continuamente ai mutamenti della congiuntura: «Vuole anche havere consideratione lo mercante di sapere mutare a tempo il traffico, quando vede che inclina dell'utilità per esservisi messi molti in quello tale traffico».[34] Senza questa abilità nel «pigliar l'occasione» l'uomo d'affari ha ben poche possibilità di successo – sostiene con realismo il Peri – «posciaché (se non si sanno pigliare le congiunture opportune) il più delle volte si resterà perdente».[35]

Girolamo Priuli fornisce un esempio illuminante di ciò che egli chiama il «saperssi governar». Nel marzo 1506 i mercanti tedeschi che operano a Venezia, acquirenti abituali del pepe alla fiera di Quaresima, non fanno alcun acquisto: c'è infatti scarsa disponibilità di prodotto, a causa della concorrenza di nuove piazze, e i loro mezzi finanziari sono esigui. Passata la fiera, tuttavia, alcuni mercan-

75, 77

nova del '600, «La Berio», 26 (1986); P. Massa, *Fra teoria e pratica mercantile: il 'Negotiante' Gio Domenico Peri (1590-1666)*, «Annali della Facoltà di Giurisprudenza di Genova», 21 (1986-1987), ora in Ead., *Lineamenti di organizzazione economica in uno stato preindustriale: la Repubblica di Genova*, Genova 1995; e inoltre G. Doria, *Comptoirs, foires de changes et places étrangères: les lieux d'apprentissage des nobles négotiants de Gênes entre Moyen Âge et âge baroque*, in *Cultures et formations négociantes dans l'Europe moderne*, a cura di F. Angiolini e D. Roche, Paris 1995.

30. L'edizione consultata è quella del 1739: J. Savary, *Le Parfait Négociant, ou Instruction générale pour ce qui regarde le commerce de toute sorte des marchandises de France, & des Pays Estrangers*, Lyon, Lyons, 1739. Dopo la prima edizione del 1675 ne apparve una bilingue (in francese e tedesco) nel 1676, cui seguì nel 1683 la traduzione in olandese e, nel corso del Settecento, quella in inglese e in italiano (J. Hoock, P. Jeannin, *Ars Mercatoria. Eine analitysche Bibliographie*, II, *1600-1700*, Paderborn-München-Wien-Zurich 1993, pp. 488-497). Su Savary e la sua opera cfr. H. Hauser, *'Le Parfait Négociant' de Jacques Savary*, «Revue d'histoire économique et sociale», 13 (1925); J. Meuvret, *Manuels et traités à l'usage des négociants aux premières époques de l'âge moderne*, in Id., *Études d'histoire économique. Recueil d'articles*, Paris 1971; D. Julia, *L'éducation des négociants français au 18e siècle*, in *Cultures et formations négociantes*, cit., pp. 215-218.

31. Meuvret, *Manuels et traités*, cit., p. 244.

32. Peri, *Il negotiante*, cit., parte IV, p. 2: «Suppongo, che la persona, quale vuole impiegarsi nell'essercitio della Mercatura v'habbia dispositione, e attitudine naturale, osservato quel salmo di David»; per le altre qualità cfr. ivi, parte IV, cap. II, pp. 2-4.

33. Savary, *Le Parfait Négociant*, cit., parte I, lib. I, cap. IV, p. 29.

34. Cotrugli, *Il libro dell'arte di mercatura*, cit., lib. I, cap. 10, p. 163.

35. Peri, *Il negotiante*, cit., lib. IV, cap. II, p. 3.

ti veneziani, che vedono avvicinarsi la data di arrivo delle galere e hanno bisogno di denaro, mettono in vendita una grossa partita di pepe per 102 ducati il *cargo*, quando fino ad allora il prezzo era fissato a 131.

> Donde li altri marchadantti se messenno tutti in fuga a vender, perché questo hè il costume sempre deli marchadantti venetti, che, come uno tiem la roba, tutti la volenno tenir, et chome uno la vol vender, tutti la volenno vender senza medio alchuno, ma tutto in extremitade, hora in ciello, hora in terra. Visto li Todeschi questa furia deli marchadanti, che tutti volevanno vender, se ritenneno da comprare; tandem ni foronno vendutti charigi X a ducati 95 el cargo, et dipoi charigi 30 a ducati 80 el cargo pur piper, et dipoi cargi 30 in 40 a duc. 75 el cargo, et poi a duc. 70 el cargo.

In questa situazione i tedeschi decidono di riprendere gli acquisti; immediatamente, però, i mercanti veneziani riportano il prezzo a 80 ducati e gli stranieri smettono nuovamente di comprare...[36]

Si tratta di un bell'esempio *a contrario* del principio, esposto nel *Tractatus* dell'Olivi, secondo il quale il profitto è il prodotto della capacità del mercante di prendere decisioni in rapporto all'evoluzione del mercato. Cosa che non sempre avviene. Andrea Berengo, un veneziano che nell'ottobre 1555 si trova ad Aleppo, lamenta come la difficile situazione di quella piazza richiederebbe la presenza e il consiglio di uomini d'affari esperti, quando invece i migliori se ne sono andati e non sono rimasti che i cuochi![37]

Colombe e serpenti

Nell'universo del mercante, dall''Anonimo Trecentista' a Jacques Savary, un concetto-chiave è rappresentato dalla prudenza. Per Cotrugli, che cita Boezio, come per Giovanni Domenico Peri, la prudenza consiste nel «ricordarsi del-

36. *I Diarii di Girolamo Priuli (AA 1499-1512)*, a cura di R. Cessi, «Rerum Italicarum Scriptores», t. XXIV, parte III, II, Bologna 1934, p. 117. Degne di nota sono le motivazioni che spingono Priuli a registrare questo evento: «Non voglio restar etiam de scriver qualcossa de marchadantia per esser lo exercitio mio et per notitia deli marchadanti futuri aziochè vedanno e cognoscanno le mutation fanno le marchadantie in pocho spazio di tempo ... Ho voluto notar questa varietade de pretij del piper facto a Venetia in questi giorni [della fiera di Quaresima] da duc. 132 el cargo, che valevanno, a duc. 70, aziochè li posteri nostri intendeno il tuto per saperssi governar et prender li partiti quando che ochorenno».

37. «Li marcantti sono itti e non resta nomé cuogi e pochi de boni e che abino amor a 'stta povera marcanzia»: *Lettres d'un marchand vénitien, Andrea Berengo (1553-1556)*, a cura di U. Tucci, Paris 1957, lett. 7, p. 30 (5 ottobre 1555); U. Tucci, *La psicologia del mercante veneziano nel Cinquecento*, in Id., *Mercanti, navi, monete nel Cinquecento veneziano*, Bologna 1981, p. 84.

le cose passate, considerare le presenti, provedere le future»:[38] non è, dunque, solo circospezione e cautela, ma anche sforzo costante di modificare il corso degli eventi mediante un adattamento continuo alle circostanze, con lo scopo di realizzare il bene individuale.[39] Per Paolo da Certaldo «la provedenza dinanzi al caso e al fatto è troppo buona cosa; e la provedenza di dietro poco vale. E però sempre sta proveduto, e pensa il tempo passato, e lo tempo presente, e 'l tempo che ragionevolemente ti può venire a dosso».[40] Solo una grande esperienza permette di agire lucidamente: «Non si può provvedere alle cose future sanza grande antivedere, o quasi bisognerebbe essere indovino; e però bisogna avere consiglio dagli uomini antichi, savi e pratichi e che abbino veduto assai cose».[41] Ma occorre anche avere la disponibilità e l'umiltà di continuare a imparare – sostiene Cotrugli – che alla «scientia del mercante» dedica un lungo capitolo[42] e che non teme di dichiarare apertamente, in una lettera del 1447 all'uomo d'affari fiorentino Francesco di Nerone, «chon voi ò guadagnato e imparato».[43] Le decisioni, insomma, vanno prese conoscendo i fatti, valutando la congiuntura, seguendo la ragione, guardandosi da coloro che si presentano come agnelli ma sono lupi rapaci; «li errori del mercante», infatti, «sono i più dannosi o inemendabili».[44]

Nel *Libro dell'arte di mercatura*, tuttavia, è poco visibile quello slittamento, quasi automatico in molti trattatisti italiani e d'Oltralpe, che conduce dall'esaltazione della prudenza all'apologia della diffidenza. «Chi volesse passare al setaccio tutte le transazioni degli uomini riguardo ai prodotti» – osserva lapidario Antoine de Montchrestien nel suo *Traicté de l'œconomie politique* (1615) – «troverebbe un numero infinito di difetti e inganni»;[45] ma quasi tre secoli prima la *Yconomica* di Konrad von Megenberg aveva messo in guardia i giovani mercanti dalle furbizie degli acquirenti e soprattutto dei loro intermediari,[46] quei «barufaldi» già ricordati dagli statuti trevigiani del 1231 e accusati, pur sapendo il tedesco o

38. Cotrugli, *Il libro dell'arte di mercatura*, cit., lib. III, cap. 2, p. 209; Peri, *Il negotiante*, cit., parte II, cap. I, p. 8: «Questi veri Negotianti è necessario habbino tutti li tre atti ne quali consiste la Prudenza, che sono, cioè memoria delle cose passate, intelligenza delle presenti, e providenza delle future».

39. Ch. Bec, *Les marchands écrivains à Florence 1375-1434*, Paris-La Haye 1967, p. 488.

40. Paolo da Certaldo, *Libro di buoni costumi*, in *Mercanti scrittori. Ricordi nella Firenze tra Medioevo e Rinascimento*, a cura di V. Branca, Milano 1986, cap. 346, p. 83.

41. Giovanni di Pagolo Morelli, *Ricordi*, in *Mercanti scrittori*, cit., III, p. 128.

42. Cotrugli, *Il libro dell'arte di mercatura*, cit., lib. III, cap. 3.

43. Boschetto, *Tra Firenze e Napoli*, cit., Appendice, p. 715.

44. Cotrugli, *Il libro dell'arte di mercatura*, cit., lib. III, cap. 2, p. 209.

45. A. de Montchrestien, *Traicté de l'oeconomie politique*, a cura di F. Billacois, Genève 1999, p. 403.

46. «De regimine juvenum mercatorum: oportet etiam juvenem mercatorem non sine bonis consiliis mercibus suis desistere ad persuasiones ignotorum. Nam emptores et eorum interpretes, qui nuntii mittuntur intermedii fallaciter merces detestantur ... tales vulpibus assimilantur» (K. von Megenberg, *Yconomica*, a cura di S. Krüger, Stuttgart 1973, II, 2, 21).

l'ungherese, di non dire ai loro clienti la verità sui prezzi proposti dai mercanti di cavalli stranieri;[47] quegli interpreti che, nell'opinione del Memmo, «il più delle volte ti tradiscono».[48]

Come è ben noto, prudenza e diffidenza, associate e giustificate da una ragione superiore, la 'ragion di famiglia', dettata a sua volta dalla necessità di tutelare il patrimonio da lasciare ai figli, attraversano le pagine sull'etica mercantile di Paolo da Certaldo e Giovanni Morelli, all'insegna del precetto fondamentale «non ti inganni mai lo 'ngordo pregio, ... innanzi fa meno, fa tu sicuro».[49] Commerciare con il denaro proprio, senza esporsi chiedendo finanziamenti, preferire l'azienda individuale alle società o almeno scegliere con attenzione i propri soci, trattare solo le merci che si conoscono, concedere con cautela prestiti o malleverie, non fidarsi di alcuno, e tanto meno di parenti e amici, far redigere sempre gli atti dal notaio, non affrontare spese eccessive, ma vivere al disotto delle proprie possibilità, tenendo celato a chiunque l'ammontare effettivo delle proprie sostanze:[50] ecco altrettante regole auree alle quali il mercante dovrebbe attenersi. Regole destinate a lunga fortuna, se è vero che proprio l'ignoranza, l'imprudenza, l'ambizione, le spese inutili ed eccessive, il vizio del gioco vengono additate da Savary come le principali cause dei fallimenti dei mercanti, mentre l'esperienza e la prudenza rappresentano ingredienti imprescindibili del loro successo.[51]

Ma sono davvero sufficienti? Per Garzoni – lo abbiamo visto – la professione mercantile è anche «sottile» e «scaltrita» e molti uomini d'affari di ieri e di oggi preferirebbero il suo punto di vista all'esortazione di Peri ad agire «non havendo mai in pensiero di pregiudicar alcuno; ma solamente di procurar il proprio utile senza inganni».[52] Tra di loro potremmo collocare senz'altro Paolo da Certaldo, cui la difesa appassionata della prudenza e della misura non impedisce di dare consigli come il seguente:

> Se fai mercatantia e co le tue lettere vengano legate altre lettere, sempre abbi a mente di leggere prima le tue lettere che dare l'altrui. E se le tue lettere contassoro che tu comperassi o vendessi alcuna mercatantia per farne tuo utile, subito abbi il sensale, e fa ciò che le tue lettere contano, e poi dà le lettere che sono venu-

47. U. Israel, *Fremde aus dem Norden. Transalpine Zuwanderer im spätmittelalterlichen Italien*, Tübingen 2005, p. 180.

48. Memmo, *Dialogo del magn. cavaliere*, cit., lib. III, p. 168.

49. Morelli, *Ricordi*, cit., III, p. 177; V. Branca, *Introduzione*, in *Mercanti scrittori*, cit., pp. XXXVII-XXXVIII.

50. Morelli, *Ricordi*, cit., III, pp. 177, 183-185, 189. Gli stessi concetti vengono espressi da Paolo da Certaldo: Da Certaldo, *Libro di buoni costumi*, cit., capp. 92, 96 e 97, pp. 16-18; cap. 108, p. 21; capp. 100 e 115, pp. 18 e 23; capp. 141-149, pp. 31-34. Si vedano anche le note di commento in Bec, *Les marchands écrivains*, cit., pp. 56-57.

51. Savary, *Le Parfait Négociant*, cit., parte I, lib. I, cap. III, pp. 26-28.

52. Peri, *Il negotiante*, cit., parte IV, cap. II, p. 2.

te co le tue. Ma no le dare prima che tu abbi forniti i fatti tuoi, in però che potrebboro contare quelle lettere cosa che ti sconcerebboro i fatti tuoi, e il servigio ch'avresti fatto de la lettera a l'amico o vicino o straniero ti tornerebbe in grande danno: e tu non dei servire altrui per disservire te e' fatti tuoi.[53]

Una tale spregiudicatezza contrasta con la posizione assai equilibrata di Cotrugli, che propugna una sorta di furbizia 'difensiva', da utilizzare solo per riconoscere la malizia altrui ed essere in grado di neutralizzarla: «L'astutia del mercante, overo callidità, debbe essere moderata et non offendere altrui et non lassarsi offendere, sapere intendere e speculare dove late l'inganno et la fallacia». Insomma, bisogna essere colombe e serpenti![54]

Una condotta troppo disinvolta, del resto, rischia di produrre un effetto disastroso, quello di compromettere la buona reputazione dell'uomo d'affari, ossia di privarlo dell'arma più preziosa che può sfoderare nel combattimento sulla piazza mercantile, trasformando il suo profitto in perdita.[55]

Il teatro dello scambio

La capacità di tradurre in azioni i buoni precetti è per Cotrugli il frutto della propria carriera: scrive infatti il *Libro dell'arte di mercatura* a quarant'anni – stimando che a cinquanta arriva il momento di lasciare gli affari[56] – sulla base della propria esperienza personale e il trattato, più che un manuale tecnico, è una dissertazione umanistica sul modo di comportarsi. Il suo mercante perfetto è «tucto faceto, moderato et pieno di veneratione et urbanità»,[57] «modesto e constumato nel parlare, nel'andare, nel conversare»,[58] «amabile e benigno, con cera humana et gratiosa; piacevole ... con ognuno, maxime in vendere et comperare';[59] è anche – sebbene la parola non venga pronunciata – un mercante 'cortese', dotato di quell'insieme di qualità positive (tra cui la misura)[60] che gli permettono di eccellere nelle relazioni con gli altri. Giovanni Morelli è molto chiaro:

53. Da Certaldo, *Libro di buoni costumi*, cit., cap. 251, p. 49.

54. Cotrugli, *Il libro dell'arte di mercatura*, cit., lib. III, cap. 9, p. 218.

55. «Lo guadagno che s'acquista con mala fama sì è da essere appellato danno»: Da Certaldo, *Libro di buoni costumi*, cit., cap. 173, p. 39.

56. Cotrugli, *Il libro dell'arte di mercatura*, cit., lib. IV, cap. 10, pp. 251-252: «Et perché comunemente la mercatura vuole intellecti prospicaci, sangue vivo et chore animoso, la qual cosa li homini che passano 50 anni comunemente rifredda e more ... Et però tempo è ut requiescat ad laboribus suis».

57. Ivi, lib. III, cap. 10, p. 218.

58. Ivi, lib. III, cap. 16, p. 224.

59. Ivi, lib. III, cap. 17, p. 225.

60. «Cortesia non è altro se non misura e 'misura dura'; e non è altro misura se non avere ordine ne' fatti tuoi. E però ciò che fai, fa con ordine e a fine di bene, e non potrai fallare»: Da Certaldo, *Libro di buoni costumi*, cit., cap. 82, p. 13.

«Usa parentevolemente con ogni tuo cittadino, amagli tutti e porta loro amore; e se puoi, usa verso di loro delle cortesie ... istà bene con tutti: non isparlare mai contro a persona, né mai acconsentire d'udire dire male di persona, né ispezialemente di niuno tuo vicino».[61] Il consiglio, certo, non è disinteressato: nella prospettiva mercantile, infatti, il comportamento virtuoso può costituire un semplice schermo dietro al quale si cela l'obiettivo di esercitare con tranquillità i propri traffici.[62] Non è forse vero che l'amabilità dell'uomo d'affari si esprime soprattutto «in vendere et comperare»?

Sebbene finalizzato alla realizzazione del profitto, comunque, quest'atteggiamento tende all'universalità: per Cotrugli il mercante «debbe essere universale con ogni gente, sapere conversare et co' grandi et co' piccholi».[63] È un'idea che ritorna nel trattato sul governo della città di Ulma redatto dal domenicano Felice Fabro negli anni Ottanta del Quattrocento, laddove l'autore, analizzando le differenti categorie sociali, tratta del quinto ordine, quello appunto dei mercanti, il solo in cui convivono piccoli e grandi, dato che partecipa sia della potenza dei più ricchi che del lavoro dei meno fortunati.[64] Mediatore tra i diversi gruppi, il mercante «universale» acquisisce contemporaneamente una conoscenza degli usi, una visione geografica degli spazi e la padronanza di un linguaggio e di una gestualità codificati, comprensibili a tutti. Ma non è una conquista agevole. Fin dall'infanzia, sotto la guida del padre, egli deve assimilare i «gesti, modi, costumi, conversationi mercantili, con facundia e gravità»,[65] costruendosi anche una speciale disciplina della voce – «acta, pietosa, superba, rimessa» – così come richiesto dalle circostanze.[66] Insomma, un vero teatro!

Regole di comportamento sociale e al tempo stesso strumenti quotidiani della pratica commerciale, questi precetti mantengono intatta la loro validità sullo scorcio del XVII secolo: Savary consiglia ai futuri mercanti di rendersi gradevoli ai compratori con «la dolcezza delle parole», di convincere la controparte in modo naturale e giudizioso, di non mentire né giurare per ottenere un maggior guadagno, di «non spazientirsi» quando gli acquirenti rifiutano o disprezzano le merci; al contrario, «bisogna far loro presente con onestà che sono belle e buone» e che difficilmente potrebbero trovarne di più perfette e a miglior prezzo. Se ciò nonostante i clienti non acquistano, invece di mettersi di cattivo umore, si dovrà loro comunica-

61. Morelli, *Ricordi*, cit., III, pp. 182-183. Ma si veda anche il precetto dell'Alberti: «Non mai dispiacere, non ingiuriare alcuno» (Leon Battista Alberti, *I libri della famiglia*, a cura di R. Romano e A. Tenenti, nuova edizione a cura di F. Furlan, Torino 1994, lib. III, p. 207).

62. Cfr. Tucci, *Introduzione*, cit., pp. 92 e 154.

63. Cotrugli, *Il libro dell'arte di mercatura*, cit., lib. III, cap. 17, p. 225.

64. «Cum omnibus participat, in nobilitate, divitiis cum superioribus, in laboribus vero et angustiis cum inferioribus»: *Fratris Felicis Fabri Tractatus de civitate Ulmensi, de eius origine, ordine, regimine, de civibus eius et statu*, a cura di G. Veesenmeyer, Tübingen 1889, p. 121.

65. Cotrugli, *Il libro dell'arte di mercatura*, lib. I, cap. 3, cit., p. 144.

66. Ivi, p. 227.

re, «con un'espressione amabile e sorridente», il rammarico di non averli potuti servire, per la stima che si nutre nei loro confronti, o usare «altre parole simili».[67]

Se questa è la linea di condotta da tenere nella vendita al pubblico, in parte diverse sono le tecniche da impiegare nel commercio all'ingrosso, dove si ha a che fare con altri mercanti, che conoscono i prodotti e i prezzi: in questo caso bisogna puntare soprattutto a scegliere «quelli che pagano bene» e sono disposti ad acquistare la maggior quantità di merce.[68] Savary prevede anche il caso in cui ci si debba rifornire direttamente presso i produttori: la sua indicazione è di essere estremamente moderati nelle parole, non mostrare eccessivo interesse per i prodotti (ma al tempo stesso non denigrarli, per non mettere in imbarazzo o disorientare i venditori), agire con sincerità, franchezza e prudenza, perché i produttori preferiscono trattare con commercianti di questo tipo, piuttosto che con coloro che usano finezze e artifici.[69]

Una fonte piuttosto singolare, il manuale di lingua e conversazione attribuito a Giorgio da Norimberga e compilato ad uso dei sensali dipendenti dal Fondaco dei Tedeschi di Venezia nel primo quarto del Quattrocento, ci permette di vedere affiancata ai consigli dei trattatisti una vera e propria rappresentazione dell'uomo d'affari in azione. Alla stregua di certi compendi di pratica commerciale che costruiscono un'immagine dello scambio a partire da una finzione documentata, direttamente ispirata alla pratica delle aziende, l'opera attinge alla realtà viva delle negoziazioni tra tedeschi e veneziani, presentando non solo una tipologia delle operazioni commerciali, ma anche una radiografia dei comportamenti attraverso la messa in scena dell'acquirente e del venditore. Delle modalità d'uso del manuale non sappiamo niente, anche se il suo successo e la sua diffusione sono testimoniati dal fatto che esso risulta essere stato utilizzato per l'apprendimento di numerose altre lingue.[70]

67. Savary, *Le Parfait Négociant*, cit., parte I, lib. II, cap. II, p. 45.

68. «La troisieme chose est de s'appliquer à la vente, & pour cela il faut sçavoir qu'elle se fait differemment dans le gros que dans le détail. Car dans le gros l'on a affaire à des Marchands avec qui il faut traiter d'une autre maniere que l'on ne fait pas avec la Noblesse & le public; parce que les Marchands en détail (sic!) connoissent la marchandise, & en sçavent le prix à peu prés: ainsi il ne faut pas surfaire, ni user de paroles pour les persuader; ... pour que l'on l'ait de la confiance il faut parler franchement; ce qui est seulement necessaire d'observer est la difference des personnes à qui l'on vend, en preferant toujours ceux qui payent bien, & qui prennent nombre de marchandises, à ceux qui payent mal, & qui ne font que pieceter»: ivi, parte I, lib. III, cap. II, p. 86.

69. «La seconde maxime qu'il faut observer en l'achat des marchandises, c'est d'être extremement retenu dans ses paroles, de ne point faire paroître que l'on desire la marchandise que l'on voudroit bien avoir; de ne la pas mépriser non plus, pour faire croire que l'on n'en a pas besoin; ce sont des finesses qui ne produisent autre chose que d'embarasser l'esprit de l'ouvrier ... Au contraire il faut agir avec sincerité & franchise, acompagné pourtant de prudence; les ouvriers aimant mieux avoir affaire avec telle sorte de Negocians, que non pas à ceux qui usent de finesses & de ruses»: ivi, parte II, lib. I, cap. V, p. 67.

70. O. Pausch, *Das älteste italienisch-deutsche Sprachbuch. Eine Überlieferung aus dem Jahre*

La situazione-tipo su cui ci soffermeremo è la transazione tra il figlio di un mercante veneziano, che sostituisce il padre appena tornato da Cremona, e un cliente tedesco recatosi al Fondaco per affari, un po' infastidito dall'assenza del suo partner abituale. Il giovane approfitta della situazione per mettersi in luce e dimostrare le proprie qualità. La rappresentazione si articola in tre sequenze: nelle prime due la trattativa riguarda la vendita di alcune pezze di fustagno e poi di una partita di *boccassino* (boccaccino, un tipo di tela finissima); nella terza è invece illustrata la diffusa prassi del baratto, per la precisione fustagni italiani in cambio di tele di Svevia.

La prima qualità che il venditore esibisce è la cortesia nei riguardi dello straniero: si informa sullo stato delle strade, sulla situazione generale nelle regioni d'Oltralpe (insicurezza, rischi di epidemie), sulla salute del viaggiatore. Subito dopo dichiara di essere pronto a «dare, come se suo padre fosse lì», del buon fustagno segnato «corona», tinto o grezzo, il migliore che si possa trovare sul mercato, 25 pezze senza problemi, poiché ne ha 200 in magazzino... La risposta, ironica, non si fa attendere: «Sei davvero bravo a decantare la tua merce!». Il veneziano contrattacca: «Ma lo faccio in tutta onestà»; e lo straniero: «Dio solo lo sa, e la Madonna...». Lui comunque non si lascerà incantare. Il preambolo è stato così definito: il venditore è disposto a 'dare', l'acquirente manifesta un dubbio sistematico.

Ora la discussione si sposta sul prezzo e il giovane assume un tono molto confidenziale: «Nemmeno se tu fossi mio padre» scenderei al di sotto dei 4 ducati e mezzo la pezza per il fustagno e dei 6 e mezzo per il boccaccino. Il tedesco, come previsto, non è d'accordo: quanto il giovane propone è eccessivo, suo padre sarebbe più accomodante. L'altro, che ha ben compreso il senso della risposta, replica in due tempi: certamente suo padre avrebbe la libertà di «dar via [la merce] per niente», lui non può, ma desidera comunque venire incontro all'acquirente: che questi, dunque, faccia la sua proposta. Il tedesco finge di lasciar perdere, ma osserva che se il prezzo fosse conveniente potrebbe comprare 100 pezze invece di 25 e in maniera indiretta fissa il proprio prezzo, spiegando che se pagasse più di 4 ducati ci rimetterebbe al momento della vendita in Germania. Il veneziano tiene duro e all'obiezione «credi forse che non si trovi dell'altro fustagno sul mercato oltre il tuo?» replica che se il cliente ne trovasse della stessa qualità a 4 ducati sarebbe pronto a dargli la merce gratis. Il tedesco si rabbonisce e riconosce al suo interlocutore la qualità di buon negoziatore («Tu parli come un uomo di valore»), poi si dichiara disposto a fidarsi di lui («Dammi la mercanzia come se fosse per te»).

1424 nach Georg von Nürnberg, Wien 1972; Ph. Braunstein, *Imparare il tedesco a Venezia intorno al 1420*, in *La trasmissione dei saperi nel Medioevo (secoli XII-XV)*, Atti del convegno internazionale, Pistoia, 16-19 maggio 2003, Pistoia 2005.

Il primo atto si chiude su questi preliminari, perché adesso è necessario fare una pausa. «Vado a cena» – dice il tedesco – «ritornerò poi con il mio sensale». Il giovane veneziano gli offre allora da bere, ma questi rifiuta con il pretesto che sarebbe troppo presto: l'espressione è ambigua, ma il senso è che bere insieme equivale a impegnarsi. Il veneziano scherza quindi sulla fama di grandi bevitori che accompagna i tedeschi e, poiché bisogna bere mangiando, lo invita a cena; lo straniero, però, resta fermo sul suo rifiuto: intende consumare il suo pasto al Fondaco.

Nel secondo atto il figlio, in assenza del padre (che sappiamo però essere in casa, tornato da Cremona sfinito e di cattivo umore), continua a recitare la propria parte. Davanti al giovane c'è il sensale, che contratta in nome del suo cliente tedesco, presente, ma almeno inizialmente silenzioso. Il veneziano mostra i suoi fustagni, il sensale sceglie ovviamente i migliori e si assicura che ce ne siano in quantità sufficiente nel magazzino, ma questiona sul prezzo: se si abbassa, il tedesco non solo prenderà 25 pezze di fustagno, ma tratterà anche per 50 pezze di valescio e pagherà in contanti con bei ducati nuovi. Il veneziano sembra irremovibile: bisogna pure che la bottega guadagni qualcosa sul prezzo di acquisto! Il sensale non vuole certo mandare in rovina il venditore, desidera solamente, poiché si conoscono, che l'offerta rimanga amichevole; poi, sicuramente rivolgendosi all'acquirente, aggiunge che il veneziano non sa mercanteggiare senza dare battaglia e che, con un cliente abituale, questo è un comportamento scandaloso. La frase viene senza dubbio pronunciata con un sorriso, dal momento che il tedesco esclama: «Voi vi conoscete bene e non vi mordete troppo forte! Ma noi, poveri mercanti, noi subiamo i vostri inganni...».

Il sensale si fa allora più pressante ed esige un prezzo: bene, 4 ducati e un quarto, dice il giovane. Il sensale gli consiglia di accaparrarsi il cliente togliendo un quarto di ducato per pezza, ma il veneziano si rifugia dietro l'eventuale decisione del padre. «Che venga, dunque, ci intenderemo meglio con lui che non con te, giacché tu sei troppo rigido negli affari...». Come previsto, il padre delega il potere decisionale al figlio, che si inalbera con il sensale: «Vuoi pagare della buona mercanzia come se fosse mediocre!». Il cliente alza il tono a sua volta: «Sbagli ad essere così duro, perché posso dirti adesso che abbiamo trattato un fustagno altrettanto bello in un'altra bottega per 4 ducati; l'avrei senz'altro avuto per 4 e un quarto». La reazione è immediata: «Allora perché non l'hai preso?». «Perché pensavo che mi avresti fatto un prezzo ancora migliore», ribatte l'altro. Il giovane non si smuove e replica che tanto vale non vendere niente, piuttosto che vendere in perdita.

La scaramuccia si esaurisce e si ritorna alla merce: il cliente è evidentemente interessato e ci tiene ad affondare le mani nella balla che contiene il fustagno per verificare l'omogeneità del tessuto, anche se fa finta di abbandonare la trattativa. Il venditore ha però capito che la battaglia è ormai vinta e adotta nuovamente un registro amichevole: «Non vuoi proprio, dunque, che guadagni qualcosa trattando con te, invece di perderci?». Niente, il tedesco continua a chiedergli di abbassare il prezzo di un quarto di ducato e ora tocca al veneziano fingere indifferenza: a che servono tante parole? Che faccia il suo acquisto o se ne vada, lui non si sposterà di una virgola. Il sensale, a questo punto, decide che è giunto il momento di concludere la trattativa per 4 ducati e un quarto la pezza. Il venditore finge a propria volta di cedere, lamentandosi di essere stato costretto, poiché loro sono due contro uno, ma il sensale lo invita a farla finita, perché «nemmeno tra cent'anni gli darebbe un soldo di più».

Il veneziano si dice allora disposto, «per questa volta», a concludere, ma si augura che ci sia un'altra occasione per guadagnare qualcosa, con lo stesso acquirente o con i suoi amici mercanti, mentre suo padre conta – aggiunge – che la loro ditta sia raccomandata all'estero. Lo straniero esaudirà questo desiderio, ma precisa di volerlo fare per l'amicizia che nutre nei confronti del padre e non del figlio: «Tu ci hai fatto perdere l'intera giornata per un po' di fustagno, mentre io tratto spesso per migliaia di ducati. Sei avido di guadagno per la tua giovane età, chissà come diventerai da vecchio!». La lezione è stata impartita, si passa ora alla fase esecutiva.

Il sensale invita il tedesco a versare un acconto di 10 ducati, circa un decimo della somma totale; i 100 ducati, intanto, vengono pesati su una bilancia che il veneziano tiene in casa, mentre si mandano a cercare al Fondaco quattro o sei facchini per il trasporto del fustagno. Nell'attesa si pesa il cotone, «buon peso»: il cliente è soddisfatto? Quasi, ma si aspetta di avere la *zonta*, un'aggiunta. Il veneziano si mostra stupito, dal momento che ci sono già tre libbre di fustagno in più, ma il sensale interviene precisando che si tratta di una consuetudine per i tedeschi e che essi non hanno l'impressione di aver concluso un affare se non si dà loro un sovrappiù. Il tedesco farà scrivere al banco 90 ducati, che faranno 100 con l'acconto. Ma il veneziano non ci sta e pretende 6 ducati e un quarto in più; il sensale allora, lasciando perdere i 20 soldi, chiede allo straniero i 6 ducati. L'importante, afferma il giovane, è separarsi da buoni amici, dunque bisogna bere ad affare concluso: propone della ribolla e dopo i brindisi ritorna alla carica a proposito del boccaccino. Il tedesco replica di non avere più denaro, ma contemporaneamente chiede il prezzo del tessuto. Il venditore si offre di fargli credito fino alla prossima volta, con una scritta di suo pugno e il suo segno di mercante; il tedesco gli risponde che in verità preferisce disfarsi della sua mercanzia: «Io non so acquistare a credito, non rientra nelle mie abitudini e non voglio trovarmi con le mani legate».

La rappresentazione continua – come abbiamo anticipato – con il racconto del baratto, ma noi lasceremo i nostri personaggi a questo punto: le dinamiche della schermaglia commerciale sono state sufficientemente delineate.

«Malamente alcuno diventa ricco senza inganno»

«I mercanti non possono comprare o vendere senza essere costretti a mentire, giurare e spesso giurare menzogne», sentenzia Cesario di Heisterbach.[71] Bernardino da Siena è meno pessimista: essere un mercante onesto è possibile. Ma la strada di chi esercita la mercatura è stretta: «non vi debbi mai usare niuna malizia», né «falsar mai niuna mercantia», perché l'errore è sempre in agguato, come il santo toscano dimostra attraverso una casistica di ben diciotto diversi «peccati», il peggiore dei quali è quello «di colui che vende più che non debba, e compra meno che non debba».[72] Un secolo e mezzo più tardi Tommaso Garzoni – secondo un procedimento costantemente applicato nella sua *Piazza universale* – affianca alle qualità degli uomini d'affari i «mille vitii, et diffetti» che li contraddistinguono. Così, per cominciare, «non è mercante, che con belle, et melliflue paroline non cerchi d'attaccartela, e con mille giuramenti, et simulati scongiuri farti credere quel che non è della sua robba et mercantia». Ma questo non sarebbe ancora niente di fronte al fatto che

> gran parte di loro tace a posta i diffetti della robba, e ti mostra il nero per il bianco per ingannarti, e trappolarti, se possibile sia ... Questi son quelli che assassinano il mondo molte volte con le robbe falsificate, con le mercantie corrotte ed appestate, che pongono carestia nelle provincie, et nelle città, sostentando la vittuaglia di soverchio, e tenendo la robba ascosa, finché il gentiluomo povero, et la misera plebe casca dalla fame per le strade; che fan fallire questi et quell'altro creditore; che intricano, et scorticano i cittadini con scritti di mano et con obligationi c'hanno il diavolo addosso, che con mille usure, et interessi divorano la sostanza di tutta la plebe, che crescono il pretio alle robbe, et mettono penuria quando lor piace; che augumentano le lor botteghe, et mercantie per *fas*, et *nefas*; che molte fiate tosano le monete in danno de' prencipi; che hora fanno inalzare, hora abbassare il valore di quelle in pregiudicio di molti particolari, et di tutta la republica insieme; che hor con cambi ingiusti hor con permute illecite, hor con compre inique assassinano tutto il mondo; et fanno stare le migliara delle persone con ciancie, con giuramenti, con insidie, con frodi evidenti; che dan mazzate da orbo alla povera gente che gli impresta, andando come perduti, et ramenghi per il mondo dopo gli astuti fallimenti loro, dove tengono il denaro rimborsato, facendo gridare fra tanto un milione di vedove, di pupilli impoveriti, per haver confidato nelle fallaci mani de' tristi, et ribaldi senza interesse ch'importe un iota, le povere et misere sostanze loro.[73]

71. C. von Heisterbach, *Wunderbare uns denkwürdige Geschichten*, a cura di L. Hoevel, Köln 1968, p. 61.

72. Bernardino da Siena, *Prediche volgari sul Campo di Siena. 1427*, a cura di C. Del Corno, Milano 1989, II, XXXVIII, pp. 1099-1139, citazioni a p. 1138.

73. Garzoni, *La piazza universale*, cit., *Discorso LXV: de' Mercanti*, cit., pp. 661-662.

Il discorso moraleggiante sull'usura, sui contratti illeciti, sulle frodi, sull'uso disinvolto dei risparmi altrui è indubbiamente degno di attenzione, ma più significative, nella prospettiva di questo contributo, sono alcune testimonianze provenienti dagli stessi uomini d'affari, generalmente consapevoli delle contraddizioni generate dalla loro pratica quotidiana. Quale mercante, in fondo, non si sente «imperfetto»? Chi non ha peccato, a parte coloro che non svolgono l'attività commerciale? Francesco Datini, in veste di mercante d'arte, raccomanda ai suoi agenti di aspettare che gli artisti abbiano bisogno di denaro, in modo da poterne acquistare l'opera a prezzo inferiore.[74] Da parte sua Matthäus Schwarz, illustrando nella *Musterbuchhaltung* tutti i termini in veneziano necessari nello svolgimento dell'attività commerciale, tiene a far sapere al suo apprendista che «interesse è un modo elegante per dire usura», mentre «finanza è un modo elegante per dire furto».[75] Atteggiamenti perfettamente in linea con il detto che Garzoni attribuisce a un non meglio identificato mercante genovese, secondo il quale «chi haveva paura del diavolo non faceva robba, essendo che malamente alcuno diventa ricco senza inganno».[76]

Un caso emblematico è quello del contrabbando. La riprovazione dei moralisti è scontata, mentre le testimonianze documentarie, che si moltiplicano in maniera esponenziale a partire dal Quattrocento, mostrano che si tratta di un comportamento diffuso a tutti i livelli dell'attività commerciale.[77] Almeno una parte dei mercanti, inoltre, sembra considerarlo come una forma di legittima difesa contro regole inique stabilite da un potere politico contrario alla libertà degli scambi. È stato giustamente osservato, per esempio, che alcuni manuali di mercatura – e tra questi il trecentesco *Zibaldone da Canal* – non si fanno scrupolo di spiegare come evadere i tributi doganali.[78] Probabilmente non è al contrabbando, ma a episodi di corruzione personale, che si riferisce Lucas Rem, importante uomo d'affari di Augusta per molti anni al servizio dei Welser, quando nel suo celebre *Tagebuch* biasima non meglio identificate «pratiche vergognose».[79] Ci sono invece pochi dubbi in merito a quanto scrive

74. Come ricorda P. Boucheron, *L'artista imprenditore*, in *Il Rinascimento italiano e l'Europa*, III, *Produzione e tecniche*, a cura di Ph. Braunstein e L. Molà, Treviso-Costabissara (Vicenza) 2007, p. 431.

75. *Musterbuchhaltung*, cit., cc. 8*r* e 9*r*: «debitor, creditor, scontro, rata, rimesso, tratto, ditta, rason, araxon, acceptation, protestation, anticipiren, retorno, ritratto, respetuirt»; poi, seguito da un *nota bene* per il *famulus*: «Interesse ist hoflich grewuchert. Financzen ist hoflich gestolen».

76. Garzoni, *La piazza universale*, cit., *Discorso* LXV*: de' Mercanti*, cit., p. 661.

77. Per l'ampiezza del fenomeno nel XVI e XVII secolo si vedano, in questo stesso volume, i saggi di Paolo Preto, *Lo spionaggio economico* e di Silvio Leydi, *Le armi*.

78. U. Tucci, *Manuali di mercatura e pratica degli affari nel Medioevo*, in AA.VV., *Fatti e idee di storia economica nei secoli XII-XX. Studi dedicati a Franco Borlandi*, Bologna 1976, p. 227.

79. *Tagebuch des Lucas Rem aus den Jahren 1494-1541. Ein Beitrag zur Handelsgeschichte der Stadt Augsburg*, a cura di B. Greiff, Augsburg 1861, p. 31: «nella nostra azienda ci sono state delle pratiche vergognose».

Hans Keller nei conti relativi al viaggio effettuato tra Venezia e la Franconia nel 1489-1490: «Ho dato un po' di più al facchino che si è alzato con me di notte e mi ha aiutato a fare il contrabbando».[80]

Certo, Cotrugli ricorda questa pratica nel capitolo sulle cose proibite al mercante: «Lo mercante per nulla, tanto in la terra sua quanto in aliena non dee fare contrabandi, perché sono molte volte cagione di gran disfacimento, et però è in uso commune quel detto, chi fa contrabando guadagna non sa quando»;[81] ma, come si vede, il suo punto di vista non esprime una condanna sotto il profilo etico, rappresentando piuttosto il saggio avvertimento di un esperto uomo d'affari che nel contrabbando vede nettamente prevalere il pericolo di gravi perdite rispetto alla possibilità di buoni guadagni. «Contrabbando: profitto con preoccupazioni» («Cuntrabando: nutz mit sorgen») è anche il titolo di un capitolo, redatto da Hans Paumgartner il Giovane nel 1508, del libro di pratica mercantile dell'omonima ditta di Augusta, manoscritto destinato a restare segreto e ad uso esclusivo dei membri della famiglia. Si tratta di una lunga digressione in cui l'autore giustifica questo comportamento illecito in nome della concorrenza esistente tra i mercanti e dell'avventura commerciale (*abenteur*).[82] Vale la pena di esaminarla un po' più da vicino.

Volendo introdurre illegalmente mercanzie nel porto di Lisbona – spiega dunque Hans – bisogna cominciare assicurandosi una copertura legale, pagando dei diritti, facendo registrare e bollare solo una parte del carico: è utilizzando questo stesso sigillo che anche il resto figurerà come se fosse regolarmente registrato. L'autore ricorda che si possono, naturalmente, nascondere tela, lane leggere di Arras o pietre preziose in una partita di grano, ma c'è il rischio che i sacchi vengano controllati. È pertanto preferibile contattare con discrezione Alar Emmis, un controllore della dogana noto per essere compiacente. Lo si fa poi salire sulla nave di notte, preferibilmente in una sera di festa, mentre il mercante, in sua presenza, trasferisce la merce estratta dalla balla in sacchi che possono essere trasportati a spalla. Questi stessi sacchi, depositati nella barca della dogana, vengono scaricati in un luogo indicato dal doganiere, meglio se dagli stessi marinai della barca in cambio di una mancia, verso le tre del mattino, quando la guardia del porto ha lasciato il suo posto. Arrivata a destinazione, la merce introdotta illegalmente deve essere ben occultata, così che, in caso di eventuale denuncia da parte del doganiere, dei battellieri o dei vicini, non si trovi niente; poi è necessario fornirla di un sigillo. Si sceglie quindi un momento di grande atti-

80. *Reiserechenbuch des Hans Keller aus den jahren 1489-1490*, a cura di A. Bruder, «Zeitschrift für die Gesamte Staatswissenschaft», 37 (1881), p. 838, c. 2*v*.

81. Cotrugli, *Il libro dell'arte di mercatura*, cit., lib. I, cap. 18, p. 179.

82. *Welthandelsbräuche (1480-1540)*, a cura di K.O. Müller, Stuttgart-Berlin 1934, parte II, p. 27: Inghilterra (seta nascosta nel fustagno); parte III, p. 182: Portogallo (contrabbando organizzato nel porto di Lisbona).

vità della dogana, in maniera che il medesimo controllore possa imprimere i due sigilli, quello del re e quello dell'ufficio della dogana, su della resina tra due fogli di carta; in questo modo è possibile ricavarne una serie da applicare sulle mercanzie, e lo si fa ponendo la tela dei sacchi su di una pietra calda: il sigillo sembrerà allora essere stato apposto dalla dogana. Per queste operazioni si dà al doganiere dal 3 al 4% del valore della merce o ci si accorda con lui per una cifra forfettaria. Al momento della rivendita, infine, bisogna evidentemente garantire la provenienza delle mercanzie e badare che la quantità venduta non appaia superiore a quella registrata.

Tutta la descrizione, come si può facilmente constatare, offre l'immagine di una pratica perfettamente controllata, che rientra pertanto in una sorta di definizione ufficiosa di commercio.

Una scelta estrema è quella di rifiutare il gioco. «Per uscire de' pericoli» – si legge nell'*Esortatione a' mercanti* (1561) – «non basta mercantar bene, ma ancora che si lasci la mercantia», come fecero san Matteo e san Francesco.[83] È questa, per esempio, la scelta di Zanino Benedetti, un giovane mercante che dopo la predicazione di Giovanni Dominici, sentendosi una persona diversa, rinuncia alla vita mercantile alla quale suo padre, il banchiere Piero Benedetti, l'aveva destinato.[84] Un comportamento senz'altro più diffuso, quasi imposto dalla vecchiaia, è quello di alleggerire la propria coscienza attraverso le famose restituzioni *pro male ablatis*,[85] che spesso, però, restano «affidate alla sola carta, confessioni più che restituzioni», in ogni caso giustificate dall'etica sociale dell'uguaglianza.[86]

83. *Esortatione a' mercanti*, in Venusti, *Compendio utilissimo*, cit., p. 11.

84. «Quia longe magis mutata est mens et propositum meum ab his que tunc mihi cordi erant», è la spiegazione di Zanino: R.C. Mueller, *Sull'establishment bancario veneziano. Il banchiere davanti a Dio (secoli XIV-XV)*, in *Mercanti e vita economica nella Repubblica Veneta (secoli XIII-XVIII)*, a cura di G. Borelli, Verona 1985, p. 95.

85. M. Pellegrini, *Attorno all'«economia della salvezza». Note su restituzione d'usura, pratica pastorale e esercizio della carità in una vicenda senese del primo Duecento*, «Cristianesimo nella Storia», 25 (2004), p. 87: «Ego Alessius quondam Guillelmi condendo codicillos relinquo restituendam omnem usuram et malam adquisitionem et etiam turpia lucra et illicita, illis personis et locis a quibus habui vel extorsi sicut continetur in libris codicum rationum mearum et mee societatis. Item relinquo quingentas libras denariorum erogandas in possessionibus fructus quarum dari debeat pauperibus perpetuo pro animabus illorum a quibus usuras vel super habundantiam ultra sortem recepi vel habui qui reperiri non poterunt per libros meos, ut dictum est, secundum dispositionem Ecclesie».

86. C. Bauer, *Melanchtons Wirtschaftsethik*, «Archiv für Reformationsgeschichte», 49 (1958), ora in Id., *Gesammelte Aufsätze zur Wirtschafts- und Sozialgeschichte*, Wien 1965: «Fiunt cultus Dei labores oeconomici et politici, officia charitatis destinata ad communem utilitatem hominum». Siccome l'uomo è un animale sociale, «res communicat per contractus»; deve dunque «aequalia pro aequalibus reddere. In usuris non servatur aequalitas quia una pars multo plus recepit quam dedit; restitutionem, quando possibilis est, facere necesse est quia donec aliquis sciens et volens retinet res alienas manet fur seu raptor».

La libertà, la fortuna, il destino ultimo

Un nuovo pensiero sull'economia e la morale degli affari prende forma nelle città imperiali tedesche le cui società mercantili, in primo luogo quelle dei Welser e dei Fugger, dominano nei primi decenni del Cinquecento il commercio internazionale. Il movimento contro il loro strapotere e contro i monopoli, così come la rinnovata discussione sull'usura, si esprimono con violenza al Reichstag di Worms nel 1521 e di Augusta nel 1530 attraverso una serie di proposte volte a introdurre una tassa imperiale sui traffici a lunga distanza che limiti l'accumulazione di capitali e fissi il prezzo dei principali beni oggetto di scambio. A controbattere queste proposte viene chiamato Konrad Peutinger, membro di una famiglia mercantile di Augusta, figlioccio di Ambrosius Hochstätter e marito di una Welser. In una serie di relazioni indirizzate all'imperatore egli insiste sull'interdipendenza dei diversi settori dell'economia e fa l'apologia del profitto personale (*Eigennutz*), senza il quale non ci sarebbe spirito d'intrapresa; l'iniziativa individuale deve rimanere completamente svincolata da ogni sorta di regolamentazione, in nome della libertà, compresa la libertà di fallire. Decisamente ostile, come tanti uomini d'affari, alla legislazione corporativa che – dice – tenta di impedire il compimento della Volontà Divina, Peutinger è a maggior ragione nemico della normativa statalista, perché è dal *proprium commodum* che nasce, attraverso l'armonia, la *commoditas publica*. Il diritto all'iniziativa è prerogativa di ognuno e non soltanto del mercante; senza contare che la Fortuna favorisce alcuni e non s'interessa ad altri: «Non omnes nascimur in divitum constellationibus, rotat omne fatum».[87]

All'inizio del Cinquecento, nell'ambiente mercantile, la nozione di Fortuna non è certo una novità. Christian Bec, in pagine ormai classiche, ne ha documentato la penetrazione nella coscienza e nel lessico degli uomini d'affari fiorentini, che tra Tre e Quattrocento sembrano abbracciare «una visione umana – per non dire umanistica – del mondo», nella quale la Fortuna si staglia molto più nettamente della Volontà Divina. 'Rischio', mediante il quale giustificare i guadagni illeciti o descrivere la catastrofe imprevedibile (come la *fortuna maris*), sorte, ventura, caso, la Fortuna implica il riconoscimento dei limiti posti all'attività umana ma anche l'esaltazione, con accenti più o meno marcati, della libera iniziativa, che

87. Id., *Conrad Peutinger und der Durchbruch des neuen ökonomischen Denkens in der Wende zur Neuzeit*, in *Gesammelte Aufsätze*, cit., Appendice VI, *Conrad Peutingers Denkschrift für Karl V zur Widerlegung des «Ratslag der Monopolia halb» (1530)*, pp. 39 e 41: «Omnes tam ecclesiastici quam saeculares omnium statuum et generationum, sive sint principes, domini, nobiles, cives, mercatores, institores, artifices, rustici et quicumque alii nullo jure sunt prohibiti se ditare et divites fieri vel cum bonis suis lucrari sic et utilitatem propriam fovere, saltem honeste ... Quis vellet negociaciones contractare, laborem assumere, se et sua periculis exponere, si secundum commoditatem suam debite merces et species suas vendere non posset ne etiam auderet plus emere quam impositam summam nec aliter vendere nisi secundum taxam sibi datam? Plane perspicitur impossibile esse aliquam commodam negociationem exercere posse ubi libere negociari non permittitur».

tende a superare questi confini per reagire al destino avverso.[88] Già Paolo da Certaldo aveva sottolineato l'importanza dell'iniziativa individuale: «Quando ti vedi venire in molte tribulazioni e fatiche, non ti rammarcare de la Fortuna, anzi di te medesimo ti duoli e rammarca».[89] Leon Battista Alberti è ancora più perentorio e positivo: «Escludiamo la fortuna ove noi ragioniamo della industria ... se i guadagni seguono la fatica, diligenza e industria nostra, adunque l'impoverire contrario al guadagno diverrà dalle cose contrarie, dalla negligenza, ignavia e tardità, li quali vizii non sono in la fortuna, né in le cose estrinsece, ma in te stessi».[90] Non tutti, però, sono in grado di ostentare questa sicurezza. Cotrugli è disorientato di fronte allo spettacolo «di huomini asestati, moderati et ordinatissimi in ogni sua facenda» colpiti dalla rovina e, viceversa, di «imperiti, inprovidi et quodamodo inrationali et senza lettere» che prosperano;[91] e ciò nonostante esorta i mercanti a combattere «audacemente» contro la Fortuna, senza abbandonarsi e lasciarsi vincere, «perché l'homo misero si fa sfortunato».[92] Sentimenti simili e analogo linguaggio ritroviamo nel *Parfait Négociant* di Savary: l'abilità, l'onestà, la prudenza e l'industriosità talvolta sono inutili di fronte alla Fortuna cieca, che può anche favorire mercanti molto ignoranti, imprudenti e privi di senno.[93] Rassegnazione e volontà di non piegarsi dinanzi ai colpi del fato cieco, dunque, rappresentano spesso atteggiamenti complementari, le due facce di una medesima visione drammatica del mondo, dominata dalla lotta eroica degli uomini contro il fato.[94]

Come si vede, siamo lontani dall'etica cristiana medievale, lontani dal peccato originale. Per tornare a Peutinger, è abbastanza agevole verificare come egli riprenda alcuni argomenti in favore dei grandi uomini d'affari che si trovano già presso autori come Olivi e Megenberg, ma l'originalità del suo approccio di avvocato dei più ricchi risiede nella descrizione dei meccanismi che regolano la formazione dei prezzi: non è infatti sufficiente parlare di speculazione, se i prezzi si impennano, né condannare accordi illeciti; bisogna invece analizzare l'offerta, con uno sguardo globale sui mercati, che, dopo le grandi scoperte, si sono ormai allargati all'insieme del mondo conosciuto. In tal modo egli ritorce il principio e la pratica del monopolio, attribuiti ad alcune grandi società, contro coloro che vogliono attentare alla libertà di tutti: il monopolio è la volontà – dello Stato, innanzitutto – di regolare in

88. Bec, *Les marchands écrivains*, cit., pp. 60 e 312-313, citazione a p. 312.

89. Da Certaldo, *Libro di buoni costumi*, cit., cap. 339, p. 78.

90. Alberti, *I libri della famiglia*, cit., lib. III, p. 175.

91. Cotrugli, *Il libro dell'arte di mercatura*, cit., lib. III, cap. 1, p. 215.

92. Ivi, lib. I, cap. 10, p. 164.

93. «La fortune aveugle fait pleuvoir sur tel sujet qu'il lui plaît: car il y a des Negocians tre ignorans & tres imprudens, & qui n'ont pas même le sens commun, ne tenans aucun ordre dans leurs affaires, qui neanmoins réussissent bien dans leur Commerce. Et il y en a d'autres tres-éclairez, habiles dans leur profession, d'un bon sens, prévoyans toutes choses, & qui tiennent un ordre tres-exact en la conduite de leurs affaires, qui neanmoins ne reussissent pas»: Savary, *Le Parfait Négociant*, cit., parte I, lib. I, cap. III, p. 25.

94. Bec, *Les marchands écrivains*, cit., p. 313.

modo autoritario le leggi economiche che presiedono alla formazione dei prezzi.

A questi argomenti non sembra molto sensibile Giovanni Domenico Peri, che, oltre un secolo più tardi, inquadra i monopoli in un'ampia casistica definendoli ancora il «non plus ultra dei malitiosi contratti» e bollando con parole di fuoco i monopolisti che «colle loro malvaggie società sono cagione di penuria nelle cose al viver humano necessarie».[95] Meno radicale è l'opinione di Jacques Savary, che li depreca in quanto contrari al bene pubblico nonché sovvertitori delle regole del commercio, ma aggiunge che in qualche caso possono portare dei vantaggi, evitando altri tipi di speculazione da parte di acquirenti che contravvengono ai regolamenti delle fiere per comprare a prezzi inferiori.[96] In generale il discorso di Peutinger è accolto con ostilità da tutti coloro che sognano una concorrenza perfetta e leale, ma permette almeno di riconoscere che se la Fortuna – la *Nemesi* di Dürer, giustizia imprevedibile che domina il mondo – non assiste necessariamente i più accorti tra i mercanti, si determina una separazione tra la conoscenza delle leggi complesse dell'economia mondiale e la responsabilità personale degli attori economici. Da generazioni il mercante soffre della contraddizione fondamentale tra la consapevolezza delle regole del mercato e le istanze morali che la pratica degli affari deve rispettare, contraddizione che comporta compromessi e doppiezze. È questo il senso della polemica di Cotrugli nei confronti della «gran turba de mercanti che fanno mille usure e poi fanno chiese, spedali»:[97] quel che lo scandalizza non è l'usura in sé, ma l'ipocrisia!

149

Contraddizione che genera turbamento. Una riflessione sul tempo – quello che scorre dall'apprendistato alla vecchiaia, quello degli affari e quello della vita privata – permette agli uomini più sensibili e colti di comprendere i parallelismi esistenti tra la condizione del mercante e il percorso del buon cristiano. Il mercante, come il devoto, vive l'esperienza di un quotidiano costituito da una serie di istanti da cogliere. Il tempo della povertà ha come valore la salvezza personale ma anche la salvezza degli altri, il tempo del mercante ha come valore non solo l'utile individuale, ma anche quello della collettività: in tal modo l'etica individuale, tutti i mestieri, tutti i gruppi sociali definiti da una professione e da una

95. Peri, *Il Negotiante*, parte III, cap. XX pp. 89-91. Secondo l'autore genovese «può il monopolio essercitarsi non solamente nelle cose al vivere, e vestire humano necessarie, ... ma etiandio nelle cose non necessarie, se bene utili, come sono le altre sorti di Mercantia. Monopolisti possono essere gli Artefici, quando di voler prezzo oltre il giusto per le opere fatte fra loro convengono. Materia di monopolio può essere ancora il danaro ... Sotto la stessa infame stella militano quelli che mentre al pubblico incanto sono esposti i beni, o stabili, o mobili impediscono, che altri offerto non venga prezzo maggiore del da essi essibito. Taccio di quelli, che per spingere le merci raccolte oltre i limiti non solo del giusto, ma dello stravagante spargono voci, o lettere che dicono essersi le Navi, che di tal mercantia, o vettovaglia haverebbero fatto abbondanza, o sommerse o rubbate da ladri»: ivi, parte III, cap. XX, pp. 89-90.

96. Savary, *Le Parfait Négociant*, cit., parte II, p. 20.

97. Cotrugli, *Il libro dell'arte di mercatura*, cit., lib. III, cap. 14, p. 221.

posizione sociale (*Stände*) divengono religione, perché ogni lavoro comporta in sé una forma di ascesi. È una visione rassicurante e al contempo esigente quella proposta da alcuni pensatori della Riforma. «Tu credi di essere sfuggito al chiostro, ma ciascuno, finché è vivo, deve essere un monaco», dichiara Sebastian Franck;[98] invertendo i termini Sixtus Tucher, canonico di Norimberga, descrive la vita cristiana come una riuscita impresa commerciale (*glückselige Kauffmannschaft*): «Siamo venuti tutti come dei mercanti nel pellegrinaggio di questo mondo, affinché con il bene del tempo contato possiamo conquistare il guadagno eterno».[99]

I «mercanti di pelli d'anguille» evocati da Cotrugli, che li considera con distacco, non hanno probabilmente la stessa libertà di pensiero e i loro testamenti rivelano spesso lo smarrimento e il terrore che provano pensando al Giudizio Universale.[100] Per la maggioranza degli uomini d'affari, del resto, l'angoscia per il destino ultimo non può essere placata né da una descrizione dell'economia globale né dalla retorica sui benefici dell'aldilà. Come prepararsi alla morte, dunque, come salvarsi dalla perdizione? «Il maggior guadagno che debe procurar il Negotiante Cristiano, debe essere di guadagnare la salute dell'anima con ben morire», scrive Peri.[101] Ma quella che nell'autore genovese sembra essere solo l'enunciazione di un santo principio, in Cotrugli assume il valore di un'esperienza fondante. L'uomo d'affari onesto, colui che ha esaurito le sue forze creative, è sopravvissuto alle fatiche fisiche del mestiere e ai timori del divenire, deve fare un ultimo bilancio, non più nei suoi libri di conti, ma nel grande libro di cui ignora la fine. Cotrugli descrive con entusiasmo il momento in cui il mercante, come ogni cristiano, deve privarsi del superfluo: «O vita beata, degna d'ogni comendatione, vita angelica, vita sancta, vita philosophica», dove egli «non si travaglia infra l'homini levissimi, non saluta falsamente, né dicendo bugia finge mille parole, non veglia, non mangia male aspectando fattori e navi, non ruba et non è rubato», dove le contingenze scoloriscono in una solitudine fatta di lettura, scrittura, preghiera che è «previlegio di libertà».[102]

150

«Saperssi governar» è anche rendere «lo debito a Dio, al mondo, a ssé et altrui».[103] Affrancato dalle contraddizioni professionali, che non hanno mai cessato di porre a confronto i suoi atti e la sua virtù, il mercante perfetto, spogliato di tutto, si ricongiunge a quell'immensa comunità di cultura, di pratiche e di pietà di cui le generazioni accumulano la polvere.

98. Cfr. C. Bauer, *Kapitalismus*, in *Staatslexicon*, IV, Freiburg 1959, *ad vocem*, ora in Id., *Gesammelte Aufsätze*, cit.

99. Cfr. B. Hamm, *Reichsstädtischer Humanismus in Nürnberg*, in AA.VV., *Reformatio et reformatores. Festschrift für Lothar Graf zu Dohna*, Darmstadt 1989.

100. Cfr. Ph. Braunstein, *Il mercante davanti alla morte*, in *La morte e i suoi riti in Italia tra Medioevo e prima Età moderna*, Atti del X convegno internazionale di studi, San Miniato, 8-10 ottobre 2004, a cura di F. Salvestrini, G.M. Varanini e A. Zangarini, Firenze 2007, parte IV, p. 4.

101. Peri, *Il negotiante*, cit.

102. Cotrugli, *Il libro dell'arte di mercatura*, cit., lib. IV, cap. 10, p. 253.

103. Ivi, lib. IV, cap. 10, p. 254.

Atlante delle immagini

1. Dosso Dossi, *Ritratto di cambiavalute*, prima metà del XVI secolo, Budapest, Szépmüvészeti Mùzeum

2. Nicolas Oresme, *De moneta*, metà del XVI secolo, Parigi, Bibliothèque Nationale de France

3. Mercurio seduto come un banchiere dietro il suo banco, da Oresme, *De moneta*, cit.

4-5. Medaglie prodotte dalle zecche di Norimberga (in alto 4) e di Amburgo (in basso 5) che nel 1624 celebravano la fondazione «in Europa» dei banchi pubblici di Venezia, Amburgo, Norimberga e Amsterdam; sul dritto i loro stemmi (in senso orario), sul rovescio un vascello in navigazione e, ai piedi degli dei Mercurio, Apollo e Diana, una cassa di monete, un libro mastro e una balla di merci. Collezione privata

6-7. Medaglie prodotte dalla zecca di Amburgo nel 1665 (in alto 6) e nel 1677 (in basso 7) a ricordo dei banchi pubblici «in Europa» di Amburgo, Amsterdam, Norimberga e Venezia; sul dritto i loro stemmi, in senso orario, appesi a una piramide, con sopra JAHVÉ in lettere ebraiche, su (7); sul rovescio di (6) JAHVÉ e Amburgo sull’Elba, di (7) le figure di Prudenza, Concordia e Vigilanza. Collezione privata

Receperunt mercedem suam.

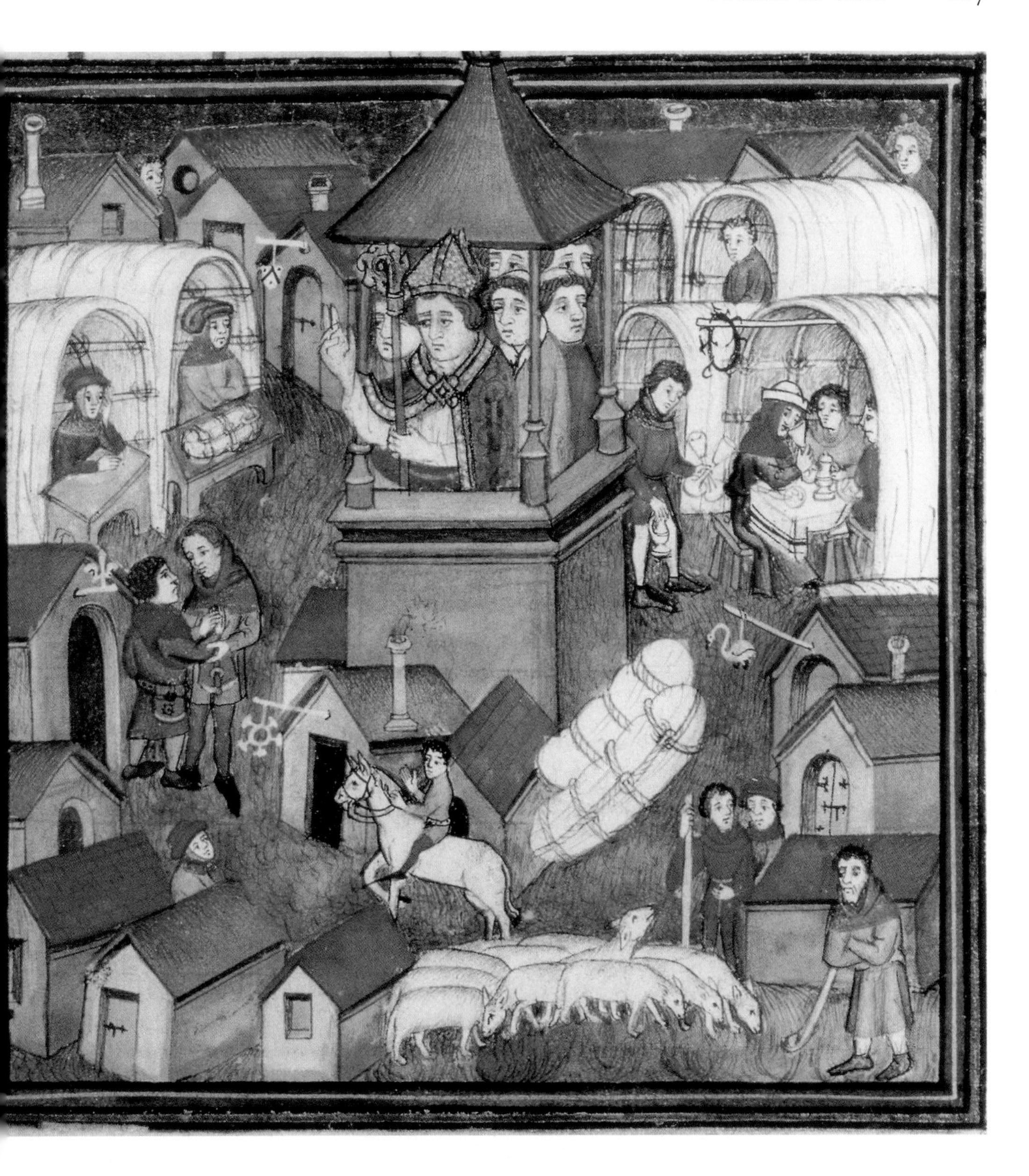

9. Il vescovo benedice la fiera annuale di Saint-Denis, miniatura tratta da *Le chevalier errant*
Parigi, Bibliothèque Nationale de France

Nella pagina precedente:
8. Mercanti di grano e di vino in una miniatura del XV secolo, da Sant'Agostino,
De civitate Dei, L'Aia, Museum Meermanno-Westreenianum, ms. 10 A 11, c 253*v*

10. Mercanti di stoffe in piazza Ravegnana a Bologna, dal libro della *Matricola dei drappieri*, 1470, Bologna, Museo Civico

Nella pagina seguente:
11. Il commercio internazionale della lana, dalle *Cantigas de Santa Maria* di Alfonso X il Saggio, Madrid, Biblioteca de El Escorial

Como caeu o masto da galea e matou o almiral.
Como os mercadores empregaron todo seu auer en laa.
Como os mercadores fezeron meter a laa na naue.

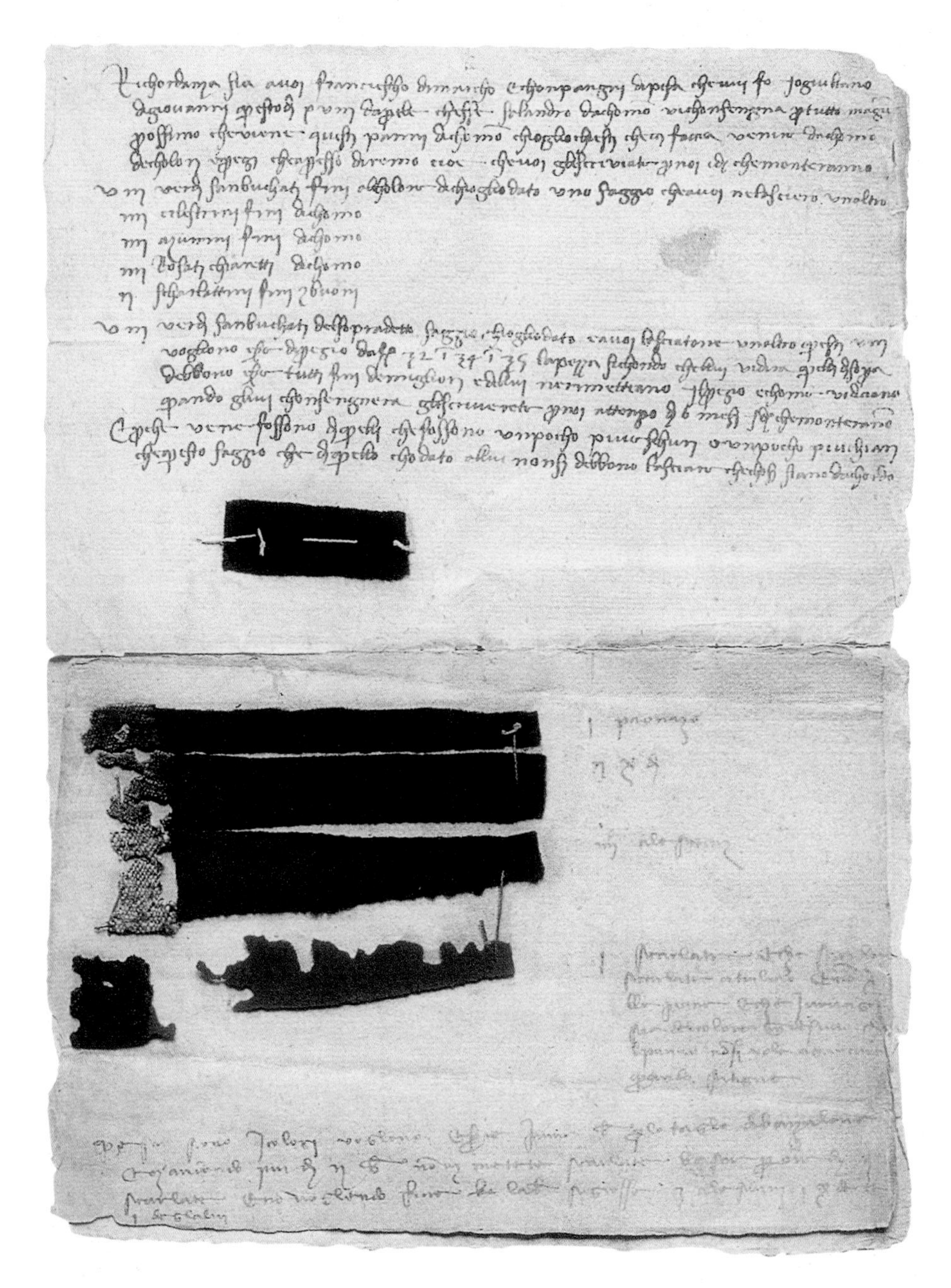

12. Due ordini di acquisto di drappi di lana su campione indirizzati alla compagnia Datini di Firenze, il primo in alto da Avignone (18 aprile 1393 o 1394), il secondo da Barcellona (1402-1403), Prato, Archivio di Stato, mss. 626, 1173

Nella pagina seguente:
13. Ritratto di Francesco Datini che indossa una veste di lana rossa, Prato, Palazzo comunale

14. Velluto tagliato operato a un corpo lanciato broccato *bouclé*, Firenze 1545-1550, Firenze, Museo Nazionale del Bargello, Collezione Franchetti, inv. 121
15. Velluto tagliato operato a due corpi, Firenze, metà del XV secolo, *ib.*, inv. 116
16. Velluto tagliato operato a un corpo broccato, Venezia, terzo quarto del XV secolo, *ib.*, Collezione Carrand, inv. 2347
17. Velluto cesellato, Firenze, seconda metà del XVI secolo, *ib.*, Collezione Franchetti, inv. 52
18. Velluto tagliato alto-basso lanciato *bouclé*, *ib.*, Collezione Carrand, inv. 2351
19. Velluto tagliato operato a un corpo broccato, Venezia, prima metà del XV secolo, *ib.*, Collezione Franchetti, inv. 622

Nella pagina seguente:
20. Bronzino, *Eleonora di Toledo con il figlio Giovanni*, ca. 1545, particolare, Firenze, Uffizi

21. Allegretto Nuzi, *Vergine in maestà circondata da sei angeli*, XIV secolo, particolare di tessuto che imita un lampasso a fondo taffetas di produzione lucchese, Avignone, Musée du Petit Palais
22. Ambrogio di Baldese, *La Vergine con il Bambino*, XIV secolo, particolare dell'abito della Vergine che imita un tessuto di lampasso di produzione mediorientale, Avignone, Musée du Petit Palais
23. Maestro di Barga, *Deposizione di Cristo*, inizio del XIV secolo, particolare di veste che imita un tessuto di lampasso di produzione italiana, Avignone, Musée du Petit Palais
24. Giovanni di Paolo, *Natività*, XV secolo, particolare di una veste che imita un velluto broccato d'oro di produzione fiorentina, Avignone, Musée du Petit Palais

Nella pagina seguente:
25. Jean Clouet, *Francesco I*, 1520-1525, Parigi, Musée du Louvre

27. Il mercato dei bozzoli della seta sotto il Pavaglione, disegno tratto dagli *Stemmi dei Rettori dell'Arte della Seta*, 1651, Bologna, Biblioteca dell'Archiginnasio

Nella pagina precedente:
26. Toga e stola in seta di procuratore veneziano, Venezia, Museo Correr

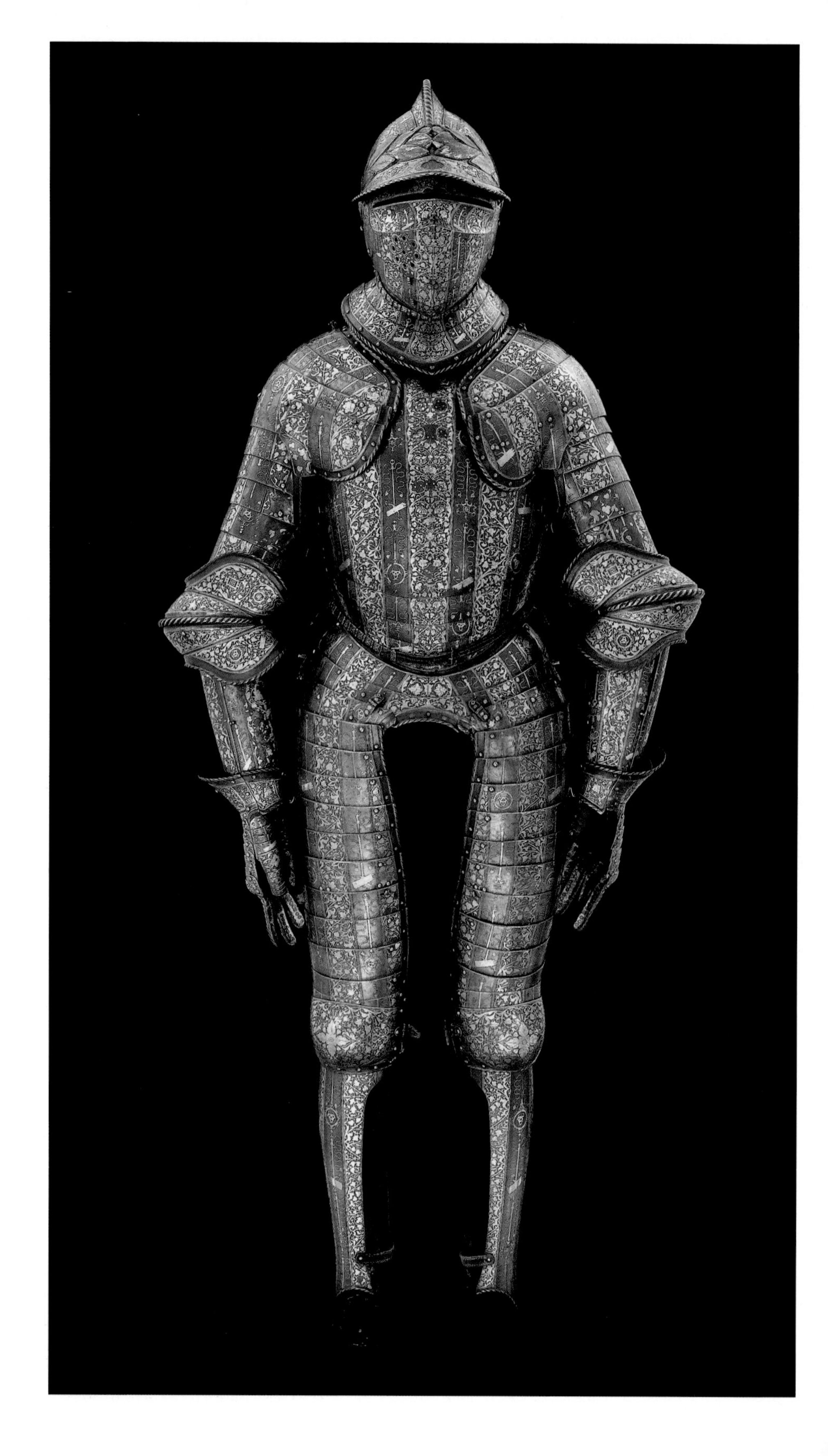

29. Giovanni Battista Panzeri (detto Zarabaglia) e Marco Antonio Fava, Guarnitura dell'arciduca d'Austria Ferdinando II, 1559-1560, Vienna, Hofjagd- und Rustkammer

Nella pagina precedente:
28. Francesco Negroli e fratelli, Armatura per Enrico di Valois, ca. 1540, Parigi, Musée de l'Armée

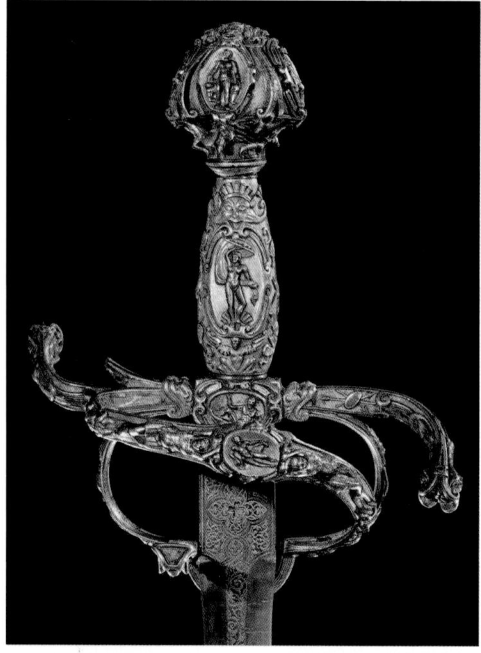

30-31 e, nella pagina seguente, 32. Giovanni Battista Panzeri (detto Zarabaglia) e Marco Antonio Fava, Guarnitura dell'arciduca d'Austria Ferdinando II, 1559-1560, Vienna, Hofjagd- und Rustkammer

33. Corsaletto composto da fante a piedi, Italia settentrionale, inizio del XVI secolo, Monselice (Padova), Armeria del Castello
34. Zuccotto, Milano, fine del XVI secolo, Monselice (Padova), Armeria del Castello
35. Scure d'arme, Italia, fine del XV secolo, Monselice (Padova), Armeria del Castello
36. Scure d'arme, Italia, XVII secolo, Monselice (Padova), Armeria del Castello

37. Fiaschetta in maiolica con raffigurazioni mitologiche, parte del servizio di Anne de Montmorency, bottega di Guido Durantino, Urbino, 1535, Torino, Museo Civico d'Arte Antica

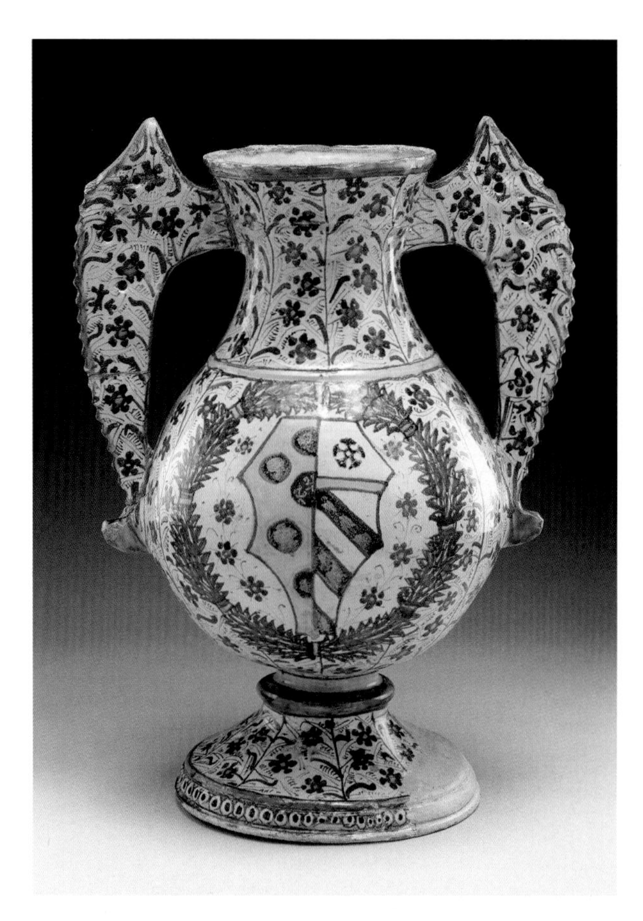

38. Vaso in maiolica con stemma Medici-Orsini, area fiorentina, ca. 1469, Detroit, Detroit Institute of Arts
39. Piatto in maiolica con gli stemmi di Johann Lamparter von Greiffenstein e della moglie, Regina Meuting, Venezia, ca. 1515-1520, Lipsia, Grassi Museum
40. Piatto in maiolica con veduta di città (forse la Torre di Londra) e un'iscrizione in lode della regina Elisabetta, Londra, ceramica di Aldgate, 1600, Londra, Museum of London

41. Vassoio in maiolica raffigurante Galatea, attribuibile alla bottega di Giulio Gambini e Agostino Corrado, 1589, Parigi, Musée du Louvre
42. Piatto in maiolica raffigurante *La verga del faraone*, recante sul retro la firma «GTVF leon» (Gironimo Tomasi Urbinate Fecit, Lyon), 1582, Londra, British Museum

44. Niculoso Francisco 'Pisano', *La visitazione*, pannello in maiolica, 1504, Siviglia, Alcázar

Nella pagina precedente:
43. Piastrelle in maiolica dell'abbazia di Herkenrode, bottega di Guido Andries, Anversa, ca. 1532-1533, Bruxelles, Musées Royaux d'Art et d'Histoire

Xρs m 1529 adi 24 zenaro

Noto sia como adi dito se convegnissimo insieme p. bastian
de padoa p. francesco de stalco m° zulian fabro massari
de la giesia de san spirito de oliero et de la scola de san
sebastian p. nome soa et de marti de francesco [illegible] et p. bastian
sebenico et zuan dal conte tuti massari de dito loco in
questo loco zoe traza de mi francesco dal ponte depentor
siemo rimasti daccordo de farli una palla alla scola
de s. sebastian de dito loco [illegible] [illegible] d'oro i dorato
a tute mie spexe p. prezio de ducati sesanta a L 6 s 4 p
ducato facendoli in dita palla la madona co el fiolo
morto in brazo dal la dextra san sebastian dal la zancha
san rocho con condition che dita palla li debia dar fornita
p. el zorno de san sebastian prosimo et a manco so
condition che mi dia over scuoda tanto che la posa far
et del resto dele mie merzede vada scodando de tempo
in tempo: monta dita palla co el rexidelo — L 434 s 0

Jo battista sono contento et laudo el scritto [illegible]
fato p. mi francesco dal ponte depentore [illegible]
[illegible] battista [illegible]

e mi francesco p. fio fiol de [illegible] stalco
sa dixe laldo questo scrito

Et mi zulian fauro da oliero
conferma e laudo questo
scrito

Et questo prexente [illegible] de frezes da oliero [illegible]
Zuan ant° [illegible]
Dedi p. scodi le sue [illegible] el rexidelo L 1 s 16
Item adi 5 aprile 1533 aver li diti massari dita palla
Item adi 17 zenaro aver el rexidelo
Saldo fato con li diti massari a resto 42

Saldo fato mi francesco co ser fran° [illegible] di tuti le partide che
abiamo insieme como apar nel suo libro adi 9 marzo 1533 alla partida
del di 5 febraro 1533 [illegible] resto de 18 [illegible] L 62 s 8
Adi 30 marzo 1535 fezimo saldo insieme como apar nel suo libro fina la
partida del 1536 adi [illegible] de L 17 [illegible] mi devemo aver abudo — L 38 s 15
[illegible] 13 [illegible] de tuti le partide

46. Jacopo Bassano, *Cena in Emmaus*, El Escorial, Monastero di San Lorenzo

47. Legatura originale del *Libro segondo di dare et avere della famiglia da Ponte con diversi per pitture fatte*, XVI secolo, Bassano, Museo Civico

Nella pagina precedente:
45. Accordo relativo al *San Sebastiano* di Oliero scritto da Francesco Bassano il Vecchio, dal *Libro segondo di dare et avere*, cit.

48. Jacopo Bassano, *Partenza di Abramo*, El Escorial, Monastero di San Lorenzo

Nella pagina seguente:
49. Lorenzo Lotto, *San Girolamo*, Roma, Galleria Doria Pamphilj

50. *Madre della Consolazione con San Francesco di Assisi*, Atene, Museo Bizantino e Cristiano
51. *Madonna del latte e angeli*, icona italo-cretese della seconda metà del XV secolo, Atene, Museo Benaki

Nella pagina seguente:
52. Nicolaos Tzafouris, *Cristo che porta la croce*, XV secolo, New York, The Metropolitan Museum of Art

SPQR
NICOLAVS·ZAFVRI ·PINXIT·

55. Il cenotafio di Massimiliano I, XVI secolo, Innsbruck, Hofkirke

Nella pagina precedente:
53. Donato Benti e Benedetto da Rovezzano, Tomba di Luigi d'Orleans e Valentina Visconti, 1502-1504, Saint-Denis, Cattedrale
54. La tomba di Fernando d'Aragona con Isabella di Castiglia realizzata da Domenico Fancelli, 1514-1517, e la tomba di Filippo I il Bello con Giovanna la Pazza eseguita da Bartolomé Ordóñez, 1519-152, Granada, Cattedrale

58. Patio della Casa de Pilatos, XV-XVI secolo, Siviglia

Nella pagina precedente:
56. Michel Colombe, Tomba di Francesco II duca di Bretagna e della moglie Margherita di Foix, 1502-1507, Nantes, Cattedrale
57. Alonso Berruguete, Tomba del cardinale Tavera, 1551-1561, Toledo, Hospital de Tavera

60. Lorenzo Lotto, *Andrea Odoni*, 1527, Windsor Castle, Royal Collections

Nella pagina precedente:
59. Hans Memling, *Giovanni da Candida*, ca. 1480, Anversa, Koninklijk Museum voor Schone Kunsten

62. *Venus Genetrix*, ultimo quarto del V secolo a.C., Parigi, Musée du Louvre

Nella pagina precedente:
61. Daniel Mytens, *Ritratto di Thomas Howard*, ca. 1618, Londra, National Portrait Gallery

63. Quentin Metsys, *Il banchiere e sua moglie*, 1514, particolare, Parigi, Musée du Louvre
64. Tiziano Vecellio, *Ritratto di Jacopo Strada*, 1567-1568, particolare, Vienna, Kunsthistorisches Museum

65. *Stipo d'Alemagna*, realizzato nelle botteghe di Augusta, 1628, Firenze, Museo degli Argenti

68. Paolo Veronese, *Le nozze di Cana*, 1563, particolare con schiavo o ex schiavo africano, Parigi, Musée du Louvre

Nella pagina precedente:
66. Andrea Mantegna, *La camera degli sposi*, 1471-1474, particolare del soffitto con schiava o ex schiava africana, Mantova, Palazzo Ducale
67. Vittore Carpaccio, *Guarigione dell'ossesso*, ca. 1496, particolare del gondoliere africano, Venezia, Gallerie dell'Accademia

69-71. Mercato di schiavi cristiani ad Algeri: vendita di schiavi maschi, punizione di uno schiavo e vendita di una schiava bianca, da Pierre Dan, *Historie van Barbaryen en des zelfs Zee-Roovers*, Amsterdam 1684

Nella pagina seguente:
72. Cattura di schiavi a Prevesa, in Grecia, da Erasmo Magno, *Imprese delle galere toscane*, 1597-1616

Preuesa
Galere di S.A.S.
Schiacci
caiccho

73. Johannes Hubher, *Il cortile interno del Fondaco dei Tedeschi di Venezia* in un'incisione del 1616
74. Il Fondaco dei Tedeschi a Venezia: veduta esterna in un'incisione del XVI secolo

Nella pagina seguente:
75. Giovanni Bellini, *Processione in piazza San Marco*, 1496, particolare di tre mercanti tedeschi, Venezia, Gallerie dell'Accademia
76. Il Fondaco dei Turchi a Venezia in un'incisione del XVI secolo

A
B
C
D

77. Mercanti tedeschi, da Hartmann Shopper, *Panoplia omnium illiberalium mechanicarum aut sedentariorium artium genera continens*, Francoforte, George Corvinus e Sigmund Feyerebent, 1568
78-79 e, nella pagina seguente 80-83. Diverse fogge di mercanti: dei Paesi Bassi (78), prussiano (79), inglese (80), greco (81), veneziano (82), romano (83), da Cesare Vecellio, *Habiti antichi, et moderni di tutto il mondo*, Venezia, Eredi di Melchiorre Sessa e Giovanni Bernardo Sessa, 1598

Mercante Greco.

Mercanti

84. Mercante ebreo padovano, da Pietro Bertelli, *Diversarum nationum habitus*, Padova, Alciati e Pietro Bertelli, 1594-1596

Nella pagina seguente:
85. La prima pianta stampata di Londra, 1574, Londra, Museum of London
86. Franz Hogemberg, *Veduta di Lione*, da Georg Braun, *Civitates orbis terrarum*, Colonia-Anversa, apud P. Galleum, 1572-1618

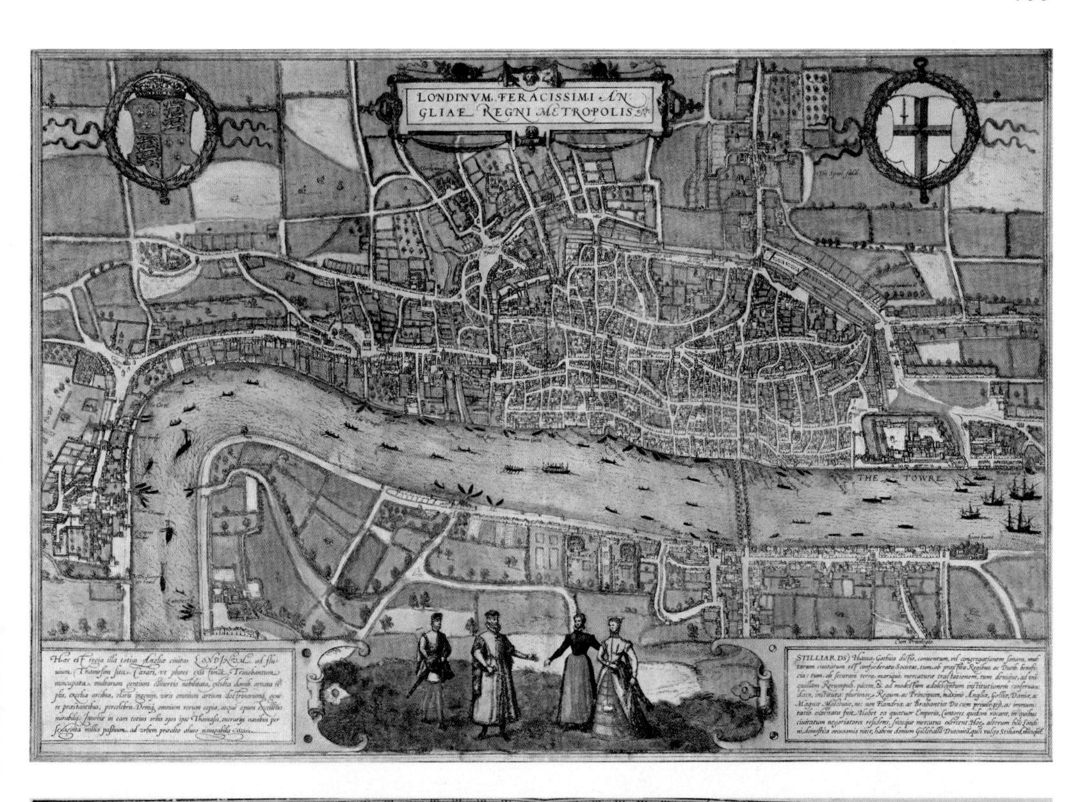
LONDINVM FERACISSIMI ANGLIAE REGNI METROPOLIS
THE TOWRE

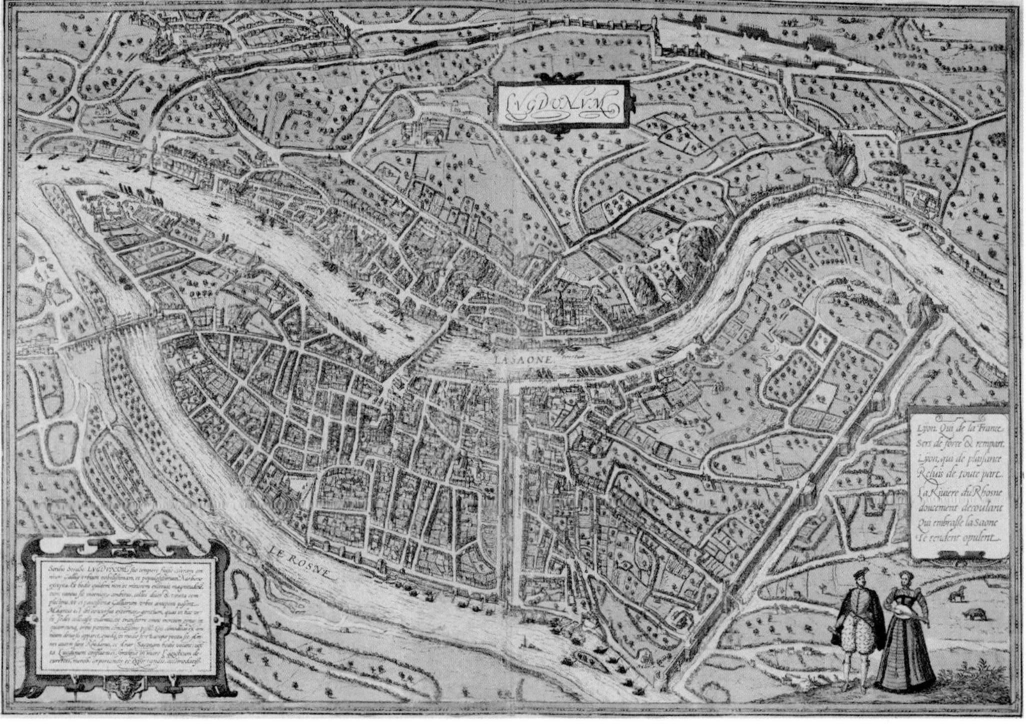
LVGDVNVM
LA SAONE
LE ROSNE
Lyon Qui de la France
Sers de forte & rempart.
Lyon, qui de plaisance
Relais de toute part.
La Riuiere du Rhosne
doucement decoulant
Qui embrasse la Saone
Te rendent opulent.

88. La Borsa di Anversa, da una stampa del 1531
89. L'antica piazza della Borsa di Bruges, da Antonius Sanderus, *Flandria illustrata*, Colonia, sumptibus Cornelli ab Egmont, 1641-1644

Nella pagina precedente:
87. Hans Memling, *Ritratto di Tommaso Portinari*, ca. 1470, New York, Metropolitan Museum of Art

90. Franz Hogemberg, *Veduta di Bruges*, da Braun, *Civitates orbis terrarum*, cit.
91. Franz Hogemberg, *Veduta di Anversa*, da Braun, *Civitates orbis terrarum*, cit.

Nella pagina seguente:
92. Jan Van Eyck, *I coniugi Arnolfini*, 1434, Londra, National Gallery

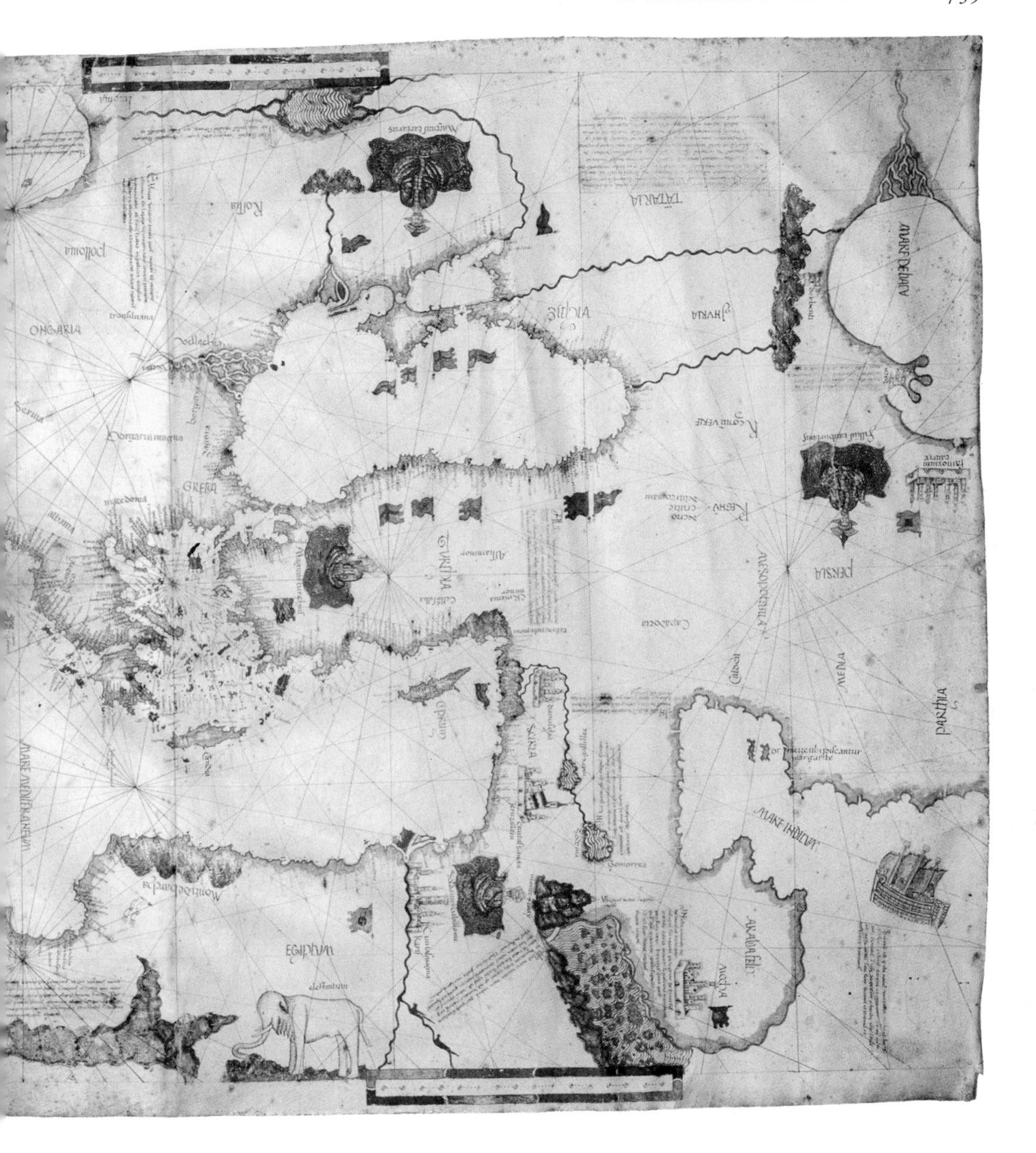

93. Bartolomeo Pareto, Planisfero, ca. 1455, Roma, Biblioteca Nazionale Centrale

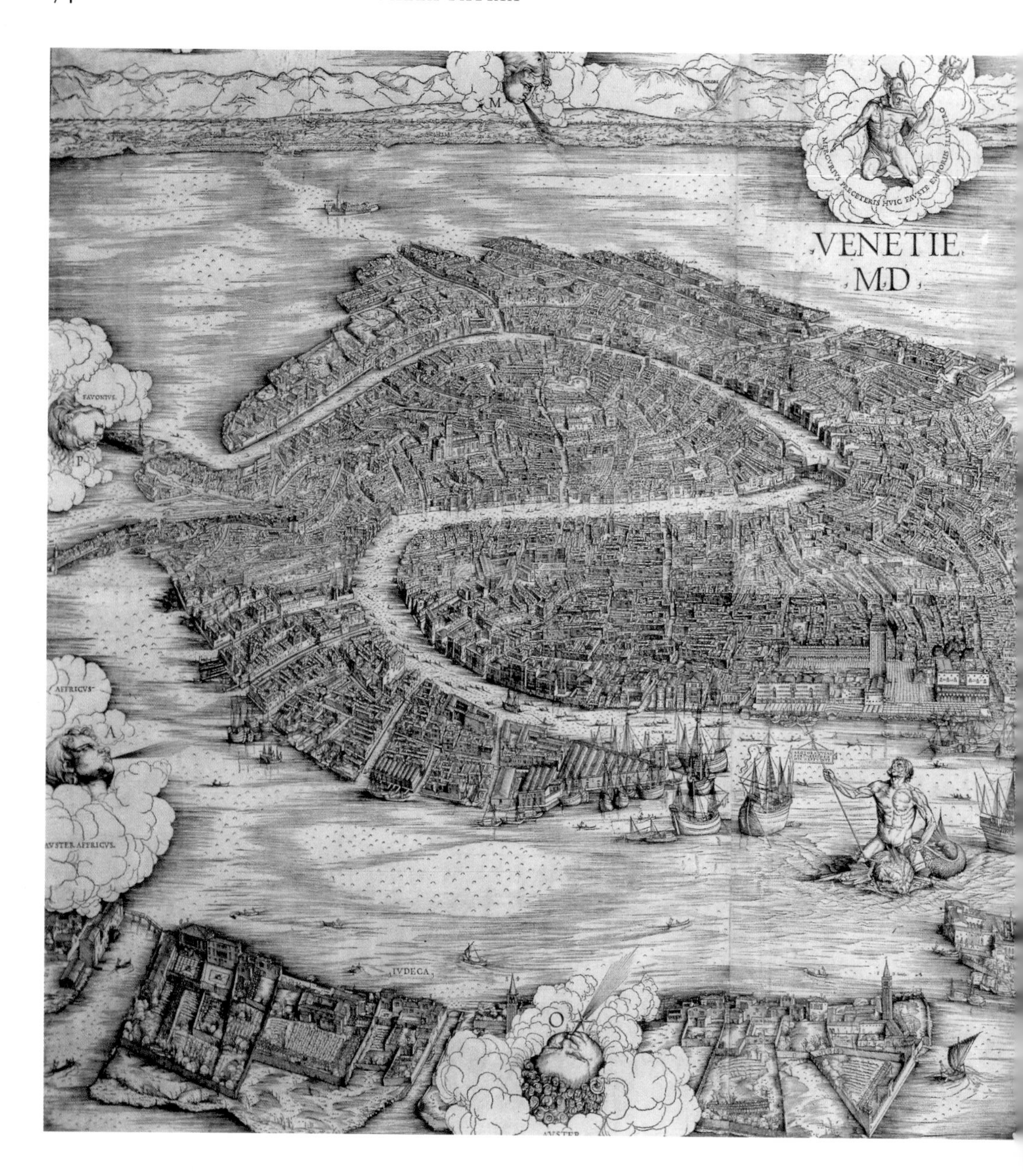
VENETIE
M.D.
FAVONIVS
AFRICVS
AVSTER AFRICVS
IVDECA
AVSTER

94. Jacopo de Barbari, *Veduta di Venezia*, 1500

95. Vittore Carpaccio, *Storie di Sant'Orsola: incontro di Sant'Orsola con lo sposo*, 1495, particolare con una nave tonda, Venezia, Gallerie dell'Accademia
96. Stefano Della Bella, *Carico e scarico di merci nel porto di Livorno*, XVII secolo, Roma, Biblioteca Casanatense, 20.B.I, tav. 308

Nella pagina seguente:
97. Vincenzo Coronelli (1650-1718), *Spaccato di una galera veneziana*, Venezia, Archivio di Stato
98. Vincenzo Coronelli, *Spaccato di una nave veneziana*, Venezia, Museo Correr

GALEA
Presentata
Dal Padre Maestro Coronelli
Cosmografo della Serenissima Republica
di Venetia
All'Illustrissimo et Eccellentissimo
S. SEBASTIANO SORANZO
Procuratore di S. Marco

NAVE
Presentata
Dal Padre Maestro Coronelli
All'Illustrissimo
Savio di Terra Ferma

ANTIQVAE VRBIS GENVAE PICTVRA
TEMPORIS INIVRIA FERE CONSVMPTA
HANC AD EXEMPLVM ILLIVS VETVSTATIS
RETINENDAE CAVSA P PRES COMMVNIS
EFFINGI MANDARVNT ANNO MDXCVII

99. Cristoforo de' Grassi, *Veduta del porto di Genova*, 1597, copia da originale del 1481 ca., Genova, Museo Navale di Pegli

Questa tore e inver ostro inver gostātinopoli.

vegnado

Questa tore e inver tramōtana dado verso la marina.

Da chi i su e una vale mōta ercta in meso i tal modo che de ver qsta pte fra tera no se po bōbardare.

De chi i zoso fina ala marina son scoi inexpugnabili.

Con stātino poli

Chi e una ... che se fa ... spurla per far habitacion.

Questa tore e la marina.

Questa era una che se ... son spurla per far habitaciō.

Questo e el strecto.

Questo e el castel per lo turco.

novo fato

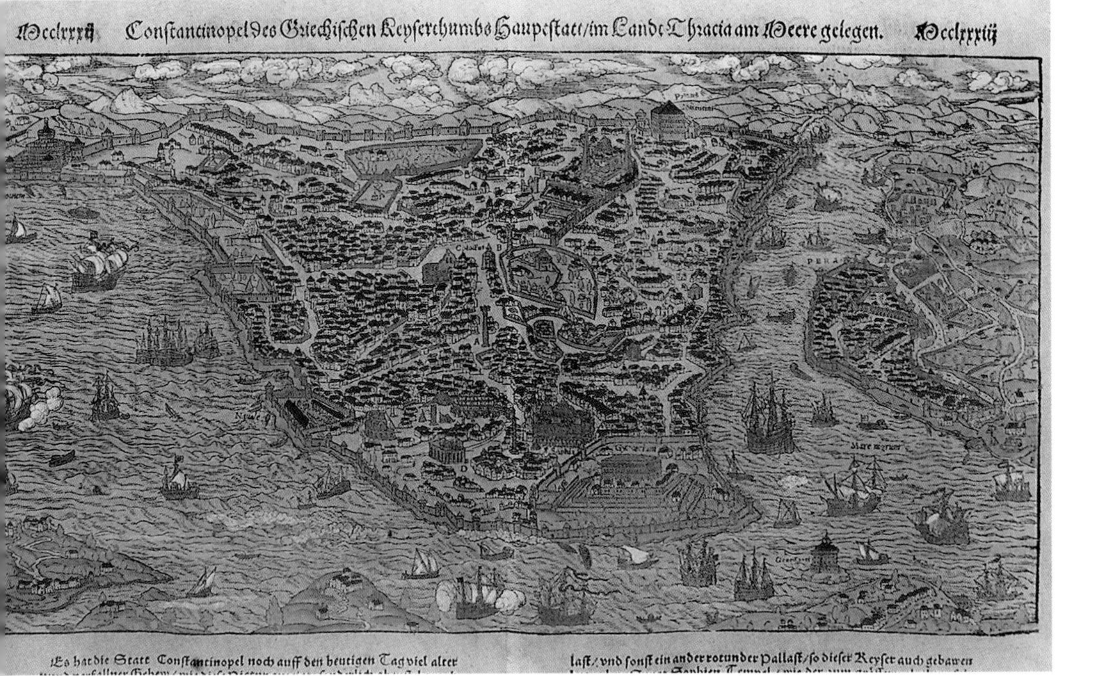

101. Sebastian Munster, *Veduta di Costantinopoli*, Basilea 1565
102. *The Voyage and Travaile of M. Caesar Frederick, merchant of Venice into the East India, the Indies, and beyond the Indie*s, Londra, Richard Jones e Edward White, 1588, frontespizio

Nella pagina precedente:
100. Il castello di Rumeli Hisary in un disegno di una spia veneziana, 1453, Milano, Biblioteca Trivulziana, ms. 641

THE
Voyage and Trauaile:
OF M. CÆSAR FREDERICK,
MERCHANT OF VENICE, INTO
the East India, the Indies, and beyond
the Indies.

Wherein are contained very pleasant and
rare matters, with the customes and rites
of those Countries.

ALSO, HEEREIN ARE DISCOVERED
the Merchandises and commodities of those Countreyes, aswell
the aboundaunce of Goulde and Silver, as Spices,
Drugges, Pearles, and other
Jewelles.

Written at Sea in the *HERCVLES*
of *London:* comming from *Turkie*, the 25. of March 1588.
For the profitable instruction of Merchants and all other
trauellers, for their better direction and knowledge
of those Countreyes.

Out of *Italian*, by *T H.*

AT LONDON,
Printed by *RICHARD JONES*
and EDWARD WHITE,
18. Iunii. 1588.

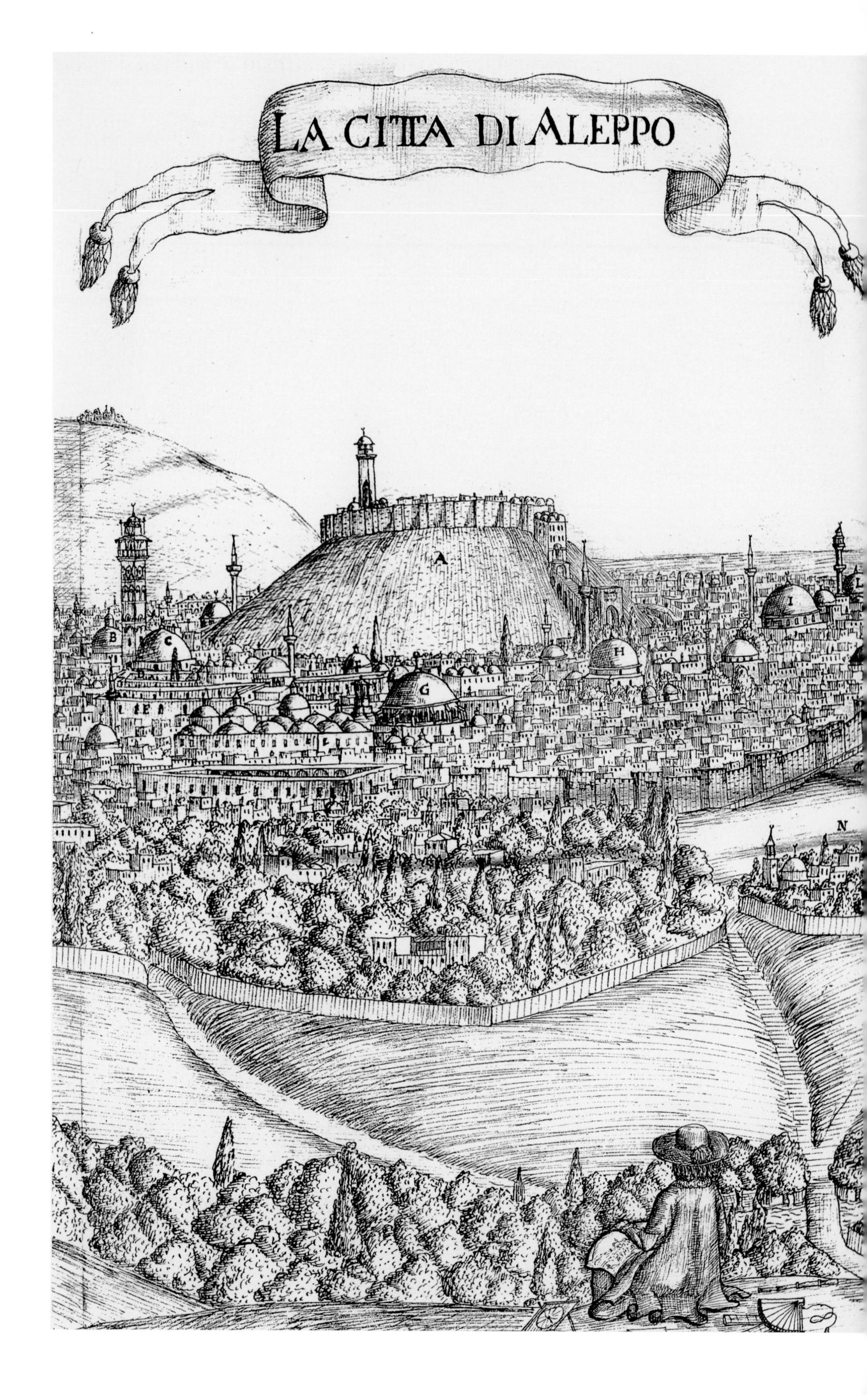
LA CITTA DI ALEPPO
A
B
C
G
H
I
N

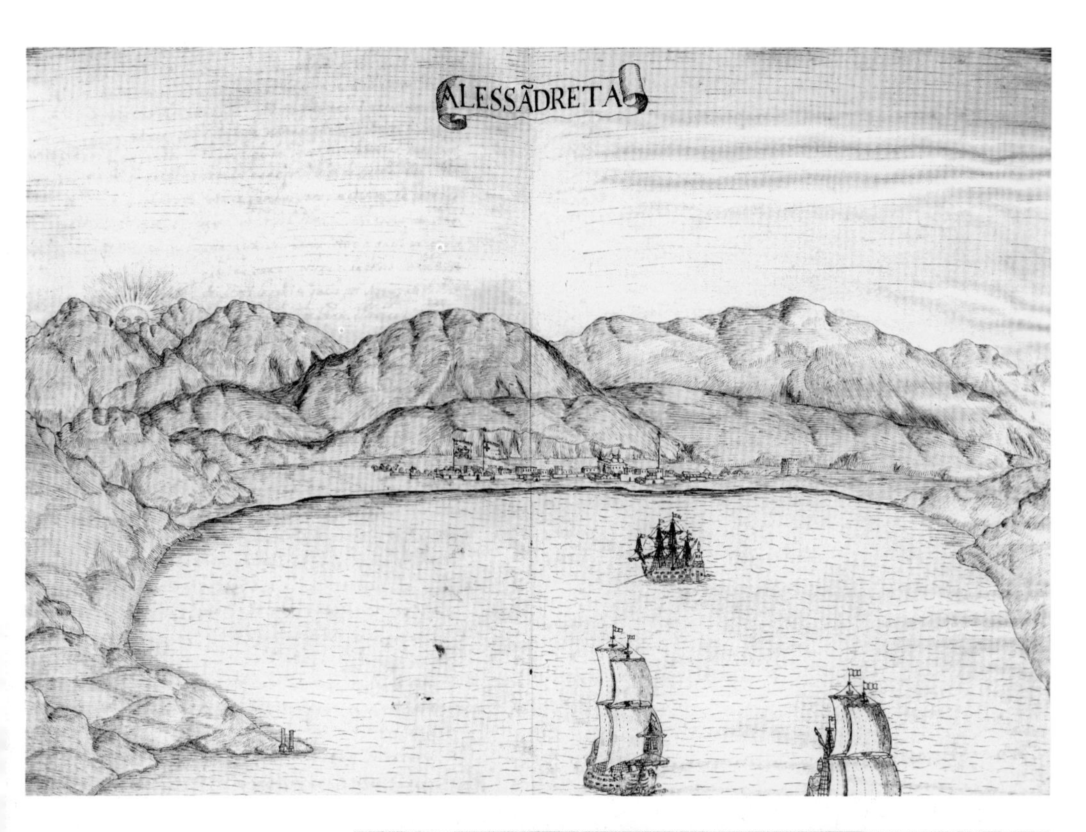

104. *Veduta di Alessandretta* disegnata da Jean Grelot, in Ambrogio Bembo, *Viaggi per parte de Asia*, 1687, James Ford Bell Library, University of Minnesota

105. Anonimo veneziano, *L'accoglienza degli ambasciatori veneziani a Damasco*, 1511, particolare, Parigi, Musée du Louvre

Nella pagina precedente:
103. *Veduta di Aleppo* disegnata da Jean Grelot, in *Viaggi per parte de Asia*, cit.

Septentrio
CRACOVIA
MINORIS POLONIAE METROPOLIS.
A. Aula Regia.
B. T. S.ti Stanislai.
C. T. S.ti Georgij.
D. T. Corporis Christi.
E. Monast. Bernardinorum.
F. Pretorium.
G. T. S.te Trinitatis.
H. T. S.te Mariæ.
I. Porta Vielizka.
K. Porta Bogruzki.
L. Porta Scrinski.
M. T. S.ti Leonardi.
N. T. S.ti Andreæ.
O. T. S.ti Iacobi.
Depictum ab Egidio vander Ryc, communicavit Georgius Houfnaglius.
Meridies

PALATIVM IMPERATORVM
PRAGAE QVOD VVLGO RATZIN APPELLATVR
PRAGA
Regni Bohemiæ metropolis

108. Monumento funebre dei Montelupi, XVI secolo, particolare con il *Ritratto di Sebastiano Montelupi*, Cracovia, Chiesa di Santa Maria

Nella pagina precedente:
106. Franz Hogemberg, *Veduta di Cracovia*, da Braun, *Civitates orbis terrarum*, cit.
107. Franz Hogemberg, *Veduta di Praga*, da Braun, *Civitates orbis terrarum*, cit.

109. Agnolo Bronzino, *Lucrezia Pucci Panciatichi*, ca. 1540, Firenze, Galleria degli Uffizi

110. Agnolo Bronzino, *Bartolomeo Panciatichi*, ca. 1540, Firenze, Galleria degli Uffizi

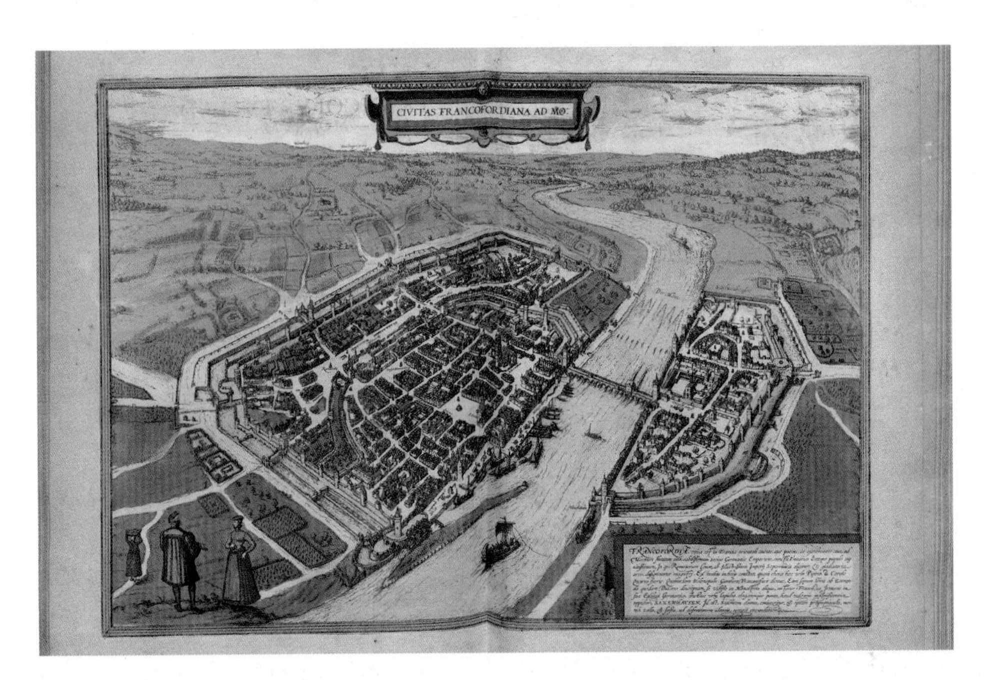

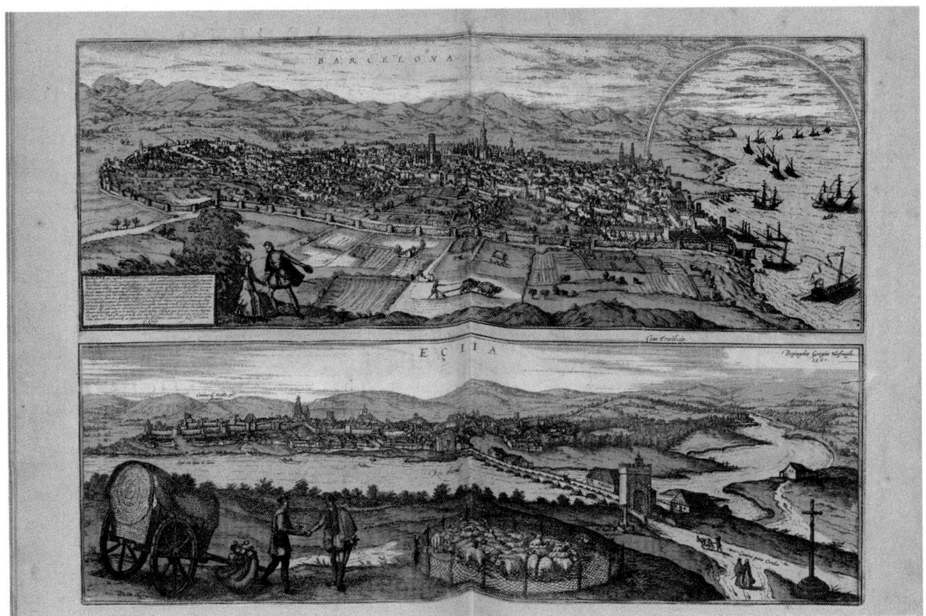

112. Hogemberg, *Veduta di Francoforte*, da Braun, *Civitates orbis terrarum*, cit.

113. Hogemberg, *Veduta di Barcellona*, da Braun, *Civitates orbis terrarum*, cit.

Nella pagina precedente:

111. Cerchia di Juan Pantoja de la Cruz, *Ritratto di Simón Ruiz Embito*, 1595, Medina del Campo, Museo de las Ferias

Distinctio. nona. Tractatus. xiᵘ. pticularis de cōputis 7 scripturis.

De quelle cose che sōno necessarie al uero mercatante: e de lordine a sape bē tenere vn q̄derno cō suo giornale i vinegia e anche p ognaltro luogo. Capitolo primo.

li reuerenti subditi de. V. D. S. Magnanimo. D. acio a pieno de tutto lordine mercantesco habino el bisogno: delib̄erai. (oltʳ. le cose dinanze i q̄sta nr̄a opa ditte) ancora particular tractato grandemēte necessario cōpillare. E in q̄sto solo lo iserto: p che a ogni loro occurrēza el p̄sente libro li possa seruire. Si del modo a conti e scripture: cōmo de ragioni. E per esso intendo darli norma sufficiente e bastante in tenere ordinatamente tutti lor conti e libri. Pero che. (cōmo si sā) tre cose maxime sōno oportune: a chi uole con debita diligētia mercantare. De le q̄li lapotissima e la pecunia numerata e ogni altra faculta substantiale. Juxta illud phy vnū aliquid necessariorū ē substantia. Sēza el cui suffragio mal si po el manegio traficante exercitare. Auēga che molti gia nudi cō bona fede cōmenzando: de grā facēde habio fatto. E mediante lo credito fedelmēte seruato i magne richezze siēno peruenuti. Che asai p ytalia discurrēdo nabiamo cognosciuti. E piu gia nele grā republiche non si poteua dire: che la fede del bon mercatante. E a quella si fermaua loz giuramento: dicēdo. A la fe de real mercatante. E cio nō deuesse admiratione: cōciosia che i la fede catolicamēte ognuno si salui: e senza lei sia ipossibile piacere a dio. La secōda cosa che si recerca al debito trafico: sie che sia buon ragioneri: e pmpto cōputista. E p questo cōsequire. (disopra cōmo se ueduto) dal pricipio alafine: hauemo iducto regole e canoni a ciascuna opatione requisiti. In modo che da se: ogni diligēte lectore. tutto potra iprendere. E chi di questa pte non fosse bene armato: la sequēte in uano li serebbe. La. 3ª. e vltima cosa oportuna sie: che cō bello ordie tutte sue facēde debitamēte disponga: acio con breuita: possa de ciascūa hauer notitia: quanto aloz debito e anche credito: che circa altro non satēde el trafico. E q̄sta pte fra laltre e alozo utilissima: che i lor facēde altramēte regerse: seria ipossibile: sēza debito ordine de scripture. E sēza alcū reposo la loz mēte sempre staria in gran trauagli. E po acio con laltre q̄sta possino hauere. el p̄sēte tractato ordiai. Nel q̄le se da el mō a tutte sorti de scripture: a caᵒ. p caᵒ. pcedēdo. E bē che nō si possa cusi apōto tutto el bisogno scriuere. Nō dimeno p q̄l che se dira. El pegrino igegᵒ a q̄lūcaltro laplicara. E seruaremo i esso el mō de vinegia: q̄le certamēte fra glialtri e molto da cōmēdare. E mediante q̄llo i ogni altro se porra guidare. E q̄sto diuiderēmo i. 2. pti pncipali. Luna chiamaremo iuētario. E laltra dispōne. E pᵃ. de luna: e poi de laltra successiuamēte se dira scdo lordie i la p̄posta tauola contenuto. Per la q̄l facilmente el lectore porra le occurrentie trouare secondo el numero de suoi capitoli e carti.

Chi cō lo debito ordie che saspecta uol sap bē tenere vn q̄derno cō lo suo giornale a q̄l che qui se dira con diligētia stia a tēto. E acio. bē sintēda el pcesso idurremo i cāpo vno che mo dinouo comēzi a traficare cōmo p ordie deba procedere nel tenere soi conti e scripture: aciochē sucitamēte ogni cosa possi ritrouare posta al suo luogo p che nō asettando le cose debitamēte a li suoi luoghi ucrebbe i grandissimi trauagli e cōfusiōi de tutte sue facēde. Juxta cōe dictū vbi nō ē ordo ibi est cōfusio. E pero a pfecto documēto dogni mercatante de tutto nr̄o pcesso faremo cōmo di sopra e ditto. 2. pti p̄ncipali. Le q̄li aptamēte q̄ sequēte chiariremo: acio fructo salutifero sabia iprēdere. E pria dimostrando ch cosa sia iuētario e cōmo sabia fare. De la pᵃ pte p̄ncipale de q̄sto tractato detta iuētario. E che cosa sia iuētario: e cōme fra mercatanti sabia fare. caᵒ. 2 Cōuiense adonca pᵃmēte psupponere e imaginare che ogni opante e mosso dalfine. E p poter q̄llo debitamēte cōseq̄re fa ogni suo sforzo nel suo pcesso. vnde el fine de q̄lūche traficante e de cōsequire licito e cōpetēte guadagno p sua substētatiōe. E po sempre con lo nome de meser domenedio: debiano cōmenzare loro facende. E i nel p̄nᵒ. dogni loz scripture: el suo sanctto

115. Allegoria del calcolo, arazzo dell'inizio del XVI secolo, Parigi, Musée de Cluny

Nella pagina precedente:
114. Luca Pacioli, *Summa de arithmetica geometria proportioni et proportionalità*, Venezia, Paganino de Paganini, 1494, c. 198*v*

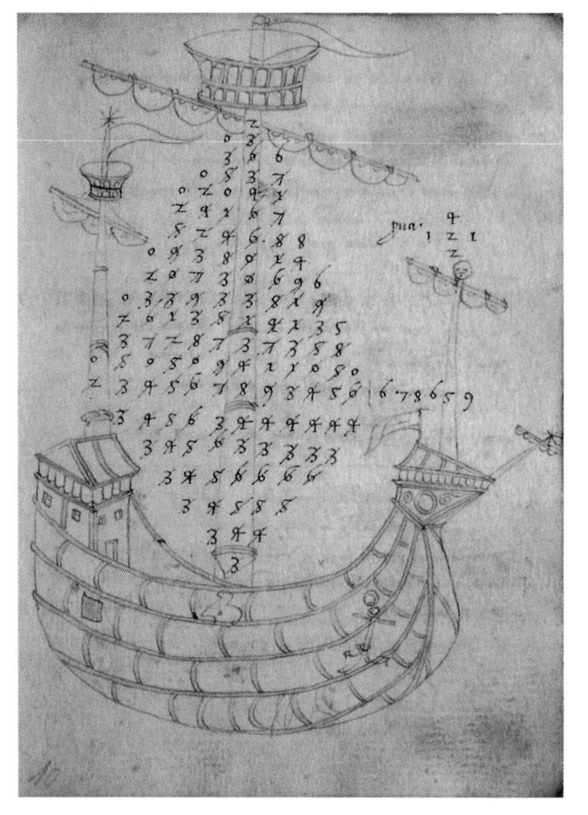

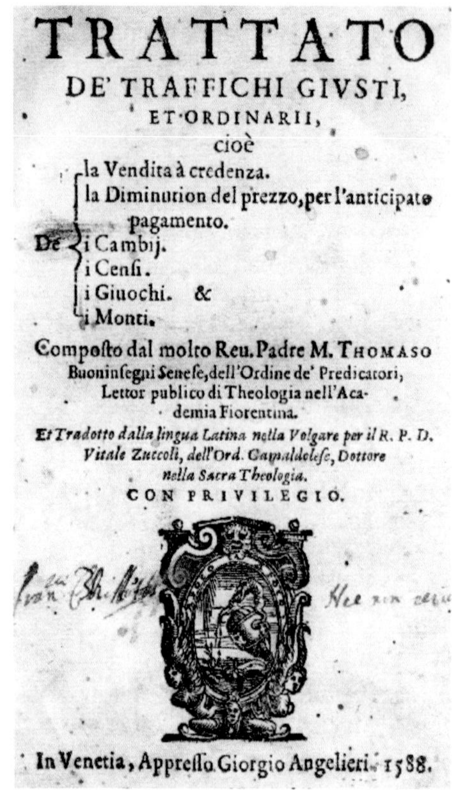

TRATTATO
DE' TRAFFICHI GIVSTI,
ET ORDINARII,
cioè
De
la Vendita à credenza.
la Diminution del prezzo, per l'anticipato pagamento.
i Cambij.
i Censi.
i Giuochi. &
i Monti.

Composto dal molto Reu. Padre M. THOMASO Buoninsegni Senese, dell'Ordine de' Predicatori, Lettor publico di Theologia nell'Academia Fiorentina.

Et Tradotto dalla lingua Latina nella Volgare per il R. P. D. Vitale Zuccoli, dell'Ord. Camaldolese, Dottore nella Sacra Theologia.

CON PRIVILEGIO.

In Venetia, Appresso Giorgio Angelieri. 1588.

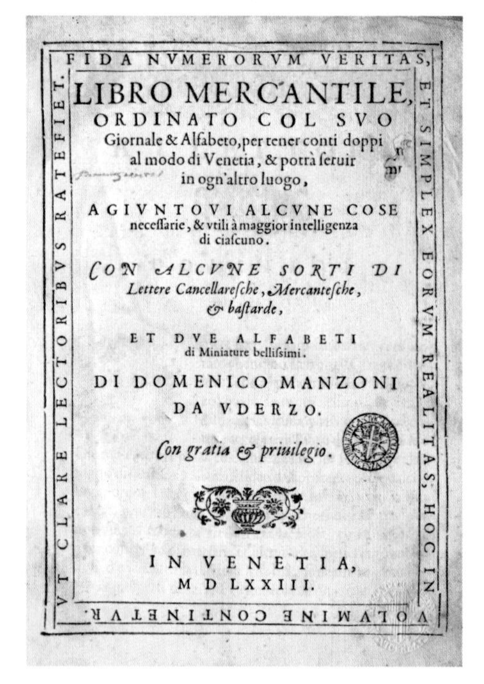

FIDA NVMERORVM VERITAS, ET SIMPLEX EORVM REALITAS, HOC IN VOLUMINE CONTINETVR. VT CLARE LECTORIBVS PATEFIET.

LIBRO MERCANTILE,
ORDINATO COL SVO
Giornale & Alfabeto, per tener conti doppi al modo di Venetia, & potrà seruir in ogn'altro luogo,

AGIVNTOVI ALCVNE COSE necessarie, & vtili à maggior intelligenza di ciascuno.

CON ALCVNE SORTI DI Lettere Cancellaresche, Mercantesche, & bastarde,

ET DVE ALFABETI di Miniature bellissimi.

DI DOMENICO MANZONI DA VDERZO.

Con gratia & priuilegio.

IN VENETIA,
M D LXXIII.

116. *Liber abaci*, prima del 1517, Genova, Biblioteca Civica Berio, ms. Cf. Arm. 20
117. Tommaso Buoninsegni, *Trattato de' traffichi giusti et ordinari*, Venezia, Giorgio Angelieri, 1588, frontespizio
118 e, nella pagina seguente, 119. Domenico Manzoni, *Libro mercantile ordinato col suo Giornale et Alfabeto per tener conti doppi al modo di Venetia*, Venezia 1573

3 —— *Canelle lunghe* // *A Marco dal zio, promise per mio nome ad Antonio Colfo, per l'amontar di camise n° 3, pesò £ 699, tara delle camise £ 24, resta netto £ 675, à duc. 60 il cento, mõta duc. 405. Abbatto per la sua parte di Messetaria, à ragiõ d'una per cento, duc. 4 § 1 ₱ 6, resta netto à pagamento, duc. 400 § 22 ₱ 26. Sensaro Piero Gobbo.* — 10/10 — £ 40 ß 1 § 10 ₱ 26

4 —— *Cannelle dette* // *A Officio della Messetaria, p l'amontar di duc. 405, à 2 p cẽto, duc. 8 § 2 ₱ 13.* — 10/8 — £ — ß 16 § 2 ₱ 13

5 —— *Piper lungo saluatico* // *A Banco di Priuli, scrissi à Iacomo dalla palà, per colli n° 4, pesò £ 1500, à § 6 la £, monta duc. 375.* ual — 11/2 — £ 37 ß 10 § — ₱ —

6 —— *Zambellotti colorati* // *A Vẽturin dalla uecchia, per pezze n° 160 da lui cõprate à duc. 4 § 1 la pezza, monta duc. 646 § 16, et gli debbo dar al presente duc. 200, et del resto à termine della uenuta delle galee di Fiandra. Sensaro Antonio Negro.* — 11/11 — £ 63 ß 13 § 4 ₱ —

7 —— *Venturin detto* // *A Cassa, contadi à lui per parte di zambellotti colorati, duc. 200.* ual — 11/1 — £ 20 ß — § — ₱ —

8 —— *Stagno in uerga* // *A Giorgio Vtingher, per l'amontar di £ 990, auuti da lui à duc. 80 il migliaro, monta duc. 792, et gli debbo dar al presente duc. 200 in contadi, et duc. 300, gli fo promettere per Cristoforo da Sebinico, et il resto gli scriuo in banco di Priuli.* ual — 11/12 — £ 79 ß 4 § — ₱ —

9 —— *Giorgio detto* // *A Cassa, contadi à Ieronimo suo figliuolo, p parte di detti stagni duc. 200.* ual — 12/1 — £ 20 ß — § — ₱ —

10 —— *Giorgio detto* // *Cristoforo da Sebenico, li promise per mio nome duc. 300, à buon conto di stagni in uerga, et è per resto di detto Cristoforo.* ual — 12/7 — £ 30 ß — § — ₱ —

11 —— *Giorgio detto* // *A Banco di Priuli, li scrissi per resto di stagni in uerga, duc. 290.* ual — 12/8 — £ 29 ß — § — ₱ —

120. Nicolaes Maes, *La contabile*, 1656, St. Louis, Art Museum

Nella pagina seguente:
121. Jacob II Fugger e Matthäus Schwarz, da *Scharz'sches Trachtenbuch*, 1516, Braunschweig, Herzog Anton Ulrich-Museum

-28-
Rom
Venedig
Ofen
Craca
Mayland
Insprugk
Nueremberg
Antorff
Lisbona
HER·IACOB·FVGGER
19 iar 8 mo 8 tag

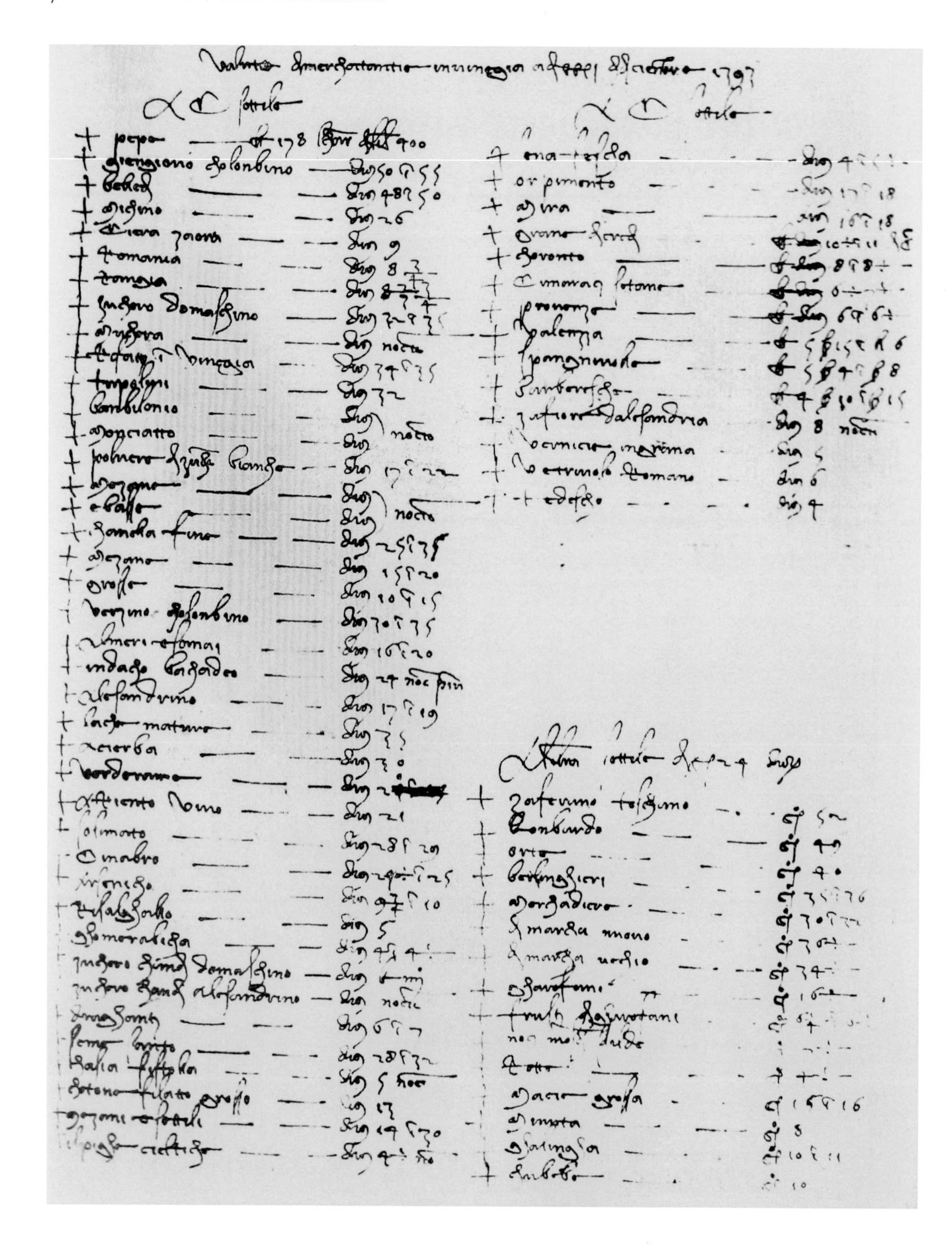

122. *Valuta di mercantie*, bollettino manoscritto inviato da Venezia da Zanobi di Taddeo Gaddi alla Compagnia Datini di Firenze il 31 dicembre 1393

1543. Die. 16. Ianuarii. In conseio. X. cum Add.

ESsendo sta per questo Conseio posta regula al spender il ducato Venetian, & etiam li Scudi, e necessario dar ordine a muodo se han ad spender tutte le altre sorte de ducati d'oro, accioche cadauno si sappia gouernar nel receuere, & dar fuori li danaro però.

LAndara parte che per auttorita di questo Conseio per l'offi.cii di questa citta, & per li Banchi de Scritta & banchetti, non si possano receuer ne dar fuori li infrascritti ducati d'oro, saluo che alli sottoscritti precii. Et perche ne restano alcune sorte de ducati non limitati, & ne sono portati etiam de giorno in giorno in questa Citta altri ducati de nuoua stampa siano pero tenuti li prouiditori della Cecca nostra far far de presenti: & cosi de tempo in tepo il sazo de essi Ducati, & far dar li precii stampar & proclamar à qual precio quelli si debbano spender, liqual Proueditori siano tenuti deputar li bolladori della Cecca che per tre giorni alla settimana de quelli che non sono obligati bollar in essa Cecca ad ádar alli banchi & banchetti à S. Marco & Rialto, & etiam all'officii. Et se ritrouarano alcun contrafattor, si della presente parte, come de quella de. 12. debbano andar à denunciarlo alli massari della Cecca nr̄a, liqual massari habbiano etiam ad essequir la cōtinentia della parte pn̄te, & de quella de. 12. con li modi & pene cōtenute in essa parte, Dechiarando etiá che in questa Citta, & cosi nelle altre de fuori, alcuno non possi esser astretto a tuor in alcun giudicio gli ori & monede se non al precio limitato per la parte de. 12. & per la presente. Et appresso di questo sia preso che à tutti quelli che vorrano portar li scudi & ducati banditi in Cecca, li proueditori di quella siano obligati fargli dar la valuta di essi immediate.

La esecutione veramente della presente parte, & de quella de. 12. sia cōmessa all'Auogadori nostri di cōmun proueditori sopra li banchi, & massari in Cecca p le cose de questa citta, & a cadauno de li Rettori nostri de terra ferma, & delle castelle. Sotto tutte le pene contenute ne la parte de. 12. che regola il spender il ducato Venetiano, & li Scudi. Et qūesta insieme con l'altra sia proclamata a S. Marco, & à Rialto, & fatta stampar & mandata a li rettori nostri de terra ferma per la debita sua esecutiōe.

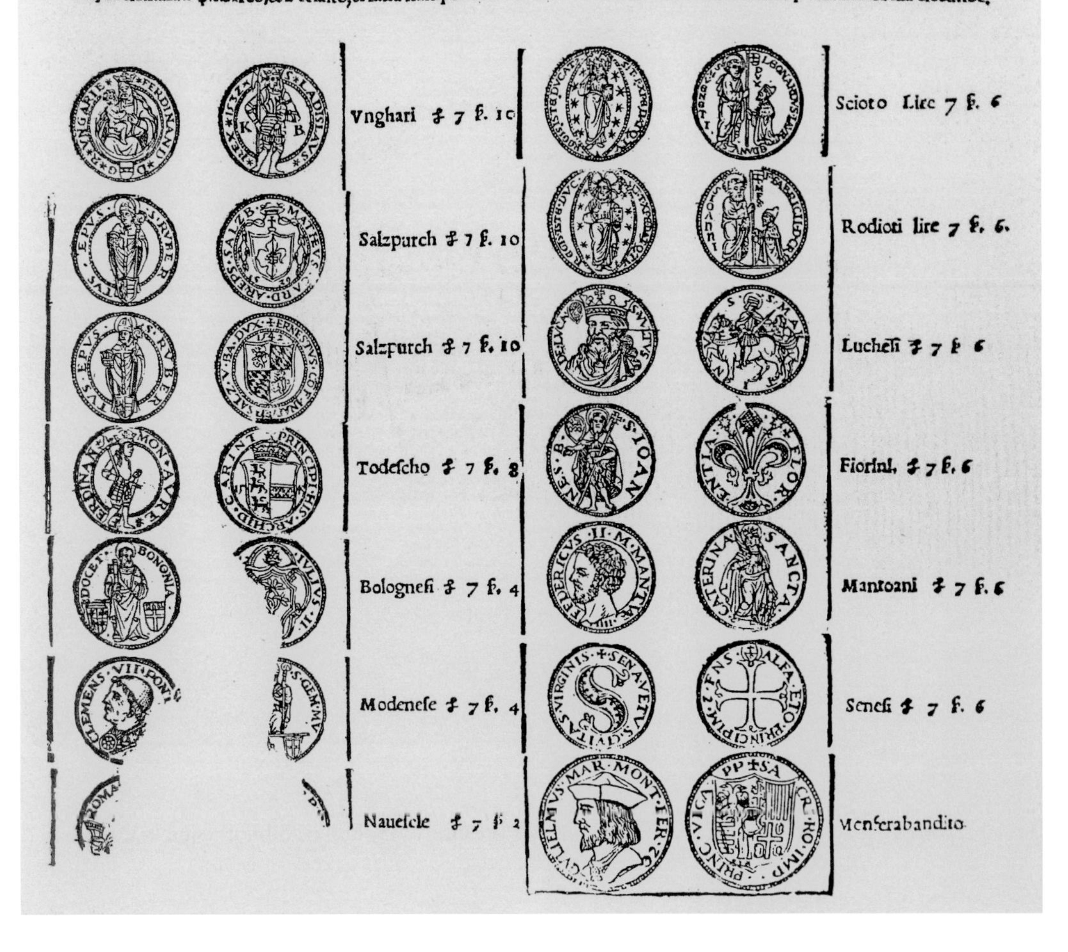

123. Decreto veneziano sul valore delle monete, 1543

¶LIBRI GRAECI IMPRESSI.

Hæc ſunt græcorum uoluminum nomina, quæ in Thermis Aldi Romani Venetiis impreſſa ſunt ad hũc uſq; diem .ſ.primum octo
bris.M.IID.Nam cũ quotidie aliquis peteret, qui nam græci libri formis excuſi ſint, ac quanti ueneant ad minimũ, quod uel ipſe
ſcire cuperet, uel ad amicos id cupide efflagitãtes mitteret, pertædebat toties idem ſcribere occupatiſſimum hominem.

¶In grammatica.

Erotemata Cõſtantini Laſcaris e regione cũ interpretatione latina.¶Item de literis, ac diphthõgis græcis.¶Itẽ introductio quædam
docens etiã ſine magiſtro ſyllabas & dictiões græcas poſſe legere, tã paruis q̃ maiuſculis ſcriptas characteribus.¶Item quo nam mo
do literæ & diphthõgi græcæ ad nos ueniant.¶Item abbreuiationes q̃ plurimæ, quibus frequentiſſime græci utũtur.¶Item Pater
noſter.¶Aue Maria.¶Salue Regina ¶Credo in unum deũ patrem omnipotẽtem.¶In pricipio erat uerbum.¶Itẽ aurea carmĩa
Pythagoræ.¶Itẽ pcepta Phocylidæ utiliſſima . omnia cũ expoſitione latina e regiõe ĩ uno uolumine uẽdunt̃ marcellis quatuor.

Grammatica Vrbani utiliſſima ad declinãda nomina, pronomĩa, & uerba omnia tã lingua cõi, q̃ aliis quatuor. Attica. Ionica. Do
rica. Aeolica. cũ regulis optimis & neceſſariis ita, ut nihil ferè ſit prætermiſſum, quod introducere poſſe ĩ græcam linguã uiſum fue
rit. Vbi etiam copioſe tractatur de cæteris orationis ptibus. Venditur nõ minoris marcellis quatuor.

Canoniſmata quæ theſaurus & cornucopiæ appellãtur dictionum difficilium, & maxime uerborum, quæ apud Homerum ex
commentariis Euſtathii, & aliorum grammaticorum per ordinem literarũ.¶Aelii Dionyſii de indeclinabilibus uerbis ¶Decli-
nationes uerborũ ſum & eo, utiliſſimæ.¶De iis quæ ſedere ſignificant.¶Quot ſint quæ ire ſignificant.¶Ex ſcriptis Herodiani
excerpta de magno uerbo ſcitu digniſſima, & rara inuentu.¶Ex ſcriptis eiuſdẽ deductiones uerborum difficulter declinatorum.
¶Chœroboſci ad eos qui in omnibus uerbis regulas quærunt & ſimilitudines.¶Eiuſdem in quibus ob maleſonantiam attraha
tur .n. litera. ¶De anomalis & ĩæqualibus uerbis ſecũdum ordinem alphabeti.¶Herodiani de inclinatis, & encliticis & coencliti-
cis dictiunculis.¶Ex ſcriptis Chœroboſci de iis quæ ĩclinantur, encliticiſq;.¶Sine auctore de iis quæ inclinãtur.¶Ex ſcriptis Ioã
nis grammatici de idiomatis.¶Euſtathii de idiomatis quæ apud Homeꝝ.¶Itẽ de idiomatis, ex iis quæ a Corintho decerpta.¶De
fœmininis noĩbus, quæ deſinunt in o magnum. oĩa in uno uolumine. Vendũtur minimo, nummo aureo & ſemis.

Grammatica doctiſſima & (pace aliorum dixerim) omnium utiliſſima Theodori Gazæ uiri ingenio & doctrina uel cum antiquiſ
ſimis conferendi.¶Eiuſdem de mẽſibus pulcherrimum opus.¶Item quatuor libri Appollonii de cõſtructiõe. Omnia ĩ uno uolu
mine. Veneunt aureo nummo, nec minoris.

Dictionarium græcum copioſiſſimum ſecundum ordinem alphabeti cum interpretatione latina.¶Cyrilli opuſculum de dictio
nibus, quæ uariato accentu mutant ſignificatum ſecundum ordinem alphabeti cum interpretatione latina.¶Ammonius de dif
ferentia dictionum per literarum ordinem.¶Vetus ĩſtructio & denominatiões perfectorum militũ.¶Significata τοῦ ὡ.¶Signi
ficata τοῦ ὡς.¶Index oppido q̃ copioſus per literaꝝ latinaꝝ ordinẽ, quod eſt loco dictionarii latini copioſiſſimi cum ĩterpretatio
ne græca. Docet .n. latinas dictiões ferè omneis græce dicere, & multas ẽt multis modis. Omnes in uno uolumine minimum pretiũ
eſt aureus nummus.

¶In Poetica.

Theocriti eclogæ triginta.¶Heſiodi theogonia.¶Eiuſdẽ ſcutum herculis.¶Eiuſdẽ georgicorum libri duo.¶Maximi Planudæ ex
latino libro qui Cato dicitur Sniæ parænenticæ diſtichi.¶Caput De inuidia. Theognidis Megarẽſis ſiculi ſniæ elegiacæ.¶Sniæ pu
tiles monoſtichi p capita ex uariis poetis. Aurea Carmia Pythagoræ.¶Phocylidæ poema admonitoriũ utiliſſimũ.¶Carmĩa Si
byllæ erythrææ de chriſto IESV.¶Differẽtia uocũ. Omnia in uno uolumine. Venduntur non minoris marcellis octo.

Ariſtophanis cum antiquis commentariis Comœdiæ nouem. Plutus. Nebulæ. Ranæ. Equites. Acharnes. Veſpæ. Aues.
Pax. Cõtionatrices fœminæ. Minimum pretiũ uenetiis, aurei nũmi duo & ſemis.

Muſæi poetæ antiquiſſimi De Herone & Leandro amantibus cum ĩterpretatione latina . uenditur, marcello.

¶In logica.

Logica Ariſtotelis .i. organũ. hoc eſt Porphyrii introductio ſiue uniuerſalia liber unus.¶Prædicamẽta Ariſtotelis liber unus.¶Peri
hermenias liber unus, ſiue ſectiones ſex.¶Priora reſolutoria libri duo.¶Poſteriora reſolutoria libri duo.¶Topica libri octo.
¶Elenchi libri duo. Oẽs ĩ uno uolumine uẽdũtur aureo & ſemis.

In philoſophia. Primum uolumen.

Vita Ariſtotelis p Laertiũ & philoponũ. & uita Theophraſti.¶Ariſtotelis phyſicorũ libri octo.¶De cœlo libri quatuor.¶De gñatiõe
& corruptiõe libri duo.¶Meteorologicorũ libri quatuor.¶De mũdo ad Alexãdrũ liber unus & Philõis iudæi de mũdo liber unꝰ.
¶Theophraſti de igne liber unus.¶De uẽtis liber unus.¶De lapidibus liber unus.¶De ſignis aquarũ & uẽtorũ ĩcerti auctoris. Oẽs
ĩ uno uolumine uẽdũtur ad minimũ nũmis aureis duobus.

¶Secundum uolumen.

De hiſtoria aĩalium libri octo.¶De ptibus animaliũ libri quatuor.¶De greſſu aĩalium liber unus ¶De aĩa libri tres.¶De ſenſu li
ber unus.¶De memoria liber unus.¶De ſomno & uigilia liber unus.¶De ſomniis liber unus.¶De diuinatione per ſomnium, liber unus.¶De motu aĩalium liber unus.¶De gñatione aĩalium, libri qnq;.¶De longitudine & breuitate uitæ liber unus.¶De iu
uẽtute & ſenectute, & reſpiratiõe, & uita & morte libri tres.¶De ſpiritu liber unus.¶De coloribus liber unus.¶Phyſiognomico-
rum liber unus.¶De mirabilibus auditiõibus liber unus.¶De Xenophanis Zenonis. & Gorgiæ opĩonibus, liber unus, ¶De ĩdi-
uiſibilibus lineis, liber unus.¶Theophraſti de piſcibus liber unus.¶De uertigine oculoꝝ liber unus.¶De laboribus, liber unus.
¶De odoribus, liber unus.¶De ſudoribus, liber unus. oẽs in uno uolumine minimum pretium Venetiis nummi aurei duo & ſe
mis.

¶Tertium Volumen.

Theophraſti de hiſtoria plãtaꝝ, libri decẽ.¶Eiuſdẽ de cauſis plantaꝝ libri ſex.¶Ariſtotelis problematum ſectiões duodequadra-
ginta.¶Alexandri aphrodiſiẽſis problematũ libri duo.¶Ariſtotelis mechanicoꝝ liber unus.¶Eiuſdẽ metaphyſicorũ libri quatu
ordecim.¶Theophraſti metaphyſicoꝝ liber unus. Oẽs in uno uolumine minimũ pretium nummi aurei, tres.

¶Quartum Volumen.

Ariſtotelis magnoꝝ moraliũ ad Nicomachũ patrẽ libri duo.¶Ethicoꝝ ad Eudemum diſcipulum libri octo.¶Ethicoꝝ ad Nico-
machum filium libri decẽ.¶Oeconomicoꝝ libri duo.¶Politicoꝝ libri octo. oẽs ĩ eodẽ uolumĩe mĩmum ptiũ nũmi aurei duo.

In ſacra ſcriptura.

Pſalterium græcum. uendit̃ marcellis quatuor.

Officium in honorẽ Beatiſſimæ uirginis cum pſalmis penitentialibus è latino in græcum. uenditur Marcellis duobus.

124. Primo catalogo delle edizioni aldine, 1 ottobre 1498, Parigi, Bibliothèque Nationale

Nella pagina seguente:

125. Giuseppe Maria Mitelli (1634-1718), *Il coriero*

126. Avvisi da Bruges, da *Copia de più capitoli in lettere da Brugia*, fine XV secolo, Modena, Archivio di Stato

n. 61

Copia de più capitoli de novelle i[n] lettera da brugia
comenzata a [illegible] e finita a xxxi de [illegible]

[illegible] e le cose de lege [illegible] [illegible] scritto [illegible] [illegible] [illegible] i[n] modo che no bisogna più replicare

Monsignor duca de borgogna [illegible] più giorni fa da lege e [illegible] venne a [illegible] dove [illegible] fece [illegible] de alcuni che forono caxo de [illegible] quelli de lege [illegible] el [illegible] loro [illegible] [illegible] [illegible] [illegible] [illegible] [illegible] duca che [illegible] de le mure de la terra siano desfatte [illegible] [illegible] [illegible] [illegible] [illegible] forte [illegible] castello [illegible] fornire. [illegible] [illegible] partito di [illegible] [illegible] i[n] quello de luxenburgo [illegible] uno castello chiamato [illegible] i[n] fine [illegible] la tendono [illegible] [illegible] stati de [illegible] de luxenburgo per darli la obedientia

El [illegible] duca fa vendere li beni de quelli de lego alo i[n]canto [illegible] pagato de li [illegible] [illegible] che sono [illegible] [illegible] domanda loro [illegible] [illegible] la loro [illegible] de [illegible] ha fatto i[n] [illegible] [illegible] [illegible] vole che le gente d'arme [illegible] [illegible] partano de paesi i[n]torno i[n]fina tuto che dito pagamento sia fatto. [illegible] [illegible] de [illegible] le mure di lege [illegible] [illegible] [illegible] di [illegible] [illegible] siano tute desfatte. [illegible] oltra i[n] [illegible] [illegible] ha [illegible] [illegible] libri de [illegible] beni de quelli de lege [illegible] valuta de corone [illegible] o [illegible] [illegible] [illegible] [illegible] [illegible] [illegible] [illegible] [illegible] [illegible] [illegible] [illegible] [illegible]

Per più mie [illegible] vi [illegible] scripto como el maritazo del [illegible] duca ala sorela del re Odoardo re de Inghilterra e [illegible] [illegible] [illegible] e di novo li ha mandati ambassatori [illegible] [illegible] [illegible] [illegible] mandando di [illegible] loro no [illegible] [illegible] [illegible] corone [illegible] de lequale ne vole havere [illegible] [illegible] la [illegible] [illegible] et altri [illegible] a [illegible] [illegible] [illegible] [illegible] [illegible] [illegible] [illegible] [illegible] pagamenti [illegible] [illegible] [illegible] [illegible] anno. E di [illegible] vole havere bona [illegible] [illegible] [illegible] [illegible] [illegible] [illegible] [illegible] [illegible] quali luy sapera elleger. [illegible] [illegible] [illegible] [illegible] de siano da corde ma [illegible] [illegible] li ambassadori del re d'Inghilterra che debano venir di qua [illegible] [illegible] [illegible] fatta [illegible] ha mandato luy le [illegible] ambassatore per [illegible] tuto. il quale ambassatore e lo [illegible] de [illegible]. [illegible] [illegible] [illegible] [illegible] [illegible] [illegible] partiti ha mandato a roma per la dispensa. [illegible] [illegible] le dite noze habiano [illegible] [illegible] [illegible] no [illegible] [illegible] alcuna.

IN VENETIA
Adì 9. Aprile 1660.
FIERE DI

Murano	duc.	
Biſenzone	duc.	188 3/4
Lion	duc.	102 1/2
Francoforte	fior.	118 1/4
E Bolzano	tol.	132 3/4
Roma	ſcu.	53 5/8
Napoli	duc.	89 3/4
Fiorenza	ſcu.	72 2/3
Liuorno p.ze da 8. r.li		96-
Milano	ſol.	156 1/2
Lucca	ſcu.	81-
Bologna	ſol.	128 1/2
Ancona	ſcu.	82 1/2
Bergamo	ſol.	172 3/4
Genoua	ſol.	107-
Bari	duc.	92-
Lecce	duc.	91-
Anuerſa	groſ.	92 1/2
Amſterdam	groſ.	91 5/8
Amburgo	groſ.	92 1/4
Colonia	groſ.	92 3/4
Londra	ſter.	50 1/4
Norimbergo	fior.	145-
Auguſta	tol.	95 3/4
San Gallo	fior.	162 1/4
Viena	tol.	97-
Ogli chiari di Lece	D.	86-
Detti di terra di Bari	D.	84-
Moſti	D.	82-
Raffinati	D.	80-

Domen. Coſſani deput. e figli.

Corſo del Cambio è Saglie dj Preſente in Lilla Adj 2 Lug.o 1639

Anuerſa à viſta		73
Amſterdam		5 1/2
Midelborgo		5 1/2
Cologna		1 1/2
Francoforte		81
Londra		35.4
Calais		16
Pariggi		111 1/4
Roano		111
Lione		109 1/2
Milano		107
Venetia		83
Noue		—
Verona		—
Piacenza		—
Scotti bianchi à 3. ferri	ß	95
Detti negri	ß	92
Detti collorati	ſs	102
Scotti bianchi à 5. ferri	ſs	61
Detti colori aſſortiti	ſs	63
Saglie nere d'Ipres à 3. ferri	ſs	82
Detti bianchi d'Ipres	ſs	101

127-128. Listini dei cambi e delle mercanzie a stampa: un bollettino da Lille del 1639 (127) e un bollettino del 1660 (128)

129. Giuseppe Maria Mitelli, *Agl'appasionati per le guerre*, 1690

Nella pagina seguente:
130. Avvisi a stampa da Bologna, 10 maggio 1645

Bologna li 10. Maggio 1645.

Giouedì d'improuiſo giunſe quà da Roma il Sig. di Sanſciamon che ſe ne paſſa d'ordine Regio in Francia, e ſi trattenne tutto il giorno ſeguente alloggiato da queſto Em. Legato.

Alli 5. furono quà di felice ritorno da Roma li ſcritti SS. Senatori ſtati Ambaſciatori d'vbbidienza per queſta Città a N.S.

L'iſteſſo giorno partì per la ſtrada di Milano, doppo eſſerſi quà trattenuto alcune Settimane Monſ. Veſcouo di Cracouia.

Domenica fù quà d'improuiſo Monſ. Ceſis che ſe ne paſſa Nuncio a Venetia alloggiato da queſto Em. Legato, e proſeguì il ſuo viaggio in diligenza il Lunedì.

Hieri ſera giunſe quà da Roma il Sig. di Gremonuille incontrato da queſto Illuſt. Monſ V. Legato con la guardia de Caualli Leggieri, e molte Corrazze venendo ſplendidamente alloggiato in Palazzo da queſto Em. e ſe ne paſſa Ambaſciatore per il ſuo Rè alla Sereniſs. Rep. di Venetia.

Di Venetia li 6. ſtante. Erano più di 15. giorni, che colà non haueano lettere d'alcuna parte di Leuante. Onde circa l'vſcita del Turco, e doue ſia per voltarſi la ſua Armata ſi ſtaua con le ſolite ambiguità.

Hauea quel Senato vltimamente aſſoldato 12. Capitani con darli prouigione di 40 ducati il Meſe per ciaſcheduno, durante ſolamente li preſenti moti; e doueano partire per Candia sù le due ſcritte Naui Principe, & Amore di conſerua con altri Vfficiali, che haueano aggiuſtate le loro capitulationi doppo la partenza delle Galeazze, e Galere; ſi caricauano le ſodette Naui con diuerſe prouigioni per ſeruitio di quel Regno.

Alli 5 ſi era dato moſtra al Lido a 20 Compagnie d'Infanteria aſſoldata da diuerſi Colonelli; tutta buona gente, e bene all'ordine; e douea quanto prima partire per Leuante.

Nell'iſteſſo giorno era ſtato a licentiarſi in Collegio l'Ambaſciator di Francia, e ſi aſpettaua lo ſcritto ſuo ſucceſſ. Sig. di Gremonuille.

Quel Colonello Ferrari era poi ſtato ſcarcerato, ad inſtanza dello Ambaſciator Ceſareo e datoli tempo 24. hore ad vſcir di quel Dominio, come haueua ſubito eſſequito.

Scriuono eſſer di là partito il Reſidente del Sig. Duca di Modona aſſai in fretta; e che perciò non s'era licentiato (conforme al ſolito) da quel Senato.

Di Genoua li 29. caduto. Hauea quella Rep. ſpedito il Sig. Raffaele dalla Torre con titolo di ſuo Gentilhuomo alla Corte di Roma appreſſo N. S. e di già s'era partito ſopra d'vna Galera alla volta di Ciuita Vecchia. Diceſi per far inſtanza a N.S che voglia dare la Sala Reggia a gl'Ambaſciatori, che manderà la medeſima Rep.

Di là habiamo con Naue Franceſe venuta in breue tempo dalla Morea come a Nauarino ſi doueano radunare li Vaſcelli, e Galere di tutta l'Armata Turcheſca, deſtinata contro Criſtianità, quale ſarebbe ſtata compoſta di 400. fra Caramuſciali, e Saiche, 180. e più Vaſcelli d'Altobordo, 100. Galere ſottili, e 3 Galeazze; e che colà s'aſpettaua il Gran Turco, fabricandouiſi vn ſuperbiſſimo Palazzo per la ſua perſona. Inoltre come 40. Galere, e groſſo numero d'altri Vaſcelli erano partiti per munitioni da bocca e da guerra alla volta d'Aleſſandria.

Per via di paſſaggieri ſi haueа eſſer partiti da Tolone gl'accennati 13. Vaſcelli d'Altobordo, e 3. burlotti per congiungerſi agli altri in Cattalogna.

Di Barcellona con let. delli 29 Marzo ſi hà che il Co. d'Harcourt teneua in quel Principato 12. m. Fanti, e 5. m. Caualli; e che alli 8. o 10. d'Aprile ſarebbe vſcito armato

131. Contabili al lavoro, da una miniatura del 1340 ca., Bruxelles, Bibliothèque Royale
132. Taddeo di Bartolo (attribuito a), *Il camerlingo e lo scriba nell'ufficio della Biccherna*, 1388, Siena, Archivio di Stato

Nella pagina seguente:
133. L'attività della Camera degli Imprestiti della Repubblica di Venezia, da un manoscritto del monastero di San Maffio di Murano, Venezia, XIV secolo, Seminario Patriarcale

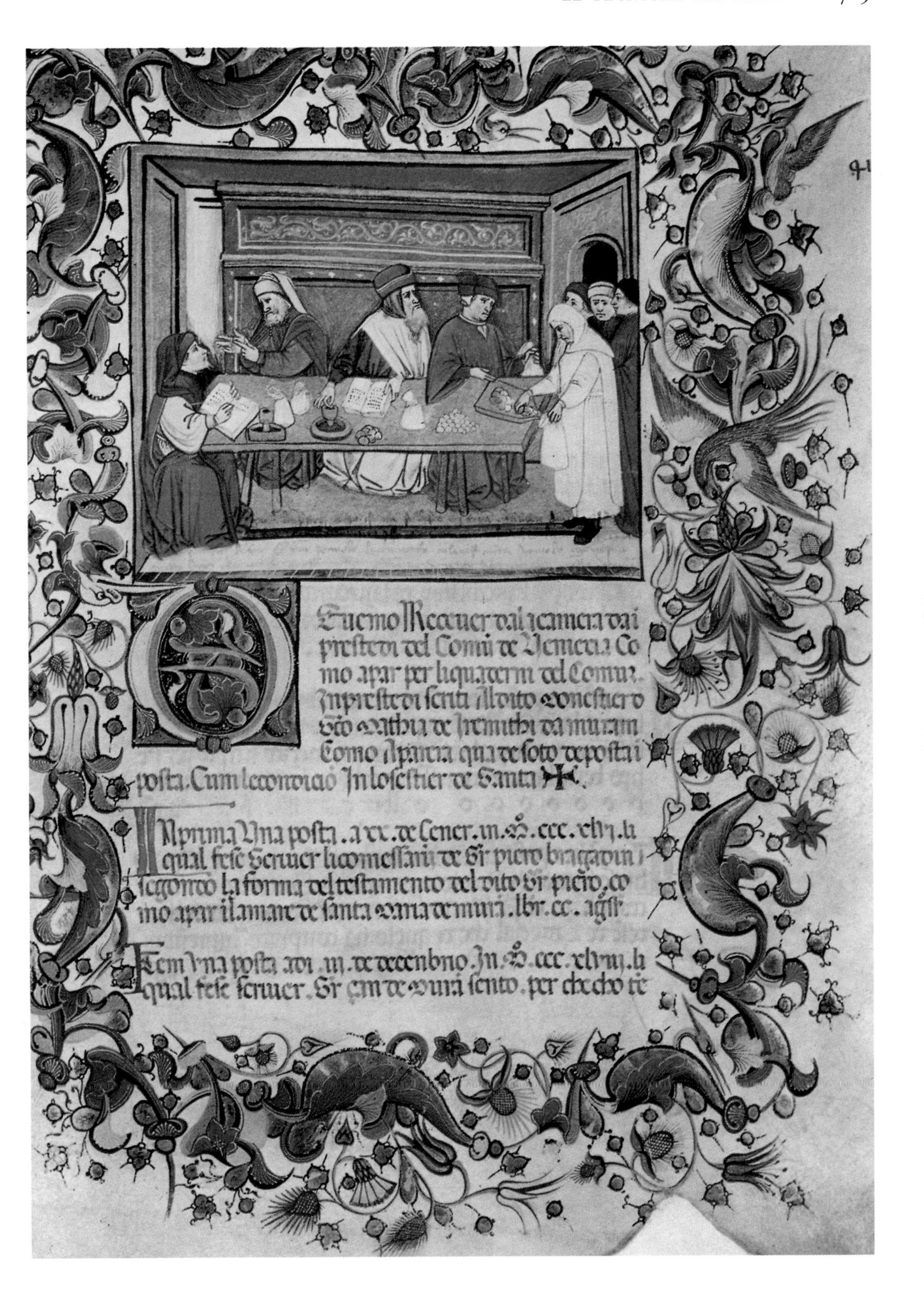

Avemo Receuer dai camera dai
prestedi del Comun de Venecia Co
mo apar per li quaterni del Comun
In prestedi senta Aloito conestiero
[illegible] de [illegible] da muran
Como apar qua de soto de posta i
posta. Cum le condicion In lo sestier de Santa ✠.
In prima Una posta . a xx . de Zener . in . M° . ccc . xliij . la
qual fese Seruer li comessarij de Sr piero bragadin
segondo la forma del testamento del dito Sr piero, co
mo apar il amar de santa [illegible] de muran . lbr . cc . [illegible]
Item Una posta adi . iij . de decenbrio . In . M° . ccc . xlviij . la
qual fese seruer . Sr [illegible] de [illegible] sento . per checho de

Deus
uni dico hominibus dico

136. Marinus van Reymerswaele, *Il banchiere e la moglie*, 1539, Monaco, Alte Pinakothek

Nella pagina precedente:
134. Interno della tesoreria di un ente di beneficienza a sostegno di vedove e pupilli bisognosi, miniatura tratta da *De septem vitiis*, fine XIV secolo, Londra, British Library
135. Interno di una bottega di usurai, miniatura del *De septem vitiis*, cit.

138. Prestito di denaro su pegno in un Monte di pietà italiano, Parigi, Bibliothéque Nationale

139. Luigi Anguissola (attribito a), *Bernardino da Feltre*, XVI secolo, Novellara, Museo Gonzaga

Nella pagina precedente:
137. Sant'Agostino, *De civitate Dei*, volgarizzamento di Raul de Presles, particolare di una miniatura del XV secolo che raffigura degli usurai, L'Aja, Museum Meermanno-Westreenianum, ms. 10 A 11, c. 252*v*

140. Statuti del Monte di Pietà di Siena, 1471, c. 1, Siena, Archivio del Monte dei Paschi

Nella pagina seguente: 141. *Mons Pietatis*, Bruxelles, Officina Hub. Antonij ad Aquilam Auream, 1619, frontespizio dell'opuscolo contenente l'atto istitutivo da parte degli arciduchi Alberto e Isabella

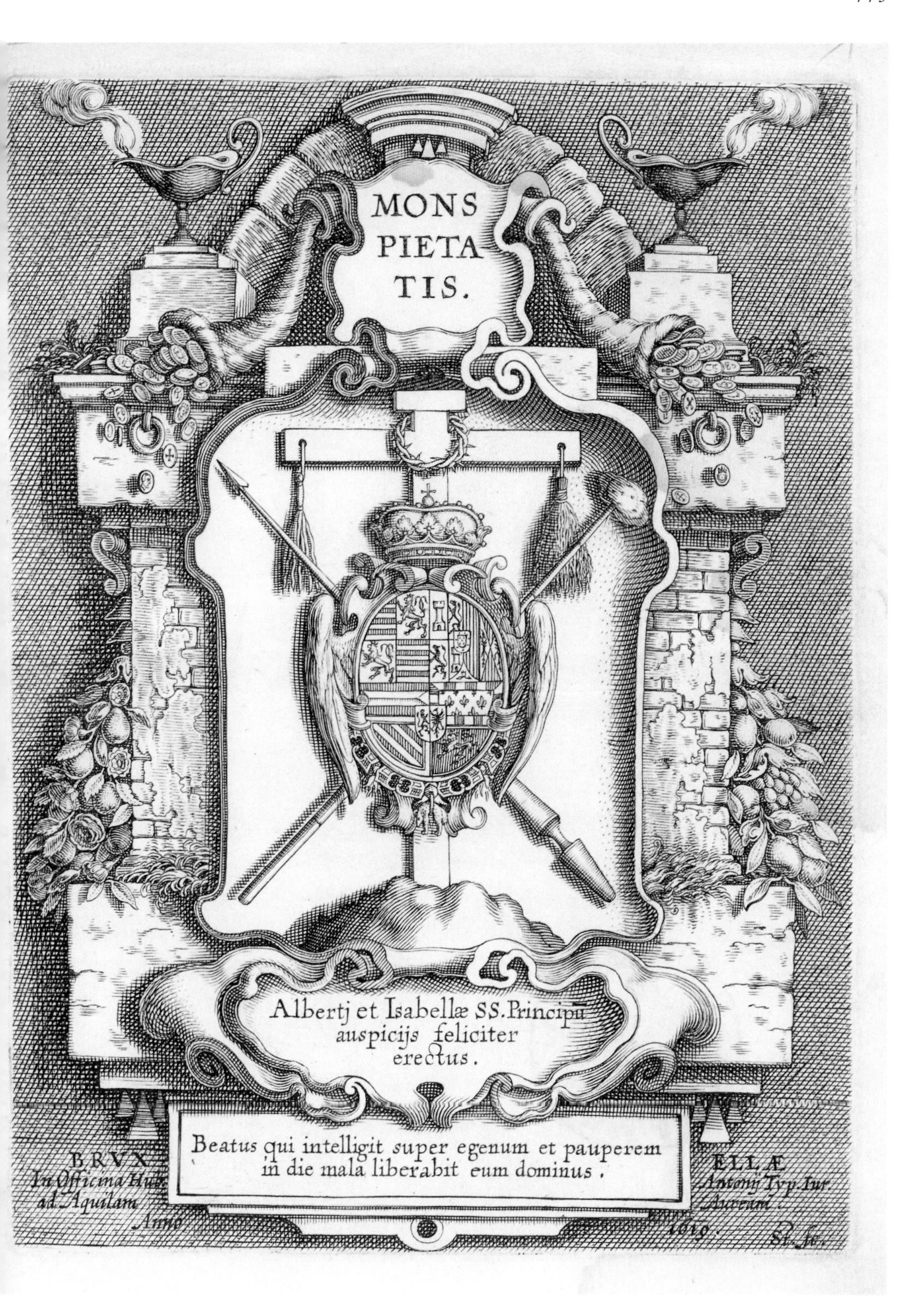
MONS
PIETA
TIS.
Albertj et Isabellæ SS. Principu
auspicijs feliciter
erectus.
Beatus qui intelligit super egenum et pauperem
in die mala liberabit eum dominus.
BRVX
In Officina Hub.
ad Aquilam
Anno
ELLÆ
Antony Typ. Iur
Auream.
1619.

† pour le suppliant et ses compaignons lesquelz il [illegible] ra et denommera [illegible] des [illegible]
Lempereur

fiat lettres doctroy a tenir table de p[re]st en la ville de lille apres lexpiration du privilege de celluy qui le tient au present et ce soubz conditions co[n]tenues au billet cy ioinct [illegible] a Bruxelles le 14 de decembre 1549.

Supplie en toute humilite et humilite vostre tres humble serviteur Louys [illegible] demeurant en vre ville de Middelbourg en zelande que pour le bien du povre commun peuple de vre ville de Lille il soit ester mis et [illegible] par vre ordonnance et admis de ladicte ville ung tenir une table de prest pour le soulagement des habitans dudict lieu et lieux circonvoisins et que long fait en plusieurs aultres villes de voz pays dembas lesquelles table et privilege de prest auroit ester bailler a terme a celuy la tenant a present lequel terme est prochain dexpirer. Parquoy ledict suppliant se retire devers vre maieste suppliant qui voz plaise luy ouctroyer et accorder ung renouvellement pour pouvoir tenir ladicte table en vre dicte ville de Lille a tel semblable terme quelle auroit ester bailler a celuy la tenant a present assavoir de douze ans. et pour le bien et utilite de la chose publicque et soulagement des povres gens ledict Louys [illegible] soffre a tenir ladicte table de prest a ung groz et demy monnoye de Flandre pour chascune livre de groz par sepmaines et en consideration de ce se plaira a vre dicte maieste luy [illegible] et souffrir quil puisse aller a la messe et a tout service divin luy et toute sa famille tant au lieu de Lille que a tous aultres lieux quil luy semblera [illegible] par se devant et se serat de tempz obliger et tenir prier dieu pour la bonne prosperite de vredicte maieste.

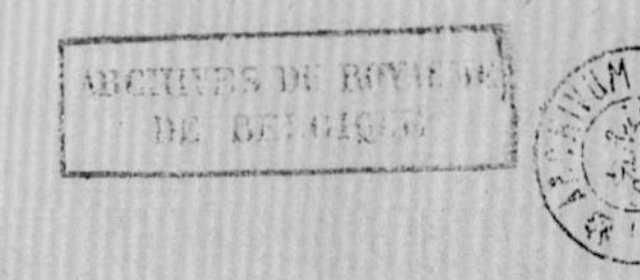

Een lieflick memorie boeck

Lovvys Porquin ... Magdalena ...

... VVtersten vville ...

Lovvys ...

FILII TVI SICVT NOVELLAE

OLIVARVM IN

CIRCVITV MENSAE TVAE

PSALM. CXXVII.

IOB. VIII.

Danckseggijnghe vanden Autheur.

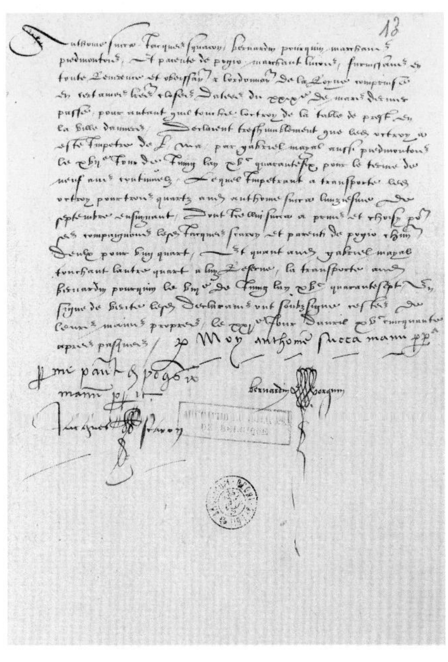

143-144. Lowijs Porquin, *Een lieflick memorie boeck*, Anversa, Ameet Tavernier, 1563, frontespizio con l'immagine dell'autore con la sua famiglia, e c. o iii

145. Documento sottoscritto l'8 giugno 1547 da Bernardin Porquin e dai suoi soci Jacques Squaron e Anthoine Succa, Bruxelles, Archives Générales du Royaume, c. 105

Nella pagina precedente:
142. Lettera di Lowijs Porquin a Carlo V, 14 dicembre 1549, Bruxelles, Archives Générales du Royaume, 140 11 (18), 1, c. 7

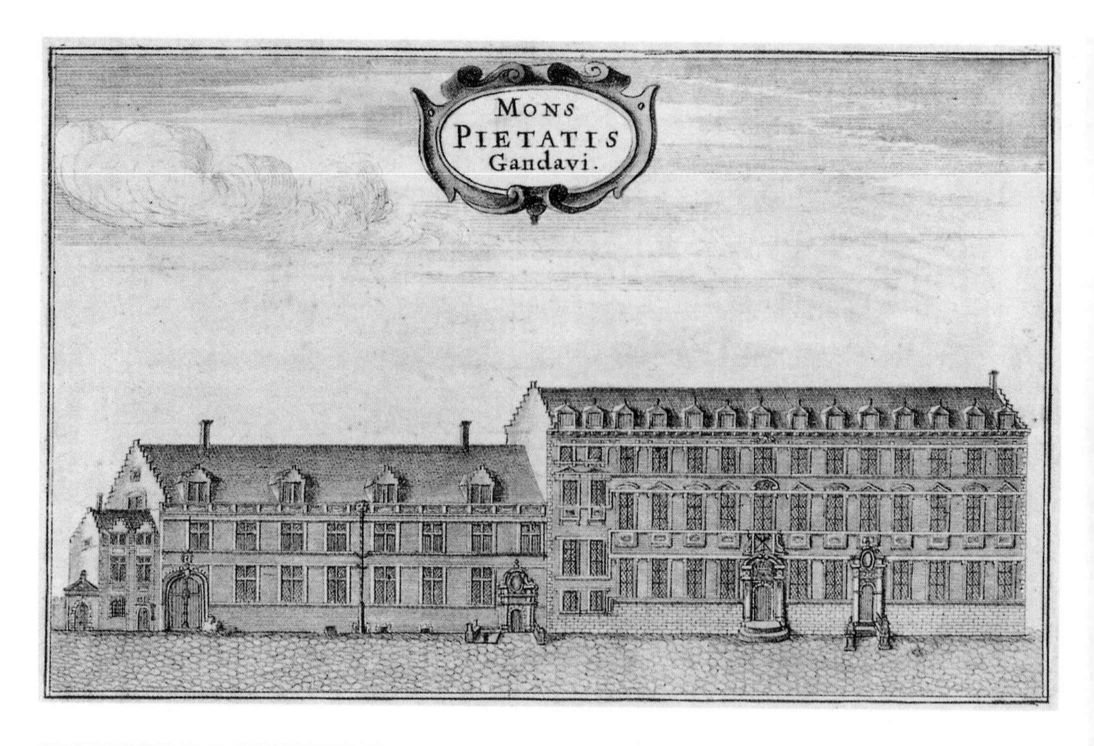

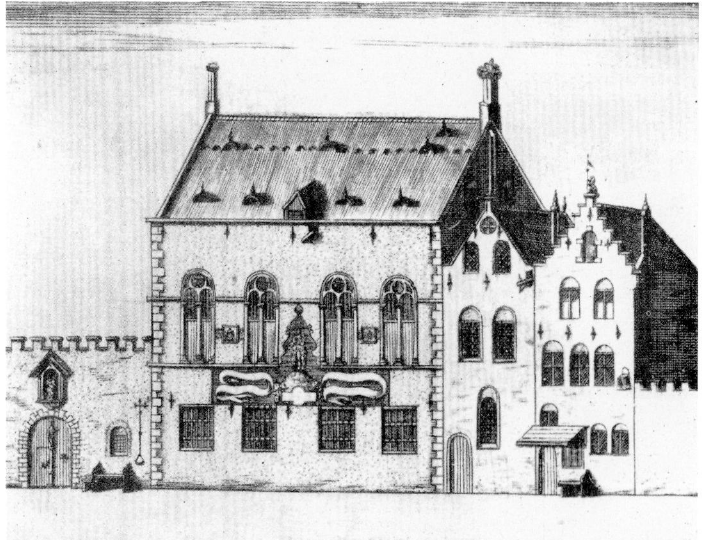

146. Monte di Pietà di Gand, XVI secolo
147. Monte di Pietà di Bruges, 1573

Nella pagina seguente:
148. Marinus van Reymerswaele, *Prestatori di denaro*, XVI secolo, Monaco, Alte Pinakothek

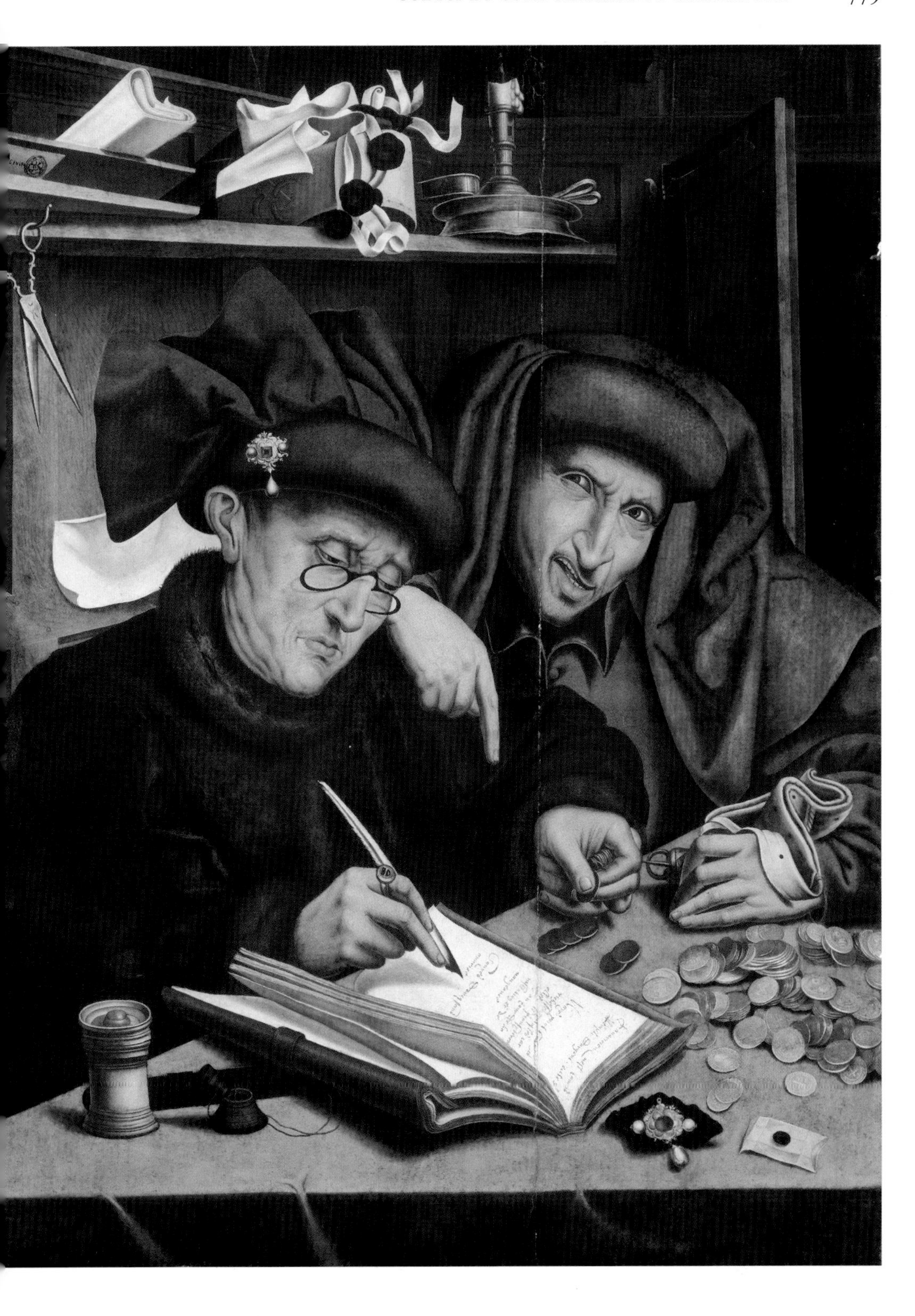

150. Jan Provost (ca. 1465-1529), *L'usuraio e la morte*, Bruges, Groeningemuseum

Nella pagina precedente:
149. Albrecht Dürer, *Nemesis*, 1502

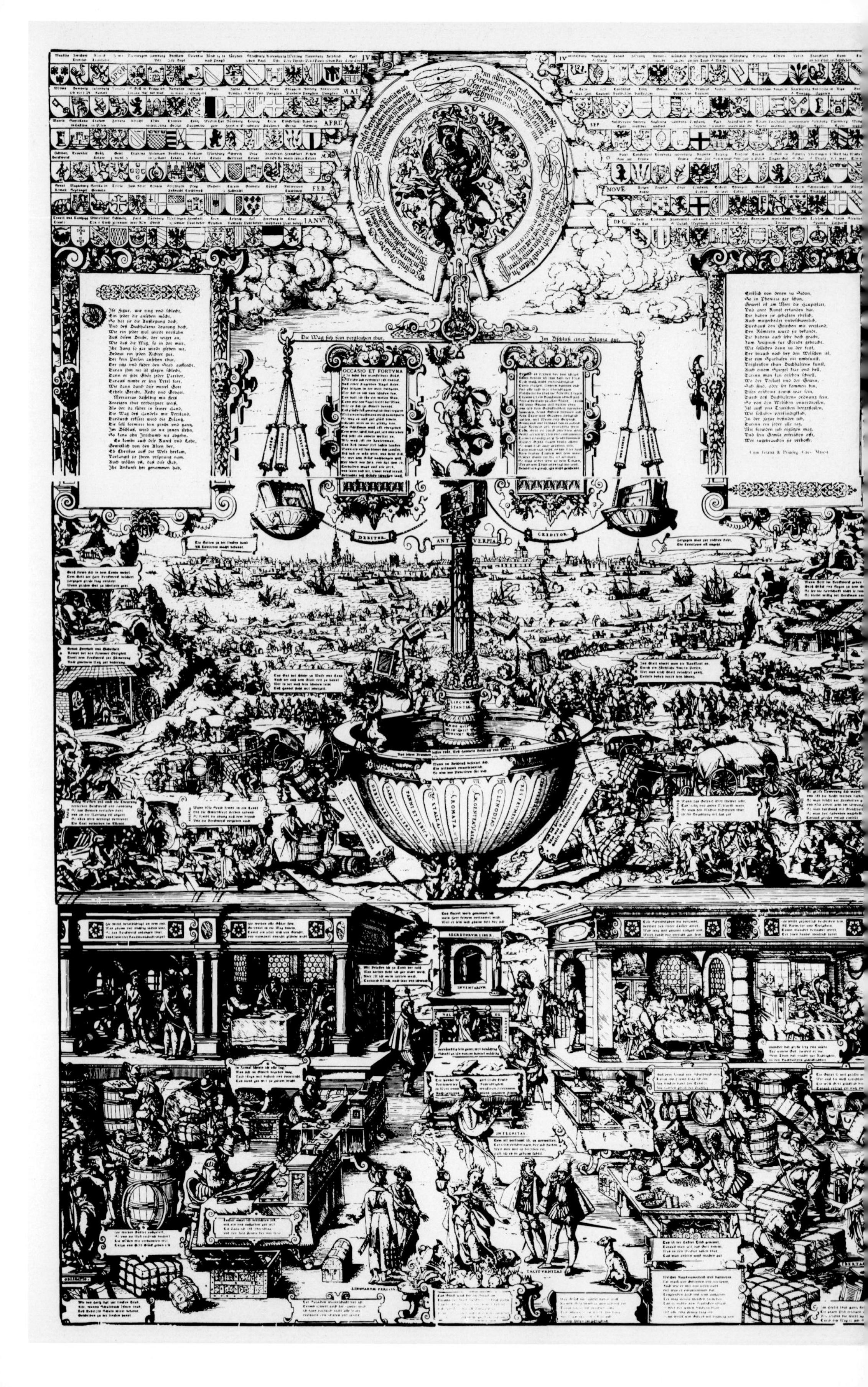
Die Wag sich fein vergleichen thut,
Im Bschluß einer Bilanza gut.
OCCASIO ET FORTVNA
DEBITOR
ANTVVERPIA
CREDITOR
Dise Figur, wie ring vnd schlecht,
Ein jeder die ansehen möcht,
So hat sie die Außlegung doch,
Vnd deß Buchhaltens deutung hoch,
Wie ein jeder wol wirdt verstahn
Auß disem Bricht, der zeiget an,
Wie daß die Wag, so in der mitt,
Ihr Zung so gar wirdt gieben nit,
Bedeut ein jeden Richter gut,
Der kein Person ansehen thut,
Der sitzt vnd führt den Stab auffrecht,
Daran jhm nit ist glegen schlecht,
Dann er gibt Ghör jeder Parthey,
Darauß nimbt er sein Vrtel frey,
Wie dann durch dise mittel Gott
Erhelt Bericht, Recht vnd Gebott.
Mercurius dasselbig mit fleiß
Anzeigen thut verborgner weiß,
Als der da führt in seiner Hand,
Die Wag deß Handels mit Verstand,
Dardurch erklärt wird die Bilantz,
Die soll formiert sein grecht vnd gantz,
Im Bschluß, wird sie nit jnnen stehn,
So kans ohn Irrthumb nit abgehn.
Es kombt auch dise Kunst vnd Lehr,
Gewißlich von den Alten her,
Eh Christus auff die Welt herkam,
Vorlangst sie jhren vrsprung nam,
Auch wöllen vil, daß dise Gab,
Ihr Ankunft her genommen hab,
Erstlich von denen zu Sidon,
So in Phenicia gar schon,
Gewest ist am Meer die Hauptstatt,
Vnd dise Kunst erfunden hat,
Die haben sie gehalten ehrlich,
Auch mitgetheilet vnbeschwerlich,
Durchauß den Griechen mit verstand,
Den Römeren ward sie bekandt,
Die habens auch sehr hoch gacht,
Zum Zeugnuß fur Gericht gebracht,
Wie solliches dann zu der frist,
Der brauch noch bey den Welschen ist,
Die eim Sparhafen nit vmbsunst,
Vergleichen thun Buchhaltens kunst,
Auch einem Spiegel klar vnd hell,
Darinn man kan ersehen schnell,
Wo der Verlust vnd der Gewin,
Sich find, oder ser kommen hin,
Dises erscheint gewiß war sein,
Durch deß Buchhaltens ordnung fein,
So von den Welschen vnuerdrossen,
Ist auff vns Teutschen hergeflossen,
Wie solliches verständigklich,
In der Figur befindet sich,
Darinn ein jeder alle tag,
Mit frewden sich ergötzen mag,
Vnd sein Gemüt erfrischen offt,
Wer zugebrauchen sie verhofft.
Cum Gratia & Priuileg. Caes. Maiest.
SECRETORVM LIBER
INVENTARIVM
INTEGRITAS
TACITVRNITAS
LINGVARVM PERITIA

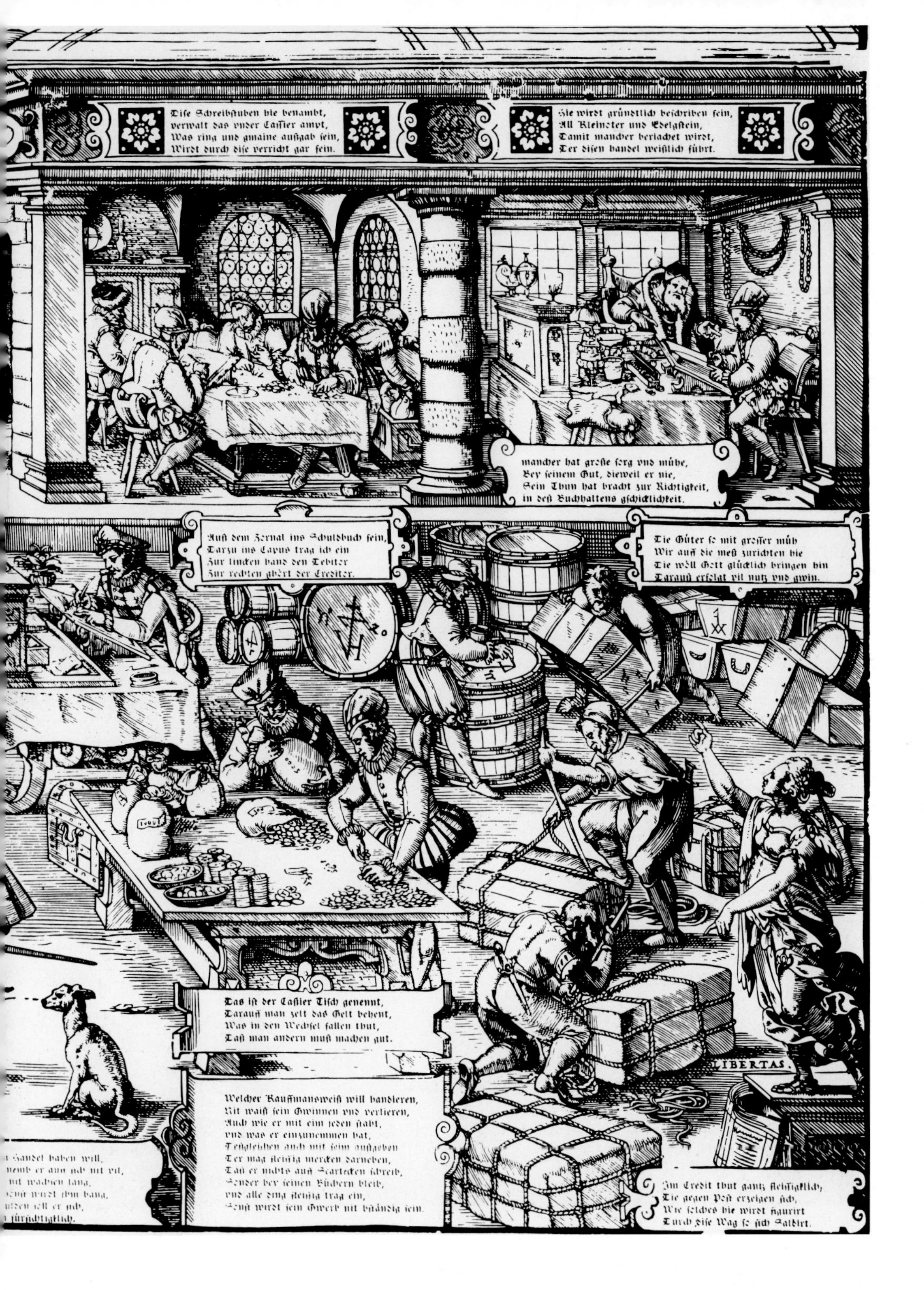

151-152. Jost Amman, *Allegoria del commercio*, 1585, insieme e particolare

153. Hans Holbein, *Ritratto di Georg Gisze*, 1532, Berlino, Staatliche Museum

Apparati

INDICE DEI NOMI DI PERSONA
a cura di Anna Zangarini

I nomi con iniziale puntata si riferiscono agli autori citati in bibliografia. Non sono registrati i nomi che compaiono nelle didascalie delle illustrazioni.

INDICE DEI NOMI DI LUOGO
a cura di Anna Zangarini

I toponimi sono registrati sotto la denominazione attuale, con rinvio dalla forma usata nel testo in caso di difformità significative. Non sono registrati i nomi di luogo che compaiono nelle didascalie e nelle tabelle.

REFERENZE FOTOGRAFICHE

I numeri che seguono la referenza corrispondono a quelli delle illustrazioni

© ADP, su licenza Fratelli Alinari: 49

Alcázar, Siviglia: 44

Archives Générales du Royaume et Archives de l'État dans les Provinces, Bruxelles: 142, 145

Archivi Alinari: 53, 54, 56, 58

Archivi Alinari, su concessione del Ministero per i Beni e le Attività Culturali: 110

Archivi Alinari/Archivio Seat: 27

Archivi Alinari/Bridgeman: 57, 92

Archivi Alinari/Bridgeman, su concessione del Ministero per i Beni e le Attività Culturali: 109

Archivi Alinari/Finsiel: 65

Archivio Storico Civico Biblioteca Trivulziana, Milano/© Comune di Milano, tutti i diritti riservati: 100

Biblioteca Casanatense, Roma, su concessione del Ministero per i Beni e le Attività Culturali: 77, 79, 80, 81

Biblioteca Civica Bertoliana, Vicenza: 114, 117, 118, 119

Biblioteca Comunale dell'Archiginnasio, Bologna: 125, 129

Biblioteca Nazionale Centrale, Roma: 93

Biblioteca Riccardiana, Firenze, su concessione del Ministero per i Beni e le Attività Culturali: 72, 90, 91, 106, 107, 112, 113

© Bibliothèque Royale de Belgique, Bruxelles: 141

CORBIS/© Massimo Listri: 55

El Escorial, monastero di San Lorenzo: 11, 46, 48

Foto Scala, Firenze, © 1990: 10, 13, 25, 26, 59, 148

Foto Scala, Firenze, © 1990, su concessione del Ministero per i Beni e le Attività Culturali: 66, 86, 95

Foto Scala, Firenze, © 1994: 136

Foto Scala, Firenze, © 2000, su concessione del Ministero per i Beni e le Attività Culturali: 67

Foto Scala, Firenze/HIP, © 2003: 40, 85

Grassi Museum für Angewandte Kunst, Leipzig: 39

Kunsthistorisches Museum, Wien: 29, 30, 31, 32

Musée de l'Armée, Paris, Dist. RMN/© Jean-Yves et Nicolas Dubois: 28

Musée du Louvre, Paris, Photo RMN/© Daniel Arnaudet: 41

Musée du Louvre, Paris, Photo RMN/© Hervé Lewandowski: 62

Museo Civico d'Arte Antica di Torino, su concessione della Fondazione Torino Musei: 37

Museo de las Ferias, Fundación Simón Ruiz, Medina del Campo: 111

Museo Gonzaga, Novellara: 139

Museo Nazionale del Bargello, Firenze, coll. Carrand, Archivio fotografico del Museo: 16, 18

Museo Nazionale del Bargello, Firenze, coll. Franchetti, Archivio fotografico del Museo: 19

Museo Nazionale del Bargello, Firenze, coll. Franchetti, Fotocolor Antonio Quattrone: 14, 15, 17

Museum Meermanno-Westreenianum, Den Haag: 8, 137

© National Portrait Gallery, London: 61

Polskiej Akademii Nauk: 108

Royal Museums of Art and History, Bruxelles: 43

Szépmüvészeti Múzeum, Budapest: 1

The Detroit Institute of Arts, Detroit, Photograph © 1987: 38

The Metropolitan Museum of Arts, Bashford Dean Memorial Collection, Funds from various donors, 1929 (29.158.746) Photograph © 2003 The Metropolitan Museum of Art: 52

The Metropolitan Museum of Art, Bequest of Benjamin Altman, 1913 (14.40.626) Photograph © 1981 The Metropolitan Museum of Art: 87

© The Trustees of the British Museum: 42

Le immagini non indicate nelle referenze provengono dall'archivio di Angelo Colla Editore.

IL RINASCIMENTO ITALIANO E L'EUROPA

L'opera apre nuovi indirizzi di ricerca e offre una panoramica aggiornata su un ambito di studi ancora ampiamente inesplorato: l'influenza esercitata dalla civiltà del Rinascimento italiano in Europa e il peso che i paesi europei hanno avuto nello sviluppo dell'Italia rinascimentale. Per valutare appieno queste problematiche si sono tenute in considerazione le diverse realtà politiche ed economiche della Penisola. Tra i principali intenti del progetto c'è, infatti, la volontà di rimarcare il carattere policentrico del Rinascimento.

I volumi coprono un arco temporale ampio che va dall'inizio del Trecento alla metà del Seicento. Una parte consistente dei saggi si concentra tuttavia sul periodo compreso tra il tardo XV e l'inizio del XVII secolo, epoca troppo a lungo trascurata dalla storiografia internazionale. In ogni volume è riservata particolare attenzione alla circolazione delle persone e ai trasferimenti di conoscenze, al fine di ricostruire la fitta rete di scambi che ha portato alla graduale costruzione di una comune civiltà europea.

Lo spazio maggiore è riservato ai molti ambiti teorici, scientifici, artistici, tecnici in cui l'Italia si mantenne a lungo all'avanguardia e a settori di indagine che solo di recente hanno cominciato ad essere affrontati sistematicamente quali, ad esempio, il ruolo della Penisola nello sviluppo della tecnologia e di tutto quell'insieme di fenomeni culturali ed economici – dalla moda all'arredamento ai consumi di lusso – che va sotto il nome di 'cultura materiale'.

L'opera non ha intenti enciclopedici, ma selettivi e propositivi, volendo privilegiare le tematiche più ricche di elementi interattivi e cruciali per lo sviluppo della civiltà italiana ed europea del Rinascimento.

In un momento in cui la Comunità Europea si sta espandendo geograficamente, la realizzazione di questo progetto editoriale può essere di aiuto per la comprensione delle comuni radici della civiltà occidentale e del ruolo avuto dalla cultura italiana nel lungo processo della sua costruzione.

Giovanni Luigi Fontana Luca Molà

Finito di stampare per conto di Angelo Colla Editore il 6 novembre 2007
Composizione e impaginazione dei testi, scansione delle immagini e impianti:
Linotipia Saccuman s.r.l., Vicenza
Stampa: La Grafica & Stampa Editrice s.r.l., Vicenza